Citei essa obra clássica por muitos anos. No meu ponto de vista, ela demonstra melhor o entendimento batista histórico com respeito à natureza e à organização da igreja. Entretanto, Dagg não deseja estabelecer "o que os batistas pensam"; antes, ele baseia seus argumentos em explicações cuidadosas e claras do Novo Testamento. Por essa razão, o *Manual* nunca deixou de ser publicado, e, agora, alegro-me em testemunhar esta edição em português. Recomendo-a aos meus companheiros batistas e aos meus irmãos protestantes que não são batistas.

David Allen Bledsoe,

Missionário no Brasil (IMB, Convenção Batista do Sul); professor da Faculdades Batista do Paraná; autor de *Igreja Regenerada* (Fiel) e coautor sobre a notável *Confissão de fé de New Hampshire* no Brasil (Pro Nobis)

Neste tempo, quando as iniciativas de fazer discípulos e plantar igrejas se sobressaem nos círculos denominacionais, é vital revisitarmos os fundamentos de nossa fé a fim de nos certificarmos de que as igrejas que iniciamos são, de fato, bíblicas, saudáveis e enraizadas na boa tradição batista. Assim como, para se locomover e, ao mesmo tempo, manter-se seguro, um automóvel precisa de três pedais, toda prática missionária requer um manejo adequado tanto da missiologia quanto da eclesiologia. Eis a importância do livro que ora chega-nos às mãos. Com sua incansável busca pelo que a Bíblia diz, em vez daquilo que o homem diz, John Dagg nos agracia com duas obras cuja relevância ultrapassa os séculos — em especial, para este momento, seu *Manual de Eclesiologia*. Trata-se de uma leitura obrigatória para todo plantador e revitalizador de igreja, e fonte permanente de consulta para todo aquele que foi chamado por Deus para liderar o corpo de Cristo.

Diogo Carvalho,

Pastor batista, gerente operacional e editor da Junta de Missões Nacionais da CBB; autor do livro *Batista por convicção e missão: eclesiologia sob olhar discipular*

A obra de John Dagg é relevante à igreja batista brasileira, trazendo informações eclesiológicas importantíssimas que esclarecem, orientam e ensinam verdades bíblicas sobre as ordenanças, administração e funcionamento da igreja. Por meio de uma convicção assertiva, clareza reluzente e desenvolvimento cativante, Dagg responde questionamentos eclesiológicos pertencentes à mente de um líder eclesiástico. Este livro certamente deve estar em evidência em nossas estantes como um manual a ser pesquisado e acessado a todo tempo, pois o autor, ao tratar de assuntos muito pertinentes e atuais aos nossos dias, escreve como se estivesse lendo nossas questões contemporâneas. Sugiro a aquisição dessa obra e lhe desejo uma boa leitura.

Darcy Sborowski Jr. (Th.M.),

Pastor da Igreja Batista de Vila Mariana (SP), membro do Conselho da CBESP, teólogo, professor, conferencista, articulista e pedagogo empresarial

A maior contribuição que a tradição batista fez ao Corpo de Cristo foi a luta pelo estabelecimento de igrejas constituídas somente por pessoas regeneradas e devidamente batizadas por consciente imersão. Noutras palavras, o conceito eclesiológico de membresia regenerada e corretamente batizada veio a se tornar o marco fundamental do movimento batista no mundo. Nesta obra, os vários ingredientes organizacionais da igreja local (Ceia do Senhor, diaconato, batismo, disciplina eclesiástica, etc.) são apresentados por John Dagg sob rigoroso escrutínio bíblico. Adicionalmente, objeções à posição dos batistas são cuidadosamente refutadas neste clássico. Recomendo com entusiasmo o estudo desta importante e útil obra!

Dr. David Bowman Riker,

Professor de Teologia Sistemática, ex-reitor do Seminário Teológico Batista Equatorial e pastor-presidente da Primeira Igreja Batista do Pará em Belém

Manual de ECLESIOLOGIA

John Leadley Dagg

Dados Internacionais de Catalogação na Publicação (CIP)
(Câmara Brasileira do Livro, SP, Brasil)

Dagg, John Leadley, 1794-1884
Manual de eclesiologia / John Dagg ; [traduzido por João Paulo Aragão da Guia Oliveira, Fábio Luciano dos Santos]. -- 1. ed. -- Rio de Janeiro, RJ : Pro Nobis Editora, 2022.

Título original: Manual of Theology.
Bibliografia.
ISBN 978-65-81489-25-0

1. Eclesiologia 2. Teologia cristã I. Título.

22-127691 CDD-262

Índices para catálogo sistemático:

1. Eclesiologia : Cristianismo 262

Eliete Marques da Silva - Bibliotecária - CRB-8/9380

Manual de Eclesiologia

Traduzido do original em inglês:
A Treatise on Church Order

Publicado originalmente por
Sprinkle Publications, 2012
Harrisonburg, Va.

1ª edição: 2022

Nesta obra, as citações bíblicas foram extraídas da Bíblia Almeida Revista e Atualizada, salvo informação em contrário.

Gerência Editorial
Judiclay Silva Santos

Tradução: João Paulo Aragão da Guia Oliveira;
Fábio Luciano dos Santos (Introdução e Capítulo 2)
Revisão: Paulo Valle, Lucas Vasconcellos Freitas,
Cesare Turazzi
Capa: Rubner Durais
Diagramação: Rubner Durais
Ilustração: Marcos Rodrigues

Isbn: 978-65-81489-25-0

Tel.: (21) 2527-5184
contato@pronobiseditora.com.br
www.pronobiseditora.com.br

John L. Dagg

SUMÁRIO

PREFÁCIO AO *MANUAL DE ECLESIOLOGIA* DE JOHN LEADLEY DAGG

Paulo ordenou a Timóteo: "Tem cuidado de ti mesmo e da doutrina" (1Tm 4.16). Seguiremos o exemplo de Paulo aqui. Antes de abordar a doutrina contida no livro que está diante de você, consideraremos a vida de seu autor.

A VIDA DE JOHN L. DAGG

John Leadley Dagg é reconhecido como o primeiro teólogo batista escritor, cuja obra Manual de Teologia foi o livro de teologia sistemática usado pelo primeiro seminário teológico Batista do Sul nos Estados Unidos[1] e foi influente desde sua publicação, em 1857, até meados do século XX.[2] Em 1982, o Manual de Teologia foi republicado junto

1 O primeiro Seminário Batista do Sul foi fundado em 1859 e localizava-se, originalmente, em Greenville, Carolina do Sul. Em 1877, o seminário mudou-se para sua atual localização, em Louisville, Kentucky.

2 Mark Dever, "John Dagg", em *Baptist Theologians*, Timothy George e David Dockery (eds.), (Nashville: Broadman Press, 1990), p. 164: "Mais de cem anos após seu nascimento, seu *Manual de Teologia* ainda era frequentemente citado e utilizado em faculdades e seminários teológicos".

com a segunda parte, Manual de Eclesiologia,[3] e continua a ser uma declaração valiosa das crenças batistas tradicionais. É a segunda parte do Manual de Teologia, que aqui é apresentada pela primeira vez em português.

A carreira de Dagg como escritor começou relativamente tarde em sua vida, após décadas de serviço como pastor, educador e líder denominacional. Ele nasceu em uma pequena cidade no Estado da Virgínia, em 1794.[4] Sua educação inicial foi interrompida pela morte de sua mãe, em 1805. Ele teve que deixar a escola para trabalhar com seu pai, mas amigos da família Dagg reconheceram as habilidades intelectuais do menino e concederam bolsas para permitir que ele recebesse mais educação. Isso, porém, não durou muito. Pouco antes de seu décimo quinto aniversário, ele foi recrutado para tornar-se o professor de uma escola do bairro, a primeira de muitas atribuições de ensino.

Nos anos seguintes, Dagg foi convertido (aos 15 anos) e batizado em uma igreja batista (aos 18), depois de refletir e rejeitar os argumentos a favor do batismo infantil. Ele recebeu uma bolsa de estudos para estudar medicina por um tempo, mas deixou os estudos da carreira quando sentiu um chamado para o ministério. Ele procurou seguir esse chamado no ministério vocacional de tempo integral, mas as pequenas igrejas que ele servia eram incapazes de prover para ele e sua crescente família (ele casou-se em 1817, e o casal teve quatro

3 J. L. Dagg, *Manual of Theology* (Charleston, SC: Southern Baptist Publication Society, 1857; reimp. Harrisonburg, VA: Gano Books, 1982). [Edição em português: *Manual de Teologia* (São José dos Campos: Fiel, 2022]. A reimpressão não contém apenas o *Manual de Eclesiologia*, que é considerado a segunda parte do *Manual*, mas também a autobiografia de John Dagg, escrita por ele em 1878, a pedido de sua família, e impressa de forma restrita por J. F. Shanklin, em 1866, em Rome, Georgia. Essa reimpressão marca a primeira vez em que a autobiografia é disponibilizada ao grande público.

4 Muito do material aqui apresentado é extraído de sua autobiografia.

filhos em menos de seis anos; infelizmente, sua esposa morreu logo após o nascimento de seu quarto filho). Para cuidar de sua família, ele voltou a ensinar na escola, mas continuou a pregar e envolveu-se no desenvolvimento da denominação batista.

Durante esse tempo, Dagg desenvolveu algumas das enfermidades físicas que o acompanhariam pelo resto da vida. Ele lesionou o tornozelo ao pular de um prédio de igreja desabando, no qual ele pregava, e sofreu de certo grau de claudicação pelo resto de sua vida. Ele também prejudicou sua visão ao estudar para melhorar seu conhecimento da língua grega com pouca luz e ficou efetivamente cego de 1824 até o fim de sua vida. Ainda assim, em 1826 ele foi chamado para pastorear a Quinta Igreja Batista na Filadélfia, uma igreja com um santuário que podia acomodar mil e trezentas pessoas, o maior santuário batista na Filadélfia naquela época. Enquanto pastoreava ali, continuou a envolver-se no desenvolvimento do trabalho missionário dos batistas e foi um dos primeiros a defender a temperança. Mas, em 1834, sua voz começou a falhar. Por um tempo, ele não conseguia falar além de sussurros e, embora tenha recuperado a voz até certo ponto, não conseguia pregar.

De 1834 a 1856, foi presidente de três escolas diferentes. Primeiro, foi convidado para servir como presidente de uma nova escola na área da Filadélfia, mas ela fechou em dois anos. De 1836 a 1844, ele e sua segunda esposa lecionaram no *Alabama Female Athenaeum*, onde ele também foi presidente. Com maior destaque, em 1844 ele tornou-se presidente e professor de teologia na *Mercer University* na Geórgia. Em seus doze anos lá, ele construiu o que talvez tenha se tornado o departamento de teologia mais famoso do Sul, e muitos de seus alunos tornaram-se líderes dos Batistas do Sul nos anos seguintes.

Ele mesmo esteve envolvido na organização e no desenvolvimento inicial de numerosas entidades denominacionais batistas.[5]

Depois de se aposentar da *Mercer*, em 1856, aos 62 anos, Dagg iniciou sua carreira de escritor. Morando com seu cunhado e irmã, e auxiliado por sua segunda esposa, ele produziu três grandes obras nos três anos seguintes: *Manual de Teologia* (1857), *Manual de Eclesiologia* (1858) e *The Elements of Moral Science* [Os Elementos da Ciência Moral] (1859).[6] Durante a Guerra Civil Americana, ele produziu um trabalho final, *The Evidences of Christianity*, que só pôde ser publicado depois da guerra, em 1869.[7] Durante esses anos, sua saúde piorou. Em 1870, ele mudou-se para o Alabama, a fim de morar com sua filha,[8] onde viveu até sua morte, em 1884. A estima que ele possuía pode ser vista nas ações da Convenção Batista do Sul de 1879, na qual uma resolução foi aprovada por unanimidade para que um catecismo para ensinar os fundamentos da religião cristã fosse escrito por Dagg. Naquela época, ele tinha 85 anos e era

5 James Leo Garrett, Jr., *Baptist Theology: A Four-Century Study* (Macon, GA: Mercer University Press, 2009), p. 138, n. 162. Garrett cita o envolvimento de Dagg na *General Association of Baptists in Virginia*, na primeira convenção nacional dos Batistas nos Estados Unidos (a chamada Convenção Trienal), na *Philadelphia Baptist Missionary Society*, na *Baptist General Tract Society*, na *American Home Mission Society*, na *Alabama Baptist State Convention*, na *Georgia Baptist Convention*, e na *Southern Baptist Convention*.

6 Infelizmente, sua obra sobre ética mostra a influência de sua herança sulista, mesmo sobre alguém tão versado nas Escrituras como ele. Apesar de reconhecer que a escravidão como era praticada envolvia grande maldade, ele argumentou que a escravidão era tolerada e não condenada pela Escritura. Para a discussão sobre essa obra, ver Mark Dever, "John Dagg", p. 180–181.

7 Garrett, em *Baptist Theology*, p. 137–138, diz que as quatro grandes obras de Dagg "representavam o currículo de teologia sistemática daquela época: doutrina, *Manual de Teologia*; eclesiologia, *Manual de Eclesiologia*; ética, *Elements of Moral Science*; apologética, *The Evidences of Christianity*".

8 Uma das últimas coisas que Dagg registra em sua autobiografia é o fato de que todos os seus cinco filhos haviam professado a fé em Cristo, e dezessete de seus vinte e seis netos também, até o momento em que ele escreveu suas memórias. Ele ainda orava pela conversão dos nove netos restantes, bem como dos oito bisnetos. *Autobiography*, p. 53.

incapaz de atender ao pedido da Convenção, mas isso mostra um pouco do respeito dado a ele.

MANUAL DE ECLESIOLOGIA

A página de título do *Manual de Eclesiologia* tem *Manual de Teologia* como o título principal. Somente sob ele está a designação *Segunda parte: Um tratado sobre a Ordem da Igreja*. Assim, ele é claramente visto em conexão com o *Manual de Teologia*. Naquela obra anterior, Dagg incluiu capítulos sobre todas as doutrinas tradicionais da teologia sistemática (da revelação à escatologia), exceto eclesiologia. Em seu prefácio ao *Manual de Teologia*, Dagg declara: "Este volume não contém coisa alguma referente aos aspectos externos da religião. A forma da piedade é tão importante quanto o seu poder, e a doutrina referente à piedade é uma porção integrante do sistema cristão; todavia, fui incapaz de incluí-la na presente obra".[9]

Dagg pode não ter sido capaz de incluir a eclesiologia no *Manual de Teologia* simplesmente devido ao espaço. O *Manual* estende-se por quase 600 páginas; o *Manual de Eclesiologia* teria lhe adicionado outras quase 500 páginas. Mas Dagg também via uma diferença entre a eclesiologia e as outras doutrinas da teologia sistemática. James Leo Garrett diz: "A eclesiologia, de acordo com Dagg, era um assunto externo, mas paralelo ao escopo da teologia doutrinária".[10] O próprio Dagg descreveu a eclesiologia como lidando com "aspectos externos da religião". Ele diz inclusive no prefácio do *Manual de Eclesiologia*: "A preparação deste tratado foi menos prazerosa ao autor do que a experiência de escrever o *Manual de Teologia*. O assunto em questão

9 Dagg, *Manual de Teologia*, p. 22.

10 Garrett, *Baptist Theology*, p. 143.

está menos ligado ao coração e fornece menos ocasiões para essas emoções que compõem o prazer da fé".

Aqui está um ponto em que alguns podem discordar de Dagg. A eclesiologia é o estudo da igreja que Jesus está construindo (Mt 16.18); a noiva que Jesus ama e pela qual morreu (Ef 5.25); o mistério que mostra a sabedoria de Deus nos lugares celestiais (Ef 3.10); aquele grupo de pessoas em quem Deus vive pelo seu Espírito (Ef 2.22); e em quem ele é glorificado (Ef 3.21). Como pode o estudo da igreja não produzir "prazer da fé" para aqueles que amam a Cristo?

De qualquer forma, mesmo que produzido "sob uma firme convicção de dever", o *Manual de Eclesiologia* foi a primeira grande monografia sobre eclesiologia escrita por um batista. Na maioria dos aspectos da eclesiologia, ele estabeleceu o padrão para uma exposição da eclesiologia batista tradicional; e, em um ponto, buscou chamar os batistas de volta ao que tinha sido a eclesiologia batista tradicional, uma vez desafiada em meados do século XIX pelas igrejas batistas na fronteira americana, que começaram a defender uma eclesiologia chamada *landmarquismo*.[11]

Os batistas landmarquistas argumentavam que, uma vez que as igrejas são compostas de crentes batizados, e o batismo válido deve ser de crentes apenas e por imersão, as igrejas compostas por batizados na infância não deveriam ser chamadas de igrejas. Além disso, visto que os ministros de tais igrejas sequer são membros de uma igreja verdadeira, não devem ser reconhecidos como ministros do evangelho. E se alguém fosse batizado como crente por imersão em uma igreja pedobatista, e então quisesse ser membro de uma

11 Influência das ideias do artigo *An old Landmark reset*, citado e debatido no capítulo final deste volume [N.T.].

igreja Batista, seu batismo anterior não deveria ser reconhecido como válido e aceitável.

Dagg concordou com os batistas landmarquistas que as igrejas locais deveriam ser compostas por crentes batizados, e dedicou amplo espaço no *Manual de Eclesiologia* a uma defesa do batismo de crentes por imersão.[12] Mas, ao contrário dos batistas landmarquistas, Dagg via o Novo Testamento ensinando claramente a existência de uma igreja universal, na qual se entrava não por meio do batismo, mas da regeneração.[13] Ele permitiu a aplicação do termo *igreja* a corpos de cristãos não batizados, com base na filologia; *igreja* é uma palavra do vernáculo, e seu significado pode ser definido pelo uso padrão da língua. Mas quando se trata de como Cristo planejou que suas igrejas fossem organizadas, Dagg é claro. Em se tratando de dever cristão, em vez de filologia, as igrejas devem ser compostas exclusivamente de pessoas batizadas.

Quanto aos ministros de tais igrejas, ele diz que os ministros da Palavra podem ser vistos como oficiais da igreja universal e, portanto, mesmo os ministros em igrejas pedobatistas podem ser considerados ministros do evangelho.[14] No caso dos batizados por imersão, mas não em uma igreja Batista, ele está disposto a permitir diferentes opiniões sobre se tais pessoas deveriam ser admitidas ou primeiro rebatizadas.

12 O capítulo 1 fornece um argumento detalhado para imersão como o sentido da palavra "batizar", e um argumento mais breve para os crentes como sujeitos apropriados do batismo. O capítulo 4 analisa os argumentos para a membresia infantil e os rejeita todos. Ele toca novamente no batismo em uma discussão sobre rebatismo no capítulo 10 e adiciona um apêndice relativo a vários aspectos do batismo. Em suma, Dagg dedica quase metade da obra a tópicos relacionados ao batismo.

13 No capítulo 3, Dagg apresenta as melhores explicações landmarquistas sobre diversos textos que parecem ensinar a existência de uma igreja universal, e mostra, de forma gentil, mas firme, as insuficiências dos argumentos.

14 Ele considerava inacreditável que alguns pudessem não considerar Whitefield, Edwards e outros como ministros do Evangelho.

De todas essas maneiras, Dagg começou a defender a eclesiologia não landmarquista que seria seguida por E. C. Dargan, em 1897.[15] Hoje, embora às vezes se ouçam ecos de ideias landmarquistas, a inclusão da afirmação da igreja universal na versão de 1963 do *Baptist Faith and Message*[16] (mantida na versão de 2000) parece mostrar que a eclesiologia contrária ao landmarquismo de Dagg tornou-se a norma entre os batistas do Sul nos Estados Unidos.

A RELEVÂNCIA DO *MANUAL DE ECLESIOLOGIA* HOJE

Mas por que ter uma tradução de Dagg para o português hoje? O que ele tem a contribuir para as congregações locais em contextos lusófonos? Eu vejo três contribuições principais. A primeira é a visão de Dagg sobre o propósito de todo o estudo teológico, incluindo o estudo da eclesiologia. Ele começa o *Manual de Teologia* com estas palavras:

> O estudo da verdade religiosa deveria ser empreendido e continuado com base no senso do dever, tendo como escopo o aprimoramento do coração. Uma vez aprendida, essa verdade não deveria ser guardada em uma estante, como se fosse um objeto de pesquisa; mas deveria ser implantada profundamente no coração, onde o seu poder santificador pode ser sentido. Estudar teologia com o propósito de satisfazer à curiosidade ou de preparar-se para uma profissão seria um abuso, uma profanação daquilo que precisa ser considerado como extremamente santo.[17]

15 E. C. Dargan, *Ecclesiology: A Study of the Churches* (Louisville, KY: Charles T. Dearing, 1897).

16 Declaração de fé oficial da Convenção Batista do Sul [N.T.].

17 Dagg, *Manual de Teologia*, p. 25.

Concordo com a declaração de Mark Dever, que disse: "se Dagg não é um doutor particularmente notável no conteúdo da teologia, ele é quase insuperável entre os batistas como doutor no propósito da teologia"[18] Um forte teor de santo amor e reverência vem de seus escritos, algo particularmente necessário nas igrejas em todo o mundo hoje.

Suspeito que haja também uma segunda contribuição especialmente importante para os batistas hoje, tanto no contexto lusófono como em outros lugares: Dagg oferece uma perspectiva adequada da importância da eclesiologia. Alguns hoje, embora suspeite que sejam poucos, elevam as diferenças de eclesiologia ao mais alto nível. As igrejas que não praticam o credobatismo, observam a Ceia do Senhor, refletem sobre o governo da igreja ou mesmo não organizam cultos de adoração da mesma maneira que nós mal são consideradas cristãs, quando o são. Isso é elevar a questão eclesiológica ao mesmo nível de importância que os fundamentos do evangelho. Mas eu suspeito que muitas pessoas entre nós subestimem a eclesiologia. Eles reconhecem que suas igrejas podem ter padrões relaxados para a membresia e podem ser menos cuidadosas com quem eles batizam ou permitem que receba a Ceia do Senhor. A disciplina pode ser rara ou inexistente e o papel da congregação no governo pode ser mínimo. Mas eles estão confiantes de que o evangelho ainda está sendo pregado e que as pessoas estão sendo salvas e, para eles, isso pode ser tudo o que importa. Penso que tais pessoas estão subestimando alguns dos distintivos eclesiológicos que têm identificado os batistas há séculos. Dagg sabiamente diz, no final da Introdução ao *Manual de Eclesiologia*:

18 Dever, "John L. Dagg", p. 182.

> A eclesiologia e os cerimoniais da religião são menos importantes do que um novo coração e, aos olhos de alguns, qualquer esforço de estudar questões concernentes a eles pode parecer desnecessário e sem proveito. Mas nós sabemos, por meio da Escritura Sagrada, que Cristo deu ordens a respeito desses assuntos e não podemos recusarmo-nos a obedecer. O amor incita nossa obediência e também incita o estudo que pode ser necessário para descobrir a vontade dele.

Dagg ajuda-nos a reconhecer que nossas distinções eclesiológicas não são de primeira importância; mas também não são sem importância. E isso leva à sua terceira contribuição para as congregações locais hoje.

Terceiro, Dagg nos dá fortes defesas para os distintivos batistas que precisam ser recuperados se quisermos desenvolver congregações batistas saudáveis hoje. Eu acredito que uma das questões mais urgentes, senão a mais urgente que as igrejas batistas enfrentam hoje, é a recuperação da membresia regenerada na igreja, isto é, a recuperação de todas as práticas que historicamente habilitaram os batistas a manter igrejas em que a maioria, senão a totalidade, dos membros são indivíduos salvos. Tal membresia é necessária para o testemunho comunitário da igreja, para o funcionamento adequado dos ministérios da igreja, para o governo congregacional responsável da igreja e para que a noiva de Cristo seja uma noiva santa, e não uma adúltera. Quais eram algumas dessas práticas que protegiam a membresia regenerada na igreja?

No passado, os batistas tomavam o cuidado de não batizar ninguém, senão aqueles que podiam fazer uma profissão de fé confiável; Dagg oferece a defesa para tal prática contra aqueles que pedem aos batistas que afrouxem seus padrões e aceitem como membros os batizados quando crianças ou batizem aqueles que mal passaram da infância.[19] Essa visão do batismo também é coerente com a recuperação da comunhão restrita. Todas as denominações concordam que o batismo deve preceder a comunhão; mas os batistas têm insistido que apenas a imersão de um crente é um batismo adequado e, portanto, a participação na Ceia do Senhor deve ser limitada a essas pessoas.

A comunhão aberta pode parecer mais inclusiva e amorosa, mas Dagg considera dez argumentos para a comunhão aberta e mostra como todos eles desvalorizam o batismo.[20] Ele pergunta: "Por que deveria o batismo ser pisoteado para abrir o caminho de acesso à eucaristia?". A terceira prática que os batistas têm usado historicamente para proteger a membresia regenerada na igreja é a disciplina da igreja.[21] Ela era comum entre os batistas nos dias de Dagg, e por isso ele tem apenas um pequeno capítulo sobre a disciplina da igreja no *Manual de Eclesiologia*, mas ele termina esse capítulo com um aviso sombrio: "Tem sido observado que, quando a disciplina deixa uma igreja, Cristo vai embora com ela".

Podemos ter o cuidado de admitir apenas indivíduos que dão evidência de regeneração como membros da igreja, mas o julgamento humano é falível e alguns que outrora deram evidência de regeneração podem, mais tarde, adotar um estilo de vida diferente; portanto, a disciplina sempre será necessária, tanto para proteger a membresia regenerada da igreja e chamar amorosamente os membros errantes ao arrependimento.

19 Ver a avaliação de Dagg sobre nove argumentos para o batismo infantil, no capítulo 4.

20 Ver a avaliação de Dagg sobre dez argumentos para a comunhão aberta, no capítulo 5.

21 Sobre a prática da disciplina eclesiástica entre os batistas, ver Greg Wills, "A Historical Analysis of Church Discipline," em John Hammett and Benjamin Merkle (eds.). *Those Who Must Give an Account: A Study of Church Membership and Church Discipline*, Nashville: B & H, 2012, p. 144–55; e as reimpressões de documentos batistas históricos em Mark Dever (ed.), *Polity: Biblical Arguments on How to Conduct Church Life*. Washington, DC: Center for Church Reform, 2001.

CONCLUSÃO

Dagg omitiu deliberadamente referências a declarações de figuras da história da igreja ou a livros de autores de sua época para apoiar suas posições. Ele via suas posições como procedendo das Escrituras, e procurou apoiá-las somente com as Escrituras. Estou feliz em recomendar-lhe o *Manual de Eclesiologia,* porque nele Dagg abre nossos olhos para verdades nas Escrituras que podemos ter perdido ou esquecido. Oro para que o Senhor e Cabeça da Igreja use-o na vida de muitos pastores e líderes de igreja, para ajudá-los a guiar suas congregações para se tornarem tudo o que ele deseja que sejam.

Dr. John S. Hammett

Professor Sênior da cátedra John L. Dagg de Teologia Sistemática

Southeastern Baptist Theological Seminary

Wake Forest, Carolina do Norte (EUA)

2021

PREFÁCIO À PRIMEIRA EDIÇÃO

No prefácio do *Manual de Teologia*, publicado ano passado, foi dito: "Este volume não contém nada referente aos aspectos externos da religião. A forma da piedade é tão importante quanto o seu poder, e a doutrina referente à piedade é uma porção integrante do sistema cristão; todavia, fui incapaz de incluí-la na presente obra". Ao reconhecer essa falha, o presente tratado, intitulado *Manual de Eclesiologia*, que inclui os cerimoniais do cristianismo, tem a intenção de remediá-la em parte.

Em todas as pesquisas religiosas, a Escritura Sagrada é nossa fonte principal de conhecimento. Isso é especialmente verdadeiro quanto aos ensinos que derivam sua obrigação da vontade revelada do Legislador. O trabalho atual fundamenta-se, portanto, totalmente na Bíblia para provar suas posições, naquilo em que se relacionam com assuntos nos quais a Bíblia dá instrução. Mas o Livro Inspirado não nos foi dado para ensinar o significado das palavras, ou os fatos da história eclesiástica depois do período dos apóstolos. Quando esses assuntos são investigados fiz referência a autoridade humana, conforme o caso parecia exigir. Tem sido meu alvo, contudo, dispor os fatos perante a mente do leitor, a fim de esclarecer sobre o exercício do julgamento pessoal e consciência de que não está se curvando perante decisões de um mestre falível.

Na maioria das investigações nas páginas seguintes, a Bíblia Sagrada lança luz em nosso caminho e habilita-nos a seguir adiante confiantemente, mas, em alguns poucos pontos, a luz parece brilhar com menos clareza. Nesses pontos torna-se apropriado avaliar se o silêncio das Escrituras não seria instrutivo. Podemos inferir que, onde quer que não se está claro, isso pode ser de menor importância, e a divergência de julgamento quanto a esses pontos não deve dividir o povo de Deus.

As objeções e os argumentos contrários que esse trabalho encontra são aparentemente mais embaraçosos para o inquiridor. Eles são geralmente expressos com minhas próprias palavras, porém, no debate sobre batismo, em alguns pontos, sou devedor às palavras e aos pensamentos das palestras do Dr. Woods. Ao contestar a opinião de autores batistas, eu tenho pensado, em certos pontos, ser melhor apresentar essas opiniões na forma de citação direta.

A preparação deste tratado forneceu menos prazer ao autor do que a experiência de escrever o *Manual de Teologia*. O assunto está menos ligado ao coração e fornece menos ocasiões para essas emoções que compõem o prazer da fé. Mas este trabalho foi realizado sob uma firme convicção de dever, e com o desejo de produzir nos leitores uma adesão aos preceitos de Cristo; crescendo o amor destes por todos os que portam a imagem de Cristo, o trabalho do autor não terá sido em vão. Com uma esperança de que possa contribuir com esse resultado, submeto este trabalho às bênçãos daquele que o mesmo busca revelar.

Por gratidão, devo reconhecer minha dívida com Reverendo G. W. Samson, de Washington DC, e com o Reverendo A. M. Poindexter, de Richmond, Virgínia. Esses irmãos gentilmente fizeram sugestões, graças às quais este trabalho recebeu melhorias valiosas, e o senhor Samson contribuiu diretamente para o artigo principal do Apêndice.

31 de Julho de 1858

INTRODUÇÃO
OBEDIÊNCIA A CRISTO

Amar a Deus com todo o coração é a soma de todos os deveres. O amor deve ser exercido de acordo com os relacionamentos que mantemos. Quando um pai ama seu filho, sente-se obrigado a exercer autoridade paterna para o benefício da criança, mas o amor da criança em relação ao pai requer obediência. Logo, o amor a Deus produz obediência, pois é impossível amar a Deus plenamente sem um supremo desejo de agradá-lo em todas as coisas. Assim, esse único princípio contém, entrelaçado em si, obediência perfeita a cada ordem divina.

A amabilidade do caráter divino não é diminuída, sendo exibida humildemente em natureza humana na pessoa de Jesus Cristo. Nele, a glória do Pai aparece, requerendo nosso afeto supremo, e ele é investido com a autoridade do Pai, à qual devemos obediência perfeita. Os atributos divinos são demonstrados mais claramente a nós por sua mediação, e proporcionalmente maior é a obrigação de obedecer devidamente à nitidez da revelação e amá-la.

Um motivo poderoso, amar e obedecer a Cristo, surge do amor que ele demonstrou ao morrer por nós. Paulo sentiu isso de forma avassaladora quando disse: "Estou crucificado com Cristo; logo, já não sou eu quem vive, mas Cristo vive em mim; e esse viver que, agora, tenho na carne, vivo pela fé no Filho de Deus, que me amou e a si mesmo se entregou por mim" (Gl 2.19, 20). O mesmo impulso avassalador para amar e obedecer é apresentado em outra declaração do apóstolo: "Pois o amor de Cristo nos constrange, julgando nós isto: um morreu por todos; logo, todos morreram. E ele morreu por todos, para que os que vivem não vivam mais para si mesmos, mas para aquele que por eles morreu e ressuscitou" (2Co 5.14, 15). Quando nosso amor pelo salvador esfria, devemos voltar a contemplar sua cruz e fixar nossos pensamentos na exibição de amor revelada por ela. E quando sentimos nossos corações fracos, a lembrança de que o Salvador que sofre é Deus sobre todas as coisas deve produzir uma resolução de submetermos a ele todas as nossas forças durante toda a nossa existência. A partir da cruz, apresentamo-nos como aqueles que pertencem a Cristo, resolutos em glorificá-lo com nossos corpos e espíritos, que já são dele.

Jesus disse aos seus discípulos: "Se alguém me ama, guardará a minha palavra" (Jo 14.23). Essa reivindicação de obediência é aceita por todo verdadeiro discípulo. Quando o sentimento de amor por Cristo primeiro pulsou dentro do coração de Saulo, o perseguidor, ele perguntou: "Senhor, o que me convém fazer?" (cf. At 9.6).

Aos primeiros discípulos foi requerido servir ao Senhor e Mestre com vigoroso esforço para espalhar sua fé pelo mundo, e a mesma obrigação recai sobre nós. Ele veio ser o Salvador do mundo e, apesar da humildade de sua aparência e da fragilidade do meio que escolheu, a religião do desprezado Nazareno deve prevalecer em toda a terra e abençoar cada nação da humanidade. A conquista do mundo ainda não foi alcançada, mas a tarefa está diante de nós, e, se formos servos leais do Rei de Sião, devemos dedicar-nos inteiramente para alcançá-la.

Os meios que nosso rei emprega para difundir as bênçãos do seu reino não são os que a sabedoria humana empregaria. Aprouve ao Senhor "salvar os que creem pela loucura da pregação" (1Co 1.22). Pareceu bem à Sabedoria infinita que a religião que há de abençoar a raça humana fosse propagada pela simples instrumentalidade do ministério cristão e das igrejas cristãs. Se buscarmos poder militar, ou atos legislativos, visando cumprir tal tarefa, viraremos as costas para a simplicidade de Cristo e convertemos seu reino e um reino desse mundo, e sempre que a sabedoria humana buscou, em qualquer parte, melhorar os meios simples que Cristo ordenou, impediu-se o progresso da verdade e da retidão.

Muito do que existiu, e ainda existe, entre os seguidores professos de Cristo não pode ser observado sem angústia por aqueles que sinceramente amam a Cristo. Diferentes credos e diferentes organizações eclesiológicas têm dividido em partidos aqueles que carregam o nome dele, e o cristianismo tem caído em descrédito e seu progresso tem sido retardado. O mundo tem visto ódio e perseguição onde amor fraterno deveria ser exibido, e Cristo tem sido crucificado novamente, e colocado em vergonha pública, por aqueles que reivindicam serem seus discípulos.

Para tais males, qual deve ser o remédio? Devemos observar segundo a sabedoria do mundo para discernir a cura? A sabedoria humana não gerou os princípios do cristianismo e agora é incapaz de conferir-lhes eficiência. Devemos voltar para os pés de nosso mestre divino e novamente receber suas instruções. Vamos, como discípulos obedientes, buscar o bom e antigo caminho, a fim de caminharmos nele. Nenhum indivíduo pode realizar tudo, mas é seu dever fazer o que pode. Que cada um demonstre que possui a mente de Cristo e cuidadosamente obedeça a todos os mandamentos de Cristo. Se não puder livrar-se dos males existentes, com toda certeza não irá aumentá-los, e a influência de seu exemplo pode produzir efeitos benéficos além de suas esperanças mais fortes.

O verdadeiro espírito de obediência está disposto a receber a sugestão mais sutil da vontade divina. Nem todas as verdades da Revelação estão igualmente claras; contudo, nenhuma delas pode ser desconsiderada devido à dificuldade de seu estudo. Se aquilo que é mais necessário saber é apresentado em destaque nas páginas inspiradas e escrito em letras tão grandes que aquele que corre consegue ler, há outros assuntos que são compreendidos somente por meio de estudo diligente. Porém, as verdades descobertas são pedras preciosas extraídas de uma mina inesgotável e cada esforço de descoberta traz, em si, uma recompensa em disciplina mental e espiritual que o mesmo fornece. O estudante diligente das Escrituras deriva de seu esforço uma recompensa abundante, não somente pela compreensão mais ampla e clara da verdade divina que ele obtém, mas também do constante exercício de humildade e fé, o que ocorre a cada passo de seu progresso.

Na mesma medida que as verdades da revelação diferem na clareza com as quais são exibidas, nossa fé as acolhe com diferentes níveis de força. Um homem que não investiga por si mesmo pode receber, com confiança inabalável, e manter, com teimosia obstinada, cada dogma de seu partido. Porém, aquele que busca a verdade com suas próprias capacidades vai encontrar algumas coisas que devem ser recebidas como artigos de fé inquestionáveis, outras como opiniões que devem ser mantidas em diferentes graus de confiança de acordo com a força das evidências que serviram para apresentá-las a mente. Ao não fornecer evidência avassaladora em cada questão de fé e prática, a sabedoria divina dá oportunidade para as disposições morais do homem exercerem sua influência. Uma pesquisa cuidadosa a cerca de uma pequena porção do dever e uma firme determinação para observar a vontade de Deus em cada particularidade, pode ser evidência de uma obediência mais forte e resoluta do que seria possível, caso toda verdade e dever fossem descobertos por intuição.

Nossa obediência a Cristo deve ser universal. O dízimo da hortelã, do endro e do cominho tem menos peso do que preceitos mais importantes da Lei: a justiça, a misericórdia e a fé. Mas não devem, contudo ser negligenciados. Cristo ensinou que ambos deveriam ser observados: "devíeis, porém, fazer estas coisas, sem omitir aquelas!" (Mt 23.23). A eclesiologia e os cerimoniais da religião são menos importantes do que um novo coração e, aos olhos de alguns, qualquer esforço de estudar questões concernentes a eles pode parecer desnecessário e sem proveito. Mas nós sabemos, por meio da Escritura Sagrada, que Cristo deu ordens a respeito desses assuntos e não podemos recusarmo-nos a obedecer. O amor incita nossa obediência e também incita o estudo que pode ser necessário para descobrir a vontade dele. Vamos, então, seguir na investigação que está a nossa frente com fervorosa oração, para que o Espírito Santo, que guia a toda a verdade, auxilie-nos no aprendizado da vontade daquele a quem adoramos e amamos de forma suprema.

CAPÍTULO 1
BATISMO

PERPETUIDADE DO BATISMO

O batismo com água é uma ordenança cristã de obrigação perpétua.

A comissão de Cristo aos seus apóstolos diz o seguinte: "Ide, portanto, fazei discípulos de todas as nações, batizando-os em nome do Pai, e do Filho, e do Espírito Santo; ensinando-os a guardar todas as coisas que vos tenho ordenado. E eis que estou convosco todos os dias até à consumação do século" (Mt 28.19–20). Nessas palavras, não é expressamente declarado que a água deve ser usada no batismo; mas tão comum é o uso de água, que uma ordem para imergir, lavar ou aspergir naturalmente implica o uso dela, a menos que algo nas circunstâncias do caso, ou alguma conexão da palavra, sugira o uso de algum outro líquido. A palavra *batizar* é frequentemente usada nas Escrituras em contextos em que água está implícita, sem ser expressamente mencionada. Os apóstolos estavam acostumados com a administração do batismo com água. Eles foram escolhidos para serem os assistentes e testemunhas de Cristo, desde o batismo de João (At 1.22); e, muito provavelmente, muitos deles viram seu Mestre ser batizado no Jordão. Eles haviam testemunhado o batismo de João em outros casos; e alguns, senão todos, foram batizados por ele.

Depois que Jesus entrou em seu ministério, foi dito que ele "fazia e batizava mais discípulos que João" (Jo 4.1). O batismo nas águas deve ser entendido aqui; e somos expressamente informados de que os discípulos, e não o próprio Jesus, administravam-no. Eles fizeram isso enquanto estavam sob a direção imediata de seu Mestre, e eram seus assistentes pessoais. Seu ministério e seus batismos foram confinados à nação de Israel. A comissão citada acima ampliou o campo de sua operação. A presença de seu Mestre foi prometida, conquanto seu corpo estivesse prestes a ser removido deles; e a ordem de ensinar ou fazer discípulos e batizar seria naturalmente interpretada por eles de acordo com o uso dos termos aos quais estavam acostumados. Em seu ministério subsequente, eles pregaram e batizaram; e o registro, chamado de Atos dos Apóstolos, contém menções frequentes de batismos. Nestes, não pode haver dúvida razoável de que foi utilizada água, e às vezes ela é expressamente mencionada.

A comissão foi dada pouco antes de Cristo ascender ao céu, e foi designada para a dispensação que se seguiria. Os apóstolos, antes de proceder sua execução, receberam a ordem de permanecer em Jerusalém até que fossem dotados de poder do alto. Este poder prometido foi dado quando o Espírito Santo foi derramado sobre eles no dia de Pentecostes. É claro, portanto, que, na visão do Senhor Jesus, o batismo com água não era incompatível com a dispensação espiritual que o dia de Pentecostes introduziu.

Além de seu uso literal, a palavra *batizar,* às vezes, é empregada figurativamente, quando se indica uma influência espiritual ou sofrimentos avassaladores. Em tais casos, há sempre algo no contexto ou nas circunstâncias do caso direcionando para a interpretação adequada. Quando não há nada que direcione a uma interpretação figurativa, somos obrigados, por uma conhecida lei da crítica, a tomar a palavra em seu sentido literal. De acordo com essa lei, somos obrigados a interpretar literalmente a linguagem de comando claro usada na comissão; e, se "batizar" deve ser entendido literalmente, não pode haver dúvida de que o uso da água foi pretendido no comando.

Desde a ascensão de Cristo, nenhuma mudança de dispensação ocorreu pela qual a comissão pudesse ser revogada. A promessa que ela contém, da presença de Cristo até o fim dos tempos, implica a sua perpetuidade. Sob essa comissão, os ministros de Cristo agora agem, e por ela são obrigados, de acordo com a intenção manifesta de suas palavras, a administrar o batismo com água.

Em diferentes épocas do cristianismo, algumas pessoas negaram a obrigação do batismo com água. A seita moderna chamada *quakers* pertence a este número. As objeções que eles impõem merecem nossa atenção.

Objeção 1

A tradução adequada da comissão é "batizando *no* nome de".[1] O nome de Deus significa seu poder, ou alguma influência procedente dele. O batismo *para dentro da* influência espiritual não pode ser o batismo com água.

Admitimos a correção da tradução, mas não a inferência extraída dela. A mesma preposição grega é usada em outras passagens que proíbem a inferência feita aqui. João disse: "Eu batizo para o [no] arrependimento". O arrependimento é um dever espiritual; mas o batismo ao arrependimento não é, portanto, um batismo espiritual;

1 No sentido de *entrada em* (*into*, em inglês) [N.T.].

pois as palavras de João totalmente citadas são: "Eu vos batizo com água para o arrependimento". Em outra passagem se diz: "João pregou o batismo de arrependimento para [na] remissão dos pecados"; e Pedro, no dia de Pentecostes, ordenou: "Arrependei-vos, e cada um de vós seja batizado em nome de Jesus Cristo para [na] remissão dos vossos pecados". A remissão de pecados é uma bênção espiritual, mas disso não segue que o batismo na remissão de pecados deve ser um batismo espiritual. O de João, sabemos, foi o batismo nas águas; e quando se diz que aqueles que receberam a ordem de Pedro foram batizados, o historiador sacro emprega a linguagem simples da história clara: "os que lhe aceitaram a palavra foram batizados" (At 2.41). Esses exemplos provam que o uso da preposição *em* não é inconsistente com a interpretação literal da comissão.

Objeção 2

O batismo de João é, nas Escrituras, cuidadosamente distinto do batismo de Cristo; sendo o primeiro com água, o segundo é com o Espírito. Os apóstolos deveriam agir por Cristo, e a comissão autorizou-os a administrar seu batismo. Textos paralelos podem ser encontrados, nos quais se diz que os apóstolos transmitem dons espirituais.

Embora João tivesse predito que Cristo batizaria com o Espírito Santo, os discípulos feitos por Cristo durante seu ministério pessoal foram batizados com água. Isso era administrado por seus discípulos e, sem dúvida, com sua sanção. A menção cuidadosa pelo evangelista de que o próprio Jesus não batizava mostra que o batismo com o Espírito Santo não é suposto neste caso. As palavras de João, "Ele vos batizará com o Espírito Santo", descrevem o batismo espiritual como uma obra pessoal peculiar de Cristo, e não encontramos nenhuma passagem da Escritura que fale dos apóstolos ou quaisquer outros ministros de Cristo *batizando* com o Espírito Santo. O mesmo batismo que estavam acostumados a administrar, na presença e pela autoridade de Cristo, a comissão exigia que administrassem.

É verdade que Paulo foi enviado aos gentios para abrir-lhes os olhos e convertê-los das trevas à luz e do poder de Satanás a Deus; mas essas coisas são mencionadas como efeitos de sua missão, e não como diretamente comandadas. O dever ordenado era pregar o evangelho. A bênção de Deus sobre seu ministério tornou sua missão eficaz para abrir os olhos dos gentios e conferir os benefícios espirituais mencionados na comissão especial que ele recebeu. Mas o batismo mencionado na comissão dada aos outros apóstolos é um dever ordenado, e a ordem deve ser entendida de acordo com o significado literal das palavras.

Objeção 3

Paulo ensina que só há um batismo. Ora, há um batismo do Espírito; e se o batismo com água é uma ordenança perpétua do cristianismo, há dois batismos, em vez de um.

Paulo diz: "um só Senhor; uma só fé; um só batismo". Assim como ele usa as palavras Senhor e fé em seus sentidos literais, usa a palavra batismo em seu sentido literal. Nesse sentido, há apenas um batismo. João Batista predisse que Cristo batizaria com o Espírito Santo; e Jesus disse aos seus discípulos: "Sereis batizados com o batismo com que fui batizado". Ambos os batismos eram conhecidos por Paulo. Esses batismos figurativos eram dois, enquanto o batismo literal foi apenas um. Ele deve, portanto, ter pretendido o último.

Objeção 4

Pedro definiu o verdadeiro batismo cristão, tanto negativa quanto positivamente: "não sendo a remoção da imundícia da carne, mas a indagação de uma boa consciência para com Deus, por meio da ressurreição de Jesus Cristo" (1Pe 3.21). A primeira cláusula nega que o batismo seja com água; e a segunda afirma que o batismo é espiritual. Isso é confirmado pelo fato de que é dito que ele *salva*, o que o batismo com água não pode fazer. Além disso, a expressão "figurando" deve ser entendida como sendo *o antítipo*. Quando as coisas espirituais são comparadas com as literais, as literais são o tipo e as espirituais o antítipo. Logo, como o batismo é chamado de antítipo, o batismo espiritual deve ser suposto aqui.

O batismo nas águas, como um rito cristão, não é administrado para limpar a carne, seja literal ou cerimonialmente. Representa, figurativamente, o sepultamento e a ressurreição de Cristo, nos quais o crente confia para a salvação. A resposta de uma boa consciência é obtida pela fé na obra consumada de Cristo, representada no rito. Na linguagem das Escrituras, diz-se que uma coisa *é* aquilo que representa: assim, "o campo *é* o mundo"; "isto *é* o meu corpo"; "este cálice *é* a nova aliança". Assim, diz-se que Paulo lavou seus pecados no batismo, porque representava a sua purificação deles; e assim, nesta passagem, é dito que o batismo salva porque representa a nossa salvação, que é efetuada pela morte e ressurreição de Cristo, não pela remoção de qualquer contaminação corporal.

A crítica à palavra *antítipo* é imprecisa. O antítipo é aquilo que corresponde ao tipo; mas não é necessariamente espiritual. O santuário terrestre é, em um lugar, chamado o antítipo do celestial: "figura do verdadeiro" (Hb 9.24). Nessa passagem, o "santuário feito por mãos" é o antítipo; e o céu é o tipo ao qual o antítipo corresponde. Essa relação entre o tipo e o antítipo inverte a ordem que a objeção diz ser universal.

Objeção 5

Os judeus tiveram diversos batismos, que Paulo chama de "ordenanças da carne, [...] impostas até ao tempo oportuno de reforma" (Hb 9.10). Uma ordenança não se torna carnal pelo momento em que é observada, mas por sua própria natureza. Os batismos judaicos foram ordenados por Deus e eram significativos de coisas espirituais. O batismo com água não pode ter autoridade superior ou ser mais significativo; e é, portanto, uma ordenança carnal em sua própria natureza, e não adequada para a dispensação espiritual de Cristo. Pertencia propriamente à dispensação de João e foi projetado para ser substituído pelo batismo espiritual de Cristo, de acordo com as palavras de João: "Convém que ele cresça e que eu diminua" (Jo 3.30).

Ao falar das cerimônias judaicas, Paulo diz: "baseadas somente em comidas, e bebidas, e diversas abluções" (Hb 9.10). Essa passagem não confunde batismos com ordenanças carnais; antes, parece fazer uma distinção entre eles. Não obstante, como os batismos judaicos santificavam para a purificação da carne, pode ser apropriado denominá-los carnais. O batismo cristão não é administrado com esse propósito; e, portanto, não é carnal no mesmo sentido. Mas, qualquer que seja o nome, se Cristo o instituiu para a observância de seus seguidores, não ousamos considerá-lo impróprio para sua dispensação. A dispensação judaica estava repleta de cerimônias, mas entre todas elas, um serviço espiritual era necessário; pois mesmo naquele tempo os sacrifícios a Deus eram um espírito quebrantado (Sl 51.17). As cerimônias foram sabiamente adaptadas para promover a espiritualidade, em vez de obstruí-la. Nossa dispensação mais espiritual precisa de menos ajudas desse tipo; mas ainda estamos no corpo, e Deus julgou adequado auxiliar nossa fé por representações visíveis. Rejeitar seu uso é presumir ser mais sábio do que Deus.

O batismo nas águas não foi substituído pelo batismo do Espírito. Enquanto Pedro pregava a Cornélio e aos que estavam em sua casa, o Espírito Santo desceu sobre eles. O apóstolo não considerou isso uma razão para omitir o batismo com água; mas, ao contrário, argumentou ser apropriado administrá-lo, a partir deste mesmo fato: "Porventura, pode alguém recusar a água, para que não sejam batizados estes que, assim como nós, receberam o Espírito Santo?" (At 10.47). Contrariando todos os seus pontos de vista anteriores, o Espírito Santo guiou o apóstolo a pregar o evangelho a esses gentios incircuncisos e a admiti-los ao batismo cristão. Se esse rito tivesse sido designado apenas para judeus, ou para ser substituído pelo batismo do Espírito, Pedro teria cometido um erro ao ordenar que esses primeiros convertidos gentios fossem batizados com água.

É verdade que ele se enganara antes, ao limitar seu ministério aos circuncidados; e pode-se argumentar que ele pode ter se enganado novamente ao ordenar o batismo com água aos incircuncisos. Mas o Espírito Santo estava agora corrigindo o primeiro erro, e é totalmente improvável que, ao fazer isso, ele o tivesse conduzido a um segundo erro. A correção de admitir convertidos gentios não tinha sido determinada, como foi depois, por um conselho dos apóstolos; mas Pedro seguiu o ensino do Espírito Santo, e o concílio subsequente justificou seu ato. Porém, se ele tivesse novamente se enganado quanto à mente do Espírito ao ordenar o uso do batismo com água, é inexplicável e inconsistente com a perfeição das Escrituras que nem ele nem o concílio, ao revisarem o acontecido sob a influência do Espírito Santo, descobrissem o erro; e que nenhuma correção, como a feita ao erro anterior, seja encontrada nos escritos inspirados.

Quando João falou as palavras: "Convém que ele cresça e que eu diminua", os judeus disseram-lhe: "Mestre, aquele que estava contigo além do Jordão, do qual tens dado testemunho, está batizando, e todos lhe saem ao encontro" (Jo 3.26). O batismo que eles relataram deve ter sido o batismo com água, e no que as palavras de João aplicam-se a ele, elas devem denotar que o batismo com água, em vez de cessar sob a dispensação de Cristo, seria muito estendido.

Objeção 6

Paulo afirma em 1Coríntios: "não me enviou Cristo para batizar, mas para pregar o evangelho" (1.17); e agradeceu a Deus por ter batizado tão poucos deles. Ora, como ele não estava em nada atrás do chefe dos apóstolos, o batismo com água não teria sido omitido em sua comissão se tivesse sido designado para ser uma ordenança perpétua; e se fosse seu dever batizar tanto quanto pregar, ele não teria agradecido a Deus por ter batizado tão poucos. Seria melhor agradecer a Deus por ter pregado tão pouco. Ele batizou alguns, como circuncidou Timóteo, para acomodar-se às fraquezas dos homens; mas era grato por tais atos de acomodação raramente terem sido necessários. Como ele era o principal oponente da tendência judaizante prevalecente, ele era grato por, na questão do batismo, ter cedido a ela em tão poucos casos.

Nessa citação de Paulo, a palavra *batizar* está sozinha, sem a menção de água. A objeção muito apropriadamente assume que o batismo com água é sugerido; mas, ao fazer isso, confirma nossa regra, que a palavra *batizar*, quando sozinha, implica o uso de água. Se a palavra, estando sozinha em tal sentença, pudesse significar o batismo do Espírito, e se Paulo e os outros apóstolos tivessem sido comissionados a administrar esse batismo, ele não poderia ter declarado verdadeiramente: "não me enviou Cristo para batizar".

Paulo afirmou ser um apóstolo, não dos homens, nem por homens, mas por Jesus Cristo. Um apóstolo é alguém enviado, e Paulo foi enviado por Jesus, que disse "para os quais eu te envio" (At 26.17). Afirmava ser apóstolo no sentido mais elevado, porque tinha recebido a sua comissão diretamente de Cristo: "Não sou apóstolo? Não vi Jesus, nosso Senhor?" (1Co 9.1). Ora, na comissão que ele recebeu diretamente de Cristo, ele não foi comissionado nem para ser batizado, nem para batizar outros. Ele recebeu o evangelho que pregou sem instrumentalidade humana; mas não recebeu assim também o batismo. Paulo se submeteu a ele, sob o comando de Ananias, que também não era um dos originalmente comissionados para administrá-lo. Nesse ato, Paulo reconheceu a obrigação de perpetuar a ordenança e o direito de Ananias administrá-la pela autoridade derivada dos outros apóstolos.

Em Antioquia, ele foi designado para o trabalho ministerial com jejum, oração e imposição das mãos; e, quer tenha sido isso feito com referência ao serviço missionário no qual ele entrou imediatamente, ou se foi sua primeira investidura cerimonial do ofício ministerial, aprendemos, por aquilo que foi feito, que sua comissão direta de Cristo não foi projetada para deixar de lado a ordem da igreja que fora previamente estabelecida pelos outros apóstolos. Tanto ao receber seu próprio batismo como ao ser designado para a obra para a qual o Espírito Santo o chamara, Paulo agiu como um cristão comum. Seu apostolado para pregar o evangelho vinha diretamente de Cristo, e não de homens; mas seu batismo e sua autoridade para batizar foram recebidos por homens, e de uma maneira que respeitava e honrava a ordem estabelecida das coisas entre os discípulos de Cristo. Embora ele dissesse verdadeiramente: "não me enviou Cristo para batizar", é verdade, no entanto, que os batismos que ele ministrou não eram desautorizados. Ele considerou a administração da ordenança como não sendo seu trabalho apostólico específico; e uma vez que os coríntios dividiram-se em partidos, reivindicando Paulo, Apolo e Cefas como seus líderes, ele era grato por tão poucos deles poderem reivindicá-lo como seu líder por terem recebido seu batismo.

Paulo não batizou por mera acomodação às fraquezas dos outros. Por causa dos judeus que estavam naquele local, ele circuncidou Timóteo, cuja mãe era judia; mas quando os judaizantes desejaram que Tito também fosse circuncidado, que era grego, ele opôs-se firmemente e com sucesso. Como ministro da incircuncisão, ele zelosa e atentamente defendeu os convertidos gentios em seu gozo da liberdade do jugo da escravidão judaica. Mas, em tudo que disse ou escreveu, nenhuma palavra pode ser encontrada reivindicando para eles a liberdade da obrigação do batismo cristão. Pelo contrário, ele usa considerações derivadas de seu batismo, para exortá-los a andar em novidade de vida. A regra de interpretação, confirmada pela própria objeção que estamos considerando, requer que entendamos o batismo de maneira literal, quando se diz: "todos nós que fomos batizados em Cristo Jesus fomos batizados na sua morte" (Rm 6.3); e novamente, quando se diz: "todos quantos fostes batizados em Cristo de Cristo vos revestistes" (Gl 3.27). A profissão de fé pública em Cristo era, na visão de Paulo, o desígnio dessa cerimônia, envolvendo uma obrigação reconhecida de pertencer a ele e de andar em novidade de vida. Tudo o que Paulo ensinou, como seu próprio exemplo, tende a estabelecer a perpetuidade do batismo cristão.

O SIGNIFICADO DE *BATIZAR*

Batizar é imergir.

Vimos que a comissão que Cristo deu aos seus apóstolos instituiu o batismo como uma ordenança a ser observada por seus discípulos até o fim dos tempos. Portanto, torna-se importante averiguar o significado da palavra "batizar", pela qual esse dever é descrito.

A comissão chegou até nós na língua grega; e a palavra traduzida como "batizando" é um particípio do verbo grego *βαπτίζω (baptizō)*. Nossa presente investigação é: o que esse verbo grego significa?

No processo normal de tradução dos escritos de um autor grego, quando desejamos averiguar o significado de alguma palavra que ele usa, geralmente nos satisfazemos consultando um léxico grego.[2] As leis de interpretação exigem que adotemos o significado primário das palavras, a menos que haja algo no contexto, ou na natureza do assunto, inconsistente com esse significado. Como não há tal dificuldade no presente caso, nossa primeira decisão, se seguirmos os léxicos, deve ser a favor do sentido de *imergir*.

Quando, por qualquer motivo, a decisão dos léxicos é insatisfatória, o recurso final é aos autores gregos que usaram a palavra em questão. Pesquisamos os vários exemplos de seu uso; e, por um exame destes usos, aprendemos em que sentido os autores usaram a palavra. Visto que o uso é a lei da linguagem, o sentido em que os

2 O léxico escrito por Donnegan, e o léxico de Liddel e Scott, são comumente utilizados e possuem boa reputação. Eles definem esta palavra da seguinte forma:

Donnegan: "Imergir repetidamente em um líquido; submergir, enxarcar completamente, saturar; *portanto*, encher com vinho, *met.*, confundir completamente; submergir em uma tigela e retirar. Pass. Perf.: *bebaptismai*, ser imerso".

Liddel e Scott: "Imergir repetidamente, submergir. *Méd.* banhar; *portanto*, embeber, molhar; *metaf. oi bebaptismenoi*, enxarcado de vinho; derramar sobre, encher com, *eisphorais ophlemasi beb.* imerso até as orelhas em dívidas. Plut. *Meirakion Baptizomenon*, um menino sobrecarregado com perguntas, Heind. Plat. Euthyd.: imergir uma tigela, retirar água — batizar" [N.T.].

autores gregos usaram uma palavra é o seu verdadeiro significado. Os próprios léxicos fazem deferência a essa lei e citam exemplos de autores como prova dos significados que atribuem às palavras.

Nossa pesquisa para o uso de *βαπτίζω (baptizō)* por autores gregos é grandemente facilitada pelos trabalhos de homens eruditos que nos precederam na investigação. Com o objetivo de determinar o significado das palavras, o professor Stuart[3] coletou, de diferentes escritores gregos, uma série de exemplos nos quais *βαπτίζω (baptizō)*, e seu primitivo, *βάπτο (baptō)*, ocorrem. À sua coleção, que ele considerou suficientemente copiosa para esse propósito, acrescentei muitos outros exemplos tirados de uma coleção semelhante do Dr. Carson,[4] e alguns outros, de uma coleção menor do Dr. Ryland.[5] Tudo isso está incluído nas tabelas a seguir, que podem, portanto, ser consideradas como uma exibição justa do uso feito dessas palavras na literatura grega. Os exemplos são classificados de forma a facilitar o seu exame. Ao traduzir as palavras em questão, não acompanhei de perto os eruditos de cujos trabalhos me vali, mas busquei uma tradução mais literal e uniforme. Elas são sempre colocadas em itálico; e o leitor pode considerar os espaços, ocupados pelas palavras em itálico, como espaços em branco que ele pode preencher com qualquer outra tradução que julgar mais adequada para expressar o significado do autor. Que seja considerado um problema a ser resolvido o modo como esses diversos espaços em branco devem ser preenchidos, para que o fornecido enquadre-se em todos os exemplos e, ao mesmo tempo, seja consistente, em toda a tabela, como o significado da mesma palavra.

3 Moses Stuart (1780–1852). Dissertação sobre a questão: "O modo de batismo é prescrito no Novo Testamento?".

4 Alexander Carson (1776–1844) [N.T.].

5 John Ryland (1753–1825) [N.T.].

Em alguns dos exemplos, as palavras em itálico são marcadas com um asterisco. Nesses casos, são traduções, não dos próprios verbos colocados no topo das tabelas, mas de substantivos ou adjetivos deles derivados, e envolvendo o mesmo significado. Nas preposições que acompanham os verbos, às vezes acompanhei o professor Stuart, quando, sem sua autoridade, estaria inclinado a adotar outras traduções. Esta observação aplica-se especialmente ao uso de "com" na Classe III da Tabela II. Uma opção diferente corresponderia mais exatamente à ideia de imersão; mas meu desejo é não dar à imersão nenhuma vantagem à qual não tenha claramente direito.

Tabelas de exemplos

Tabela I: exemplos de *βάπτω*

Classe I: mergulhar (algo), literalmente e estritamente

§ 1. *Com o propósito de embeber ou cobrir*. 1: Ele pegou um pano grosso e *mergulhou* na água (2Rs 8.15). 2: *Mergulhando* as esponjas em água morna (Hipócrates). 3: E uma pessoa limpa tomará hissopo, *mergulhará* na água e borrifará sobre a casa (Nm 19.18). 4: Mande Lázaro, para que *mergulhe* a ponta do dedo na água (Lc 16.24). 5: Bolos *mergulhados* em vinho azedo (Hipócrates). 6: *Mergulhe* o bocado no vinagre (Rt 2.14). 7: Um dos doze que *mergulhou* comigo no prato (Mc 14.20). 8: Quem *mergulha* a mão no prato (Mt 26.23). 9: E quando ele *mergulhou* no molho (Jo 13.26). 10: *Mergulhando* o feno no mel, eles dão de comer (Aristóteles). 11: Vênus *mergulhou* as flechas em mel doce (Anacreonte). 12: Ele estendeu a ponta da vara que estava em sua mão e a *mergulhou* em um favo de mel (1Sm 14.27). 13: Peguem um punhado de hissopo e *mergulhem*-no no sangue que está na bacia (Êx 12.22). 14: O sacerdote *mergulhará* o dedo no sangue e aspergirá com o sangue (Lv 4.6). 15: O sacerdote *mergulhará* o dedo no sangue do novilho e o borrifará (Lv 6.17). 16: Ele *mergulhou* o dedo no sangue (Lv 9.9). 17: E os *mergulhará* no sangue, junto com o pássaro vivo (Lv 14.6). 18: E ele o *mergulhará* no sangue (Lv 14.51). 19: Os gregos *mergulhando* a espada e os bárbaros a ponta da lança [no sangue] (Xenofonte). 20: Tendo *mergulhado* uma coroa no unguento (Eliano). 21: O sacerdote *mergulhará* seu dedo direito no óleo que está em sua mão esquerda (Lv 14.16). 22: *Mergulhe* as sondas em algum emoliente (Hipócrates). 23: *Mergulhando* o pano em uma pomada branca egípcia de aroma doce (Hipócrates). 24: *Mergulhando* os trapos na pomada (Hipócrates). 25: Por causa do calor e da umidade, as cores entram nos poros das coisas nelas *mergulhadas* (Aristóteles). 26: Eles *mergulham* [na tintura] (Platão).

§ 2. *Com o propósito de encher, ou de extrair, o verbo, às vezes, tomando o sentido de mergulhar.* 27: O jovem segurou a potente urna sobre a água, apressando-se em *mergulhá*-la. (Teócrito) 28: Pegue um barco, servo ancião, e, depois de *mergulhá*-lo no mar, traga-o para cá (Eurípedes). 29: O balde deve ser primeiro *mergulhado* e depois puxado novamente (Aristóteles). 30: O rapaz direcionou seu grande jarro para a água, apressando-se em *mergulhá*-lo (Teócrito). 31: Ele *mergulhou* sua jarra na água (Hermolaus). 32: Em vez de água, deixe minha empregada *mergulhar* sua jarra nos favos de mel (Teócrito). 33: Água borbulhante *mergulhada* em jarras (Eurípedes). 34: Hoje, vocês, portadores de água, não *mergulhem* [no rio Ínaco] (Calímaco). 35: Mergulhe a própria água do mar (Nicandro).

§ 3. *Com o propósito de limpeza.* 36: Os egípcios consideram o porco um animal tão poluído, que se alguém de passagem tocar em um porco, ele irá embora e *mergulhará* com suas próprias vestes, entrando no rio (Heródoto). 37: Será *mergulhado* na água: assim será purificado (Lv 11.32). 38: Primeiro, eles *mergulham* a lã em água morna, de acordo com o antigo costume (Aristófanes).

§ 4. *Com o propósito de endurecimento.* 39: O ferreiro *mergulha* uma machadinha em água fria (Homero). 40: Ferro *mergulhado* (Plutarco).

§ 5. *Para outros propósitos.* 41: Traga a tocha, para que eu possa levar e *mergulhá*-la (Aristófanes). 42: Eles não podem suportar grandes mudanças como essa, no horário de verão; eles devem *mergulhar* em água fria (Aristóteles). 43: Se o corvo *mergulhou* a cabeça no rio (Arato). 44: Os pés dos sacerdotes que carregavam a arca foram *mergulhados* na borda da água (Js 3.15). 45: Diz-se que o remédio é uma certa pedra que eles tiram do sepulcro de um rei dos tempos antigos e, depois de *mergulhá*-la em vinho, bebem (Aristóteles). 46: Se alguém *mergulha* qualquer coisa na cera, ela é movida até onde ele *mergulhar* (Aristóteles). 47: Tendo derretido a cera, ele pegou a pulga e *mergulhou* seus pés na cera (Aristófanes). 48: Com sua própria mão, ele *mergulhará* sua espada nas entranhas da víbora (Licofrão). 49: Ele *mergulhou* todo o queixo na barriga do carneiro (Filipo). 50: Um *mergulhou* a lança entre as costelas do outro, que no mesmo momento [enfiou a sua] na barriga (Dionísio de Halicarnasso). 51: Tirando sua cimitarra dos mortos, ele a *mergulhou* na carne (Eurípedes).

Classe II: Mergulhar em um sentido menos estrito

§ 1. *Em aparência.* 52: Se o sol *mergulhar* sem nuvens no dilúvio ocidental (Arato). 53: Cefeu mergulhando a cabeça ou parte superior no mar (Arato).

§ 2. *Em efeito.* 54: Do orvalho do céu, seu corpo foi *mergulhado* [tão molhado como se tivesse sido mergulhado] (Dn 4.33; 5.21) 55: Tendo *mergulhado* [molhado ou enchido como se tivesse mergulhado] a palma de sua mão, ele borrifa o tribunal (Suidas). 56: Ele estava vestido com uma vestimenta *mergulhada* [colorida como se tivesse sido mergulhada] em sangue (Ap 19.13).

Classe III: Colorir

§ 1. *Mergulhando.* 57: A cor das coisas *tingidas* é alterada pelas causas mencionadas (Aristóteles). 58: Os *tintureiros,** quando desejam *tingir* a lã para torná-la roxa... e tudo o que pode ser *tingido* desta maneira, a coisa *tingida* torna-se fortemente colorida. Se qualquer um *tingir* outras cores. Para que recebam as leis da melhor maneira, como uma *tintura,** para que sua opinião seja duradoura. E esses fluxos não podem lavar a *tintura** embora sejam muito eficientes na lavagem (Platão). 59: Alguns *tingidos* de jacinto e outros de púrpura (Josefo). 60: *Tingiste* bem a tua espada contra [em conflito com] o exército grego (Sófocles). 61: Pois a esposa privou de vida a cada marido, *tingindo* a espada pela matança (Ésquilo).

§ 2. *Sem levar em conta o modo.* 62: Quando cai sobre as roupas, elas ficam *coloridas* (Hipócrates). 63: Nearco relata que os indianos *colorem* suas barbas (Arriano). 64: Ele se esforçou para esconder o grisalho de seu cabelo, *colorindo*-o.* 65: O velho com os cabelos *coloridos* (Eliano). 66: Um patrono finge ser mais jovem do que é? Ou ele ainda *colore* o cabelo? (Nicolau de Damasco). 67: Esta vestimenta, *colorida* pela espada de Egisto, é uma testemunha para mim (Ésquilo). 68: Ele caiu, sem nem mesmo olhar para cima, e o lago ficou *colorido* de sangue (Homero). 69: Vestimentas de aparência variada, *coloridas** com grande custo. 70: Um pássaro *colorido** (Aristófanes). 71: Para eu não te *colorir* com um tom da Sardenha (Aristófanes). 72: Então percebendo que sua barba estava *colorida,* e sua cabeça (Plutarco). 73: Os fisiologistas, raciocinando a partir dessas coisas, mostram que o calor nativo *coloriu* a variedade acima do crescimento das coisas antes mencionadas (Diodoro Sículo). 74: Usar a música ou compasso lídio, fazer peças e se *colorir* com [tintas] da cor de sapo (Aristófanes).

Classe IV: Uso metafórico

§ 1. *Alusão a mergulho.* 75: Deixe-o *mergulhar* o pé no óleo (Dt 33.24). 76: Que seu pé seja *mergulhado* no sangue de seus inimigos (Sl 68.23). 77: Tu *mergulhaste*-me profundamente na imundície (Jó 9.31). 78: Eles estão todos *mergulhados* no fogo (Mosco). 79: *Mergulhando* o prazer com baldes estrangeiros (Licofrão).

§ 2. *Alusão a colorir.* 80: *Tintureiro,* que *tinge* todas as coisas e as transforma por tuas cores; tu *tingiste* pobreza também, e agora parece ser rico (Heládio). 81: Pois a alma é *colorida* pelo pensamento: *pinte*-a então, acostumando-se a tais pensamentos (Marco Antônio).

Tabela II: Exemplos de βαπτίζω

Classe I: Imergir literal e estritamente

§ 1. *Navios afundando.* 1: Não devo rir do homem que *submerge* seu navio por sobrecarregá-lo? (Hipócrates). 2: Tal tempestade de repente se espalhou por todo o país, que os navios que estavam no Tibre foram *submersos* (Dion Cássio). 3: Quando o navio estava prestes a ser *submerso* (Josefo). 4: Pois o nosso navio foi *submerso* no meio do Mar Adriático (Josefo). 5: A onda elevada os *submergiu* (Josefo). 6: Eles foram *submersos* com os próprios navios. 7: Como não seria seu navio *submerso* pela multidão de nossos remadores (Dion Cássio). 8: Eles estavam *submersos,* seus navios sendo perfurados (Dion Cássio). 9: Aqueles de cima os *submergindo* [navios] com pedras e engenhos (Dion Cássio). 10: Eles *submergiram* muitos dos navios dos romanos (Políbio). 11: Os navios correm o risco de serem submersos (Esopo). 12: Muitos dos judeus distintos deixaram a cidade, como pessoas que nadam longe de um navio *submergindo* (Josefo). 13: Cujo navio está *submergindo* (Diodoro Sículo) 14: Como você não desejaria, navegando em um grande navio adornado e repleto de ouro, ser *submerso* (Epíteto).

§ 2. *Submergir-se.*15: Ele o expulsaria da margem e o *submergiu* de cabeça, para que não pudesse erguer novamente a cabeça acima da água (Luciano). 16: Ele pode salvar alguém na viagem que seria melhor ser *submerso* no mar (Temístio). 17: O menino foi enviado a Jericó durante a noite, e lá, por ordem, tendo sido *submerso* em um lago pelos gálatas, ele morreu (Josefo). 18: Pressionando-o sempre enquanto ele nadava, e *submergindo*-o como por esporte, eles não desistiram até que o afogaram totalmente (Josefo). 19: O rio transformando-se em uma corrente mais violenta, *submergiu* muitos (Diodoro Sículo). 20: Matando alguns na terra e *submergindo* outros no lago com seus barcos e suas pequenas cabanas (Heliodoro). 21: O golfinho, irritado com tal falsidade, *submergindo*-o, matou-o (Esopo). 22: Muitos dos animais terrestres *submersos* no rio morreram (Diodoro Sículo).

§ 3. *Para purificação.* 23: Naamã *mergulhou* sete vezes no Jordão (2Rs 5.14). 24: Aquele que *mergulha* por causa de um cadáver (Eclesiástico 34.30). 25: Ele ficou maravilhado por não ter *mergulhado* antes do jantar (Lc 11.38). 26: A não ser que mergulhem, eles não comerão (Mc 7.4). 27: Diversas *imersões** (Hb 9.10). 28: Ela saiu à noite para o vale de Betúlia e *mergulhou* no acampamento, na fonte de água (Judite 12.7). 29: Aquele que mergulha por um morto e o toca novamente, que aproveita a sua lavagem? (Eclesiástico 34.25) 30: A *imersão** de xícaras e potes, etc. (Mc 7.8).

§ 4. *Outros casos.* 31: A pessoa que foi pecadora, tendo passado um pouco por ele [o rio Estige], está *submersa* até a cabeça (Porfírio). 32: Ele respirava como as pessoas respiram após serem *submersas* (Hipócrates) 33: Em seguida, *submergindo* no Lago Copais (Plutarco). 34: *Mergulhe* no mar (Plutarco). 35: Eles marcharam um dia inteiro na água, *imersos* até a cintura (Estrabo). 36. O betume flutua no topo, por causa da natureza da água, que não admite mergulho; nem pode qualquer um que entre nele *mergulhar*, mas flutua (Estrabo). 37: Mas os lagos perto de Agrigento têm, de fato, o sabor da água do mar, mas de uma natureza muito diferente, pois não acontece às coisas que não podem nadar que sejam *imersas*, mas flutuam na superfície como madeira (Estrabo). 38: Se uma flecha fosse atirada, dificilmente ficaria *submersa* (Estrabo). 39: Como quando uma rede é lançada ao mar, a cortiça boia acima, também não estou *submerso** (Píndaro). 40: Quando um pedaço de ferro é retirado em brasa do fogo e *mergulhado* na água, o calor é repelido (Heráclides do Ponto). 41: Tu podes ser *imersa*, ó bexiga! Mas tu não estás destinada a afundar (Plutarco). 42: Tendo *mergulhado* algumas das cinzas na água da nascente, eles borrifaram-nas (Josefo). 43: Encontrei o Cupido entre as rosas; agarrando-o pelas asas, *mergulhei*-o no vinho (Anacreonte). 44: A espada estava tão *imersa* em sangue que foi até mesmo aquecida por ele (Dionísio). 45: Ele criou um troféu, no qual, *mergulhando* a mão em sangue, ele escreveu esta inscrição (Plutarco). 46: Eles estão *submersos* e afundados nos pântanos (Políbio). 47: Ele *mergulhou* sua espada até o punho em suas próprias entranhas (Josefo).

Classe II: Imergir em um sentido menos estrito

§ 1. *Em aparência*. 48: Mas quando o sol *mergulha* na água do oceano (Orfeu).

§ 2. *Em efeito*. 49: Certas terras desabitadas que na vazante costumam não ser *imersas* [cobertas como se estivessem submersas], mas ficam bastante inundadas quando a maré está cheia (Aristóteles). 50: E foram todos *imersos* [cercados por todos os lados como se tivessem sido imersos] com Moisés na nuvem e no mar (1Co 10.2).

Classe III: Uso metafórico

§ 1. *Como embriaguez*. 51: Eu sou um daqueles que *mergulharam* ontem [que bebeu vinho à vontade] (Aristófanes). 52: Tendo *mergulhado* Alexandre em muito vinho (Platão). 53: Vê-lo nessa condição, e *mergulhado* em excesso de bebida em despudor e sono (Josefo). 54: Eles ficam facilmente intoxicados antes de estarem totalmente *imersos* (Filo Judeu). 55: *Imerso* em vinho (Crisóstomo). 56: *Imerso* na embriaguez (Justino Mártir). 57: Ele é como um tonto e *submerso* (Luciano).

§ 2. *Como aflições*. 58: Percebendo que estava totalmente abandonado à tristeza e *imerso* na calamidade (Heliodoro). 59: Já que as coisas com as quais você se encontrou o *imergiram* (Heliodoro). 60: A iniquidade me *submerge* (Is 21.4). 61: Eu tenho uma *imersão** na qual devo ser *imerso* (Lc 12.50). 62: *Imerso* no infortúnio (Heliodoro). 63: Senão, o que farão aqueles que estão *imersos* pelos mortos? (1Co 15.29). 64: Vocês poderão ser *imersos* com a *imersão** na qual estou *imerso*? (Mc 10.38).

§ 3. *Outros usos*. 65: A mente está *imersa* [afogada como plantas pela rega excessiva] pelo trabalho excessivo (Plutarco). 66: *Imerso* em negócios (Plutarco). 67: *Imerso* em incontáveis cuidados — tendo a mente *imersa* por todos os lados pelas muitas ondas de negócios, *imersa* na malignidade (Crisóstomo). 68: *Imerso* no sono (Clemente de Alexandria). 69: Ele [Baco] *mergulha* com um sono próximo à morte (Eveno). 70: Quando à meia-noite *mergulha* a cidade no sono (Heliodoro). 71: *Imerso* em pecados (Justino Mártir). 72: Mas as pessoas comuns não *mergulham* em impostos (Diodoro Sículo). 73: Eles *submergiram* [naufragaram como um navio] a cidade (Josefo). 74: Isso, como a última tempestade, *submergiu* [naufragando como um navio] os rapazes lançados pela tormenta (Josefo). 75: Estar *imerso* em dívidas de cinquenta milhões de dracmas (Plutarco). 76: Ele vos *mergulhará* no Espírito Santo (Mt 3.11; At.1.5). 77: Em um espírito, fomos *imersos* em um corpo (1Co 12.13).

Observações sobre a Tabela I

A principal dificuldade em classificar a Tabela I diz respeito à Classe III. Nela incluí todos os exemplos em que o sentido de *colorir* é dado à palavra, seja pelo professor Stuart ou pelo Dr. Carson. Muitos desses exemplos poderiam ter sido colocados na Classe I, § 1; e outros na Classe II, § 2.

Colorir. Alguns homens eruditos insistiram que o verbo nunca significa *colorir, independentemente do modo*. É possível explicar os exemplos em ele que parece ter esse significado, como o ex. 56. Ali, os tradutores da Bíblia supuseram que a palavra, embora denotando cor, fosse usada com referência ao seu significado principal. Mas quando consideramos quantas palavras da raiz *βαπ-* foram usadas para coisas concernentes à arte do tintureiro, e com que frequência o verbo *βάπτω (baptō)* foi usado para denotar *colorir*, parece mais provável que, quando empregado para este propósito, ele sugeria às mentes dos gregos em seu uso familiar a ideia de cor diretamente, sem aquele processo de pensamento necessário para deduzir este significado de seu sentido primário *mergulhar*.

Manchar. O professor Stuart considerou *manchar* como um sentido secundário do verbo, e cita como prova dos escritores clássicos gregos os ex. 60, 61, 74. Para os dois primeiros, a tradução como *manchar* é bastante inadequada. O guerreiro em batalha não torna sua espada vermelha *manchando*-a com o sangue de seus inimigos, mas *mergulhando*-a em seus corpos. No outro exemplo, a opção é menos questionável; mas mesmo aqui é preciso cautela para não nos enganarmos. Os verbos mergulhar, afundar, imergir, lavar, molhar, derramar, aspergir e manchar são interpretados com referência a duas substâncias: uma sólida e a outra líquida. Os cinco primeiros têm o sólido como objeto direto; *derramar* tem o líquido como objeto direto. Dizemos mergulhar a mão na água e derramar água sobre a mão; mas não mergulhar água na mão, nem derramar a mão na água. O penúltimo verbo, aspergir, admite ambas as construções. Dizemos: borrifar o chão com água e borrifar água no chão; o último, manchar, tem o sólido como objeto[6]: manchar o corpo com tinta. Em ambas as construções, eles sempre denotam uma aplicação do líquido no sólido, concordando, nesse particular, com o verbo *derramar*. O verbo *βάπτω (baptō)* é sempre lido com o sólido como seu objeto direto.

Ao longo da tabela de exemplos, pode-se encontrar apenas uma exceção, que será notada a seguir. Mesmo quando significa *colorir*, o verbo toma como objeto o sólido, e não significa que a coloração é produzida pela aplicação do corante, como se faz no processo de manchar. Portanto, a utilização de *manchar* pode nos induzir a acreditar que *βάπτω (baptō)*, assim como *manchar*, pode significar uma

6 No original em inglês, o verbo *smear*, como aspergir (*sprinkle*), também admite tanto o sólido quanto o líquido como objeto direto [N.T.].

aplicação do líquido ao sólido. O verbo nunca significa esse processo. Pode significar o efeito disso, mas nunca o processo em si.

Molhar.[7] A exceção acima referida é o ex. 35. Nesse caso, que é o comentário de Nicander sobre o exemplo anterior, o verbo toma o líquido como seu objeto direto e assume o sentido de *molhar*. No uso metafórico da palavra, o ex. 79 se conforma com essa construção. É digno de nota que o verbo inglês *mergulhar* é usado da mesma forma, tomando o líquido por seu objeto direto, ao contrário de sua construção usual. Assim: ele molha com água da piscina. Nunca dizemos: ele mergulha água da piscina. Nesse sentido de extrair uma parte do líquido do restante, o verbo *βαπτω*, quando toma o sólido por seu objeto direto, pode ser construído com o genitivo do líquido, com ou sem a preposição *απω*. Essa observação irá explicar os exemplos 13, 15 e 21, aos quais o professor Stuart deu o sentido de manchar, porque o verbo é construído com *απω*. Eles não significam *manchar* com sangue ou óleo aplicando-os; mas molhar neles de modo a separar uma parte do resto.

Relação ente βάπτω e βαπτίζω

Nossa busca é pelo significado de *βαπτίζω (baptizō)*. Ele é um derivado de *βάπτω (baptō)*; e porque alguma ajuda em determinar seu significado era esperada da palavra primitiva, exemplos nos quais isso ocorre foram introduzidos na coleção precedente.

Alguns lexicógrafos consideram *βαπτίζω (baptizō)* um frequentativo, e o traduziram como *imergir repetidamente*. Robinson diz que ele "é frequentativo em forma, mas não de fato". O professor Stuart examinou extensamente a questão, e decidiu que

7 No original, *dip out*: mergulhar algo brevemente em um líquido e depois retirar [N.T.].

> a opinião contrária, que faz de *βαπτίζω (baptizō)* um *frequentativo* (se isso significa implicar que ele é necessariamente assim por leis de formação ou pelo seu uso) é destituída de um fundamento sólido. No todo, sinto-me constrangido a acreditar neste argumento. Os lexicógrafos que lhe atribuíram esse significado parecem tê-lo feito por causa de princípios teóricos sobre o modo de formação. Eles não ofereceram nenhum exemplo desse ponto. E até que sejam oferecidos, tenho que manter a posição de que um sentido *frequentativo* não é necessariamente ligado a *βαπτίζω (baptizō)*; e que, se ele em algum lugar tem tal sentido, é por uma especialidade de uso da qual não fui capaz de encontrar nenhum exemplo.

Outros supõem com maior probabilidade que a terminação *-ιζω* adiciona à palavra primitiva o sentido de tornar ou fazer, como a terminação *-izar*, em *legalizar* (tornar legal) ou *fertilizar* (tornar fértil). De acordo com essa hipótese, se *βάπτω (baptō)* significa *imergir*, *βαπτίζω (baptizō)* significa *fazer imergir*. Isso faz as duas palavras praticamente sinônimas. Porém, por mais próximas que duas palavras possam parecer em seu significado original, raramente ocorre que elas continuem sendo, na prática, usadas como igualmente adequadas para quaisquer ocasiões em que possam aparecer. Devemos, portanto, examinar o *usus loquendi*, para identificar as nuances peculiares de significado que elas adquirem. Ao estudar a tabela de exemplos anterior, as seguintes observações podem ser feitas:

1. *βάπτω (baptō)*, mais frequentemente que *βαπτίζω (baptizō)*, denota imersão leve ou temporária. Não há um termo em português que corresponda diretamente a esse sentido, de

um mergulho breve ou raso.[8] Em praticamente metade dos exemplos em que *βαπτίζω (baptizō)* ocorre em seu sentido literal, o termo significa a imersão no caso de afogamento, ou do naufrágio de um navio.

2. *βάπτω (baptō)* parece, em alguns casos, ser usado no sentido secundário de *colorir* ou *tingir*, sem incluir seu significado primário de *imergir*. Não ocorre nenhum exemplo em que *βαπτίζω (baptizō)* tenha perdido seu sentido primário. O mesmo ocorre com as palavras em inglês *older* e *elder*.[9] As palavras têm o mesmo significado primário, ou ainda, são formas diferentes da mesma palavra; contudo, enquanto *older* manteve inflexivelmente seu sentido primário, *elder* adotou um significado secundário, em que denota um ofício sem considerar a idade.
3. *Βάπτω (baptō)*, às vezes, significa *retirar água*; *βαπτίζω (baptizō)* nunca assume esse sentido.

Dedução da Tabela II

Embora os lexicógrafos frequentemente designem diversos significados a uma palavra, consideram um deles como o sentido primário ou radical, do qual todos os outros derivam. Se os sentidos não têm relação entre si, eles não pertencem à mesma palavra. Assim, *manga*, como a parte da vestimenta que recobre o braço e *manga*, como o fruto da mangueira, embora sejam iguais em ortografia e pronúncia, são considerados verbetes distintos, pois seus significados são independentes entre si. Ninguém considera que haja dois verbos *βαπτίζω (baptizō)* distintos em grego. Devemos, portanto, buscar seu

8 No original, o autor indica o verbo em inglês *to dip*, que possui o significado mencionado [N.T.].

9 *Older* e *elder* significam "mais velho"; *elder* significa ainda "ancião" ou "presbítero" [N.T.].

sentido primário ou radical, e tentar considerar a partir dele todos os usos em que a palavra é aplicada.

Uma importante distinção deve ser feita entre o sentido próprio de uma palavra e o significado acidental que ela pode obter pelo contexto em que ela é usada. Essa distinção pode ser ilustrada pela seguinte passagem: "Ainda que eu me lave com água de neve e purifique as minhas mãos com sabão, mesmo assim me submergirás no lodo, e as minhas próprias roupas terão nojo de mim" (Jó 9.30–31, NAA). Nessa sentença, o verbo *submergir,* além de seu sentido próprio, recebe o significado de *macular,* pelo contexto em que é usado. Esse significado acidental é a ideia mais proeminente e importante sugerida pela palavra; contudo, não é, estritamente falando, parte de seu sentido. Podemos substituí-lo por *macular,* e o sentido geral da passagem será transmitido; porém, *submergir* e *macular* são coisas diferentes. Não devemos concluir que chegamos ao sentido de uma palavra quando encontramos outra palavra pela qual podemos substituí-la em uma sentença particular.

Como os léxicos dão a *βαπτίζω (baptizō)* o sentido primário de *imergir,* experimentaremos esse sentido nos exemplos em que a palavra ocorre, para determinarmos se esse significado será suficiente para todos os casos em que a palavra é usada.

Em diversos exemplos, em que a palavra é aplicada ao naufrágio de navios, ela obtém o sentido acidental de *fazer naufragar até o fundo.* Esse caso é explicado, em tais contextos, pela palavra *βῡθίζω (butizō), lançar nas profundezas.* Mas o fato de que navios naufragados descem até ao fundo não é afirmado pela palavra *βαπτίζω (baptizō)*; é uma consequência natural de sua imersão. Não há necessidade de supor que isso deve ser incluído no sentido da palavra. A mesma distinção deve ser feita nos exemplos que se referem a afogamento. O afogamento é uma consequência da imersão, e não está incluído no sentido da palavra *βαπτίζω (baptizō)*. Em muitos dos exemplos a imersão denotada pela palavra é claramente distinta do efeito produzido por ela. Portanto, no §3, precisamos distinguir entre a imersão e a purificação resultante dela. Apenas a imersão é denotada propriamente pela palavra. Todos os outros exemplos na Classe I concordam perfeitamente com o sentido de imergir; e alguns deles claramente o requerem. Pelos exemplos 36, 37, 38 e 39, parece que substâncias que flutuam em água não são batizadas. Isso prova conclusivamente que a mera aplicação de água a uma parte da superfície não satisfaz o sentido da palavra. O exemplo 41 prova que submergir até o fundo não é necessário ao seu sentido; mas os outros exemplos aos quais nos referimos provam que descer sob a superfície é indispensável.

Os exemplos na Classe II requerem o sentido de *imergir*. O mesmo vale para os exemplos na Classe III. A propriedade e força das alusões metafóricas não podem ser entendidas se a palavra não significa *imergir*.

Depois de examinar minuciosamente a coleção de exemplos, encontramos que eles estabelecem totalmente o sentido de imergir. Cristo, ao dar a comissão, deve ter empregado a palavra em seu sentido usual. A comissão é dada em linguagem de comando direto, e todas as outras palavras usadas nela estão em seu sentido ordinário. Não temos liberdade para buscar significados extraordinários, mas estamos constrangidos a tomar as palavras conforme seu sentido ordinário, onde não há razão para fazer o contrário. O que elas significam, de acordo com as regras ordinárias de interpretação, é o sentido do comando de Cristo; e, se não as recebemos e observamos nesse sentido, somos desobedientes à sua autoridade.

Agora, reexaminaremos a coleção de exemplos, tentando qualquer um dos outros significados que foram propostos como lavar, purificar, molhar, aspergir ou derramar. Tal experimento logo nos convencerá que nenhum desses é o sentido próprio da palavra. Imersão, e nada além de imersão, sempre satisfará suas exigências.

Confirmação do resultado

A exatidão de nossa dedução é confirmada pelas circunstâncias que acompanhavam alguns dos batismos registrados na Bíblia. O precursor de Cristo é chamado de "o Batista" por administrar esse rito. Ele foi enviado para batizar, e deve-se supor que ele entendia o significado da palavra. Ora, se uma pequena quantidade de água bastasse, por que João recorreu ao Jordão para a administração dele? A razão deve ter sido a que o historiador inspirado atribuiu expressamente a seu batismo em Enom, perto de Salim; a saber, "porque havia ali muitas águas" (Jo 3.23). As pessoas eram batizadas por João no Jordão. Nesse rio, nosso Senhor foi batizado, e seu próprio exemplo explica o significado de sua ordem.

O batismo do eunuco etíope é descrito de maneira muito circunstancial. O estilo com que viajava impede a suposição de que ele não tivesse nenhum vasilhame, no qual uma quantidade suficiente de água para molhar a mão do administrador fosse trazida para a carruagem. Mas, se decidiram não realizar o rito na carruagem, certamente não havia necessidade de ambos entrarem na água, se bastasse molhar a mão de Filipe. Por que os dois entraram na água? E por que o historiador sagrado declarou tão particularmente esse fato? "Ambos desceram à água, e Filipe batizou o eunuco. Quando saíram da água" (At 8.38, 39). Esses fatos circunstanciais são descritos em uma linguagem que ninguém deve interpretar mal, e nem deve ignorar, se deseja conhecer seu dever.

A língua grega continuou a ser falada por muitos anos depois do tempo dos apóstolos. Durante todo esse período, eles, a quem a palavra *βαπτίζω (baptizō)* era vernacular, entenderam que ela significava *imersão*; e a imersão sempre foi a prática da igreja grega até os dias atuais. Os gregos devem ter entendido o significado de sua própria palavra. Os Pais Latinos também entendiam a palavra da mesma maneira; e a imersão prevaleceu tanto nas igrejas ocidentais como nas orientais, até perto do tempo da Reforma. A *afusão* foi permitida em vez da imersão em caso de doença; mas foi considerada um batismo imperfeito. Prefiro dar o testemunho desses vários fatos nas palavras do professor Stuart:

> Nos escritos dos Pais Apostólicos, assim chamados, isto é, os escritores do primeiro século, ou, pelo menos, aqueles que viveram em parte durante esse século, quase nada de uma natureza *definida* ocorre a respeito do batismo, seja em matéria doutrinal ou ritual. É, de fato, frequentemente citado; mas isso normalmente ocorre apenas de uma maneira genérica. Podemos facilmente deduzir dessas alusões que o rito era praticado na igreja; mas não somos capazes de determinar, com precisão, nem a maneira do rito nem a ênfase que foi colocada sobre ele.
>
> No *Pastor de Hermas*, porém, ocorre uma passagem que diz o seguinte: "O selo [dos fihos de Deus], portanto, é a água. *As pessoas entram na água* mortas e saem dela vivas [*in quam descendunt homines morti obligati*]. A elas, consequentemente, foi anunciado esse selo, e elas fizeram uso dele para que pudessem entrar no reino de Deus".[10]

10 *Os Pais Apostólicos* (São Paulo, Mundo Cristão, 2012), e-book, loc. 3584.

Não vejo como qualquer dúvida pode permanecer, que no tempo de Tertuliano, a prática da igreja africana, para dizer o mínimo, quanto ao modo de batismo, era o da *imersão trina.*

As eras subsequentes tornam a prática geral da igreja ainda mais clara, se é que isso pode ocorrer. As palavras gregas *καταδύω* e ***κατάδῦσις*** eram empregadas com o sentido de batizar e batismo, e essas palavras significam entrar na água ou imergir.

As passagens que se referem à imersão são tão numerosas nos Pais, que seria necessário um pequeno volume apenas para citá-las.

Mas basta. "É uma coisa estabelecida", diz Augusti (Denkw. VII., Pág. 216), isto é, a antiga prática de imersão. Assim também concluem, de fato, todos os escritores que investigaram exaustivamente esse assunto. Não conheço nenhum uso dos tempos antigos que pareça ser mais claramente definido. Não vejo como seria possível a um homem franco que examina o assunto negar isso.

"Que houve casos de exceção permitidos, de vez em quando, é, sem dúvida, verdade. A pessoas em estado de doença ou perigo extremos foram permitidos o batismo por afusão. Mas todos esses casos foram manifestamente considerados como exceções ao uso comum da igreja."

Sepultamento no batismo

O significado do batismo requer imersão. Paulo explica: "Ou, porventura, ignorais que todos nós que fomos batizados em Cristo Jesus fomos batizados na sua morte? Fomos, pois, sepultados com ele na morte pelo batismo; para que, como Cristo foi ressuscitado dentre os mortos pela glória do Pai, assim também andemos nós em novidade de vida" (Rm 6.3, 4). E ainda: "tendo sido sepultados, juntamente com ele, no batismo, no qual igualmente fostes ressuscitados mediante a fé no poder de Deus que o ressuscitou dentre os mortos" (Cl 2.12). Pedro faz alusão à mesma interpretação do rito, quando diz: "a qual, figurando o batismo, agora também vos salva, não sendo a remoção da imundícia da carne, mas a indagação de uma boa consciência para com Deus, por meio da ressurreição de Jesus Cristo" (1Pe 3.21).

A fé que professamos no batismo é a fé em Cristo; e a cerimônia representa significativamente a grande obra de Cristo, da qual nossa fé depende para a salvação. Confessamos com a boca o Senhor Jesus, e cremos de coração que Deus o ressuscitou dos mortos (Rm 10.9). Seu sepultamento e ressurreição são exibidos no batismo, assim como seu corpo partido e sangue derramado são exibidos na ceia. Em ambas as ordenanças, nossa fé é direcionada ao sacrifício de Cristo. Sob o nome de sacramentos, eles foram considerados sinais exteriores da graça interior; e, nessa visão, eles significam a obra do Espírito Santo dentro de nós. Mas a fé confia, para ser aceita por Deus, na obra de Cristo. É um evangelho pervertido que substitui a obra de Cristo pela obra do Espírito como objeto de nossa fé; e é um batismo pervertido que representa a fé que professamos como se dirigida não à obra de

Cristo, o objeto apropriado da fé, mas à obra do Espírito Santo em nossos corações.

Objeção 1

Há uma antítese entre o sepultamento e a ressurreição que aqui são mencionados. A ressurreição é moral, sendo para novidade de vida; o mesmo aparece na passagem paralela em Colossenses, onde se diz que é "mediante a fé no poder de Deus". Se a ressurreição é moral, o sepultamento antitético não pode ser físico.

Se a consistência da interpretação requer que o sepultamento seja moral, o batismo também deve ser moral. Os quakers supõem que o batismo mencionado primeiro na passagem é moral: "todos nós que fomos batizados em Cristo Jesus". Mas os pedobatistas admitem que o batismo físico está em vista nessa sentença. Ora, ao passar do batismo físico no início da passagem para a ressurreição moral no seu final, deve haver um ponto em seu progresso em que passamos do que é físico para o que é moral. Onde é esse ponto? Alguns imaginam que está entre a última sentença citada e a que se segue imediatamente: "fomos batizados na sua morte"; eles supõem que "ser batizado em Cristo" é físico, mas ser batizado em sua morte é moral.

A passagem de Gálatas é citada como paralela: "porque todos quantos fostes batizados em Cristo, de Cristo vos revestistes" (Gl 3.27). A primeira parte do versículo, eles dizem, refere-se ao batismo físico; e a última, ao moral. Mas essa é uma interpretação errônea. Revestir-se de Cristo é revestir-se de sua religião por meio de uma profissão externa, profissão essa feita no batismo. O batismo e a profissão são semelhantes, em que implicam uma mudança moral no sujeito, apenas na medida em que ele é sincero. Alguns são batizados fisicamente, mas não se revestem moralmente de Cristo; mas isso, embora inquestionavelmente verdadeiro, é diretamente contradito pela passagem, se a interpretação proposta para ela for correta. Assim, na passagem em consideração, é afirmado que as mesmas pessoas, e o mesmo número de pessoas, que são batizadas em Cristo, são batizadas em sua morte. Isso não poderia ser verdade se o primeiro batismo fosse físico e o segundo moral. Entre essas duas afirmações, portanto, não há lugar para uma divisão entre o que é físico e o que é moral.

Estendemos nosso exame ainda mais para encontrar um lugar para a divisão, e a encontramos claramente marcada pelo imperativo "assim também andemos"; *assim também andemos nós em novidade de vida*. Aqui, a obrigação de uma moral adequada é deduzida do que antecede. Essa obrigação é deduzida do batismo físico com o qual a passagem começa, e tudo na passagem, até chegarmos à expressão "assim também andemos", está intimamente conectado com esse batismo físico, e é explicativo dele. Esses elos intermediários de explicação são necessários para conectar a obrigação moral no final com o batismo físico no início da passagem. Se esses elos intermediários fossem morais, a posição adequada para o imperativo seria na primeira frase: todos nós que fomos batizados em Cristo, assim também sejamos batizados em sua morte.

Na passagem paralela mencionada, de Colossenses, a expressão é "tendo sido sepultados, juntamente com ele, no batismo". A palavra batismo aparece sem adjuntos. Não é *batismo na morte*; mas simplesmente *batismo*. Se a palavra *batismo*, aparecendo assim sozinha, pode significar algo totalmente moral, será difícil rejeitar a interpretação dos quakers dessas passagens, bem como do imperativo "batizando" presente na Grande Comissão. No versículo anterior, a circuncisão é mencionada; mas para sabermos que a circuncisão física não é considerada, ela é expressamente qualificada como "não por intermédio de mãos" e "a circuncisão de Cristo". Nenhuma precaução contra má interpretação acompanha a menção do batismo; e quando é lembrado que os cristãos não são obrigados a receber a circuncisão física, mas devem receber o batismo físico, devemos concluir que o batismo físico é o pretendido aqui. A integridade dos cristãos requer a mudança moral denotada pela circuncisão, bem como a obediência prestada no batismo físico. Em todos os que são assim completos, este ato físico é realizado "mediante a fé no poder de Deus". Essa passagem não deduz, como a de Romanos, a obrigação moral a partir do batismo; e, portanto, não se introduz nenhum termo de conclusão ("andemos nós"); mas ela afirma a integridade dos verdadeiros crentes em sua mudança moral interna, e em sua significativa profissão externa dela.

Objeção 2

Em todas as outras partes das Escrituras, a água é um emblema de purificação; e viola qualquer analogia supor que no batismo ela é um emblema da sepultura, que é o lugar de putrefação e repugnância.

Que a água no batismo é um símbolo de purificação, fica claro nas palavras "Levanta-te, recebe o batismo e lava os teus pecados" (At 22.16). Mas não pode ser afirmado que essa água não é nada além de um emblema da purificação. Em numerosas passagens, é um emblema de aflições, de aflições profundas, sem qualquer referência à purificação. Quando o Salvador disse: "Tenho, porém, um batismo com o qual hei de ser batizado" (Lc 12.50), uma imersão é considerada, não em um meio de purificação, mas em sofrimentos e morte.

A sepultura é um lugar de putrefação e repugnância, mas não até que o corpo corruptível seja depositado nela; e quando ele deixar a sepultura, o corruptível haverá de ser revestido de incorruptibilidade. Mesmo a sepultura, portanto, é um lugar de regeneração e purificação; e, longe de não ter analogia com a água purificadora do batismo, a analogia é surpreendente.

Algumas das alusões das Escrituras ao batismo são feitas a ele como um rito purificador, mas isso não é verdade para todas elas. Uma exceção é encontrada em 1Coríntios 10.2. Sobre isso, o professor Stuart comenta:

Aqui, então, estava a nuvem que primeiro estava diante deles, e depois atrás deles; e aqui estavam as águas do Mar Vermelho, como um muro à sua direita e à sua esquerda. No entanto, nem a nuvem nem as águas os tocaram. Eles atravessaram pelo meio do mar em terra *seca*. No entanto, eles foram batizados *na nuvem e no mar*. A razão e o fundamento de tal expressão devem ser, até onde posso discernir, um cerco dos israelitas por todos os lados pela nuvem e pelo mar, embora nem a nuvem nem o mar os tocassem. É, portanto, uma espécie de expressão figurativa, derivada da ideia de que batizar é cercar-se de um fluido. Mas não parece estar definido se isso seria por imersão, afusão, sufusão ou lavagem. Por vezes, foi sugerido que os israelitas foram *aspergidos* pela nuvem e pelo mar, e esse era o batismo que Paulo pretendia designar. Mas a nuvem nessa ocasião não era uma nuvem de chuva; nem encontramos qualquer indicação de que as águas do Mar Vermelho aspergiram os filhos de Israel nessa situação. Tanto é verdade, que eles não foram *imersos*. Porém, como a linguagem deve evidentemente ser figurativa em certo grau, e não literal, não vejo como, no todo, podemos fazê-la supor menos do que ter uma referência tácita à ideia de *cercar-se* de uma forma ou de outra.

Esse autor insiste na objeção que estamos considerando como sendo sua "principal dificuldade com respeito à exegese usual". No entanto, temos aqui, de acordo com sua própria exposição, uma alusão ao batismo, sem qualquer referência à purificação. Outra referência desse tipo é encontrada em 1Pedro 3.21, e novamente nas palavras de Cristo antes citadas: "Tenho, porém, um batismo com o qual hei de ser batizado".

Objeção 3

Pouquíssima semelhança pode ser encontrada entre um homem sendo mergulhado na água e Cristo sendo colocado em um sepulcro escavado em uma rocha. A suposta alusão requer semelhança.

A prova positiva de alusão deve ser tratada com dificuldade; porque, se for mera alusão, é sempre feita sem expressa afirmação. A prova de alusão deve, portanto, ser circunstancial; contudo, ainda pode haver circunstâncias que excluem todas as dúvidas racionais de sua existência.

Se não há semelhança entre a imersão e o sepultamento de Cristo, a passagem diante de nós não contém nenhuma alusão. Se a semelhança é tão tênue que poucas pessoas podem percebê-la, a probabilidade é que a suposta alusão exista apenas na fantasia de quem imagina vê-la. Mas se os homens geralmente acreditaram que a alusão existe na passagem, isso demonstra que há semelhança.

Os homens geralmente acreditaram na existência da suposta alusão? Não é necessário examinar os escritos de autores ligados aos mais diferentes credos, que diferem uns dos outros em suas visões do batismo. O professor Stuart nos diz sua opinião em poucas palavras:

A maioria dos comentaristas sustentou que *συνετάφημεν (sunetaphēmen)* tem aqui uma referência necessária ao modo literal de batismo, que, dizem eles, era por imersão; e isso, eles pensam, oferece base para o emprego da imagem usada pelo apóstolo, porque a imersão (debaixo d'água) pode ser comparada ao sepultamento (debaixo da terra). É difícil, talvez, conseguir uma reconsideração paciente deste assunto, há tanto tempo considerado por alguns como estando acima de questionamento.

Ora, essa concordância geral dos comentadores responde à objeção que estamos considerando, com muito mais sucesso do que quaisquer esforços nossos para apontar a semelhança que esses comentadores perceberam. O fato de ser visível é a melhor prova de que ela existe. A Escritura em nenhum lugar afirma que Paulo, nessa passagem, alude a uma semelhança entre a imersão e o sepultamento de Cristo; e, portanto, a "exegese comum" não pode ser sustentada por uma prova positiva das Escrituras; mas encontra a prova, a melhor prova que a natureza do caso admite, no fato de que os homens geralmente viram e perceberam a alusão.

Embora a prova positiva da exegese comum não possa ser encontrada nas Escrituras, uma prova circunstancial pode ser extraída da própria passagem, chegando quase ao ponto de uma demonstração completa. Depois de fazer menção do batismo na morte de Cristo, Paulo, antes de referir-se à ressurreição de Cristo, sai do curso normal para falar do sepultamento de Cristo. Isso não era necessário para a instrução moral que ele pretendia transmitir, se nada além de uma conformidade moral com a morte de Cristo fosse pretendida. Para esse propósito, não era necessário encontrar uma antítese para a ressurreição de Cristo. As Escrituras geralmente falam de Cristo ressuscitando *dos mortos, e não da sepultura*: sua morte é a antítese comum de sua ressurreição.

Um exemplo ocorre no presente capítulo: "se fomos unidos com ele na semelhança da sua morte, certamente, o seremos também na semelhança da sua ressurreição" (Rm 6.5). Em Colossenses, após a passagem "sepultados, juntamente com ele, no batismo", a antítese é novamente feita, entre a morte (não o sepultamento) de Cristo, e sua ressurreição: "Se morrestes com Cristo para os rudimentos do mundo, por que, como se vivêsseis no mundo, vos sujeitais a ordenanças?"; "Portanto, se fostes ressuscitados juntamente com Cristo, buscai as coisas lá do alto"; "porque morrestes, e a vossa vida está oculta juntamente com Cristo, em Deus" (Cl 2.20; 3.1-3). Por que o apóstolo saiu do curso normal, em duas passagens diferentes, para mencionar o sepultamento de Cristo, e mencioná-lo em conexão com o batismo? Isso não pode ser explicado se a exegese comum for rejeitada.

A objeção afirma que pouca semelhança pode ser encontrada entre a imersão e o sepultamento de Cristo; e o mesmo pode ser dito com respeito à semelhança entre uma porção de pão e o corpo de Cristo. Uma imagem bem executada da crucificação, como as que se veem nas capelas católicas, tem muito mais semelhança com o corpo de Cristo do que um pedaço de pão. No entanto, considerando todos os fins a serem atendidos pela eucaristia, a sabedoria divina determinou que devemos manter a morte de Cristo na memória não olhando para um crucifixo, mas comendo um pão.

Da mesma maneira, alguns meios podem ter sido designados para representar o sepultamento e ressurreição de Cristo, oferecendo uma semelhança mais próxima do que a fornecida pela imersão em água. Porém, quando consideramos que o batismo não apenas representa o sepultamento e ressurreição de Cristo, mas também nossa comunhão com ele em ambos, e a consequente remoção ou purificação de nossa culpa, nada poderia ser mais conveniente, adequado e instrutivo do que realizar todos esses fins de uma vez só.

Argumentos para um significado diverso

Argumento 1

Há muitas razões para supor que *βαπτίζω (baptizō)*, sendo um derivado de *βάπτω (baptō)*, tem um sentido menos definido e menos forçoso do que o original. E mesmo *βάπτω (baptō)* nem sempre significa uma imersão total. Isso é perfeitamente evidente em Mateus 26.23: "O que imerge a mão no prato comigo" (KJV). Marcos traz *ὁ ἐμβαπτόμενος (ho embaptomenos)*, aquele que imerge a si mesmo (Mc 14.20). Ora, qualquer que seja o líquido que o prato continha, não se pode supor que Judas mergulhou toda a sua mão naquele líquido; muito menos que ele mergulhou sua pessoa inteira.

Quais são as "muitas razões" para supor que *βαπτίζω (baptizō)* tenha um significado menos definido e menos forçoso do que *βάπτω (baptō)*, o argumento não nos informa. O mero fato de ser um derivado não fornece a menor prova, porque derivados podem ser amplificativos ou intensivos. Supor que eles devem ser diminutivos seria totalmente falacioso. A terminação *-ιζω*, seja frequentativa ou causativa, não é diminutiva. Nosso exame das tabelas anteriores mostrou que o primitivo geralmente denota uma imersão leve e temporária; mas que o derivado, em quase metade dos exemplos em que é usado, significa literalmente imersão total e permanente. Este fato é decisivo contra a suposição de que *βαπτίζω (baptizō)* é menos definido e forçoso.

Mas se o *βάπτω (baptō)* primitivo, menos forte, tivesse sido usado na comissão, não haveria razão suficiente para supor que se pretende algo menos do que mergulhar. O próprio significado dessa palavra é claramente mergulhar. Os numerosos exemplos de seu uso que foram oferecidos estabelecem esse ponto; e até mesmo o próprio exemplo apresentado no argumento o prova. Judas imergiu sua mão no prato. Ele não lavou, purificou, molhou, aspergiu ou derramou sua mão; ele mergulhou. Mergulhar, portanto, de acordo com este mesmo exemplo, é o significado de *βάπτω (baptō)*; e se esta palavra tivesse sido empregada na comissão, a ordem teria sido: "fazei discípulos de todas as nações, imergindo-os". A imersão foi ordenada em muitas das cerimônias prescritas no Antigo Testamento, e a palavra *βάπτω (baptō)* expressa o dever prescrito. Ninguém imagina que ela signifique, nesses casos, aspergir ou derramar. Se esta palavra tivesse sido usada na comissão, os adoradores cristãos seriam menos obedientes do que os israelitas, se ficassem satisfeitos com algo menos do que mergulhar.

Mas alega-se que a palavra nem sempre denota total imersão. Ao reexaminar a tabela de exemplos, verificamos que frequentemente, no uso de *βάπτω (baptō)*, e menos frequentemente no uso do *βαπτίζω (baptizō)*, a imersão não é total; mas, em nenhum caso, isso surge de qualquer defeito no significado de qualquer um dos verbos. Quando um professor instrui seu aluno a molhar sua caneta na tinta com o propósito de escrever, ninguém pensa que se pretende uma imersão de toda a caneta. Quando lemos: "E manda a Lázaro que mergulhe a ponta do dedo na água e refresque-me a língua" (Lc 16.24), todos entendem que toda a parte designada, *a ponta do dedo*, deve ser imersa. A diferença nos dois casos não surge de qualquer diferença no significado do verbo. É a mesma palavra em ambos os casos e tem o mesmo significado; mas o propósito para o qual o ato deve ser realizado determina até que ponto a imersão deve ocorrer. Se o aluno confundisse estupidamente a intenção do professor, o comando seria explicado: "Mergulhe a ponta da caneta na tinta"; e isso é tudo o que o primeiro comando significava.

A definição maior presente no segundo comando não surge de qualquer definição maior presente no verbo. No segundo caso, ele é definido, e era igualmente definido no primeiro; mas no primeiro, por uma figura de linguagem muito comum, toda a caneta foi tomada por uma parte dela. O professor confiava na natureza do caso para limitar o significado de seu comando, e a linguagem é sempre suficientemente definida, desde que não haja perigo de ser mal interpretada. Dizemos que a caneta é molhada, quando, na linguagem estrita, apenas a ponta é mergulhada; mas a ponta está totalmente imersa e, portanto, em seu significado próprio, mergulhar significa imersão total. Em todos os casos em que o comando é mergulhar, na medida em que depende do significado da palavra, a imersão total deve ser entendida; e se tivéssemos recebido a comissão em nossa língua: "fazei discípulos de todas as nações, mergulhando-os", certamente seria possível deixarmos que o senso comum determinasse se a imersão seria total ou parcial.

A voz média dos verbos gregos é usada quando um agente age em seu próprio benefício. Isso explica suficientemente o uso de *ἐμβαπτόμενος (embaptomenos)* por Marcos, no exemplo citado no argumento. O que Judas mergulhou no prato, Mateus diz ter sido sua mão. Uma mão pode ser totalmente imersa na cavidade de um prato vazio, ou de um prato contendo sólidos; mas o significado provável no presente caso é que algo que a mão segurava foi mergulhado em um líquido que o prato continha. A mão, por meio de uma figura de linguagem, está para o que ela segurava; e o prato, por uma figura semelhante, está para o que ele continha; mas entre essas figuras, o verbo imergir[11] retém seu significado literal e próprio; e nada foi literal e propriamente imergido, exceto o que foi totalmente imerso.

Se o leitor examinar novamente os exemplos em que ocorre *βαπτίζω (baptizō)*, ele poderá observar que, com bem poucas exceções, todos eles são casos de imersão total. Entre as poucas exceções, há três ocasiões (exemplos 31, 35 e 49) em que a imersão é parcial por limitações expressas: "até a cabeça"; "até a cintura"; "até o punho". O fato de essas limitações serem expressas demonstra que, sem elas, a palavra significaria imersão total. Essa é a palavra usada na comissão, sem qualquer cláusula limitadora, e sem nada no contexto ou na natureza do assunto que indique que se considerava uma imersão parcial. Só porque pode-se encontrar um exemplo no qual, pela natureza do caso, a imersão denotada é parcial, não justifica-se a inferência de que a imersão parcial é pretendida aqui. O discípulo humilde e dócil deseja saber e fazer o que seu divino Mestre desejava que ele fizesse; e a linguagem do comando é tão definida como se tivesse sido expressa em nossa língua: "fazei discípulos de todas as nações, mergulhando-os". Não diz mergulhando-os *totalmente*; mas se alguém recusar a imersão total até que encontre isso expressamente escrito, devemos deixá-lo entregue à sua própria consciência e ao julgamento daquele que deu o comando.

Argumento 2

βαπτίζω (baptizō) de fato significa *imergir*, mas também significa *lavar* e, sob esse último significado, a purificação cerimonial está incluída. O leproso sírio recebeu ordem de lavar-se no Jordão; e o ato de obediência a este comando, é expresso por *βαπτίζω (baptizō)*. Uma

11 As traduções em português transmitem o verbo figurativamente, vertendo a palavra como "meter" (ARA, ARC), "comer" (NVI, NVT, A21) e "pôr" (NAA) [N.T.].

discussão entre os judeus e os discípulos de João sobre seu batismo é considerada "com respeito à purificação" (Jo 3.25). As purificações hebraicas foram realizadas de várias maneiras, principalmente por aspersão de água consagrada. Entre seus ritos, "diversas abluções" são mencionadas (Hb 9.10). A palavra *diversas* é a mesma aplicada aos dons espirituais em Romanos 7.6, e significa "de diferentes tipos". Ora, os batismos não poderiam ser de diferentes tipos, se eles fossem todos realizados por imersão. Além disso, um desses tipos é expressamente declarado no contexto como "aspersão" (Hb 9.13). Ademais, diz-se que os fariseus batizavam-se depois de voltar do mercado, quando a ideia em mente nada mais é do que lavar as mãos. Diz-se, também, que realizavam o batismo de potes, taças, vasos de bronze e mesas; ou, como a última palavra deveria ser traduzida, de camas ou sofás em que se reclinavam durante as refeições (Mc 7.3, 4). Que todas essas purificações, e especialmente a das camas, tenham sido realizadas por imersão, é totalmente inacreditável.

Se *mergulhar* e *lavar* ou *purificar* são dois sentidos diferentes de *βαπτίζω (baptizō)*, surge a pergunta: em qual desses sentidos Cristo usou o termo na comissão? Não temos a liberdade de escolher qualquer um deles a nosso gosto. Quando um professor ordena a seu aluno que "molhe[12] a caneta na tinta", o aluno pode, voltando-se para um dicionário, descobrir que o verbo molhar tem diversos sentidos; e que um desses é *cobrir de líquido*. Seguindo tal definição, o aluno pode concluir por molhar a caneta colocando a tinta sobre ela de alguma outra forma; e pode usar essa definição sem a menor hesitação, porque entende que o propósito do comando dado será cumprido. Mas quando ele molhou sua caneta de algum outro modo, ele

12 Aqui, mais uma vez, o autor usa como exemplo o verbo *to dip*, em inglês [N.T.].

obedeceu à ordem de seu professor? Todos sabem que não. Mas por quê? A palavra molhar não significa cobrir de líquido? Respondemos que, embora esse seja um dos sentidos, certamente não é o sentido usual pretendido pelo professor ao dar a ordem. Assim, Cristo usou a palavra *βαπτίζω (baptizō)* em seu sentido usual; e nós realmente desobedecemos a seu comando se não lhe obedecemos no sentido pretendido por ele, tanto quanto se o substituíssemos por algum outro comando. Os exemplos que foram apresentados estabelecem plenamente qual era o sentido usual da palavra.

Mas *βαπτίζω (baptizō)* significa *lavar*? Os lexicógrafos dizem que sim, assim como os dicionários dão diversos significados para os verbos *mergulhar* ou *molhar*. As palavras adquirem significações secundárias ou acidentais a partir de conexões peculiares ou de uso figurativo; e elas são enumeradas por lexicógrafos com significados distintos. Não que eles devam ser censurados por isso. Seu objetivo é oferecer uma visão da linguagem, e não uma mera coleção de significados primários. Nosso cuidado, entretanto, deve ser, quando estrita exatidão é necessária, distinguir o que é meramente acidental no significado de uma palavra, de seu verdadeiro e próprio significado.

Imergir e *lavar* não podem ser, ambos, significados primários de *βαπτίζω (baptizō)*. O segundo significado, *lavar*, não pode explicar o uso da palavra nos vários exemplos em que ela ocorre; e o outro, *imergir*, não poderia ser derivado dele. Por outro lado, *imergir* explica plena e satisfatoriamente cada uso da palavra. Deve ser, portanto, o sentido primário; e assim os lexicógrafos decidiram. O segundo sentido, que é desconhecido de grande parte dos exemplos, é, em crítica estrita, apenas o propósito para o qual a imersão é realizada. Quando a imersão é realizada com o propósito de lavar, ou de purificação cerimonial, o significado acidental de lavar ou purificar é atribuído à palavra; mas seu significado próprio permanece inalterado, assim como o significado próprio de *βάπτω (baptō)*, em Jó 9.30, permanece inalterado, mesmo adquirindo o significado acidental de contaminar. Na boa crítica, tais significados acidentais de palavras não são, estritamente falando, parte de seu significado, como foi afirmado na seção anterior "Dedução da tabela II". São ideias não expressas pelas palavras, mas sugeridas pela conexão em que são usadas.

Outra prova de que *βαπτίζω (baptizō)* não significa lavar, purificar, molhar, aspergir ou derramar pode ser extraída do fato de que a abundância da língua grega fornece palavras distintas para expressar todas essas ideias. Se Jesus desejava comandar qualquer um desses atos, por que ele não usou a palavra adequada para denotá-lo? Por que ele empregou uma palavra que denota primariamente um ato diferente e que, portanto, não poderia expressar seu significado, ou apenas o expressaria de forma muito duvidosa?

O leproso sírio recebeu a ordem de lavar-se no Jordão e, para isso, mergulhou no rio. A palavra *βαπτίζω (baptizō)* denota a imersão, e informa-nos não só que ele obedeceu ao comando, mas também de que maneira ele obedeceu. Ele não se lavou borrifando algumas gotas em seu rosto.

Somos informados de que "suscitou-se uma contenda com respeito à purificação" (Jo 3.25). Qual era a pergunta exata, não nos é dito; e é impossível determinar sua relação com o batismo de João. Mas a passagem não contém nenhuma prova de que *batizar* e *purificar* são idênticos.

Sobre a adoração hebraica, Paulo diz que "não passam de ordenanças da carne, baseadas somente em comidas, e bebidas, e diversas abluções" (Hb 9.10). É verdade, como afirmado no argumento, que a mesma palavra, "diversas", é aplicada aos dons mencionados em

Romanos 12.6; mas esses "dons" eram todos *dons*. Eram dons de vários tipos; mas a variedade não faz com que nenhum deles deixe de ser dom. Da mesma forma, os diversos batismos, ou imersões, mencionados nesta passagem, são todos *imersões*. Sua variedade não os transforma em algo diferente de *imersões*. As imersões de diversas pessoas e coisas, em diversos momentos, sob diversas circunstâncias, e para diversos tipos de impurezas, constituem diversas imersões, sem a suposição de que algumas delas fossem realizadas por aspersão. Se a frase fosse "diversas aspersões", em vez de "diversas abluções", ninguém inferiria que algumas dessas aspersões eram realizadas por imersão.

Mas alega-se que Paulo informou-nos, no contexto, que alguns desses diversos batismos foram realizados por aspersão. Isso é um engano. Paulo menciona, no contexto, "o sangue de bodes e de touros e a cinza de uma novilha, aspergidos sobre os contaminados" (Hb 9.13). Ele classifica os vários ritos em quatro categorias: [1] comida, [2] bebida, [3] várias cerimônias de purificação com água e [4] ordenanças exteriores (Hb 9.10, NVI). Sob a última dessas categorias, a aspersão que santificava para a purificação da carne foi explicitamente incluída. A suposição de que era um dos diversos batismos é desautorizada e errônea.

Ao sustentar que a aspersão e a imersão são batismos diversos, o argumento opõe-se à posição usualmente assumida pelos defensores da aspersão. Os batismos judaicos eram diversos; porém, Paulo diz que o batismo cristão é um: "um só Senhor, uma só fé, um só batismo" (Ef 4.5). Ao explicar essa passagem, os defensores da aspersão alegam que aspersão e imersão são apenas *modos* diferentes do mesmo rito; porém, diferentes modos de um só batismo não constituem diversos batismos. Se a aspersão é realmente um batismo diferente, como seu uso pode ser reconciliado com a unidade do rito cristão?

A palavra *βαπτίζω (baptizō)*, em Marcos 7.4, não significa um simples lavar das mãos. Esse ato é expresso no versículo anterior por *νίπτω (niptō)*, a palavra adequada para denotá-lo. Em vez de confundir o significado das duas palavras, o sentido da passagem requer que elas sejam cuidadosamente distinguidas. O ato que uma delas denota era realizado em ocasiões ordinárias; mas o ato denotado pela outra era realizado em ocasiões extraordinárias: "quando voltam da praça". Alguns entendem uma imersão das coisas trazidas do mercado; alguns, uma imersão do braço até o cotovelo; e alguns, uma imersão de todo o corpo. Suponho que o último seja o verdadeiro significado; mas, para nosso propósito atual, não há necessidade de decidir entre essas interpretações. De acordo com qualquer uma delas, a palavra retém seu significado usual de imergir.

O que foi dito nesta passagem ajudará a explicar uma passagem semelhante em Lucas: "O fariseu, porém, admirou-se ao ver que Jesus não se lavara [batizara] primeiro, antes de comer" (Lc 11.38). Jesus misturava-se com uma multidão de pessoas, que se aglomeravam ao seu redor (Lc 11.29), e o perigo de contaminação cerimonial era de como se ele tivesse vindo do mercado. Por isso, o fariseu esperava que ele fizesse a imersão antes do jantar, como necessário para a santidade adequada de um mestre religioso.

Quanto à imersão de camas, o argumento precipitadamente declara ser inacreditável. O Dr. Gill, em seus comentários sobre a passagem, provou que tais imersões eram praticadas, citando longamente os regulamentos dos rabinos a respeito delas. Declarar que as afirmações da Bíblia são inacreditáveis, a menos que as palavras sejam tomadas em um sentido incomum, não é honroso para com a inspiração divina.

Argumento 3

Os ritos judaicos eram de dois tipos: alguns, expiatórios, outros, purificadores. Os sacramentos cristãos são um resumo dos ritos judaicos: a eucaristia correspondendo aos expiatórios, e o batismo, aos purificadores. Se ambos tomassem o lugar dos ritos expiatórios, referindo-se à obra de Cristo, o sistema cristão seria defeituoso, por não haver cerimônia para representar a obra purificadora do Espírito Santo. Mas se o batismo representa-a, é suficiente realizá-lo de qualquer modo que represente purificação; e especialmente por aspersão, que é o modo comumente empregado para esse propósito.

É melhor aprender o desígnio dos ritos cristãos pelas Sagradas Escrituras do que por nossos próprios raciocínios, quanto ao que é necessário para tornar o sistema cristão completo. A ceia representa a obra expiatória de Cristo e, ao mesmo tempo, representa nossa nutrição em Cristo pela fé, que é produzida pela influência do Espírito Santo. Considerando que a ceia representa a obra expiatória de Cristo, não temos o direito de limitá-la a este único propósito, e recusar comer e beber, porque esses atos não representam uma parte da obra de Cristo. O batismo representa nossa purificação do pecado; mas, ao mesmo tempo, representa nossa comunhão com Cristo em seu sepultamento e ressurreição. Se o realizarmos de modo a servir apenas a um desses propósitos, fazemos o que ninguém reivindica o direito de fazer com respeito à outra cerimônia cristã. Mutilamos uma ordenança de Cristo e, assim, havemos de torná-la imprópria para cumprir todos os propósitos que sua sabedoria pretendia.

Argumento 4

A linguagem do Novo Testamento, embora escrita em letras gregas, não é o grego dos autores clássicos, mas é modificado por peculiaridades de origem hebraica. Por causa disso, adianta muito pouco averiguar o sentido de *βαπτίζω (baptizō)* no Novo Testamento e coletar exemplos de seu uso por autores seculares. Os exemplos em que a palavra faz referência à purificação (Classe I, § 3) são numerosos nas Escrituras gregas. Como o primitivo *βάπτω (baptō)* perde o sentido original de *mergulhar* quando assume o sentido secundário de *colorir*, também *βαπτίζω (baptizō)* era usado pelos hebreus no sentido de *purificar*, sem levar em conta o sentido primário de *imergir*. Nos escritores seculares, a palavra era geralmente acompanhada da preposição *ἐις (eis)*; mas, nas Escrituras, é geralmente acompanhada da preposição *ἐν (en)*, e às vezes com o dativo sem preposição. Esta peculiaridade de construção pode ser considerada como prova de que o sentido da palavra não é idêntico àquele em que é empregada por autores clássicos gregos.

Admitimos com alegria que o grego do Novo Testamento contém muitas expressões hebraicas. Também é verdade que algumas das palavras são usadas para denotar coisas que eram desconhecidas de escritores não familiarizados com a religião dos hebreus; e essas palavras devem, portanto, ser usadas em um sentido peculiar. Não obstante, a língua do Novo Testamento é o grego. Essa linguagem, por causa de sua prevalência geral, foi sabiamente escolhida para ser o veículo da revelação do Novo Testamento. O Espírito Santo realizou a revelação para o benefício da humanidade, não exclusivamente para os judeus. A seleção de uma língua geralmente entendida entre as nações estava de acordo com esse desígnio, considerando que as palavras fossem geralmente empregadas em seu significado conhecido. Mas se as palavras fossem usadas em sentidos com que os homens não estavam acostumados, a prevalência da linguagem seria uma forte objeção ao seu uso. Os homens seriam inevitavelmente induzidos a erro, ao tomarem palavras que eram familiares em seu sentido costumeiro.

A palavra grega *βαπτίζω (baptizō)* não denotava algo peculiar à religião ou aos costumes hebraicos, mas um ato que não tinha conexão necessária com a religião, e que era tão conhecido nas terras pagãs como era na terra da Judeia. Se pudesse ser provada a prevalência de um uso peculiar dele na Judeia, ainda poderia ser questionado, se, em uma revelação destinada a todas as nações, o Espírito Santo teria se conformado a esse uso peculiar. Mas não existe tal prova. Nem uma única passagem pode ser encontrada, seja na Septuaginta ou no Novo Testamento, em que a palavra afaste-se de seu significado ordinário. Quando denotava imersão, realizada com o propósito de purificação cerimonial, o significado da palavra era exatamente o mesmo de uma imersão realizada para qualquer outro propósito. O termo *βάπτω (baptō)* ocorre com frequência no Antigo Testamento em comandos que prescrevem observâncias religiosas. No entanto, ninguém conclui que esta palavra tinha um sentido hebraico diferente daquele considerado entre os gentios; e a suposição de que *βαπτίζω (baptizō)* tinha um sentido hebraico peculiar é destituída de fundamento.

A linguagem de Cristo, "tenho, porém, um batismo com o qual hei de ser batizado" (Lc 12.50), não pode ser explicada pela suposição de que a mente hebraica atribuía o sentido de *purificar* à palavra *batizar*. Para tornar a frase inteligível e expressiva, devemos admitir o sentido clássico de *imergir*.

Josefo era judeu e escreveu logo após a época de Cristo. Por seu uso da palavra, podemos aprender o que ela significava para a mente de um judeu. A Tabela II contém vários exemplos deste autor, e em nenhum deles aparece o suposto significado hebraico de *purificar*;

mas o significado em todos é precisamente o mesmo que no grego dos autores gentios.

Pode ser visto que os hebreus atribuíram o significado comum à palavra por meio do batismo de prosélitos judeus. Todos admitem que se tratava de imersão. Muitos afirmam que esse batismo era praticado já na época de Cristo. Se era, esse fato resolve o que a palavra significava naquela época e região. Mas se, como é mais provável, a prática não se originou até o século II, a prova ainda é decisiva de que os judeus não estavam acostumados a um sentido diferente da palavra.

O uso de imersão com o propósito de purificar não estava confinado à nação hebraica. Um dos propósitos de banhar-se, um processo que o grego clássico às vezes expressa por *βαπτίζω (baptizō)*, é a limpeza do corpo. O mergulho denotado por *βάπτω (baptō)* nos exemplos 36 e 38 é claramente com o propósito de limpeza. A peculiaridade no uso hebraico dessas palavras é que a imersão que elas significam era realizada com o propósito de purificação *religiosa*. Isso resultou do caráter religioso da nação, e não de um sentido peculiar dos termos. A imersão, quando realizada para purificação religiosa, não deixa de ser imersão.

Admitimos que *βάπτω (baptō)* tem um sentido secundário de *colorir*, bem como o sentido primário de *mergulhar*; mas ambos os sentidos são encontrados tanto na literatura clássica quanto na sagrada. O caso, portanto, não fornece nenhuma analogia que possa dar apoio à suposição de que *purificar* é um sentido secundário, no qual o sentido primário de *βαπτίζω (baptizō)* é perdido. Ninguém finge que este sentido secundário é encontrado no grego clássico.

A alegada peculiaridade dessa estrutura no Novo Testamento não prova que a palavra tenha um significado diferente nas Escrituras daquele que prevalecia em escritos não inspirados. Assim como dizemos *molhar em* ou *molhar de*, em grego, *βαπτίζω (baptizō)* é acompanhado de *έις (eis)* ou *ἐν (en)*. Ambas as preposições concordam perfeitamente com o sentido de *imergir*. Se um deles fosse invariavelmente usado nas Escrituras acompanhando o verbo, essa circunstância não forneceria nenhum argumento válido para um significado peculiar na Escrita Sagrada. Embora *ἐν (en)* seja comumente usado, *έις (eis)* também é encontrado,[13] e o exemplo em que ele ocorre, Marcos 1.9, conecta assim o uso sagrado da palavra com o clássico, como se para eliminar a plausibilidade do argumento de um sentido peculiar, excluindo a suposição da invariabilidade de uma construção específica. O fato de que ambas as construções aparecem nos escritos inspirados, fornece uma segurança adicional de que o significado do verbo não é peculiar. Sentimos que a língua grega é a mesma, quer a leiamos na página sagrada ou na página clássica. O Dr. Campbell, em suas notas sobre Mateus 3.11, diz:

Em água [...] no Espírito Santo (Vulgata: *in aqua*... in *Spiritu Sancto*. Assim também a Siríaca e outras versões antigas). Lamento observar que as traduções papistas da Vulgata mostraram maior veneração pelo estilo daquela versão do que a generalidade das traduções protestantes demonstraram pelo estilo do original. Pois nisso, o latim não é mais explícito do que o grego. No entanto, são tão inconsistentes os intérpretes mencionados por último, que nenhum deles tem escrúpulos em traduzir *ἐν τῷ Ἰορδάνῃ (en tō Iordanē)* no verso sexto por *no Jordão*, embora seja muito claro que, se houver alguma incongruência na expressão *em água, no Jordão* deve ser igualmente incongruente. Mas eles viram que a preposição *em* não poderia ser evitada ali sem adotar uma circunlocução e dizer

13 Também no grego clássico, ambas construções são encontradas. O exemplo 45 tem *έις (eis)*; o exemplo 17 tem *ἐν (en)*.

com a água do Jordão, o que teria tornado seu desvio do texto muito evidente. A palavra *βαπτίζειν (baptizein)*, tanto em autores sagrados quanto em clássicos, significa *mergulhar*, *afundar*, *imergir*, e foi traduzida por Tertuliano, o mais antigo dos pais latinos como *tingere*, termo usado para tingir tecidos, o que era feito por imersão. É sempre usado adequadamente para este significado.

Argumento 5

Se fosse o caso de *βαπτίζω (baptizō)* claramente significar *mergulhar* ou *imergir totalmente* na água, quando aplicado a outros sujeitos, de modo algum se seguiria que tem esse significado quando aplicado ao rito cristão do *batismo*. A palavra *ceia* em nossa língua (**δεῖπνον** *[deipnon]* em grego) tem um sentido muito diferente, quando aplicado à eucaristia, do que elas têm em casos comuns. Comer um pedaço de pão não constitui uma ceia, no sentido comum, mas é chamado de ceia nesse rito religioso. Ora, se a palavra que denota um rito cristão tem um sentido muito diferente de seu sentido usual, por que não pode ser assim com a palavra que denota o outro rito cristão? Por que não pode significar, em vez de imersão ou lavagem completa, a aplicação de água em pequena medida?

Esse argumento afirma que as palavras podem ter um sentido peculiar nos ritos religiosos. Não afirma isso apenas para palavras gregas, pois não se opõe à *ceia* como uma tradução adequada para **δεῖπνον** *(deipnon)*. Alega que essas palavras, tanto em grego como em nossa língua, têm um sentido desconhecido de outros lugares quando são aplicadas à eucaristia. Portanto, não há necessidade de, para contestar o argumento, trasnportarmo-nos para o território estrangeiro de língua grega, mas temos a liberdade de enfrentá-lo e testar sua validade em nosso próprio solo. Ele não objeta que imergir seja uma representação imprópria de *βαπτίζω (baptizō)*, mas afirma que essas palavras, quando aplicadas a um rito religioso, podem ter um significado que não possuem em nenhum outro caso. Logo, ao testarmos a validade do argumento, temos a liberdade de usar a palavra *imergir* como uma tradução correta do verbo grego.

Todo o argumento se apoia no que se supõe ser um uso peculiar de uma única palavra, **δεῖπνον** *(deipnon)*, e merece especial consideração o fato de haver apenas um único exemplo desse significado peculiar, mesmo com respeito a essa palavra. São extremamente numerosos os exemplos em que outras palavras são usadas com referência a ritos religiosos; e mesmo **δεῖπνον** *(deipnon)* é frequentemente usada com referência à ceia pascal.

Em todos esses exemplos, é invariavelmente verdade que as palavras, quando aplicadas a ritos religiosos, têm o mesmo significado de outros casos e estão sujeitas às mesmas regras de interpretação. Se **δεῖπνον** *(deipnon)* em 1Coríntios 11.20 é uma exceção, é exceção solitária. Certamente é parte da verdadeira crítica, ao determinar o significado de *βαπτίζω (baptizō)*, seguir a regra geral em vez da única exceção. Além disso, temos uso frequente de *βάπτω (baptō)* com referência a ritos religiosos. Os sacerdotes judeus parecem nunca ter pensado que, quando Moisés ordenou a imersão em ritos religiosos, ele se referia a uma imersão reduzida, ou que pudesse ser realizada por aspersão; e ninguém sugere que esses sacerdotes enganaram-se quanto à intenção de seu legislador. Não é infinitamente mais provável que *βαπτίζω (baptizō)* siga seu termo familiar, *βάπτω (baptō)*, obedecendo à regra geral, do que seguir uma palavra muito diferente em um desvio solitário de todas as regras e analogias?

Se de um único exemplo pudermos estabelecer a regra de que palavras, quando aplicadas a um rito religioso, podem ter um significado que não recebem em nenhum outro lugar, quem limitará a aplicação dessa regra e dirá a nós quantas das palavras que se aplicam aos ritos religiosos possuem um significado extraordinário, ou até que ponto seu significado difere daquele que recebem em outros lugares? Talvez as palavras que, na instituição da ceia, são traduzidas por *comer* e *beber*, embora tenham esse significado em todos os outros lugares, signifiquem, quando aplicadas a um rito religioso, nada mais do que *manusear* e *contemplar*. Quem determinará isso por nós? O legislador da igreja confiou a alguém um léxico de termos rituais, pelo qual seus discípulos de coração humilde podem descobrir o que ele quis dizer? Ou ele deu a qualquer pessoa na terra autoridade para decretar quais cerimônias podem considerar adequadas, atribuindo a todos os termos rituais da Escritura o sentido que lhes agradar?

Pode-se admitir que os termos usados em referência aos ritos religiosos podem por vezes ter um significado figurado em vez de literal, um sentido secundário em vez do primário. Mas isso é o que acontece em todas as outras falas ou escritos, e as mesmas regras de crítica devem ser aplicadas nesse e em outros casos. Devemos preferir o significado literal e primário, se nada o proibir. Entendemos que a palavra *é*, na frase "isto é o meu corpo", significa *representa*; porque o significado primário literal tornaria o sentido absurdo e falso. Mas essa palavra tem o mesmo significado, quando não aplicada a um rito religioso, na frase: "O campo é o mundo" (Mt 13.38). Pela mesma razão, a frase "todas as vezes que comerdes este pão e beberdes o cálice" (1Co 11.26) deve ser interpretada de acordo com uma figura de linguagem comum: todas as vezes que beberdes a bebida contida neste cálice. O mesmo sentido literal dos termos e as mesmas regras de interpretação figurativa são encontrados aqui, como em todos os outros casos.

As premissas apresentadas na argumentação não podem, em nenhuma visão sobre elas, justificar a conclusão de que o batismo pode ser administrado com o uso de uma pequena quantidade de água. A conclusão apropriada seria, antes, que devemos mudar nosso modo de administrar a eucaristia. Se não obedecermos literal e totalmente ao mandamento divino quando restringimos essa ordenança a um pedaço de pão e algumas gotas de vinho, estamos errados em fazê-lo; e devemos antes corrigir o erro do que estabelecê-lo como um precedente.

Além disso, merece ser notado que *βαπτίζω (baptizō)* e ***δεῖπνον*** *(deipnon)* não são aplicados aos dois ritos religiosos da mesma maneira. Um deles é encontrado nas palavras do mandamento de Cristo; o outro não, mas é, no máximo, apenas um nome que o rito recebeu. Nossa conduta, a obediência aos mandamentos de Cristo, deve ser regulada não pelos nomes que suas instituições possam receber, mas pelas palavras de seus mandamentos. As Escrituras dizem que os crentes são *sepultados* com Cristo no batismo pelo menos o dobro de vezes que a eucaristia é chamada de *ceia*. O batismo pode, portanto, ser chamado de sepultamento; mas ninguém inferiria daí que o corpo deveria ser deixado por muito tempo debaixo d'água, como em um enterro real. O batismo representa um verdadeiro sepultamento, no qual o corpo de Cristo permaneceu três dias na sepultura. A eucaristia representa a comunhão livre e abundante na qual o Senhor ceia com o seu povo (Ap 3.20), na qual é servida uma grande ceia (Lc 14.16), e que será aperfeiçoada na ceia das bodas do Cordeiro (Ap 19.9).

No entanto, Cristo não disse: "fazei discípulos de todas as nações, *sepultando-os*"; nem, "tomai a *ceia* em memória de mim". Sua ordem no segundo caso é: "*comei* deste pão e *bebei* deste cálice"; e ele não instituiu esta ordenança como uma ceia, mas "depois de cear".

Ora, se a ordem é *comer* e *beber*, essa ordem poderia ser obedecida de outra forma que não comendo e bebendo? Seria suficiente apenas levar o pão e o cálice aos lábios? Da mesma forma, quando Cristo disse: "fazei discípulos de todas as nações, imergindo-os", pode o comando ser obedecido de qualquer outra forma a não ser por uma imersão real? Na eucaristia, ele ordenou comer pão e beber vinho, mas não comer uma refeição completa; e sabemos que a intenção não é a de uma refeição completa, porque essa ordenança foi instituída imediatamente após os discípulos terem feito uma refeição completa. Os coríntios, quando converteram essa ordenança em uma refeição completa, realmente comeram e beberam, porém não cumpriram a ordem mais estrita e literalmente do que nós; por outro lado, afastaram-se do exemplo e da intenção manifesta de Cristo, e foram censurados por isso pelo apóstolo Paulo.

Sugerimos que a eucaristia pode ser chamada de ceia por causa do banquete espiritual que representa. Assim, uma das festas judaicas era chamada de Páscoa[14] por causa do que comemorava. Mas, afinal, não é claro que a eucaristia seja, nas Escrituras, chamada de ceia. A eucaristia é várias vezes mencionada no Novo Testamento, mas nunca é chamada de Ceia do Senhor, exceto nesse caso (1Co 11.20). Muitos eruditos são de opinião que o que aqui se chama por esse nome não é a eucaristia em si, mas a Festa do Amor que antigamente era celebrada em conexão com ela. Talvez ele denote a perversão que os coríntios fizeram da eucaristia. A frase está sem o artigo definido no texto original e pode ser traduzida como "uma ceia do Senhor". Paulo não nega que os coríntios tenham feito uma ceia, mas nega que tenha sido uma ceia *do Senhor* — uma ceia que o Senhor instituiu ou que

14 *Páscoa* significa *passagem, passar por cima* [N.T.].

ele aprovou. Que prova há, então, de que o Espírito Santo alguma vez chamou a eucaristia pelo nome de *Ceia do Senhor*? Não temos objeções ao nome em si; porém, quando se faz tanta coisa depender dele, a autoridade para isso precisa ser examinada. Se uma lei universal de interpretação bíblica a respeito de palavras rituais deve ser estabelecida sobre um único fato, o fato deve ser bem verificado.

Ao longo de todo o Novo Testamento, as palavras *batizar* e *batismo* são aplicadas a um dos ritos cristãos. Se a palavra *ceia* é alguma vez aplicada ao outro, é apenas em uma única instância, e pode ser que ali ela seja aplicada a ele por ter sido convertido, por abuso, em uma refeição completa. O verbo *batizar* foi usado na ordem de Cristo e expressa diretamente o ato ordenado. A palavra *ceia* não foi usada na ordem; e, se for usado como um nome da instituição, não é diretamente descritivo dela. Os dois casos não possuem analogia entre eles para sustentar o argumento.

Argumento 6

As circunstâncias dos batismos do Novo Testamento, em nenhum caso, provam que eles foram administrados por imersão.

Aqueles que defendem esse argumento alegam que, no relato do batismo de Cristo, a frase "saiu logo da água" deveria ter sido traduzida como "deixou logo a água" (Mt 3.16). A correção da tradução deixa-nos sem prova, dizem, de que ele *entrou* na água para ser batizado. Consideramos, neste caso, a correção da tradução. Essa frase, admitimos, não prova que Cristo estava na água. Mas temos prova disso em outro versículo do mesmo capítulo: "eram por ele batizados no rio Jordão" (Mt 3.6). O testemunho de Marcos sobre o mesmo ponto é bastante decisivo. Seu registro do evento pode ser traduzido apropriadamente assim: "e por João foi imerso dentro do rio Jordão" (Mc 1.9).

No relato do batismo do eunuco, as frases "ambos desceram à água" e "quando saíram da água" (At 8.38, 39) foram submetidas a uma crítica semelhante. Tem sido alegado que elas podem ser traduzidas com igual propriedade, "ambos foram até à água" e "quando se afastaram da água". Isso nós negamos. A preposição *ἀπο (apo)*, usada no primeiro caso, não é encontrada aqui, e nossos tradutores, no caso presente, traduziram as preposições *ἐις (eis)* e *ἐν (en)* de acordo com seu significado usual. Os oponentes da imersão não negam isso, ou afirmam que *devem* ser traduzidas de outra forma; mas um afastamento de seu significado comum não deve ser suposto sem necessidade. Que essas preposições significam *dentro* e *fora de*, no uso comum delas por autores gregos, pode ser provado por inúmeras citações; mas, em vez disso, os seguintes extratos do Léxico de Robinson devem ser suficientes: "*Ἀπο* é usado para objetos que antes estavam *em, com* ou *sobre* outro, mas que agora estão separados dele (não *dentro* dele, pois a isso corresponde *ἐκ [ek]*)". "A preposição *ἐκ (ek)* é usada para objetos que antes estavam *dentro* de outro, mas agora estão separados dele".

Isso decide que nossa versão comum dá o verdadeiro sentido da passagem, na tradução: "quando *saíram da* água". Segue-se que eles devem ter estado dentro d'água quando o batismo foi realizado; e que eles devem ter entrado na água para realizá-lo.

Argumentou-se que, se descer à água prova imersão, Filipe foi imerso assim como o eunuco; pois ambos desceram à água. Se sustentássemos que *descer à água* significa ir abaixo de sua superfície, esse argumento seria aplicável; e também pode ser argumentado contra nós que a sentença que o historiador inspirado acrescentou, "e Filipe batizou o eunuco", é supérflua. Mas entendemos que a imersão é denotada por essa última frase, e o contexto mostra claramente qual das duas pessoas foi imersa. Embora a frase "ambos desceram à água" não expresse a imersão, ela a prova. Nenhuma outra razão satisfatória para entrar na água pode ser considerada. Mas, na verdade, essa prova circunstancial não é necessária. A frase, "Filipe batizou o eunuco" declara expressamente o que foi feito.

Na passagem: "Ora, João estava também batizando em Enom, perto de Salim, porque havia ali muitas águas" (Jo 3.23), argumenta-se que as águas eram várias pequenas nascentes ou riachos, impróprias ao propósito de imersão, mas necessárias para a subsistência e conforto das multidões que assistiam ao ministério de João.

A palavra traduzida como *água* denota propriamente o elemento, e não uma nascente ou riacho. Foi usada no plural, como usamos a palavra *cinzas* para denotar o elemento, e não coleções separadas dele. Na frase "muitas vezes o tem lançado no fogo e na água" (Mc 9.22), fogo é singular e água é plural no texto original. Se a última palavra foi colocada no plural para denotar as diferentes porções do elemento em que o jovem afligido caiu em momentos diferentes, a palavra fogo, pela mesma razão, precisaria ser plural. Logo, a frase *muitas águas* não significa *muitas pequenas nascentes ou riachos*.

Quando Isaías disse "Rugirão as nações, como rugem as muitas águas" (Is 17.13); quando Davi disse: "Mas o SENHOR nas alturas é mais poderoso do que o bramido das grandes águas, do que os poderosos vagalhões do mar" (Sl 93.4); e novamente: "tirou-me das muitas águas" (Sl 18.16); quando João disse: "a voz, como voz de muitas águas" (Ap 1.15); a suposição de que se tratam de vários pequenos riachos ou fontes é admissível. A mesma expressão *muitas águas* é usada para o rio Eufrates. Segue-se, portanto, que a mudança de interpretação proposta não pode ser útil para diminuir a evidência da passagem a favor da imersão. Quanto à alegação de que a água era necessária para a subsistência e conforto do povo, respondemos que isso, seja verdade ou não, não é o que o historiador afirmou. "João estava batizando, porque havia ali muitas águas". A água era necessária para o batismo; e a conexão das sentenças mostra que o lugar foi selecionado com referência à administração do rito.

Argumento 7

Em vários casos, as circunstâncias que envolveram o batismo impedem a crença de que tenha sido administrado por imersão.

Este é um argumento perigoso. Se o Espírito Santo afirma que as pessoas foram batizadas, e se *batizar* significa *imergir*, cabe a nós acolher seu testemunho; e, se qualquer dificuldade a respeito da probabilidade do fato se apresentar à nossa imaginação, devemos atribuí-la à nossa ignorância. Se um historiador comum relatar o que não se pode acreditar, quando entendido de acordo com as leis estabelecidas da linguagem, não inventamos novas leis para aliviar sua veracidade; mas consideramos sua declaração incrível. Aqueles que defendem esse argumento devem ter cuidado para não impugnar a veracidade do Espírito Santo.

Imaginou-se que não havia água suficiente que pudesse ser obtida em Jerusalém para a imersão de três mil no dia de Pentecostes. Jerusalém era a capital religiosa de uma nação religiosa, cujas formas de culto exigiam purificações cerimoniais frequentes. Essas purificações não eram realizadas exclusivamente pela aspersão de água consagrada; mas em vários casos, a pessoa impura era obrigada a lavar suas roupas e se banhar em água (Lv 14.–8, 9; 15.5, 8, 11, 22; 16.26, 28). A provisão para tais banhos era necessária em toda a terra. Em Caná, uma obscura cidade da Galileia, uma família pobre, incapaz de fornecer uma quantidade suficiente de vinho para uma festa de casamento, tinha seis vasos de pedra contendo entre oitenta e cento e vinte litros de água cada, com o propósito de purificação (Jo 2.6). Tal provisão era especialmente necessária em Jerusalém, o centro de sua adoração. Ali seus sacrifícios deveriam ser oferecidos, e ali toda a nação deveria reunir-se para suas festas determinadas; e eles eram proibidos de celebrar, se em estado de contaminação. Em preparação para essas festas, sabemos, pelo testemunho expresso de João, que o povo subia a Jerusalém "para se purificar" (Jo 11.55). Alguma provisão, portanto, deveria haver, acessível ao povo e suficiente para seu uso, nessas grandes reuniões. O privilégio aberto a toda a multidão de todas as nações sob o céu nesta festa pentecostal pertencia também aos apóstolos e aos três mil que foram batizados, pois todos esses eram judeus, com pleno direito de entrar no templo e unir-se em todos os serviços públicos da nação. Se algum dos governantes estivesse inclinado a impedi-los, ainda temiam o povo; pois quando esses batismos eram realizados, os ministradores e seus recebedores tinham "a simpatia de todo o povo" (At 2.47). Se, portanto, alguém persistir em perguntar onde foi encontrada água para imergir tantos, perguntamos de volta: onde era encontrada água suficiente para a purificação de toda a nação reunida?

Em Jerusalém, como é agora, há grandes cisternas de água em terrenos anexos às residências particulares; e podemos supor que, quando a cidade estava em sua antiga prosperidade, esses reservatórios eram muito mais numerosos. É provável que o acesso a eles, assim como a aposentos para a celebração da Páscoa, fosse comumente obtido pelos adoradores reunidos. Dos convertidos que foram batizados no dia de Pentecostes, é provável que muitos residissem na cidade; e se o uso de tanques particulares era necessário para o batismo, seus tanques estavam, sem dúvida, a serviço dos apóstolos. Havia também piscinas públicas, das quais Chateaubriand, que visitou a Palestina no início do século atual,[15] dá o seguinte relato:

Tendo descido o monte Sião pelo lado leste, chegamos, aos seus pés, à fonte e ao tanque de Siloé, onde Cristo restaurou a visão do cego. A nascente brota de uma rocha e corre em um riacho silencioso. A piscina, ou melhor, as duas piscinas com o mesmo nome, são bem próximas da nascente. Aqui você também encontra uma vila chamada Siloan. Ao pé desta vila encontra-se outra fonte, chamada na Escritura de Rogel. Em frente a esta fonte está uma terceira, que recebe o nome da bendita Virgem. A fonte da Virgem mistura seu riacho com o da fonte de Siloé.

Não temos mais nada da arquitetura primitiva dos judeus em Jerusalém, exceto o tanque de Betesda. Ela ainda pode ser vista perto do Portão de Santo Estêvão e está nos limites do templo ao norte. É um reservatório, com quarenta e cinco metros de comprimento e doze de largura; a piscina agora está seca e meio ocupada. No lado oeste também podem ser vistos dois arcos, que provavelmente levavam a um aqueduto que levava a água para o interior do templo.

As dimensões do tanque de Betesda, como fornecidas por Maundrell, são noventa metros de comprimento, trinta de largura e seis de profundidade. Mesmo as dimensões menores dadas por Chateaubriand indicam um suprimento de água suficiente para todo o batismo pentecostal nessa única piscina. Recentemente, surgiu uma dúvida se a escavação medida por esses viajantes é a da antiga Betesda, e a atenção foi direcionada para uma fonte intermitente próxima, cuja água, em vez de fluir continuamente, às vezes sobe por um movimento repentino e, depois de um tempo, volta ao nível anterior.

15 Século XIX [N.T.].

Acredita-se que isso esteja de acordo com o relato de João sobre o antigo tanque: "Porquanto um anjo descia em certo tempo, agitando-a" (Jo 5.4). A hipótese está sujeita a fortes objeções, que nosso propósito não exige que apresentemos. Nem é necessário defender a correção da tradição que aponta para essa escavação como a antiga Betesda. Muita água era necessária na cidade; e, quando tantos tanques foram cavados com grande custo e trabalho, é bastante provável que uma cavidade que pudesse conter um grande suprimento do elemento necessário não permanecesse inútil. Se continha água, a piscina, qualquer que seja seu nome, pode ter sido o local de batismo naquele dia memorável.

Mas o tanque de Betesda não era o único reservatório com capacidade suficiente para a imersão de três mil pessoas. As facilidades para viajar que os tempos atuais oferecem têm tornado frequentes as visitas ao velho mundo; e os homens de hoje aumentaram muito nosso conhecimento de sua geografia e antiguidades por meio de suas investigações. O erudito Dr. Robinson explorou duas vezes a Palestina, com uma visão especial para a ilustração bíblica. O resultado de suas pesquisas foi dado ao mundo em uma grande obra repleta de informações valiosas. O Rev. George W. Samson também visitou a mesma região por alguns anos, e dirigiu particular atenção à questão agora diante de nós, em um trabalho curto, mas excelente, intitulado "A suficiência de água para o Batismo em Jerusalém e em outros lugares na Palestina, conforme registrado no Novo Testamento". Nesse trabalho, é descrita a condição atual dos tanques em Jerusalém, seis ao todo; as dimensões de cinco deles, de acordo com a medição do Dr. Robinson, são dadas em metros da seguinte forma:

	Comprimento	**Largura**	**Profundidade**
Tanque de Betesda	109	39	23
Tanque de Siloé	16	5	6
Tanque Antigo ou Superior, na estrada do campo de Fuller	96	61/66	5
Tanque de Ezequias	73	42	
Tanque inferior de Giom	181	75/84	10/12

A profundidade do tanque de Ezequias varia, sendo seu fundo um plano inclinado, e os lados do tanque inferior de Giom, que cobre mais de quatro acres de solo, são inclinados. Nestes tanques, qualquer profundidade de água que seja conveniente para o batismo pode ser facilmente obtida. Quando as instalações para imersão eram tão abundantes, não podemos argumentar pela invenção de um novo significado para a palavra que o historiador sacro empregou ao registrar os batismos em Jerusalém. Se não fôssemos capazes de oferecer qualquer conjectura provável com respeito ao suprimento de água, deveríamos ainda receber o testemunho do Espírito Santo de acordo com o significado apropriado de suas palavras, e crer que sua declaração seja verdadeira; mas as investigações feitas removem todas as dificuldades.

Imaginou-se ainda que não havia tempo para a imersão de tantos, mas essa dificuldade não deve prejudicar a credibilidade da narrativa. Muitos, senão todos os setenta comissionados por Cristo, provavelmente estavam presentes na ocasião, e os apóstolos tinham autoridade indubitável para comandar seus serviços para a administração do rito. Com tantos agentes, o trabalho exigiria pouco tempo. Nos avivamentos modernos, o número de pessoas imersas na profissão de fé às vezes é grande; e, observando o tempo requerido, alguns afirmaram que os próprios apóstolos poderiam ter batizado todos os convertidos no dia de Pentecostes. A aspersão, se realizada com a solenidade devida a um rito religioso, não exigiria muito menos tempo do que a imersão. Podemos, portanto, acreditar na narrativa sagrada, sem inventar um novo significado para a palavra batizar.

Supôs-se que o batismo do carcereiro filipense e de sua família não poderia ter sido por imersão; porque aconteceu à noite e na prisão. Quanto ao tempo, a perseguição levantada contra Paulo e Silas, e a relação que o carcereiro mantinha com o governo da cidade, tornavam mais conveniente administrar a imersão à noite do que adiá-la para o dia seguinte. Quanto ao local, não há provas de que foi administrado na prisão. Paulo e Silas foram trazidos para fora e pregaram a Palavra ao carcereiro e "e a todos os de sua casa" (At 16.32). Após a pregação, eles devem ter saído da casa para a administração do batismo; porque é dito expressamente: "Então, levando-os para a sua própria casa, lhes pôs a mesa" (At 16.34). Onde o rito foi realizado, não somos informados. Poderia ter havido, como é comum no Oriente, um tanque de água nos arredores da prisão; e sabemos, porque o inspirado historiador nos informou, que havia um rio próximo (At 16.13). Portanto, não havia falta de água.

Argumento 8

Jesus disse aos seus discípulos: "João, na verdade, batizou com água, mas vós sereis batizados com o Espírito Santo, não muito depois destes dias" (At 1.5). Essa promessa foi cumprida no dia de

Pentecostes. O Espírito foi então derramado sobre eles; e como Cristo chamou isso de batismo, temos a prova de que derramar é batizar.

O Espírito Santo não é um agente material; e todas as representações de sua operação, tiradas de coisas materiais, são necessariamente imperfeitas. Mergulhar no Espírito e derramar o Espírito são expressões figurativas, e as coisas que elas significam são consideradas como tendo alguma semelhança com a imersão na água e com o derramamento da água. Mas a semelhança está em nossa concepção, e não nas coisas em si; pois entre o espiritual e o material não pode, estritamente falando, haver qualquer semelhança. Diferentes figuras podem ser empregadas para representar a mesma coisa, e se as expressões figurativas *derramar o Espírito* e *batizar com o Espírito* referem-se precisamente à mesma coisa, não se segue que as figuras pelas quais elas a representam sejam idênticas. Mas se as figuras não são idênticas, não podem fornecer nenhuma prova de que *derramar* é *batizar*.

Deus prometera pelo profeta Joel: "derramarei do meu Espírito" (At 2.17); e Cristo havia prometido a seus discípulos: "vós sereis batizados [imersos] com o Espírito Santo" (At 1.5). Ambas as promessas foram cumpridas no dia de Pentecostes, mas as duas promessas exibem diferentes aspectos da influência do Espírito então comunicado. Em um, ele é visto como procedente de Deus e é comparado à água derramada; no outro, é visto como efetuando todos os poderes dos apóstolos, cercando-os e preenchendo-os, como a água envolve e impregna substâncias que estão imersas nela. As figuras, portanto, não apenas diferem uma da outra, como são empregadas para representar coisas diferentes. Portanto, não podem fornecer nenhuma prova de que *derramar* é *batizar*.

Argumentos contra a obrigação entendida de maneira literal

Argumento 1.

O batismo é uma mera cerimônia e, aos olhos de Deus, é de muito menos importância do que os deveres morais. Ao instituí-lo, Cristo não pretendeu vincular seus seguidores à mera letra de sua ordem, mas que tivessem a liberdade de acomodar o modo de sua obediência às circunstâncias que pudessem surgir, desde que cumprissem o objetivo que ele tinha em vista. Ele ordenou a seus discípulos que lavassem os pés uns dos outros. Essa ordem foi dada numa época em que lavar os pés era um ato usual de hospitalidade; e atualmente julgamos corretamente que, visto que esse uso passou, devemos cumprir a ordem de alguma outra maneira. Então ele ordenou a imersão, quando a imersão com o propósito de purificação era de uso quase diário. Mas para nós, cujas abluções ordinárias são parciais, outro modo de representar a purificação é mais apropriado. Este tem sido o julgamento dos piedosos; e as bênçãos abundantes de Deus sobre eles, mostra que eles têm sua aprovação.

O batismo é de fato uma cerimônia; mas é uma cerimônia ordenada por Deus. Nos deveres morais que surgem das relações que mantemos, e fundamentados em razões que somos capazes de compreender, o dever varia de acordo com as diversas relações, e há espaço para o exercício da razão iluminada; mas os institutos positivos baseiam-se na mera vontade do legislador e, com respeito a eles, obediência ou desobediência é a única questão e a única variedade. Uma cerimônia de instituição positiva pode, em si mesma, ter pouco destaque, mas a obediência em cumpri-la é de grande valor aos olhos de Deus; e a desobediência a meras exigências cerimoniais, em alguns casos ele puniu de maneira exemplar. Se ele abençoa abundantemente muitos que negligenciam o mandamento do batismo, o fato prova sua grande bondade, e não a inocência deles.

Aqueles que, reconhecendo um desvio da letra do mandamento de Cristo, satisfazem-se com a crença de que alcançam todos os fins do batismo, embora não sejam imersos, presumem que compreendem totalmente o assunto e todos os fins que o legislador tinha em vista. Isso não é arrogar-se demais? Certamente é mais seguro acreditar que Cristo é mais sábio do que nós e prestar obediência implícita aos seus preceitos. Se o batismo representa o sepultamento e a ressurreição de Cristo, bem como a purificação do pecado, não alcançam todos os fins do batismo os que negligenciam a imersão. Temos motivos para acreditar que os institutos positivos foram em parte dados para testar e promover o espírito de obediência. Aqueles que falham em cumprir estritamente os preceitos divinos, não apenas falham em cumprir esses fins que a sabedoria infinita tinha em vista, mas contrariam os desígnios do legislador.

O mandamento de lavar os pés uns aos outros não é paralelo ao que ordena o batismo. Este último, os defensores da aspersão reconhecem ser de obrigação perpétua, uma cerimônia cristã de instituição positiva; mas o primeiro, não consideram assim. Este não é o lugar apropriado para entrar na questão se o lava-pés foi planejado para ser uma cerimônia de obrigação perpétua. Em nosso julgamento, não foi. Se puder se demonstrar que julgamos errado, será nosso dever não fazer de nosso erro um argumento para desobediência, mas corrigir nossa prática e conformar nossa conduta estritamente a todos os requisitos divinos.

Argumento 2

Quando Cristo instituiu a eucaristia, ele ordenou, "fazei isto" (Lc 22.19). No entanto, ninguém imagina que somos obrigados a fazer tudo o que ele fez naquela ocasião. Ele se reuniu no cenáculo à noite; e reclinou-se enquanto comia. Não pensamos estar sob a obrigação de imitá-lo nesses detalhes, mas apenas de fazer o que for necessário para os fins morais da instituição. Pela mesma regra de interpretação, não somos obrigados a uma conformidade literal com o mandamento do batismo.

Não existe razão para supor que o pronome "isto" no comando "fazei isto", refira-se ao lugar, à hora ou à maneira que Cristo comeu a última ceia. Evidentemente, refere-se aos atos de comer pão e beber vinho; e precisamente o que ele significa é o que somos obrigados a fazer; e precisamente o que a palavra *batizar* significa é o que devemos fazer ao obedecer ao comando que ordena o batismo. Livrar-nos da obrigação de estrita obediência, sob o pretexto de que os fins morais das instituições de Cristo podem ser alcançados sem ela, é legislar no lugar de Cristo.

Argumento 3

Cristo designou sua religião para ser universal e adaptada a todos os climas da terra e a todas as condições e classes entre os homens. A imersão não é adequada para climas frios, é frequentemente impossível para os enfermos e doentes, é repulsiva para os delicados e refinados; e a observância invariável dela não pode ter sido exigido por aquele que disse: "o meu jugo é suave, e o meu fardo é leve" (Mt 11.30).

Nossa resposta simples a este argumento é que esse é o comando de Cristo. Não ousamos, por nossos raciocínios falíveis, a partir de princípios gerais, tentar determinar a vontade de nosso legislador divino, quando temos em nossa posse seu comando expresso sobre o próprio assunto. Cristo conhecia todos os climas da Terra e todas as condições e classes entre os homens, e a isso adaptou sua religião conforme pareceu melhor à sua infinita sabedoria. Se os enfermos e doentes não podem obedecer, a responsabilidade no caso deles acaba. Se os delicados e refinados não querem, eles devem deixar o prazer da obediência àqueles que não consideram humilhação pisar onde encontram as pegadas de seu Senhor e Mestre. Embora o jugo de Cristo seja suave, ainda é um jugo; e o orgulho e a falsa delicadeza podem se recusar a tomá-lo; mas o amor pode torná-lo bem-vindo e agradável.

SUJEITOS DO BATISMO

São sujeitos apropriados ao batismo apenas aqueles que se arrependem do pecado e creem em Cristo.

Arrependimento e fé são graças associadas nos corações dos regenerados, cada uma delas implicando a existência da outra. Às vezes, uma delas é particularmente mencionada como uma qualificação para o batismo, e às vezes a outra. Estas graças manifestam-se pela confissão de pecados; pela profissão de dependência de Cristo e pela sujeição à sua autoridade; e por santa obediência.

João Batista exigia arrependimento, com seus frutos próprios, naqueles a quem ele concedia o batismo. Foi negado que o rito que ele administrava era idêntico ao batismo cristão; mas, para o nosso propósito presente, nada mais é necessário do que nos convencer de que João não exigia mais qualificações espirituais para seu batismo do que as exigidas por Cristo e seus apóstolos. Se ele proclamava que o arrependimento era necessário porque o reino dos céus estava próximo, ele não poderia ser menos necessário depois de estabelecido o reino. Que João exigia arrependimento como uma qualificação para o batismo, as seguintes Escrituras testificam: "Arrependei-vos, porque está próximo o reino dos céus" (Mt 3.2); "eram por ele batizados no rio Jordão, confessando os seus pecados" (Mt 3.6); "produzi, pois, frutos dignos de arrependimento; e não comeceis a dizer entre vós mesmos: temos por pai a Abraão" (Mt 3.8, 9).

Durante o ministério pessoal de Cristo, ele fez e batizou discípulos. "Ali permaneceu com eles e batizava" (Jo 3.22); "Quando, pois, o Senhor veio a saber que os fariseus tinham ouvido dizer que ele, Jesus, fazia e batizava mais discípulos que João..." (Jo 3.1). Somente foram batizados por Cristo aqueles que foram feitos discípulos; e discipulado implica arrependimento e fé.

A comissão que Cristo deu aos seus apóstolos, conecta a fé e o discipulado com o batismo como qualificações para ele: "Ide por todo o mundo e pregai o evangelho a toda criatura. Quem crer e for batizado será salvo" (Mc 16.15); "Ide, portanto, fazei discípulos de todas as nações, batizando-os" (Mt 28.19).

Ao cumprir a comissão de Cristo, os apóstolos e seus companheiros de obra exigiam arrependimento e fé como qualificações para o batismo. Várias passagens de Atos dos Apóstolos indicam isso claramente: "Arrependei-vos, e cada um de vós seja batizado em nome de Jesus Cristo [...] Então, os que lhe aceitaram a palavra foram batizados" (At 2.38, 41). "Quando, porém, deram crédito a Filipe, que os evangelizava a respeito do reino de Deus e do nome de Jesus Cristo, iam sendo batizados, assim homens como mulheres" (At 8.12). "Disse o eunuco: Eis aqui água; que impede que seja eu batizado? Filipe respondeu: É lícito, se crês de todo o coração" (At 8.36, 37). "Porventura, pode alguém recusar a água, para que não sejam batizados estes que, assim como nós, receberam o Espírito Santo?" (At 10.47). "O Senhor lhe abriu o coração para atender às coisas que Paulo dizia. Depois de ser batizada [...]" (At 16.14, 15). "A seguir, foi ele batizado, e todos os seus [...] manifestava grande alegria, por terem crido em

Deus" (At 16.33, 34). "Muitos dos coríntios, ouvindo, criam e eram batizados" (At 18.8).

Nas epístolas do Novo Testamento, o batismo é mencionado em conexões que provam que todos os batizados eram crentes em Cristo: "Ou, porventura, ignorais que todos nós que fomos batizados em Cristo Jesus fomos batizados na sua morte?" (Rm 6.3). "Tendo sido sepultados, juntamente com ele, no batismo, no qual igualmente fostes ressuscitados mediante a fé" (Cl 2.12). "Pois todos vós sois filhos de Deus mediante a fé em Cristo Jesus; porque todos quantos fostes batizados em Cristo, de Cristo vos revestistes" (Gl 3.26, 27). "O qual, figurando o batismo, agora também vos salva, não sendo a remoção da imundícia da carne, mas a indagação de uma boa consciência para com Deus" (1Pe 3.21).

Todas essas citações das Escrituras harmonizam-se perfeitamente entre si e estabelecem indiscutivelmente a verdade de que o arrependimento e a fé são qualificações necessárias para o batismo. Isso é universalmente admitido com respeito a pessoas adultas; mas uma reivindicação especial é feita em favor das crianças, e a prática de administrar o rito a tem prevalecido amplamente. Os argumentos em sua defesa serão examinados no capítulo sobre membresia infantil.

O DESÍGNIO DO BATISMO

O batismo foi designado para ser a cerimônia de profissão cristã.

A religião de Cristo foi planejada para todo o mundo, e é dever de seus seguidores propagá-la. Aos homens é requerido não apenas receber, mas também anunciar a palavra da vida. Os leprosos que encontraram comida em abundância no acampamento sírio não podiam festejar sozinhos enquanto seus irmãos na cidade passavam fome; e, se alguém pensa que pode desfrutar das bênçãos da religião e encerrar o segredo em seu próprio peito, confunde a natureza do verdadeiro cristianismo. A luz acesa por dentro deve brilhar, e o Espírito de amor no coração deve fazer esforços para fazer o bem.

A profissão de fé, em geral, é necessária para a salvação. Com o coração, o homem crê para a justiça; e, com a boca, confessa para a salvação (Rm 10.10). A bondade divina pode perdoar a fraqueza de alguns que, como José de Arimateia, são discípulos secretamente por medo; não obstante, continua sendo uma verdade geral que essa profissão é necessária. Cristo fez a declaração solene: "Porque qualquer que, nesta geração adúltera e pecadora, se envergonhar de mim e das minhas palavras, também o Filho do Homem se envergonhará dele, quando vier na glória de seu Pai com os santos anjos" (Mc 8.38).

A profissão é o início público designado para o caminho da salvação. Os apóstolos exortaram: "Salvai-vos desta geração perversa" (At 2.40). O mundo jaz no maligno e sob a maldição de Deus. Aqueles que querem ser salvos devem escapar dele, como Ló escapou de Sodoma. Deus chama: "Por isso, retirai-vos do meio deles, separai-vos, diz o Senhor" (2Co 6.17). Esse chamado é obedecido quando as pessoas convertidas separam-se dos ímpios e dedicam-se publicamente ao serviço de Cristo. Então, decidem firmemente fugir da ira vindoura. A resolução de fugir deve primeiro ser formada no coração, mas a profissão pública pode ser considerada, em um sentido importante, como o primeiro passo manifesto no caminho dessa fuga.

A profissão de renunciar ao mundo e de dedicarmo-nos a Cristo poderia ter sido exigida em meras palavras dirigidas aos ouvidos dos que a presenciam, mas a sabedoria infinita julgou que seria melhor sendo feita em um ato formal e significativo, designado para o propósito específico: esse ato é o batismo. A imersão do corpo, como

Paulo explica, significa nosso sepultamento com Cristo; e ao emergir da água, entramos, de acordo com a interpretação da figura, em uma nova vida. Despimos o velho homem e vestimos o novo: "todos quantos fostes batizados em Cristo, de Cristo vos revestistes" (Gl 3.27).

O lugar que o batismo ocupa na comissão indica o seu uso. Os apóstolos foram enviados para fazer discípulos e ensiná-los a observar todos os mandamentos do Salvador, mas um ato intermediário é ordenado: o ato de batizá-los. Para fazer discípulos, eles foram ordenados: "Ide por todo o mundo e pregai o evangelho a toda criatura" (Mc 16.15). Quando a proclamação das boas novas atrai a atenção dos homens e, pela bênção divina, afeta seus corações de tal maneira que desejam seguir a Cristo, são ensinados a observar seus mandamentos e, primeiro, serem batizados. Essa cerimônia foi manifestamente designada para ser a iniciação no serviço prescrito; e todo discípulo de Cristo que deseja andar nos caminhos do Senhor cumpre esse dever no início de seu percurso.

O desígnio do batismo é ainda indicado pela sentença "batizando-os em nome do Pai, e do Filho, e do Espírito Santo" (Mt 28.19). A tradução de nossa versão, "em nome de", faz com que a sentença signifique que o administrador age pela autoridade da Trindade, mas o significado mais literal indica a nova relação para a qual esse ato traz o sujeito do rito. Ele é batizado para entrar em um estado de submissão confessada à Trindade. É o ato público de iniciação ao novo serviço.

O desígnio do batismo prova sua importância. O inteiro teor do evangelho impede a suposição de que haja qualquer eficácia salvadora no mero rito: porém, o batismo é a cerimônia designada para a profissão. A profissão, como vimos, é, em geral, necessária para a salvação. Assim como a bondade divina pode perdoar os discípulos que temem fazer profissão pública, também pode, e estamos alegres em crer que o faz, perdoar aqueles que não compreendem a obrigação de fazer a profissão cerimonial, ou erram na maneira de fazê-la. Mas Deus deve ser obedecido, e sua maneira é a maneira correta e a melhor maneira. A partir do batismo dos crentes, Paulo argumenta sua obrigação de andar em novidade de vida. A cerimônia implica um voto de obediência, uma consagração pública e solene ao serviço de Deus. O sujeito crente pode sentir a força da obrigação reconhecida no ato, e Paulo apela a este senso de obrigação: "Ou, porventura, ignorais que todos nós que fomos batizados em Cristo Jesus fomos batizados na sua morte?" (Rm 6.3). Embora seja uma cerimônia exterior, é importante não apenas como um ato de obediência, mas como expressão da separação do crente do mundo e consagração a Deus, de uma maneira inteligível e significativa, e bem adaptada para impressionar sua própria mente e as mentes dos espectadores.

A fé professada no batismo é a fé em Cristo. Confessamos com nossa boca o Senhor Jesus Cristo e cremos em nossos corações que Deus o ressuscitou dos mortos (Rm 10.9). Se a doutrina da ressurreição for retirada do Evangelho, a pregação é vã e a fé é vã. Portanto, se o símbolo da ressurreição for retirado do batismo, seu significado principal esvai-se, e sua aplicabilidade para a profissão de fé em Cristo é perdida. Daí surge a importância de seguir de perto a ordem do Salvador: "imergindo-os".

A obrigação de fazer uma profissão de fé batismal está sobre todo discípulo de Cristo. Alguns converteram a eucaristia em uma cerimônia de profissão, mas essa não é a lei de Cristo. O batismo foi designado e deve ser usado para esse fim. Se o batismo infantil for obrigatório, o dever é dos pais, e se for uma cerimônia em que os filhos são dedicados por seus pais ao Senhor, é uma instituição diferente daquela em que a fé é professada. Aquele que foi batizado na infância não está, por isso, dispensado da obrigação de fazer uma profissão batismal de fé em Cristo. Considerando que seus pais cumpriram o dever de dedicá-lo a Deus, ele tem, não obstante, um dever pessoal a cumprir. O ato paternal, do qual ele não tem consciência, não pode ser para ele a resposta de uma boa consciência para com Deus. Se fosse deixada uma marca permanente na carne, um argumento de certa plausibilidade poderia ser invocado contra a repetição da cerimônia. Mas o suposto selo da aliança de Deus não está em sua carne, nem em sua memória, e sua consciência não está isenta pelas Escrituras da obrigação pessoal de uma profissão batismal.

CONEXÃO DO BATISMO COM A ORDEM DA IGREJA

Será mostrado a seguir que, em uma igreja organizada como as igrejas primitivas, somente pessoas batizadas podem ser admitidas como membros. Por causa disso, o presente capítulo sobre o batismo foi introduzido, como uma preliminar necessária para as discussões subsequentes sobre a ordem da igreja.

CAPÍTULO 2
IGREJAS LOCAIS

CARACTERÍSTICAS MORAIS

Uma igreja cristã é uma assembleia de crentes em Cristo, organizada em um corpo de acordo com as Sagradas Escrituras, para o louvor e serviço de Deus.

Assembleia

A palavra *igreja*, quando ocorre nas traduções do Novo Testamento é, com apenas uma exceção, a transliteração da palavra grega *ἐκκλησία (ekklēsia)*. A palavra grega, no entanto, algumas vezes aparece no texto original quando não pode de forma apropriada ser traduzido como *igreja*. Ninguém traduziria Atos 19.32 como, "a *igreja* caíra em confusão"; ou o verso 39 como, "será decidida em *igreja* regular"; ou verso 41 como, "dissolveu a *igreja*". De onde se conclui que as duas palavras não correspondem exatamente em significado uma com a outra.

O significado de uma palavra é determinado pelo uso feito pelos melhores autores do idioma. Em tais autores, a palavra igreja é com frequência usada para denotar sociedades religiosas, compostas de pessoas que, devido ao vasto território que ocupam, nunca se reúnem em um único local para culto. Os princípios sobre os quais essas associações são formadas variam, seus modos de governo diferem uns dos outros, e elas não concordam sobre a doutrina que professam. Se nos recusarmos a chamar qualquer uma dessas associações de *igreja*, o uso dos melhores escritores de nosso idioma pode ser citado contra nós e o uso que tais homens fazem é a lei do idioma.

Mas os discípulos de Cristo possuem outra lei, à qual apelam quando desejam direção para formar e organizar igrejas. Essa lei está contida nas Sagradas Escrituras. A questão então não é o que a palavra *igreja* significa em nossa língua, ou a que associações religiosas o nome pode ser aplicado, mas o que é uma igreja de acordo com o ensino da palavra inspirada.

A palavra grega *ἐκκλησία (ekklēsia)* significa *uma assembleia* e sua aplicação não está restrita a uma assembleia religiosa. Mas todo leitor do Novo Testamento descobre que os primeiros cristãos formaram assembleias religiosas para as quais epístolas foram direcionadas e que estas agiam, e foi necessário que agissem, como um corpo organizado. A palavra é usada comumente no Novo Testamento para referir-se a essas assembleias e é somente com esse uso do termo que nos preocupa agora.

A palavra grega denota *uma assembleia* e, nesse particular, difere da palavra *igreja* em nosso idioma, que comumente é usada significando *o templo* no qual os homens reúnem-se para cultos religiosos. A palavra "igrejas", usada pela KJV em Atos 19.37, refere-se aos templos nos quais os deuses pagãos eram adorados, mas essa é a exceção à qual me referi anteriormente, em que a palavra grega *ἐκκλησία (ekklēsia)* não aparece no texto original. Essa palavra nunca denota *o local* onde os adoradores reúnem-se. A palavra **συνăγωγή** *(synagōgē)* era usada não só para a assembleia, mas também para a casa na qual a assembleia reunia-se, e lemos "ele mesmo nos edificou a sinagoga" (Lc 7.5). Mas a palavra *ἐκκλησία (ekklēsia)* difere dessa nesse particular. A passagem das Escrituras que mais favorece a opinião de que a palavra foi aplicada ao edifício físico é "não tendes, porventura, casas onde comer e beber? Ou menosprezais a igreja de Deus e envergonhais os que nada têm?" (1Co 11.22). Aqui, supõe-se haver uma antítese entre a habitação privada dos cristãos coríntios e sua casa de adoração pública. Mas essa interpretação diminui a força da passagem. A palavra "menosprezais", assim como a palavra "envergonhais" que a segue, tem pessoas como alvo e o tratamento nocivo que elas apresentam seria menos repreensível, caso afetassem somente o edifício físico no qual a igreja reúne-se.

A palavra *ἐκκλησία (ekklēsia)*, como usada pelos autores gregos clássicos, significa *uma assembleia*. Era usada para denotar a assembleia dos cidadãos nas cidades democráticas da Grécia, que encontravam-se para decidir assuntos de interesse do Estado. Esse uso concorda precisamente com o que se encontra em Atos 19.39, "será decidida em assembleia regular". A multidão aqui reunida não era uma *ἐκκλησία (ekklēsia)* regular. Mas aprendemos pelo último verso do capítulo que a palavra não estava restrita em seu uso à *ἐκκλησία (ekklēsia)* regular, pois é aplicada para o ajuntamento reunido na ocasião: "dissolveu a assembleia" (At 19.41). Na Septuaginta, esta é a palavra normalmente empregada para referir-se à assembleia dos adoradores hebreus, chamada de congregação do Senhor, mas também é aplicada a assembleias não organizadas para propósitos religiosos ou negócios do estado (Sl 26.5; Judite 6.16; 14.6). Em geral, quando nos deparamos com essa palavra temos certeza de uma assembleia e nada mais, quando dependemos apenas da palavra em si.

Quando voltamos para o Novo Testamento e examinamos o uso desse termo em relação aos seguidores de Cristo, encontramos a palavra sendo empregada, na maioria das vezes, para significar uma assembleia. "E, se ele não os atender, dize-o à igreja; e, se recusar ouvir também a igreja..." (Mt 18.17). A igreja nessa passagem é uma assembleia, procurada pela parte ofendida e que dirige-se à parte ofensora. Frequentemente, as igrejas têm seu local de reunião específico e, então, são chamadas de a igreja em Jerusalém (At 8.1), a igreja em Antioquia (At 13.1), a igreja em Corinto (1Co 1.2), a igreja em Éfeso (Ap 2.1). Quando é feita menção a cristãos em uma província de um país que seja tão grande que torne impraticável a reunião frequente e habitual para adoração a Deus, o termo igreja não é aplicado no singular. Logo, lemos "as igrejas em toda a Judeia, e Galileia e Samaria" (At 9.31, ACF), as igrejas da Galácia (Gl 1.8; 1Co 16.1), as igrejas da Macedônia (2Co 8.1), as igrejas da Ásia (1Co 16.19). Está claro por meio dessas passagens que o termo no singular significava as assembleias locais separadas nesses distritos ou países e não o total de cristãos dentro de um reino ou província.

Isso é mais amplamente confirmado pelo fato de que a reunião dos cristãos na cidade de Corinto é chamada de reunião *de toda a igreja*, como se toda a igreja costumasse reunir-se no mesmo lugar (1Co 14.23). Se eles fossem chamados de a igreja em Corinto meramente como referência a uma classe de pessoas espalhadas por toda a Acaia ou pelo mundo todo, a quem, contemplados em conjunto, o nome igreja fosse dado, a frase "toda a igreja" necessariamente estaria referindo-se a todo o conjunto, e não poderia ser dito de forma sincera que toda a igreja estava reunida, quando apenas os cristãos na cidade de Corinto formaram a assembleia.

Prova maior de que a palavra significa uma assembleia em particular ou local, aparece nessa menção das igrejas como distintas uma das outras, "promovendo-lhes, em cada igreja, a eleição de presbíteros" (At 14.23). Também neste trecho, onde as igrejas são comparadas umas com as outras: "Porque em que tendes vós sido inferiores às demais igrejas, senão neste fato de não vos ter sido pesado?" (2Co 12.13); "nenhuma igreja se associou comigo no tocante a dar e receber, senão unicamente vós outros" (Fp 4.15); como congregações distintas, elas enviavam e recebiam saudações (Rm 16.16; 1Co 16.19), e recebiam comunicação de mensageiros (2Co 8.23).

Pelas provas apresentadas, está plenamente estabelecido que a palavra *igreja* em nomes como "A Igreja da Inglaterra", "A Igreja da Escócia", "A Igreja Presbiteriana", "A Igreja Episcopal", "A Igreja Metodista", não correspondem ao significado da palavra grega *ἐκκλησία (ekklēsia)*. Essas igrejas nunca se reúnem em um único local, porque seus membros estão dispersos por um território extenso demais. Elas não são, portanto, igrejas no sentido da palavra do Novo Testamento. É verdade que algumas dessas igrejas tem conselhos superiores nos quais o poder de todo o corpo supostamente está concentrado e, assim, a igreja é tida como reunida, como a Igreja Presbiteriana tem sua Assembleia Geral. Mas sempre que a Assembleia Geral da Igreja Presbiteriana é mencionada, o próprio título indica que a Assembleia é uma coisa e a Igreja, outra. A Assembleia pode ser vista em algum salão espaçoso, conduzindo os negócios da Igreja, mas não vai afirmar que a Igreja em si está literalmente ali, e ninguém chama a Igreja em si de uma assembleia. Compreende-se que o povo dos Estados Unidos está reunido no congresso e as pessoas dos diferentes estados em suas respectivas assembleias legislativas, mas ninguém entende isso como sendo literalmente verdadeiro e ninguém chama o povo dos Estados

Unidos ou de um estado em particular de assembleia. Mas sempre que a palavra *ἐκκλησία (ekklēsia)* é usada, temos a certeza de uma assembleia e o termo não é aplicável para congregações ou associações de homens que não congregam literalmente.

Como defesa da forma de governo eclesiástico presbiteriano, tem-se argumentado que o termo *ἐκκλησία (ekklēsia)* é aplicado no Novo Testamento para referir-se a todos os cristãos em uma grande cidade, quando seu número era tão grande que eles não poderiam todos se reunir para adoração em um único lugar. Em uma grande cidade dos dias atuais, uma denominação de cristãos pode ter muitas igrejas reunidas em seus diferentes locais de culto na mesma hora. A mesma divisão de congregações em culto é suposta como tendo existido em tempos antigos, contudo nunca lemos no Novo Testamento de várias igrejas em uma cidade e é inferido que a palavra *ἐκκλησία (ekklēsia)* no singular incluiria, nesse caso, todas as diferentes congregações em culto.

O Dr. Dick[1] sustenta o argumento citado e faz referência especialmente à igreja de Jerusalém e à igreja de Antioquia como grupos grandes demais para que todos os seus membros congreguem em um só lugar. Contudo, é lamentável para o argumento que essas igrejas específicas tenham sido claramente apresentadas pelas Sagradas Escrituras como tendo se reunido. Embora os discípulos em Jerusalém fossem milhares, ainda que seu número houvesse multiplicado (At 6.1, 2), os apóstolos reuniram toda a multidão e a direcionaram para escolher dentre eles sete homens para encarregar da distribuição aos pobres. E quando Paulo e Barnabé retornaram a Antioquia, depois de uma viagem missionária, é registrado que eles reuniram

1 *Manual de Teologia.*

a igreja e contaram o que o Senhor havia feito por intermédio deles (At 14.27). Contra essas expressas declarações do historiador sagrado, a conjectura de que o número de discípulos nessas cidades era grande demais para permitir que congregassem em um só lugar não deve ser considerada.

É argumentado ainda pelo Dr. Dick que todos os discípulos em Jerusalém não poderiam reunir-se em um só lugar devido à perseguição a qual estavam expostos. Mas um importante fato está sendo ignorado aqui. Por um período considerável após o dia de Pentecostes, os cristãos tinham "a simpatia de todo o povo" (At 2.47). As autoridades opunham-se a eles, mas a simpatia que possuíam entre o povo deteve a mão da perseguição. Enquanto esse estado de coisas durou eles permaneceram como uma igreja, uma assembleia. Mas, quando a perseguição os espalhou, eles foram compelidos a reunirem-se em assembleia em diversos lugares, e não são mais considerados como sendo uma única igreja; porém, o historiador, resguardando a precisão da linguagem, chama-os de "igrejas" (At 9.31).

Se a palavra *ἐκκλησία (ekklēsia)* no singular pudesse referir-se a várias congregações distintas em uma grande cidade, não há nenhum bom argumento para que não seja usada para denotar a assembleia de todos os cristãos em uma província ou reino. Mas admite-se que, quando aplicada a estes, tal palavra é sempre usada na forma plural. Tudo isso está exatamente de acordo com o que foi afirmado anteriormente: que a palavra sempre nos assegura uma assembleia.

Membros

Se a assembleia referida pela palavra *ἐκκλησία (ekklēsia)* era religiosa ou política, legítima ou ilegítima, a palavra em si não determina. Precisamos olhar além da palavra em si para aprender sobre as características dos membros que compunham as igrejas do Novo Testamento e o propósito para o qual estavam associados.

O caráter das pessoas que compunham as igrejas do Novo Testamento pode ser facilmente conhecido pelas cartas a elas direcionadas. Eles são chamados de "eleitos de Deus" (Cl 3.12); "filhos de Deus mediante a fé" (Gl 3.26); "santificados em Cristo Jesus, chamados para ser santos" (1Co 1.2); "santos em Cristo Jesus" (Fp 1.1); "imitadores do Senhor" (1Ts 1.6); "amados pelo Senhor" (2Ts 2.13). Não pode existir dúvidas de que essas igrejas eram, aos olhos dos autores inspirados que se dirigiram a elas, compostas por pessoas verdadeiramente convertidas a Deus.

Podemos aprender o mesmo do livro de Atos dos Apóstolos. A primeira igreja admitiu na membresia aqueles que se arrependeram e alegremente receberam a palavra e o Senhor adicionava diariamente a igreja os que seriam salvos (At 2.39, 41). Alguns preferem traduzir a passagem mencionada assim "O Senhor adicionava à igreja aqueles que foram salvos". A primeira tradução não determina de forma plena que a pessoa acrescida já havia passado pela transformação da salvação. Contudo, nenhuma das duas traduções dá o sentido preciso do original, o qual pelo uso do particípio presente (gerúndio) descreve a salvação nem como futura, nem como passada, mas num progresso presente. Homens que haviam entrado no caminho da salvação e estavam fazendo progresso nele foram adicionados a igreja em Jerusalém e todos os membros dessa igreja eram pessoas dessa característica, pois em toda a multidão era "um o coração" (At 4.32). Quando a perseguição espalhou a primeira igreja, seus membros dispersos formaram outras igrejas idênticas à igreja-mãe quanto às características de seus membros. Ninguém era admitido, a não ser os crentes em Cristo.

O que foi afirmado não deve ser compreendido para inferir que somente crentes verdadeiros fizeram parte das igrejas primitivas. Nós sabemos pelos Atos dos Apóstolos que Ananias e Safira, e Simão, o mago (At 8.13), foram contados por um tempo entre os verdadeiros discípulos de Jesus e sabemos das epístolas apostólicas que falsos irmãos foram trazidos para dentro das igrejas (Gl 2.4). Mas somos claramente ensinados que eles eram considerados intrusos, ocupando um lugar que não pertencia a eles e foram expulsos quando seu verdadeiro caráter tornou-se aparente. Apesar de mesmo no período apostólico tais homens serem admitidos nas igrejas, eles rastejaram escondidos (Jd 4) e, logo, se formos trilhar nos passos dos apóstolos, não podemos recorrer a autoridade deles para admitir nas igrejas qualquer um que não seja verdadeiramente discípulo de Cristo.

Em nossa definição de uma igreja, nós a temos chamado de uma assembleia de crentes em Cristo. Essa definição diz o que uma igreja é de acordo com a vontade revelada de Deus e não o que ela se torna pela negligência pecaminosa de seus ministros e membros, ou pela astúcia perversa de homens hipócritas que conseguem admissão nela. Quando estudamos a palavra de Deus para determinar o que uma igreja é, devemos aceitar o padrão perfeito como apresentado pelos preceitos não corrompidos da palavra, e não como arruinado pelos erros e pecados humanos.

Organização

Uma igreja é uma assembleia *organizada*. A organização não pode ser deduzida de forma correta meramente pelo nome. Presume-se que signifique uma assembleia legitimamente reunida ou convocada e a derivação da palavra *ἐκκλησία (ekklēsia)*, que significa *chamado para fora*, concorda com o significado. Uma convocação oficial implica obrigação de obedecer-lhe e às pessoas que estão debaixo dessa obrigação podem supor que estão obrigadas não só a reunir-se, mas também a cooperar umas com as outras no mesmo propósito para o qual a assembleia foi convocada. Apesar de o termo ter sido algumas vezes aplicado a uma assembleia que não foi convocada conforme a lei, ou a uma assembleia desordeira e desorganizada, ele comumente significava uma assembleia de pessoas comprometidas a agir como um corpo, para um objetivo específico. Isso é verdadeiro sobre as igrejas do Novo Testamento.

A igreja em Jerusalém distingue-se claramente, na sagrada narrativa, de uma multidão dispersa que ouviu o sermão de Pedro no dia de Pentecoste. Muitos desses foram "acrescentados à igreja", mas a igreja, como se declara no relato, era um corpo distinto e separado, e sua união e cooperação são amplamente exibidas na história sagrada.

Uma passagem na primeira Epístola aos Coríntios demonstra que a igreja de Corinto era uma assembleia distinta, não incluindo aqueles que poderiam casualmente estar presentes em sua reunião: "Se, pois, toda a igreja se reunir no mesmo lugar, e todos se puserem a falar em outras línguas, no caso de entrarem indoutos ou incrédulos..." (1Co 14.23). Se a igreja fosse um ajuntamento solto e desorganizado, tais visitantes que viessem a ela seriam parte dela. Mas a distinção entre eles e a igreja é demarcada e clara. Outrossim, a frase: "Se, pois, toda a igreja se reunir", indica de forma clara que havia um número definido de pessoas que eram esperadas para a reunião, as quais, quando reunidas, constituíam todo o corpo local. Isso não seria verdadeiro no caso de uma assembleia desorganizada.

Deve-se perceber que a palavra *ἐκκλησία (ekklēsia)* é aqui usada para denotar a assembleia, não como tendo todos congregando, mas como um corpo em que era possível ter alguns membros ausentes enquanto outros estavam presentes. Algumas vezes, a palavra era usada para significar uma assembleia de fato, como na passagem "quando vos reunis na igreja" (1Co 11.18), ou seja, na congregação ou ajuntamento público. Mas, na frase: "Se, pois, toda a igreja se reunir", o termo é claramente aplicado à igreja, não como ao corpo de fato reunido, mas organizado. A organização, sem dúvidas, fazia referência a seu ajuntamento para o propósito de levar a efeito o propósito de sua organização; o nome *ἐκκλησία (ekklēsia)* foi dado ao corpo porque era, de fato, uma assembleia, ou porque os membros estavam obrigados, pelos termos de sua organização, a ajuntarem-se.

Essa distinção no uso do termo, em momentos referindo-se à congregação organizada, e em outros à assembleia reunida, aparece também na Septuaginta. A Congregação do Senhor era uma *ἐκκλησία (ekklēsia)*, estando reunida ou não, mas na frase "no dia da congregação", o termo *ἐκκλησία (ekklēsia)* é usado para significar a assembleia reunida em pé, diante do Monte Sinai. Esse é o significado da palavra em 1Coríntios 14.34: "conservem-se as mulheres caladas nas igrejas", isto é, na assembleia ou reunião pública. É acrescentado: "porque para a mulher é vergonhoso falar na igreja". Essa vergonha não era por ser ela membro de uma congregação organizada, mas por ser uma reunião pública.

A palavra *igreja* é usada sempre em referência a uma sociedade organizada, mas não quer, necessariamente, dizer uma assembleia reunida, sendo muito frequentemente aplicada à associação que nunca se reúne de fato. Nesse caso, não é uma interpretação precisa de *ἐκκλησία (ekklēsia)*, quando esse termo indica uma assembleia de fato reunida, sem referência à sua organização. O Dr. Doddridge apropriadamente interpreta Atos 7.38 como: "É este quem esteve na congregação no deserto". Se esse princípio de tradução fosse aplicado em todo o Novo Testamento e a palavra igreja fosse aceita somente quando estivesse referindo-se uma sociedade organizada, haveria um ganho no que diz respeito à clareza.

Nós não argumentamos sobre a organização das igrejas primitivas apenas pelo uso do nome grego *ἐκκλησία (ekklēsia)*. Esse nome era usado de forma apropriada para indicar uma assembleia organizada, mas esse não era seu significado exclusivo. Outras considerações que foram apresentadas provam que as igrejas locais do Novo Testamento eram, em geral, congregações organizadas, mas há uma dúvida com respeito às igrejas ou assembleias em casas particulares, sendo mencionados quatro casos (Rm 16.5; 1Co 16.19; Cl 4.15; Fm 2). Naquele tempo, edifícios não haviam sido construídos especialmente para acomodar congregações cristãs, e reuniões para cultos religiosos eram, sem dúvida, frequentemente realizados em casas particulares. Que em alguns casos uma igreja organizada possa ter realizado suas reuniões em casas particulares, não é improvável. Mas nós não podemos afirmar que toda assembleia cristã para a qual a palavra *ἐκκλησία (ekklēsia)* era aplicada era, de fato, uma igreja organizada. Nós podemos admitir que a palavra *assembleia* fosse a mais apropriada para indicar esses casos de encontros em casas particulares, mesmo havendo provas abundantes de que as igrejas comumente mencionadas no Novo Testamento eram congregações organizadas.

Independência

Cada igreja, como uma organização distinta, era independente de qualquer outra igreja. Não há sugestão em qualquer lugar de que as ações de uma igreja foram supervisionadas por outra igreja, ou por qualquer junta eclesiástica estabelecida por uma combinação de igrejas. No ensino de Cristo, para resolver um problema entre dois membros, o irmão ofendido é ordenado a levar o caso à igreja e a ação da igreja é apresentada como final. A igreja em Corinto excluiu o indivíduo incestuoso por si e sem referência a um conselho superior. Para definir a questão da independência da igreja, Paulo apesar de possuir autoridade apostólica, e mesmo tendo dado comando para que a ação fosse praticada, ainda assim requereu que fosse realizado pela igreja reunida, como o agente adequado para realizar a tarefa. Novamente, quando o mesmo indivíduo deveria ser restaurado, a ação da igreja tornou-se necessária, ato que concretizou o fato. No livro de Apocalipse, mensagens distintas foram enviadas para igrejas na Ásia. O caráter e o trabalho de cada igreja são mencionados de forma distinta e separada, e as ações prescritas são direcionadas para cada igreja separadamente, sendo requerido apenas daquela igreja realizá-las.

O único caso em que há a aparência de um apelo a um conselho superior é aquele registrado em Atos 15. Esse não foi um caso de um apelo a um conselho superior estabelecido por uma combinação de igrejas, mas à igreja em Jerusalém, com apóstolos e presbíteros; a decisão, quando emitida, foi levada adiante com a autoridade do Espírito Santo.

Governo divino

Depois de provar que as igrejas primitivas eram sociedades organizadas, uma questão importante surge sobre se estamos obrigados a orientar a eclesiologia dos tempos atuais em conformidade com a prática antiga. Aquela prática foi estabelecida pela autoridade divina e planejada para ser uma obrigação perpétua, ou a questão toda sobre ordem e governo foi deixada para a prudência humana? Se as igrejas primitivas consistiam completamente de crentes batizados, estamos nós agora livres para receber pessoas descrentes e não batizadas? Se as igrejas primitivas eram organizações independentes, estamos nós agora livres para combinar várias em uma organização? Se os antigos pastores eram todos iguais em autoridade, estamos nós livres agora para estabelecer hierarquias no ofício pastoral e dar a um ministro autoridade sobre os outros?

É necessário admitir que as Escrituras contêm poucos preceitos diretos quanto à ordem e ao governo das igrejas. Mas nós não temos o direito de requerer que tudo o que foi planejado para nossa instrução quanto a um dever precise ser apresentado somente em forma de uma ordem direta. Pais criteriosos dão muita instrução aos seus filhos pelo exemplo e essa forma de instrução é, muitas vezes, mais inteligível e mais útil do que um preceito. Era dever dos apóstolos ensinar os convertidos tudo o que Cristo havia ordenado e colocar as igrejas em ordem. Se, ao invés deixar preceitos áridos para servir de nosso guia, eles nos ensinaram, por seu exemplo, como organizar e governar igrejas, não temos direito de rejeitar a instrução deles e insistir que não estamos obrigados a nada que não seja uma ordem direta.

Ao invés de escolher seguir uma forma inventada por nós, deveríamos ter prazer em seguir os passos daqueles homens santos dos quais recebemos a palavra da vida. As ações de um pai sábio merecem ser imitadas por seus filhos, mesmo quando não há evidência de que ele deseja instruí-los pelo seu exemplo. Nós reverenciamos os apóstolos como homens inspirados com uma sabedoria que vem do alto e respeitamos o Espírito por meio do qual foram guiados, o que deveria levar-nos a preferir o modo deles de organização e governo ao invés daquilo que nossa sabedoria inferior sugere.

Mas os apóstolos projetaram que o seu modo de proceder deveria ser adotado e continuado. Paulo elogiou a igreja em Corinto porque eles haviam mantido as ordenanças como ele havia entregado a eles. Algumas coisas que precisavam ser corrigidas, ele prometeu colocá-las em ordem quando fosse até lá, deixando evidente que havia uma ordem a ser estabelecida. Tito, que ele havia instruído, foi deixado em Creta (Tt 1.5) para ordenar presbíteros em cada cidade e colocar em ordem as coisas que estavam pendentes. Para Timóteo, ele disse: "E o que de minha parte ouviste através de muitas testemunhas, isso mesmo transmite a homens fiéis e também idôneos para instruir a outros" (2Tm 2.2). Como temas da organização da igreja faziam parte de seu próprio cuidado e ação, e uma parte da tarefa para a qual ele havia comissionado Tito, logo devemos acreditar que estes temas formavam uma parte da instrução que ele havia dado a Timóteo, para que fosse transmitida por ele a outros homens fiéis e por estes aos seus sucessores.

A comissão que o Senhor deu aos seus apóstolos exigia que eles ensinassem a observar tudo que ele havia ordenado. Muitos discursos que ele fez, antes da crucificação, são mencionados nos quatro evangelhos, sem que haja registro extenso e ele, sem dúvidas, fez muitos outros dos quais não há menção alguma. Nos diálogos que teve com os apóstolos depois da ressurreição, somos informados que lhes falou coisas pertinentes ao reino de Deus (At 1.3). E esse assunto estava sempre diante deles, a ponto de provocar a questão: "Senhor, será este o tempo em que restauras o reino a Israel?" (At 1.6). Eles eram os agentes escolhidos e comissionados para estabelecer seu reino, tendo sido apontados por ele para sentarem-se "em doze tronos para julgar as doze tribos de Israel" (Mt 19.28). Eles deveriam continuar na tarefa entregue a eles, e agora aguardavam em Jerusalém até que fossem revestidos de poder vindo do alto para prosseguir com sucesso.

Porém, que direcionamentos ele lhes deu nas interessantes conversas que não foram escolhidas para serem registradas, não temos outro meio de saber senão por meio dos preceitos e exemplos que eles deixaram. Sua ordem e promessa de despedida foram: "ensinando-os a guardar todas as coisas que vos tenho ordenado. E eis que estou convosco todos os dias até à consumação do século" (Mt 28.20). Isso claramente indica que ordens foram dadas a eles, as quais deveriam ser observadas até o fim dos tempos e que elas deveriam ser aprendidas pelas instruções deles. A organização e o governo das igrejas, que deveriam levar adiante a palavra da vida e ser os candelabros dourados, por entre os quais Jesus glorificado andaria (Ap 1.20), eram assuntos intimamente ligados ao reino e não se pode supor que ele não deu nenhuma instrução a respeito delas. O que quer que ele tenha ordenado nesses pontos, a comissão exigiria que ensinassem os homens a observar, e a promessa de sua presença até o fim dos tempos claramente demonstra que a obediência deveria ser perpétua. Nós, então, chegamos à conclusão que tudo que os apóstolos ensinaram, seja por preceito ou por exemplo, tinha a autoridade, não só do Espírito Santo que os guiava para a verdade, mas também do Senhor, que os havia comissionado.

Pode-se fazer objeção de que nem sempre o exemplo dos apóstolos deve ser seguido, como, por exemplo, a conduta de Paulo raspando sua cabeça em Cencreia (At 18.18), purificando-se em Jerusalém (At 21.26) e circuncidando Timóteo (At 16.3). Mas como sabemos que essas ações de Paulo não devem ser imitadas? Nós aprendemos pela instrução e exemplo do mesmo grande apóstolo. Ele ensinou-nos a distinguir atos de obrigação pessoal dos atos praticados em virtude da fraqueza e preconceito de outros. Ele tornou-se todas as coisas para todos os homens. Para com os judeus, procedeu como judeu, para ganhar os judeus. Ele levou Timóteo a circuncidar, em razão dos judeus que viviam naquela região, e os outros atos que foram citados foram realizados cedendo ao preconceito judaico. Mas quando se fez necessário defender os direitos e privilégios dos gentios convertidos, ele ousadamente reafirmou seus direitos e vigorosamente se opôs à circuncisão de Tito (Gl 2.3). Se com um espírito humilde e ensinável, estudarmos as instruções, assim como os exemplos dos apóstolos, veremos que será raro errar em decidir qual de suas ações foram acomodações a situações particulares e quais delas são exemplos apropriados para que imitemos. Se qualquer dúvida permanecer em algum caso em particular, seria muito drástico e pecaminoso, por conta disso, jogar fora todo o benefício do exemplo apostólico.

Quando fazemos nossas deduções a partir das instruções e exemplos dos apóstolos, podemos usá-los com grande proveito para interpretar os breves direcionamentos que foram dados pelo próprio Mestre divino. No que foi registrado, apenas duas vezes ele usou a palavra *igreja* em seu ministério. Em uma ocasião, ele deu uma promessa de estabilidade e continuidade: "sobre esta pedra edificarei a minha igreja, e as portas do inferno não prevalecerão contra ela" (Mt 16.18). Dessa promessa pode-se inferir, mesmo se não houvesse instrução apostólica sobre o assunto, que a igreja foi construída de material durável, de pedras vivas, de verdadeiros santos. No outro caso, o Mestre deu um preceito para seus discípulos, referindo-se a dificuldades pessoais que podem surgir entre eles: "Se teu irmão pecar [contra ti], vai argui-lo entre ti e ele só. Se ele te ouvir, ganhaste a teu irmão. Se, porém, não te ouvir, toma ainda contigo uma ou duas pessoas, para que, pelo depoimento de duas ou três testemunhas, toda palavra se estabeleça. E, se ele não os atender, dize-o à igreja; e, se recusar ouvir também a igreja, considera-o como gentio e publicano" (Mt 18.15-17). Quais tipos de pessoas estão envolvidas na suposta dificuldade? Eles são irmãos. A diretriz foi dada aos discípulos e o ofensor é chamado de "teu irmão". O ensinamento não foi intencionado para um caso de ofensa de escribas e fariseus, mas para um caso de dificuldade entre irmãos cristãos.

O segundo passo no processo é descrito assim: "toma ainda contigo uma ou duas pessoas". Quem são as pessoas que devem ser levadas? Não os perseguidores escribas e fariseus, não os estranhos que não têm o menor interesse em resolver a dificuldade, mas, sem qualquer dúvida, outros *irmãos*.

No terceiro passo temos a direção: "dize-o à *ἐκκλησία (ekklēsia)*", à assembleia. Qual assembleia? A assembleia de Israel, a congregação do Senhor, reunida de todos os lugares para manter as festas em Jerusalém? A assembleia de adoradores judeus reunidos em uma sinagoga? Jesus não direcionou seus discípulos para levar esse tema de ofensas para tais árbitros. Evidente que a *ἐκκλησία (ekklēsia)* é composta pelo mesmo tipo de pessoa que as envolvidas nos passos anteriores do processo. É a assembleia dos irmãos. Os que a compõe são discípulos cristãos e nenhum outro. É *a* assembleia e não *uma* assembleia que pode ser acidentalmente reunida. A distinção da assembleia e, até certo ponto, sua organização estão implícitas aqui. Diga à assembleia, uma assembleia de fato reunida e capaz de alguém se dirigir a ela e não uma sociedade espalhada pela província ou reino.

"Se recusar ouvir também a igreja...". A *ἐκκλησία (ekklēsia)* não só ouve como decide, não só decide como anuncia sua decisão. Aqui a organização está claramente implícita, bem como o direito de decisão: "considera-o como gentio e publicano". Isso prova que a decisão é final e sem possibilidade de apelo a um conselho superior, do contrário o irmão ofendido deveria esperar a resposta de tal apelação. Então, descobrimos que essa passagem admirável contém, em suas breves declarações, um resumo da doutrina sobre a ordem e disciplina da igreja, a qual foi mais desenvolvida posteriormente pelas instruções e exemplos dos apóstolos. Se a autoridade divina de suas instruções fosse duvidosa, essas palavras de Jesus lhes conferem validade.

Enquanto encontramos provas de que a ordem da igreja estabelecida pelos apóstolos foi planejada para ser mantida até o fim dos tempos, não encontramos nem preceito, nem exemplo para regular cada aspecto particular da atividade da igreja. O casamento é uma instituição divina e as regras dadas a seu respeito são obrigatórias, apesar de muito ser deixado para avaliação e satisfação das partes envolvidas. Então as regras prescritas na palavra de Deus para organização e disciplina das igrejas são obrigatórias, mas algumas coisas ainda foram deixadas para prudência humana decidir.

Objeção 1

Existia uma comunhão de bens na igreja de Jerusalém. Essa era primeira igreja e foi estabelecida sob a supervisão de todos os apóstolos. Se a prática primitiva fosse obrigatória para os períodos posteriores, uma comunhão de bens deveria ser parte indispensável da organização da igreja.

Somos informados a respeito dos membros da igreja primitiva: "Ninguém considerava exclusivamente sua nem uma das coisas que possuía; tudo, porém, lhes era comum" (At 4.32). Mas não temos aqui nenhuma declaração dada sobre qualquer ordem da igreja estabelecida, obrigando que todos abrissem mão de suas propriedades. A entrega era espontânea por parte daqueles que a praticavam. Não é dito que a igreja ou os apóstolos declararam as posses de cada membro como sendo bem público, mas o reconhecimento delas como propriedade comum é atribuído inteiramente ao proprietário. Que cada membro possui o direito de manter sua propriedade fica evidente pelas palavras de Pedro a Ananias: "Conservando-o, porventura, não seria teu?" (At 5.4). O pecado de Ananias e Safira não foi que eles mantiveram parte do que possuíam, mas que eles mentiram sobre isso. O reconhecimento claro de que tinham o direito de manter posse do todo está explícito na declaração do apóstolo Pedro, uma comunhão de bens não foi estabelecida pela autoridade apostólica.

Se fosse provado que os apóstolos estabeleceram uma comunhão de bens na igreja em Jerusalém, nós deveríamos ser levados a classificar esse ato como classificamos as ações de Paulo anteriormente, que foram resultado de circunstâncias peculiares. Nas igrejas organizadas posteriormente, nós sabemos que havia a distinção entre ricos e pobres e que era esperado dos membros contribuir de acordo com o que possuíam. A posse de propriedade privada está claramente implícita e os apóstolos, que estavam cuidando de todas as igrejas, caso planejassem fazer da comunhão de bens uma forma de organização permanente nas igrejas, não permitiriam um aspecto necessário da ordem da igreja num assunto de grande importância ser totalmente negligenciado.

As circunstâncias da igreja em Jerusalém eram peculiares. Daquela igreja, o evangelho avançou para o mundo todo. Era considerada por Paulo como tendo direito à participação nos bens materiais de todas as igrejas formadas posteriormente como retorno pelos bens espirituais compartilhados. A liberalidade daquela igreja nas contribuições para manter a causa de Cristo era extraordinária, porque as circunstâncias eram extraordinárias, e uma necessidade de recompensa estava presente pelo empobrecimento deles no sustento da causa. Paulo elogiou a liberalidade das igrejas da Macedônia, porque contribuíram "na medida de suas posses e mesmo acima delas" (2Co 8.1; 3) para a causa do Senhor. Jesus elogiou a liberalidade da viúva pobre que deixou tudo o que possuía no gazofilácio. Então, a liberalidade da igreja em Jerusalém era agradável aos apóstolos e também ao Senhor, e ainda mais louvável porque eram ofertas de boa vontade e não extorquidas por qualquer ordem de igreja estabelecida pelos apóstolos.

Objeção 2

A eclesiologia que você afirma deduzir das Escrituras, não condiz com a apresentada, de acordo com a história da igreja, como tendo prevalecido nos períodos seguintes à era dos apóstolos. Há razão, portanto, para suspeitar que suas deduções estão erradas.

Na tentativa de aprender por meio da história eclesiástica quais práticas prevaleceram nas igrejas apostólicas, há risco de erro por duas razões: os autores de história eclesiástica não eram inspirados e, portanto, falíveis; e as igrejas de períodos posteriores aos apóstolos podem ter se afastado da ordem que foi primeiramente instituída. Nenhuma dessas causas de erros podem desviar-nos do curso de investigação que estamos seguindo. Os autores em quem confiamos eram inspirados e as igrejas que temos investigado eram as primeiras e mais puras, organizadas pelos apóstolos sob a condução infalível do Espírito Santo. Ainda mais, temos a segurança da autoridade inspirada, que as Escrituras são suficientes para aperfeiçoar o homem de Deus, completamente capacitado para toda boa obra. Se cada dever sobre a ordem da igreja não pode ser aprendido das Escrituras, elas não possuem a perfeição e suficiência que Paulo conferiu a elas. Se a história eclesiástica pode dar qualquer contribuição que nos auxilie a corretamente interpretar as Escrituras, nós podemos prontamente aceitar sua ajuda. Mas se vai além das Escrituras, ela deixa a autoridade divina para trás e, se ela se opõe às Escrituras, devemos rejeitá-la, para que não esvaziemos a lei de Deus em razão das nossas tradições.

Mas a história eclesiástica não diz nada que possa levar-nos a suspeitar da precisão de nossas deduções das Escrituras. Pelo contrário, quanto mais nos aproximamos do período dos apóstolos, mais preciso é o acordo que se vê entre a ordem das igrejas e aquilo que temos afirmado a partir das Escrituras, como tendo sido estabelecido por Cristo e seus apóstolos.

As citações a seguir do livro de Gieseler, *História Eclesiástica*, serão suficientes para demonstrar o processo gradativo de deterioração da ordem original da igreja, no que diz respeito a independência das igrejas, a igualdade entre pastores e o direito das pessoas de eleger seus oficiais na igreja. O historiador considera um processo de melhoria, representando as igrejas como "melhor organizadas e unidas", mas nós cremos ser um processo de empobrecimento:

A influência dos bispos cresceu naturalmente com o aumento da frequência dos sínodos, nos quais eles representavam suas igrejas. Igrejas nacionais que cresceram em torno de alguma cidade, pareciam ter seus bispos normalmente sob certo grau de autoridade da igreja-mãe. Apesar dessa exceção, todas as igrejas eram independentes, contudo algumas eram colocadas em lugar de honra devido a suas origens apostólicas ou à importância das cidades onde estavam situadas.

Nós temos visto que a esfera de influência individual dos bispos estava gradualmente aumentando; muitas igrejas na cidade e em suas vizinhanças sendo reunidas sob a presidência de um bispo, um presbítero, ou um bispo nacional. Mas temos agora que mencionar uma instituição nova, primeira encontrada no Oriente, que teve o efeito de unir mais os bispos entre si. Esse foi o Sínodo Provincial, que estava tornando-se mais frequente após o fim do segundo século e, em algumas províncias, era realizado um ou duas vezes por ano. [...] Por meio dessas associações de grandes corpos eclesiásticos, toda a igreja tornou-se melhor organizada e unida.

Quando a ideia do sacerdócio mosaico foi adotada pela igreja cristã, o clero logo passou a ser considerado superior sobre os leigos. [...] As velhas práticas ainda não haviam sido todas descartadas. Apesar dos bispos provinciais exercerem forte influência para eleger um bispo da cidade, a igreja não era totalmente excluída de participar da escolha.

Objeção 3

Deus, em outras questões, revelou seu plano de atuação gradualmente e, é, pelo menos, provável que ao iniciar a igreja os princípios de ordem da igreja foram incorporados embrionariamente, a fim de serem desenvolvidos posteriormente no avanço da Cristandade. Logo, é inadequado ter como nosso modelo o primeiro embrião da igreja.

Tem sido do agrado de Deus revelação gradativa do plano da graça divina. A primeira revelação dele no jardim do Éden, foi extremamente obscura, mas como a luz da aurora, a luz continuou a aumentar, até que o sol da justiça surgiu e a plena revelação do evangelho foi dada à humanidade. Esse progresso aconteceu vindo nova luz do céu. De tempos em tempos, foi acrescentada nova revelação de Deus, através de homens inspirados, que ele comissionou para realizar sua vontade. Agora, se os princípios da ordem da igreja, transmitidos por Cristo e seus apóstolos, fosse deixado imperfeito para nos guiar, a analogia sugere que o desenvolvimento adicional, que é necessário, deveria vir de cima. Mas a objeção não afirma que a mudança progressiva na ordem da igreja foi direcionada por homens inspirados, e ninguém vai alegar isso entre quem não defende infalibilidade da igreja. O que Cristo e os apóstolos plantaram não poderia receber nenhuma melhora, a não ser que o próprio Deus desse o acréscimo, e como não temos prova de que o acréscimo veio de Deus, tememos que os homens tenham desfigurado a obra do Senhor, ao invés de melhorá-la.

No desenvolvimento que Deus realiza em seus planos de operação, o progresso é sempre em direção à perfeição, mas na mudança da ordem da igreja, a qual se refere a objeção, o progresso culmina na revelação do Homem de Pecado. Todos os passos nesse desenvolvimento tendem a esse desfecho. Se a sabedoria que dirige tal progresso fosse do alto, devemos seguir sua direção completamente. A doutrina da infalibilidade da igreja deve ser admitida e devemos recebê-la em todas as suas consequências. As doutrinas e práticas da igreja romana, contrárias à palavra de Deus, deveriam ser acolhidas como um progresso da verdade seminal que a Bíblia contém. Se não estamos dispostos a ir até tais consequências, onde devemos parar? Existe um ponto no desenvolvimento da igreja, no qual ela tenha atingido a mais elevada perfeição e de onde caiu afundando nas profundezas da apostasia papal? Se sim, como podemos saber qual foi esse ponto? Se a palavra de Deus não nos diz e se não temos uma igreja infalível para nos dizer, somos deixados no escuro nesse importante assunto. A única escapatória dessas trevas é corrermos para a segura palavra da profecia, a qual fazemos bem em estar atentos, como uma luz que brilha em lugar escuro.

Mas, foram as mudanças que aconteceram na ordem da igreja um desenvolvimento dos princípios inculcados por Cristo e seus apóstolos? Se Cristo proibiu seus discípulos de chamar qualquer homem de mestre, e ele os constituiu todos como irmãos, o prelado, ou hierarquia Romana, é um desenvolvimento dos princípios por ele ensinados? Se ele tornou final a decisão de uma *ἐκκλησία (ekklēsia)* dos irmãos, para a qual um irmão injustiçado pode levar sua queixa, é o estabelecimento de tribunais de apelação um desenvolvimento de seus princípios? Se ele estabeleceu uma membresia da igreja de convertidos, não é a admissão de membros não convertidos uma corrupção, ao invés de um desenvolvimento de seus princípios?

O progresso do desenvolvimento divino é em direção àquele estado último, no qual os perversos estarão completamente e para sempre separados dos justos. A destruição feita por ele do mundo antigo por um dilúvio, do qual o justo Noé foi preservado, foi um passo nesse desenvolvimento. Depois que corrupção e idolatria haviam novamente prevalecido, outro passo foi dado no chamado de Abraão da sua parentela, e sua remoção para uma terra distinta na qual seus descendentes deveriam ser uma nação separada, mantendo uma religião mais pura. Outra separação foi feita, quando João Batista pregou "não comeceis a dizer entre vós mesmos: temos por pai a Abraão"; "Já está posto o machado à raiz das árvores"; "A sua pá, ele a tem na mão" e assim por diante. A partir daquele tempo, uma membresia de igreja de convertidos foi estabelecida, que deveria estar separada do mundo. O próximo passo será sua completa e final separação. Agora, depois de Cristo, com seus mensageiros e apóstolos, estabeleceu uma membresia convertida da igreja, a admissão de membros não convertidos é um passo, não na direção do desenvolvimento progressivo de Deus, mas na direção contrária. Ao invés de levar para um estado mais perfeito, leva de volta ao estado que era o grande alvo do ministério de João alterar.

Objeção 4

O modo de governos e organização da igreja que você defende ter deduzido das Escrituras não é sábio e, portanto não pode ser de Deus.

A consideração dessa objeção será tratada no capítulo 10, seção 1.

Desígnio

Todo homem, como criatura responsável, está obrigado a adorar a Deus, mas render essa adoração separado das outras criaturas não estaria de acordo com sua natureza social. Muitos atos de devoção e obediência podem ser realizados de forma mais vantajosa e mais aceitável quando na companhia de outros homens, mas do que cada indivíduo separado. A oração é aceitável a Deus, mesmo quando derramada de um coração solitário afastado de todo mundo, e desconhecido de todo mundo, mas uma promessa especial está registrada na palavra de Deus para encorajamento da oração juntamente com outros. A união tende a fortalecer nossa fé e aquecer nossa devoção, e a petição em uníssono eleva-se mais aceitável àquele que ouve e responde orações. Igrejas são ajuntamentos de homens que congregam para orarem juntos. A primeira igreja orava eficiente e fervorosamente quando seu número era de cento e vinte, e eles continuaram em oração quando seu número aumentou para milhares (At 2.42, 4.24). Quando Pedro estava na prisão, a igreja orou por ele (At 12.5).

O louvor também é aceito por Deus mesmo quando oferecido em particular, mas quando Paulo e Silas cantaram louvores a Deus na prisão (Atos 16.5), o companheirismo fortaleceu seus corações e deu um acréscimo de doçura e poder para a música deles. O louvor unido a outros entrou para adoração do templo antigo e membros de igrejas cristãs são intimados a falarem entre si com salmos, entoando e louvando de coração ao Senhor com hinos e cânticos espirituais (Ef 5.19). O dever a aceitação da adoração da igreja pode ser deduzido das palavras "cantar-te-ei louvores no meio da congregação" (Hb 2.12).

A celebração da morte de Cristo no partir do pão é uma ordenança dada às igrejas. Os discípulos em Trôade e em Corinto reuniram-se com esse propósito. Pela união entre os cristãos há maior eficiência nos esforços para espalhar o evangelho. Logo, das igrejas proclamou-se a palavra do Senhor. Congregando em assembleias públicas, tem-se oportunidade para instrução espiritual, a qual Cristo comissionou aos seus ministros e para que os membros da igreja promovam o crescimento uns dos outros pela exortação mútua. Assim, Paulo dá a ordem: "Não deixemos de congregar-nos, como é costume de alguns; antes, façamos admoestações e tanto mais quanto vedes que o Dia se aproxima" (Hb 10.25). Esses são alguns dos propósitos mais importantes, porque é da vontade de Deus que os crentes em Cristo unam-se em igrejas.

QUALIFICAÇÃO CERIMONIAL PARA MEMBRESIA

O Batismo é um pré-requisito para a membresia em uma igreja local.

As considerações feitas no capítulo 1, seção 4, determinam o momento adequado do batismo na jornada de obediência cristã. Ele está no início do caminho. Nesse ato o crente entrega-se a Deus, antes de entregar-se ao povo de Deus, a fim de andar com eles em um compromisso de igreja. Os deveres conectados à membresia da igreja estão incluídos entre os imperativos da grande comissão e devem ser ensinados depois do batismo. Os membros de toda igreja cristã devem professar sujeição a Cristo. Eles não podem caminhar juntos em seus mandamentos, a não ser que concordem nesse ponto. Assim como a profissão de fé é necessária para a membresia da igreja, o batismo também o é, o qual é a cerimônia designada para profissão de fé. A profissão de fé é a substância e o batismo é a forma, mas a ordem de Cristo requer tanto a substância quanto a forma. Quando se lê as Escrituras, nunca ocorre o pensamento de que qualquer membro de igreja no período apostólico tenho sido não batizado. O rito era administrado no início da profissão de fé cristã de forma tão uniforme, que não é deixado espaço para dúvida quanto à observância universal. A expressão "todos quantos fostes batizados em Cristo, de Cristo vos revestistes" (Gl 3.27), pode, conectada a outras ideias, sugerir que *nem todos* foram batizados. Mas essa frase veio logo após a declaração "Pois todos vós sois filhos de Deus mediante a fé em Cristo Jesus" (Gl 3.26), e é adicionada para provar tal proposição, mas não poderia provar que *todos* estão na lista especificada, se a frase "todos quantos" significasse somente *alguns*.

A mesma frase é usada por Gamaliel, onde a intenção é *todos*, "todos quantos lhe prestavam obediência se dispersaram e deram em nada" (At 5.36). A mesma frase, com o mesmo significado, é usada em Romanos 6.3: "Ou, porventura, ignorais que todos nós que fomos batizados em Cristo Jesus fomos batizados na sua morte?". A partir disso, Paulo ensina sobre a obrigação de que todos andem em novidade de vida, de onde concluímos que todos os membros das igrejas da Galácia e das igrejas em Roma eram pessoas batizadas, e o mesmo deve ser verdadeiro sobre todas as igrejas primitivas. Assim, concluímos que a autoridade de Cristo na grande comissão e a prática estabelecida pelos apóstolos dão ao batismo uma posição que antecede a membresia da igreja.

Muitas pessoas não batizadas dão prova de que amam a Deus, logo nasceram de Deus, e são filhos em sua família espiritual. Se eles pertencem a Cristo, alguém pode perguntar, por que não podem ser aceitos em suas igrejas? Que há pessoas assim entre os não batizados precisamos admitir, pois esse tipo de pessoa, e somente esse tipo de pessoa, está apta para o batismo. Para cada pessoa assim, um apóstolo de Cristo diria: "E agora, por que te demoras? Levanta-te, recebe o batismo" (At 22.16). Nós não temos a autoridade dos apóstolos, mas temos a palavra de Cristo e dos apóstolos em nossas mãos, e temos o dever para com nosso irmão cristão não batizado de dizer a ele, pela autoridade deles, qual o curso normal de seus deveres.

Objeção 1

Muitos bons homens não entendem as palavras de Cristo e dos apóstolos como nós e, consequentemente, não lhe obedecem dessa maneira em particular, contudo dão evidências satisfatórias, de outras formas, de que amam a Deus e, conscientemente, obedecem-lhe. Paulo diz: "Acolhei ao que é débil na fé", e ele apresenta como razão para recebê-lo que "Deus o acolheu" (Rm 14.1ss). Se temos prova suficiente de que Deus recebeu um irmão cristão não batizado, somos obrigados a recebê-lo.

Nós admitimos a obrigação de receber tal irmão, mas não por um meio que requeira que abandonemos ou negligenciemos nossos próprios deveres. Não devemos desprezar o irmão mais fraco. Não devemos, de forma consciente, fazer com que nosso irmão mais fraco caia. Devemos recebê-lo com afeição e esforçarmo-nos para promover seu bem. Mas, se ele, por sua fraqueza, desobedece a Deus em qualquer particular, nosso amor por ele transformar-se-á em fraqueza, se isso nos induzir a também desobedecer. Não devemos nada ao nosso irmão mais fraco que torne necessário que desobedeçamos a Deus. Se um irmão mais fraco sente-se reprovado quando praticamos nossa obediência pessoal ao mandamento do Senhor, não temos a liberdade de negligenciar ao mandamento, a fim de manter a unidade do Espírito no vínculo da paz. Assim como sou ordenado a demonstrar minha afeição pelo irmão mais fraco de maneira a não negligenciar meu dever, assim é com a igreja também.

Toda igreja deve sua servidão a Cristo primeiro e dela é exigido regular sua organização e disciplina em obediência ao mandamento de Cristo. Se, por estrita obediência à ordem de Deus, nós não podemos assegurar a cooperação de um irmão mais fraco, devemos cumprir com nosso dever e deixar o resultado para Deus. Nada nas regras sobre organização de uma igreja proíbe o recebimento de um irmão na membresia que possua fraqueza de comer vegetais, o caso ao qual Paulo refere-se. Mas se for requerido de uma igreja, para acomodar o irmão mais fraco, que ela abra mão dos princípios de organização aprendidos de Cristo, e adote outros princípios, essa igreja deve a Cristo, e ao próprio irmão mais fraco, recusar-se a isso.

Objeção 2

Se o batismo é pré-requisito para membresia da igreja, associações de pessoas não batizadas não podem ser chamadas de igrejas e a doutrina, então, "desigreja" todas as denominações pedobatistas.

Igreja é uma palavra em português e o seu significado, como tal, deve ser determinado pelo uso padrão dos autores em português. Nossa pesquisa não tem sido o que a palavra em português significa ou como pode ser usada. Temos buscado saber como Cristo planejou que suas igrejas fossem organizadas. Essa é uma questão muito diferente de uma simples disputa sobre palavras, sem proveito algum. Em pesquisas filosóficas estamos dispostos a lançar mão da lei da linguagem e nós não reivindicamos pelo português, escrito ou falado, anular essa lei. Mas nossa pesquisa não é filosófica. Nós não temos buscado em autores o padrão em português para saber como falar, mas na Bíblia Sagrada para saber como agir. Mesmo a palavra grega *ἐκκλησία (ekklēsia)* era aplicada a assembleias de diferentes tipos e somos compelidos a admitir sua aplicação para assembleias de pessoas não batizadas, solenemente congregadas para culto a Deus. Mas temos buscado entender como uma *ἐκκλησία (ekklēsia)*, como aquelas a que Paulo escreveu suas cartas, eram organizadas, e termos investigado o assunto como uma questão de dever, não de filosofia. O resultado de nossa investigação é que todas essas *ἐκκλησία (ekklēsia)* eram compostas de pessoas batizadas exclusivamente.

FALSOS PROFESSANTES

Os discípulos de Cristo, ao obedecer à ordem de seu Mestre para amar uns aos outros, estão sujeitos a errar quanto ao objeto próprio do amor ordenado. Homens que não possuem o espírito cristão, frequentemente usam o nome de cristão e, como ninguém, a não ser Deus, pode sondar o coração, tais homens frequentemente são aceitos entre os seguidores de Cristo e são reconhecidos por um tempo como verdadeiros discípulos. Por razões sábias, algumas das quais somos capazes de entender, Cristo não orou para que seus discípulos fossem tirados do mundo. Embora a relação que eles ainda mantêm com os homens do mundo sejam muitas vezes causadoras de provações dolorosas, ela lhes oferece uma oportunidade para deveres que são proveitosos para si mesmos e para humanidade, e ainda honram a Deus. Igualmente, sua relação com falsos professantes dá-lhes oportunidade para exercitar a perseverança e paciência, e um cuidadoso autoexame.

Igrejas locais possuem uma organização externa e nessa organização emprega-se agência humana. Homens unem-se a ela pelo princípio de reconhecimento mútuo como discípulos de Cristo.

Como Deus não concedeu aos membros da igreja o poder para perscrutar o coração, é possível que pessoas cujo coração não tenha sido santificado pelo Espírito Santo, consigam entrar para uma igreja local. Não está na lei de Cristo que tais pessoas sejam aceitas, mas eles obtêm aceitação porque aqueles que receberam incumbência de aplicar tal lei são falhos.

Como cada igreja na terra tem provavelmente um ou mais falsos professantes, seria possível, então questionar se, de forma estrita, há sequer uma igreja cristã na terra. Mas poderia ser questionado com igual propriedade se qualquer homem pode ser chamado de cristão, já que nenhum homem é totalmente conformado à lei de Cristo. Outros, por outro lado, tem pensado que, uma vez que nenhuma igreja na terra está perfeitamente livre de falsos professantes, é tolice almejar uma igreja perfeita. Mas podemos, então com igual propriedade, acusar homens de serem tolos quando buscam seu aperfeiçoamento pessoal. O dever de todo indivíduo é correr rumo ao alvo, pelo prêmio da vocação de Deus em Cristo Jesus e o dever de toda igreja, e de cada membro de igreja, é esforçar-se por todo meio legítimo para aperfeiçoamento da igreja. Mesmo que a perfeição não seja atingida, apenas a aproximação dela recompensa nossos esforços contínuos e, sem considerar todo aspecto de recompensa, somos obrigados a esse caminho, por ordem de Cristo.

Pode-se objetar que, se o Senhor planejou que as igrejas para que fossem livres de falsos professantes, ele não teria entregado sua direção a homens falhos. Podemos aceitar que não era o propósito de Deus preservar as igrejas livres de falsos professantes pelo uso de sua onipotência. Se esse fosse o propósito dele, não teria falhado em atingi-lo. Mas, assim como em outras partes do governo moral de Deus, agentes responsáveis são empregados, os quais possuem leis prescritas que, como agentes livres, podem ou não obedecer. O fato de a lei não ser obedecida não nega sua perfeição, nem sua obrigação de ser obedecida.

Mas a objeção pode ser apresentada de outra forma. A falha de uma igreja em manter fora os falsos professantes não deriva necessariamente de um delito moral de seus membros, mas pode ser atribuída à inevitabilidade de que o julgamento humano falhe. Como sua falha não é pecaminosa, não é uma violação da lei divina, e, portanto, a lei divina não fornece o necessário para uma igreja perfeitamente pura.

A objeção, feita dessa forma, seria embaraçosa se a igreja, que aceita um falso professante, fosse a única parte envolvida com essa transação. Mas o falso professante é ele mesmo uma parte nisso, e a parte mais responsável. Ele não ama a Cristo e essa falta de amor não só o deixa inapto para um lugar na igreja, mas é também pecaminosa. Ele está certamente em falta, e frequentemente acontece que os membros da igreja também estão em falta. Se eles estivessem menos conformados com o mundo, a distinção entre um cristão e um homem do mundo seria mais aparente, e menos casos de erro ao receber um membro ocorreriam. As igrejas frequentemente negligenciam de forma pecaminosa tanto a entrada de membros, quanto a disciplina deles quando recebidos. Se a piedade das igrejas fosse fervorosa, homens de coração frio não conseguiriam permanecer felizes nelas, e não continuariam tendo seu verdadeiro caráter oculto.

Ter amor a Cristo é requerido de cada um que busca admissão em uma igreja de Cristo. Os membros que o aceitarem devem requerer uma profissão de fé confiável como obediência da ordem de Cristo. Não podem ir além disso e aqui sua responsabilidade cessa. Mas em cada caso em que um falso professante é admitido, a lei de Cristo é violada por uma das partes ou por ambas.

CAPÍTULO 3
A IGREJA UNIVERSAL

MEMBRESIA

A Igreja Universal é o conjunto de todos aqueles que são salvos por Cristo.

Que o termo igreja é usado nas Escrituras para denotar todo o corpo dos discípulos de Cristo, é simplesmente uma questão de fato. Se considerássemos isso uma questão etimológica, poderíamos duvidar que uma palavra, que sempre remete a uma assembleia, pudesse ser usada para denotar um corpo que nunca se reuniu na terra desde o tempo da primeira perseguição, que dispersou os discípulos de Jerusalém. Mas deve haver alguma razão para tal aplicação do termo; e, se confirmarmos o fato de que ele é aplicado nesse sentido, a razão para esse uso peculiar tornar-se-á, posteriormente, assunto para uma análise apropriada.

A seguir estão exemplos nos quais a palavra é usada com esse amplo significado: "E pôs todas as coisas debaixo dos pés e, para ser o cabeça sobre todas as coisas, o deu à igreja" (Ef 1.22); "a ele seja a glória, na igreja e em Cristo Jesus, por todas as gerações, para todo o sempre" (Ef 3.21). Qualquer um que tente interpretar essas e outras passagens semelhantes na suposição de que o termo "igreja" sempre denota um corpo de cristãos reunidos em um lugar (como a igreja em Roma, em Corinto ou em Éfeso) ficará totalmente convencido de que tal interpretação é inadmissível. Em algumas das passagens, a extensão do termo para todo o corpo de crentes é perfeitamente aparente. Em outras, embora não seja tão aparente que todo o corpo é considerado, ainda assim, esse significado harmoniza-se perfeitamente com o uso do termo, com o contexto e com o escopo da passagem.

A seguir, investigaremos se o termo *igreja*, nesse amplo significado, inclui aqueles que professam a fé em Cristo, mas não são verdadeiros cristãos. Essa falsa profissão tornou-se muito comum nos tempos modernos, mas estamos investigando o uso do termo nos tempos apostólicos, quando havia menos motivos para a falsa profissão. Mesmo naqueles tempos antigos, alguns se intrometeram na comunidade, falsos irmãos, entrando descuidadamente. Mas a intrusão de tais pessoas não foi autorizada pela liderança da igreja; e em nosso esforço para averiguar o que é a igreja, devemos procurar saber o que ela é conforme Cristo a instituiu, e não como o homem a interpretou erroneamente ou corrompeu.

Depois de verificar o fato de que a palavra é usada no sentido amplo, a próxima investigação que se apresenta diz respeito à razão ou à justeza desse uso. Alguns pensaram que esse uso da palavra não é propriamente coletivo, mas genérico. Quando dizemos que o ouro é mais pesado que a areia, os termos ouro e areia são usados genericamente. Se eles fossem usados coletivamente para denotar todo o ouro e toda a areia do mundo, a proposição não seria verdadeira, pois há muito mais areia no mundo do que ouro. Mas a comparação é feita entre os dois tipos de matéria, independentemente das quantidades delas existentes. No uso genérico de nomes para denotar os vários tipos de matéria desorganizada, o substantivo não é precedido por um artigo que indique sua quantidade: assim, fogo, ar, terra e água, como nomes de elementos, são usados de maneira genérica. Assim também, o termo *homem* é usado genericamente; não dizemos *um homem* a menos que se trate de algum homem em particular. Isso vale também para quando corpos organizados são usados genericamente. Assim, dizemos: o cavalo é mais tratável do que a mula; o cedro é mais durável do que o carvalho. Portanto, alguns supõem que o termo "a igreja" seja usado genericamente para denotar o tipo de organização existente nas igrejas locais.

A favor dessa opinião há o argumento de que a ideia de uma assembleia é, assim, totalmente preservada no significado da palavra. Cada igreja local é uma assembleia. Essa teoria genérica é defendida pelo Sr. Courtney, um personagem fictício em *Theodosia Ernest*, uma obra popular publicada recentemente,[1] que mantém, em geral, a verdadeira doutrina da Escritura sobre o batismo e a organização da igreja. Os argumentos do Sr. Courtney sobre a questão agora diante de nós são os melhores que encontrei. Devemos, portanto, examiná-los.

A questão não é se o termo *a igreja* pode ser usado gramaticalmente em um sentido genérico, mas se as Escrituras empregam-no assim. Essa também é simplesmente uma questão de fato. Devemos examinar as passagens nas quais a palavra estende seu significado para além de uma única igreja local, e esforçar-nos para determinar se nesses casos ela é genérica ou não.

"Sobre esta pedra edificarei a minha igreja, e as portas do inferno não prevalecerão contra ela" (Mt 16.18).

1 Escrita por Amos Cooper Dayton, publicada em 1856 [N.T.].

Esse é o primeiro texto que o Sr. Courtney examina em relação a esta questão. Ele considera a igreja que estava para ser edificada como uma organização visível; e afirma que nenhuma organização visível mais extensa do que uma igreja local foi instituída por Cristo. Portanto, ele infere que uma igreja local é a coisa aqui pretendida, e que o termo obtém uma significação ampliada, por ser usado genericamente. A esse argumento, opomos duas objeções: [1] não há prova de que a igreja mencionada na passagem seja uma organização visível no sentido do Sr. Courtney. A força opositora denotada pelo termo "as portas do inferno" não é uma organização assim, e o texto não contém nenhuma prova de que a igreja difere dele nesse particular. [2] A passagem não admite uma interpretação consistente com a suposição de que a palavra "igreja" deve ser tomada de forma genérica.

Todos concordam que esse texto não se refere a nenhuma igreja local em particular, como a igreja em Jerusalém, em Corinto ou em Roma. A promessa de perpetuidade não foi designada para ser aplicada a qualquer uma dessas igrejas. Uma delas pode ser totalmente desbaratada pela perseguição; outra pode definhar por decadência gradual; e uma terceira pode ser tão dominada pela corrupção a ponto de tornar-se uma sinagoga de Satanás, e não mais uma igreja de Cristo. Pelo consentimento universal dos intérpretes, a aplicação apropriada desse texto estende-se além de qualquer igreja local, e de alguma forma abarca os seguidores de Cristo em todo o mundo, mas a questão é como a palavra *igreja* obtém esse significado estendido. A maioria dos intérpretes supõe que ela seja usada como um nome coletivo para todo o corpo do povo de Cristo, mas alguns, com o Sr. Courtney, supõem que seja meramente um uso genérico do termo; e nossa presente investigação limita-se a este ponto: a palavra *igreja*, nessa passagem, é um termo coletivo ou genérico?

Quando termos coletivos são usados para denotar o sujeito de qualquer afirmação, o que é afirmado pode dizer respeito a todo o corpo designado pelo termo, ou pode dizer respeito aos indivíduos que compõem esse corpo. Quando dizemos que a multidão é grande, a grandeza pode ser predicado da multidão como um todo, e o significado é que há muitas pessoas nela, mas também pode ser atribuída aos indivíduos que compõem a multidão, significando que ela consiste de grandes homens. No mesmo princípio, os pronomes que se referem a substantivos coletivos podem ser no singular ou no plural, de acordo com o sentido. Podemos dizer que a multidão é grande, mas não tememos enfrentá-la, ou a multidão é grande, mas não tememos enfrentá-los. O pronome *ela* refere-se à multidão como um todo e o pronome *eles*, para os indivíduos que a compõem.

Com relação aos substantivos genéricos, nossas gramáticas não oferecem, nem autorizam o uso de tal regra de linguagem. Em cada frase bem construída em que são encontrados, os verbos e pronomes que concordam com eles são sempre singulares, e as coisas afirmadas a respeito delas sempre dizem respeito aos indivíduos, e não ao gênero ou espécie como um todo. Dizemos "o carvalho é grande", e a grandeza que essa frase atribui ao carvalho, relaciona-se com as dimensões de cada árvore, e não com o número de indivíduos contidos na espécie.

Para ilustrar o uso de termos genéricos, a referência apropriada é feita em *Theodosia* às passagens do livro de Jó, que falam do beemote, do leviatã e do cavalo de guerra. Todas essas passagens podem servir também para exemplificar a regra estabelecida no parágrafo anterior. Os verbos e pronomes são todos singulares, e todas as coisas afirmadas dizem respeito aos animais individuais, e não às suas várias espécies consideradas coletivamente.

Vamos agora aplicar essa regra à interpretação do texto em consideração. Na suposição de que *igreja* é aqui um termo genérico, a regra determina o sentido como sendo que cada igreja individual é construída sobre a rocha, e cada igreja individual tem a promessa de que as portas do inferno nunca prevalecerão contra ela. Mas esse, como o próprio Sr. Courtney admitiu, não pode ser o significado da passagem.

Mas a regra é universal? Não pode haver exceções, em que as afirmações que se referem a termos genéricos fazem menção à espécie como um todo, e não aos indivíduos? Admite-se que há exceções. Uma frase pode ser construída de forma que, se interpretada de acordo com a regra, não faça sentido, ou um sentido que se saiba não ter sido pretendido pelo escritor: somos, portanto, forçados a considerá-la uma exceção. Tal frase o Sr. Courtney deu a nós: "O júri é '*edificado*' sobre a '*rocha*' da constituição, e os conselhos dos tiranos não 'prevalecerão contra' ele nem o derrubarão". Essa frase não está de acordo com a regra. Ela foi construída com o propósito de fornecer um paralelo às palavras de Cristo, mas podemos duvidar que o próprio Sr. Courtney algum dia escreveria tal frase no curso normal de uma composição. Além disso, não parece que a frase expresse o que é exigido de seu suposto paralelismo com as palavras de Cristo. A promessa de perpetuidade à igreja não falhou, quando a corrupção se espalhou por toda a terra, exceto nos vales do Piemonte ou nas montanhas do País de Gales. Mas se a tirania tivesse banido o modo de julgamento por júri de todo o mundo, exceto de um único tribunal obscuro, algum escritor diria a frase citada acima? Qualquer um que falasse ou escrevesse assim afastar-se-ia de todas as formas usuais de linguagem.

Outra dificuldade ainda permanece, decorrente do uso do pronome *minha*: "edificarei a minha igreja". Embora o termo *o cavalo* possa ser usado genericamente, o termo *meu cavalo* nunca é usado assim, e a presença do pronome é muito desfavorável à interpretação de "minha igreja" como genérica. O Sr. Courtney pensa que os júris nos domínios da Rainha Vitória, agindo por sua autoridade, podem ser genericamente chamados de seu júri, mas se Sua Majestade, em um discurso ao Parlamento, disser: "meu júri foi edificado sobre a rocha da constituição, e os conselhos de tiranos não prevalecerão contra ela", podemos duvidar que sua linguagem será entendida.

Na interpretação da Escritura, formas incomuns de expressão nunca devem ser supostas sem necessidade, e a interpretação mais natural, a que mais se aproxima do *usus loquendi*, deve ser sempre preferida. As dificuldades que acompanham a interpretação do texto em consideração quando a expressão *minha igreja* é tomada de forma genérica desaparecem quando ela é entendida como um termo coletivo, incluindo todo o corpo do povo de Cristo em todas as épocas e lugares.

A regra que foi dada a respeito de substantivos genéricos pode ser ilustrada por inúmeros exemplos. Diz-se do leviatã: "a seta o não faz fugir" (Jó 41.28). A intrepidez aqui atribuída a ele, é atribuída a cada animal individual da espécie. Pertence à espécie inteira, mas não ao todo como um corpo agregado, mas a cada indivíduo. Podemos dizer: "A hiena é feroz; e nenhuma habilidade humana jamais a domesticou". A ferocidade aqui atribuída à hiena pertence a cada indivíduo da espécie; e domar apenas uma hiena tornaria a afirmação falsa. No mesmo princípio, a declaração de Cristo "as portas do inferno não prevalecerão contra ela" não pode ser verdade, se o pronome "ela" se referir à igreja como um substantivo genérico; pois não apenas um, mas vários, muitos indivíduos de seu gênero têm sucumbido.

Quase nenhuma regra de linguagem é sem exceção. Os homens consultam a conveniência ao falar ou escrever; e, quando não temem ser mal compreendidos, permitem-se muita liberdade no uso de palavras e formas de falar. Se alguém escolher testar sua habilidade ao inventar sentenças que não se conformarão com a regra que declaramos, poderá ter sucesso, mas descobrirá, em um exame cuidadoso, que há alguma peculiaridade que permite o afastamento da regra.

O Sr. Courtney considerou muito apropriadamente o substantivo genérico como "representativo". Um indivíduo é contemplado e referido como representante de todos os indivíduos do gênero. Se um substantivo, genérico em sua forma, é usado de maneira a não reter o caráter "representativo", mas para denotar todo o gênero diretamente, e sem representação, torna-se de fato um substantivo coletivo. É possível construir sentenças desse tipo, que serão aparentes exceções à regra. E se o texto em consideração for uma exceção desse tipo, a palavra *igreja*, em vez de ser genérica ou representativa, é coletiva. Se o termo "igreja" significa uma igreja local, considerada como representante de todas as igrejas locais, a promessa de que as portas do inferno nunca prevalecerão contra ela deve pertencer a todas as igrejas locais. Mas isso não é verdade; e, portanto, a interpretação genérica da passagem é inadmissível.

"Pois persegui a igreja de Deus" (1Co 15.9); "como sobremaneira perseguia eu a igreja de Deus e a devastava" (Gl 1.13); "quanto ao zelo, perseguidor da igreja" (Fp 3.6).

Essas passagens não podem servir como prova de que o significado da palavra *igreja* sempre se estende além dos limites de uma assembleia local. Durante o tempo da perseguição de Saulo, a única igreja existente, pelo que sabemos da história sagrada, era a igreja de Jerusalém. A essa igreja ele causou devastação, e podemos entender os três textos acima como referindo-se a essa igreja. Mas quando é esclarecido por outras partes das Escrituras que, de alguma maneira, a palavra obtém um significado mais extenso, sugere-se a possibilidade de que ela possa ter um significado mais amplo nesses textos.

Paulo não diz que perseguiu a igreja que estava em Jerusalém. Embora essa fosse a única igreja existente na época de sua perseguição, muitas outras foram plantadas antes que ele escrevesse essas palavras. Se sua mente, ao falar de suas perseguições, estivesse fixada na igreja em Jerusalém como uma assembleia local, teria sido natural distingui-la das numerosas outras igrejas locais que se originaram posteriormente. Quando Paulo escreveu, a igreja em Jerusalém não era mais *a igreja*, mas apenas uma das igrejas. É provável, portanto, que ele tenha usado a expressão *a igreja* em seu significado amplo; e a pergunta surge novamente: Como ela obtém esse significado estendido? É como um termo coletivo ou genérico?

Quando Cristo encontrou Saulo a caminho de Damasco, disse--lhe: "Saulo, por que me persegues? Eu sou Jesus, a quem tu persegues" (At 9.4, 5). O significado desta linguagem pode ser aprendido com as palavras que, somos informados, ele usará no último dia: "sempre que o fizestes a um destes meus pequeninos irmãos, a mim o fizestes" (Mt 25.40). Sua acusação foi feita contra Saulo porque ele perseguia seus seguidores, os membros de seu corpo místico. Essa perseguição é explicada em outro lugar: "Encerrei muitos dos santos nas prisões; e contra estes dava o meu voto, quando os matavam. Muitas vezes, os castiguei por todas as sinagogas, obrigando-os até a blasfemar. E, demasiadamente enfurecido contra eles, mesmo por cidades estranhas os perseguia" (At 26.10, 11).

Os santos foram o objeto da perseguição de Saulo, e não uma instituição de Cristo chamada igreja. Não foi a instituição que ele colocou na prisão, condenou à morte e obrigou a blasfemar, mas "homens e mulheres" foram os objetos de seu ódio e fúria. Ele não perseguiu a instituição, quer uma instituição individual em Jerusalém, quer seu gênero, do qual essa instituição individual servia como espécime e representante. Mas ele perseguiu os santos; e o termo *igreja* denota os santos de nenhuma outra maneira senão como um substantivo coletivo. Como um termo genérico, a palavra *igreja* não pode denotar o objeto da perseguição.

Como no caso anterior, também neste o Sr. Courtney constrói uma frase que considera paralela às palavras de Paulo. "Eu sou um plantador de algodão, mas não sou digno de ser chamado de plantador de algodão, porque, cerca de vinte anos atrás, eu me opunha fortemente a Whitney e ao descaroçador de algodão". Aqui, o nome *descaroçador de algodão* é claramente genérico. O objeto da aversão é a máquina ou órgão, e não a madeira e o ferro que o compõem. Assim também, se a perseguição de Saulo fosse dirigida contra a igreja genericamente compreendida, seria contra a igreja como organização, e não contra os homens e mulheres que eram membros dela. Mas a extrema loucura de Saulo era contra as pessoas, não contra sua organização eclesiástica.

Na frase "como sobremaneira perseguia eu a igreja de Deus e a devastava", há uma peculiaridade que merece ser notada. Como objeto de perseguição, o termo *igreja* transmite pluralidade de ideias, pois a perseguição recaiu sobre os membros individualmente, e não sobre o corpo como uma unidade. Mas, como o objeto da devastação, a unidade de ideia é apresentada, pois foi o corpo, e não cada membro individual, que foi devastado. Esse duplo uso está precisamente de acordo com o que é conhecido a respeito de substantivos coletivos e reconhecido na regra gramatical já citada, mas não está de acordo com o uso de substantivos genéricos.

Um plantador de algodão pode odiar e opor-se ao descaroçador de algodão como gênero, mas como ele poderia devastá-lo genericamente ou representativamente não está claro. Nenhum bom escritor diria "ele destruiu a cobra e a árvore da ilha", usando os termos cobra e árvore genericamente. Mas, para expressar o significado na linguagem aprovado pelo uso, ele diria: "ele destruiu as cobras e as árvores da ilha". Outras sentenças podem ser construídas nas quais a grosseria de tal uso genérico de substantivos pode ser menos aparente, mas nunca estão de acordo com o uso predominante.

O bom senso, que o sr. Courtney muito justamente elogia, busca interpretar a linguagem de acordo com o uso comum, e ele, natural e prontamente, entenderá que Paulo quis dizer que devastou a igreja ao perseguir seus membros; e, portanto, concebia a igreja como um coletivo de homens, e usou o nome pelo qual a designou como um coletivo, e não como um substantivo genérico.

A distinção entre uma organização e os indivíduos que a compõem é fortemente traçada pelo Sr. Courtney quando ele investe contra várias organizações eclesiásticas dos dias atuais, e acusa-as de serem rebeldes contra Cristo. Porém, ao mesmo tempo, ele explica que não faz essa acusação contra os membros individuais. Se o bom senso mantiver esta distinção firmemente em vista, ao interpretar os textos em consideração, perceberá claramente que o objeto do ódio e da perseguição de Paulo não era a organização, mas os homens e mulheres, que ele considerava dignos de morte; não por causa da organização, mas por serem cristãos.

"Para que, pela igreja, a multiforme sabedoria de Deus se torne conhecida, agora, dos principados e potestades nos lugares celestiais" (Ef 3.10).

"A ele seja a glória, na igreja e em Cristo Jesus, por todas as gerações, para todo o sempre. Amém!" (Ef 3.21).

O Sr. Courtney pensa que o termo *igreja* é usado genericamente em ambas as passagens. De acordo com seu costume, ele constrói frases que considera paralelas. A primeira é: "Para que a reis e príncipes, em seus palácios e tronos, torne-se conhecida por meio da máquina [máquina a vapor] a multiforme habilidade do inventor". Assim como a habilidade do mecânico é exibida na construção da máquina a vapor, assim a sabedoria de Deus é exibida para a admiração dos anjos na instituição da igreja, isto é, de igrejas locais como um gênero. Assim ele entende ser o significado da primeira passagem.

A mente de Paulo, quando escreveu esse capítulo, estava repleta de grandes assuntos: as riquezas insondáveis de Cristo, o amor de Cristo que excede todo o conhecimento e a multiforme sabedoria de Deus. No início da epístola, ele havia falado do grande plano da salvação, "que Deus derramou abundantemente sobre nós em toda a sabedoria e prudência" (Ef 1.8), esse maravilhoso plano, no qual Cristo é exibido como a sabedoria de Deus, e que os anjos, inteligências brilhantes que por muito tempo contemplaram a sabedoria de Deus na criação e na providência, desejam contemplar para aprender a sabedoria superior exibida na redenção. Esse plano maravilhoso, em todas as suas gloriosas provisões, ainda estava na mente de Paulo quando ele escreveu o terceiro capítulo da epístola.

Todo o contexto prova isso. Foi a sabedoria de Deus na redenção e salvação da igreja universal que, a seu ver, chamou a atenção dos anjos. Como desaparece a sublimidade do pensamento na interpretação que o Sr. Courtney faz da passagem! Ela representa os anjos aprendendo a multiforme sabedoria de Deus a partir da instituição das igrejas locais e de sua adaptação aos propósitos para os quais foram designados. Esses espíritos brilhantes deixam suas moradas celestiais e descem para contemplar uma igreja local corretamente ordenada e admiram a multiforme sabedoria de Deus na invenção de tal mecanismo e na sua superioridade às organizações eclesiásticas de invenção humana. Para que meu leitor não suspeite que estou deturpando a interpretação de texto do Sr. Courtney, citarei suas palavras:

> A ideia na primeira dessas duas passagens é que os anjos de Deus, que alhures são chamados de principados e potestades, podem olhar para esse maravilhoso artifício de Jesus Cristo para a execução de suas leis e a promoção do conforto e piedade de seu povo, e ver nele evidências da sabedoria de Deus. Foi um artifício divino, caracterizado por infinita sabedoria. *Nada mais poderia ter sido tão bom.* Os *homens* não creram nisso. Os *homens* estão o tempo todo ajustando o plano de Deus e tentando consertá-lo. Os *homens* colocaram-no de lado e o substituíram por outros; mas aos anjos lhes parece a própria perfeição da sabedoria. E era um objetivo de Deus ao estabelecer a igreja que sua sabedoria, por meio dela, fosse conhecida daqueles principados e potestades celestiais. Mas que plano era esse? O que era esta igreja? Era, como vimos, uma assembleia local, na qual cada membro era igual a todos os outros, e por quem, em nome de Cristo e por sua autoridade, suas ordenanças deveriam ser administradas e suas leis aplicadas.

A frase construída como um paralelo ao outro texto é a seguinte: "Que a poesia de Shakespeare seja homenageada no teatro por diretores e atores, até o fim dos tempos". Não fazemos objeções a esta frase, mas seu paralelismo com o texto falha em um particular importante. Paulo não disse: "Seja a glória na igreja até o fim dos tempos". As igrejas locais, como os teatros, existem apenas no mundo atual; e quando o fim dos tempos chegar, elas deixarão de existir. Portanto, é impossível que este texto se refira às igrejas locais, seja como um gênero, seja individualmente, pois fala de glória na igreja para todo o sempre.

Várias passagens do Novo Testamento falam da igreja como idêntica ao *corpo de Cristo*. Portanto, torna-se importante, em nossa presente investigação, pesquisar o significado dessa última expressão. O Sr. Courtney começa essa investigação citando Romanos 12.4, 5: "Porque assim como num só corpo temos muitos membros, mas nem todos os membros têm a mesma função, assim também nós, conquanto muitos, somos um só corpo em Cristo e membros uns dos outros".

Com essa passagem, aprendemos que o corpo de Cristo não é um conglomerado de todas as igrejas locais. Aqueles que têm essa opinião podem defendê-la dos argumentos do Sr. Courtney da melhor maneira que puderem. Os membros do corpo de Cristo são cristãos individuais, e não igrejas: mas a questão permanece se ele inclui todos os cristãos, ou apenas alguns deles. O Sr. Courtney pensa ser perfeitamente claro que, nesta passagem, ele significa apenas os santos que eram membros da igreja de Roma, a quem essa epístola foi endereçada; e ele cita, como sendo decisivo a este ponto, as palavras: "digo a cada um dentre vós" (v. 3), colocando o pronome "vós" em versalete.

Mas esse não é o único pronome que pode ser destacado na passagem. Paulo diz: "também *nós,* conquanto muitos, somos um só corpo em Cristo" (v. 5), incluindo a si mesmo entre os membros do corpo de Cristo, ao qual os santos de Roma pertenciam. Mas Paulo não era membro da igreja local em Roma. Quando ele escreveu esta epístola, ainda não tinha visto aquela igreja; mas esperava vê-los pela primeira vez, quando fizesse sua desejada viagem à Espanha (Rm 15.24). Assim, está claro que o corpo de Cristo incluía mais do que os membros daquela igreja local.

O mesmo pode ser inferido do v. 13: "compartilhai as necessidades dos santos". Os ternos afetos, que Paulo ordenou que exercessem, não deveriam ser confinados aos santos de Roma, como se apenas eles fossem membros desse corpo; mas todos os santos deveriam ser considerados membros com eles, e merecedores de sua empatia. Isso também aparece nas palavras "praticai a hospitalidade". Roma era o centro do Império Romano, a grande cidade do mundo, para a qual os homens dirigiam-se de todas as nações; e a hospitalidade aqui ordenada deve ser entendida como tendo por objeto não os membros daquela igreja local apenas, mas todos os discípulos de Cristo que visitassem a metrópole.

A exposição do Sr. Courtney da expressão "o corpo de Cristo" está sujeita a uma objeção séria e fatal. Ele converte a bela figura que o Espírito Santo emprega para representar a união entre Cristo e seu povo em um monstro, tendo uma cabeça e muitos corpos. Cada igreja local é considerada um corpo de Cristo; ele é, portanto, o cabeça de tantos corpos quanto há igrejas locais no mundo. Na opinião de Paulo, o corpo de Cristo é um, e não muitos, embora consistindo em muitos membros: "nós, conquanto muitos, somos um só corpo". Sua doutrina contempla um só Deus, um só Senhor, um só Espírito, uma só fé, uma só esperança, um só batismo e também um só corpo (Ef

4.4-6), mas a doutrina do Sr. Courtney destrói a última dessas sete unidades e a torna não uma, mas milhares.

A doutrina do Sr. Courtney não pode ser aliviada dessa objeção pela consideração de que as igrejas, embora muitas, são genericamente uma. Os membros da igreja de Roma eram membros de uma igreja particular, não de uma igreja genérica. Uma igreja genérica não pode ter existência real, da mesma forma que um cavalo genérico não é preto, branco, marrom ou malhado, mas existe apenas como uma concepção mental. O Sr. Courtney opõe-se veementemente à opinião de que o termo *igreja* denota a igreja universal, porque, ele alega, esse corpo universal existe apenas na imaginação. Porém, essa objeção mal aplicada recai com um peso esmagador sobre sua própria igreja ideal genérica.

"Ora, vós sois corpo de Cristo; e, individualmente, membros desse corpo" (1Co 12.27). Como o outro corpo de Cristo significa, de acordo com o Sr. Courtney, a igreja em Roma, esse corpo de Cristo significa a igreja em Corinto. A mesma dificuldade de antes repete-se aqui. Paulo considerava-se um membro da igreja aqui mencionada: "Pois, em um só Espírito, todos nós fomos batizados em um corpo" (v. 13). E parece que ele não era o único apóstolo membro dessa igreja: "A uns estabeleceu Deus na igreja, primeiramente, apóstolos" (v. 28). Pedro tinha uma facção nessa igreja, que dizia: "Nós somos de Cefas" (cf. 1Co 1.12), mas ninguém jamais deduziu por isso que Pedro era membro da igreja em Corinto — e há também poucas provas de que Paulo e Apolo, embora nomeados cabeças de facções ali, fossem membros daquela localidade em particular.

Paulo de fato diz aos coríntios: "vós sois corpo de Cristo"; mas ele também diz: "em um só Espírito, todos *nós* fomos batizados em um corpo". Paulo contemplava os santos em Corinto como membros consigo mesmo e com todos os apóstolos daquele corpo único no qual o Espírito operava, e por cuja operação todos, quer judeus ou gentios, são tornados em um corpo. Por isso é dito em outro lugar: "tendo derribado a parede da separação que estava no meio, a inimizade [entre judeus e gentios...] para que dos dois criasse, em si mesmo, um novo homem, fazendo a paz, e reconciliasse ambos em um só corpo com Deus" (Ef 2.14–16). Esse único corpo, esse novo homem, não era a igreja local em Corinto, ou qualquer outra igreja local, ou a igreja genérica, mas a igreja universal, o corpo do qual Cristo é o cabeça, e todo o seu povo são membros.

"E pôs todas as coisas debaixo dos pés e, para ser o cabeça sobre todas as coisas, o deu à igreja, a qual é o seu corpo, a plenitude daquele que a tudo enche em todas as coisas" (Ef 1.22, 23). Essa passagem declara que a igreja e o corpo de Cristo são idênticos; e o que é afirmado não concorda de forma alguma com a suposição de que o corpo mencionado é uma igreja local, a igreja de Éfeso. Cristo não foi feito cabeça sobre todas as coisas para o benefício especial dessa igreja; e essa igreja não era a plenitude daquele que preenche tudo em todos. Tampouco pode essa passagem referir-se à igreja genérica. Os substantivos em aposição, "corpo" e "plenitude", impedem essa interpretação.

A palavra *corpo* é genérica na frase "o corpo sem o Espírito está morto", e o uso genérico dela nesse caso é evidente ao senso comum. Porém, o senso comum não compreende como o corpo de Cristo pode ser genérico. Seu corpo literal não era um gênero; e supor que seu corpo místico seja um gênero confunde o senso comum e obscurece as Escrituras. A palavra "plenitude" é abstrata, e usá-la genericamente requer uma generalização de abstrações que confunde o senso comum.

Além disso, se "a igreja" significa a igreja em Éfeso, ou qualquer outra igreja local, como uma representante do gênero, segue-se que cada igreja particular, por menor que seja, é a plenitude daquele que enche tudo em todos. Essa noção, portanto, multiplica não apenas o corpo de Cristo, mas também as plenitudes divinas, em quantidade igual ao número de igrejas locais. Mas o contexto leva à verdadeira interpretação da passagem; uma interpretação simples, clara e livre de toda obscuridade.

O grande plano de redenção e salvação por Cristo ocupava a mente engenhosa de Paulo. A convergência de todas as coisas em Cristo, as riquezas da glória de sua herança nos santos e a admissão dos gentios como concidadãos dos santos e da família de Deus são assuntos que ocupam seus pensamentos, e que irrompem do fundo de sua alma, na linguagem sublime em que ele escreve aqui. E quem são os santos que constituem a herança de Cristo, entre os quais os efésios foram admitidos como concidadãos? Inquestionavelmente, não são a igreja de Éfeso. Não podem ser outros senão todo o povo redimido de Cristo, toda a família da fé. Judeus e gentios foram unidos sob o evangelho; constituídos em um rebanho sob Cristo, o único pastor; um corpo, do qual ele é a cabeça; uma família reunida nele; uma casa, sobre a qual ele, o Filho, preside. Esse corpo não era uma igreja local.

A epístola aos Hebreus não foi endereçada a uma igreja local; e Paulo diz sobre todos os cristãos hebreus: a casa "somos nós, se guardarmos firme, até ao fim, a ousadia e a exultação da esperança" (Hb 3.6). No meio desses cristãos hebreus, os crentes gentios foram recebidos na mesma família, como membros da mesma casa. A essa família unida, toda a casa, todo o contexto faz alusão; e qualquer interpretação que desvie o pensamento deste grande corpo para uma igreja local é totalmente inadequada ao assunto do discurso do apóstolo.

Ao comentar o último versículo do terceiro capítulo, argumentamos que a igreja ali referida não pode ser local, seja particular ou genérica, porque deve permanecer para todo o sempre. O mesmo argumento aplica-se à interpretação da expressão "o corpo de Cristo". Se isto significa uma igreja local, ou o gênero de igrejas locais, não pode ser imortal e indivisível. Se a igreja de Roma era o corpo de Cristo referido em Romanos 12, esse corpo viu corrupção. Cada igreja local e o gênero de igrejas locais deixarão de existir; e o corpo místico de Cristo, de acordo com essa interpretação, deixará de existir, cedendo à dissolução. A promessa de que o Senhor não permitiria que seu Santo visse a corrupção foi cumprida com respeito à sua carne; muito mais podemos esperar que seja cumprida no que diz respeito ao seu corpo espiritual.

No contexto, Paulo refere-se à igreja sob outras figuras: "um edifício"; "todo o edifício;" "um santuário". Essas figuras não apresentam à nossa visão um edifício, ou gênero de edifícios, temporário como uma igreja local; mas uma estrutura que, com a fundação sobre a qual é construída, durará para sempre. O Sr. Courtney nota a última expressão "habitação de Deus", e parece inferir dela que Deus tem muitas dessas habitações. Mas tal inferência não é autorizada. Aquele que diz que Deus é *um* ser infinito, não se permite a inferência de que existem muitos seres infinitos.

O quarto capítulo da epístola está repleto do mesmo assunto, exibindo-o de maneira clara e impressionante. Paulo exorta os efésios a manter a unidade do Espírito. Esse único Espírito não estava confinado à igreja local em Éfeso, mas atuava nos santos em todos os lugares. Ele acrescenta: "há somente um corpo e um Espírito, como também fostes chamados numa só esperança da vossa vocação" (Ef 4.4). A unidade do corpo, como a do Espírito que o vitaliza e atua nele, não se limitou a essa igreja local, mas incluiu todos os que foram chamados com um único chamado.

A igreja em Éfeso não parece ter incluído nenhum dos apóstolos entre seus membros; mas o único corpo do qual Paulo fala tinha apóstolos nele, com outros ministros, que foram designados pelo Cabeça da Igreja para o aperfeiçoamento dos santos, a edificação *do corpo de Cristo*. Todos os santos estão incluídos neste corpo; e o desígnio era "que todos cheguemos à unidade da fé e do pleno conhecimento do Filho de Deus, à perfeita varonilidade, à medida da estatura da plenitude de Cristo" (4.13). O corpo de Cristo deve ser perfeito e completo; e todo o ministério, designado e dado pelo Salvador ascenso, foi projetado para efetuar isso, mas todo o trabalho deles não é executado em nenhuma igreja local somente. A concepção de uma cabeça com muitos corpos nunca passou pela mente de Paulo; mas, em sua opinião, como a cabeça é uma, todo o corpo é um.

No quinto capítulo, encontramos novamente o mesmo assunto: "porque o marido é o cabeça da mulher, como também Cristo é o Cabeça da Igreja, sendo este mesmo o salvador do corpo" (Ef 5.23). Aqui a igreja é novamente apresentada para ser vista como um corpo, do qual Cristo é o único cabeça e salvador, e não há nenhuma indicação de que a igreja é mais de uma. Tudo o que segue no capítulo a respeito da igreja está de acordo com a sua unidade:

> Maridos, amai vossa mulher, como também Cristo amou a igreja e a si mesmo se entregou por ela, para que a santificasse, tendo-a purificado por meio da lavagem de água pela palavra, para a apresentar a si mesmo igreja gloriosa, sem mácula, nem ruga, nem coisa semelhante [...] Porque ninguém jamais odiou a própria carne; antes, a alimenta e dela cuida, como também

> Cristo o faz com a igreja; porque somos membros do seu corpo. Eis por que deixará o homem a seu pai e a sua mãe e se unirá à sua mulher, e se tornarão os dois uma só carne. Grande é este mistério, mas eu me refiro a Cristo e à igreja. (Ef 4.25–32)

O Sr. Courtney pensa encontrar uma chave para a interpretação de tudo isso nas palavras primeiramente citadas: "o marido é o cabeça da mulher" (v. 23). Como a esposa aqui referida não é uma esposa em particular, mas deve ser entendida genericamente, então, ele pensa, a igreja deve ser entendida genericamente ao longo da passagem. Mas no versículo 28, a forma genérica de linguagem é abandonada, com respeito à esposa, e o plural aparece: "Assim também os maridos devem amar a sua mulher como ao próprio corpo".

Porém, o plural *igrejas* não se encontra em nenhum lugar da passagem. Isso está de acordo com o que é dito em outro lugar: "cada um tenha a sua própria esposa, e cada uma, o seu próprio marido" (1Co 7.2). Quando um desses termos correlativos é usado genericamente, o outro também é usado genericamente. Quando Cristo e a igreja são nomeados juntos, Cristo não é genérico, mas supõe-se que a igreja deve ser. Cristo, como marido da igreja, é um; mas a igreja, como a esposa de Cristo, é, de acordo com a interpretação, não uma, mas um gênero — uma família inteira de esposas! Esta poligamia, introduzida na interpretação das palavras de Paulo, é totalmente desacreditada pelo escopo do discurso, e particularmente pela cláusula, "apresentar a si mesmo igreja gloriosa" — uma igreja gloriosa, e não uma família de igrejas.

Mas a interpretação do Sr. Courtney representa o objeto do amor conjugal de Cristo como a instituição. Embora as igrejas sejam muitas, a instituição é apenas uma; e, nessa visão, a noção de poligamia é excluída. Mas a instituição, à parte das igrejas instituídas, é uma mera abstração. Mas a noiva de Cristo é uma mera abstração? Foi por uma abstração que Cristo amou e entregou a si mesmo, para que pudesse santificá-la e purificá-la com a lavagem de água pela palavra? Não foi uma abstração que ele planejou aperfeiçoar e apresentar a si mesmo. Ele não despendeu seu amor e sofrimentos para aperfeiçoar a instituição eclesiástica. Nem era seu desígnio aperfeiçoar as igrejas instituídas e apresentá-las a si mesmo como uma gloriosa família de igrejas. O objeto a ser apresentado é *uma* igreja. A noiva, a esposa do Cordeiro, é apenas uma.

Outra consideração exclui efetivamente a interpretação do Sr. Courtney desta passagem. A apresentação da noiva de Cristo a ele é reservada para o mundo futuro, quando a ceia das bodas do Cordeiro será celebrada. Mas então, de acordo com a interpretação do Sr. Courtney, Cristo não terá noiva, pois as igrejas locais, como indivíduos e como gênero, já não existirão.

"E preencho o que resta das aflições de Cristo, na minha carne, a favor do seu corpo, que é a igreja" (Cl 1.24). Essa passagem concorda com Efésios 1.22, 23, ao declarar que a igreja e o corpo de Cristo são idênticos. O que foi dito do outro texto, é aplicável a esse.

"A meus irmãos declararei o teu nome, cantar-te-ei louvores no meio da congregação" (Hb 2.12). "Mas tendes chegado ao monte Sião e à cidade do Deus vivo, a Jerusalém celestial, e a incontáveis hostes de anjos, e à universal assembleia e igreja dos primogênitos arrolados nos céus, e a Deus, o Juiz de todos, e aos espíritos dos justos aperfeiçoados, e a Jesus, o Mediador da nova aliança" (Hb 12.22-24).

Essas duas passagens apresentam muitas dificuldades para os defensores da teoria genérica. A primeira delas contém duas cláusulas paralelas, nas quais "meus irmãos" e "a congregação" são expressões correspondentes e representam as mesmas pessoas. Os irmãos de Cristo são os "muitos filhos" que ele, como o capitão de sua salvação, está conduzindo à glória (Hb 2.10). Ele declara o nome de Deus aos irmãos, e no meio da igreja, a assembleia desses irmãos, celebra o louvor a Deus. Essa é a igreja universal, pois, apresentando-os ao Pai, ele diz a respeito deles: "Eis aqui estou eu e os filhos que Deus me deu" (Hb 2.13). Isso não pode ser interpretado de forma consistente como uma igreja local, seja única ou genérica.

O outro texto descreve o mesmo grupo, não em seu caminho para a glória, mas já chegado à cidade celestial. A todos eles, como irmãos de Cristo, participantes da glória que o Pai lhe deu, e coerdeiros com ele da herança, pertencem toda a dignidade e direitos dos primogênitos. Seus nomes são registrados como cidadãos da Nova Jerusalém. Os crentes na terra são cidadãos da mesma cidade: "Mas a Jerusalém lá de cima é livre, a qual é nossa mãe" (Gl 4.26). Nossa cidadania é do alto. Somos feitos "concidadãos dos santos, e sois da família de Deus" (Ef 2.19). Paulo diz, a respeito dos santos ainda na terra: "Viestes à igreja dos primogênitos". Todos formam uma família, uma igreja. Alguns já chegaram, outros estão a caminho. O rio Jordão separava duas tribos e meia do antigo Israel, de um lado, das demais tribos que estavam do outro lado; mas elas constituíam uma só nação, e reuniam-se como uma só em suas assembleias festivas, na Jerusalém terrestre. Assim a morte separa os santos de baixo dos santos de cima; mas eles são um só — uma só companhia, uma igreja; e a Jerusalém celestial é o lugar de seu alegre encontro em uma gloriosa e feliz assembleia. Esta é a igreja na qual haverá glória a Deus por Jesus Cristo, em todos os tempos, para todo o sempre.

O último texto considerado mostra claramente que é apropriado aplicar o termo *ἐκκλησία (ekklēsia)* à totalidade do corpo dos santos. Embora não se reúnam em uma assembleia na terra, eles pertencem à assembleia do alto e estão a caminho de se juntar a ela. Eles foram chamados para fora do mundo com a chamada celestial que é a convocação para se reunirem nessa assembleia. Em obediência a essa convocação, deixam o mundo, não se consideram mais dele e estão em marcha para a cidade da qual afirmam ser cidadãos e para a companhia com a qual estarão eternamente unidos. Como a igreja de Corinto era uma *ἐκκλησία (ekklēsia)*, que deveria reunir-se em um lugar, embora não de fato reunida, assim os crentes em Cristo, que deverão reunir-se no céu e estão a caminho, são uma *ἐκκλησία (ekklēsia)* com os santos que já chegaram ao local do encontro final.

Alguns pensaram que o sentido estendido da palavra é metafórico; como corpo, rebanho, exército, casa, templo, aplicado ao mesmo assunto. Eles supõem que ela significa todo o corpo dos discípulos de Cristo, não literalmente reunidos, mas mantendo uma relação uns com os outros, semelhante àquela que os membros de uma igreja local mantêm uns com os outros. Mas, pelo princípio geral de interpretação, o significado literal deve ser preferido sempre que o assunto o admitir. Os outros termos não podem ser interpretados literalmente; mas uma assembleia literal dos discípulos de Cristo não só é possível, mas é esperada por todos eles, e é em parte a esperança de sua vocação.

Além disso, se não tivermos confundido o sentido da última passagem considerada, esta assembleia literal é apresentada nela aos nossos olhos, bem como a relação que os santos na terra têm com a igreja de cima. A isso pode-se acrescentar que o termo "igreja" é usado como explicativo da frase metafórica "o corpo de Cristo", um uso para o qual seria menos adequado se os termos fossem semelhantemente figurativos. Mas a questão relativa à razão de aplicar o termo para denotar a igreja universal é totalmente distinta da questão de saber se existe uma igreja universal. A primeira questão poderia permanecer sem resposta, sem que isso afetasse em nada a doutrina concernente à existência e natureza da igreja universal.

No primeiro uso do termo *ἐκκλησία (ekklēsia)* que ocorre no Novo Testamento (Mt 16.18), ele denota a igreja universal. Não existia nenhuma igreja local naquela época. É, portanto, improvável que a aplicação do termo à igreja universal seja uma metáfora derivada de seu significado local. Quando a primeira igreja em Jerusalém foi formada, ela incluiu, por um tempo considerável, todos os discípulos de Cristo, e era a igreja universal, tanto quanto era possível que aquele corpo fosse reunido na terra. A distinção de igrejas locais não existiu até que a igreja em Jerusalém foi espalhada. É, portanto, improvável que o nome do corpo universal seja derivado do nome das associações particulares formadas posteriormente. Até mesmo o termo, conforme contido nas instruções de Cristo, foi primeiramente aplicável à igreja única em Jerusalém, e não era aplicável às igrejas locais separadas até que a primeira igreja se dispersou.

O uso mais notável de *ἐκκλησία (ekklēsia)* como palavra clássica é sua aplicação às assembleias democráticas das cidades gregas. Não se deve supor que o nome dado a essas assembleias implica, em si mesmo, os poderes das assembleias ou as qualificações para ser membro delas. Seria inútil, portanto, buscar na mera palavra informações a respeito das qualificações dos membros da igreja, ou da natureza e do desígnio das organizações eclesiásticas. Ela denotava, em seu uso político, a assembleia de todos aqueles que tinham os plenos direitos da cidadania; e o local de reunião era na cidade a que pertenciam. Esses detalhes concordam bem com a aplicação do termo à igreja universal, que inclui todos os cidadãos da Jerusalém celestial, cujo local de reunião é na cidade gloriosa.

Na Septuaginta, a palavra é aplicada ao corpo chamado nas Escrituras hebraicas de Congregação do Senhor. Esse uso corresponde melhor ao uso cristão aplicado à igreja universal do que às igrejas locais. A *ἐκκλησία (ekklēsia)* hebraica era a assembleia de todos em toda a nação, que podiam legalmente se unir na adoração a Jeová de acordo com as formas prescritas na lei cerimonial. O lugar desta reunião geral era na cidade de Jerusalém. Nessa cidade, reuniu-se a primeira *ἐκκλησία (ekklēsia)* cristã. Consistia em judeus, apegados à sua cidade sagrada, ao seu templo e às formas de culto a que estavam acostumados. A princípio, eles não tinham a concepção de que os gentios deviam ser admitidos a privilégios iguais na dispensação cristã, e provavelmente esperavam que Jerusalém fosse o grande centro da adoração cristã, como fora para o povo de Israel; mas a perseguição logo ensinou-os a respeito de seu engano.

Expulsos da cidade querida e espalhados pela terra, aprenderam a buscar outra cidade na qual poderiam unir-se na adoração a Deus, fora do alcance da perseguição. Consideravam-se estranhos e peregrinos na terra, viajando para a cidade preparada para eles por Deus. Como os israelitas, membros da Congregação do Senhor, estavam acostumados a viajar de todas as partes da terra em que habitavam para comparecer perante o Senhor em Jerusalém e guardar suas festas sagradas em sua presença, assim o Israel espiritual está em peregrinação à Jerusalém celestial, para unir-se na grande congregação e desfrutar da bem-aventurança que Deus preparou para eles.

Os piedosos hebreus, quando viajavam para sua cidade santa, ansiavam por estarem perante Deus na grande congregação, e muitas vezes faziam suas orações voltados para o seu templo sagrado.

Nessa adoração distante, pequenos grupos deles uniram-se naturalmente no exercício de afeições semelhantes e para encorajamento e benefício mútuos. Assim também os peregrinos cristãos à Jerusalém celestial unem-se em associações temporárias, para a adoração a Deus e seu benefício espiritual. Tais são as igrejas locais, às quais eles unem-se na terra.

Embora o termo *igreja* ocorra com muito mais frequência no Novo Testamento em sua aplicação às igrejas locais do que à igreja universal, é evidente na face das páginas sagradas que pertencer a ela era muito mais importante do que às locais. Pouco se fala em qualquer lugar sobre a membresia em uma igreja local, mas o reconhecimento comum dos cristãos é como membros da igreja universal, a grande fraternidade: "alguns que eram do Caminho" (At 9.2), "desta seita que, por toda parte, é ela impugnada" (At 28.22), "cujos nomes se encontram no Livro da Vida" (Fp 4.3). Sobre Febe é dito "que está servindo à igreja de Cencreia", mas também é reconhecida como "nossa irmã" (Rm 16.1), e essa relação com a grande fraternidade, a família universal, tem em todos os lugares o principal destaque.

Até agora, não encontramos ocasião para fazer a distinção que os teólogos fizeram entre a igreja visível e a igreja invisível. Supomos que todos os que professam a Cristo são crentes verdadeiros. Nos tempos apostólicos, as exceções eram comparativamente poucas, e, além disso, naqueles dias, os verdadeiros crentes não demoravam para receber o batismo, a ordenança designada de profissão. Nesse estado de coisas, não havia necessidade prática para a distinção mencionada, e o apóstolo tratou os professantes da religião que compunham as igrejas como verdadeiros santos, membros da *ἐκκλησία (ekklēsia)* universal, cidadãos da Jerusalém celestial, herdeiros da herança incorruptível.

Nesse estado de coisas que contemplamos, a igreja universal inclui todas as igrejas locais, mas ainda não as inclui como organizações. Já observamos que os membros da igreja universal são cristãos individuais, e não igrejas locais. Além disso, todas as igrejas locais juntas não constituem a igreja universal, pois inclui os santos do céu bem como os da terra. Ademais, pode haver santos na terra, como o eunuco etíope, que pertencem à família dos santos e ainda não foram recebidos em nenhuma igreja local.

VISIBILIDADE

Os membros da igreja universal são conhecidos por sua profissão de Cristo e sua obediência aos seus mandamentos.

A religião de Cristo não foi designada para o segredo. Por sua própria natureza, ela não pode ser escondida. Ela inclina todo aquele que a possui a fazer o bem a toda a humanidade e a tornar conhecido o evangelho pelo qual toda a humanidade deve ser abençoada. Em cada ponto de contato com a sociedade humana, a benevolência cristã manifestar-se-á. Os seguidores de Cristo são descritos como luzeiros no mundo (Fp 2.15). São uma candeia acesa, não para ser colocada debaixo do alqueire, mas para iluminar a todos os que estão na casa (Mt 5.15). São uma cidade em um monte, que não pode ser escondida (Mt 5.14). São assim ordenados: "Assim brilhe também a vossa luz diante dos homens, para que vejam as vossas boas obras e glorifiquem a vosso Pai que está nos céus" (Mt 5.1). Sua obediência a esse mandamento os distinguiu em todas as épocas e os tornou visíveis para o mundo.

Os discípulos de Cristo devem professar sua ligação com ele diante do mundo. Essa obrigação é ensinada em passagens como as seguintes: "Se, com a tua boca, confessares Jesus como Senhor e, em teu coração, creres que Deus o ressuscitou dentre os mortos, serás salvo" (Rm 10.9); "Portanto, todo aquele que me confessar diante dos homens, também eu o confessarei diante de meu Pai, que está nos céus" (Mt 10.32).

Mas é necessário algo mais do que mera profissão para distinguir os verdadeiros seguidores de Cristo. Muitos dizem "Senhor, Senhor", mas não fazem as coisas que ele ordenou. Para tais pessoas, por mais alto que professem seu nome, ele dirá: "Apartai-vos de mim, os que praticais a iniquidade" (Mt 7.21-23). Ele reconhece como seus seguidores apenas aqueles que são obedientes aos seus preceitos; e ele ensinou-nos a reconhecê-los da mesma maneira: "pelos seus frutos os conhecereis" (Mt 7.20). "Vós sois meus amigos, se fazeis o que eu vos mando" (Jo 15.14). Uma vida de santa obediência a Cristo é facilmente distinguível do curso comum deste mundo, e onde ela aparece, os homens não podem deixar de notá-la.

A visibilidade da igreja consiste na visibilidade de seus membros. Nosso Divino Mestre veio, "a luz do mundo", e todos os seus seguidores são luzes. Alguns deles, luzes ardentes e brilhantes; outros, estrelas de menor magnitude. Mas, como as constelações do céu não têm outra luz para torná-las visíveis além daquela que suas várias estrelas emitem, o mesmo ocorre com a igreja. Toda a sua luz é a luz de seus membros, e toda a sua visibilidade depende de seu brilho.

Os escritores de teologia distinguiram entre a igreja visível e a igreja invisível, mas uma igreja invisível neste mundo deve consistir não de filhos da luz, mas daqueles cuja luz são trevas. Se usássemos essas designações de acordo com seu significado apropriado, poderíamos chamar os santos no céu de igreja invisível, porque eles estão além do alcance da visão humana, e os santos na terra, a igreja visível, porque eles ainda permanecem na terra para iluminar este mundo sombrio. Mas os santos do alto e os santos de baixo constituem apenas uma comunhão, uma igreja; e os teólogos, quando pretendem distinguir essas duas partes de um todo, costumam chamá-las de igreja militante e de igreja triunfante.

Por *igreja invisível*, eles designam todos os verdadeiros cristãos; e por *igreja visível*, todos aqueles que professam a verdadeira religião. A invisível consiste inteiramente daqueles que são filhos da luz; e a visível inclui filhos da luz e filhos das trevas em uma mesma comunidade. Vimos que Cristo não reconhece meros professantes como seus discípulos, e que ele ensinou-nos a tampouco reconhecê-los como tais. Uma igreja universal, portanto, que consiste em todos os que professam a verdadeira religião, é um corpo que Cristo não possui. Para serem santos visíveis, uma vida santa deve ser acrescentada à profissão da religião verdadeira, e aqueles que não exibem a luz de uma vida santa, seja qual for sua profissão de fé, não possuem argumento bíblico para serem considerados membros da igreja de Cristo.

A membresia em uma igreja local nem sempre coincide com a membresia na igreja universal. Isso é aparente, por um lado, no fato de que a luz pura de uma vida santa às vezes pode ser tão bem falsificada a ponto de enganar a humanidade. Paulo ensinou-nos que Satanás pode se transformar em anjo de luz, e que não é de admirar que seus ministros façam o mesmo (2Co 11.14, 15). João diz: "eles se foram para que ficasse manifesto que nenhum deles é dos nossos" (1Jo 2.19), e, portanto, inferimos que isso não fora manifesto antes. Mas essa passagem ensina-nos que sua profissão de religião e sua imitação bem-sucedida da vida cristã não eram suficientes. Ainda era verdade que "nenhum deles é dos nossos". Simão, o feiticeiro, foi considerado um convertido por um tempo, mas quando seu verdadeiro caráter foi revelado, Pedro decidiu: "não tens parte nem sorte neste ministério, porque o teu coração não é reto diante de Deus" (At 8.21).

Se a mera profissão tornava-o membro da igreja universal, sua condição de membro dela não foi afetada pela descoberta de que seu coração não era reto, conquanto sua profissão não fosse renunciada. Se a membresia na igreja local em Samaria o tornasse membro da igreja universal, a igreja local não o teria rejeitado. Quando Paulo queria que o incestuoso de Corinto fosse excomungado daquela igreja local, ele não pronunciou a sentença de excomunhão por sua autoridade apostólica, antes, deixou que a igreja realizasse o ato. Tampouco Pedro usou sua autoridade apostólica para excluir o feiticeiro da igreja de Samaria, mas pronunciou-se sobre sua relação com toda a comunidade dos santos. Portanto, pode-se perceber que a membresia de uma igreja local pode ser acrescentada à profissão de fé de pessoas que não têm parte na questão. Aqueles de quem João diz "não eram dos nossos" foram por um tempo membros de alguma igreja local, bem como muitos a quem o Salvador dirá no último dia: "Nunca vos conheci".

Por outro lado, os homens às vezes julgam muito desfavoravelmente. A igreja em Jerusalém não estava disposta, por um tempo, a receber o convertido Saulo como um verdadeiro discípulo, mas o Senhor Jesus recebeu-o e deu-lhe o lugar de apóstolo em sua igreja universal.

Não obstante os erros que o julgamento humano pode cometer em casos individuais, ainda é verdade que a luz da piedade é visível. O tempo frequentemente corrige esses erros. O feiticeiro e os falsos professantes de João manifestaram-se, e a conversão de Saulo à fé que antes destruía tornou-se universalmente reconhecida. Sem dúvida, há casos que não serão compreendidos até o juízo final. Porém, permanece uma verdade geral: "pelos seus frutos os conhecereis". Porque alguns casos são duvidosos e por haver alguns enganos, não quer dizer que o pecado e a santidade são indistinguíveis, ou que o mundo e a igreja são indistinguíveis.

O epíteto "invisível" aplicado à verdadeira igreja de Cristo não é apenas incorreto, mas conduz ao engano. Os homens falaram desta igreja como uma mera concepção mental, e perguntaram se Saulo perseguiu uma igreja invisível. Eles buscam uma igreja com mais visibilidade do que procede da profissão cristã e de uma vida de piedade, e pensam encontrá-la em alguma forma de organização que consideram necessária para constituir a igreja. A um corpo assim organizado, chamam de igreja visível. Mas Saulo não perguntou se aqueles a quem ele perseguia, como professos seguidores de Cristo, e devotadamente apegados à sua causa e doutrina, eram também membros de alguma organização externa. Ele os perseguiu como homens e mulheres cristãos. Mas a existência de tais homens e mulheres, como as perseguições que sofreram, era algo mais do que uma mera concepção mental. A organização não é necessária para visibilidade, muito menos é qualquer espécie particular dela. Rochas e montanhas são tão visíveis quanto plantas e animais.

UNIDADE

A unidade da igreja universal é espiritual.

Os corpos materiais são formados por uma agregação de partículas que se atraem. Da mesma forma, os seres vivos são reunidos em corpos, ou sociedades, por várias atrações que existem entre eles. Abelhas, pássaros e várias espécies de animais exibem propensão social, e ela atua no homem como parte de sua constituição natural. Junto com essa tendência inata de buscar sociedade, os interesses e necessidades dos homens unem-nos em várias formas de associação.

Nesses casos, os princípios de associação são naturais, e uma nova natureza, ou um novo coração, não é um requisito indispensável. Mas a igreja é uma sociedade na qual essa qualificação é indispensável. Seus membros estão ligados uns aos outros por uma atração que não é sentida pelos homens do mundo: "Se vós fôsseis do mundo, o mundo amaria o que era seu; como, todavia, não sois do mundo, pelo contrário, dele vos escolhi, por isso, o mundo vos odeia" (Jo 15.19).

O princípio distintivo que separa os cristãos do mundo e os une entre si é produzido neles pela influência regeneradora do Espírito Santo. "O fruto do Espírito é amor" (Gl 5.22). "Amados, amemo-nos uns aos outros, porque o amor procede de Deus; e todo aquele que ama é nascido de Deus" (1Jo 4.7). "Nós sabemos que já passamos da morte para a vida, porque amamos os irmãos" (1Jo 3.14). A mesma influência espiritual que derrama o amor de Deus no coração, produz amor a todos os que levam a imagem de Deus: "aquele que ama a Deus ame também a seu irmão" (1Jo 4.21). O amor fraternal foi especialmente ordenado aos seguidores de Cristo, por seu divino Mestre: "Novo mandamento vos dou: que vos ameis uns aos outros" (Jo 13.34). Todos os que sentem o amor de Cristo constrangendo-os são atraídos por sua influência a amar aqueles a quem ele amou e por quem se entregou. O amor fraternal não é apenas ordenado, mas flui espontaneamente do novo coração: "No tocante ao amor fraternal, não há necessidade de que eu vos escreva, porquanto vós mesmos estais por Deus instruídos que deveis amar-vos uns aos outros" (1Ts 4.9).

O amor, que às vezes é chamado de *caridade* em algumas traduções da Bíblia, é chamado de "o vínculo da perfeição" (Cl 3.14). Ele une todo o povo de Deus, tornando-os um. É o princípio essencial dessa simpatia, tão lindamente descrito em 1Coríntios 12 como subsistindo entre os vários membros do corpo de Cristo. É isso que cimenta as pedras vivas do templo espiritual, que, à medida que crescem juntas, aumentam o corpo para a edificação de si mesmo em amor. Esse foi o princípio de união na primeira igreja em Jerusalém, sobre a qual está registrado: "Da multidão dos que creram era um o coração e a alma". A perseguição afastou os membros dessa igreja uns dos outros, mas não poderia romper o laço que os unia e os tornava um. O amor dos irmãos nunca se limitou a uma igreja local. Depois que Paulo disse à igreja dos tessalonicenses: "No tocante ao amor fraternal, não há necessidade de que eu vos escreva", ele acrescenta: "e, na verdade, estais praticando isso mesmo para com todos os irmãos em toda a Macedônia" (1Ts 4.10). Seu amor estendia-se além dos limites de sua igreja, a toda a região ao redor. Onde quer que um filho de Deus, um discípulo de Jesus, estivesse, esse amor envolvia-o como parte da fraternidade espiritual. "Todo aquele que ama ao que o gerou também ama ao que dele é nascido" (1Jo 5.1).

O vínculo de perfeição que une o povo de Deus na terra torna-os um com a igreja no céu, que foi aperfeiçoada no amor. Essa graça não é destruída pela morte, nem a morte pode privá-la de seu poder de consolidação. A fé e a esperança podem cessar, e a unidade da fé e a unidade da esperança pertencem mais propriamente à igreja na terra. Porém, o amor jamais falha, e a unidade do amor une e unirá para sempre todos os remidos, assim como une todos eles a Cristo.

A atração do amor, que conduz todo o povo de Deus ao céu, faz com que, durante tal jornada, eles unam-se, conforme há oportunidade, na adoração e no serviço a Deus. Mesmo sem uma ordem divina de não negligenciar a congregação, a graça interior incliná-los-ia a formar tais sociedades. Diz-se dos primeiros cristãos, no dia memorável de Pentecostes: "estavam todos reunidos no mesmo lugar" (At 2.1).

E quando seu número foi muito acrescido pelo ministério da palavra, é dito: "Todos os que creram estavam juntos" (At 2.44). A palavra "juntos" é uma tradução da mesma expressão grega que é traduzida no primeiro versículo como "no mesmo lugar". Os novos convertidos eram um coração e uma alma com os cento e vinte originais, e formava com eles uma sociedade acostumada a reunir-se para a adoração a Deus. A unidade dessa assembleia foi perturbada pela perseguição, mas a tendência de congregar-se não foi destruída. Os discípulos foram dispersos de Jerusalém, e imediatamente depois lemos sobre as igrejas na Judeia, Galileia e Samaria. O mesmo princípio de unidade permeava todo o corpo, e por ele, conforme a necessidade do caso, as igrejas locais se multiplicaram.

O amor fraternal que caracteriza e une os seguidores de Cristo não tem por objeto todos os que professam a verdadeira religião. Cristo não ordenou tal exercício dele, mas instruiu seus discípulos a tomarem cuidado com os lobos em pele de cordeiro. Esses perigosos intrusos no rebanho apareceriam como professantes da verdadeira religião. Do contrário, não se poderia dizer que usavam roupas de ovelhas. Paulo, em sua última conversa com os presbíteros da igreja de Éfeso, deu uma advertência semelhante: "Eu sei que, depois da minha partida, entre vós penetrarão lobos vorazes, que não pouparão o rebanho. E que, dentre vós mesmos, se levantarão homens falando coisas pervertidas para arrastar os discípulos atrás deles" (At 20.29, 30). Ele fala em outros lugares de falsos irmãos, que chegam sem aviso. Se esses falsos irmãos não tivessem professado a verdadeira religião, não teriam sido recebidos, mesmo por um curto período. Tais agentes de malícia não são os objetos apropriados do amor fraternal. Até mesmo o discípulo amado, cujo coração era tão cheio de amor, e que insistia no dever do amor fraternal com grande fervor, ordenou que provemos os espíritos (1Jo 4.1), e ordenou, em relação a tais professos perniciosos, a não os receber, nem lhes dar boas-vindas (2Jo 10).

Novamente, nem todos os que professam a verdadeira religião exercem o amor fraternal dos verdadeiros cristãos. Os lobos em pele de cordeiro eram inimigos do rebanho. Entre outros que não tinham seus intentos mortais, ainda assim era verdade, mesmo nos tempos apostólicos, que a iniquidade abundava, e o amor de muitos esfriou. Posteriormente, as páginas do que se chama de história da igreja fornecem relatos que contrastam dolorosamente com as belas exibições de amor fraternal encontradas nas Sagradas Escrituras. Aqueles que, de acordo com sua profissão, deveriam ter dado a vida pelos irmãos, em muitas ocasiões perseguiram-nos até a morte, e, embora professando a verdadeira religião, derramaram o sangue dos santos.

Do que foi dito, segue-se claramente que a igreja, o corpo de Cristo, não consiste de todos os que professam a verdadeira religião. Para constituir-se como membro dela, a profissão deve proceder do amor no coração, o que, nesse caso, será manifestado externamente pela obediência aos seus mandamentos. Somente na medida em que essa evidência do verdadeiro discipulado apareça, somos obrigados ou mesmo autorizados a exercer amor fraternal.

ORGANIZAÇÃO

A igreja universal não tem organização externa.

Organização diz respeito à ação e é um arranjo e adaptação de partes que as encaixam para agirem juntas para um fim comum. Diz-se que uma sociedade é organizada quando seus membros são colocados em conexão e relação tal que podem agir juntos como um corpo. Uma família é uma sociedade em que as pessoas estão conectadas entre si nas relações de marido e mulher, pais e filhos. Eles agem entre si nessas relações para o bem comum da família, e cada família se apresenta como uma unidade distinta na comunidade. O laço de afeto que une os membros da família, é um vínculo interno de união, mas somado a isso, há uma organização externa que os torna uma família, ainda que o laço interno de afeto seja rompido.

Uma nação é uma sociedade organizada para o propósito do governo civil e o bem comum de todos. Todos os membros podem amar suas leis, instituições e governantes; e o patriotismo, um vínculo interno de união, pode torná-los um. Mas sobrepõe-se uma organização externa que os constitui uma nação, mesmo que o patriotismo falhe. Uma igreja local é uma assembleia de crentes organizada para a adoração e serviço a Deus. A piedade interna é um vínculo de união, mas enquanto a piedade e o amor fraternal ligam-nos igualmente aos santos de outras igrejas, eles têm uma organização externa que os coloca em uma relação especial entre si, constituindo-os em uma igreja.

Os crentes em Cristo podem ser considerados como constituindo uma família. Deus é seu Pai e todos são seus irmãos, mas o relacionamento é espiritual. Os crentes em Cristo constituem uma nação, uma nação sagrada, sobre a qual Cristo é o rei. Eles obedecem às suas leis e esforçam-se para obter conquistas em sua causa, mas não lutam com armas carnais e o vínculo entre eles e seu rei é espiritual. Os membros de uma igreja local podem ser conhecidos pelo registro de seus nomes no livro da igreja, mas a igreja do primogênito foi escrita no céu, e nenhum registro na terra determina sua membresia. Ela pode ser conhecida por seus frutos de justiça, mas estes são o fruto do Espírito que habita e opera em cada membro, e pela imersão na qual eles são unidos em um corpo.

Na seção anterior, provamos que a unidade da igreja universal é espiritual. A unidade pode existir em corpos materiais sem organização. Uma pedra é uma, embora suas partes não sejam organicamente unidas, mas nos corpos vivos, as partes estão organicamente unidas, e o organismo é necessário à sua vitalidade. A igreja é chamada corpo de Cristo: e os membros operam uns nos os outros e cooperam uns com os outros como os membros do corpo humano, mas o organismo é espiritual. A qualificação de cada membro para ocupar seu devido lugar e realizar seus devidos deveres cabe ao Espírito Santo, que distribui cada homem individualmente, conforme ele deseja, e que opera em todos e por meio de todos. Cristo é o cabeça desse corpo, e cada membro está organicamente unido ao cabeça: mas "aquele que se une ao Senhor é um espírito com ele" (1Co 6.17), e, portanto, a organização é espiritual.

Os escritores teológicos têm sustentado a existência do que eles chamam de *Igreja Católica Visível,* consistindo em todos os que professam a verdadeira religião. Eles consideram-na distinta do corpo dos verdadeiros santos, que eles designam como *Igreja Invisível.* Negamos a propriedade dessa designação, com base em que a verdadeira religião é visível em seus efeitos. Mas a questão quanto à propriedade dos nomes usados para designar esses corpos é totalmente diferente da questão de se esses corpos realmente existem. Temos afirmado a existência do que os escritores teológicos chamam de *Igreja Invisível,* consistindo em todos os que estão espiritualmente unidos a Cristo. Existe outro corpo consistindo em todos os que professam a verdadeira religião?

A possibilidade de unir todos os que professam a verdadeira religião em uma concepção mental, e de designá-los por um nome coletivo, não pode ser contestada. Desta forma, concebemos e falamos do reino vegetal, do reino animal, etc. Se fosse impossível unir todos os que professam a verdadeira religião em uma concepção mental, a doutrina de que existe uma igreja católica visível seria um absurdo, mas ninguém afirmaria isso. A existência de tal corpo em nossa concepção mental é uma coisa; a existência factual dele é outra. Todos os que professam a verdadeira religião não formam um corpo por mera justaposição, como vários homens reunidos formam uma assembleia, mas eles estão espalhados por toda parte na face da terra. O simples fato de que eles são semelhantes em professar a mesma religião é suficiente para o propósito da classificação mental, mas para constituí-los realmente em um corpo, alguma espécie de organização é necessária. Eles compõem um corpo organizado?

As Sagradas Escrituras não contêm nenhuma prova de que os seguidores de Cristo, após a dispersão da igreja em Jerusalém, agiram juntos novamente como uma sociedade organizada externamente. Antes de sua dispersão, eles eram um só coração e uma só alma, e eram um por justaposição como uma assembleia congregada, e uniam-se como um só corpo nos serviços exteriores de adoração pública e em ações da igreja como a eleição de diáconos. Após sua dispersão, eles continuaram a ser um só coração e uma só alma, e continuaram a agir sob a influência de um Espírito para um fim comum. Sua união espiritual c sua organização espiritual continuaram, mas sua união externa e organização externa cessaram. Já não constituíam uma assembleia e nunca agiram juntos como uma sociedade. Eles constituíam igrejas locais separadas que agiam independentemente em suas organizações distintas, mas nunca formalmente unidas em conselho ou em ação como um corpo.

O único fato na história sagrada que favorece a opinião de que as igrejas atuaram em concílio geral está registrado no capítulo 15 de Atos. A igreja em Antioquia enviou mensageiros à igreja em

Jerusalém para consultar sobre um ponto de dever. Após a consulta, a igreja em Jerusalém, com os apóstolos e anciãos, enviou um decreto que os discípulos de Cristo em todos os lugares eram obrigados a observar. Não há a menor insinuação de que delegados chegaram de outras igrejas, que agora eram numerosas, e espalhadas por diferentes países. Toda a igreja reuniu-se no concílio: não o corpo total daqueles em todos os lugares que professavam a verdadeira religião, mas a igreja em Jerusalém.

Os mensageiros de Antioquia foram enviados a essa igreja, e perante essa igreja eles colocaram a questão. Quando a decisão foi tomada, ela foi anunciada não como a decisão da igreja universal reunida em concílio geral por seus delegados, mas como a decisão da igreja em Jerusalém com os apóstolos e presbíteros. A decisão dessa igreja merecia respeito, como a mais antiga e mais bem informada de todas as igrejas, e especialmente no caso presente, em que os perturbadores da igreja de Antioquia reivindicaram a autoridade do costume estabelecido nesta, a igreja-mãe. Mas o decreto do corpo reunido foi enviado com autoridade acima de qualquer igreja ou conselho de igrejas: "Pareceu bem ao *Espírito Santo* e a nós" (At 15.28). Os apóstolos inspirados estavam presentes nesta consulta, e sua decisão foi emitida com autoridade divina: "tudo o que ligardes na terra terá sido ligado nos céus" (Mt 18.18). Nenhum conselho eclesiástico pode justamente reivindicar esse sínodo em Jerusalém como um precedente para sua ação, a menos que também possa reivindicar agir por inspiração e enviar seus decretos com a autoridade do Espírito Santo.

Nenhuma organização eclesiástica dos tempos modernos pode, com qualquer demonstração de propriedade, reivindicar ser a Igreja Católica Visível. Nenhuma delas inclui todos os que professam a verdadeira religião. Algumas delas podem reivindicar ser *a Igreja,* mas a maioria delas tem pretensões mais modestas e afirmam ser apenas ramos da igreja. Cada ramo, entretanto, tem sua própria organização, e todos os ramos não se unem em um todo organizado. Se houvesse uma combinação de todas as organizações eclesiásticas separadas em um corpo, e se esse corpo agisse como um todo organizado, não possuiria autoridade das Sagradas Escrituras, mas essa combinação não existe de fato. O estado do mundo cristão falsifica a doutrina.

O bispo de Roma e seus adeptos afirmam serem a Igreja Católica, ou Universal. Eles estão unidos por uma organização externa, pois a própria organização aponta o chefe, os dirigentes subordinados e os membros do corpo. Estes ocupam suas várias posições, quaisquer que sejam suas qualificações morais ou espirituais. A organização é forte, como demonstra a história de seus atos, e essa história, manchada de sangue, demonstra igualmente que o corpo não é energizado pelo espírito de paz e amor. Essa organização externa precisava de um chefe externo, e o bispo da cidade imperial tornou-se o vigário reconhecido de Jesus Cristo. Assentado no templo de Deus e mostrando-se ser Deus, ele reivindica uma chefia que pertence exclusivamente ao Senhor Jesus Cristo. Essa suposição de poder é fundamentada na doutrina da igreja católica visível. Destruído o fundamento, nada resta para sustentar a superestrutura. Temos, portanto, boas razões para considerar a doutrina com suspeição e examinar cuidadosamente suas afirmações sobre nossa fé.

Será instrutivo notar quão naturalmente a usurpação papal surgiu dessa doutrina. Na suposição de que Cristo instituiu uma igreja universal de organização externa, as declarações e promessas com respeito à sua igreja espiritual seriam naturalmente aplicadas a este corpo externo. Pareceria incrível que ele deixasse esse corpo à degeneração e corrupção, depois de ter prometido estar com ele sempre até o fim dos tempos, e que as portas do inferno nunca prevaleceriam contra ele, e depois de tê-lo constituído e declarado coluna e baluarte da verdade. Se a organização externa conecta a igreja universal com a igreja dos tempos apostólicos, será difícil, senão impossível, deixar de lado as pretensões dos romanistas. Podemos argumentar que eles perderam a doutrina e o espírito dos apóstolos, mas se a igreja é um corpo de organização externa, a continuidade da organização deve determinar a verdadeira igreja.

Se o seu fracasso em preservar a verdade e o espírito dos tempos primitivos a desigrejou, então, esses últimos atributos são as características distintivas da verdadeira igreja, ao invés da organização externa. Aqui está, então, a grande controvérsia entre Cristo e o Anticristo. Jesus Cristo não tem duas igrejas universais. Ele não é cabeça de dois corpos, marido de duas esposas. Sua verdadeira igreja é um corpo organizado espiritualmente, e espiritualmente unido a ele, sua única cabeça. O corpo que afirma ser a igreja com base na organização externa é um substituto, e sua cabeça é um substituto de Cristo. Eles primeiro tomam o lugar da verdadeira igreja e de seu verdadeiro cabeça, e depois se opõem e a perseguem. Aqueles que veem e deploram o dano que a usurpação papal causou devem aprender o segredo de seu poder. A substituição da religião espiritual pela organização eclesiástica operou todo o mal. Que seus efeitos perniciosos nos ensinem a nos proteger contra a causa que os produziu.

A doutrina da igreja católica visível é muito favorecida pelo uso do epíteto *visível*. Há predicamentos sobre a verdadeira igreja que não podem ser verdadeiros de um corpo invisível. Saulo perseguiu a igreja, e ele não poderia tê-lo feito se a igreja fosse invisível. Admitimos plenamente a visibilidade da igreja, mas fazemos uma distinção entre *visibilidade* e *organização*. Herodes perseguiu as crianças de Belém, mas isso não quer dizer que esses bebês constituíssem uma sociedade organizada. A raiva do perseguidor Saulo era dirigida contra os santos, e não contra sua organização eclesiástica. Dissolver sua organização externa não teria arrefecido sua raiva. Eles poderiam tê-la retido, se tivessem blasfemado o nome de Jesus e renunciado à sua doutrina. A verdade e o espírito do cristianismo são odiosos ao mundo, e sem organização externa, foram suficientemente visíveis para despertar a oposição e a fúria dos perseguidores.

Um argumento para uma igreja universal organizada externamente é derivado de 1Coríntios 12.28: "A uns estabeleceu Deus na igreja, primeiramente, apóstolos; em segundo lugar, profetas; em terceiro lugar, mestres; depois, operadores de milagres; depois, dons de curar, socorros, governos, variedades de línguas". A igreja universal é considerada aqui, e os ofícios enumerados implicam que o corpo ao qual eles pertencem é organizado, mas a organização não é externa. A igreja, que inclui todos os que professam a religião verdadeira, contém membros ruins e oficiais ruins, bem como bons oficiais.

Mesmo nos tempos primitivos havia, entre aqueles que professavam a verdadeira religião, falsos apóstolos e falsos profetas; pastores que devoravam o rebanho; mestres que trouxeram heresias condenáveis; e governos que dominavam sobre a herança de Deus e amavam ter a preeminência. Considerando a igreja como uma sociedade organizada externamente, esses homens eram tão verdadeiros oficiais quanto os mais abnegados de seus ministros. Na igreja romana, o pontífice ocupa o lugar supremo, qualquer que seja seu caráter moral. Os sacerdotes realizam os sacramentos e dispensam seus misteriosos benefícios, por mais impuras que estejam suas mãos. Se uma organização semelhante existia nos tempos apostólicos, os falsos apóstolos e outros oficiais ímpios eram realmente membros da igreja.

Ora, Deus "estabeleceu" tais homens na igreja? Ele colocou-se lá com "vistas ao aperfeiçoamento dos santos para o desempenho do seu serviço, para a edificação do corpo de Cristo" (Ef 4.12)? Tais homens não eram ministros de Deus, mas ministros de Satanás, apresentando-se como ministros da justiça; e a igreja que os exclui de seus limites deve ter esses limites determinados não por organização externa, mas por piedade genuína. Com essa visão concorda todo o contexto da passagem. As qualificações para os oficiais enumerados são mencionadas nos primeiros versículos do capítulo, e atribuídas ao Espírito Santo, dividindo-se, não de acordo com o voto da igreja, mas de acordo com sua própria vontade. Os membros são trazidos ao corpo por imersão no Espírito e a simpatia que permeia o corpo é espiritual. Não constitui objeção a essa visão que alguns dos ofícios enumerados digam respeito a igrejas locais, que são confessadamente corpos de organização externa.

O homem que trabalha no pastorado ou governo de uma igreja local, se chamado por Deus para seu ofício, é um membro da verdadeira igreja universal e qualificado para seu ofício pelo Espírito que permeia e anima aquele corpo, e deve trabalhar com vistas ao bem do todo. A igreja local a que ele pertence, se organizada de acordo com a mente de Cristo, consiste em santos verdadeiros, e ele trabalha para não introduzir outros senão esses em sua comunhão. Ele oficia a eles como membros do corpo de Cristo e não restringe seus objetivos à organização local.

Assim, Paulo ensinou os presbíteros de Éfeso a considerarem-se trabalhando por toda a igreja redimida: "Atendei por vós e por todo o rebanho sobre o qual o Espírito Santo vos constituiu bispos, para pastoreardes a igreja de Deus, a qual ele comprou com o seu próprio sangue" (At 20.28). Assim também Pedro ensinou aos presbíteros a quem se dirigia: "pastoreai o rebanho de Deus que há entre vós [...] nem como dominadores dos que vos foram confiados" (1Pe 5.1-3). Todo pastor fiel compartilha da comissão pastoral universal dada a Pedro: "Apascenta os meus cordeiros; pastoreia as minhas ovelhas" (Jo 21.15-17). Embora trabalhe por uma parte do rebanho, trabalha pelo bem de todos. Aquele que, em seus trabalhos oficiais, limita sua visão à organização local com a qual está vinculado, e que é temporária em sua duração, degrada seu ofício. Nessa medida, cede ao espírito anticristão que substitui a religião espiritual por organização externa, e uma cabeça invisível por uma visível.

A opinião tem sido mantida, quase como um axioma teológico, de que o batismo é a porta de entrada na igreja. Não é a porta para a igreja espiritual universal, pois os homens entram nela pela regeneração, e são, portanto, membros dela antes de serem sujeitos adequados para o batismo. Não é a porta para uma igreja local, pois, embora seja um pré-requisito para a membresia, os homens podem ser batizados e permanecer desconectados de qualquer igreja local. Mas aqueles que defendem que existe uma igreja católica visível, comumente afirmam que ela recebe e inclui todos os batizados. Eles diferem entre si no que diz respeito à extensão e limites da igreja, porque diferem quanto ao que constitui um batismo válido.

Visto que os batistas não admitem nada como batismo válido senão imersão sob profissão de fé, aqueles dentre eles que defendem a doutrina de uma igreja católica visível tornam esta igreja substancialmente idêntica à denominação batista. Esta modificação batista da doutrina foi sua forma mais antiga. Embora a imersão fosse a prática universal das igrejas, e o batismo infantil ainda não tivesse prevalecido, antes que a aspersão substituísse o batismo, e bebês os crentes, essa noção dizia que o reino é a igreja católica visível, e que os homens nascem nele pela água. Nessa noção originaram-se o Pedobatismo e o Papismo.

Muitos danos à causa da verdade resultaram de uma interpretação errônea das palavras de Cristo, que acabamos de mencionar: "quem não nascer da água e do Espírito não pode entrar no reino de Deus" (Jo 3.5). Nenhuma palavra é dita nesse texto sobre o batismo e nenhuma palavra em todo o discurso do qual esse versículo faz parte leva à suposição de que o batismo era referido. Mas não é necessário para nosso presente propósito entrar em uma discussão desta questão. Se admitirmos que a expressão "nascer da água" significa o batismo, é claro que apenas isso não concede entrada no reino, pois também é uma condição indispensável que o homem nasça do Espírito. Temos, portanto, os limites da igreja tão estreitados, que não inclui ninguém, exceto aqueles que foram regenerados e batizados.

Pessoas que foram regeneradas e batizadas são a parte batizada da verdadeira igreja universal, mas eles em si mesmos não constituem uma igreja. Eles não são a igreja genérica do Sr. Courtney. Cada igreja local está sujeita a conter falsos professos, e, portanto, o gênero das igrejas locais não consiste exclusivamente em pessoas regeneradas. Eles não são a igreja católica visível dos teólogos. Esse corpo consiste em todos os que professam a verdadeira religião. Portanto, inclui falsos professos, bem como verdadeiros cristãos. Além disso, essas pessoas regeneradas e batizadas não compõem, no sentido dos escritores teológicos, uma igreja visível. Sua regeneração é uma qualificação espiritual e não é determinada por cerimônia exterior ou organização externa.

Essa parte batizada da verdadeira igreja espiritual é tão invisível, no sentido técnico do termo, quanto todo o corpo é chamado de igreja invisível. Nenhum homem pode dizer com certeza infalível que alguém, conquanto batizado, é nascido do Espírito. Essas pessoas regeneradas e batizadas não compõem a igreja universal das Sagradas Escrituras, e a igreja que Cristo amou e pela qual se entregou inclui muitos que, como o ladrão arrependido na cruz, nunca receberam o batismo. Eles farão parte da *ἐκκλησία (ekklēsia)* geral da cidade celestial, e Deus será glorificado neles por Jesus Cristo, para todo o sempre. Essa igreja universal não se limita aos batizados, e em nenhum sentido apropriado a parte batizada dela constitui uma *ἐκκλησία (ekklēsia)*. A verdadeira igreja universal inclui *toda* a companhia daqueles que são salvos por Cristo, e sua organização espiritual não depende de cerimônia externa.

PROGRESSO E DURAÇÃO

A Igreja Universal está em processo de construção e será completada no fim do mundo, após o qual durará para sempre.

As palavras do Salvador "sobre esta pedra edificarei a minha igreja" (Mt 16.18) provam que a construção não estava concluída. Em outro lugar, falando da igreja sob a figura de um aprisco: "Ainda tenho outras ovelhas, não deste aprisco; a mim me convém conduzi-las; elas ouvirão a minha voz; então, haverá um rebanho e um pastor" (Jo 10.16). O chamado dos gentios e a introdução deles nos privilégios do evangelho são aqui referidos. Pelo ministério da palavra acompanhado da influência do Espírito Santo, grandes multidões foram convertidas nos dias dos apóstolos. Esses convertidos são descritos por Pedro como pedras que vivem, edificadas sobre Cristo, a pedra viva rejeitada pelos homens, mas eleita por Deus e preciosa (1Pe 2.4, 5). Paulo usa a mesma figura; e ambos os escritores inspirados falam do edifício como um templo em crescimento (Ef 2.21).

O trabalho ainda está em progresso; e multidões inumeráveis ainda estão para ser reunidas, as quais devem completar a gloriosa estrutura. No último dia, quando todos os remidos tiverem sido trazidos, Jesus apresentá-los-á ao Pai: "Eis aqui estou eu e os filhos que Deus me deu" (Hb 2.13). Esta será a igreja completada em número, santificada e glorificada, uma igreja gloriosa, sem mancha, ruga ou qualquer coisa semelhante. A igreja permanecerá por toda a eternidade: "a ele seja a glória, na igreja e em Cristo Jesus, por todas as gerações, para todo o sempre" (Ef 3.21).

Existe alguma dificuldade em determinar a data em que se pode dizer apropriadamente que a igreja de Cristo começou. A mesma dificuldade há a respeito do início do evangelho e do reinado mediador de Cristo. Marcos data o início do evangelho de Jesus Cristo no ministério de João Batista (Mc 1.1, 2), mas Paulo diz que o evangelho foi antes pregado a Abraão (Gl 3.8). O reinado de Cristo data do tempo de sua exaltação à destra do Pai; ainda assim, os santos foram salvos por sua mediação, e ele era o Senhor de Davi, na dispensação anterior. Assim Cristo disse: "sobre esta pedra edificarei a minha igreja", como se a obra ainda fosse futura, e, no entanto, diz-se que o edifício foi construído sobre o fundamento dos profetas, bem como dos apóstolos (Ef 3.20).

As Escrituras apresentam uma reunião de todas as coisas sob Cristo, tanto no céu como na terra (Ef 1.10), no momento de sua exaltação na natureza humana ao domínio supremo. Os santos do Antigo Testamento que foram salvos pela eficácia de seu sangue antes que fosse derramado, e que desejaram entender o que o Espírito Santo queria dizer quando testificou aos seus profetas sobre os sofrimentos de Cristo e a glória que se seguiria, estavam esperando no céu pelo desdobramento deste mistério. Moisés e Elias evidenciaram seu interesse por esse tema quando, durante sua breve conversa com o Salvador no monte da transfiguração, discorreram sobre a morte que ele cumpriria em Jerusalém (Lc 9.31).

Os anjos desejavam examinar este mistério, mas a plenitude do tempo para sua revelação não chegou até que o homem Cristo Jesus entrou na corte celestial e foi coroado com glória e honra. Então os anjos se reuniram e adoraram o Filho. Então os santos aproximaram-se e o adoraram como seu Senhor e Salvador. A proclamação foi feita em todas as cortes da glória, e cada habitante do céu prestou homenagem voluntária ao Mediador. O Espírito Santo trouxe a proclamação a Jerusalém no dia de Pentecostes, para que dali fosse levada por toda a terra. Aqueles que a receberam com alegria foram recebidos em seu favor real, feitos cidadãos da Jerusalém celestial e membros da grande *ἐκκλησία (ekklēsia)*.

Nas palavras de Cristo antes citadas, a igreja é representada como um edifício. O início de um edifício pode ser datado quando do primeiro movimento na preparação dos materiais. Nessa visão, a igreja foi iniciada quando Abel, Enoque, Noé e Abraão exerceram a fé pela primeira vez. Mas, por outro lado, o edifício foi iniciado quando os materiais foram reunidos em sua relação apropriada com Jesus Cristo. Aos santos do Antigo Testamento, até que estejam reunidos sob Cristo com os santos da presente dispensação, Paulo atribui uma espécie de incompletude, que pode ser comparada à condição dos materiais de construção ainda não reunidos: “Ora, todos estes que obtiveram bom testemunho por sua fé não obtiveram, contudo, a concretização da promessa, por haver Deus provido coisa superior a nosso respeito, para que eles, sem nós, não fossem aperfeiçoados” (Hb 11.39,40).

RELAÇÃO COM O REINO DE CRISTO

A doutrina das Escrituras a respeito do reino de Cristo foi investigada no *Manual de Teologia*. O resultado da investigação, no que diz respeito ao nosso assunto presente, pode ser resumido da seguinte forma:

O reino de Cristo é a autoridade real com a qual ele, como mediador, está investido, e que exerce sobre todas as coisas, para a glória de Deus e o bem de sua igreja. As peculiaridades deste reino divino são que ele é exercido na natureza humana, e que concede favor aos rebeldes. Uma administração incompleta dele começou imediatamente após a queda do homem, mas o pleno desenvolvimento não ocorreu até que o homem Cristo Jesus foi coroado com glória e honra e assentou-se à destra do Pai.

Os súditos de seu reinado são divididos em duas classes: os obedientes e os desobedientes. Para os obedientes, todas as bênçãos de seu reinado são prometidas; e os desobedientes, ele finalmente expulsará de seu reino e os banirá para a miséria eterna. Os súditos obedientes de seu reinado são as mesmas pessoas que compõem a igreja universal, a qual foi definida como "toda a companhia daqueles que são salvos por Cristo". Para o benefício desta igreja é que sua autoridade real sobre todas as coisas é exercida.

Como escritores teológicos afirmaram que existe uma igreja católica visível, distinta da igreja espiritual universal das Escrituras, assim alguns deles têm sustentado que existe um reino visível de Cristo, uma sociedade de organização externa, na qual os homens entram pelo batismo. Mas o reino de Cristo não é uma sociedade de homens, unidos por uma organização externa, como uma família, uma nação ou uma igreja local. Essa visão não é autorizada pelas Sagradas Escrituras.

O reino de Cristo é propriamente a autoridade real com a qual ele está investido, e a expressão é usada, por metonímia, para denotar os súditos de seu reinado, e especialmente os súditos obedientes aos quais as bênçãos de seu reinado são conferidas. Mas o laço que liga esses súditos obedientes a seu rei e a seu reinado é interno. "Todo aquele que é da verdade ouve a minha voz" (Jo 18.37). Esses homens constituem uma nação santa, uma nação que produz os frutos do reino, mas eles não são feitos uma nação por uma organização externa.

Jesus disse: "O meu reino não é deste mundo" (Jo 18.36). Não devemos entender que esta declaração implica que seu reinado nada teve a ver com os homens e coisas deste mundo. A outra frase que acabamos de citar, que foi proferida em conexão com esta declaração, "todo aquele que é da verdade ouve a minha voz", reivindica os homens que recebem e amam a verdade como súditos de sua autoridade real. Tendo todo o poder no céu e na terra confiado a ele, ele governa no exército do céu e entre os habitantes da terra. Consequentemente, toda relação entre os homens e todos os deveres deles decorrentes estão sob sua autoridade. A família, a nação e a igreja local são todas instituições em seu reino ou sob seu reinado, e a organização externa dessas instituições deve ser regulada de acordo com a vontade do rei soberano; mas o próprio reino existe independente de toda organização externa.

Supõe-se que algumas passagens das Escrituras favorecem a opinião de que o reino de Cristo é uma sociedade de organização externa, incluindo homens bons e maus. O reino dos céus é comparado a uma rede lançada ao mar, que trouxe peixes bons e ruins à praia (Mt 13.47-50); ao semeador, que semeou a semente que caiu em solo ruim e também em solo bom (Mt 13.3-8); a um campo, que continha joio, bem como trigo (Mt 13.24-30). Essas parábolas têm o objetivo de ilustrar verdades importantes relacionadas com o reinado de Cristo.

O *evangelho* do reino devia ser pregado a toda criatura e a comissão de pregá-lo foi acompanhada da declaração: "Quem crer e for batizado será salvo; quem, porém, não crer será condenado" (Mc 16.16). Por mais que os homens possam ser diversamente afetados pela palavra pregada, e por mais difícil que seja distinguir seu verdadeiro caráter e separar o mal do bem na vida presente, a separação será feita no último dia, e ninguém será admitido para desfrutar as bênçãos do reino, senão os súditos obedientes.

Supor que uma sociedade religiosa organizada, incluindo homens bons e maus, seja referida na rede que envolvia peixes bons e maus, ou o campo contendo joio e trigo, é forçar demais e aplicar mal as parábolas. O Salvador não as explica assim. O campo é o mundo, e não uma *sociedade* organizada do mundo. Foi dada a ordem de permitir que o joio e o trigo cresçam juntos até a colheita, que é o fim do mundo. Então o Rei sentar-se-á para julgar o mundo inteiro, e não uma sociedade particular nele. Ele separará os bons dos maus, a quem permitiu que permanecessem juntos em seu reino. Então, ele removerá de seu reino tudo que o ofende e dirá a respeito de seus inimigos, no meio dos quais ele agora reina: "Quanto, porém, a esses meus inimigos, que não quiseram que eu reinasse sobre eles, trazei-os aqui e executai-os na minha presença" (Lc 19.27).

No entanto, é a vontade do Rei que os homens maus e bons tenham permissão para permanecer juntos *no mundo*, mas em vez de ordenar que eles possam crescer juntos em associação religiosa uns com os outros, ele ordena a seus seguidores: "retirai-vos do meio deles, separai-vos, diz o Senhor" (2Co 6.17). Além disso, embora o joio e o trigo cresçam juntos no campo, o joio é chamado de filhos do maligno; e a boa semente, de filhos do reino. O reino não abarca os bons e os maus igualmente, como se tivessem a mesma relação com ele, mas uma sociedade abrange todos os seus membros, apesar de seu caráter moral.

Famílias, nações e igrejas locais são sociedades de organização externa, e são organizadas para o mundo atual. No fim do mundo, todas essas organizações cessarão. O reino de Cristo não é deste mundo, mas no fim do mundo, quando as organizações terrenas tiverem passado, ele retirará os iníquos de seu reino, e o próprio reino, livre de todos os súditos rebeldes, continuará para sempre. Então os justos, os únicos filhos do reino, brilharão como o sol, no reino de seu Pai.

RELAÇÃO COM AS IGREJAS LOCAIS

Se ninguém, exceto os verdadeiros crentes, fosse admitido nas igrejas, haveria uma concordância exata entre o caráter da membresia nas igrejas locais e na igreja universal. E se todos os crentes professassem sua fé sem demora de acordo com a lei de Cristo, e se unissem às igrejas locais, a membresia agregada das igrejas locais e da igreja universal, conforme ela existe na terra, seria idêntica. Nada senão a desobediência à lei de Cristo dá ocasião para distinguir entre a igreja universal e o grande corpo de cristãos professos unidos nas várias igrejas locais; e em um estado puro de cristianismo, essa distinção pode ser negligenciada.

Quando se falou da igreja universal nos tempos dos apóstolos, os pensamentos dos homens foram naturalmente dirigidos ao grande corpo de cristãos professos, e para todos os propósitos comuns de falar e escrever, a distinção entre esse agregado de professantes e o verdadeiro corpo de Cristo era desnecessária. Portanto, quando falamos de um campo de trigo, desconsideramos o fato de que o joio pode estar aqui e ali misturado com o trigo. O nome não significa essa mistura, mas é aplicado como se nada além de trigo existisse no cercado. Semelhantemente, o nome *igreja* foi usado em alguns casos para o agregado de professos cristãos, embora em seu significado estrito falsos professos não sejam incluídos.

O fato de que o mesmo nome *ἐκκλησία (ekklēsia)*, que é aplicado às igrejas locais, é também aplicado à igreja universal, pode enganar com a opinião de que a membresia deve ser estritamente homogênea. Portanto, a igreja universal deve incluir falsos professos, como ocorre nas igrejas locais. Assim, o nome *latão* denota a mesma mistura de metais, seja tratando-se de uma massa grande ou pequena. Os casos, entretanto, não são análogos. O nome *latão* denota o metal independentemente de sua quantidade e é aplicável tanto a uma partícula quanto a uma massa. Mas o nome *ἐκκλησία (ekklēsia)* não denota o material de que uma igreja é composta e não se aplica a um único membro. Significa a quantidade e não a qualidade. Pode haver uma *ἐκκλησία (ekklēsia)* de homens iníquos, bem como de justos. Aplica-se a uma igreja local, porque os membros dela realmente se reúnem; e aplica-se à igreja universal, porque seus membros realmente serão reunidos na presença e para a adoração eterna de Deus. O mero fato de que o mesmo nome seja atribuído não permite concluir que a membresia nos dois casos seja estritamente homogênea. Nas epístolas às igrejas locais, os membros são tratados como santos e homens fiéis em Cristo. Esse era seu caráter de acordo com sua profissão de fé, e o que eles deveriam ser de acordo com a lei de Cristo. Falsos professos que estivessem entre eles não faziam parte deles. Quando excluídos, não foram privados de direitos que lhes pertenceram. Logo, as igrejas eram tratadas como se fossem compostas inteiramente de verdadeiros cristãos.

Embora os não convertidos não tenham o direito de membresia de acordo com a lei de Cristo, eles são admitidos nas igrejas locais por falibilidade humana. A membresia na igreja universal é determinada pelo próprio Deus. Quando Paulo descreveu os santos hebreus como vindo à "igreja dos primogênitos", ele os descreveu como vindo também "a Deus, o Juiz de todos" (Hb 12.23). O infalível juiz determina a membresia na grande *ἐκκλησία (ekklēsia)*, mas os homens falíveis permitem a membresia das igrejas locais. Logo, um elemento corrupto encontra entrada nas igrejas locais, e por isso elas não são estritamente homogêneas com a igreja espiritual universal. Essa falta de homogeneidade existia em algum grau mesmo na era mais pura do cristianismo, mas tornou-se muito mais evidente quando a corrupção espalhou-se pelas igrejas, e os males que a acompanham são agora dolorosamente sentidos pelos amantes de Sião.

CAPÍTULO 4
MEMBRESIA INFANTIL

Nós concluímos que os crentes em Cristo são as únicas pessoas que têm o direito bíblico à membresia das igrejas cristãs. Mas esse direito tem sido reivindicado para crianças, e o número, talento e piedade daqueles que fazem a reivindicação ensejam um exame cuidadoso e profundo dos argumentos usados em sua defesa.

ARGUMENTOS DIRETOS PARA A MEMBRESIA INFANTIL

Argumento 1

Nas epístolas escritas aos membros da igreja, Paulo dirige-se aos filhos e, ao mesmo tempo, exorta os pais a criá-los na disciplina e admoestação do Senhor. É claro, portanto, que crianças pequenas estavam entre os membros da igreja a quem essas epístolas foram escritas. Se tais crianças estavam nessas igrejas, não se pode duvidar que estivessem em todas as igrejas e que foram admitidas na infância.

O fato de as crianças serem mencionadas em uma epístola dirigida a uma igreja não significa necessariamente que eram membros da igreja. Visto que os pais eram obrigados a criar os filhos na disciplina e admoestação do Senhor, a mesma epístola que impõe esse dever aos pais pode apropriadamente conter uma ordem direta do Senhor, exigindo que os filhos obedecessem aos pais. No cumprimento do dever que lhes foi prescrito, os pais natural e corretamente levariam seus filhos consigo ao culto público da igreja, onde as epístolas apostólicas seriam lidas aos seus ouvidos. O fato, portanto, de que uma ordem apostólica lhes foi dirigida não prova nada senão que o apóstolo esperava que ela alcançasse-os, e que afirmava o direito de ordená-los em nome do Senhor.

Mas há a probabilidade de que as crianças a quem Paulo dirigiu-se fossem membros da igreja. O comando "obedecei a vossos pais *no Senhor*" (Ef 6.1) é assim expresso aparentemente para implicar que a obrigação deveria ser sentida e reconhecida por eles por causa de sua relação com o Senhor. As crianças a quem Paulo dirigiu este mandamento possuiriam inteligência para apreender seu significado e piedade para sentir a força do motivo apresentado nestas palavras: "pois fazê-lo é grato diante do Senhor" (Cl 3.20). Timóteo, desde criança, conhecia as Sagradas Escrituras. A piedade inteligente tem sido encontrada, em todas as idades, em crianças que ainda não atingiram a maturidade, e essas crianças têm o direito bíblico de serem membros da igreja.

O argumento de que os filhos eram tão pequenos a ponto de necessitarem do cuidado e correção de seus pais para criá-los na disciplina e admoestação do Senhor não prova que fossem destituídos de piedade pessoal. Membros adultos da igreja precisam de instrução e disciplina adaptadas às suas circunstâncias, e a instrução e disciplina de pais sábios e piedosos são de inestimável vantagem para seus filhos piedosos.

O argumento contém uma falácia que merece ser notada, na suposição de que os filhos que são ordenados a obedecer e os filhos que deveriam ser criados na disciplina e admoestação do Senhor são os mesmos. Os senhores receberam ordens sobre como tratar seus servos e os servos receberam a ordem de obedecer a seus senhores, mas seria errado inferir que somente foram ordenados aqueles que tinham servos piedosos, ou que somente foram ordenados os servos que tinham senhores piedosos. Pelo contrário, aqueles servos que tinham senhores crentes distinguem-se daqueles cujos senhores eram descrentes; e, no entanto, a esse último grupo foi ordenado obedecer, assim como ao primeiro. A relação entre senhor e servo existia, em alguns casos, com ambas as partes sendo membros da igreja. Em outros casos, com uma parte na igreja e a outra fora dela. Não há prova de que a relação entre pais e filhos não pudesse ser dividida da mesma maneira. Os pais não foram ordenados a criar os filhos na disciplina e admoestação do Senhor porque os filhos eram membros da igreja, e os filhos não foram ordenados a obedecer aos pais porque os pais eram membros da igreja. A suposição, portanto, de que os filhos nos dois casos eram os mesmos é uma suposição sem prova.

A inferência de que, se havia crianças nas igrejas primitivas, elas foram admitidas na infância, e não por causa de piedade pessoal, é ilegítima. Não pode ser feito parecer que elas eram destituídas de piedade pessoal, e, como esta era a condição estabelecida para a membresia da igreja em todos os outros casos, a inferência justa é que sua membresia na igreja possuía a mesma base.

Argumento 2

O Rei de Sião declarou expressamente, em Mateus 19.14, que os privilégios de seu reino pertencem às crianças, e, entre esses privilégios, o de ser membro da igreja deve ser incluído. As crianças devem ser recebidas em nome de Cristo, ou porque pertencem a Cristo (Mc 9.37), e isso deve implicar que elas são membros de sua igreja.

Ao interpretar e aplicar a frase "dos tais é o reino dos céus", uma questão importante deve ser elucidada: se a palavra "tais" denota crianças literais, ou pessoas de disposição como a de crianças. Na forma que a expressão aparece em nossa versão comum, parece significar que o reino consiste exclusivamente de tais pessoas. Ora, ninguém imagina que o reino é uma comunidade consistindo apenas de crianças literais. Portanto, essa versão, se mantida, favorece grandemente a outra interpretação, segundo a qual toda a comunidade é corretamente descrita como pessoas de disposição infantil. Os discípulos de Cristo são humildes, dependentes, ensináveis e livres de malícia e ambição, e essas qualidades caracterizam todos os que têm parte no reino.

Mas os defensores da membresia infantil propuseram outra tradução da frase. Eles observam que ela corresponde, em sua construção gramatical, com a frase em Mateus 5.3: "deles é o reino dos céus". Aqui, "deles" equivaleria a "tais", com o sentido expresso assim: "A tais pessoas pertence o reino dos céus". Depois de uma consideração cuidadosa, estou inclinado a pensar que essa tradução dá o verdadeiro sentido da passagem. Isso a torna análoga à frase de Mateus 5.3. Enquanto a outra tradução é, penso eu, sem qualquer analogia no Novo Testamento. O reino não consiste inteiramente de seus súditos, mas também tem seu rei, suas leis, seus privilégios e seus prazeres. Temos analogia nas Escrituras para dizer que os súditos recebem o reino, entram no reino, herdam o reino e têm parte no reino, mas nenhuma para dizer que eles compõem ou constituem o reino. Logo, a tradução "a tais pessoas pertence o reino", é recomendada para nossa adoção como a melhor interpretação das palavras do

Salvador. Concedido isso aos defensores da membresia infantil, passemos a investigar o verdadeiro sentido da passagem.

Na passagem paralela "deles é o reino dos céus", as pessoas consideradas são "os humildes de espírito", e isso inclui todos os súditos leais do reino. Se o paralelismo entre as passagens for completo, a palavra "tais" deve, da mesma maneira, incluir todos os súditos leais do reino do Redentor, e não pode, portanto, significar crianças literais. Mas se tomarmos a palavra "tais" como significando apenas uma parte daqueles a quem pertence o reino, ainda seremos obrigados a considerar a declaração como dizendo que o reino pertence a *todos* esses tais. Nada nas palavras, nada no contexto, nada na natureza do assunto leva à suposição de que o reino pertence a algumas crianças, e não a outras. Mas os defensores mais consistentes da membresia infantil não admitem todas as crianças indiscriminadamente. Se a palavra "tais" pretende designar alguma qualificação para a membresia peculiar a essas crianças, e não encontradas em todas as crianças, nenhuma pista nos foi deixada, em todo o contexto, para averiguar qual seria essa qualificação peculiar. Se Jesus planejava instruir seus apóstolos sobre como discernir entre as crianças a serem admitidas e todas as outras crianças, é inexplicável que ele tenha dado suas instruções com tanta obscuridade e indefinição.

As palavras exigem uma interpretação, o que fará com que o termo "tais" inclua todos os que têm direito ao reino, e mais ninguém; e essa é precisamente a interpretação a que o contexto conduz. Imediatamente depois de pronunciar essas palavras, Jesus explicou-lhes: "Quem não receber o reino de Deus como uma criança de maneira nenhuma entrará nele" (Mc 10.15; Lc 18.17). Ser uma criança e agir como uma criança são coisas diferentes; e o último, não o primeiro, é a intenção do Salvador. Sua explicação mostra isso claramente, somos expressamente informados da explicação por Marcos e Lucas. Mateus omitiu-a, mas registrou, no capítulo anterior, um discurso de Cristo sobre o mesmo assunto, dando a mesma instrução completa e clara:

Naquela hora, aproximaram-se de Jesus os discípulos, perguntando: "Quem é, porventura, o maior no reino dos céus?". E Jesus, chamando uma criança, colocou-a no meio deles. E disse: "Em verdade vos digo que, se não vos converterdes e não vos tornardes como crianças, de modo algum entrareis no reino dos céus. Portanto, aquele que se humilhar como esta criança, esse é o maior no reino dos céus. E quem receber uma criança, tal como esta, em meu nome, a mim me recebe. Qualquer, porém, que fizer tropeçar a um destes pequeninos que creem em mim, melhor lhe fora que se lhe pendurasse ao pescoço uma grande pedra de moinho, e fosse afogado na profundeza do mar (Mt 18.1-6).

Aqui, uma criança é feita representante daquele que seria o maior no reino, e a expressão "um destes pequeninos" denota alguém que possui uma disposição infantil. Jesus estava acostumado a chamar seus discípulos de "filhinhos"[2] (Jo 13.33), e ele aqui os chama de "estes pequeninos que creem em mim". Nesse discurso, não foi deixado espaço para dúvidas quanto ao significado da expressão "um destes pequeninos", e esse discurso preparou as mentes dos discípulos para entender sua intenção, quando ele disse posteriormente "dos tais é o reino dos céus", mesmo sem nenhuma explicação em seguida. Mas, quando ao acrescentar uma explicação, reiterando o mesmo ensino dado antes, não deveria permanecer nenhuma dúvida que o mesmo

2 No texto original, uma palavra diferente é empregada aqui, que parece ter sido mais apropriada para expressar ternura. Seu sentido literal concorda com o outro termo, e é adequadamente expressa por nossos tradutores na palavra "filhinhos".

tipo de qualificação para seu reino era aludido: não a infância literal, mas uma disposição infantil.

Um apelo adicional para essa interpretação é encontrado na natureza do reino de Cristo. Aqueles que supõem que se trata de crianças literais presumem que o reino é a igreja católica visível, e eles entendem que aqui afirma-se que a membresia nesse corpo pertence a crianças. Nossas investigações no capítulo anterior levaram-nos à conclusão de que o reino de Cristo não é idêntico à igreja católica visível dos escritores teológicos, e que um corpo como esse não existe de fato. No reino de Cristo, existem duas classes de súditos: os leais e os desobedientes. O reino pertence exclusivamente à primeira classe, segundo o ensino uniforme das Escrituras. A passagem em consideração corresponde precisamente a esse ensino, tratando-se de pessoas de disposição infantil. Mas se o reino pertence a crianças literais, que são assim por nascimento natural, deve ser um reino diferente daquele de que Jesus falou a Nicodemos, quando disse: "se alguém não nascer de novo, não pode ver o reino de Deus" (Jo 3.3).

Algumas pessoas entendem que a cláusula sob consideração significa que o reino da glória pertence às criancinhas, e argumentam que, se elas têm direito à igreja no céu, não devem ser excluídos da igreja na terra. Mas os infantes não têm direito incondicional ao reino da glória. Se morrem na infância, são tornadas próprias desse reino e recebidas nele; mas se permanecerem neste mundo até que cresçam, não poderão obter esse reino sem arrependimento e fé. Visto que o direito dos filhos ao reino de glória depende da condição de que morram na infância ou que se tornem crentes penitentes, não se pode legitimamente inferir que as crianças têm um direito presente e incondicional à membresia da igreja na terra.

As crianças não são levadas para o céu sem serem adequadas para ele; mas as igrejas na terra são organizadas para a adoração e serviço a Deus, e as crianças não são adequadas para esses deveres. Elas são admitidamente inadequadas mesmo aos privilégios da igreja na terra. O direito ao batismo é reivindicado para elas, mas o direito à comunhão à mesa do Senhor não. No entanto, sem esse direito, não se pode dizer que a igreja ou reino pertence a elas. Se por qualquer modo de inferência da passagem o direito das crianças à igreja na terra pode ser estabelecido, ele deve incluir o direito à comunhão à mesa do Senhor.

Tem sido objetado à nossa interpretação dessa passagem que a palavra "tais" denota propriamente o tipo ou qualidade da coisa à qual ela é aplicada, e não a semelhança que outra coisa tem com ela. Como prova disso, passagens como as seguintes foram citadas: "por terem padecido estas coisas" (Lc 13.2). "E com muitas parábolas semelhantes lhes expunha a palavra" (Mc 13.33). No primeiro exemplo, "estas coisas" significa *essas mesmas coisas*; e no segundo, o texto indica o sentido de *estas parábolas e outras semelhantes*. Da mesma forma argumenta-se que *tais crianças* deve significar *essas mesmas crianças* ou *essas crianças e outras como elas*. Logo, alega-se que uma interpretação que exclui as crianças presentes do significado da palavra "tais" é inadmissível.

É verdade que a palavra *tal* denota o tipo ou qualidade da coisa a que ela se aplica, mas na medida em que faz isso, denota também a semelhança que outra coisa tem com ela, se essa outra coisa é do mesmo tipo ou possui a mesma qualidade. Denota o tipo ou qualidade da coisa, e não a coisa em si. Nesse particular, difere de *este* ou *estes*. Se o primeiro dos exemplos acima fosse "porque sofreram essas coisas", o sentido seria de sofrimentos idênticos, e não de sua espécie ou qualidade. Logo, *tais* não significa *esses*. Também no outro exemplo, o termo denota o tipo e qualidade das parábolas, e isso a expressão *tais* não comunica. O fato de que o primeiro exemplo denota os sofrimentos idênticos que acabamos de mencionar, não é determinado pelo significado da palavra, mas pelo contexto em que é usada. Quaisquer outros sofrimentos do mesmo tipo também se adequariam ao significado da palavra. Portanto, qualquer parábola do mesmo tipo se adequa igualmente ao significado da expressão usada.

A palavra "tais" não significa *esses*, e não inclui *esses* em seu significado, senão acidentalmente. Por mais frequente que seja esse uso acidental do termo, seu significado essencial refere-se ao tipo ou qualidade, e não a coisas particulares. Quando se diz: "são passíveis de morte os que tais coisas praticam" (Rm 1.32), as coisas particulares que foram mencionadas não são necessariamente referidas ou incluídas, mas quaisquer coisas semelhantes são denotadas. Nas palavras de Paulo: "Assim Deus permitisse que, por pouco ou por muito, não apenas tu, ó rei, porém todos os que hoje me ouvem se tornassem tais qual eu sou, exceto estas cadeias" (At 26.29), a palavra *tais* não refere nem inclui "eu", mas simplesmente denota semelhança, e essa semelhança está confinada aos dons e privilégios espirituais e não se estende ao corpo ou à condição externa. Portanto, a palavra *tais*, no caso diante de nós, não se refere ou inclui as crianças presentes, mas denota uma semelhança com elas. Essa semelhança não diz respeito ao corpo ou à condição externa, mas àquelas qualidades mentais que as tornavam representações adequadas de homens convertidos.

Se não pudéssemos distinguir entre o significado essencial da palavra *tais* e seu uso acidental, ainda seríamos preservados de uma conclusão errônea no caso presente por uma consideração devida a Mateus 18.5. Neste versículo, a mesma palavra é usada pela mesma pessoa com referência ao mesmo assunto e, em circunstâncias semelhantes, uma criança pequena estando presente como estavam presentes as crianças no outro caso. No entanto, nesse caso, a palavra *tais* não se refere ou inclui a criança presente, mas denota as qualidades pelas quais aquela criança foi considerada uma representação de pessoas convertidas.

O versículo anterior prova isso; as palavras que seguem o uso do termo *tais* no outro caso provam o mesmo. A analogia é completa, com a única exceção de que a explicação vem a seguir em um caso e antes no outro. Mas segue-se diretamente como se pronunciada no mesmo fôlego, pois foi dita antes de Jesus colocar as mãos sobre as crianças. Se alguma importância pode ser atribuída à ordem de tempo em que a explicação foi dada, deve-se lembrar que todo o discurso no capítulo 18 precedeu a ocasião registrada no capítulo 19, e preparou as mentes dos discípulos para entendê-la. Quando todos esses fatos são considerados, não precisamos ficar desconcertados, embora vários exemplos sejam citados nos quais *tais* pode parecer ter um significado diferente. A verdadeira crítica considerará a analogia dos casos em vez de sua quantidade, e se a palavra tem significados diferentes, preferirá aquele que é apoiado por uma analogia tão notável e completa. Mas a verdade é que a crítica não tem escolha a fazer entre os diferentes significados da palavra, pois em todos os casos o significado da palavra é o mesmo.

Se a crítica que deixamos de lado fosse justa, não conseguiria justificar a conclusão que dela foi extraída. Na passagem registrada em Lucas 9.47, 48, a palavra *tais* não é usada: "Mas Jesus, sabendo o que se lhes passava no coração, tomou uma criança, colocou-a junto a si e lhes disse: Quem receber esta criança em meu nome a mim me recebe; e quem receber a mim recebe aquele que me enviou; porque aquele que entre vós for o menor de todos, esse é que é grande". Aqui, a expressão é "esta criança", mas seu significado não deve ser entendido literalmente. Toda a situação é simbólica. Os discípulos desejavam o lugar mais alto no reino de seu Mestre. A ambição deles era sentar-se à sua direita e à sua esquerda. Mas Jesus colocou a criancinha *ao seu lado*, e constituiu aquela criança como seu primeiro-ministro e representante: "Quem a receber...". Tudo isso foi simbólico, e foi planejado para ensinar aos discípulos o que eles deveriam ser, para obter a honra que cobiçavam. Se a crítica pudesse converter a palavra *tais* em *esses*, e a expressão "dos tais é o reino" em *desses é o reino*, haveria razão suficiente, mesmo então, para considerar as crianças apenas como símbolos ou representantes de pessoas convertidas ou humildes e semelhantes a crianças.

Foi ainda objetado que a expressão "pois dos tais é o reino dos céus", não poderia, de acordo com nossa interpretação, conter uma razão para admitir à presença de Cristo as crianças que foram trazidas a ele. Concordamos de bom grado que a conexão desta expressão com o que a precede seria bastante óbvia, se pudesse ser demonstrado que ela declara o direito das crianças à membresia da igreja, e se também pudesse ser demonstrado que essas crianças foram trazidas a Cristo para serem iniciadas em sua igreja. Essa última possibilidade foi suposta por alguns, mas sem qualquer prova na narrativa sagrada.

O propósito pelo qual elas foram trazidas a Jesus é assim expresso: "para que lhes impusesse as mãos e orasse" (Mt 19.13); "para que as tocasse" (Lc 18.15). Se a iniciação na igreja era o objetivo, é inexplicável que nenhum dos escritores inspirados o tenham mencionado, e que eles descrevam o ato como executado com um objetivo diferente. Se era comum que crianças fossem admitidas como membros da igreja, os apóstolos deviam saber disso, e sua oposição, no presente caso, é inexplicável. Além disso, se essas crianças foram trazidas para serem iniciadas na igreja, e se Jesus declarou seu direito aos privilégios de sua igreja, não se pode supor que elas foram despedidas sem o benefício desejado. Mas elas foram iniciadas? Se sim, por qual rito? O batismo é considerado o rito de iniciação, mas não há evidência de que essas crianças foram batizadas. Quando Jesus fez discípulos, eles foram batizados, não por ele mesmo, mas por seus discípulos. Não há evidência de que ele colocou essas crianças nas mãos dos discípulos, com a ordem de batizá-las, mas, ao contrário, ele tomou-as nos próprios braços, não para batizar, mas para abençoá-las.

Em um exame cuidadoso da passagem, descobrimos que a conjunção "porque" conecta a frase seguinte ao comando, "não os embaraceis". Essa ordem foi dirigida aos discípulos; e pode-se supor que a razão que se segue foi introduzida por causa deles, e não por causa das crianças. Ele estava descontente com seus discípulos e desejava repreendê-los. Para entendermos sua repreensão, devemos vê-la em conexão com a falta de que os discípulos eram culpados. Eles esperavam que seu Mestre estabelecesse um reino temporal, e todos os seus ensinos em contrário, e mesmo a sua crucificação, por fim, não os convenceram de que o seu reino não era deste mundo. Eles ambicionavam ter o lugar mais alto em seu reino; e essa ambição pecaminosa permaneceu até comerem a última páscoa com ele. Ele havia recentemente colocado uma criança diante deles, e a usou como representante do principal favorito em seu reino.

Eles não haviam entendido esse discurso. Como outros discursos para explicar a natureza do reino e as qualificações para ele, a instrução que continha não foi devidamente assimilada até depois da partida de Cristo, quando o Espírito Santo os trouxe à sua lembrança. A ambição e a política mundana cegaram suas mentes. Como eles entenderam o discurso do Salvador, não podemos determinar com certeza, mas eles parecem, como os defensores da membresia infantil, ter entendido a palavra *tais* como referindo-se à idade, e não às qualidades morais. Logo, as palavras "qualquer que receber uma criança, tal como esta" colocavam as crianças em suas mentes como rivais pelo mais alto lugar de dignidade no reino. Se eles temiam que Cristo adiasse o estabelecimento de seu reino até que esses jovens rivais atingissem a maioridade, ou se eles entenderam que ele iria, entre as obras milagrosas que ele realizou, dotá-los de forma sobrenatural, mesmo na infância, para ocupar cargos em seu reino, não temos meios de averiguar. Mas, quaisquer que sejam suas noções, eles parecem ter nutrido um ciúme desses jovens rivais.

Os ministros dos monarcas orientais guardavam o caminho de acesso ao seu soberano. Os discípulos assumiram nessa ocasião esse direito de guardar o caminho de aproximação ao seu Mestre. Jesus, que nunca negou acesso a ninguém que buscasse o favor de suas mãos, ficou descontente com a conduta deles e com a ambição mundana que a instigou. A eles, e para seu bem, ele disse o que pode ser assim parafraseado: "Deixai que as crianças venham a mim, e não as proibais. Não pensem, por esta usurpação de poder, em excluir esses temidos rivais de minha presença e favor, pois a pessoas tais como essas pertencem os privilégios e honras de meu reino, e não àqueles que, como vós, são movidos por ambições mundanas. Em vez de afastar essas crianças, imitem seu espírito, pois todo aquele que não receber o reino como uma criança, não entrará nele".

Quer tenhamos conseguido ou não descobrir a verdadeira conexão da frase com o que a precede, a frase em si não afirma o direito das crianças à membresia da igreja. As provas que foram apresentadas sobre este ponto são claras e decisivas.

O que foi dito explica suficientemente Marcos 9.37, a outra passagem citada no argumento. Admitimos que receber uma dessas crianças em nome de Cristo é recebê-la porque ela pertence a Cristo, mas a passagem não ensina que crianças literais são membros da igreja de Cristo. Provamos que o Salvador empregou a frase "uma criança tal como esta" para denotar pessoas com disposição de uma criança. Logo, a doutrina da membresia infantil não pode ser inferida dessa passagem.

Alguns congregacionalistas afirmam que as crianças são membros da igreja universal, mas não das igrejas locais. Essa distinção talvez explique sua admissão ao batismo e exclusão da Ceia do Senhor, mas explica de forma a mostrar claramente que os privilégios do reino não pertencem a elas. Ninguém afirma que crianças não regeneradas são membros da igreja espiritual. Se eles são membros de uma igreja universal, deve ser a igreja católica visível. Agora, se tal corpo existe, ele nunca se reúne ou atua, e os privilégios de ser membro dele, para aqueles a quem foi negada a membresia nas igrejas locais, quais são? Às igrejas locais pertencem o culto regular a Deus, um ministério estabelecido, os benefícios da disciplina e exortação mútua e a comunhão da mesa do Senhor. As crianças batizadas crescem sem a membresia que dá direito a esses privilégios. Como, então, pode-se dizer que o reino pertence a elas?

Argumento 3

Paulo declara que os filhos de certos membros da igreja de Corinto eram santos (1Co 7.14). A palavra *sagrado*, ou *santo*, foi usada por ele para denotar membros da igreja, isto é, pessoas consagradas a Deus. Temos, portanto, base para a conclusão de que essas crianças eram membros da igreja.

A passagem mencionada diz o seguinte: "Porque o marido incrédulo é santificado no convívio da esposa, e a esposa incrédula é santificada no convívio do marido crente. Doutra sorte, os vossos filhos seriam impuros; porém, agora, são santos". Esta passagem, se a santidade da qual fala significa membresia da igreja, provará coisas demais. A palavra "santificado", que se aplica ao marido incrédulo e à esposa incrédula, significa *tornado sagrado*. Esses incrédulos, portanto, também eram santos, e, de acordo com a interpretação, devem ter sido membros da igreja. O texto é uma linha de raciocínio e as leis do raciocínio exigem que o termo "santo" na conclusão seja usado no mesmo sentido que nas premissas. Se *santidade* implica membresia da igreja, quando tratando dos filhos, deve implicar o mesmo quando tratando do marido e da esposa descrentes. Mas ninguém imagina que aqueles descrentes eram membros da igreja. Portanto, a santidade afirmada dos filhos não é membresia da igreja.

Se for perguntado qual santidade poderia ser atribuída a esses filhos, ou ao marido e mulher incrédulos, que não inclui a membresia da igreja, a resposta não está distante. Os judeus consideravam os gentios impuros e consideravam ilícito entrar em suas casas, fazer-lhes companhia, comer com eles ou tocá-los. Os cristãos judeus mantiveram essa opinião, como é manifesto em Gálatas 2.12. De acordo com essa opinião, aqueles com quem a relação sexual familiar era lícita eram considerados santos, e todos os outros eram impuros. Surgiu entre os coríntios, provavelmente devido à influência dos mestres judaizantes, a questão se a relação familiar com os incrédulos é lícita.

No quinto capítulo da epístola, Paulo discute essa questão e decide que a associação na membresia da igreja com tais pessoas era ilícita, mas essa relação comum com eles deve ser admitida, ou "teríeis de sair do mundo" (1Co 5.10). Como o princípio ao qual ele se opôs produziu uma dúvida entre os coríntios, se era lícito aos cristãos viverem em relações sexuais familiares com maridos ou esposas descrentes, Paulo considera esse caso no sétimo capítulo. Ele decide que, se este princípio afetar as relações domésticas, separará pai e filho, bem como marido e mulher. Se a relação familiar com o não convertido é ilícita em um caso, também é ilícita no outro. Esse é o argumento do apóstolo; e é precisamente adaptado para solucionar a dificuldade. Mas esse argumento pressupõe que os filhos, como o marido e a esposa descrentes, não eram membros da igreja. O texto, portanto, fornece uma prova decisiva de que a membresia infantil na igreja era desconhecida na época dos apóstolos.[3]

Argumento 4

Os escritores do Novo Testamento usaram palavras no sentido em que estavam acostumados a lê-las nas Escrituras do Antigo Testamento. A palavra grega *Cristo* correspondia à palavra hebraica *Messias*, e ambas as palavras denotam a mesma pessoa. A palavra grega *ἐκκλησία (ekklēsia)* não era um termo recém-inventado, mas foi a palavra pela qual a Septuaginta traduzira o hebraico קהל *(qāhāl)*, do Antigo Testamento e, portanto, deve ser entendida como denotando a mesma coisa, a Congregação do Senhor. Portanto, a igreja não era uma nova organização. Era a congregação hebraica, continuada sob a nova dispensação; e, como os filhos eram incluídos com seus pais, na dispensação anterior, o direito de membresia não pode agora ser negado a eles. A identidade da igreja em ambas as dispensações fica ainda mais evidente no fato de que os nomes Sião e Jerusalém,

3 Para um exame mais extenso de 1Co 4.14, veja um ensaio intitulado "Um argumento decisivo contra o batismo infantil", publicado pela Southern Baptist Publication Society.

derivados dos lugares onde os adoradores do Antigo Testamento reuniam-se, são dados à igreja do Novo Testamento.

É verdade que a palavra hebraica Messias e a palavra grega correspondente Cristo denotam a mesma pessoa, mas não pode ser inferido, com isso, como uma verdade universal que a identidade, seja de pessoa ou coisas, sempre acompanha a identidade ou correspondência de nome. O nome hebraico Josué é aplicado nas Escrituras a diferentes pessoas (Êx 24.13; Zc 3.1) e o nome grego correspondente, Jesus, é aplicado a pessoas diferentes dessas e diferentes umas das outras (Mt 1.21; Cl 4.11). As palavras *assembleia, convenção, associação,* etc., são comumente usadas como nomes de entidades organizadas, mas o caráter da organização não pode ser inferido do nome. Por vezes, o nome *Assembleia* significa o corpo legislativo de um Estado; outras vezes, de um tribunal eclesiástico. Com esse nome, as palavras hebraicas e gregas para *congregação* e *igreja* praticamente correspondem em significado, mas mesmo se a correspondência fosse perfeita, não se poderia inferir que as sociedades organizadas denotadas por elas seriam idênticas.

Mas a correspondência entre as designações da igreja e da congregação hebraica não é perfeita. Duas palavras hebraicas, קהל *(qāhāl)* e עדה *('ēdâ),* foram usadas para denotar a congregação hebraica, e nenhuma deles é invariavelmente traduzida pela palavra grega *ἐκκλησία (ekklēsia)*. No sexto versículo de Êxodo 12, o capítulo em que a congregação hebraica aparece pela primeira vez nas páginas sagradas, ambas as palavras hebraicas ocorrem, e uma delas a Septuaginta traduziu como *πλῆθος (plēthos),* e a outra como *συναγωγὴ (synagōgē)*. Em Números 16.3, as duas palavras ocorrem e ambas são traduzidas como *συναγωγὴ (synagōgē)*. Se alguém argumentar, a partir disso, que sempre que os escritores do Novo Testamento usam as palavras πλῆθος *(plēthos)* e συναγωγὴ *(synagōgē)* tratam da congregação hebraica, erraria gravemente. O argumento que seria tão falacioso quando aplicado a essas palavras, não pode ser válido quando aplicado à *ἐκκλησία (ekklēsia)*.

As palavras individuais que observamos são, quando usadas para designar os corpos às quais se aplicam, frequentemente acompanhadas de adjuntos. A congregação hebraica era chamada de Congregação do Senhor, ou Jeová, e de Congregação de Israel. Era uma congregação instituída para a adoração a Jeová como o Deus da nação hebraica. A igreja é chamada de igreja de Deus e igreja de Cristo. Essas designações completas dos dois corpos não são de forma alguma coincidentes, mas temos provas de que os dois corpos não são idênticos, o que é muito mais confiável do que uma falta de coincidência em seus nomes.

Quando a igreja do Novo Testamento é apresentada pela primeira vez nas Escrituras Sagradas, Jesus a chama não de קהל *(qāhāl)* ou *ἐκκλησία (ekklēsia)* de Israel, mas de minha *ἐκκλησία (ekklēsia)*. Além disso, ele fala dela como ainda a ser construída: "Sobre esta pedra edificarei a minha *ἐκκλησία (ekklēsia)*" (Mt 16.18). Ele não poderia estar falando da קהל *(qāhāl)* de Israel que foi instituída no tempo de Moisés, e sua organização concluída nos detalhes mais minuciosos.

A próxima ocorrência da palavra *ἐκκλησία (ekklēsia)* no Novo Testamento é ainda mais notável: "se ele não os atender, dize-o à *ἐκκλησία (ekklēsia)*; e, se recusar ouvir também a *ἐκκλησία (ekklēsia)*, considera-o como gentio e publicano" (Mt 18.17). Pode ser verdade que o escritor do Novo Testamento que registrou essas palavras entendeu a palavra *ἐκκλησία (ekklēsia)* no sentido em que estava acostumado a lê-la nas Escrituras do Antigo Testamento, como referindo-se ao hebraico קהל *(qāhāl)*? Será que Jesus queria ser assim entendido? Ele queria dizer que seus seguidores deveriam encaminhar suas queixas à grande congregação de adoradores judeus, seus inimigos e perseguidores, e serem governados por sua decisão? Incrível!

A próxima menção à *ἐκκλησία (ekklēsia)* no Novo Testamento é igualmente decisiva: "acrescentava o Senhor à *ἐκκλησία (ekklēsia),* dia a dia, os que iam sendo salvos" (At 2.47).[4] A época era a festa de Pentecostes, quando os adoradores do קהל *(qāhāl)* hebraico reuniam-se em Jerusalém. Dessa assembleia vinham os convertidos à nova religião, e, quando convertidos, foram adicionados à *ἐκκλησία (ekklēsia).* Não se pode desejar nenhuma prova mais decisiva de que a *ἐκκλησία (ekklēsia)* à qual foram acrescentados não era a קהל *(qāhāl)* à qual haviam pertencido anteriormente.

O argumento do nome pode ser respondido com efeito. Quando Jesus disse: "Dize-o à igreja", as igrejas cristãs nas quais a disciplina deveria ser exercida ainda não haviam sido organizadas. O chefe da família ainda estava presente para administrar os negócios da casa por sua autoridade direta; mas ele deu a ordem a ser observada após sua partida, como uma regra perpétua de disciplina. A maneira despreocupada com que ele fala da *ἐκκλησία (ekklēsia),* fornece prova de força considerável que a palavra que empregou não era de uso familiar como um nome para a congregação de adoradores judeus na época. Se assim fosse, esta aplicação da palavra seria natural para os discípulos, e algumas explicações complementares teriam sido necessárias para protegê-los do erro.

Ao aludir àquilo que ainda não existia, do qual eles não tinham conhecimento pessoal e que nunca existiu, ele não empregaria, sem explicar, um termo para denotá-lo que eles estavam familiarizados

4 A maioria das traduções atuais não contém o termo *igreja*, pois *ἐκκλησία (ekklēsia)* não é considerado parte do texto original [N.T.].

como sendo o nome de algo que já existia há muito tempo e era bem conhecido deles. A conclusão a que este argumento tende é fortemente corroborada pelo fato de que, embora a palavra *ἐκκλησία (ekklēsia)* ocorra no Novo Testamento mais de cem vezes, ela nunca, exceto uma vez, denota o povo de Israel, e nesta única exceção, "é este Moisés quem esteve na *ἐκκλησία (ekklēsia)* no deserto" (At 7.38), não denota o povo de Israel como uma organização duradoura, mas refere-se a um momento particular de sua história, quando eles foram reunidos no Sinai para receber a lei, e por esta razão deve ser traduzida como *congregação*. Como um corpo duradouro, eles são chamados de casa de Israel, a comunidade de Israel, o povo, a nação, mas de *ἐκκλησία (ekklēsia)* nunca são chamados.

A passagem "cantar-te-ei louvores no meio da congregação" (Hb 2.12) é citação do Antigo Testamento, onde a palavra קהל *(qāhāl)* é usada, e onde há uma alusão à congregação hebraica, mas, conforme usada por Paulo, a *ἐκκλησία (ekklēsia)* pretendida consiste em "muitos filhos" trazidos à glória, que são mencionados no contexto. A mesma *ἐκκλησία (ekklēsia)* é posteriormente mencionada como "igreja dos primogênitos" (Hb 12.20), com uma aparente alusão à assembleia de adoradores do Antigo Testamento. Esta alusão pode ser facilmente explicada pelo fato de que a adoração da dispensação do Antigo Testamento era uma "sombra dos bens vindouros" (Hb 10.1). Sião e Jerusalém eram tipos de céu, o futuro local de encontro dos santos, e a congregação de Israel reunida para a adoração a Deus representava aquela futura assembleia na qual os redimidos do Senhor virão do leste, do oeste, do norte e do sul, e se sentarão com Abraão, Isaque e Jacó no reino dos céus. Isso explica totalmente o uso que os profetas fizeram dos nomes Sião e Jerusalém, ao predizer a glória da igreja.

O קהל *(qāhāl)* hebraico era uma assembleia de verdade. Três vezes ao ano, as tribos eram obrigadas a reunirem-se para adoração pública no lugar onde o Senhor estabeleceria seu nome (Dt 12.5). Essa obrigação continuou enquanto as ordenanças de sua adoração eram obrigatórias; porém, cessou quando aquele a respeito de quem elas falavam foi pregado na cruz. Uma sugestão de que a obrigação de reunir-se em Jerusalém deveria cessar é dada nas palavras de Cristo à mulher de Samaria: "a hora vem, quando nem neste monte, nem em Jerusalém adorareis o Pai" (Jo 4.21). Quando os homens não eram mais obrigados a reunirem-se em Jerusalém, o קהל *(qāhāl)* de Israel foi dissolvido.

A distinção entre a igreja e a congregação hebraica pode ser mais bem elucidada por uma consideração atenta do desígnio para o qual a congregação foi instituída. Embora, no propósito divino, um sacrifício suficiente pelo pecado tenha sido fornecido desde a eternidade, não pareceu bem à Sabedoria Infinita que ele fosse oferecido imediatamente, quando o pecado entrou pela primeira vez no mundo. De quatro mil anos de ignorância e crime Deus não fez caso, ou ignorou como sendo indignos de sua consideração, ou inadequados para seu propósito, e fixou seu olhar naquele período denominado "a plenitude dos tempos", quando demonstraria melhor as perfeições divinas, em que o Redentor expiaria a transgressão, e quando arrependimento e remissão de pecados seriam pregados em seu nome, entre todas as nações.

Assim como, no contexto de um cristão individual, a descoberta da salvação em Cristo é retida, até que uma ansiedade seja despertada em seu peito que torne a descoberta bem-vinda, também na história do mundo, o Messias não faz sua aparição, até que a humanidade tenha sentido a necessidade de tal libertador; então ele vem, o desejado de todas as nações. Aprouve a Deus que se fizesse uma experiência completa do poder e habilidade do homem para encontrar um remédio para sua doença moral, antes que o remédio de Deus para a cura das nações fosse revelado e aplicado. "Visto como, na sabedoria de Deus, o mundo não o conheceu por sua própria sabedoria, aprouve a Deus salvar os que creem pela loucura da pregação" (1Co 1.21).

A experiência que, na sabedoria de Deus, abriu o caminho para a entrada do Redentor no mundo, foi de dupla natureza, ou melhor, houve dois experimentos distintos, demonstrando verdades distintas. Quando os mais ousados inimigos de Deus e da religião fazem seu apelo do volume da inspiração para o volume da natureza, e afirmam a suficiência desta para iluminá-los e dirigi-los na busca de Deus, podemos referir-nos a experimentos reais, para verificar o quão longe o homem caído, sem os oráculos de Deus, pôde avançar em direção ao conhecimento do caráter Divino. Com a luz da natureza, os raios brilhantes da ciência e o olhar aguçado do gênio natural, os homens mais sábios da antiguidade ainda *tateavam* no escuro, em busca do Deus desconhecido (At 17.27).

Quando aqueles que professam receber a verdade negam a doutrina da graça e sustentam que o homem tem virtude nativa suficiente, se devidamente cultivada, para torná-lo aceitável a Deus, ou que há influências da Palavra ou Espírito comuns a todos os homens, que são suficientes, sem qualquer influência especial adicional, para levá-lo a conhecer e desfrutar do Altíssimo, temos na sabedoria de Deus, outro experimento concluído, que aponta contra essa doutrina com tanta certeza quanto se pode encontrar dentro dos limites da filosofia experimental.

No registro sagrado está a história de um povo, que levou vantagem sobre todos os outros povos em todos os sentidos. Eles não foram deixados apenas com o volume da natureza para ler, mas a eles foram confiados os oráculos de Deus. Eles não foram deixados com formas sem sentido e ritos religiosos não autorizados, mas tinham ordenanças do culto divino, instituídas pela autoridade de Deus. "Pertence-lhes a adoção e também a glória, as alianças, a legislação, o culto e as promessas" (Rm 9.4). Tampouco estavam sem instrutores de religião, mas homens santos foram levantados entre eles, os quais falavam movidos pelo Espírito Santo. Também não estavam sem motivos para obedecer, mas uma aliança foi feita com eles, contendo toda ameaça que pudesse impedir, e toda promessa que pudesse seduzir.

O experimento foi feito de forma justa e completa. O próprio Jeová disse: "Que mais se podia fazer ainda à minha vinha, que eu lhe não tenha feito?" (Is 5.4). E qual foi o resultado? Demonstrou-se claramente que o homem é totalmente depravado; que as melhores instituições, instruções e motivos, com todas as influências comuns do Espírito, sejam quais forem, são totalmente insuficientes para restaurar sua natureza decaída, e que uma influência especial direta sobre seu coração, pela operação eficaz do poder divino, é indispensavelmente necessária, a fim de fazê-lo deleitar-se na lei de Deus e prestar obediência aceitável aos seus santos requisitos.[5]

Essa sociedade de pessoas que foi o objeto do último experimento mencionado é frequentemente denominada de *Congregação do Senhor*. Parece ter sido a única sociedade instituída divinamente, organizada para o culto religioso, que existiu antes da vinda de Cristo. Que Deus planejou pela dispensação mosaica, da qual essa

5 Ver Hb 8.8-10.

congregação era o alvo, dar uma demonstração clara da depravação do homem, pode ser inferido do fim que realmente foi atingido, e de declarações das Escrituras como o seguinte: "Qual, pois, a razão de ser da lei? Foi adicionada por causa das transgressões, até que viesse o descendente a quem se fez a promessa" (Gl 3.19). "Sobreveio a lei para que avultasse a ofensa" (Rm 5.20). Visto que todas as suas obras são conhecidas por Deus desde o princípio, ele conhecia bem as imperfeições da aliança mosaica, desde o tempo de sua instituição, e qual seria o resultado do experimento. Ele encontrou falha nela muito antes de sua revogação, e assim a preparou, a princípio, para tipificar e predizer uma aliança melhor que deveria sucedê-la, baseada em promessas superiores.

Encontramos o primeiro relato que as Escrituras fazem da Congregação do Senhor no capítulo 12 do Êxodo. Quando uma nova ordem de coisas foi introduzida; quando o ano recebeu um novo começo, e se tornou, como tem sido chamado, o ano eclesiástico; quando Deus *tomou seu povo pela mão*, para tirá-los da terra do Egito (Hb 8.9); quando aquele código de leis para a regulamentação do culto religioso, que o apóstolo chama de a primeira aliança em sua epístola aos Hebreus, começou a ser promulgado; e a Páscoa, como uma das ordenanças do culto divino pertencente à primeira aliança, foi instituída; ali, então, os israelitas são reconhecidos pela primeira vez como uma congregação de adoração.

Antes disso, a palavra do Senhor viera a indivíduos, e indivíduos realizavam ritos religiosos, mas agora, a palavra é enviada a toda uma congregação, e essa congregação, por determinação divina, realiza um rito de adoração divina simultaneamente. Antes disso, os israelitas realmente se distinguiam do resto da humanidade, mas não pelas características de uma sociedade de adoração. Que havia pessoas entre eles que adoravam a Deus com sinceridade e verdade, não há dúvida. Mas onde estavam seus altares públicos? Onde estava seu santuário? Onde estavam seus ministros públicos da religião? Onde estavam seus sacrifícios determinados? Onde, seus estatutos, as leis de sua adoração, as regras de sua sociedade, etc.? Deus nunca constituiu uma sociedade de adoração, sem formas, ritos e regras de adoração.

A descendência de Abraão foi destinada a ser objeto de dispensações especiais, por todas as suas gerações. Isso aparece tanto em sua história desde a era cristã, e antes de sua libertação da escravidão egípcia, quanto nesse tempo intermediário. Mas, durante todo esse ínterim, eles foram os alvos daquela dispensação peculiar, experimental e preparatória, que estamos considerando. Eles foram constituídos, e continuaram a ser, o קָהָל (*qāhāl*) peculiar do Senhor, sua única congregação de adoração (1Cr 28.8; Mq 2.5). Mas enquanto as ordenanças de sua adoração foram sabiamente planejadas para serem tipos e profecias de Cristo, ao mesmo tempo em que proporcionaram ao mundo essa experiência que parece ter sido uma parte tão importante de seu projeto, da mesma maneira, uma sugestão instrutiva da futura exclusão dos judeus dos privilégios do evangelho e da admissão dos gentios parece ter sido dada, no caráter dos membros que compunham esta sagrada congregação.

O grande corpo de seus constituintes eram os descendentes de Abraão, mas foi feita provisão em seu estatuto, para que os israelitas fossem excluídos em alguns casos, e que os gentios pudessem ser admitidos (Dt 23.1-8; Êx 12.43-47). Nada parecido com isso pode ser encontrado na aliança feita com Abraão e sua descendência, conforme registrado no capítulo 17 de Gênesis. Essa aliança recebeu em seus braços todo filho circuncidado de Jacó (em quem a descendência foi chamada), sem nenhuma exceção, e expulsou de si todo gentio, sem qualquer distinção. Era, de fato, uma de suas estipulações que todo israelita deveria ter todos os homens de sua casa circuncidados, mas não há insinuação de que todos foram assim incorporados à descendência da aliança, ou que tinham mais direito ao território concedido na aliança do que Ismael ou os filhos de Quetura. Os servos de Jacó foram circuncidados, mas eles não se tornaram cabeças de tribos em Israel, como seriam se a circuncisão os tivesse dotado com os privilégios da descendência da aliança.

Quando o fim para o qual qualquer sociedade foi instituída é cumprido, é natural esperar sua dissolução. O experimento para o qual a Congregação do Senhor fora organizada foi completamente realizado quando o Redentor apareceu, quando se cumpriram os tempos, "para aniquilar, pelo sacrifício de si mesmo, o pecado" (Hb 9.26). A primeira aliança, estabelecida sobre promessas condicionais, após o devido julgamento, provou-se defeituosa, fraca e não proveitosa; e a necessidade de uma aliança melhor, cujas promessas superiores todas teriam o sim e o amém em Cristo Jesus, foi claramente demonstrada: "Remove o primeiro para estabelecer o segundo" (Hb 10.9). Quando "se revoga a anterior ordenança" (Hb 7.18), na qual estava contida o estatuto da Congregação do Senhor, a sociedade é dissolvida. Privada do caráter de uma congregação de adoração, perde sua existência. O muro que o cercava do resto da humanidade foi derrubado, quando suas ordenanças foram pregadas na cruz de Cristo (Ef 2.14–15).

Não insistimos na diferença óbvia entre a igreja e a congregação hebraica, quanto ao caráter dos membros que as compõem. A congregação consistia principalmente de israelitas; e estes eram admitidos sem consideração ao caráter moral, se circuncidados e livres de contaminação cerimonial e defeitos corporais. Gentios foram admitidos, em conformidade com a lei da circuncisão, mas um moabita ou amonita não poderia ser admitido até a décima geração, e o mais piedoso israelita era excluído, caso fosse cerimonialmente contaminado ou sujeito a algum defeito corporal específico (Dt 23.1-3). Em Cristo Jesus, o que vale não é a circuncisão, mas uma nova criatura. Moabitas e amonitas não são excluídos, mas, em todas as nações, aquele que teme a Deus e pratica a justiça é aceito por ele (At 9.35).

A contaminação cerimonial e os defeitos corporais não constituem obstáculo à comunhão dos santos. Se a instituição fosse a mesma, tais mudanças radicais na membresia não poderiam ser consistentes com a continuação da membresia infantil. Mas a instituição mosaica foi abolida: "Portanto, por um lado, se revoga a anterior ordenança, por causa de sua fraqueza e inutilidade" (Hb 7.18). "Porque, se aquela primeira aliança tivesse sido sem defeito, de maneira alguma estaria sendo buscado lugar para uma segunda" (Hb 8.7). "Remove o primeiro para estabelecer o segundo" (Hb 10.9).

Alguns defensores da membresia infantil na igreja admitem a natureza temporária da instituição mosaica, mas sustentam que a perpassava, e estava contido nela, uma aliança espiritual e imutável, feita outrora com Abraão, e agora em vigor. Nossa atenção será dirigida a esta aliança a seguir.

Argumento 5

O Senhor prometeu a Abraão que nele todas as nações da terra seriam benditas, e fez uma aliança com ele, constituindo-o pai de muitas nações e comprometendo-se a ser o seu Deus e o Deus de sua descendência. Os crentes em todas as nações onde o evangelho é pregado são considerados filhos de Abraão, e, admitidos nesta aliança, tornam-se membros da igreja de Deus. Nessa aliança, os filhos sempre foram incluídos com seus pais, e o seu direito aos seus privilégios foi reconhecido por Pedro, no dia de Pentecostes, nestas palavras: "Pois para vós outros é a promessa, para vossos filhos" (At 2.39). Que os crentes gentios foram recebidos na mesma aliança que pertencia à nação de Israel, é ensinado por estas palavras de Cristo: "o reino de Deus vos será tirado e será entregue a um povo que lhe produza os respectivos frutos" (Mt 21.43). E ainda mais claramente por Paulo, sob a figura da boa oliveira, da qual o povo de Israel era os ramos naturais, mas na qual os crentes gentios foram enxertados, de modo a partilhar da raiz e da seiva da oliveira. Dessa forma, a bênção de Abraão vem sobre os gentios, e a aliança que assegura a bênção inclui seus filhos entre eles.

Para estimar a força desse argumento, será necessário revisar alguns eventos na vida de Abraão. O primeiro evento que chama nossa atenção, é assim registrado:

> *Ora, disse o Senhor a Abrão: Sai da tua terra, da tua parentela e da casa de teu pai e vai para a terra que te mostrarei; de ti farei uma grande nação, e te abençoarei, e te engrandecerei o nome. Sê tu uma bênção! Abençoarei os que te abençoarem e amaldiçoarei os que te amaldiçoarem; em ti serão benditas todas as famílias da terra* (Gn 12.1-3).

Nessa narrativa, tudo deve ser interpretado literalmente. A ordem foi pretendida, compreendida e obedecida de acordo com o significado literal das palavras. A promessa até agora foi cumprida em seu sentido literal, e ainda está em progresso de cumprimento literal. Abraão foi pessoalmente abençoado com piedade eminente e extraordinários sinais do favor divino. Embora um homem humilde, morando em uma tenda, e não se destacando como um conquistador, estadista ou filósofo, ele é um dos mais renomados de todos os homens cujos nomes foram transmitidos aos nossos tempos.

A nação de Israel, descendente dele, era grande em número e força, e grande em sua influência no mundo. Com essa nação, sob Deus, a humanidade está em dívida por causa da Bíblia, do evangelho e, acima de tudo, do Salvador do mundo, que era, segundo a carne, da descendência de Abraão. Essa nação deu ao mundo o conhecimento do Deus verdadeiro, cujo conhecimento por fim se espalhará por toda a terra e abençoará todas as nações. Dessa forma, a promessa feita a Abraão, de que nele todas as famílias da terra seriam benditas, será cumprida.

Essa promessa foi repetida ao patriarca, após o nascimento de seu filho Isaque, nestas palavras: "[na tua descendência] serão benditas todas as nações da terra" (Gn 22.18). A fonte de bênção para a humanidade estava originalmente na pessoa de Abraão, mas agora foi transferida para a pessoa do filho que havia nascido dele. Portanto, a linguagem da promessa foi mudada: "na tua descendência". A mesma promessa foi posteriormente repetida a Isaque (Gn 26.4) e a Jacó (Gn 28.14).

Essa promessa é frequentemente mencionada nas Escrituras, e é chamada de aliança que Deus fez com os pais (At 3.25). A palavra aliança é usada de acordo com seu significado mais amplo, para denotar uma promessa firme e estável, e é uma vez chamada de evangelho pregado a Abraão (Gl 3.8). Não há dúvida de que essa promessa importante e distinta incluía bênçãos espirituais, mas a linguagem não é espiritual no sentido em que esse epíteto, às vezes, é usado para marcar o que não é literal. Cada palavra deste "evangelho a Abraão" é tão literal quanto a declaração do evangelho de Paulo: "Crê no Senhor Jesus e serás salvo" (At 16.31).

O segundo evento que observaremos é declarado assim:

> *Então, conduziu-o até fora e disse: Olha para os céus e conta as estrelas, se é que o podes. E lhe disse: Será assim a tua posteridade. Ele creu no* Senhor, *e isso lhe foi imputado para justiça* (Gn 15.5, 6).

Aqui, novamente, tudo deve ser entendido no sentido literal. A posteridade prometida ao patriarca eram descendentes literais, pessoas nascidas de suas entranhas (v. 4). A grande bênção da justificação, concedida a este eminente crente, é espiritual em sua natureza, mas a linguagem em que é descrita é tão simples e literal quanto a que é usada no Novo Testamento para denotar a mesma bênção: "por meio dele, todo o que crê é justificado de todas as coisas" (At 13.39).

O terceiro evento que demanda nossa consideração deu existência à aliança da circuncisão. O registro deste importante encontro é encontrado no capítulo 17 de Gênesis:

> *Quando atingiu Abrão a idade de noventa e nove anos, apareceu-lhe o* Senhor *e disse-lhe: Eu sou o Deus Todo-Poderoso; anda na minha presença e sê perfeito. Farei uma aliança entre mim e ti e te multiplicarei extraordinariamente. Prostrou-se Abrão, rosto em terra, e Deus lhe falou: Quanto a mim, será contigo a minha aliança* (Gn 17.1-4).

Até agora, tudo deve ser considerado tão literalmente quanto qualquer outro registro histórico.

> *"Serás pai de numerosas nações"* (Gn 17.4).

Alguns supõem que isso signifique mais do que era verdade para Abraão, no sentido literal, mas eles erram. De Jacó, o neto de Abraão, descendeu a nação de Israel - a grande nação aludida na promessa: "Farei de ti uma grande nação". De Esaú, outro neto, surgiram os edomitas, uma grande e poderosa nação. De Ismael, filho de Abraão com Hagar, surgiram doze nações (Gn 25.16). Essas várias nações eram menores e menos poderosas do que os israelitas ou edomitas. Não obstante, cada uma delas foi chamada de nação, de acordo com o uso da palavra naquela época. Além de Isaque e Ismael, Abraão teve seis filhos com Quetura (Gn 25.1-3). Se eles foram tão prolíficos quanto os outros dois, o número total de nações descendentes de Abraão seria de cinquenta e seis. Não existe razão, portanto, para abandonar o sentido literal da frase. Não temos o direito de insistir em um sentido para a palavra "nação" que corresponda ao seu uso na história moderna. O que ela significava quando a aliança foi feita é o que significa nessa afirmação. Nesse sentido, a promessa foi literalmente cumprida.

"Abrão já não será o teu nome, e sim Abraão" (Gn 17.5).

Pensou-se que essa mudança de nome implica que há algo místico na aliança. A mudança foi sem dúvida significativa, mas a suposição de que ela tivesse qualquer significado que militasse contra a construção literal da aliança é totalmente infundada. A posteridade do patriarca, incluindo os muitos profetas inspirados que Deus levantou entre eles, os primeiros pregadores do evangelho e os escritores do Novo Testamento, acostumaram-se a usar esse novo nome *Abraão* para se referir a seu ancestral literal.

"Porque por pai de numerosas nações te constituí. Far-te-ei fecundo extraordinariamente, de ti farei nações, e reis procederão de ti" (Gn 17.5, 6).

A primeira dessas afirmações explica a mudança no nome do patriarca. Não foi em algum sentido místico que Deus o tornou extremamente fecundo, e, portanto, a frase, "pai de nações te constituí" não precisa de uma interpretação mística. Deus tornou Abraão fecundo, não por meio de alguma designação mística, mas literalmente multiplicando sua descendência. Nesse sentido literal, ele o fez pai de muitas nações. A promessa "e reis procederão de ti" foi literalmente cumprida; e essa afirmação, da qual ninguém se aventura a insistir em uma interpretação mística, vincula a aliança à interpretação literal.

"Estabelecerei a minha aliança entre mim e ti e a tua descendência no decurso das suas gerações, aliança perpétua" (Gn 17.7).

Tudo isso deve ser entendido de acordo com o significado que o uso comum atribui às palavras. Uma dificuldade estaria presente na interpretação se o termo "perpétuo" sempre denotasse duração ilimitada, mas esse não era seu único significado. A concessão da terra de Canaã posteriormente feita na aliança não poderia estender-se além da duração do mundo presente. Se a aliança deveria continuar em vigor até o fim dos tempos, ou mesmo até que cessasse o estado de coisas que a aliança deveria promover, o epíteto "perpétuo" foi devidamente aplicado a ela. Em várias passagens das Escrituras, a palavra é usada nesse sentido.

"Para ser o teu Deus e da tua descendência" (Gn 17.7).

Essas palavras não foram designadas para serem uma promessa de graça espiritual ou vida eterna a todos os descendentes de Abraão. Uma nova aliança predita pelo profeta Jeremias continha a estipulação: "Eu serei o seu Deus, e eles serão o meu povo" (Jr 31.33). Essa promessa assegura graça espiritual, mas não teria sido uma nova aliança se a mesma concessão tivesse sido feita na aliança com Abraão. Conforme contido nessa aliança, a promessa envolvia um cuidado divino especial sobre Abraão e seus descendentes, e particularmente sobre a nação de Israel, cuja descendência a concessão de Canaã foi feita nessa aliança. Nesse sentido, a promessa foi literalmente cumprida. Ele separou-os de todas as outras nações e reconheceu-os como seu povo: "De todas as famílias da terra, somente a vós outros vos escolhi" (Am 3.2).

Sua providência sobre eles e suas revelações a eles foram todas peculiares. Em todas as suas relações com eles, ele agiu na relação como um Deus. Ele recompensou como um Deus e puniu como um Deus. Ele deu-se a conhecer a eles como um Deus, enquanto a outras nações permitiu que permanecessem em sua ignorância; e como um Deus, embora tenha concedido a esta nação meios de graça e salvação desconhecidos para o resto do mundo, ele usou a nação como o canal para transmitir bênçãos espirituais a todas as nações da terra.

> *"Dar-te-ei e à tua descendência a terra das tuas peregrinações, toda a terra de Canaã, em possessão perpétua"* (Gn 17.8).

Tudo isso foi dito literalmente e foi literalmente cumprido. O significado da palavra "perpétua" foi explicado nas observações sobre a expressão "aliança eterna". Se a palavra *perpétua*, seja em aplicação à aliança ou à posse de Canaã, foi limitada à dispensação que precedeu o tempo de Cristo, ou se estende-se até a presente dispensação, e ainda será estendida até o tempo futuro, será um assunto de investigação futura. Mas seja qual for a verdade nessa questão, o uso da palavra em nada milita contra a forma literal da aliança.

"E serei o Deus deles" (Gn 17.8, A21).

Essa promessa, como já foi explicado, foi literalmente cumprida.

> *Disse mais Deus a Abraão: Guardarás a minha aliança, tu e a tua descendência no decurso das suas gerações. Esta é a minha aliança, que guardareis entre mim e vós e a tua descendência: todo macho entre vós será circuncidado. Circuncidareis a carne do vosso prepúcio; será isso por sinal de aliança entre mim e vós. O que tem oito dias será circuncidado entre vós, todo macho nas vossas gerações, tanto o escravo nascido em casa como o comprado a qualquer estrangeiro, que não for da tua estirpe. Com efeito, será circuncidado o nascido em tua casa e o comprado por teu dinheiro; a minha aliança estará na vossa carne e será aliança perpétua. O incircunciso, que não for circuncidado na carne do prepúcio, essa vida será eliminada do seu povo; quebrou a minha aliança."* (Gn 17.9-14)

O preceito que prescreve a circuncisão deve ser entendido literalmente, e foi compreendido e obedecido literalmente. Uma parte muitíssimo importante do desígnio de Deus ao fazer essa aliança era distinguir e separar os descendentes de Abraão do resto da humanidade. Esse desígnio teria sido frustrado se esta parte da aliança não tivesse sido entendida literalmente. Toda a história da nação hebraica e quase todas as páginas do Novo Testamento testificam a favor da visão literal.

> *Disse também Deus a Abraão: A Sarai, tua mulher, já não lhe chamarás Sarai, porém Sara. Abençoá-la-ei e dela te darei um filho; sim, eu a abençoarei, e ela se tornará nações; reis de povos procederão dela.* (Gn 17.15, 16)

O novo nome de Sara, como o novo nome Abraão, era significativo, mas nenhum deles significava nada contrário à construção literal da aliança. Abraão foi o pai de muitas nações porque teve filhos com outras esposas, mas seu único filho com Sara foi Isaque, o pai de Jacó e Esaú. As únicas nações descendentes de Sara foram os israelitas e os edomitas. Foi prometido que Sara seria mãe de "nações", não de "numerosas nações", e essa adaptação da linguagem ao que se tornou literalmente verdadeiro prova que a aliança foi feita no sentido literal das palavras. No sentido literal, reis saíram de Sara: os reis de Edom, e a longa linhagem de reis em Israel e Judá.

Nosso exame da aliança provou conclusivamente que ela foi projetada para ser entendida literalmente; porém, surge a questão de saber se ela não admitiria outro sentido, mais espiritual.

Os preceitos que prescreviam as cerimônias de adoração a serem observadas pela congregação hebraica foram todos concebidos para serem compreendidos e obedecidos literalmente. Touros e cabras literais deveriam ser sacrificados; fogo literal deveria ser usado, e todas as instruções dadas deveriam ser observadas em seu significado literal. Mas as várias cerimônias desse culto eram sombras das coisas por vir, e uma grande parte da epístola aos Hebreus é empregada para explicar seu significado espiritual. Pessoas e eventos do Antigo

Testamento, que aparecem em seu próprio contexto como assuntos de história literal, representam, no Novo Testamento, coisas espirituais, e instrução espiritual é extraída deles. A história de Hagar, conforme apresentada no livro do Gênesis, é literalmente verdadeira, mas Paulo a chama de *alegoria* e faz uso dela para representar realidades espirituais. Da mesma maneira, a aliança da circuncisão torna-se uma fonte de instrução espiritual. Os principais elementos da aliança que se tornam representativos das coisas espirituais são três:

1. Os descendentes literais de Abraão são considerados como representando os crentes, que são chamados de seus filhos em um sentido diferente da palavra. O uso metafórico dos termos que denotam as relações paternas e filiais é frequente nas Escrituras. Aquele que aparece como chefe de uma classe de pessoas como um pai aparece como chefe de sua família ou tribo é chamado de pai dessa classe, e os indivíduos que compõem a classe são chamados de seus filhos. Assim, "Ada deu à luz a Jabal; este foi o pai dos que habitam em tendas e possuem gado. O nome de seu irmão era Jubal; este foi o pai de todos os que tocam harpa e flauta" (Gn 4.20, 21). Essas pessoas chamadas de pais foram os inventores das artes; e a classe de pessoas que praticam essas artes são consideradas seus filhos. Assim, aqueles que praticam a piedade da qual Abraão foi um exemplo ilustre e seguem as pegadas de sua fé são chamados de seus filhos.

Nesse sentido metafórico do termo, Jesus disse aos judeus ímpios: "Se sois filhos de Abraão, praticai as obras de Abraão" (Jo 8.39). Visto que os homens a quem Jesus dirigia-se eram filhos de Abraão no sentido literal, a distinção entre o sentido literal e o metafórico é claramente marcada; e o segundo sentido depende da imitação a Abraão nas obras pelas quais ele foi eminente. Paulo fez uma distinção entre o judeu literal e o judeu metafórico (Rm 2.29), entre os filhos segundo a carne e os filhos da promessa (Rm 9.8). Os últimos, diz ele, "devem ser considerados como descendência", isto é, eles são considerados a descendência de Abraão quando a aliança é vista como uma alegoria.

2. *A circuncisão considerada como representando a regeneração, a mudança espiritual pela qual os homens tornam-se novas criaturas.* Por isso é dito: "Pois nem a circuncisão é coisa alguma, nem a incircuncisão, mas o ser nova criatura" (Gl 6.15). Um uso metafórico da palavra circuncidar para denotar uma mudança moral é encontrado no Antigo Testamento: "O Senhor, teu Deus, circuncidará o teu coração e o coração de tua descendência, para amares o Senhor, teu Deus, de todo o coração e de toda a tua alma, para que vivas" (Dt 30.6). Paulo distingue entre a circuncisão literal e a espiritual. Assim, "nem é circuncisão a que é somente na carne. Porém judeu é aquele que o é interiormente, e circuncisão, a que é do coração, no espírito, não segundo a letra" (Rm 2.28-29). Essa circuncisão do coração é, em outra passagem, chamada de "circuncisão de Cristo" (Cl 2.11). Enquanto a circuncisão literal que marcou a descendência literal de Abraão não significa nada em Cristo Jesus, a circuncisão espiritual marca aqueles que pertencem a Cristo, e que são, no sentido espiritual, a descendência de Abraão. "Se sois de Cristo, também sois descendentes de Abraão e herdeiros segundo a promessa" (Gl 3.29).

3. *Canaã, a terra prometida a Abraão e sua descendência literal, é considerada como representando o céu, a herança futura daqueles que têm a mesma fé do patriarca.* Abraão, por ordem de Deus, deixou sua terra natal e peregrinou na terra de Canaã. Embora a terra fosse sua por promessa, ele nunca obteve posse dela. Paulo faz um uso espiritual deste fato: "confessando que eram estrangeiros e peregrinos sobre a terra. [...] Mas, agora, aspiram a uma pátria superior, isto é, celestial" (Hb 11.13, 16). A Canaã literal estava presente aos olhos do patriarca,

como uma possessão desejável garantida por uma aliança com ele e sua descendência; porém, os olhos de sua fé estavam voltados para uma pátria superior, da qual ela era apenas um tipo. Sua descendência espiritual é como ele na fé, e sua fé direciona seus olhos para a mesma herança celestial.

A interpretação alegórica da aliança é lindamente harmoniosa em todas as suas partes. Abraão, o exemplo de fé mais ilustre encontrado no Antigo Testamento, aparece como cabeça de uma classe de pessoas que são como ele na fé. Por isso, ele é chamado de pai dos fiéis. Assim como ele foi marcado pela circuncisão do coração, e assim distinguido do resto da humanidade, eles também o são. Assim como ele olhou além da possessão terrena concedida a ele, e buscou uma herança celestial, eles também o fazem.

As verdades espirituais que a aliança representa em seu uso alegórico não foram trazidas à existência pela aliança e não dependem dela. Elas estão acima dela, como as coisas que as cerimônias mosaicas tipificavam são superiores às cerimônias, ou como uma substância é superior à sua sombra e independente dela. No terceiro capítulo de Gálatas, Paulo ensina que os crentes são filhos de Abraão e são abençoados com ele, e ele remonta a sua conexão com ele a uma época que precedeu a aliança da circuncisão. Ele diz que "a lei veio quatrocentos e trinta anos depois" (Gl 3.17).

Ora, voltando quatrocentos e trinta anos antes da promulgação da lei, chegamos ao tempo quando Abraão recebeu a primeira promessa. Ela precedeu a aliança da circuncisão em vinte e quatro anos. Essa promessa, feita primeiro com referência ao próprio Abraão, e depois renovada com referência à sua descendência, é a aliança à qual esta passagem faz referência. Logo, os crentes mantêm sua conexão com Abraão recebendo a grande promessa do evangelho, e não com

Abraão recebendo a aliança da circuncisão, com Abraão como primeiro distinguido pela circuncisão do coração, e não com Abraão como depois distinguido pela circuncisão da carne. Precisamente a mesma visão é apresentada no quarto capítulo de Romanos, no qual é ensinado que os crentes estão ligados, não com o circuncidado, mas com o incircunciso Abraão, ao obter a bênção da justificação.

Os cristãos judaizantes ensinaram: "Se não vos circuncidardes segundo o costume de Moisés, não podeis ser salvos" (At 15.1). Essa era a doutrina corrente dos judeus. Eles gloriavam-se na aliança da circuncisão e em sua conexão com o circuncidado Abraão; para o propósito de assegurar o direito à Canaã terrestre, a descendência literal de Abraão e a circuncisão exterior na carne eram suficientes. Mas Paulo opôs-se à doutrina dos mestres judaizantes e abriu uma visão diferente dos ensinos do Espírito Santo no Antigo Testamento. Ele ensinou que, para garantir as bênçãos espirituais que Abraão desfrutou, devemos buscá-las da maneira como Abraão as obteve. Ele não obteve o favor de Deus pela circuncisão e guardando a lei, mas desfrutou desta bênção quatrocentos e trinta anos antes da lei, e enquanto ele ainda era incircunciso. Ele recebeu a bênção pela fé, e todo aquele que deseja ser abençoado com ele, deve buscá-la dessa forma. Esses argumentos de Paulo, nos quais ele deduziu a verdadeira doutrina do evangelho das Escrituras do Antigo Testamento, foram poderosos na oposição à teoria judaizante.

A aliança da circuncisão em seu sentido literal incluía na descendência da aliança somente os descendentes literais de Abraão. O patriarca e seus filhos receberam a ordem de circuncidar todos os homens da casa, inclusive os servos nascidos na casa e os comprados com dinheiro, mas esses servos não foram incorporados à descendência da aliança. Nenhum dos servos nas famílias de Abraão, Isaque e

Jacó teve esse privilégio conferido a eles; e não se pode supor que os servos de seus descendentes fossem mais favorecidos do que os próprios servos dos patriarcas. Pelo contrário, esses servos, embora circuncidados, são expressamente referidos na própria aliança como "não de tua estirpe" (Gn 17.12).

Quando a Congregação do Senhor foi instituída, houve provisão para que os gentios fossem admitidos aos privilégios de seu culto em conformidade com a lei da circuncisão, mas eles eram, não obstante, estranhos dentro do portão, e não uma parte da descendência da aliança, ou com direito a uma parte na terra de Canaã. Registros genealógicos eram mantidos distinguindo a descendência própria dos prosélitos do portão. Portanto, Paulo foi capaz de denominar-se "hebreu de hebreus" (Fp 3.5), isto é, um hebreu de linhagem original.

Assim como a aliança da circuncisão em seu sentido literal não admitia ninguém na descendência da aliança senão descendentes literais de Abraão, também, no sentido alegórico, ninguém está incluído na descendência espiritual a não ser os verdadeiros crentes. Isso fica claro em muitas passagens da Escritura: "os da fé são abençoados com o crente Abraão" (Gl 3.9). "Se sois de Cristo, também sois descendentes de Abraão e herdeiros segundo a promessa" (Gl 3.29). A próxima passagem é perfeitamente decisiva sobre este assunto, e mostra conclusivamente que se trata da fé genuína, e não a mera profissão dela: "Essa é a razão por que provém da fé, para que seja segundo a graça, a fim de que seja firme a promessa para toda a descendência" (Rm 4.16).

Uma das promessas feitas a Abraão foi: "Farei de ti uma grande nação". No aliança da circuncisão, foi prometido que ele seria o pai de muitas nações; e a nação de Israel foi contemplada como uma dessas nações. A aliança em seu sentido literal não instituiu nenhuma *ἐκκλησία (ekklēsia)*, ou congregação de adoração. Um קהל *(qāhāl)* para a adoração a Deus foi instituído por Moisés, e leis e cerimônias para essa adoração foram instituídas com ele. A aliança então feita com Israel tinha ordenanças para o culto divino e um santuário mundano, mas aquele que procura por isso na aliança da circuncisão procurará em vão. Ela não contém santuário, nem ordenanças de adoração divina, nem sacerdócio, nem assembleia. Mostramos que o קהל *(qāhāl)* instituído por Moisés foi dissolvido; e, se a aliança da circuncisão ainda sobrevive, ela existe como antes dos dias de Moisés: uma aliança nacional, feito com os descendentes literais de Abraão, não admitindo que ninguém mais seja incorporado à descendência da aliança, e sem fazer nenhuma provisão para a adoração pública a Deus. Certamente, a igreja cristã não é fundada nessa aliança.

Visto que a aliança da circuncisão não instituiu nenhuma *ἐκκλησία (ekklēsia)*, e não pode admitir crianças gentias entre a descendência da aliança, a doutrina da membresia infantil não pode ser afetada pela questão, quer a aliança tenha sido revogada, ou esteja agora em vigor. Para qualquer propósito de nossa presente investigação, não temos a obrigação de decidir essa questão. Visto que esta aliança existia antes daquela que foi feita por Moisés, a revogação da segunda pode ter deixado a primeira exatamente como estava anteriormente. Nela, a terra de Canaã foi dada como possessão eterna, e a aliança é denominada "aliança perpétua".

Podemos, portanto, inferir que a aliança continuará em vigor enquanto os israelitas possuírem a terra de Canaã. Se a expectativa geral for bem fundamentada, de que eles retornarão às suas terras e as retomarão, a aliança ainda deve estar em vigor. Os fatos de que, desde a revogação da aliança mosaica, eles foram chamados de povo de Deus (Rm 11.1, 2); de que eles têm a seu favor a promessa de serem restaurados novamente (Rm 11.23-30); e de que são declarados como não rejeitados, porque os dons e vocação de Deus são irrevogáveis (Rm 11.29), confirmam essa visão.

A tudo isso podemos acrescentar o fato notável de que, quando os apóstolos declararam que os convertidos dentre os gentios não tinham a obrigação de ser circuncidados, eles não dispensaram os judeus dessa obrigação. Para um gentio, ser circuncidado é uma admissão de que a Congregação do Senhor ainda existe, e a lei mosaica ainda está em vigor; e para qualquer um, seja judeu ou gentio, ser circuncidado como meio de salvação é deixar Cristo de lado e torná-lo inútil. Mas pode qualquer um provar que é inconsistente com o evangelho para um judeu reter a circuncisão, como um símbolo de sua conexão com Abraão, e seu interesse naquele povo notável, por meio do qual ele ainda espera que Deus mostre as riquezas de sua graça de maneira maravilhosa?

A aliança da circuncisão está em vigor, em seu sentido alegórico? Esta pergunta é tão sem sentido como se perguntássemos se um retrato existe na pessoa que é retratada. O retrato e o homem existem independentemente um do outro. O homem pode morrer e deixar o retrato, ou o retrato pode ser destruído enquanto o homem vive. Se a aliança da circuncisão está em vigor, ela está em vigor naquele único sentido em que é uma aliança - a saber, o literal. Ninguém diria que a lei cerimonial está hoje em vigor porque as verdades espirituais que as cerimônias prefiguravam permanecem para sempre. Quer a aliança esteja revogada ou em vigor hoje, a instrução espiritual derivada dela é o evangelho eterno.

Embora a aliança, literalmente interpretada, não dê nenhuma sanção para a membresia infantil na igreja, o uso espiritual que é feito dela nas Escrituras incidentalmente decide que todos os membros das igrejas primitivas eram crentes. Paulo diz aos Gálatas: "*Vós*, porém, irmãos, sois filhos da promessa, como Isaque" (Gl 4.28). "E, se sois de Cristo, também *sois* descendentes de Abraão e herdeiros segundo a promessa" (Gl 3.29). Esses textos provam que os membros das igrejas da Galácia foram todos considerados filhos de Abraão, no sentido espiritual — isto é, eram verdadeiros crentes —, e o que era verdade para aquelas igrejas, deve ter sido verdade para todas as outras igrejas instituídas pelos apóstolos.

Um retrato não é mais distinto do homem retratado, nem uma sombra mais distinta da substância que o projeta, do que a aliança da circuncisão é distinta da verdade espiritual que representa, em sua interpretação alegórica. Nunca devemos confundir coisas tão distintas, mas isso é feito pela doutrina da membresia infantil na igreja. Segue o sentido literal, de Abraão até a introdução do evangelho, e considera a descendência literal, durante este período, como a igreja. Então, segue o sentido espiritual e introduz os crentes gentios entre a descendência da aliança, depois retorna à lei da descendência literal, e segue esta por uma geração, e então a abandona. Por essa mistura inexplicável de interpretações, os descendentes literais imediatos daqueles que são, ou deveriam ser, de acordo com sua profissão de fé, a descendência espiritual de Abraão, devem ser trazidos para dentro da aliança e incorporados à descendência da aliança. Mas, coitados, são uma descendência que não herda nem as promessas literais nem espirituais feitas ao patriarca. Eles não herdam as promessas literais, porque são gentios; nem as promessas espirituais, porque estas são garantidas apenas aos crentes.

Resta que examinemos os outros textos da Escritura, que o argumento considerado cita em seu apoio.

> *Pois para vós outros é a promessa, para vossos filhos e para todos os que ainda estão longe, isto é, para quantos o Senhor, nosso Deus, chamar* (At 2.39).

A palavra que é traduzida aqui como "filhos" denota posteridade, imediata ou remota, independentemente da idade. A mesma palavra é usada na frase "filhos haverá que se levantarão contra os progenitores e os matarão" (Mt 10.21) e na frase "os filhos da carne" (Rm 9.8), quando é usada para denotar toda a posteridade natural de Abraão. A promessa aqui parece, pelas palavras que vêm imediatamente antes, ser a promessa do Espírito Santo; mas, seja isto, ou a promessa feita a Abraão como o argumento supõe, deve ser entendida como incluindo bênçãos espirituais.

Três classes de pessoas são mencionadas, a quem a promessa é dada: os israelitas daquela geração, sua posteridade e os gentios. "Para vós outros é a promessa, para vossos filhos e para todos os que ainda estão longe." A nenhuma dessas classes a promessa é dada sem condição ou limitação. Quando é dito: "Arrependei-vos [...], pois para vós outros é a promessa", o recebimento da promessa é evidentemente suspenso sob a condição de arrependimento. A mesma condição aplica-se igualmente às outras duas classes. Isso é plenamente estabelecido pela cláusula limitante "quantos o Senhor, nosso Deus, chamar".

A promessa não é absoluta para todos os que são chamados externamente pelo evangelho, mas apenas para aqueles que são efetivamente chamados ao arrependimento. Essa limitação aplica-se igualmente a todas as três classes. Embora a palavra *filhos* possa, às vezes, ser usada com aplicação exclusiva a crianças, não há razão para supor que tal uso seja feito aqui, mas toda a posteridade é aludida; e não pode ser que bênçãos espirituais tenham sido prometidas a todos aqueles, sem condição ou limitação. A menção da posteridade, neste caso, foi peculiarmente apropriada. Pedro acusou-os do crime de crucificar o Senhor Jesus. Quando esse crime foi cometido, apelando a Pilatos para crucificá-lo, eles disseram: "Caia sobre nós o seu sangue e sobre nossos filhos" (Mt 27.25). Esse fato tornou adequada e bem-vinda a informação de que o mesmo meio de salvação que foi concedido a eles, seria concedido à sua posteridade.

> *Portanto, vos digo que o reino de Deus vos será tirado e será entregue a um povo que lhe produza os respectivos frutos* (Mt 21.43).

O nome de um tipo, às vezes, é aplicado à coisa tipificada. A regeneração é chamada de circuncisão, mas, para mostrar que a circuncisão literal não é a intenção do texto, ela é chamada de circuncisão do coração ou circuncisão de Cristo. O céu é chamado de pátria, em alusão à pátria prometida a Abraão, que a tipificava, mas, por uma questão de distinção, os epítetos "superior" e "celestial" são aplicados: "uma pátria superior, isto é, celestial" (Hb 11.16). A nação de Israel, marcada pela circuncisão literal e herdeiros da Canaã terrestre, tipificava aqueles que são circuncidados no coração e são herdeiros da pátria celestial. Esses últimos são, por isso, chamados de povo, mas, para distingui-los da nação que os tipificava, eles são chamados de "um povo que produz os frutos do reino", isto é, os frutos da santa obediência a Deus como seu rei.

Pedro chama-os de "raça eleita, sacerdócio real, nação santa, povo de propriedade exclusiva de Deus" (1Pe 2.9). Eles não são uma nação, no sentido literal do termo, como era a nação de Israel. As nações terrenas incluíam crianças, mas esta nação espiritual consiste naqueles que produzem os frutos do reino, e que, de acordo com

Pedro, proclamam "as virtudes daquele que vos chamou das trevas para a sua maravilhosa luz". Essas coisas não podem ser atribuídas a crianças. Segue-se, portanto, que, nessa transferência de reino, as crianças não são seus receptores.

Não é necessário, para nosso presente propósito, determinar o sentido preciso em que se diz que o reino foi tirado da nação de Israel. O governo dessa nação foi chamado de teocracia. Deus era seu rei, e vários benefícios lhes sobrevieram por estarem sob seu reinado. O texto pode referir-se a esses benefícios, e o sentido pode ser que o privilégio peculiar de ter Deus para reinar sobre eles não deveria mais distingui-los de outras nações da Terra, mas esse privilégio doravante seria restrito a um povo espiritual, a ser selecionado entre todas as nações.

Mas, como a expressão "reino de Deus" era comumente usada por Cristo para denotar o novo reino que ele estava estabelecendo, a referência pode ser exclusivamente a esse reino. Ele nasceu "Rei dos Judeus" e foi crucificado com este título. Ele foi enviado, como ele mesmo declarou, não aos gentios, mas às ovelhas perdidas da casa de Israel. A primeira proclamação de seu reinado foi feita a esse povo, e o início e os primeiros benefícios de seu reinado foram restritos a eles. A rejeição de seu reinado foi o motivo de sua extensão aos gentios: "Cumpria que a vós outros, em primeiro lugar, fosse pregada a palavra de Deus; mas, posto que a rejeitais e a vós mesmos vos julgais indignos da vida eterna, eis aí que nos volvemos para os gentios" (At 13.46).

As bênçãos do reinado do Messias eram esperadas pela nação como sendo suas, e a primeira oferta e outorga delas foi de acordo com esta expectativa. Contudo, o privilégio peculiar foi tirado deles quando rejeitaram seu rei, e agora é desfrutado por aqueles que lhe obedecem em todas as nações. Esses, e somente esses, produzem os frutos do reino, e, seja como for entendida a transferência para eles, não prova a membresia infantil na igreja.

A última Escritura citada no argumento foi considerada grandemente como prova de que a igreja cristã é uma continuação de uma sociedade organizada que existia na dispensação do Antigo Testamento. Sob a figura da oliveira boa, Paulo supostamente ensina que a igreja nasceu de Abraão e que continua até os dias de hoje. Na passagem que contém essa representação figurativa, as seguintes coisas podem ser observadas:

1. *A oliveira sofreu uma mudança importante quando muitos dos ramos naturais foram extirpados.* O motivo de sua separação é expressamente dado: "Pela sua incredulidade, foram quebrados" (Rm 11.20). Visto que os ramos incrédulos foram retirados por esse ato, nenhum foi deixado, exceto ramos crentes. Esses são os remanescentes antes mencionados: "um remanescente segundo a eleição da graça" (Rm 11.5); e a descendência referida, quando se diz: "Se o Senhor dos Exércitos não nos tivesse deixado descendência, ter-nos-íamos tornado como Sodoma e semelhantes a Gomorra" (Rm 9.29).

2. *Uma segunda mudança ocorreu quando os ramos foram enxertados da oliveira brava.* O caráter desses ramos é revelado pelas palavras com que Paulo refere-se a eles: "mediante a fé" (Rm 11.20). Somos, portanto, assegurados que esses também eram ramos crentes. Isso está de acordo com o que é ensinado em outro lugar: para que a bênção de Abraão chegasse aos gentios, em Jesus Cristo, a fim de que recebêssemos, pela fé, o Espírito prometido" (Gl 3.14).

3. *Outra mudança importante ainda é esperada quando os ramos naturais que foram quebrados serão enxertados novamente.* A condição em que isso será feito é expressamente declarada: "Eles também, se não permanecerem na incredulidade, serão enxertados" (Rm 11.23).

Eles são reconhecidos como ramos naturais, e a oliveira é chamada de "sua própria", mas nenhum desses fatos será suficiente para efetuar sua restauração. Se eles voltarem, devem vir como ramos crentes.

Essas três compreendem todas as mudanças pelas quais se diz que a oliveira passa, e como consequência disso, ninguém, senão ramos crentes, tem uma conexão presente, ou pode ter uma conexão futura com a árvore. O propósito para o qual essa ilustração figurativa foi introduzida, bem como as explicações que a acompanham, mostram claramente que o desígnio dos ramos naturais é representar a descendência natural de Abraão. As mudanças pelas quais a árvore passa são precisamente aquelas que trocaram a descendência natural pela espiritual, os filhos segundo a carne pelos filhos da fé. Todo o escopo do ensino do apóstolo em conexão com a passagem, se considerado atentamente, não deixa nenhuma dúvida razoável de que este era o propósito da imagem.

Tipos, parábolas e alegorias baseiam-se na semelhança; porém, quando as coisas espirituais são comparadas às naturais, a semelhança é necessariamente imperfeita. Aquele que busca estender a semelhança além de seu limite adequado está em perigo de erro. No caso presente, não seria proveitoso, e talvez seja mais que prejudicial, indagar o que pode significar o tronco da árvore, suas folhas e as várias outras partes que os botânicos podem nos dizer. No esboço que o lápis do apóstolo desenhou, imperfeito de fato, mas suficiente para todos os seus propósitos, não vemos nada da árvore, exceto seus ramos, sua raiz e sua seiva, a menos que seu fruto seja citado no versículo 16. A principal questão diante da mente do apóstolo é relacionada aos ramos, e ele informou-nos suficientemente o que eles significam. O que a raiz e a gordura da oliveira significam, devemos aprender com a conexão da passagem, e disso podemos inferir que Abraão e as promessas feitas a ele são intencionais.

Alguns supõem que Cristo é a raiz da oliveira, e que a figura corresponde à da videira no capítulo 15 de João. O argumento mais forte a favor dessa opinião é fornecido pelas palavras: "não és tu que sustentas a raiz, mas a raiz, a ti" (Rm 11.18). Visto que Cristo é o único nome pelo qual importa que sejamos salvos, a alma crente é carregada ou sustentada por ele, e não por Abraão. Mas um apoio como este não é a intenção da palavra "sustentas" nesta passagem. A palavra é usada com alusão evidente à figura e significa apenas o que a figura significa pela dependência dos ramos na raiz. Os descendentes naturais de Abraão, que são os ramos naturais da oliveira, não dependem de seu ilustre progenitor como a alma crente depende de Cristo; e, portanto, tal dependência não está implícita nesta passagem.

Paulo, embora fosse o ministro da incircuncisão, teve o cuidado de ensinar aos gentios sua dívida para com os judeus. Ele exortou sobre a obrigação de contribuir para aliviar os santos pobres em Jerusalém com a seguinte consideração: "lhes são devedores; porque, se os gentios têm sido participantes dos valores espirituais dos judeus, devem também servi-los com bens materiais" (Rm 15.27). Portanto, no caso presente, ele exorta os gentios: "não te glories contra os ramos; porém, se te gloriares, sabe que não és tu que sustentas a raiz, mas a raiz, a ti" (Rm 11.18). A religião que abençoa os gentios foi obtida dos judeus. Jesus Cristo era judeu. O Antigo Testamento é um livro judeu e o Novo Testamento é o evangelho escrito por judeus. Nas palavras abrangentes de Cristo, "a salvação vem dos judeus" (Jo 4.22). A promessa a Abraão, "em ti serão benditas todas as famílias da terra" (Gn 12.3), contemplava a nação hebraica a quem foram confiados os oráculos de Deus, e de quem, segundo a carne, Cristo veio, então ainda no patriarca. Nessa visão, Abraão é apresentado na figura como a raiz da oliveira, e as bênçãos espirituais são sua seiva, da qual os crentes gentios participam.

Pode-se objetar, afirmando que, na substituição da descendência natural pela espiritual, tal mudança supostamente destrói a identidade da oliveira, e mais ainda porque a seiva da qual os dois tipos de ramos participam não pode ser a mesma. Contra essa objeção, há uma resposta suficiente: não se pode esperar que as figuras sejam válidas para tudo. Mas outra resposta pode ser dada. O alimento que procede da raiz de uma árvore para suas várias partes, é assimilado por cada uma de acordo com sua natureza e se torna fibra lenhosa, casca, folha ou fruto. Até mesmo o fruto pode variar, embora derivando nutrição da mesma raiz, pois o que é produzido por um ramo enxertado será diferente daquele produzido por um ramo natural.

Tudo isso é encontrado em uma árvore natural; porém, a mudança de seus ramos por enxerto, e a variedade de nutrição que a raiz produz, não afetam a identidade da árvore em uma visão geral dela. Portanto, não pode haver objeção à figura de Paulo, por ela representar ramos naturais e espirituais conectados à mesma raiz e extraindo diferentes benefícios dela. Esse modo de responder à objeção é proposto apenas para mostrar que ela não tem um fundamento sólido para sustentá-la, mas não podemos supor que Paulo, ao esboçar essa figura, fez referência a princípios obscuros da fisiologia vegetal. Ele nos informa-nos que a distinção representada pelas duas classes de ramos existia nos dias de Elias, quando Deus informou ao profeta que reservara para si sete mil homens que não haviam dobrado os joelhos à imagem de Baal. "Assim, pois", ele acrescenta, "também agora, no tempo de hoje, sobrevive um remanescente segundo a eleição da graça" (Rm 11.5).

Além dos ramos naturais que se curvavam a Baal, havia então um remanescente que era fiel e desfrutava de bênçãos espirituais. Todos aqueles juntos, dizem-nos os defensores da membresia infantil, compunham a igreja visível daquela época e eram ramos da mesma oliveira e supõem que continua até o presente a mesma constituição das coisas, unindo ramos naturais e espirituais no mesmo tronco. De acordo com a visão que assumimos, o grande Agricultor quebrou os ramos naturais, e agora apenas uma espécie de ramos permanece. Segue-se, portanto, que a objeção, qualquer que seja sua força, é aplicável mais à opinião à qual nos opomos, do que àquela que defendemos.

A questão de saber se a passagem ensina a membresia da igreja para crianças pode ser abordada à parte da objeção que temos considerado, e de toda indagação desconcertante quanto ao significado da raiz e da seiva da oliveira. Relaciona-se totalmente com os ramos da árvore, e com respeito a eles, temos o infalível Espírito para guiar nossa interpretação. Seu ensino expresso determina que os ramos agora conectados com a oliveira são todos crentes. Aqui está firmado um ponto de referência, que não deve ser removido. Se deixarmos o ensino claro do Espírito e seguirmos a orientação de nossa própria imaginação até nos envolvermos no erro, a culpa será nossa.

A membresia infantil é argumentada a partir da identidade da oliveira, mas, infelizmente para o argumento, as mudanças que o apóstolo descreveu infringem a identidade da árvore exatamente no lugar errado. Todas essas mudanças dizem respeito aos ramos e são feitas com base em um princípio, a substituição da descendência natural pela fé como o vínculo entre os ramos e a raiz. A membresia infantil depende da descendência natural, e o único princípio sobre o qual todas as mudanças são feitas, retirando a descendência natural, deixa a membresia infantil sem ter onde se sustentar.

ARGUMENTOS A FAVOR DO BATISMO INFANTIL

Os argumentos que foram considerados na seção anterior visam diretamente estabelecer o direito das crianças à membresia da igreja. Outros argumentos, tendendo indiretamente a estabelecer o mesmo ponto, dizem respeito imediato à doutrina do batismo infantil.

As Sagradas Escrituras não contêm nenhum preceito ou exemplo para o batismo infantil. As crianças não possuem as qualificações que as Escrituras uniformemente descrevem como necessárias para o batismo. Com esses fatos diante de nós, somos obrigados a negar a ordenança às crianças, a menos que uma reivindicação especial em seu favor possa ser bem estabelecida. Passaremos agora a considerar os principais argumentos que foram usados em apoio de sua reivindicação.

Argumento 1

O arrependimento e a fé são exigidos pelas Escrituras tanto para a salvação como para o batismo, mas como as crianças podem ser salvas sem eles, também podem ser batizadas sem eles. Pela natureza do caso, essas qualificações são exigidas apenas de adultos. A comissão realmente coloca *crer* antes de *batizar*, mas igualmente o coloca antes *ser salvo*, e ainda declara, em termos expressos: "quem, porém, não crer será condenado" (Mc 16.16). Se, portanto, podemos inferir disso que as crianças não devem ser batizadas, podemos, com a mesma certeza, inferir que elas não podem ser salvas.

Esse argumento não tem força para estabelecer o batismo infantil. As crianças poderem ser salvas sem arrependimento e fé, não significa que tenham direito a todos os privilégios que podem ser reivindicados para elas. O máximo a que o argumento chega é enfraquecer a força do argumento oposto, e isso apenas na aparência. Como devemos conciliar a declaração "quem, porém, não crer será condenado", com a doutrina da salvação infantil? A resposta é óbvia. Quando Cristo comissionou seus discípulos a pregar o evangelho a toda criatura, ele referia-se a toda criatura capaz de ouvi-lo e entendê-lo. "Quem, porém, não crer" significa aquele que, tendo ouvido o evangelho, o rejeita. Nesse sentido óbvio da frase, ela não afirma nada contrário à salvação infantil.

Adotando o mesmo modo de exposição, a cláusula anterior significa que aquele que ouve o evangelho, crê nele e é batizado será salvo. A comissão não diz se as crianças serão salvas ou se devem ser batizadas, pela simples razão de que não faz referência a elas. O argumento diante de nós leva-nos a essa exposição da comissão, mas o que ganha o batismo infantil com isso? Aprendemos com isso que, na grande comissão que Cristo deu aos seus apóstolos, pela qual o batismo foi estabelecido como uma instituição permanente a ser observada entre todas as nações até o fim dos tempos, ele não fez referência às crianças.

Argumento 2

Embora as Escrituras não contenham nenhum preceito positivo para o batismo infantil, o mesmo é verdade com respeito à comunhão feminina e ao sábado cristão. A Ceia do Senhor é um instituto positivo, e ainda assim admitimos que mulheres participem dela, sem um preceito positivo. A mudança do sétimo dia da semana para o primeiro, na observância do sábado, não tem mandamento expresso para isso nas Escrituras, e é, em parte, uma revogação do quarto mandamento. Ainda assim, admitimos isso por inferência satisfatória, apoiada pela prática das igrejas primitivas. Da mesma maneira, a observância do batismo infantil pode ser justificada, embora não seja prescrita por preceito positivo.

Não excluímos todo o raciocínio com respeito aos institutos positivos. Ninguém na terra pode apontar para um preceito positivo nas Escrituras exigindo que tal pessoa em particular seja batizada. Paulo foi diretamente ordenado a ser batizado, também aqueles a quem Pedro se dirigiu, no dia de Pentecostes e na casa de Cornélio. A partir desses fatos, pensamos ser lícito inferir que pessoas de caráter semelhante, e em circunstâncias semelhantes, devem agora ser batizadas.

A comissão não ordenou batizar ninguém diretamente, mas ordenou aos apóstolos que batizassem. Da obrigação de batizar imposta a uma parte, inferimos a obrigação de outra parte de ser batizada. Inferimos a perpetuidade da obrigação do fato de que a comissão foi claramente designada para ser perpétua. Consideramos tais inferências legítimas e necessárias, mas sustentamos que os institutos positivos originados na vontade do legislador não podem ser determinados pelo mero raciocínio a partir de princípios gerais.

A obrigação de batizar os crentes é referida em um mandamento divino expresso, e se existe uma obrigação de batizar crianças, ela não pode ser deduzida por nenhum processo de raciocínio a partir das relações parentais e filiais ou dos princípios gerais da moral, mas deve ser encontrada, da mesma maneira, em algum comando divino. Solicitamos tal comando. Consentimos em empreender qualquer raciocínio que for necessário para desenvolver o mandamento e mostrar que o batismo infantil está contido nele. Mas devemos saber que essa é a vontade de Cristo, antes que possamos observá-la como uma instituição de sua religião.

A necessidade do comando divino torna-se ainda mais urgente porque o batismo infantil interfere na instituição divina do batismo dos crentes e, se praticado universalmente, baniria o segundo da terra. Deus ordena que um crente seja batizado. Estará ele dispensado da obrigação por que seus pais batizaram-no na infância? Ele pode ser acusado do pecado de anabatismo, se obedece à ordem divina? Como prova de tudo isso, alguma autoridade divina para o batismo infantil é necessária, tão clara e certa como aquela pela qual o batismo dos crentes é estabelecido.

Para a comunhão feminina, temos autoridade divina no comando de Cristo, "fazei isto", "bebei dele todos" (Mt 26.27). As Escrituras interpretam esse comando. Mulheres estavam entre os discípulos mencionados em Atos 1.8, e todas elas, com os três mil que foram acrescentados, continuaram partindo o pão (At 2.42). Nesse mesmo grupo estavam incluídas as viúvas negligenciadas na distribuição diária. As mulheres estavam na igreja em Corinto, quando toda a igreja reunia-se para celebrar a Ceia do Senhor (1Co 11.5-20). No comando "examine-se, pois, o homem a si mesmo, e, assim, coma do pão" (1Co 11.28), a palavra traduzida como *homem* significa um ser humano, de qualquer sexo. É evidente, a partir desses fatos, que a comunhão feminina é praticada por autoridade divina, e, além disso, não põe de lado nenhum outro mandamento divino. Se tal autoridade para o batismo infantil pode ser produzida, devemos praticá-lo. Mesmo assim, podemos questionar se é apropriado que ele substitua o batismo dos crentes.

Porém, é alegado que o sábado cristão substitui a observância do sétimo dia prescrito no decálogo e, portanto, este seria um caso análogo ao que está diante de nós. Então é verdade que nossas inferências podem, em qualquer caso, deixar de lado os mandamentos expressos de Deus? Pensamos que não. O decálogo requer a observância do sétimo dia, retornando regularmente após seis dias de trabalho, e não o sétimo dia da semana. Assim interpretada, a prática cristã está literalmente em conformidade com ela. Se o sétimo dia no mandamento significa o sétimo dia da semana, é nosso dever obedecer estritamente. Se podemos aprender, por inferência legítima, que o primeiro dia da semana deve ser observado, nosso dever é claro: devemos observar os dois dias. Então, se o batismo infantil pode ser entendido por inferência legítima, ao invés de permitir que ele substitua o batismo dos crentes, devemos observar ambos. Abrimos nossas mentes, portanto, para o raciocínio inferencial pelo qual o batismo infantil se sustenta.

Argumento 3

A comissão de Cristo é: "Ensinar ou fazer discípulos de todas as nações, batizando-os". As crianças fazem parte de todas as nações, e a comissão, portanto, contém autoridade para batizá-los.

A palavra *nações*, no original, é do gênero neutro, e o termo "-os" é masculino. Concluiu-se, portanto, que o pronome está correto, em referência ao substantivo masculino "discípulos". Mas, sem o auxílio dessa crítica, a conexão das orações mostra que esse é o verdadeiro significado. O sentido é o mesmo da passagem "Jesus fazia e batizava mais discípulos" (Jo 4.1). Se a comissão autoriza batizar todos da nação, os incrédulos adultos devem ser incluídos, ao contrário do que todos admitem.

Argumento 4

A comissão exige batizar discípulos. Discípulo é aquele que recebe instruções de um professor. Em assuntos seculares, os pais escolhem professores para seus filhos e comprometem-se com sua instrução. Na religião, eles têm a maior obrigação de colocá-los na escola de Cristo, para que sejam criados na disciplina e admoestação do Senhor. A comissão exige que esses jovens discípulos recebam a marca do discipulado. A legitimidade de considerá-los discípulos pode ser provada pela passagem: "Agora, pois, por que tentais a Deus, pondo sobre a cerviz dos discípulos um jugo que nem nossos pais puderam suportar, nem nós?" (At 15.10). Refere-se aqui ao jugo da circuncisão. E todos sabem que isso recai principalmente sobre as crianças.

O significado da palavra usada na comissão e sua aplicabilidade aos bebês podem ser provadas por uma passagem de Justino Mártir, que escreveu perto da metade do segundo século. Entre os que eram membros da igreja, ele diz, "havia muitos de ambos os sexos, alguns de sessenta e setenta anos, que foram feitos discípulos de Cristo desde a infância". A palavra que ele usa é *ἔμαθητευθησαν (emathēteuthēsan)*, a mesma palavra que é usada na comissão. É evidente, portanto, que Justino entendeu o mandamento de Cristo de fazer discípulos e batizar como aplicável a crianças pequenas. E ele escreveu apenas cerca de cem anos depois de Mateus, que registrou esse comando. Esse testemunho é importante, pois mostra a prevalência precoce do batismo infantil, visto que essas pessoas devem ter recebido a marca do discipulado alguns anos depois de Mateus ter escrito. Mas ele é citado aqui para mostrar o sentido da palavra grega que Cristo empregou na comissão.

Em assuntos seculares, é possível, embora não usual, os pais envolverem seus filhos, desde a primeira infância, com algum professor, por quem possam ser instruídos posteriormente, mas o *usus loquendi* dificilmente nos permitirá chamá-los de seus discípulos, até que comecem a aprender com ele.

Nas Escrituras, lemos sobre os discípulos de João, os discípulos dos fariseus, os discípulos de Jesus. Tal é o uso corrente do termo que, em suas várias aplicações, nunca sugere a ideia de infância. Lemos: "multiplicando-se o número dos discípulos [...] os doze convocaram a comunidade dos discípulos e disseram: [...] irmãos, escolhei dentre vós [...] O parecer agradou a toda a comunidade" (At 6.1-5). Se os filhos de todos os crentes em Jerusalém eram discípulos, eles devem ter sido incluídos na comunidade aqui mencionada, mas as coisas declaradas na narrativa proíbem tal suposição.

Outra passagem do mesmo capítulo mostra que ser discípulo e ter fé são descritivos da mesma pessoa: "em Jerusalém, se multiplicava o número dos discípulos; também muitíssimos sacerdotes obedeciam à fé" (At 6.7). O mesmo é provado por outra passagem em um capítulo subsequente: "achando ali alguns discípulos, perguntou-lhes: Recebestes, porventura, o Espírito Santo quando crestes?" (At 19.1, 2). Mas temos provas ainda mais claras sobre este assunto: o próprio Cristo declarou expressamente as qualificações necessárias para constituir um discípulo: "Se alguém vem a mim e não aborrece a seu pai, e mãe, e mulher, e filhos, e irmãos, e irmãs e ainda a sua própria vida, não pode ser meu discípulo. E qualquer que não tomar a sua cruz e vier após mim não pode ser meu discípulo" (Lc 14.26, 27). Contra tais declarações do divino Mestre, a inferência a partir de um uso meramente possível do termo em assuntos seculares é inútil.

Mas o argumento alega que temos um exemplo nas Escrituras para a aplicação do termo a crianças. No caso referido, os mestres judaizantes haviam ensinado: "Se não vos circuncidardes segundo o costume de Moisés, não podeis ser salvos" (At 15.1). O jugo que eles impuseram aos convertidos gentios não era simplesmente a circuncisão, mas todo o fardo das cerimônias legais. A circuncisão não era, em si mesma, o jugo intolerável referido, "que nem nossos pais puderam suportar, nem nós". Eles foram circuncidados na infância, e depois não consideraram a circuncisão um fardo doloroso. Mas a pesada lei recebida de Moisés é manifestamente a intenção do texto, e esse fardo não recaiu sobre bebês. A passagem, portanto, não contém nenhuma prova de que as crianças são incluídas na palavra *discípulos*.

As palavras de Justino Mártir, *ἀπο παίδων (apo paidōn)*, são traduzidas incorretamente como *desde a infância*. O nome *Pedobatista*, que é dado àqueles que praticam o batismo infantil, e que é derivado em parte da palavra grega *παίς (pais)*, parece aprovar essa tradução: mas, na verdade, *παίς (pais)* não significa *uma criança*. É usada, tanto no gênero masculino quanto no feminino, para quem ainda não atingiu a maturidade; é aplicada ao jovem que caiu do sótão enquanto Paulo pregava (At 22.12) e é usada por Justino, em outro lugar, para os meninos ou rapazes que foram objetos de luxúria antinatural.[6] Um diminutivo, *παιδίον (paidion)*, formado a partir dessa palavra, é frequentemente usado para bebês, mas mesmo o diminutivo é aplicado a uma pessoa de doze anos de idade (Mc 5.39-42). No uso clássico, a palavra primitiva é tornada aplicável a bebês pela adição de uma — *νέπιος παίς (nēpios pais)* — *um bebê menino*.[7] Se a própria palavra denotasse infância, esse acréscimo não seria necessário. Uma vez no segundo capítulo de Mateus, é aplicado a bebês, mas é notável que o diminutivo, *παιδίον (paidion)*, é usado nove vezes, no mesmo capítulo, para bebês. Por que o escritor inspirado adotou outra palavra nesse único caso? Temos a explicação na nota do Dr. Campbell sobre a passagem:

> O historiador parece ter mudado propositalmente o termo *παιδίον (paidion)*, que é usado para *criança*, não menos do que nove vezes neste capítulo, sendo essa palavra neutra, e admitindo

6 *Γυναιχας εμοιχευσαν, χαι παιδας διεφθειραν. Justin's Works, London Edition*, 1722, p. 10.

7 *Parkhurst's Lexicon*, verbete *νήπιος*.

> apenas o artigo neutro, não era adequada para marcar a distinção dos sexos; e parece ter adotado um termo que em nenhum outro lugar emprega para crianças, embora frequentemente use para servos homens, e uma vez para jovens ou meninos.

Essa aplicação de *παίς (pais)* para bebês pode ser ilustrada por um uso familiar em nossa própria língua. As palavras *menino* e *menina* não significam um bebê. No entanto, perguntamos se um bebê é menino ou menina, se desejamos saber seu sexo. Justino não precisava distinguir o sexo das pessoas a quem se referia, pois diz: "Há entre nós pessoas de ambos os sexos". Se Justino quisesse dizer que essas pessoas haviam sido feitas discípulos na infância, a língua grega tinha palavras para expressar a ideia, mas ele disse apenas que essas pessoas, agora com sessenta ou setenta anos de idade, haviam se tornado discípulos de Cristo antes de atingirem a maturidade. Este era o pedobatismo que existia nos dias de Justino, e a tal pedobatismo não pode haver objeção.

Argumento 5

A comissão pode ser traduzida como: "Vão fazer prosélitos em todas as nações, batizando-as". Cristo era um judeu e dirigiu essas palavras aos judeus. Os judeus estavam acostumados a fazer prosélitos para sua religião entre os gentios. Quando esses prosélitos eram recebidos, eles eram circuncidados e batizados, junto com seus filhos. Tivesse Cristo comissionado seus apóstolos para fazer proselitismo das nações ao judaísmo, circuncidando-as e batizando-as, eles teriam entendido que as crianças deveriam ser circuncidadas e batizadas com seus pais. Estando acostumados a esse modo de receber prosélitos, eles naturalmente concluiriam que seu Mestre pretendia que eles o adotassem ao executar seu comando.

A tradução proposta, "façam prosélitos em todas as nações", não é correta, pois prosélito e discípulo não são a mesma coisa. Se na frase "discípulo dele és tu; mas nós somos discípulos de Moisés" (Jo 9.28) substituirmos por "prosélito dele és tu; mas nós somos prosélitos de Moisés", todos perceberão que uma mudança importante foi feita no significado. Um prosélito do Judaísmo abandonou sua religião anterior, mas quando João e Jesus fizeram discípulos, esses discípulos não deixaram de ser judeus. Paulo alegou ser judeu (At 21.39) e até mesmo um fariseu (At 23.6) após sua conversão.

Os pescadores da Galileia eram de fato judeus, mas eles provavelmente tinham pouco conhecimento a respeito dos esforços empreendidos por alguns de sua nação, que cruzavam mar e terra para fazer um prosélito. Eles não poderiam ter entendido que seu Senhor referia-se a tais esforços na comissão sob a qual deveriam agir. Alguns deles foram discípulos de João, e todos eles associaram-se com Cristo em fazer e batizar discípulos entre os judeus. Se eles testemunharam a admissão de um prosélito do paganismo ao judaísmo, sabiam bem que as cerimônias por que ele passou não o tornaram um discípulo de Cristo. Eles não entenderiam, portanto, que o Salvador referia-se a esse processo.

Fazer e batizar discípulos era um processo ao qual eles estavam acostumados e, por meio dele, interpretariam naturalmente a comissão. Mesmo que os seus preconceitos judeus tivessem levado à suposta interpretação, ela não teria sido legítima. Esses preconceitos levaram-nos a interpretar mal a comissão em outro particular. Por isso, eles não pregaram, por algum tempo, o evangelho aos gentios incircuncisos. Era seu dever, ao interpretar a comissão, olhar mais para as palavras do Salvador, e menos para seus preconceitos judaicos. A mesma obrigação repousa sobre nós, e merece a atenção daqueles que insistem no argumento que estamos considerando.

A questão de saber se o costume de batizar prosélitos ao judaísmo existia já na época de Cristo tem atraído a atenção de homens eruditos, que estão divididos a respeito disso. O professor Stuart deu ao assunto uma extensa investigação e não encontrou evidências de que o costume existia antes da destruição de Jerusalém.

Argumento 6

Os bebês eram admitidos à membresia da igreja pela circuncisão, o rito de iniciação na dispensação anterior. O batismo agora toma seu lugar, sendo o mesmo selo em uma nova forma. Portanto, deve ser administrado a crianças.

Os argumentos a favor da membresia de crianças na igreja foram considerados amplamente na seção anterior deste capítulo. Nessa discussão, mostrou-se que a igreja não é idêntica à grande nação descendente de Abraão e distinguida pela marca da circuncisão. Uma vez que o batismo foi projetado apenas para aqueles que são espiritualmente qualificados para a membresia na igreja, nenhum argumento válido para a aplicação dele a crianças pode ser extraído do fato de que os bebês descendentes de Abraão foram marcados pela circuncisão, como tendo direito de ser membros da comunidade de Israel.

Se o batismo é meramente uma nova forma do mesmo selo e os sujeitos aos quais ele deve ser aplicado permanecem os mesmos, ele ainda deve ser aplicado a crianças no oitavo dia. Esse dia foi fixado por comando divino expresso. Nenhuma autoridade inferior àquela que fez a aliança pode revogar ou mudar este preceito. Além disso, o selo, como administrado antigamente, não se limitava aos descendentes da primeira geração, e o batismo, se for o mesmo selo sob outra forma, deve ser estendido em sua aplicação a todos os descendentes daqueles que são admitidos na aliança.

É um argumento contra a identidade entre batismo e circuncisão, que o batismo fosse administrado àqueles que já haviam recebido o selo na outra forma, de acordo com o comando de Deus. Aqueles que foram batizados sob o ministério de João e de Jesus, eram filhos da aliança e haviam sido previamente marcados com o selo apropriado de acordo com o mandamento divino na aliança. Por que o selo foi necessário de outra forma? Por algum tempo após a ascensão de Cristo, o evangelho foi pregado apenas aos circuncisos, e ninguém mais foi batizado. Essas pessoas eram tratadas como filhos da aliança e tinham o selo da aliança em sua carne, afixado quando aquela forma do selo não era apenas válida, mas obrigatória. Por que foi necessária a repetição do selo em outra forma?

A ordem para circuncidar era positiva, e todo aquele que não recebesse esse sinal da aliança em sua carne deveria ser eliminado do meio do povo de Deus. Se a igreja é fundada na aliança da circuncisão, torna-se bastante interessante investigar se alguém que não é circuncidado, pode ser membro. A teoria é que o batismo substitui a circuncisão. Mas como pode essa teoria anular o comando expresso de Deus?

Precisamos de uma autoridade para mudar a forma do selo tão grande e tão expressa quanto aquela pela qual a forma original foi instituída, mas em vão a procuramos nas Sagradas Escrituras. Em vez de encontrar um preceito expresso para mudar a forma, ou uma declaração expressa de que ela foi mudada, encontramos a prova decisiva de que os apóstolos inspirados não entendiam o batismo como uma nova forma do antigo selo. Eles discutiram a questão se os convertidos gentios deveriam ser circuncidados, e decidiram negativamente, mas não decidiram assim porque o batismo substituiu a circuncisão e tornou desnecessária continuação do uso da antiga forma. Essa, de acordo com a teoria pedobatista, foi a verdadeira base de sua decisão, sendo a verdadeira e única razão suficiente para abandonar a antiga forma do selo. O fato de os apóstolos não terem mencionado esse motivo é a prova decisiva de que eles eram estranhos à teoria. Com essa evidência diante de nós, como podemos manter-nos presos à aliança abraâmica e esperar as bênçãos que entendemos que ela promete, se recusarmos seu único selo divinamente autorizado?

Ao descrever a completude dos cristãos, Paulo afirma, em um versículo: "também fostes circuncidados, não por intermédio de mãos"; e no seguinte" "tendo sido sepultados, juntamente com ele, no batismo" (Cl 2.11, 12). Da conexão em que essas coisas são mencionadas, alguns argumentaram que o batismo toma o lugar da circuncisão, mas a passagem não justifica a inferência. A circuncisão literal não é o dever dos crentes gentios. Portanto, não faz parte da completude cristã. O batismo literal é um dever de todos os cristãos, sendo necessário para sua completude. Os adjuntos com os quais a circuncisão é mencionada na passagem mostram que a regeneração é a intenção do texto. Ela, na ordem da designação de Cristo, precede o batismo. Nessa ordem, Paulo menciona ambos como partes distintas da completude cristã. Nada na passagem justifica a confusão do batismo com a circuncisão. Qualquer que seja a analogia que possa haver entre os dois ritos, sua identidade não é ensinada nesses versículos.

Argumento 7

Sem insistir em uma substituição estrita do batismo pela circuncisão, pode-se presumir como inquestionável que existe uma analogia notável entre os dois ritos. Ambos são iniciáticos, ambos são religiosos, ambos são sinais exteriores da graça interior e selos da justiça da fé. A relação parental é de extrema importância. Deus, em sua Palavra, deu grande distinção a esta relação e usa-a, em sua providência, como um meio principal de perpetuar sua igreja no mundo.

Essa relação é a mesma em todas as épocas e os princípios essenciais da religião são os mesmos. Como, portanto, a relação era marcada por um rito religioso na dispensação anterior, os princípios imutáveis do governo divino tornam apropriado que ela seja marcada por um rito religioso agora. O que quer que se diga da aliança abraâmica como um todo, a estipulação nela contida de que o Senhor seria um Deus para ele e sua descendência inclui bênçãos espirituais e é substancialmente a aliança que Deus agora faz com cada crente. Como o pai e a criança foram admitidos na aliança pelo mesmo rito religioso anteriormente, eles devem ser admitidos pelo mesmo rito religioso agora. Nesse sentido, o batismo substitui a circuncisão, e deve, portanto, ser administrado a crianças.

Este argumento é questionável, pois repousa a prova de um instituto positivo em raciocínios de princípios gerais. Se os princípios imutáveis exigem que a relação parental seja marcada por um rito religioso, por que ela não foi marcada assim desde o início do mundo? E por que, quando foi marcada, a relação apenas com os descendentes do sexo masculino foi afetada pelo princípio imutável? Na família de Abraão, a relação do patriarca com todos os seus descendentes, tanto remotos quanto imediatos, era marcada pelo rito então instituído. Se princípios imutáveis exigem que a relação seja marcada por um rito religioso agora, deve ser aplicado a descendentes remotos.

A promessa a Abraão de ser um Deus para ele e sua descendência está contida na aliança da circuncisão e deve ser entendida de acordo com o teor dessa aliança. Ela estendeu-se a descendentes remotos, contemplou-os como uma nação, e trouxe a nação a uma relação peculiar com Deus. Não envolveu absolutamente a bênção espiritual da justificação que havia sido anteriormente concedida ao patriarca crente pessoalmente. A aliança agora feita com os crentes é pessoal e garante bênçãos espirituais pessoais. "Porque esta é a aliança que firmarei com a casa de Israel, depois daqueles dias, diz o Senhor: na sua mente imprimirei as minhas leis, também sobre o seu coração as inscreverei; e eu serei o seu Deus, e eles serão o meu povo" (Hb 8.10).

A promessa dessa aliança é absoluta e assegura a inscrição da lei no coração. Isso a promessa da aliança abraâmica não garantiu. Por causa disso, a aliança estabelecida em promessas superiores é chamada de nova aliança. Sua natureza é tão diferente da aliança nacional feita com Abraão, que, se fosse certo inferir institutos positivos de princípios gerais, não poderíamos, com propriedade, extrair a inferência que o batismo infantil requer.

O acordo entre o batismo e a circuncisão, como ritos *iniciáticos*, é mencionado em vão, se os corpos que eles iniciam são constituídos de forma diferente. Ambos podem ser chamados de ritos religiosos, porque a religião tem a ver com tudo o que Deus ordena, mas precisamos da ordem de Deus para instruir-nos no uso adequado desses ritos. Eles também foram chamados de ritos de *selo*, mas o sentido em que eles selam está envolto em obscuridade. Abraão recebeu o sinal da circuncisão, um selo da justiça da fé que ele possuía ainda sendo incircunciso. Sua *recepção* da circuncisão parece implicar mais do que simplesmente ser circuncidado. Significa que a circuncisão começou com ele.

Esse fato foi visto por Paulo como uma prova de que ele já possuía o favor de Deus, e o apóstolo considera isso como uma confirmação ou selo do que foi dito anteriormente. "Abraão creu no SENHOR, e isso lhe foi imputado para justiça" (Gn 15.6). Paulo não diz que a circuncisão era um selo para todos a quem foi administrada. O caso de Abraão e a fé de Abraão são tudo o que seu argumento tinha em vista, no uso da palavra *selo*.

O batismo não é chamado de selo em nenhum lugar das Escrituras. Diz-se que os crentes são selados pelo Espírito Santo, e a validade desse selo Deus sempre reconhecerá; porém, muitos recebem o batismo, mas não são selados pelo Espírito Santo para o dia da redenção (Ef 4.30). Precisamos entender em que sentido e por qual autoridade os dois ritos são chamados de selo, e quais compromissos eles, como selos, confirmam, antes de podermos argumentar que, porque um deles foi aplicado a crianças, o outro deve, da mesma maneira, ser aplicado a crianças. Quando vemos a natureza e o desígnio dos dois ritos à luz das Sagradas Escrituras, descobrimos que a circuncisão foi destinada aos descendentes literais de Abraão, mas a descendência literal de Abraão, sem fé, não concede nenhum direito ao batismo. A despeito de qualquer concordância que possa ser traçada entre as duas cerimônias em outros aspectos, sua diferença nesse particular destrói a analogia, no único exato ponto em que ela pode ser útil à causa do batismo infantil.

O argumento afirma coisas demais. Vimos que ele estende a aplicação do rito religioso aos descendentes remotos. Além disso, aplica-se não apenas a crianças pequenas, mas a crianças de qualquer idade, desde que pertençam à casa. Além disso, exige que a relação entre patrão e servo seja marcada da mesma forma. Essa também é uma relação importante, que Deus usou para estender sua igreja, pois os servos muitas vezes foram convertidos por serem admitidos em famílias piedosas. O preceito dado a Abraão estendia-se a toda a família, e foi dado em linguagem muito explícita. O argumento requer que todo crente coloque-se no lugar do patriarca e considere-se obrigado por esta ordem. Nesse ponto, o assunto pode ser visto com vantagem em conexão com o argumento seguinte.

Argumento 8

As famílias de Lídia, do carcereiro, e de Estéfanas são citadas nas Escrituras como tendo sido batizadas. É improvável que houvesse três famílias inteiras sem bebês. A maneira pela qual os fatos são registrados, especialmente no caso da família de Lídia, indica que era o costume prevalecente batizar a família, quando o chefe dela tornava-se crente. Nenhuma indicação é dada de que os membros da família eram todos crentes e admitidos ao batismo por sua fé pessoal, mas o batismo deles ocorreu, é claro, com a admissão da própria Lídia na igreja. Se tal declaração fosse publicada no diário de qualquer missionário moderno, todos entenderiam que o missionário é um pedobatista. Ninguém espera ler um relato de batismo doméstico em uma história de missões batistas.

É feita menção no Novo Testamento a várias famílias que parecem ter consistido inteiramente de crentes cristãos (2Tm 4.19; At 10.2; At 16.34; 1Co 16.15, 19; Jo 4.53). Tais casos não são incomuns nos tempos modernos, mesmo entre os batistas. Em tempos de avivamentos religiosos, famílias inteiras são frequentemente batizadas mediante profissão de fé. A probabilidade de tais ocorrências no lento progresso das missões modernas em uma nação pagã é muito menor. Seria injusto estimar a partir da história das missões a probabilidade de famílias inteiras terem sido convertidas de uma vez sob o ministério dos apóstolos. Um missionário moderno às vezes trabalha durante anos e raramente relata um único convertido, mas, nos tempos primitivos, três mil foram convertidos em um dia, e o Espírito Santo desceu sobre toda a congregação reunida na casa de Cornélio.

Nesse estado de coisas, não é surpreendente que três famílias tenham sido convertidas e batizadas. Somos informados de que o oficial de Cafarnaum "creu ele e toda a sua casa" (Jo 4.53), que Crispo "creu no Senhor, com toda a sua casa" (At 18.8) e que Cornélio era "piedoso e temente a Deus com toda a sua casa" (At 10.2). Aqui estão três famílias, que consistiam inteiramente de pessoas piedosas; e a probabilidade de que essas três tivessem crianças deve ser tão grande quanto no caso das três famílias que foram batizadas. Além disso, nos relatos a respeito dessas famílias , são mencionadas circunstâncias que indicam fortemente a ausência de crianças.

No caso da família do carcereiro, "lhe pregaram a palavra de Deus e a todos os de sua casa" (At 16.32). "Com todos os seus, manifestava grande alegria, por terem crido em Deus" (At 16.34). Quem esperaria ler declarações como essas no diário de um missionário pedobatista que, ao receber um convertido do paganismo, o batizou com seus filhos pequenos?

No caso da família de Estéfanas, somos informados que eles "se *consagraram* ao serviço dos santos" (1Co 16.15). Diz-se que isso aconteceu alguns anos depois de seu batismo, quando as crianças já teriam crescido. Mas, na maioria das famílias, enquanto alguns bebês crescem, outros são adicionados. Ao responder a um argumento dependente da probabilidade, temos a liberdade de presumir que a probabilidade de encontrar crianças na casa de Estéfanas era tão grande em um momento quanto em outro. Podemos também notar que o batismo desta família não é mencionado em conexão com o batismo do chefe. Paulo batizou a família de Estéfanas (1Co 1.16), mas não somos informados quem batizou o próprio Estéfanas. Pelo que parece, os dois batismos foram realizados em momentos diferentes e eram independentes um do outro.

No caso da família de Lídia, temos os seguintes fatos: Lídia era "da cidade de Tiatira, vendedora de púrpura" (At 16.14). Nenhuma menção é feita a marido ou filhos. Ela tinha uma casa em Filipos, que chamava de "minha casa", e o negócio em que ela estava envolvida parece estar sob sua própria administração. Diz-se que quando Paulo e Silas foram libertados da prisão, "dirigiram-se para a casa de Lídia e, vendo os irmãos, os confortaram" (At 16.40). A conexão das orações nesse versículo torna provável que os irmãos aqui mencionados pertenciam à casa de Lídia e foram as pessoas batizadas com ela. Essa probabilidade deve ser admitida em um argumento que está fundado em probabilidades. Ademais, a possibilidade aventada acima é pelo menos tão provável quanto o a possibilidade que Lídia, uma mulher solteira e administradora de seus próprios negócios e de sua própria casa, tivesse filhos pequenos. No que diz respeito ao argumento da probabilidade, só chegamos até aqui.

A segunda parte do argumento é que a narrativa afirma que o batismo da família segue, é claro, a fé e o batismo do chefe da casa. Mas isso, como vimos, não é o caso no que diz respeito à família de Estéfanas e ao carcereiro. Todo o peso do argumento está no único caso de Lídia; e é meramente um argumento a partir do silêncio das Escrituras. Não somos expressamente informados de que a família de Lídia era crente, mas o silêncio sobre esse ponto não prova que não fossem.

É dito, em outro lugar, que "Crispo, o principal da sinagoga, creu no Senhor, com toda a sua casa" (At 18.8). Nenhuma menção é feita ao seu batismo, mas o silêncio da Escritura sobre esse ponto não prova que eles não foram batizados. A fé e o batismo estão tão ligados um ao outro em toda parte ao longo da narrativa, que a menção de ambos, em todos os casos, era desnecessária. A fé da família não é mencionada no caso de Lídia, nem é mencionada no discurso de

Paulo ao carcereiro: "Crê no Senhor Jesus Cristo e serás salvo, tu e tua casa" (At 16.31). Aqui, a promessa de salvação é feita à família, sem um requerimento expresso de fé da parte deles: a ordem "crê" está no singular. Sabemos, por todo o teor das Escrituras, que a família do carcereiro não foi salva pela fé dele, e temos o mesmo motivo para saber que a família de Lídia não foi batizada pela fé dela.

Se alguém defende que, quando se diz que as famílias *creram* e *temeram* a Deus, os bebês podem ter sido omitidos do relato pois sabe-se que são incapazes de afeições religiosas, admitimos a possibilidade do que é suposto, e sustentamos, em retorno, que o mesmo pode ter sido verdade no que diz respeito ao batismo. Em todo o Livro Sagrado, e em todo o uso dos tempos primitivos, a fé era uma qualificação para o batismo. Pode ser que, na menção do batismo doméstico, não se levasse em consideração os bebês, porque era universalmente conhecido que eles nunca foram batizados. Nossa causa admite essa hipótese, mas não depende dela.

Uma distinção deve ser feita entre o batismo doméstico e o batismo infantil. O argumento anterior, se prova algum deles, prova o batismo doméstico, e o mesmo é verdade para o argumento agora diante de nós. Crianças de várias idades, até mesmo de idade adulta, e servos, são incluídos no significado apropriado da palavra *família*. Foi assim quando a aliança da circuncisão foi feita com Abraão, pois seu filho Ismael e seus servos foram circuncidados. É assim nos Atos dos Apóstolos, pois na casa de Cornélio, "dois dos seus domésticos" são mencionados.

Merece ser cuidadosamente notado que quase todos os argumentos a favor da membresia da igreja infantil e do batismo infantil tendem a provar, o quanto conseguem, não a membresia e o batismo de crianças, mas de famílias inteiras. A aliança da circuncisão exigia que o rito fosse administrado a toda a família. Sob a aliança mosaica, quando um estrangeiro era admitido, ele era obrigado a ser circuncidado com toda a sua família; e a mesma lei era aplicada a ele, na celebração da páscoa, como aos nascidos na terra.

Quando o batismo de prosélitos era praticado, era aplicado a toda a família. Nenhum exemplo de batismo infantil pode ser encontrado na Bíblia, mas os três exemplos em que sua prova está sustentada são todos exemplos de batismo doméstico. Ora, de acordo com uma hipótese declarada no último parágrafo, pode ser que os filhos de uma família sejam esquecidos, quando algo se afirme sobre a família que não se aplica à infância, mas nunca se pode supor que o termo *família* signifique apenas crianças, com exclusão dos membros mais velhos. Se o batismo doméstico for comprovado, quem o praticará?

A admissão de jovens e servos ímpios ao batismo e aos privilégios da igreja, quando o pai e mestre se convertem, é tão contrária ao espírito e teor do evangelho que ninguém se atreve a defendê-lo. No entanto, esse é o ponto para o qual quase todos os argumentos que foram apresentados em apoio ao batismo infantil tendem. Esses argumentos são numerosos, e se cada um pudesse trazer um raio de luz, por mais tênue que fosse, poderíamos esperar que a iluminação combinada tornasse o objeto visível. Mas rastreamos a direção dos raios e descobrimos que seu foco concentrado, qualquer que seja seu poder iluminador, cai em outro lugar e deixa o batismo infantil ainda na escuridão.

Argumento 9

Eruditos pesquisaram os escritos dos pais cristãos e encontraram evidências tão abundantes, específicas e certas quanto a história oferece de quase todos os fatos, de que o batismo infantil prevaleceu universalmente desde os dias dos apóstolos, através de quatro séculos. Isso deve nos assegurar que a prática originou-se nas igrejas apostólicas.

Outros eruditos examinaram os mesmos escritos e chegaram à conclusão de que o batismo infantil era totalmente desconhecido, até por volta do final do segundo século; que se originou na África, e no terceiro século tornou-se predominante lá, mas não suplantou o batismo primitivo nas igrejas orientais até o quinto século.

Em meio a esse conflito de opiniões, derivado das mesmas fontes, desfrutamos do feliz privilégio de poder deixar as correntes lamacentas da tradição e beber da fonte pura da revelação. O objetivo do presente trabalho é averiguar o que as Escrituras ensinam sobre o assunto da ordem da igreja, e não está de acordo com seu desígnio entrar em uma investigação de questões pertencentes à história eclesiástica. Contudo, direi, muito brevemente, o que me parece, na medida em que pude investigar o assunto, dos principais fatos a serem colhidos dos primeiros pais, relativos à origem do batismo infantil.

Nenhum vestígio de batismo infantil pode ser encontrado antes da época de Justino Mártir. A passagem de seus escritos, citada na seção anterior, foi considerada o primeiro testemunho claro sobre o assunto, mas mostramos que isso, quando interpretado apropriadamente, não significa nada além de que algumas pessoas, então com sessenta ou setenta anos de idade, foram feitas discípulas de Cristo antes de serem totalmente crescidas. Em outra parte dos escritos de Justino, ele propositalmente relata os usos que existiam entre os cristãos, a respeito do batismo, e, ao fazê-lo, ele descreve o batismo dos crentes sem nenhuma insinuação de que as crianças estavam envolvidas no rito. Se o batismo infantil fosse a prática universal, seu propósito exigiria uma descrição dele.

A prática primitiva exigia que cada candidato ao batismo professasse sua fé pessoalmente. Porém, surgiu o costume de permitir que a profissão fosse feita por procuração, estando o candidato presente e significando o seu consentimento. Esse costume tornava fácil para os muito jovens serem admitidos no rito, e a opinião, que então prevalecia, de que o batismo possuía uma eficácia salvadora, produziu uma tendência a estender sua aplicação às crianças.

Tertuliano, que escreveu por volta de do ano 200, opôs-se a essa tendência; ele insistia que, em vez de conceder o batismo a pedido do candidato, e fazer profissão de fé por meio de seus padrinhos, o batismo deveria ser adiado até que o candidato fosse instruído sobre sua natureza e desígnio. Até agora, não parece que o rito jamais foi administrado a crianças incapazes de pedi-lo, mas Cipriano, em 250, interpretou os gritos dos bebês recém-nascidos como um pedido pela graça que o batismo deveria conferir. A propriedade de oferecê-lo a crianças agora era amplamente admitida, mas a prática não era universal.

O falecido Neander, considerado o maior dos historiadores eclesiásticos, diz: "O batismo era administrado inicialmente apenas a adultos, pois os homens estavam acostumados a conceber o batismo e a fé como estritamente ligados [...] Imediatamente depois de Irineu, nos últimos anos do século II, Tertuliano aparece como um zeloso oponente do batismo infantil: uma prova de que a prática ainda não havia chegado a ser considerada uma instituição apostólica, pois, de outra forma, ele dificilmente teria se aventurado a expressar-se tão fortemente contra isso".[8] "Por essas razões, Tertuliano declarou-se contra o batismo infantil, que naquela época

8 August Neander, *History of Christian Religion and Church*, p. 311–312.

certamente não era uma prática geralmente prevalecente, pois ainda não era considerada uma instituição apostólica. Pelo contrário, como as afirmações de Tertuliano tornam no mais alto grau provável, o batismo infantil *apenas começara a difundir-se*; e, portanto, foi considerado por muitos como uma inovação".[9]

Jacobi, um erudito amigo de Neander, diz: "O batismo infantil não foi estabelecido nem por Cristo nem pelos apóstolos [...] Muitas circunstâncias conspiraram cedo para introduzir a prática do batismo infantil".[10]

Mosheim, em seu relato do segundo século, diz:

> O sacramento do *batismo* era administrado publicamente duas vezes por ano, nos festivais de Páscoa e Pentecostes, quer pelo *bispo*, ou pelos *presbíteros*, em decorrência de sua autorização e nomeação. As pessoas que deveriam ser batizadas, depois de repetirem o credo, confessarem e renunciarem aos seus pecados e, particularmente, ao *diabo* e suas seduções pomposas, eram imersas na água e recebidas no reino de Cristo por uma solene invocação do Pai, do Filho e do Espírito Santo, de acordo com a ordem expressa de nosso bendito Senhor. Após o batismo, elas recebiam o *sinal da cruz*, eram *ungidas*, e por *orações* e imposição das mãos, eram solenemente recomendadas à misericórdia de Deus e dedicadas ao seu serviço; em consequência do que recebiam *leite* e *mel*, o que concluía a cerimônia. As razões desse ritual específico coincidem com o que dissemos em geral a respeito da origem e das causas das diversas cerimônias que se infiltravam de vez em quando na igreja.

9 *Spirit of Tertullian*, p. 207. Citado em Christian Review, v. 16, p. 517–520.
10 *Kitto's Cyclopedia*; artigo "Baptism".

> Pessoas adultas eram preparadas para o batismo com abstinência, oração e outros exercícios piedosos. Foi para responder por eles que padrinhos foram inicialmente instituídos, embora tenham sido posteriormente admitidos também no batismo de crianças.

O uso de padrinhos é mantido na Igreja Episcopal. O ministro oficiante dirige-se à criança como se ela fosse um candidato inteligente, e os padrinhos dão o que se considera a resposta da criança. Nessas formas, podemos ver os vestígios do uso primitivo, o cadáver sem vida do antigo batismo, que já foi animado com piedade e profissão de fé estritamente pessoal.

CAPÍTULO 5
COMUNHÃO

PERPETUIDADE DA CEIA DO SENHOR

O rito geralmente chamado de Ceia do Senhor foi instituído por Cristo para ser observado em suas igrejas até o fim do mundo.

Na noite que precedeu a crucificação do Salvador, ele comeu a Páscoa com seus discípulos. Ao final da refeição, a cerimônia chamada *Ceia do Senhor* foi instituída. O relato da instituição é assim feito por Mateus: "Enquanto comiam, tomou Jesus um pão, e, abençoando-o, o partiu, e o deu aos discípulos, dizendo: Tomai, comei; isto é o meu corpo. A seguir, tomou um cálice e, tendo dado graças, o deu aos discípulos, dizendo: Bebei dele todos; porque isto é o meu sangue, o sangue da [nova] aliança, derramado em favor de muitos, para remissão de pecados. E digo-vos que, desta hora em diante, não beberei deste fruto da videira, até aquele dia em que o hei de beber, novo, convosco no reino de meu Pai" (Mt 26.26-29). O relato de Marcos contém quase as mesmas palavras (Mc 14.22-24). A narrativa de Lucas difere em vários detalhes. Ele menciona um cálice anterior, que parece ter encerrado a ceia pascal propriamente dita. Na distribuição do pão, ele acrescenta estas palavras, omitidas pelos outros evangelistas: "Fazei isto em memória de mim". Sobre a entrega do segundo cálice, ele afirma explicitamente que foi "depois de cear" e, por essa expressão, o distingue do cálice anterior, que fazia parte da ceia (Lc 22.17-20).

Em 1Coríntios 11, Paulo faz um relato da instituição, concordando substancialmente com os relatos dados pelos evangelistas. Na distribuição do pão, ele acrescenta as palavras: "Isto é o meu corpo, que é dado por vós; fazei isto em memória de mim". E, ao dar o cálice, ele acrescenta: "Este cálice é a nova aliança no meu sangue; fazei isto, todas as vezes que o beberdes, em memória de mim". A tudo isso ele acrescenta:

"Porque, todas as vezes que comerdes este pão e beberdes o cálice, anunciais a morte do Senhor, até que ele venha. Por isso, aquele que comer o pão ou beber o cálice do Senhor, indignamente, será réu do corpo e do sangue do Senhor. Examine-se, pois, o homem a si mesmo, e, assim, coma do pão, e beba do cálice; pois quem come e bebe sem discernir o corpo, come e bebe juízo para si" (1Co 11.23-29).

Desses vários relatos paralelos, aprendemos que depois de Jesus ter concluído a última Páscoa com seus discípulos, ele usou o pão e o cálice para um propósito desconhecido naquela ceia e ordenou aos discípulos que os usassem da mesma maneira, em memória dele. O tempo durante o qual esse memorial de Cristo deveria ser guardado, podemos inferir das palavras do evangelista. Jesus dirigiu as mentes dos discípulos do banquete, que ele então celebrava com eles, na direção de um futuro banquete, a ser desfrutado juntos no reino do pai. Durante o intervalo, essa nova instituição deveria ser observada como um memorial do passado e um penhor do futuro. Mas Paulo explicitou a inferência para nós: "todas as vezes que comerdes este pão e beberdes o cálice, anunciais a morte do Senhor, até que ele venha".

O tempo para a observância está aqui definitivamente marcado como estendendo-se até a segunda vinda de Cristo. O batismo foi instituído para ser observado "até o fim do mundo", e a ceia tem o mesmo limite prescrito para sua duração.

Paulo afirma que recebeu a instituição da ceia descrita por ele do Senhor Jesus, e a entregou à igreja de Corinto. Esses fatos mostram que Cristo designou seu apóstolo para inculcar sua observância, e que o apóstolo não foi negligente nesse particular. Ele elogiou a igreja por guardar as ordenanças da forma como as entregara, mas censurou o abuso que havia surgido entre eles ao celebrar a ceia. Ele não se dissuade, por causa desse abuso, de continuar a observá-la, mas se esforça para corrigir o abuso, e renova a ordem: "Examine-se, pois, o homem a si mesmo, e, assim, coma do pão, e beba do cálice". É abundante e decisiva a prova oferecida de que a observância foi designada para ser estabelecida e perpetuada nas igrejas.

Temos mais provas nos Atos dos Apóstolos. A igreja em Jerusalém continuou firme na doutrina dos apóstolos e na comunhão, no partir do pão e nas orações (At 2.42), e os discípulos em Trôade reuniram-se no primeiro dia da semana para *partir o pão* (At 20.7).

A designação bíblica do rito nas passagens que acabamos de citar é partir o pão. O nome *eucaristia* é frequentemente dado a ele, derivado da palavra grega *eucharisteo* e referindo-se à ação de graças que precedia a distribuição dos elementos. Esse nome não é usado nas Escrituras. Algumas observações foram feitas em outro lugar[1] a respeito do nome *Ceia do Senhor*. Não está claro se temos autoridade das Escrituras para usar esse nome para designar o rito. Mas, considerando o rito como um memorial da última ceia de nosso Senhor

1 Capítulo 1, Seção 2, argumento 5.

com seus discípulos, o nome é significativo — como o nome Páscoa aplicado ao rito que guardava na memória o fato de que o anjo destruidor *passou sobre* as habitações dos israelitas.[2] O nome também pode fazer referência ao banquete espiritual que os crentes desfrutam com seu Senhor, que graciosamente ceia com eles. O nome *Trindade*, e o nome *pessoa*, aplicado à tríplice distinção na Trindade, são usados sem autoridade das Escrituras, meramente como termos convenientes; os nomes *eucaristia* e *Ceia do Senhor* podem ser usados da mesma maneira, mas devemos sempre ter o cuidado de não fundamentar nenhum artigo de fé em qualquer uso de termos para os quais não possamos encontrar autoridade divina.

Os quakers opõem-se à perpetuidade da ceia, assim como fazem em relação ao batismo. Passaremos a considerar suas principais objeções.

Objeção 1

O pão e o cálice pertenciam à Páscoa, e os evangelistas afirmam que o pão e o cálice que constituem a suposta nova instituição foram usados durante a refeição dessa festa. O partir do pão é frequentemente mencionado como costume nas refeições ordinárias. Devemos, portanto, considerá-lo como uma ocorrência comum à mesa, e interpretar as palavras de Cristo como uma ordem de que em todo o nosso comer e beber, devemos nos lembrar dele, de acordo com o que é dito em outro lugar: "Portanto, quer comais, quer bebais ou façais outra coisa qualquer, fazei tudo para a glória de Deus" (1Co 10.31).

A simplicidade do rito não é objeção válida contra ele, antes, uma recomendação. O pão e o cálice eram de uso comum, mas não

2 *Páscoa*, no original, significa *passar por cima*, e em inglês a festa judaica é chamada de *passover* [N.T].

eram, por isso, menos adaptados ao propósito para o qual Cristo os empregou. A água é um elemento comum, e a *imersão* nela era comum entre os judeus, mas esses fatos não tornaram a imersão em água menos adequada para uma ordenança cristã. Os ritos são novos, não porque novos elementos sejam usados, mas porque são usados para um novo propósito. Todos os serviços pascais comemoravam a libertação do Egito. A nova instituição foi designada para comemorar uma libertação diferente, pelo corpo partido e sangue derramado de Cristo. Ninguém defenderá que o partir do pão nas refeições normais foi designado para esse propósito. Esse novo propósito foi tão distintamente marcado que Paulo diz: "aquele que comer o pão ou beber o cálice do Senhor, indignamente, será réu do corpo e do sangue do Senhor". Se ele fez isso "sem discernir o corpo", negligenciou o grande desígnio da instituição, e é culpado. Essa falha a objeção comete, ao confundir o pão e o vinho da eucaristia com a comida comum.

Objeção 2

Os Atos dos Apóstolos mencionam apenas dois casos em que o partir do pão foi observado pelos discípulos, e ambos se referem manifestamente a refeições comuns. A igreja em Jerusalém continuou partindo o pão, e isso é explicado nas palavras: "partiam pão de casa em casa e tomavam as suas refeições com alegria e singeleza de coração" (At 2.46). Os discípulos em Trôade reuniram-se para partir o pão, e o que se quer dizer com isso é depreendido do que é dito posteriormente: "Subindo de novo, partiu o pão, e comeu, e ainda lhes falou largamente até ao romper da alva. E, assim, partiu" (At 20.11). Esta é claramente uma refeição comum, preparatória para a partida de Paulo. Vemos, portanto, que os Atos dos Apóstolos não registram nenhum caso de observância eucarística, se a observância tivesse sido habitual, não há motivos para o texto permanecer silente a este respeito.

Não há dúvida de que a expressão *partir o pão,* às vezes, descreve o que ocorria nas refeições ordinárias. Jesus manifestou-se aos dois discípulos em Emaús ao partir o pão, quando se sentaram para uma refeição ordinária, e Paulo partiu o pão para aqueles que estavam com ele no navio, para encerrar seu longo jejum. No segundo capítulo de Atos, a expressão ocorre duas vezes. No primeiro caso, a conexão mostra que a observância eucarística é pretendida. "E perseveravam na doutrina dos apóstolos e na comunhão, no partir do pão e nas orações" (At 2.42). No segundo caso, a conexão mostra que as refeições normais são a intenção. A repetição, em vez de provar que se pretende dizer a mesma coisa em ambos os casos, prova o contrário. Fatos distintos são descritos.

Os discípulos em Trôade reuniram-se para uma refeição normal? Foi esse o encontro que o historiador sagrado menciona de forma tão particular? O caráter do cristianismo primitivo proíbe tal suposição. Esses discípulos estavam acostumados a reunirem-se para adorar a Deus e o importante desígnio de sua reunião não poderia ter sido esquecido ou negligenciado nesta ocasião, quando tiveram a presença de Paulo. Era apropriado mencionar a eucaristia, como parte do culto público, ao falar do propósito para o qual eles se reuniam, mas descrevê-los como tendo se reunido para uma refeição ordinária é inconsistente com seu caráter e inconsistente com a ocasião. Se, como é mais provável, o partir do pão na manhã seguinte, ao romper do dia, foi uma refeição comum preparatória para a partida de Paulo, foi um partir do pão diferente daquele que reuniu os discípulos no dia anterior.

Esses são os dois únicos casos em que a observância da Ceia do Senhor é mencionada em Atos, mas são suficientes para provar a existência da observância. A igreja em Jerusalém continuou perseverante no partir do pão. Não poderia ter sido um elogio a eles dizer que perseveravam em comer as refeições normais, mas sua constante manutenção da instituição divina é prova histórica de que foi observada pela primeira igreja como parte de seu culto público. Esse fato explica o que é dito sobre os discípulos em Trôade, e as duas declarações tornam a evidência histórica, neste livro, tão satisfatória quanto necessária. A observância do rito pela igreja de Corinto torna a prova histórica completa.

Objeção 3

O culto judaico consistia em comidas e bebidas, e diversas abluções e ordenanças carnais; mas elas não são adaptadas ao culto espiritual da dispensação cristã. Paulo ensina que "o reino de Deus não é comida nem bebida, mas justiça, e paz, e alegria no Espírito Santo" (Rm 14.17). A Ceia do Senhor vem sob a denominação de comidas e bebidas e, portanto, não é apropriada para a nova economia. Paulo expressamente ordena: "Ninguém, pois, vos julgue por causa de comida e bebida" (Cl 2.16) e exorta os crentes a deixarem as coisas que perecem no uso e colocarem suas afeições no que vem do alto.

Esta objeção concorda substancialmente com a Objeção 5 quanto à perpetuidade do batismo, e o que é dito em resposta lá é aplicável aqui. As comidas e bebidas da dispensação anterior eram sombras das coisas superiores que viriam, mas o corpo é de Cristo. Assim Paulo ensina, em conexão com o último texto citado na objeção, e, dessa forma, explica a que tipo de comida e bebida está se referindo. As cerimônias judaicas eram tipos da vinda de Cristo, mas a Ceia do Senhor é um memorial de Cristo já vindo. Portanto, não está incluída nas comidas e bebidas mencionadas pelo apóstolo.

A Páscoa foi incluída nessas comidas e bebidas revogadas, que deixaram de ser obrigatórias depois que Cristo, nossa páscoa, foi sacrificado por nós. Exatamente no momento em que estava para encerrar essa antiga cerimônia, ele instituiu a Ceia do Senhor, e é, portanto, inacreditável que ele quisesse que ela expirasse com a anterior. Paulo diz: "Ninguém, pois, vos julgue por causa de comida e bebida". As cerimônias revogadas agora não têm autoridade divina, e, portanto, ele chama *essas comidas e bebidas* de mandamentos dos homens. Mas o pão e o vinho da ceia são mandamentos do Senhor. Por isso, Paulo diz, com referência a eles: "Examine-se, pois, o homem a si mesmo, e, assim, coma".

Os numerosos e pesados ritos do Antigo Testamento não seriam adaptados à dispensação mais espiritual sob a qual estamos; mas não se segue que as duas cerimônias simples, o batismo e a Ceia do Senhor, sejam incompatíveis com ela. Ainda estamos na carne e precisamos do uso de tais memoriais. Em seu uso apropriado, são bastante proveitosos aos crentes e bem adaptados para promover a espiritualidade. Além do benefício que conferem ao crente individual, essas duas cerimônias permanecem como dois monumentos erguidos no tempo de Cristo, testificando ao mundo a respeito de Cristo e sua doutrina. Seu uso, como evidências do cristianismo e de suas doutrinas fundamentais, a Trindade e a expiação, é incalculavelmente grande e mostra a sabedoria que os instituiu.

Além dos argumentos diretos que foram aduzidos, algumas alusões são encontradas no Novo Testamento, mostrando, de uma maneira interessante, que o batismo e a Ceia do Senhor eram considerados como partes do cristianismo. No capítulo seguinte ao que Paulo corrige o abuso coríntio da ceia, ele diz: "Pois, em um só Espírito, todos nós fomos batizados em um corpo, quer judeus, quer gregos, quer escravos, quer livres. E a todos nós foi dado beber de um só Espírito" (1Co 12.13). A alusão a ambas as ordenanças é manifesta. Em outra parte da mesma epístola, ele fala do batismo de Moisés, e de sua comida e bebida no deserto, de uma maneira que mostra uma alusão aos dois ritos cristãos (1Co 10.2-4).

Objeção 4

Na mesma ceia em que Cristo supostamente instituiu a eucaristia, ele lavou os pés dos discípulos e ordenou-lhes que lavassem os pés uns dos outros. A ordem é tão positiva quanto aquela que determina o uso de pão e vinho; ainda assim, os cristãos geralmente concordam que essa ordem não exige obediência literal. A coisa significada pela forma externa é o que exige consideração, e a mesma regra de interpretação deve ser aplicada à eucaristia.

A ordem deve, em ambos os casos, ser obedecida estritamente, de acordo com o desígnio de Cristo. Se os cristãos geralmente falham em obedecer estritamente à ordem de Cristo a respeito do *lava-pés*, devemos começar uma reforma, e não fazer de uma negligência precedente e argumento para outra. No próximo capítulo, investigaremos a obrigação de lavar os pés uns dos outros. Aqui, verificamos que Cristo designou um uso literal do pão e do vinho, e, este ponto sendo verificado, nosso dever está determinado, independentemente de qualquer dúvida e obscuridade que possa permanecer a respeito de outro assunto.

DESÍGNIO

A Ceia do Senhor foi designada para ser um memorial de Cristo, uma representação de que o comungante recebe nutrição espiritual dele e um símbolo de comunhão entre os comungantes.

O rito é comemorativo. A Páscoa serviu de memorial de libertação do Egito; e, ano após ano, à medida que os piedosos israelitas participavam dela, eles eram lembrados dessa libertação maravilhosa e eram instados a contá-la a seus filhos. A Páscoa foi instituída na noite daquela libertação. A Ceia do Senhor foi instituída na noite em que Jesus foi traído para ser crucificado; e serve como memorial de seus sofrimentos e morte. Quando nos lembramos dele, devemos lembrar sua agonia, seu corpo partido e seu sangue derramado.

Ao pregar o evangelho, Paulo decidiu não saber nada a não ser Jesus Cristo, e este crucificado. Assim, na eucaristia, Cristo é apresentado à vista, não transfigurado como no Monte Tabor, ou glorificado à direita de seu Pai, mas em seu sofrimento e morte. Deleitamo-nos em manter na memória as honras que receberam aqueles que amamos; mas Jesus chama-nos a lembrar a humilhação que ele suportou. A Ceia dirige nossos pensamentos ao ponto mais baixo de sua humilhação.

A cerimônia simples é admiravelmente planejada para servir a mais do que um único propósito. Embora evidencie a morte do Senhor, representa ao mesmo tempo o benefício espiritual que o crente deriva dela. Ele come o pão e bebe o vinho, como sinal de receber seu sustento espiritual de Cristo crucificado. O rito prega a doutrina de que Cristo morreu por nossos pecados e que vivemos por sua morte. Ele disse: "se não comerdes a carne do Filho do Homem e não beberdes o seu sangue, não tendes vida em vós mesmos" (Jo 6.53).

Essas palavras notáveis ensinam a necessidade de seu sacrifício expiatório e da fé nesse sacrifício. Sem eles, a salvação e a vida eterna são impossíveis. Quando Cristo disse: "minha carne é verdadeira comida, e o meu sangue é verdadeira bebida" (Jo 6.55), ele não se referiu à sua carne e sangue entendidos literalmente. Ele chama a si mesmo de pão vivo que desceu do céu (Jo 6.51). Isso não pode ser afirmado sobre sua carne literal. Ter comido dela literalmente não teria assegurado a vida eterna, e igualmente ineficaz é a cerimônia romanista, na qual eles absurdamente imaginam que comem o corpo real de Cristo. Seu corpo está presente na eucaristia em nenhum outro sentido senão aquele em que podemos "*discerni-lo*". Quando ele disse: "Isto é o meu corpo", o significado claro é: "Isto representa o meu corpo". Assim apontamos para uma imagem e dizemos: "Este é Cristo na cruz". A eucaristia é uma imagem, por assim dizer, em que o pão representa o corpo de Cristo sofrendo por nossos pecados. A fé discerne o que a imagem representa. Ela discerne o corpo do Senhor na sua representação comemorativa e obtém nutrição espiritual do sacrifício expiatório feito por seu corpo partido e sangue derramado.

Um terceiro propósito para o qual essa cerimônia serve, e para o qual é sabiamente adaptada, é significar a comunhão dos comungantes uns com os outros. Isso é ensinado nas palavras de Paulo: "O pão que partimos não é a comunhão do corpo de Cristo? Porque nós, embora muitos, somos unicamente um pão, um só corpo; porque todos participamos do único pão" (1Co 10.16, 17). Uma comunhão ou participação conjunta nos benefícios da morte de Cristo é representada pela participação conjunta dos elementos externos. "Que comunhão" pode haver, diz ele, "da luz com as trevas? Que harmonia, entre Cristo e o Maligno?" (2Co 6.14, 15). "Não podeis ser participantes da mesa do Senhor e da mesa dos demônios" (1Co 10.21).

Nessas palavras de Paulo, sentar-se à mesma mesa e beber do mesmo cálice são considerados indicações de comunhão e concordância. Os crentes reúnem-se ao redor da mesa do Senhor em uma fé na mesma expiação, em uma esperança da mesma herança e com um coração cheio de amor ao mesmo Senhor.

Prevaleceu amplamente a noção de que uma eficácia espiritual acompanha a execução externa do rito, se devidamente administrado. Supõe-se que alguma influência misteriosa acompanhe o pão e o vinho, tornando-os meios de graça para quem o recebe. Mas, tanto quanto o evangelho, embora seja o poder de Deus para a salvação, não aproveita a menos que seja misturado com a fé naqueles que o ouvem, muito menos as meras cerimônias podem ser proveitosas sem fé. No batismo, ressuscitamos com Cristo pela fé na operação de Deus. Na Ceia, não podemos participar de Cristo e recebê-lo como nosso alimento espiritual senão pela fé: "habite Cristo no vosso coração, pela fé" (Ef 3.17). A opinião contrária faz desses sacramentos, como são chamados, ordenanças salvíficas, substituindo a piedade vital pela cerimônia exterior.

COMUNGANTES

A Ceia do Senhor foi designada para ser celebrada por cada igreja em assembleia pública.

A inteligência é necessária para o recebimento adequado da Ceia. Quando o batismo infantil surgiu, a comunhão infantil surgiu com ele. A noção supersticiosa de que os sacramentos possuíam uma espécie de eficácia mágica prevaleceu amplamente, e a afeição dos pais desejava para os filhos a graça da ceia, bem como a do batismo. O argumento era tão bom para um quanto para o outro, e a comunhão infantil tinha tanta autoridade dos apóstolos quanto o batismo infantil. Mas a prática da comunhão infantil agora é geralmente posta de lado. É geralmente aceito que os bebês são incapazes de receber o rito de acordo com seu desígnio. Eles não conseguem lembrar-se de Cristo, ou discernir o corpo do Senhor; nem podem realizar o autoexame requerido antes da comunhão. Se o rito transmitisse uma influência mágica, os bebês poderiam recebê-la, mas pontos de vista corretos têm prevalecido até agora, restringindo esta ordenança a pessoas de inteligência.

A fé também é um requisito para receber a ceia. Se a mera inteligência fosse uma qualificação suficiente, os homens que participam da mesa dos demônios também poderiam participar da mesa do Senhor. Paulo decide que isso não pode ser e, portanto, que ninguém pode participar apropriadamente da mesa do Senhor, exceto aqueles que renunciaram ao diabo e se dedicaram ao Senhor. A cerimônia externa não pode, por si mesma, render lucro para aqueles que a recebem. Eles não podem agradar a Deus nisso, sem fé; e sem fé eles não podem derivar nutrição espiritual do corpo e sangue de Cristo.

O rito foi projetado para ser social. Dos três propósitos a que serve, enumerados na secção anterior, o terceiro exige que seja celebrado por um grupo. Não poderia servir como um símbolo de comunhão entre os discípulos de Cristo caso fosse realizado em solitude. Para perpetuar um rito social, a sociedade é necessária, e os discípulos de Cristo, por sua autoridade, organizam as sociedades, chamadas igrejas. Como essas são as únicas sociedades cristãs divinamente instituídas, podemos julgar de antemão que a ceia seria confiada a elas, para sua observância e perpetuação.

Verificamos que isso é verdade. Paulo diz à igreja em Corinto: "eu vos louvo porque, em tudo, vos lembrais de mim e retendes as tradições assim como vo-las entreguei"; "eu recebi do Senhor o que também vos entreguei" (1Co 11.2; 23). Ele então passa a mencionar a instituição da ceia, e descreve-a sendo observada por toda a igreja reunida. Sobre alguns outros assuntos, ele diz, neste contexto: "não temos tal costume, nem as igrejas de Deus" (v. 16). Mas tudo em seu relato da Ceia do Senhor está de acordo com o fato de ser um rito da igreja, e tudo o que está registrado de sua observância em Jerusalém e Trôade harmoniza-se perfeitamente com isso. A administração do rito a um indivíduo à beira da morte, como é praticada por alguns, não tem sanção na palavra de Deus.

O rito deve ser celebrado pela igreja, em assembleia pública. É dito: "todas as vezes que comerdes este pão e beberdes o cálice, anunciais a morte do Senhor, até que ele venha" (1Co 11.26). É requerido que o anúncio de sua morte seja feito em público. Ela deve ser apresentada à vista dos irreligiosos, que podem estar dispostos a participar da assembleia pública. Em outra parte da mesma epístola, Paulo fala do efeito produzido sobre os incrédulos que vêm à assembleia pública da igreja (1Co 14.24, 25). Assim como é correto anunciar a palavra da vida a eles, é correto anunciar a morte do Senhor diante deles, da maneira divinamente designada.

Os judeus consideravam ilícito comer com incircuncisos. Paulo nos ensinou que a relação familiar com pessoas não convertidas não é ilícita para os cristãos, mas ele diz: "não vos associeis com alguém que, dizendo-se irmão, for impuro, ou avarento, ou idólatra, ou maldizente, ou beberrão, ou roubador; com esse tal, nem ainda comais" (1Co 5.11). Nessa proibição, se não se objetiva especialmente o comer à mesa do Senhor com tal pessoa iníqua, certamente está incluído. Embora tal pessoa possa ter sido chamada de irmão, era errado para a igreja mantê-lo em comunhão e continuar a comer com ele, da maneira peculiar pela qual a comunhão era indicada. Nas palavras de Cristo, tais ímpios deveriam ser considerados pagãos e publicanos.

Nos tempos primitivos, os membros de diferentes igrejas locais associavam-se entre si, como membros da grande fraternidade. Sem dúvida, Paulo foi acolhido à mesa do Senhor pelos discípulos em Trôade. Esta comunhão temporária é praticada atualmente. A Ceia do Senhor é propriamente uma ordenança da igreja, mas um indivíduo, devidamente qualificado para ser admitido como membro de uma igreja pode ser admitido naquele momento como membro e recebido em comunhão temporária, sem qualquer desvio do desígnio da instituição.

COMUNHÃO ABERTA

Vimos que a Ceia do Senhor foi confiada às igrejas locais para observância e perpetuação; e que as igrejas locais, se organizadas de acordo com as Escrituras, contêm apenas pessoas batizadas. Segue-se, portanto, que o batismo é um pré-requisito para a comunhão à mesa do Senhor. A posição que o batismo possui na comissão determina sua prioridade para as outras observâncias ordenadas nela contidas, entre as quais a comunhão da igreja deve ser incluída. Essa é a doutrina que tem sido sustentada sobre o assunto pelos cristãos em geral, em todas as épocas; e atualmente é sustentada pela grande massa de pedobatistas.

Com eles não temos controvérsia quanto ao princípio pelo qual deve ser regulamentada a acolhida à mesa do Senhor. Diferimos deles na prática, porque não contabilizamos nada como batismo cristão senão a imersão mediante profissão de fé e, portanto, excluímos muitos dos que eles admitem. Mas há batistas que rejeitam o princípio de que o batismo é um pré-requisito para a comunhão e afirmam que nada deve ser uma condição para comunhão que não seja também uma condição para salvação. Eles sustentam que todas as pessoas piedosas, batizadas ou não, têm direito à Ceia do Senhor. Sua prática é chamada de comunhão aberta ou mista, e os argumentos em sua defesa ocuparão agora nossa atenção.

Argumento 1

A Ceia do Senhor, quando instituída por Cristo, foi dada a pessoas que nunca haviam recebido o batismo cristão; portanto, o batismo não pode ser um pré-requisito.

A primeira ceia foi administrada aos apóstolos. Alguns deles foram batizados por João; e, visto que os discípulos feitos por Jesus em seu ministério pessoal também foram batizados, temos razão para concluir que todos os apóstolos haviam sido batizados. Se for negado que o batismo de João e o batismo administrado sob a direção imediata de Cristo durante seu ministério pessoal eram o batismo cristão, demandamos provas disso. Até que a distinção seja estabelecida, o argumento não tem fundamento.

Mas há outra maneira pela qual o argumento pode ser enfrentado. Temos toda a certeza de que a natureza do caso admite que os apóstolos não foram batizados depois da instituição da Ceia do Senhor. Desde aquele tempo, até o Pentecostes que se seguiu, quando eles assumiram totalmente a obra que lhes fora designada, sua história é contada de modo a excluir qualquer probabilidade de terem sido batizados nesse intervalo; e, se eles estavam qualificados para assumir plenamente sua obra sem outro batismo, ele era desnecessário. Portanto, nenhum outro batismo foi recebido posteriormente.

O Sr. Hall, o mais hábil defensor da comunhão aberta, diz: "Minha opinião deliberada é que, no sentido cristão do termo, eles não foram batizados de forma alguma".[3] Quando Paulo foi feito apóstolo, antes de entrar em sua obra, recebeu a ordem de ser batizado. Por alguma razão, os outros apóstolos não estavam sob essa obrigação. Atribuímos a diferença à suposição de que eles já haviam recebido o que era substancialmente o mesmo batismo administrado a Paulo. Mas, se estamos enganados neste ponto, ainda é verdade que os onze apóstolos não estavam sob a obrigação de receber qualquer outro batismo; e seu caso, portanto, diferia radicalmente de pessoas que estão sob a obrigação de ser batizadas, e estão vivendo em negligência com esse dever. A esses últimos pode ser exigido, e deve, que professem a Cristo de acordo com seu mandamento, antes de serem admitidos à membresia da igreja e à comunhão, mas os onze apóstolos, por alguma causa, seja ela qual for, não estavam sob tal obrigação. Os casos não são paralelos, e, portanto, o argumento fracassa.

Argumento 2

O argumento para a comunhão restrita com base na posição do batismo na comissão prova até demais. Se prova que não devemos ensinar os não batizados a comungar à mesa do Senhor, prova também que não devemos ensinar-lhes os preceitos morais de Cristo incluídos nas palavras: "guardar todas as coisas que vos tenho ordenado".

Os apóstolos receberam a ordem de pregar o evangelho a toda criatura. Na execução de sua comissão, tornou-se seu dever instruir os ignorantes e os que estavam fora do caminho. Eles adaptaram suas instruções ao caráter e às circunstâncias de cada homem. Aos impenitentes, eles disseram: "Arrependei-vos, e cada um de vós seja batizado" (At 2.38). Ao discípulo não batizado, eles disseram:

3 Hall's Works, Vol. 1, p. 303.

"E agora, por que te demoras? Levanta-te, recebe o batismo" (At 22.16). Eles ensinavam aos discípulos batizados, de acordo com o requisito da comissão, a observar todas as coisas que Cristo ordenara.

Os impenitentes não deviam ser ensinados a observar *todas* as coisas que Cristo ordenara. Os defensores da comunhão aberta negam que eles tenham direito ao batismo ou à Ceia do Senhor; mas por quê? Os mesmos preceitos morais que devem ser ensinados ao discípulo batizado podem ser ensinados ao impenitente. Podemos, portanto, replicar que, se eles excluírem os impenitentes do batismo e da Ceia do Senhor, seu modo de raciocínio provará demais e excluirá, de igual modo, eles próprios da instrução nos preceitos morais de Cristo.

Se for justo argumentar a partir da ordem prescrita na comissão que o batismo pertence *apenas* àqueles que foram feitos discípulos, essa ordem prova igualmente que apenas os batizados devem ser ensinado a observar *todas* as coisas que Cristo ordenou. Algumas coisas que Cristo ordenou podem ser ensinadas aos não batizados e aos impenitentes; mas a plena observância de *todos* os mandamentos de Cristo devia ser prescrita aos discípulos batizados. Se a comissão fosse: "Fazei discípulos de todas as nações, ensinando-os a guardar quaisquer coisas que vos tenho ordenado", o batismo e a ceia teriam sido incluídos juntos entre as coisas ordenadas, e nenhuma inferência poderia ter sido tirada da comissão quanto à ordem correta em que devem ser observados. Mas a separação do batismo de todas as outras coisas que Cristo ordenou, dá a ele uma relação peculiar com as outras coisas ordenadas na comissão, e a ordem em que ele é introduzido não pode deixar de significar a ordem apropriada para nossa obediência.

Argumento 3

O fato de que, nos tempos primitivos, ninguém senão os batizados eram admitidos à mesa do Senhor não é uma regra para nós, cujas circunstâncias são muito diferentes. À época, nenhuma pessoa convertida confundia sua obrigação de ser batizada. Se houvesse recusado o batismo, tal recusa teria provado que a pessoa não era um discípulo; e agora nada deve excluir da comunhão, a não ser aquilo que refuta o discipulado.

O argumento admite que, se todos entendessem seu dever, o batismo sempre precederia a comunhão, como acontecia nos tempos apostólicos. Até que ponto é nosso dever tolerar a desobediência aos mandamentos de Cristo, e produzir uma ordem da igreja desconhecida nos dias dos apóstolos, para acomodação ao erro ou fraqueza de fé, é uma investigação que surgirá adiante.

Argumento 4

A ceia rememora a morte de Cristo: o batismo representa seu sepultamento e ressurreição. A ordem das coisas significadas é o reverso daquela em que são observadas. Consequentemente, a ordem de observância não deve ser considerada necessária.

O batismo representa o sepultamento de Cristo, mas não exclui sua morte: "vós, porventura, ignorais que todos nós que fomos batizados em Cristo Jesus fomos batizados na sua morte? Fomos, pois, sepultados com ele na morte pelo batismo" (Rm 6.3, 4). A ceia representa a morte de Cristo, mas não excluindo seu sepultamento e ressurreição. Sem a ressurreição, o sacrifício não teria sido aceito e seu memorial seria inútil. Além disso, a ceia direciona os pensamentos para a segunda vinda de Cristo e, portanto, pressupõe sua ressurreição. Os mesmos grandes fatos do cristianismo são representados por ambos os ritos, embora em aspectos um tanto diferentes. Portanto, nenhum argumento válido pode ser extraído de sua significação objetiva para determinar a ordem apropriada de sua observância.

Mas, embora ambos os ritos direcionem nossa fé ao sacrifício aceito de Cristo, eles não significam nossa relação com ele da mesma maneira. O batismo representa a morte do crente para o pecado e a ressurreição para andar em novidade de vida. Significa a mudança pela qual ele se torna uma nova criatura. A ceia representa a contínua alimentação do crente em Cristo, e, portanto, pressupõe a mudança que é denotada pelo batismo. Segue-se que o significado subjetivo dos ritos, à medida que qualquer argumento válido pode ser extraído deles, determina a prioridade do batismo.

Se houvesse algo no significado objetivo do rito que fornecesse terreno para um argumento em favor de preceder o batismo, a tendência seria estabelecer essa precedência como universalmente necessária, ao invés de ocasionalmente justificável.

Argumento 5

A comunhão à mesa do Senhor é um símbolo de amor fraternal. Recusá-la a qualquer verdadeiro discípulo de Cristo é contrário ao espírito de amor fraterno e ao comando de Cristo que o ordena.

Cristo ordenou-nos que amássemos todo verdadeiro discípulo, mas não a dar a todos esse símbolo particular de amor. Nem a lei nem o espírito de amor fraternal podem exigir que tratemos nossos irmãos de maneira diferente da que ele ordenou. Damos-lhes o amor e negamos-lhes o sinal em obediência à mesma autoridade e no exercício do mesmo espírito fraterno. Se uma correta participação na comunhão fosse o meio designado para a salvação, e se o batismo fosse necessário para essa correta participação, seria a mais alta manifestação de amor fraterno manter firmemente a prática da comunhão restrita.

Nossa firmeza pode corrigir um erro em nossos irmãos, o qual, no caso suposto, persistindo, seria prejudicial a seus interesses eternos. Uma falsa ternura pode inclinar-nos a não perturbar sua confiança enganosa, mas o verdadeiro amor cristão direcionaria a um curso contrário. Agora, somos obrigados a cumprir todos os deveres com a mesma consideração cuidadosa para com a vontade divina, como se a salvação dependesse deles. O verdadeiro espírito do amor cristão inclinar-nos-á a guardar nossos irmãos contra o que é pecaminoso, bem como contra o que é destrutivo. Logo, o argumento do amor fraternal falha totalmente em justificar a prática da comunhão mista, se essa prática puder ser mostrada como contrária à mente de Cristo.

Além disso, o argumento deste tópico deve ser inconclusivo, até que seja provado que o amor fraternal não pode subsistir sem uma participação conjunta na Ceia do Senhor. Mas certamente existem muitas maneiras de testificar e nutrir a mais calorosa afeição para com os irmãos que erram, sem participar de seus erros. Podemos estar prontos, em obediência a Cristo, a dar nossa vida por nossos irmãos — embora possamos escolher morrer, em vez de, por falsa ternura para com eles, violar o menor de seus mandamentos.

Argumento 6

Uma igreja particular difere da igreja universal apenas como uma parte difere do todo; e, visto que os cristãos pedobatistas são parte da verdadeira igreja, eles devem ser admitidos à membresia e comunhão nas igrejas particulares.

Que as igrejas particulares diferem da igreja universal apenas como uma parte difere do todo, é presumido pelo Sr. Hall em sua defesa da comunhão mista. Essa suposição, feita sem prova, é o erro fundamental de seu esquema. Isso suscita uma questão. Chamamos de atmosfera de um lugar aquela parte de toda a atmosfera que pode estar naquele lugar. E, se uma igreja local é, da mesma maneira, aquela parte da igreja universal que pode estar em determinado local, a questão sobre a comunhão está virtualmente decidida. Não podemos argumentar que a comunhão de uma igreja será negada a qualquer um que tenha o pleno direito de membresia.

Vimos em outro lugar que a igreja universal não é o agregado das igrejas locais, e não é estritamente homogênea a elas. Logo, a suposição que é fundamental para a comunhão mista é errônea.

Argumento 7

Excluir um irmão pedobatista da comunhão é, substancialmente, infligir-lhe a punição da excomunhão, punição aplicada a ofensores atrozes. Esse não é o tratamento adequado de um irmão discípulo, cujo erro de julgamento o Senhor perdoa graciosamente.

Quando um defensor da comunhão aberta exclui da mesa do Senhor um vizinho amigável, que não dá provas de conversão, a exclusão não é considerada uma punição. Tampouco deve ser nossa exclusão dos não batizados. Muito menos é correto falar dela como uma punição infligida a ofensores atrozes. As igrejas não têm escala de penalidades ajustada a diferentes graus de crime. Quando excomungam, retiram sua comunhão, e isso pode ser feito por erros de magnitude muito diferente. Não há necessidade de classificar o erro do pedobatismo com o mais atroz desses erros. A igreja que exclui um pedobatista da mesa do Senhor, não pretende infligir uma punição sobre ele, mas apenas cumprir seu próprio dever, como um corpo ao qual o Senhor confiou uma de suas ordenanças. O objetivo simples é regular sua observância de acordo com a vontade do Senhor.

Argumento 8

Rejeitar da comunhão um irmão pedobatista que Deus recebe é violar a lei da tolerância estabelecida em Romanos 14.1-3.

A aplicação dessa regra à questão de receber pessoas não batizadas à membresia da igreja, foi considerada no capítulo 2, seção 2. O resultado do exame foi desfavorável à admissão dessas pessoas, e as razões que os excluem da membresia da igreja excluem também da comunhão da igreja. Considerando a Ceia do Senhor como uma ordenança confiada às igrejas locais, para ser observada por elas como tal, a questão de quem tem direito ao privilégio da comunhão, é decidida por um princípio simples. Ninguém deve ser admitido, exceto aqueles que podem ser admitidos como membros da igreja.

O argumento não afirma que as pessoas fazem certo em comungar enquanto não batizadas, mas defende a tolerância de seu erro. Visto que esse é o apelo em que os batistas de comunhão aberta mais se baseiam, ele merece um exame completo.

Na religião, preservar a pureza imaculada é algo difícil de ser conquistado, ao mesmo tempo em que nos misturamos com os homens do mundo e exercitamos para com eles toda aquela benevolência e tolerância que o evangelho ordena. Nosso dever para com a humanidade exige que não nos retiremos do mundo, nem cultivemos um temperamento aborrecido e misantrópico. Ao evitar o erro desse extremo, existe o perigo de cair no outro e nos conformarmos demais com o mundo. O vício tende a parecer menos odioso naqueles a quem amamos muito, e mesmo a visão frequente dele, se não estivermos atentos, fará sua deformidade parecer menor à nossa vista. Daí surge uma grande necessidade de muita vigilância e oração, naqueles que praticam aquela religião pura e sem mácula que os obriga, por um lado, a visitar os órfãos e as viúvas em suas tribulações, e a fazer o bem a todos os homens, e, por outro lado, a guardarem-se incontaminados do mundo (Tg 1.27).

Existe uma prova ainda mais severa do princípio cristão. Encontramos ela em nosso relacionamento com irmãos cristãos, que amam nosso Senhor Jesus Cristo e, em geral, obedecem a seus mandamentos, mas andam desordenadamente em alguns assuntos considerados de menor importância. Se supomos que esses irmãos tenham mais conhecimento espiritual do que nós, há muito perigo; não devemos ser traídos por seus erros por causa da natureza confiante do amor cristão e da disposição de estimar os outros mais do que a nós mesmos. Se suas violações do dever fossem maiores, a suspeita de sua piedade poderia ter sido despertada, e poderíamos ter nos colocados em guarda.

O homem de Deus que profetizou contra o altar de Betel não pôde ser induzido pelo ímpio rei de Israel a comer pão ou beber água naquele lugar. No entanto, o velho profeta, que veio a ele em nome do Senhor, prevaleceu facilmente (1Rs 13). Se ele tivesse proposto algum ato altamente criminoso, a verdade de sua pretensa mensagem de Deus teria sido suspeitada. Mas comer pão e beber água eram coisas em si mesmas lícitas, e o homem de Deus muito prontamente cedeu ao velho profeta, como seu superior no conhecimento da vontade divina, e comeu e bebeu em violação à proibição de Deus.

Se devemos evitar ser induzidos ao erro em nossas relações com homens bons, quando não há suspeita de mal, devemos fazê-lo muito mais, quando a existência de erro é conhecida. Mas tolerância implica erro. Se a comunhão mista for defendida sob o argumento da tolerância, a própria defesa admite que há algo errado em algum lugar. Cabe a nós, portanto, estar atentos, para não sermos implicados no erro.

Os próprios termos, tolerância e paciência, são recomendados a nós por nosso senso da tolerância e longanimidade de Deus para conosco, e os motivos para seu exercício são irresistíveis quando seu objeto é um irmão em Cristo. Em relação a tal pessoa, como podemos agir senão com tolerância e longanimidade? Devemos persegui-la? Deus nos livre. Preferimos dar nossas vidas por ele. Devemos nos permitir alguma amargura ou falta de caridade para com ele? Nós o amaremos fervorosamente com coração puro. Devemos, de alguma forma, impedi-lo de adorar e servir a Deus de acordo com os ditames de sua consciência? Que tal pensamento esteja longe de nós. Mesmo se ele errar, para seu próprio Mestre ele se mantém de pé ou cai. Também nós somos falíveis e errantes, e oraremos com fervor para que a graça que perdoa nossas faltas também perdoe as dele. O que mais a tolerância e a paciência exigem?

Quando uma igreja recebe uma pessoa não batizada, algo mais é feito do que simplesmente tolerar seu erro. Existem duas partes envolvidas. Os atos de entrar na igreja e participar de sua comunhão são seus, e por esses ele é responsável. A igreja também age quando o admite como membro e autoriza sua participação na comunhão. A igreja, como um corpo organizado, com poder para receber e excluir membros de acordo com as regras que Cristo estabeleceu, é responsável pelo exercício desse poder.

Cada discípulo individual de Cristo é obrigado, por si mesmo, a obedecer perfeitamente à vontade de seu Mestre. A despeito de qualquer tolerância que ele possa exercer para com os erros dos outros, ele não deve tolerar nenhuma falha em si mesmo. Embora veja apenas uma única falha em seu irmão, ele deve, enquanto imita todas as excelências desse irmão, cuidadosamente evitar essa falha. Ele não pode negligenciar o dízimo da hortelã, mesmo que encontre um exemplo de tal negligência acompanhado de uma perfeita obediência a todos os preceitos morais.

Da mesma maneira, cada igreja é obrigada por si mesma a conformar-se, em toda a sua ordem, à vontade divina. Por mais que respeite as igrejas vizinhas, que podem ter alcançado grandes realizações em toda excelência espiritual, não deve imitá-las se estas negligenciarem ou corromperem qualquer uma das ordenanças de Cristo. Nenhum argumento é necessário para esclarecer isso.

Os membros de uma igreja, que entendem a lei de Cristo, são obrigados a observá-la estritamente, a despeito da ignorância e dos erros dos outros. Para eles, admitir à membresia pessoas não batizadas é subverter uma conhecida lei de Cristo. Ainda que haja pessoas não batizadas que se superam em toda excelência espiritual, e mesmo que o candidato à admissão exceda a todos, a única questão para a igreja é se sua ordem será estabelecida de acordo com a vontade de Deus, ou não.

Pode-se perguntar se as pessoas que admitimos à membresia e à comunhão não são, em muitos casos, culpadas de omitir deveres mais importantes do que o batismo. Pode ser o caso; e se uma igreja sanciona essas negligências criminosas, participa de sua culpa. Deveria então, para escapar à acusação de culpa maior, assumir voluntariamente a menor? Se Cristo deu uma lei para a organização de igrejas, não temos o direito de substituí-la por outra que, em nosso julgamento, pensemos ser mais de acordo com a estimativa adequada das ações morais. Se os membros da igreja universal tivessem sido deixados para reunirem-se em pequenas sociedades, de acordo com seus instintos espirituais, se posso usar a expressão, e não de acordo com uma lei revelada, essas sociedades poderiam determinar, apenas por excelência moral, quem deve ser admitido. Mas, uma vez que tem parecido bem ao legislador cristão prescrever regras para a organização da igreja, essas regras devem ser observadas.

Cada igreja deve almejar, em sua ordem de igreja, exibir um modelo de perfeição para o mundo, embora seus diversos membros possam estar cônscios de imperfeições em si mesmos. Eles devem almejar, como indivíduos, chegar à plena medida de sua responsabilidade individual e esforçar-se individualmente para exibir um modelo de obediência perfeita. Se a organização e disciplina da igreja não são perfeitas, ainda assim, cada membro deve almejar ser perfeito. Se cada membro não for perfeito, isso não diminui a obrigação de tornar perfeita a organização e disciplina da igreja.

Mas não pode cada indivíduo ser deixado à sua própria consciência e à sua própria responsabilidade? Ele pode ser e deve ser, na medida em que isso possa ser feito sem envolver a consciência e a responsabilidade dos outros. Se cada um fosse deixado totalmente por sua própria conta, a disciplina da igreja não significaria nada, e o poder para exercê-la não carregaria nenhuma responsabilidade. Mas a igreja está sob a obrigação, que não pode ser transferida, de regular sua organização e disciplina de acordo com a palavra de Deus, que ordena, por um lado, ser tolerante e paciente com os irmãos fracos e errantes e, por outro lado, guardar as ordenanças de Deus como foram entregues.

O argumento para a tolerância é fundamentado nas palavras: "Acolhei ao que é débil na fé [...] porque Deus o acolheu" (Rm 14.1, 3). É uma resposta completa a este argumento que Deus acolhendo os fracos na fé fornece a *regra*, bem como a razão, para acolhê-los.

Que Deus acolha um homem em um sentido não pode ser razão para acolhê-lo em um sentido completamente diferente. Deus recebe um crente fraco não batizado como membro de sua igreja espiritual, e devemos recebê-lo da mesma maneira. Devemos considerá-lo um irmão em Cristo e coerdeiro da mesma herança. Seus interesses devem estar perto de nossos corações, e devemos recebê-lo em toda a comunhão espiritual que pertence aos membros do corpo de Cristo. Assim, quando Deus acolhe um crente fraco batizado na membresia da igreja local, devemos acolhê-lo da mesma maneira e permitir que se sente conosco à mesa do Senhor, um privilégio que, pela imperfeição da disciplina da igreja, o mais vil hipócrita pode obter. A menos que tenhamos em vista essa importante distinção ao aplicar esta regra de tolerância, ela realmente admitirá o crente fraco não batizado à comunhão cerimonial, mas, com igual certeza, admitirá o hipócrita à comunhão que é espiritual.

Argumento 9

Os defensores da comunhão fechada estão acostumados a convidar ministros pedobatistas para pregar em seus púlpitos. Manter essa comunhão de púlpito com eles e, ao mesmo tempo, negar-lhes um lugar à mesa do Senhor, é uma inconsistência manifesta.

Se admitirmos a conclusão desse argumento, ele não prova que a comunhão fechada seja errada. Alguns batistas admitem a validade do argumento, e evitam a acusação de inconsistência recusando-se a convidar ministros pedobatistas para seus púlpitos. Seus pontos de vista serão examinados adiante, no capítulo 10, seção 5, e então tentaremos mostrar que o que tem sido chamado de comunhão de púlpito pode ser defendido em perfeita consistência com os princípios sobre os quais a comunhão restrita à mesa do Senhor é mantida.

Argumento 10

A mesa da comunhão é do Senhor; e excluir dela qualquer um do povo do Senhor, filhos de sua família, é uma ofensa contra toda a comunidade cristã.

Há uma mesa que o Senhor preparou e à qual todo filho de sua família tem direito inquestionável. É uma mesa ricamente provida de alimento espiritual, um banquete de gorduras, cheio de fartura, de vinho muito fino. O Senhor preparou essa mesa para todos os seus filhos e convida-os a virem: "Comei e bebei, amigos; bebei fartamente, ó amados" (Ct 5.1). Qualquer um que proibisse sua aproximação ofenderia a comunidade dos filhos de Deus. Os convidados dessa mesa têm comunhão espiritual uns com os outros, uma espécie de comunhão que pertence por direito a cada membro da Igreja Universal.

Há outra mesa que o Senhor ordenou que seu povo preparasse em cada igreja local. Não é, como a outra, coberta de bens espirituais, mas de pão e vinho simples. Não é, como a outra, destinada a toda a família do Senhor, mas ao corpo particular, a igreja local, pela qual, em obediência ao mandamento divino, ela foi preparada. Embora mãos humanas tenham posto a comida, a mesa é do Senhor, porque foi designada para seu serviço e preparada sob seu comando, e a vontade do Senhor deve determinar quem deve participar. Ele conhece melhor o propósito para o qual a ordenou, e, quaisquer que sejam os sentimentos dos convidados, eles não têm o direito de convidar para sua mesa alguém que o Senhor não tenha convidado.

Estamos cientes de que a prática da comunhão restrita é considerada ofensiva por grande parte da comunidade cristã. Lamentamos este fato, e se os argumentos que foram trazidos em defesa de nossa prática falharam em produzir uma convicção de sua propriedade, ainda assim desejaríamos de nossos irmãos a paciência e tolerância que eles advogam em favor dos fracos na fé. Cremos conscienciosamente que estamos fazendo a vontade do Senhor, e, de bom grado, convidaríamos todos os filhos de Deus a unirem-se em nossa simples observância cerimonial, se tivéssemos a aprovação divina. Mas acreditamos que o propósito para o qual a observância foi instituída e a vontade divina pela qual ela deve ser regulada requerem as restrições sob as quais agimos.

A ofensa sentida por nossa posição não indica que a parte ofendida estima demais a comunhão cerimonial? Para o rico banquete dos bens espirituais que o Senhor preparou, alegramo-nos em receber cada filho de Deus, e aceitamos de bom grado um assento humilde com eles nessa farta mesa. Quando damos as boas-vindas de coração e mãos abertos, por que se ofenderiam se não lhes damos também uma migalha de nosso pão cerimonial e uma gota de nosso vinho cerimonial? Se os elementos possuíssem alguma eficácia sacramental, haveria uma razão aparente para sua queixa, mas considerando-os como um símbolo de união em uma organização de igreja à qual nossos irmãos opõem-se, e na qual eles não estão dispostos a entrar, o fundamento e a consistência de sua queixa não se mostram.

Quando os pedobatistas reclamam de nossa comunhão restrita, nós lembramos a eles de que eles mantêm o princípio em comum conosco e o praticam à sua própria maneira. Se eles têm algo a objetar, que seja naquilo em que diferimos deles, e não naquilo em que concordamos. O curso contrário não tende a produzir unidade de opinião, ou a promover aquela harmonia de sentimento cristão que deve subsistir entre os seguidores de nosso Senhor.

Quando os batistas opõem-se à comunhão restrita, questionamos se eles não atribuem importância indevida à eucaristia, em comparação com o batismo. O Sr. Hall chama a eucaristia de função espiritual principal.[4] Nessa visão, ele reclama que o privilégio de participar dela não deve ser negado a ninguém. Ela é mais espiritual do que o batismo? Se não é, por que deveria o batismo ser pisoteado para abrir o caminho de acesso à eucaristia? Quando se supunha que as cerimônias possuíam uma eficácia salvadora, a ordem apropriada de sua observância ainda era guardada; muito mais deve ser guardada, se ambas são meras cerimônias. Se o batismo fosse uma mera cerimônia, e a eucaristia uma função espiritual principal, os argumentos para a comunhão aberta teriam uma força que eles agora não possuem, mas nossos irmãos não defenderão tal posição.

4 Hall's Works, Vol. 1, p. 303.

CAPÍTULO 6

LAVAGEM DOS PÉS

Quando Jesus exigiu que seus discípulos lavassem os pés uns dos outros, ele intentou não instituir uma cerimônia religiosa, mas reforçar toda uma classe de deveres morais.

O requisito sobre o assunto está contido nas seguintes palavras: "Ora, se eu, sendo o Senhor e o Mestre, vos lavei os pés, também vós deveis lavar os pés uns dos outros" (Jo 13.14).

Cada palavra de Jesus Cristo é importante, e cada comando que ele deixou como regra para nossa conduta deve ser obedecido meticulosamente. As palavras citadas acima podem ser consideradas como parte de suas últimas instruções aos apóstolos antes de sua morte. Toda a circunstância relacionada com o tempo e a maneira como foram ditas tende a investi-las de interesse. Ninguém que merece ser chamado de seu discípulo poderia negligenciar conscientemente um dever recomendado por tal amor e condescendência incomparáveis.

Qual era, então, a intenção do Salvador? "Ora, se sabeis estas coisas", disse ele, "bem-aventurados sois se as praticardes" (Jo 14.17). Devemos saber para fazer, e, se confundimos seu desígnio, por mais honesta que seja nossa intenção, não teremos cumprido sua ordem.

Se, nesta noite memorável, quando ele participou da última Páscoa com seus discípulos, e quando instituiu o partir do pão como o memorial de "Cristo, nosso Cordeiro pascal, [que] foi sacrificado" (1Co 5.7), ele planejou instituir o lava-pés como outro rito religioso, até sua segunda vinda, junto com o batismo e o partir do pão, então, esta instituição deve ser observada com cuidado meticuloso, e nenhum apelo deve ser admitido a partir da negligência dela, para justificar a negligência de qualquer outro mandamento divino. Mas, se fosse o desígnio do Salvador não instituir uma cerimônia religiosa para a observância de seus discípulos, mas impor-lhes toda uma classe de deveres morais da maior importância, seria um erro lamentável se substituíssemos esses deveres por um mero rito externo que ele nunca pretendeu instituir.

Para esclarecer o desígnio do Salvador, consideremos atentamente o seguinte:

1. O dever particular prescrito é *moral*, distinto daqueles que são *positivos*.

O batismo e a Ceia do Senhor são instituições positivas, porque a obrigação de observá-los não poderia ser inferida de qualquer utilidade ou aparente adequação nas próprias coisas. Pelo contrário, a lavagem dos pés não era uma mera cerimônia, mas um ato necessário de hospitalidade praticado desde os dias de Abraão (Gn 18.4; 19.2) e é assim também considerado pelo apóstolo Paulo, em conexão com outros deveres morais do mesmo tipo, como o fundamento adequado para uma reputação de boas obras: "seja recomendada pelo testemunho de boas obras, tenha criado filhos, exercitado hospitalidade, lavado os pés aos santos, socorrido a atribulados, se viveu na prática zelosa de toda boa obra" (1Tm 5.10). É a utilidade do ato que lhe dá um lugar entre as "boas" obras aqui enumeradas. Naqueles dias, quando as viagens eram geralmente realizadas a pé, e quando os pés eram calçados com meras sandálias, lavar os pés de um estranho cansado não era uma mera cerimônia, mas uma daquelas boas obras que são "excelentes e proveitosas para todas as pessoas" e "a favor dos necessitados" (Tt 3.8; 14).

2. O exemplo do Salvador recomenda o ato com base em sua *utilidade*.

Quando Pedro desejou que suas mãos e sua cabeça fossem lavadas, "declarou-lhe Jesus: Quem já se banhou não necessita de lavar senão os pés; quanto ao mais, está todo limpo" (Jo 13.10). Há duas diferenças aqui: a primeira, *banhar*, denota uma lavagem de todo o corpo; e a segunda, *lavar*, que é a palavra usada no restante da narrativa, denota uma lavagem parcial, como das mãos ou pés. O sentido é: aquele que se banhou só precisa lavar os pés, que podem ter se contaminado ao sair do banho.[1] Os apóstolos haviam se banhado antes de se sentarem para a ceia pascal e, portanto, não precisavam de nenhuma lavagem, exceto dos pés.

Sobre tal *necessidade*, por menor que pareça, o Salvador definiu a adequação e a propriedade do ato que realizou. Ele estava disposto a dar o exemplo de realizar o ato menos possível de verdadeira bondade, mas ele não estenderia esse ato nem um pouco além da linha

1 Alguns intérpretes entendem que a primeira palavra significa não um banhar de todo o corpo, mas lavar as mãos e o rosto, o que os discípulos provavelmente fizeram antes de tomarem seus lugares para a ceia. Significaria então: "Aquele que lavou suas mãos e rosto é considerado suficientemente limpo, e não precisa de nenhuma outra lavagem senão essa marca de civilidade, que é ter seus pés lavados por um servo. Essa civilidade hoje lhes apresento, agindo assim na função de um servo". Essa interpretação, embora menos satisfatória, porque menos conformada ao significado ordinário dos termos empregados, não obstante, serve igualmente bem para sustentar o argumento aqui apresentado.

da necessidade e da utilidade. Além dessa linha, já não era mais um ato de bondade. Mas Jesus o executou como uma boa obra para um uso necessário. Uma vez que ele deu aos seus apóstolos um exemplo de que eles deveriam fazer uns aos outros como ele havia feito a eles (Jo 13.15), fica manifesto que ele pretendia impor-lhes um serviço mútuo de utilidade prática.

3. Não era um dever *único* que o Salvador pretendia impor.

Isso fica claro no versículo 17: "Ora, se sabeis *estas coisas*, bem-aventurados sois se *as praticardes*". Os deveres eram manifestamente intentados para além do simples ato de lavar os pés. De tais deveres, esse ato era um mero exemplo pelo qual eles poderiam saber o resto, e sabendo, praticá-los.

Uma prova de que a lavagem realizada por nosso Salvador era parte e exemplo de toda uma classe de deveres também pode ser derivada do versículo 8: "Disse-lhe Pedro: Nunca me lavarás os pés. Respondeu-lhe Jesus: Se eu não te lavar, não tens parte comigo". A verdadeira importância dessa resposta parece ser esta: "Se eu não puder lavar teus pés, (como o termo usado aqui implica), não posso, pelo mesmo fundamento, conceder a ti nenhum dos grandes benefícios resultantes de minha humilhação, na qual não vim para ser servido, mas para servir e dar minha vida em resgate por muitos. Se eu não posso realizar para ti atos de bondade condescendente, tu não tens parte comigo."

Como nessa declaração, a lavagem dos pés de Pedro foi feita pelo Salvador um exemplo e representante de todos os seus atos de bondade condescendente. Assim, o lava-pés, ordenado a Pedro e seus companheiros apóstolos, intentava incluir todos os atos de bondade condescendente que eles pudessem praticar para com seus irmãos.

"Novo mandamento vos dou: que vos ameis uns aos outros; assim como eu vos amei, que também vos ameis uns aos outros. Nisto conhecerão todos que sois meus discípulos: se tiverdes amor uns aos outros." (v. 34, 35)

4. É um argumento de peso contra considerar a lavagem dos pés como uma cerimônia religiosa instituída na igreja o fato de que, ao contrário do batismo e da Ceia do Senhor, ela não *tipifica* Cristo.

A Ceia do Senhor, em uma figura vívida, mostra a morte de Cristo, e o batismo, seu sepultamento e ressurreição. Essas ordenanças permanentes da igreja cristã conduzem a mente diretamente ao grande Autor de nossa salvação e ao sacrifício expiatório pelo qual essa salvação foi efetuada. Essas ordenanças ensinam-nos a grande doutrina da redenção, em uma linguagem que a sabedoria infinita inventou para esse propósito. Para essa grande doutrina essas testemunhas prestam seu memorial, em grande e alta voz, através de todas as revoluções dos séculos, e acima de todos os tumultos da heresia.

O que o lava-pés ensina-nos sobre Cristo ou sobre a redenção por meio dele? Ele conduz o crente para longe de si mesmo e de todas as suas próprias obras de justiça, para o sacrifício expiatório ou a justiça justificadora na qual ele deve confiar para a salvação? Ele pode servir, como um rito religioso, para lembrar um dever a ser cumprido àqueles cuja fé repousa sobre tal dever de justiça; mas sobre aquele que é o fim da lei para a justiça de todo aquele que crê, sobre seu sofrimento e morte como meio de nossa salvação, tal rito nada diz.

5. A lavagem dos pés não era praticada como um rito religioso pelos cristãos primitivos.

Que o batismo e a Ceia do Senhor foram praticados dessa forma, temos a evidência mais clara, tanto nas Escrituras quanto nos escritos dos pais cristãos, mas o mesmo não ocorre no que diz respeito ao lava-pés. Não é necessário perseguir este assunto além da luz clara das Escrituras, no campo comparativamente escuro de investigação que a história eclesiástica apresenta, pois o testemunho que esta fonte menos satisfatória de evidências oferece, embora inteiramente consistente com o testemunho das Escrituras, não é necessário, seja para elucidação ou confirmação.

Na abertura da história inspirada da igreja, lemos, logo no início: "os que lhe aceitaram a palavra foram *batizados* [...] e perseveravam na doutrina dos apóstolos e na comunhão, no partir do pão e nas orações" (At 2.41-42). O batismo é frequentemente mencionado na história subsequente e Atos 20.7 menciona expressamente que os discípulos estavam "reunidos com o fim de partir o pão". Mas nem um capítulo, nem um versículo, em todos os Atos dos Apóstolos, contém uma sugestão de que qualquer igreja, ou qualquer grupo de discípulos, alguma vez tenha se reunido para celebrar o lava-pés. Na epístola aos Romanos (cap. 6), faz-se referência ao batismo e é dada uma explicação de sua importância. O primeiro capítulo da epístola seguinte (1Coríntios) contém um relato de vários batismos, e o capítulo 11 traz um relato muito particular da instituição da ceia e dos abusos em sua observância, que já se haviam infiltrado na igreja de Corinto. Mas nessas epístolas, e em todas as que se seguem, nenhuma alusão é encontrada à lavagem dos pés como um rito observado pelas igrejas.

Há, de fato, uma passagem, e apenas uma, na qual a lavagem dos pés é mencionada, e essa passagem, 1Timóteo 5.10, fornece prova decisiva de que não ela era praticada como uma ordenança da igreja, como eram o batismo e a Ceia do Senhor. Para demonstrar isso, temos apenas que substituir o ato, na passagem, pela menção dessas ordenanças reconhecidas, e a incongruência de tal conexão aparecerá imediatamente: "[a viúva] seja recomendada pelo testemunho de boas obras, tenha criado filhos, exercitado hospitalidade, *tenha sido batizada, recebido a Ceia do Senhor*, socorrido a atribulados, se viveu na prática zelosa de toda boa obra". Já que se deve supor de cada viúva na igreja que tenha sido batizada e recebido a Ceia do Senhor, nenhum "se", com respeito a essas ordenanças, poderia ser admitido, e nenhuma viúva poderia, por tê-las observado, ter mais direito à honra do que qualquer outra. O mesmo seria verdade com relação ao lava-pés, se também fosse um rito religioso de uso comum nas igrejas; e teria sido um manifesto absurdo declarar o fato de qualquer membro da igreja ter realizado o rito como uma razão para considerá-lo como especialmente merecedor de recomendação ou de honra da igreja por suas boas obras.

Há, portanto, não apenas uma total falta de provas de que tal rito religioso era observado antigamente, como há (o que poucos casos controversos possuem) uma prova em negativo, que é tão clara e satisfatória quanto podemos esperar de qualquer prova.

Essas considerações mostram claramente que era a intenção do Salvador impor toda uma classe de deveres morais, e não instituir uma cerimônia religiosa, e que ele foi assim compreendido por seus apóstolos. Aquele que lava os pés de um santo, quando esses pés não precisam ser lavados, é como se desse um copo de água fria a um discípulo que não tem sede. Ele pode de fato dar uma demonstração de humildade voluntária, mas não cumpre o mandamento de Cristo, nem imita seu exemplo. Ele deve lembrar-se de que Cristo recusou-se a lavar as mãos e a cabeça de Pedro; não porque haveria menos demonstração de humildade ao fazê-lo, mas porque essas partes não precisavam ser lavadas. Aquele, portanto, que lava os pés de um santo quando esses pés não precisam ser lavados, em vez de obedecer ou imitar a Cristo, faz o que Cristo recusou-se a fazer. E aquele que lava os pés de um santo meramente como rito religioso, sem considerar ou importar-se se o ato que realiza é necessário e útil, está tão longe quanto o outro de obedecer ao Redentor ou imitá-lo.

Se, após uma consideração cuidadosa do assunto, verificamos satisfatoriamente que nosso Salvador planejou que seus discípulos realizassem uns pelos outros todos os atos necessários de bondade condescendente, mesmo os menores e mais servis, estejamos prontos com disposição e prazer para cumprir sua vontade. Se sabemos essas coisas, seremos bem-aventurados se as praticarmos. Se temos o espírito de Cristo, estaremos prontos, quando necessário, a dar nossa vida por nossos irmãos, ou dar-lhes um copo de água fria, ou lavar seus pés, ou dar-lhes qualquer outro conforto. Na medida em que, por qualquer um desses meios, procuremos promover a felicidade de um discípulo de Cristo, nossas boas ações serão lembradas. O grande Juiz, no último dia, omitindo qualquer menção de nossas cerimônias religiosas mais laboriosas, trará esse ato de bondade à mente e dirá: "Em verdade vos afirmo que, sempre que o fizestes a um destes meus pequeninos irmãos, a mim o fizestes" (Mt 25.40).

CAPÍTULO 7

ADORAÇÃO PÚBLICA

TEMPO

O primeiro dia da semana é o sábado cristão e é especialmente apropriado para a adoração pública a Deus.

O cálculo do tempo por semanas parece ser corrente desde tempos muito antigos. Ele pode ser percebido desde a época de Labão, que disse a Jacó: "Decorrida a semana desta, dar-te-emos também a outra" (Gn 29.27). Um traço menos visível disso pode ser visto no relato de Noé, que esperou "sete dias" e depois "mais sete dias" (Gn 8.10; 12) em suas tentativas de descobrir se o dilúvio diminuíra. A divisão hebdomadária[1] do tempo existe desde há muito no mundo gentio; e nenhum relato de sua origem é tão provável, como o que foi recebido de Noé, o pai do novo mundo.

Não há nenhuma evidência de que Noé a recebeu como uma nova instituição de Deus, ou que se originou com ele. A declaração da Escritura é: "E, havendo Deus terminado no dia sétimo a sua obra, que fizera, descansou nesse dia de toda a sua obra que tinha feito. E abençoou Deus o dia sétimo e o santificou" (Gn 2.2-3). Essa é a

1 Relativo à semana, do grego ἑβδομάδα *(ebdomada)* [N.R.].

origem da instituição. Quando o decálogo foi promulgado no Sinai, ele não falava do sábado como uma instituição antes desconhecida. O comando, "Lembra-te do dia de sábado" (Êx 20.8) implica um conhecimento de sua existência, e isso é confirmado por um fato histórico anterior: o maná não caía no dia de sábado.

Visto que o sábado originou-se na criação e era conhecido antes da promulgação da lei aos israelitas, não pode ser uma das cerimônias judaicas revogadas. O sábado foi feito para o homem, e não exclusivamente para os hebreus. A razão para isso é tirada do descanso de Deus no sétimo dia, após seis dias de trabalho na criação do mundo, e não de qualquer coisa que pertencesse especialmente à nação de Israel. A instituição é adaptada à natureza do homem, como ser religioso, e à relação que ele mantém com seu Criador.

O decálogo foi dado como uma lei aos israelitas. Seu prefácio mostra isso: "Eu sou o Senhor, teu Deus, que te tirei da terra do Egito, da casa da servidão" (Êx 20.2). Isso é ainda provado pela promessa anexada ao quinto mandamento: "para que se prolonguem os teus dias na terra que o Senhor, teu Deus, te dá" (v. 12). Mas, embora dado aos israelitas, foi dado a eles como homens. A lei cerimonial foi-lhes dada como a Congregação do Senhor, e a lei judicial foi dada a eles como a nação de Israel. Mas o decálogo foi adaptado às relações que eles tinham com Deus e uns com os outros, como homens. As mesmas relações existem em todos os lugares na sociedade humana. Portanto, as mesmas obrigações impõem-se em todos os lugares. Essa parte do código mosaico possui obrigação universal e perpétua, e Deus distinguiu essa parte especialmente de todo o resto. Ele a pronunciou de forma audível no Sinai e gravou-a duas vezes em pedra, em sinal de sua perpetuidade. Ao escrever aos gentios em Roma e em Éfeso, Paulo refere-se ao decálogo como uma lei à qual eles deveriam obedecer

(Rm 13.8-10; Ef 6.2). Assim, ele demonstrou que o decálogo não era peculiar aos judeus ou restrito à aliança revogada. Paulo distingue o ministério da lei, presente na letra, do ministério do Espírito, e declara que o primeiro é eliminado quando o véu é tirado do coração (2Co 3.6-12). Contudo, a mudança então operada não consiste em fazer uma nova lei, mas em transferir a escrita das tábuas de pedra para as tábuas de carne do coração.

Entre os preceitos do decálogo, encontramos o mandamento: "Lembra-te do dia de sábado". Como somos obrigados por todo o decálogo, o mesmo acontece com esse mandamento. Nenhum homem tem o direito de separá-lo dos demais e reivindicar a isenção de sua obrigação. Os cristãos, portanto, devem observar o sábado; e, como um dia que Deus santificou, ele é especialmente apropriado para a adoração pública a Deus.

Alguns batistas, em uma consideração cuidadosa aos mandamentos divinos, observam o sábado no mesmo dia que os judeus, e por isso são chamados de batistas do sétimo dia. Mas eles confundem, conforme concebemos, a verdadeira importância do preceito. Eles interpretam-no como se dissesse "O sétimo dia *da semana* é o sábado", e como se a divisão judaica da semana fosse reconhecida e fixada, ao passo que a linguagem é: "Seis dias trabalharás e farás toda a tua obra. Mas o sétimo dia é o sábado do Senhor, teu Deus" (v. 9, 10). O sétimo dia é aquele que se segue a seis dias de trabalho; e as palavras do preceito não expressam nada além disso.

Pela natureza do caso, deve-se esperar que ocorra o retorno regular do sábado, em intervalos de tempo igualmente distantes. Podemos lançar luz sobre o verdadeiro significado da linguagem empregada comparando-a com aquela que ordenava a observância do ano sabático. A comparação pode ser feita de forma proveitosa para este propósito, examinando uma passagem em que o dia sabático e o ano sabático são ambos prescritos: "seis anos semearás a tua terra e recolherás os seus frutos; porém, no sétimo ano, a deixarás descansar e não a cultivarás [...] Seis dias farás a tua obra, mas, ao sétimo dia, descansarás" (Êx 23.10-12).

Assim como o sétimo ano não é determinado por uma divisão natural de tempo em semanas de anos, também o sétimo dia não é determinado por uma divisão natural de tempo em semanas de dias. Ninguém pensa no sétimo ano senão como o ano que se segue a seis anos de trabalho regular no cultivo da terra, e retornando regularmente em intervalos iguais. A precisa semelhança do comando que ordena a observância do sábado do sétimo dia, prova que o mesmo método de interpretação deve ser aplicado a ele. Se existe uma obrigação de se observar o sábado ou domingo, ao invés de qualquer outro dia da semana, ela não pode ser encontrada nesse preceito do decálogo, e deve ser determinada de alguma outra forma.

O decálogo, em sua admirável conformidade às relações na sociedade humana, mostra a sabedoria de seu Autor. Podemos ver essa sabedoria na conformidade do quarto mandamento à observância universal. Desde que a esfericidade da terra foi demonstrada, tornou-se aparente que um preceito exigindo a observância do sétimo dia da semana não poderia ser obedecido universalmente, a menos que algum meridiano fosse estabelecido pela autoridade divina para o cálculo universal do tempo.

Alguns anos atrás, foi declarado em uma de nossas agências missionárias que uma questão prática sobre o dever da observância do sábado surgira entre alguns missionários, que se reuniram em seu campo de trabalho do outro lado do globo, tendo navegado até ele por diferentes rotas, algumas pelo leste e outras pelo oeste.

Comparando seus cálculos, seus sábados diferiram, e o que era sábado para um grupo era domingo para o outro. Se o sétimo dia *da semana* fora o ordenado, esses missionários não poderiam ter obedecido sem se tornarem violadores do sábado uns para os outros; e se nenhuma sabedoria superior à de Moisés, que ignorava a verdadeira forma da terra, tivesse ditado o decálogo, sua admirável adaptação à condição e circunstâncias dos homens, em todas as épocas e países, e sob todos os meridianos, não seria assegurada.

Outra objeção à interpretação que supõe que a prescrição diz respeito ao sétimo dia da semana pode ser vista no fato de que torna a Escritura dependente da tradição. Se a ordem fosse a observância da lua nova ou da lua cheia, os meios de determinar o tempo pretendido estariam ao alcance de todos, mas, se a Escritura tivesse ordenado observar o sétimo dia da semana, quem poderia saber o dia requerido? Nenhuma faixa está pendurada no céu para distingui-lo dos outros dias da semana.

A recorrência e os limites da semana não são determinados, como a recorrência das estações, por nenhum fenômeno natural. O preceito, uma vez gravado em pedra, e agora indelevelmente registrado no livro de Deus, estaria diante de nós, obrigando cada consciência individual à obediência. No entanto, o preceito em si não forneceria nenhuma pista sobre como esclarecer seu verdadeiro significado. Como cada pessoa poderia saber que não errou o tempo e profanou exatamente o dia que Deus santificou? Ele não tem outro meio de conhecimento além da tradição. O sábado correto pode ter sido transmitido sem engano, desde o tempo da criação, ou desde o tempo de Moisés; mas que prova temos? Nenhuma senão a tradição. Deus decidiu sabiamente tornar conhecida sua vontade aos homens pelas Escrituras, em vez da tradição; mas qual é a vantagem, se o significado da Escritura deve ser determinado pela tradição?

Outro argumento para nossa interpretação do preceito pode ser extraído da palavra empregada no Novo Testamento para denotar uma semana. É a mesma palavra traduzida como *sábado*, aparecendo às vezes no singular, às vezes no plural. Tome, por exemplo, a frase "No primeiro dia da semana" (Jo 20.1), que, literalmente traduzida, é "no primeiro dia do sábado" ou "dos sábados". Isso pode ser entendido como o primeiro dia de acordo com o cálculo do sábado ou dos sábados. Mas, conforme explicado, isso indica que o sábado determinava a semana, e não a semana, o sábado.

De acordo com a visão que temos do quarto mandamento, os cristãos lhe obedecem tão literalmente quanto os judeus. Estes derivam sua série de semanas por tradição desde a época de Moisés, nós derivamos o nosso por tradição desde o tempo de Cristo. Vemos com prazer o início de nossa série nos breves relatos das Escrituras onde especifica-se o dia em que os cristãos reuniam-se para o culto. No primeiro dia da semana, nosso Senhor ressuscitou dos mortos. Este dia foi preenchido com as notícias e provas da sua ressurreição, e com a admiração e alegria dos discípulos, e foi encerrado com um encontro dos discípulos, no qual Jesus apareceu em pessoa. Em seu relato dessa reunião, o evangelista tem o cuidado de repetir que aconteceu *no primeiro dia da semana* (Jo 20.19).

Mais uma semana passou e outra reunião dos discípulos foi realizada, na qual Jesus estava novamente presente. Um sábado judaico passou nesse intervalo, e, se o desígnio do Senhor era perpetuar esse sábado como o dia de adoração pública para seus discípulos, por que permitiu que ele passasse, e reservou o segundo alegre encontro com seu povo reunido para o dia seguinte? A declaração do evangelista é:

"Passados oito dias, estavam outra vez ali reunidos os seus discípulos, e Tomé, com eles. Estando as portas trancadas, veio Jesus, pôs-se no meio" (Jo 20.26).

Quando os principais sacerdotes pediram a Pilatos que guardasse o sepulcro, eles disseram: "Senhor, lembramo-nos de que aquele embusteiro, enquanto vivia, disse: Depois de três dias ressuscitarei. Ordena, pois, que o sepulcro seja guardado com segurança até ao terceiro dia" (Mt 27.63, 64). Aqui, a expressão "depois de três dias" é equivalente a "no terceiro dia". Se a expressão "passados oito dias" na citação de João for interpretada da mesma maneira, fará com que o segundo encontro de Cristo com seus discípulos seja apenas uma semana após o primeiro e, portanto, no primeiro dia da semana. A festa de Pentecostes ocorria, de acordo com a lei (Lv 22.16), no dia seguinte ao sábado judaico. Portanto, foi no primeiro dia da semana que o Espírito Santo foi derramado e três mil se converteram sob a pregação de Pedro.

Os discípulos em Trôade reuniram-se para partir o pão (At 20.7), e o historiador inspirado tem o cuidado de dizer-nos que isso ocorreu "no primeiro dia da semana". Ao escrever aos coríntios, Paulo orientou-os sobre sua contribuição religiosa para os santos pobres de Jerusalém: "No primeiro dia da semana, cada um de vós ponha de parte, em casa, conforme a sua prosperidade" (1Co 16.2). Ao descrever a maravilhosa revelação que recebeu na ilha de Patmos, João diz: "Achei-me em espírito, no dia do Senhor" (Ap 1.10). Com essa frase, ele parece designar o dia em que nosso Senhor ressuscitou e que havia sido consagrado à sua adoração.

Assim como a revelação mosaica expressa sabedoria divina em seu modo de apresentar o quarto mandamento, o mesmo acontece com a revelação cristã, em seu modo de recomendar o primeiro dia da semana para nossa observância. A antiga aliança, com seu sacerdócio e suas formas de adoração, havia passado, e era apropriado instituir uma nova forma de adoração a ser introduzida. Seria justo que a ressurreição de nosso Senhor começasse a nova contagem e que fosse comemorada por ela. Mas mesmo que o primeiro dia da semana seja expressamente mencionado, se a sua observância fosse expressamente ordenada, surgiriam as mesmas dificuldades que acompanham a observância do sétimo dia da semana. Isso teria tornado as Escrituras cristãs dependentes da tradição para sua interpretação, e o sábado cristão impossível de ser observado em todo o mundo em estrita obediência à exigência.

Conforme a questão foi deixada, o decálogo é transmitido, exigindo a consagração de um dia em sete. O Novo Testamento ensina-nos que nenhum tempo é sagrado em si mesmo, e que a consideração que os judeus exigiam pelo dia em que guardavam seu sábado semanal e por seus outros dias santos, longe de ser obrigatória para os cristãos, é inconsistente com a natureza da economia cristã (Cl 2.16; Gl 4.10, 11; Rm 14.5, 6). A proporção e a sucessão de tempo, conforme prescrito no quarto mandamento, são obrigatórias, mas nenhuma porção particular de tempo tem em si uma santidade especial. Somos levados, pelo exemplo dos apóstolos, a observar o primeiro dia da semana como o sábado cristão; porém, não no sentido de acorrentar a consciência com dificuldade insuperável, em um caso como o dos missionários mencionados.

A adoração, adaptada ao dia, deve ser social, e cada cristão individualmente pode se unir a seus irmãos, no culto a Deus, no dia designado para isso, com a plena convicção de que, ao fazê-lo, está honrando o Autor do cristianismo e obedecendo estritamente ao decálogo.

MODO

A adoração pública deve incluir orações, canções de louvor e a leitura e exposição da palavra de Deus.

A oração é um dever natural do homem, independentemente de qualquer condição particular de vida ou dispensação religiosa. Ela pode ser realizada em privado, em família, em grupos acidentalmente reunidos, ou naqueles deliberadamente convocados para esse propósito. Em assembleias públicas para adoração divina, a oração deve sempre fazer parte do culto.

Na oração pública, um dos adoradores conduz o culto, falando em voz alta, como Salomão fez na dedicação do templo, e os demais se unem em coração nas devoções e súplicas. A parte principal do culto pode ser desempenhada pelos ministros da palavra. Os primeiros cristãos perseveraram na doutrina dos apóstolos, na comunhão, no partir do pão e nas orações. Tudo isso, incluindo as orações, era dirigido pelos apóstolos; e, quando dispensados do serviço às mesas, foi para que se dedicassem à palavra de Deus e à oração.

A oração privada não pode ser exclusivamente a intenção aqui, pois tal obrigação pertencia igualmente aos diáconos eleitos e a todos os membros da igreja. Mas, embora os ministros da palavra possam, em geral, liderar mais vantajosamente a oração pública, outros membros masculinos da igreja podem fazê-lo com propriedade e benefício. "Quero, portanto, que os varões orem em todo lugar" (1Tm 2.8). A palavra traduzida por "varões" denota propriamente pessoas do sexo masculino e distingue-se das "mulheres" mencionadas no versículo seguinte. A insinuação claramente feita é que não se espera que as mulheres liderem as orações públicas. Isso está de acordo com as palavras de Paulo: "para a mulher é vergonhoso falar na igreja" (1Co 14.35) ou assembleia pública. Mas é muito apropriado haver reunião separada de mulheres para oração, e há muitos resultados benéficos para elas e para a causa de Deus.

O Salvador deu uma forma de oração a seus discípulos, para ajuda e orientação geral; mas é manifesto que os discípulos nunca entenderam estar restritos a essa forma, seja em privado ou em público. Formas prescritas de oração são questionáveis, porque restringem as emoções do coração, desencorajam a dependência do Espírito Santo, tendem a produzir formalidade e não são adaptadas a todas as circunstâncias e ocasiões.

O louvor pode ser misturado com as petições e ações de graças oferecidas em oração. Sendo assim, como essas, é expresso em prosa e com a voz comum. Mas a poesia e a música são especialmente apropriadas para a expressão de louvor. Elas foram usadas desde os tempos antigos e constituíram uma parte importante da adoração no templo. No Novo Testamento, encontramos o uso frequente de cantos, e eles são expressamente ordenados em várias passagens (Cl 3.16; Ef 5.19; Tg 5.13). A frase "instruí-vos e aconselhai-vos mutuamente em toda a sabedoria, louvando a Deus, com salmos", sendo dirigida a uma igreja, indica satisfatoriamente que o canto foi planejado para fazer parte do culto público da igreja.

O livro de Salmos foi composto para a adoração no templo. Ele serve como uma ajuda e um diretório geral nessa parte do culto público. Contudo, não há prova de que nossos louvores devam ser expressos apenas nas palavras encontradas naquele livro. Não temos nenhum livro de orações na Bíblia, e aprendemos com isso que um livro de orações não é necessário em nosso culto público. Porém, temos um livro de Salmos, porque, em um culto em que muitos devem falar juntos, eles não podem falar as mesmas coisas sem preparação prévia. Aprendemos, portanto, a legitimidade do uso de hinários, e a experiência prova sua grande utilidade.

A música instrumental fazia parte da adoração no templo, mas não é ordenada em nenhum lugar no Novo Testamento, e é menos adaptada ao culto mais espiritual da presente dispensação.

Na adoração pública, não apenas dirigimo-nos a Deus em oração e louvor, mas honramo-lo com reverente atenção à sua palavra, na qual ele nos fala. A leitura das Escrituras constituía uma parte importante do culto da sinagoga, e foi sancionada pelo Salvador, quando ele, na sinagoga de Nazaré, leu o profeta Isaías. Na orientação de Paulo a Timóteo: "aplica-te à leitura, à exortação, ao ensino" (1Tm 4.13), como a exortação e o ensino ou doutrina deviam ser parte do serviço público a ser prestado para o benefício de outros, não há razão para supor que a leitura ordenada fosse exclusivamente privada.

A leitura pública da palavra de Deus parece estar pelo menos incluída. Nos dias de Esdras, quando as Escrituras eram lidas, seu sentido era exposto ao povo (Ne 8.8). Quando Cristo leu na sinagoga de Nazaré, ao fechar o livro, ele expôs e aplicou a passagem que lera. A orientação dada a Timóteo exigia que a exortação e o ensino fossem acrescentados à leitura. Deus é honrado quando sua palavra é exposta ao povo de tal maneira que eles não apenas ouvem o som com os ouvidos, mas recebem o significado dela em seu entendimento e sentem o poder dela em seu coração. Deus graciosamente providenciou homens que são capazes de expor e exortar, e toda igreja deve buscar a ajuda de tais dons.

CAPÍTULO 8
O MINISTRO

O MINISTRO DA PALAVRA

Os ministros de Cristo são uma classe separada de pessoas, que se distingue por um chamado divino especial para pregar a palavra.

Uma classe distinta

Os ministros de Cristo são, como cristãos comuns, separados do mundo. São participantes da vocação celestial, pela qual os homens são tirados do mundo e feitos servos de Cristo. Em todas as suas epístolas às igrejas, Paulo afirma ser também santo com elas, membro da mesma família espiritual e herdeiro da mesma herança celestial. Em todas as Escrituras, os ministros de Cristo são referidos como pessoas que amam a Cristo e que se dedicam de coração ao seu serviço. Eles devem, portanto, fazer parte daqueles que pertencem ao número dos "chamados para ser santos" (1Co 1.2).

Os ministros de Cristo também são separados dos cristãos comuns. Eles são um com os cristãos comuns ao terem sido chamados na mesma esperança de sua vocação; mas, além do chamado ao arrependimento e fé, que receberam em comum com seus irmãos, foram chamados para um serviço especial na causa do Senhor. Está claro, pelas Sagradas Escrituras, que havia, entre os primeiros cristãos, pessoas a quem a obra do ministério foi especialmente confiada. Paulo diz, a respeito disso, que Deus "nos deu o ministério da reconciliação" (2Co 5.18); "não dando nós nenhum motivo de escândalo em coisa alguma, para que o ministério não seja censurado" (2Co 6.3); "o qual nos habilitou para sermos ministros de uma nova aliança" (2Co 3.6). Ele fala de si mesmo como considerado fiel e designado para o ministério (1Tm 1.12); fala também da graça especial que lhe foi dada, para que pregasse entre os gentios as riquezas insondáveis de Cristo (Ef 3.8). A atribuição pelo Espírito Santo de qualificações especiais para serviços especiais na causa do Senhor é claramente ensinada em 1Coríntios 12 e Efésios 4. As perguntas "Porventura, são todos apóstolos? Ou, todos profetas?" (1Co 12.29) mostram que os ofícios designados não pertenciam a todo o corpo dos santos.

A separação do ministro da massa de cristãos comuns não é como a separação dos cristãos do mundo. Neste último caso, eles deixam de ser do mundo e tornam-se estrangeiros e peregrinos na terra. Mas os homens que entram no ministério não deixam de ser santos. Saulo e Barnabé foram separados para a obra para a qual o Espírito Santo os havia chamado; mas essa separação não tirou deles o lugar entre os santos e fiéis em Cristo Jesus.

A respeito de toda assembleia dos santos, João fala: "Sabemos que somos de Deus e que o mundo inteiro jaz no Maligno" (1Jo 5.19). Aqui há uma forte linha de divisão, como aquela que separa a terra da água. Mas o ministro aparece, entre o povo de Deus, como as montanhas de um continente, fazendo parte dele e intimamente unidas às terras vizinhas. Dons espirituais eminentes distinguem os ministros, mas o mesmo espírito que atua neles permeia todo o corpo de Cristo. Todos os discípulos de Cristo têm o dever, de acordo com sua capacidade, de fazer avançar a causa de seu Mestre e trabalhar pela iluminação e salvação dos homens. A diversidade de talentos entre os discípulos comuns pode ser comparada à diversidade de colinas e vales no terreno comum do país. Mas os ministros distinguem-se, por suas qualificações superiores para o serviço, da massa comum de cristãos, como montanhas elevando-se acima das ondulações comuns da paisagem circundante.

As qualificações especiais que o Espírito Santo concede obrigam aqueles a quem foram concedidas a usá-las no serviço de Cristo. Elas são dadas para habilitá-lo para tal serviço e constituem um chamado divino para que ele dedique-se nisso. Não foram dadas apenas para conferir um privilégio, mas são um chamado solene ao dever — um chamado que exige o serviço de toda a vida.

Os apóstolos, quando chamados por Cristo, deixaram imediatamente seus empregos seculares e entregaram-se para sempre ao serviço de seu Senhor. Paulo, quando chamado, não consultou carne e sangue. A obra do ministério não cessou quando esses homens santos deixaram a terra, mas outras pessoas foram habilitadas para levá-la avante pelo mesmo Espírito que os qualificou para esse serviço peculiar. Ele concede seus dons "com vistas ao aperfeiçoamento dos santos para o desempenho do seu serviço, para a edificação do corpo de Cristo, até que todos cheguemos à unidade da fé e do pleno conhecimento do Filho de Deus, à perfeita varonilidade, à medida da estatura da plenitude de Cristo" (Ef 4.12, 13).

Os ministros de Cristo não são uma classe separada de homens no sentido de constituírem-se em uma sociedade organizada. Eles são colaboradores no serviço do Senhor, mas não têm poder uns sobre os outros, e não têm autoridade de Cristo para unirem-se em um judiciário eclesiástico para exercer o poder de qualquer maneira. Eles estão todos no mesmo nível de irmãos. São servos de Cristo e servos das igrejas.

Seu trabalho

O serviço especial para o qual o ministro é designado é a pregação da palavra. A obrigação de espalhar o conhecimento de Cristo é compartilhada, até certo ponto, por todos os cristãos. O chamado eficaz do Espírito Santo, pelo qual qualquer homem é levado ao arrependimento e à fé, impõe-lhe a obrigação de proclamar os louvores daquele que o chamou das trevas para a sua maravilhosa luz, de deixar sua luz brilhar diante dos homens, para que eles, vendo suas boas obras, glorifiquem seu Pai que está no céu, e de proclamar a palavra da vida. Todo cristão tem o dever de fazer o que estiver ao seu alcance para a conversão de outros e para espalhar o conhecimento da verdade. Mas dons especiais são conferidos a alguns, acompanhados de obrigações especiais. Esses constituem um chamado especial para o ministério da Palavra.

Durante o ministério pessoal do Salvador, ele fez muitos discípulos, mas não lhes confiou igual e indiscriminadamente a obra de divulgar o conhecimento de sua religião. Ele enviou setenta com uma comissão especial para pregar o reino de Deus. Ele escolheu os apóstolos para serem seus assistentes imediatos e testemunhas especiais e deu-lhes a comissão: "Ide por todo o mundo e pregai o evangelho a toda criatura"; "Ide, portanto, fazei discípulos de todas as nações" (Mc 16.15; Mt 28.19), entre outros. A pregação e o ensino eram partes proeminentes e importantes do serviço exigido deles.

Quando Paulo foi feito apóstolo, sua comissão, conforme ele mesmo explicou, era pregar o evangelho: "não me enviou Cristo para batizar, mas para pregar o evangelho" (1Co 1.17). A obrigação que ele sentia de realizar esse serviço ia além da imposta aos cristãos comuns e era extremamente urgente: "sobre mim pesa essa obrigação; porque ai de mim se não pregar o evangelho!" (1Co 9.16). Para ele, pregar o evangelho não era proferir uma proclamação em uma frase curta. Em Trôade ele pregou até tarde da noite. Em seu ministério, o ensino era conjugado com a pregação e incluído nela: "Para isto fui designado pregador e apóstolo (afirmo a verdade, não minto), mestre dos gentios na fé e na verdade" (1Tm 2.7).

A obrigação para que determinados homens dediquem-se ao ministério da palavra foi intentada para ser um arranjo perpétuo, e não confinado aos ministros designados por Cristo em pessoa. Timóteo foi especialmente designado para esse serviço e recebeu a ordem: "prega a palavra, insta, quer seja oportuno, quer não, corrige, repreende, exorta com toda a longanimidade e doutrina" (2Tm 4.2); "cumpra plenamente o seu ministério" (2Tm 4.5, NAA); "não te faças negligente para com o dom que há em ti" (1Tm 4.14).

Um dom especial e uma obrigação especial são aqui claramente reconhecidos, e o dever a ser cumprido é claramente a pregação, no sentido abrangente em que o ensino está incluído. Paulo havia confiado o evangelho a Timóteo, e essa sucessão não cessaria nele: "E o que de minha parte ouviste através de muitas testemunhas, isso mesmo transmite a homens fiéis e também idôneos para instruir a outros" (2Tm 2.2). A habilidade especial e a obrigação especial de pregar e ensinar deveriam ser perpetuadas nos homens separados do corpo dos discípulos de Cristo para o serviço.

Seu chamado

Os ministros da palavra recebem um chamado especial de Deus, direcionando-os ao serviço. Os sacerdotes judeus eram uma classe separada de pessoas, distinta do restante da nação pela descendência natural de Arão. A congregação do Senhor era perpetuada por descendência natural, e se a igreja cristã fosse uma continuação dela, poderíamos esperar que seu ministério fosse perpetuado da mesma maneira. Mas os membros da igreja são separados do resto do mundo por um chamado divino, e é apropriado que os ministros da igreja sejam distinguidos da mesma maneira. Assim, sua designação para o cargo é atribuição de Deus. "A uns estabeleceu Deus na igreja, primeiramente, apóstolos". (1Co 12.28ss) As qualificações para a obra são dons especiais do Espírito (1Co 12.11).

O Espírito Santo chama para o ministério da palavra apenas verdadeiros cristãos, membros do corpo espiritual de Cristo. Os apóstolos foram escolhidos para serem assistentes pessoais do Salvador e testemunhas especiais de sua vida diária e ministério. Embora conhecesse, desde o início, a hipocrisia e a traição de Judas Iscariotes, ele escolheu ter um traidor entre suas testemunhas. O caráter irrepreensível do Redentor extraiu, até mesmo desse homem, o testemunho: "Pequei, traindo sangue inocente" (Mt 27.4).

Esse testemunho é de grande valor para o cristianismo. Se Cristo fosse um impostor, se houvesse um esquema para enganar o povo, Judas saberia. Seu testemunho, confirmado pela devolução do dinheiro com que havia sido subornado, e por seu suicídio, afasta toda suspeita desonrosa sobre o Salvador. Portanto, foi sabiamente ordenado que Judas deveria estar entre os apóstolos. Mas ele não estava entre eles quando a última comissão foi dada, sob a qual agora atuamos. Quando o Espírito Santo chama homens para o ministério, ele concede-lhes qualificações para o trabalho, tanto de mente como de coração. As qualificações do coração incluem um desejo sincero de glorificar a Deus e salvar almas, um desejo nunca sentido pelo não regenerado. Logo, o Espírito Santo nunca torna não regenerados em ministros. Quando tais homens entram no ofício sagrado, eles, na linguagem de Paulo, são "ministros de Satanás" (2Co 11.14).

Assim como verdadeiros ministros são membros do corpo espiritual de Cristo, seu ministério é designado para seu benefício: "com vistas ao aperfeiçoamento dos santos para o desempenho do seu serviço, para a edificação do corpo de Cristo" (Ef 4.12). Seu ofício pertence à igreja espiritual e universal, da qual todos são membros. O ministério de alguns deles pode ter uma relação também com as igrejas locais, colocadas sob seu encargo especial, mas eles servem nelas para o bem de todo o corpo de Cristo.

Em Efésios 4.11, Paulo enumera os oficiais que Deus estabeleceu na igreja: "uns para apóstolos, outros para profetas, outros para evangelistas e outros para pastores e mestres". Desses, os três primeiros não se limitam às igrejas locais, mas são ministros da igreja universal. Isso é evidente pelas palavras de Paulo: "Agora, me regozijo nos meus sofrimentos por vós; e preencho o que resta das aflições de Cristo, na minha carne, a favor do seu corpo, que é a igreja; da qual me tornei ministro" (Cl 1.24, 25).

Os apóstolos eram, de acordo com o significado do nome, pessoas *enviadas*. O termo é aplicado especialmente para aqueles a quem Cristo enviou pessoalmente, e que são chamados de apóstolos *de Cristo*. Paulo reivindicava ser um apóstolo nesse sentido: "Não sou apóstolo? Não vi Jesus, nosso Senhor?" (1Co 9.1). E ainda: "Paulo, apóstolo, não da parte de homens, nem por intermédio de homem algum, mas por Jesus Cristo" (Gl 1.1). Paulo inclui-se entre as testemunhas da ressurreição de Cristo, e os apóstolos foram escolhidos para serem testemunhas desse fato.

Pedro, quando propôs a eleição de alguém para ocupar o lugar de Judas, descreveu as qualificações necessárias a um apóstolo desta maneira: "É necessário, pois, que, dos homens que nos acompanharam todo o tempo que o Senhor Jesus andou entre nós, começando no batismo de João, até ao dia em que dentre nós foi levado às alturas, um destes se torne testemunha conosco da sua ressurreição" (At 1.21, 22). Tais qualificações não podem agora ser encontradas em nenhum homem vivente e, portanto, o ofício apostólico necessariamente cessou.

O nome *apóstolo* é aplicado, em outro sentido, a Barnabé (At 14.14), o companheiro de Paulo. Esses dois ministros foram *enviados* pelo Espírito Santo, de Antioquia para uma obra especial. Barnabé é provavelmente chamado de apóstolo com referência a esse fato; e, nesse sentido, o termo corresponde em significado ao nosso termo moderno *missionário*. Paulo e Barnabé foram enviados como missionários, em uma viagem de serviço missionário.

Os profetas eram pessoas divinamente inspiradas a trazer revelações de Deus, às vezes consistindo em predizer eventos futuros. Esse ofício era necessário antes que o volume da revelação divina fosse concluído. A ausência do dom profético nos tempos modernos demonstra que o Espírito Santo, que concede todos os dons necessários, considera as revelações adicionais desnecessárias. A ausência do dom prova a suficiência das Escrituras e a cessação do ofício profético.

Evangelistas eram pessoas empregadas na propagação do evangelho. Eles parecem ter trabalhado, em conexão com os apóstolos, para estender a religião de Cristo e plantar novas igrejas. Eles não precisavam de dons milagrosos para seu trabalho. Portanto, seu ofício continua até o presente. Todo ministro da palavra, quando trabalha, não para o benefício especial de uma igreja local, mas para a propagação do evangelho, está fazendo a obra de um evangelista (2Tm 4.5). Timóteo foi instado a fazer isso, embora permanecesse em Éfeso e trabalhasse pelos interesses daquela igreja em particular.

O conhecimento da verdade do evangelho, a aptidão para ensinar e um coração movido pelo desejo de glorificar a Deus na salvação de almas são as evidências de um chamado divino para a obra do ministério. Todas essas qualificações podem existir, em certa medida, em cristãos comuns, e acompanham uma obrigação proporcional de usá-las a serviço do Redentor. Nenhuma igreja nem ministro do evangelho algum pode, sob alguma influência, proibir o exercício desses dons, onde eles existem. Moisés refutou a sugestão de proibir alguns que profetizassem, e disse: "Tomara todo o povo do Senhor fosse profeta" (Nm 11.29). O emprego ativo e prudente dos dons possuídos pelos cristãos comuns promoveria incalculavelmente os interesses da religião, e a restrição de todo trabalho de propagação do evangelho, e de promoção da piedade, a uns poucos escolhidos, é muito prejudicial à causa de Cristo.

Mas ainda é verdade que há alguns cujos dons de utilidade pública são muito superiores aos demais; e, ao conferir qualificações superiores, o Espírito Santo, que capacita a cada homem individualmente como lhe apraz, indicou sua vontade de que o possuidor das qualificações usasse-as para a obra do ministério, para a edificação do corpo de Cristo.

O Espírito Santo atua harmoniosamente em todas as partes de sua operação. Ele difunde uma simpatia por todo o corpo de Cristo, de modo que os olhos não podem dizer à mão: "não preciso de ti".

Quando as qualificações para o serviço são comunicadas pelo Espírito a um membro, outros membros, sob a influência do mesmo Espírito, acolhem seu serviço. Logo, todo homem que crê sozinho que foi chamado por Deus para o ministério tem motivos para entender que está iludindo-se. Se ele perceber que aqueles que dão provas de que honram a Deus e amam as almas dos homens não reconhecem suas qualificações ministeriais, tem motivos para suspeitar que elas não existem.

O Cabeça da Igreja graciosamente concedeu que, no curso normal das coisas, os homens sejam capazes de obter conselho neste assunto, e não sejam compelidos a agir sob sua responsabilidade individual. Se, em algum caso extraordinário, ele chama alguns homens para ficarem sozinhos, como Elias fez em defesa da verdade, isso não dá justificativa aos outros para isolarem-se e agirem por sua própria responsabilidade, sem que as circunstâncias exijam. A prova de Elias de seu chamado divino para o ofício profético consistia inteiramente em sua posse do espírito profético, mas Eliseu tinha a prova adicional de ter sido ungido para o cargo por Elias. Tal prova o Espírito Santo providenciou para os ministros da palavra nos casos normais; e seu uso é necessário para o sucesso do ministério e da ordem das igrejas.

Quando alguém é introduzido no ministério, a maior responsabilidade, depois daquela que ele mesmo sustenta, recai sobre os ministros com os quais ele deve se associar como cooperador. Sobre os ministros repousa uma responsabilidade peculiar, de orar para que obreiros sejam enviados para a colheita; e também buscar e estimular dons para o trabalho, e assim continuar a sucessão de obreiros. Esse era o dever especial de Timóteo, procurar homens fiéis, capazes de ensinar a outros, para que pudesse confiar-lhes o ministério da palavra. Foi aos ministros da igreja de Antioquia que o Espírito Santo disse: "Separai-me, agora, Barnabé e Saulo para a obra a que os tenho chamado"; (At 13.2) e sua pública designação para a obra parece ter sido feita por esses ministros, sem dúvida com a concordância da igreja.

Nesse método de procedimento, há uma adequação óbvia. Era adequado que Eliseu fosse ungido para o ofício profético por um profeta. Homens a quem o Espírito encheu com um desejo ardente de pregar o evangelho e os qualificou para o serviço são as pessoas mais adequadas para procurar auxiliares no serviço e julgar sua aptidão. Por isso a obrigação foi imposta a Timóteo, que já era ministro; por isso, o dever imposto a Tito: "Por esta causa, te deixei em Creta, para que pusesses em ordem as coisas restantes, bem como, em cada cidade, constituísses presbíteros" (Tt 1.5); por isso as instruções sobre as qualificações necessárias para o ofício são dadas nas epístolas a esses ministros, em vez de nas epístolas às igrejas.

A pertinência da concordância ministerial para a designação pública ao ofício ministerial surge da natureza do caso, à parte do exemplo apostólico. Mas temos o exemplo apostólico para auxiliar nosso raciocínio. Saulo e Barnabé foram solenemente designados por seus irmãos no ministério, com jejum, oração e imposição de mãos. Neste caso, aquele que não era em nada inferior ao maior dos apóstolos curvou-se diante daqueles que não tinham pretensões de autoridade apostólica, para que pudesse receber a imposição de mãos. Que sanção seu ato deu à cerimônia solene e à ordem estabelecida da igreja, da qual faziam parte!

Se tais serviços solenes são apropriados na designação pública para um serviço particular no ministério, muito mais o são quando qualquer um entra no próprio ministério. Aprendemos com outras passagens que tais atos eram realizados. Paulo menciona a designação de Timóteo ao cargo ministerial com estas palavras: "Não te faças negligente para com o dom que há em ti, o qual te foi concedido mediante profecia, com a imposição das mãos do presbitério" (1Tm 4.14).

Uma questão tem surgido se a concordância de um único ministro é suficiente para a ordenação. Não temos instruções explícitas sobre esse ponto. Pela instrução dada a Tito, parece que somente ele foi autorizado a ordenar presbíteros em todas as cidades. Ainda assim, Paulo, embora um ministro de autoridade superior, não ordenou Timóteo sozinho. Ele era o principal agente da obra, e diz: "pela imposição das minhas mãos" (2Tm 1.6). Mesmo assim ele escolheu não agir sozinho e, portanto, diz em outro lugar: "com a imposição das mãos do presbitério". A concordância de um presbitério poderia não ser possível em todas as cidades de Creta, onde as igrejas haviam sido plantadas recentemente; mas onde era possível, até mesmo Paulo com sua autoridade apostólica escolheu não agir sem ela. Temos, portanto, o exemplo apostólico que confirma nosso raciocínio sobre o assunto, de que onde um presbitério pode ser encontrado, sua concordância deve ser obtida. O ministro que, segundo a orientação dada a Tito, se encarrega de ordenar ao sagrado ofício sozinho assume um poder que o próprio Paulo não assumiu.

A instituição das igrejas locais tem autoridade divina e deve ser respeitada por todo discípulo de Cristo. É dever de todos tornar-se membro de alguma igreja local e andar com os outros membros em amor e obediência cristã. Os irmãos assim ligados devem exortar uns aos outros à diligência nos deveres para os quais são diversamente qualificados. A obrigação de um membro de trabalhar no ministério pode ser reconhecida por sua igreja, e a igreja não sai de sua esfera apropriada quando exorta a esse dever. Paulo orientou a igreja em

Colossos: "Também dizei a Arquipo: atenta para o ministério que recebeste no Senhor, para o cumprires" (Cl 4.17). Ele não enviou a mensagem a Arquipo de sua própria parte, mas instruiu a igreja a cumprir esse dever.

Tal exortação a um ministro é, portanto, apropriada a ser dada por uma igreja; e segue-se que uma igreja não é isenta de responsabilidade sobre se seus membros estão usando seus dons como deveriam. Essa responsabilidade faz da igreja partícipe na ordenação ministerial. Não temos nenhuma declaração expressa de que a igreja de Antioquia concordou com a separação de Saulo e Barnabé. Porém, isso pode ser inferido não apenas do teor da narrativa, mas especialmente do fato de que esses missionários, em seu retorno, relataram seus feitos a toda a igreja.

Todas as partes envolvidas na ordenação devem buscar a orientação do Espírito Santo e agir sob sua influência. A maior responsabilidade repousa sobre aquele que está entrando no ofício sagrado. Ele deve agir com profundo senso de sua responsabilidade e com a convicção, resultado de um exame de seu coração e de muita oração, de que é movido pelo Espírito Santo. O presbitério tem a segunda maior responsabilidade. Eles devem ser persuadidos de que o Espírito Santo chamou o candidato ao ministério; e estar preparados, sob essa convicção, resultante do devido exame, a recebê-lo como um colaborador com eles no serviço do Senhor. O menor grau de responsabilidade repousa sobre a igreja; mas mesmo essa é solene e importante. O mesmo Espírito habita no ministro e nas igrejas; e todo membro está interessado em tudo o que interessa ao corpo espiritual de Cristo. Uma sincera concordância da igreja é necessária na ordenação; e, sem ela, um presbitério nunca deveria agir. Quando um candidato tem o tríplice testemunho, de sua própria consciência, do presbitério e da igreja, ele pode prosseguir para a obra do ministério, com a certeza de que foi enviado pelo Espírito Santo (At 13.4).

Cada passo no processo de ordenação reconhece o princípio de que um chamado divino é necessário para uma entrada adequada no ofício ministerial. O candidato, o presbitério, a igreja, todos o admitem e agem a partir disso. Este princípio é de grande importância para a preservação de um ministério espiritual e eficiente; e não pode ser negligenciado sem imenso mal à causa da religião pura. Quando um pai escolhe o ministério como profissão para seu filho, ou quando o filho o escolhe para si mesmo, como se escolhesse qualquer outra profissão, a autoridade de Deus é desprezada e o santo ofício profanado. Se uma igreja pensa que precisa de um ministro e conclui a nomeação de um sem levar em conta o chamado divino, e se um presbitério os ajuda a executar tal propósito, a igreja e o presbitério juntos podem constituir um ministro, mas ele será, se não um ministro de Satanás, na melhor das hipóteses apenas um ministro de homens, e não um ministro de Cristo.

O chamado divino não é apenas indispensável, mas também completo em si mesmo. O presbitério não se reúne para completá-lo, mas para demonstrar sua concordância na convicção de que ele existe. A forma mais antiga e menos prejudicial assumida pela perniciosa doutrina da regeneração batismal considerava o batismo como a conclusão da regeneração. Ela não fez a regeneração consistir inteiramente na cerimônia externa, mas não considerava ninguém, não obstante o que o Espírito Santo possa ter efetuado dentro dele, como totalmente regenerado, até que passasse pela cerimônia externa.

Um erro semelhante foi cometido em relação ao chamado do Espírito Santo para o ministério. O chamado é considerado incompleto, até que a cerimônia externa de ordenação tenha sido realizada. Em ambos os casos, uma distinção deve ser feita entre o que o Espírito faz e o que é dever daquele em quem o Espírito opera. O Espírito regenera; é dever do homem regenerado ser batizado. O Espírito chama para o ministério; é dever do homem assim chamado entrar na obra do ministério por todas as formas que são prescritas na palavra de Deus. Por que o Espírito Santo permite que alguém a quem regenerou erre a ponto de negligenciar o batismo, e por que ele permite que alguém a quem chamou ao ministério erre a ponto de negligenciar o batismo e a ordenação regular, eu não entendo, como tampouco entendo por que Deus permitiu que o pecado entrasse no mundo. A prova de todos esses fatos é irrefutável; e sou compelido a admitir sua existência e acreditar que Deus prevalecerá sobre eles para sua glória.

Objeção 1

A doutrina de um chamado divino especial para o ministério cheira a fanatismo. Esse chamado era adequado para o tempo dos milagres, mas agora a graça de Deus, como sua providência, opera por meios comuns. O Espírito reside na igreja e no ministro; e o que eles fazem, o Espírito faz. Esperar qualquer outro chamado do Espírito Santo é fanatismo.

Tivesse a objeção simplesmente afirmado que o Espírito Santo usa meios, ao chamar homens para o ministério, a proposição seria admitida. Ele usa a Palavra como um meio, em seu chamado aos homens ao arrependimento e à fé; e usa a mesma Palavra ao chamar homens para a obra do ministério. Mas a objeção marca outro canal pelo qual a influência espiritual deveria fluir, a saber, a igreja e o ministério; mas como as qualificações necessárias para o ministério podem ser obtidas por meio desse canal? Se a graça de Deus agora opera pelo uso de meios comuns, sabemos que a Palavra é o meio comum que o Espírito Santo emprega na iluminação e santificação; e a conclusão de que a iluminação e santificação superiores necessárias para a obra do ministério são o efeito dos mesmos meios empregados com mais sucesso, ou mais abundantemente abençoados, é racional e não fanática.

A imposição das mãos apostólicas poderia conferir dons espirituais no tempo dos milagres; mas as mãos que ordenam agora não têm dons para conferir. É a objeção que nos leva de volta aos dias dos milagres e espera efeitos de causas inadequadas para produzi-los. Um ministério feito por ordenação externa, sem um chamado divino, é uma maldição para o mundo.

Objeção 2

Se um chamado divino é indispensável para constituir um ministro de Cristo, visto que o chamado é invisível, nunca poderemos saber quem são os verdadeiros ministros.

A suposta invisibilidade da religião é apresentada em várias formas de objeção. Ela torna a igreja invisível e o ministério invisível. Mas em que sentido a religião é invisível? O poder da gravidade é invisível, mas vemos seus efeitos em todos os lugares, e sentimos que ele nos prende à terra. A influência do Espírito é invisível, mas seus efeitos são vistos e sentidos com tanta certeza quanto os efeitos da gravidade. O chamado do Espírito para o ministério é invisível, mas seus efeitos evidenciam-se no conflito vitorioso travado pelo ministério contra os poderes das trevas, e nas vitórias que alcançou.

A história do mundo testifica que um poder divino operou no ministério da Palavra; e, onde quer que o evangelho tenha sido pregado fielmente, todos tiveram a oportunidade de observar os efeitos que demonstram que o ministério da Palavra é o ministério do Espírito. Por que, então, precisamos, para tornar o ministério visível, supor que ele consiste em uma forma externa? Existe uma forma apropriada para o ministério assumir, mas a forma pode ser sem o poder, e a mera forma não constitui um ministro de Cristo.

Não podemos ser enganados neste assunto? Podemos. Ministros de Satanás têm aparecido como ministros da justiça; e a adequação a formas externas é um método pelo qual eles recomendam a si mesmos. Somos ordenados a examinar os espíritos; e isso não pode ser feito por um mero exame das credenciais de ordenação. A obrigação de discriminar para além das credenciais de ordenação recai sobre cada igreja na escolha de seu pastor; e sobre cada pastor ao convidar um ministro para pregar ao povo sob sua responsabilidade.

Objeção 3

Se a ordenação não faz um ministro de Cristo, e não prova que um homem é um ministro de Cristo, pode ser dispensada como inútil.

A lógica não procede. Embora não cumpra nenhum desses propósitos, a ordenação pode, não obstante, ser de grande utilidade. Se fôssemos totalmente incapazes de ver qualquer utilidade nela, ainda assim, sendo a vontade de Deus, devemos observá-la. Os homens podem ser cristãos sem o batismo, e podem professar Cristo sem o batismo, mas isso não significa que o batismo é inútil. O Cabeça da Igreja, em sua sabedoria, fez dele a cerimônia designada para a profissão cristã, e assim também fez da ordenação a cerimônia designada para a entrada regular no cargo ministerial. Assim como todo homem convertido deve professar a Cristo pelo batismo, todo aquele que foi chamado por Deus para o ministério deve entrar na obra pela ordenação. A prova da obrigação no segundo caso não é tão clara nas Sagradas Escrituras como no primeiro, mas é suficientemente clara para guiar nossa prática.

ADMINISTRAÇÃO DO BATISMO

Os apóstolos foram comissionados para pregar, batizar e ensinar. Se o ofício exercido pelos ministros ordinários fosse idêntico ao exercido pelos apóstolos, não haveria dificuldade em decidir que este inclui a administração do batismo. Mas o ofício apostólico cessou, e a obra designada aos apóstolos foi delegada a oficiais inferiores. Os apóstolos não podiam, pessoalmente, pregar, batizar e ensinar em todos os países do mundo e em todas as épocas até o fim dos tempos, mas a comissão deu-lhes o dever de providenciar a plena execução dessa obra, e sua autoridade apostólica, guiada pela direção infalível do Espírito Santo, capacitou-os a tomar todas as providências necessárias para levá-la a efeito. Ora, não podemos determinar, a partir da própria comissão, se pregação, batismo e ensino seriam designados, como deveres distintos, a três classes distintas de oficiais, ou se seriam confiados, sem separação, a uma classe. Para obter informações sobre este ponto, devemos investigar sobre as instruções dadas pelos apóstolos como preceito e exemplo.

Alguns argumentaram que, porque a pregação é uma obra mais importante do que o batismo, a autoridade para pregar inclui necessariamente a autoridade para batizar. O maior, dizem eles, deve incluir o menor. Mas esse modo de argumento é falacioso. O todo inclui suas partes, mas o maior nem sempre inclui o menor. Um alto dignitário do reino pode ser culpado de usurpação, se assumir as funções de um oficial humilde. Portanto, embora pregar seja um ofício mais elevado do que batizar, não o inclui necessariamente.

Aprendemos que o Espírito Santo chamou homens para pregar o evangelho, pelas qualificações que ele conferiu, mas não temos nenhuma prova semelhante que o Espírito Santo tenha chamado alguém para a obra de batizar. Qualificações espirituais não são exigidas, e, se não temos outros meios de saber, permanece a dúvida se o trabalho não pode ser feito por qualquer um que o candidato selecionar.

Entre os que defenderam que o batismo possui eficácia salvífica, muitas vezes foi uma questão de grande urgência obter a administração dele, em caso de doença, quando um sacerdote não estava por perto. Tem-se afirmado que, em caso de necessidade, o rito pode ser administrado por leigos e até por mulheres. Algumas pessoas que estão livres de tal confiança supersticiosa na cerimônia externa defendem que qualquer um que faz um discípulo pode batizá-lo. De acordo com esta interpretação da comissão, seria apropriado que uma mãe, cujas instruções foram abençoadas para a conversão de seu filho, fosse a administradora de seu batismo. Mas esta interpretação é inadmissível. Se parte da obra para a qual os apóstolos foram especialmente designados pode, até certo ponto, ser realizada por outras pessoas, isso não significa que essas pessoas estão totalmente investidas com a comissão apostólica.

A comissão especifica traz deveres cuja execução os apóstolos deveriam providenciar. Um deles era a administração do batismo. Eles receberam a ordem, não de fazer discípulos e ensinar-lhes o dever de serem batizados, mas de fazer discípulos e batizá-los. A administração do rito deveria ficar a cargo deles; e, quando eles não pudessem realizá-lo pessoalmente, era seu dever providenciar a sua execução. Esse raciocínio prova satisfatoriamente que a administração não foi designada para ser deixada a qualquer um que o candidato pudesse selecionar; e isso é confirmado pelas palavras de Paulo: "não me enviou Cristo para batizar, mas para pregar o evangelho" (1Co 1.17). Essas palavras implicam que Cristo enviou algumas pessoas para batizar. A tarefa devia ser cumprida, e essas palavras, tomadas em conexão com o fato de que João Batista e os outros apóstolos receberam a ordem de batizar, confirmam a dedução de que a obra deveria ser realizada por agentes designados.

Sobre a questão de se a administração do batismo está necessariamente incluída na comissão de pregar, ou necessariamente ligada a ela, as palavras de Paulo que acabamos de citar lançam alguma luz. A palavra traduzida como "enviou" é o verbo a partir do qual a palavra *apóstolo* é derivada. Como usado por Paulo nesta passagem, significa que Cristo não deu a Paulo uma comissão apostólica para batizar, mas para pregar o evangelho. Comparando a comissão dada a ele com aquela dada aos outros apóstolos, a diferença neste particular é aparente. Isso prova que os ofícios de pregar e batizar não eram inseparáveis. Se o maior incluísse o menor, a autoridade e a obrigação de batizar estariam incluídas na comissão de Paulo, e ele não poderia ter dito com verdade literal: "não me enviou Cristo para batizar".

Entender a passagem como significando apenas que o batismo era uma parte menos importante da obra que Paulo foi autorizado a realizar não satisfaz o significado literal das palavras, e é um afastamento, sem necessidade, da interpretação literal, que é totalmente sustentada por uma comparação da comissão de Paulo com a dos outros apóstolos. Além disso, o significado literal concorda mais com o contexto, uma vez que, segundo ele, o fato alegado por Paulo eliminou daqueles que ele havia batizado todo fundamento para reivindicá-lo por conta disso como um apóstolo líder de um partido. Se, ao batizá-los, não agiu como apóstolo, esse fato não lhes deu pretexto para reivindicá-lo como líder partidário de tão alto nível.

Se o estado de espírito de Paulo o tivesse permitido pregar no dia seguinte ao que Jesus lhe apareceu e deu sua comissão, ele estava autorizado a pregar; mas não a administrar o batismo. No entanto, ele depois batizou Crispo, Gaio e a família de Estéfanas; e ele deve ter obtido autoridade para fazer isso de alguma forma. Em que sentido? Se não foi por comissão extraordinária, deve ter sido da maneira ordinária, na qual outros receberam autoridade para batizar. Ele mesmo recebeu a ordem de ser batizado, da maneira comum, e honrou e obedeceu à ordem. Da mesma forma, deve ter recebido a autoridade sob a qual atuou, na administração do batismo.

Embora batizar não esteja necessariamente relacionado com pregação e ensino, a maneira pela qual é conjugada a eles na comissão parece indicar que essa conexão é adequada. Nenhuma classe separada de oficiais é fornecida em qualquer lugar no Novo Testamento para administrar o rito. Contudo, se raciocinamos corretamente, os apóstolos tinham a obrigação de providenciar isso. Somos levados à conclusão de que esta provisão foi feita no método ordinário instituído para a transmissão do ofício ministerial. Paulo confiou o ofício a Timóteo, na presença de muitas testemunhas, pela imposição de suas mãos e das do presbitério. Timóteo deveria, da mesma maneira, confiar o cargo a outros, e impor-lhes os mesmos deveres que Paulo lhe havia ordenado.

Era adequado que a disposição dessa indução cerimonial ao cargo incluísse a autoridade cerimonial para batizar. Não se pode provar que ela é dada no chamado interno do Espírito. Não foi dada na comissão extraordinária de Paulo. Se Paulo a recebeu da maneira ordinária, seja por ter sido designado em Antioquia, ou em algum culto semelhante em algum tempo anterior, temos este ponto estabelecido: a autoridade para administrar o batismo é conferida no curso normal da sucessão ministerial, quando um indivíduo, chamado pelo Espírito Santo para o ministério da palavra, é publicamente designado para esse serviço. O processo de raciocínio pelo qual chegamos a esta conclusão é menos claro e direto do que o que muitos outros assuntos admitem; mas é suficientemente claro para determinar nossa prática, na ausência de instruções explícitas dos oráculos sagrados. Além disso, temos a satisfação de saber que esse procedimento tem sido geralmente adotado nas igrejas que mais se conformaram às Escrituras em sua ordem.

SUCESSÃO APOSTÓLICA

Vimos que o batismo deve ser administrado por um ministro ordenado da palavra. Uma pergunta, então, surge diante de cada crente que deseja receber o batismo: "como saber quem está autorizado a administrá-lo?". Alguns pensaram que o candidato pode legitimamente deixar toda a responsabilidade de decidir esta questão com o administrador. Mas, se ele soubesse que o administrador não era autorizado, seria errado receber o batismo de suas mãos, e não pode, portanto, estar correto ser indiferente quanto a saber se ele está autorizado.

Além disso, o administrador consciencioso está profundamente interessado na questão. Ele não deve agir sem autoridade divina e enganar os discípulos que confiaram nele, dando-lhes em lugar do verdadeiro batismo cristão apenas uma falsificação humana. Como ele sabe que foi devidamente ordenado para realizar essa obra? Que aqueles que o ordenaram foram também devidamente ordenados? Que a linha de conexão com aqueles que originalmente receberam a comissão de Cristo não foi interrompida? Existe uma obrigação que se impõe à consciência de cada pessoa que busca o batismo, e que se impõe ainda mais à consciência daquele que o administra, de saber que seu direito de administrar foi derivado por sucessão ininterrupta dos apóstolos?

Há uma improbabilidade intrínseca na suposição de que as Escrituras obrigam todos os que recebem o evangelho, em todos os países e épocas do mundo, a cumprir um dever específico, mas que ao mesmo tempo deixa esse dever às escuras, para que ninguém possa saber qual é, exceto pela luz da tradição. Em um capítulo anterior, aplicamos esta consideração à questão de se as consciências dos homens são obrigadas pela autoridade das Escrituras a receber a sucessão tradicional do sábado, como se com autoridade semelhante aos preceitos das Escrituras. O exame então feito concluiu que o preceito divino é dado com mais sabedoria de uma maneira a assegurar todos os fins da observância, sem impor à consciência individual uma responsabilidade desigual e para a qual não há o conhecimento necessário. O preceito não obriga os homens a observarem o sétimo dia de uma semana desconhecida, e não os submete de tal forma à sucessão regular, que, se eles a perderam ao circunavegar o globo, nunca poderão recuperá-la. Se nada encontramos nas Escrituras, quando devidamente interpretadas, submetendo nossas consciências à tradição da observância sabática, podemos, por analogia, esperar não encontrar nada submetendo nossas consciências à sucessão apostólica.

Um humilde discípulo de Cristo, desejoso de obedecer a todos os mandamentos de seu Senhor, aprende seu dever das Sagradas Escrituras e vê nelas a ordem estabelecida nas igrejas primitivas. Ele procura ao redor para descobrir se há igrejas como as igrejas primitivas, e ministros pregando e batizando como os ministros primitivos. Ele os encontra. O início e o fim da sucessão aparecem. Ele não vê o meio dela, mas sabe que o Cabeça da Igreja vive durante todo esse ínterim, e que ele é o Deus da providência, e o doador do Espírito Santo, por cuja influência a cadeia de sucessão pode ser preservada. Ele se assegura de que, se uma sucessão ininterrupta for necessária para qualquer propósito que o Cabeça da Igreja tenha em vista, ele a preservou. Com essa segurança, prossegue no que lhe parece ser o caminho simples do dever, o mesmo caminho que os santos de outrora percorreram, e espera confiantemente que sua obediência receba a aprovação de seu Senhor. Há algo nas Escrituras que pode provar que esse raciocínio é falacioso?

Suponha que em algum ponto da linha a sucessão apostólica tenha sido perdida. Seria impossível restabelecer a ordem antiga, ou, em outras palavras, seria impossível depois disso obedecer aos mandamentos de Cristo? O Espírito Santo qualifica e chama pessoas para pregar o evangelho e ensinar os homens a observar tudo o que Cristo ordenou, e vimos que este chamado do Espírito é completo em si mesmo. No caso suposto, como poderiam as pessoas chamadas pelo Espírito Santo ensinar os homens a observar os mandamentos de Cristo, se a observância fosse agora impossível? Certamente, o raciocínio que infere a impossibilidade deve ser falacioso, ou o fracasso da sucessão nunca ocorreu, para perturbar os conselhos daquele que disse: "eis que estou convosco todos os dias até à consumação do século" (Mt 28.20). Ora, seja porque a corrente permaneceu ininterrupta, ou porque o Cabeça da Igreja tem um método para restaurá-la, o efeito para nós é o mesmo. O que nos cabe é cumprir nosso dever, de acordo com a luz que possuímos. Este modo de resolver a questão é suficiente para todos os fins práticos.

Como mera questão de teoria, pode-se perguntar se uma brecha na sucessão tornaria necessária uma nova revelação. Anular qualquer comando das Escrituras exigiria uma nova revelação. Mas abandonar a ordem que Cristo instituiu é uma coisa, e voltar a ela depois de haver se desviado é outra coisa. Para a segunda, não precisamos de nova revelação. A sabedoria do alto, dada pela influência comum do Espírito, é suficiente para tal emergência, sem uma inspiração miraculosa. Se os homens santos de Deus tiveram a responsabilidade de retornar ao bom e velho caminho depois de terem-no abandonado, eles sem dúvida buscaram sabedoria do alto para dirigi-los, e o sucesso de seus esforços para recuperar o caminho perdido é para nós garantia suficiente de que o Senhor lhes deu a sabedoria necessária.

Mas existe algum muro construído ao longo do caminho para evitar o retorno dos errantes? Até onde posso ver, toda a dificuldade pode ser resolvida na questão de saber se os ministros da palavra, chamados para a obra pelo Espírito Santo, podem, em qualquer caso, desempenhar todas as funções do ofício sem a instalação cerimonial regular nele. De acordo com a visão que adotamos, o chamado do Espírito é completo em si mesmo, mas o mesmo Espírito ensina o chamado a respeitar a ordem instituída para a indução cerimonial ao cargo. A obrigação de respeitar esta ordem, quando existe, impõe-lhes o dever de adiar o exercício das funções cerimoniais até terem sido cerimonialmente instalados, mas no caso suposto, a ordem da igreja não existe e, portanto, a obrigação de aguardar não existe. Seu dever é respeitar a ordem quando ela existe e restaurá-la quando não existe.

O Cabeça da Igreja designou que os ministros da palavra deveriam fazer discípulos, batizá-los e ensiná-los a organizar igrejas, celebrar a Ceia do Senhor, exercer disciplina e andar em todos os mandamentos e ordenanças do Senhor. Os ministros da palavra são oficiais da igreja espiritual de Cristo e derivam suas qualificações e chamado do Espírito Santo. Como outros homens, eles devem observar o que Cristo ordenou e, portanto, respeitar a ordem estabelecida da igreja. Mas se a ordem da igreja foi derrubada, seu chamado pelo Espírito Santo requer que eles a restaurem, e não que ensinem que ela agora deve ser negligenciada para sempre. No curso regular das coisas, a ordenação encontra-se no início do ministério, assim como o batismo está no início da vida cristã, mas há vários detalhes importantes nos quais as duas observâncias diferem.

O batismo é prescrito por preceito expresso, a ordenação não. Muito da ordem instituída pelos apóstolos originou-se por conveniência. A nomeação de diáconos, registrada em Atos 6, é manifestamente um caso desse tipo. A conveniência tem sua obrigação, bem como seu preceito positivo. Uma questão de conveniência, decidida pela sabedoria apostólica, é uma obrigação para nós em circunstâncias semelhantes. A comunidade de bens na igreja primitiva não é um dever para nós, porque nossas circunstâncias são diferentes. A ordenação é conveniência e sua observância é obrigatória na ordem regular das coisas, instituída pelos apóstolos, mas não se pode inferir que seja obrigatória em todas as circunstâncias. Nada nas Escrituras determina o quantitativo do presbitério, e se isso pode ser determinado por considerações de conveniência, a mesma conveniência pode determinar que a ordenação por um presbitério pode, em algumas circunstâncias extraordinárias, ser dispensada.

Todos os discípulos de Cristo, nos tempos primitivos, deviam ser batizados, mas nem todos os ministros de Cristo foram cerimonialmente ordenados. Não temos prova de que os apóstolos, ou os setenta que Cristo enviou, foram ordenados dessa forma. Nenhum presbitério reuniu-se nesse caso, mas eles foram ordenados ou nomeados pelo próprio Cristo. Quando batizou discípulos, ele colocou a obra nas mãos daqueles que iriam depois realizá-la. Mas seu chamado direto conferiu o ofício ministerial sem ordenação humana.

Temos no Novo Testamento um número muito maior de ministros não ordenados do que de ministros ordenados, se a imposição de mãos humanas é necessária para a ordenação. Saulo e Barnabé foram ordenados para um serviço missionário, e Timóteo foi ordenado para a obra do ministério, mas quem mais?

Jesus honrou a instituição do batismo ao recebê-lo de um administrador humano, mas não honrou a ordenação dessa forma. Entre os benefícios resultantes da ordenação para os ministros, um importante é que eles vão para a obra com o testemunho simultâneo do presbitério e da igreja, recomendando-os a todos como ministros de Cristo. Jesus estava disposto a receber o testemunho de João, mas de João como seu batizador, não como seu ordenador. "A fim de que ele fosse manifestado a Israel, vim, por isso, batizando", disse João (Jo 1.31). No início de seu ministério, Jesus recebeu o batismo de João no Jordão. Quando ele saiu da água, e estava de pé na margem, sua augusta ordenação aconteceu. O Espírito Santo, pelo qual sua natureza humana foi qualificada para o ministério no qual ele estava entrando, desceu sobre ele em forma visível, e a voz do Pai audivelmente pronunciou: "Este é o meu Filho amado, em quem me comprazo" (Mt 3.17).

Dessa comparação, parece claramente que a ordenação não vem a nós imposta por obrigações semelhantes às do batismo. Se nossa doutrina de comunhão restrita estiver correta, o batismo é um pré-requisito para a membresia nas igrejas locais; e, visto que a administração do batismo pertence propriamente aos ministros da palavra, as igrejas locais são, neste particular, dependentes do ministério para sua existência. As igrejas locais não podem gerar o ministério do qual sua própria existência depende. O ministério originou-se antes das igrejas locais e poderia ter sido perpetuado sem elas, se o Senhor assim o quisesse.

O poder do qual o ministério origina-se não é o das igrejas, mas do Cabeça da Igreja; e seu chamado para o ofício é a autoridade máxima. João foi enviado para pregar e batizar, sem ter sido batizado ou ordenado. No entanto, a evidência de sua missão era clara e as pessoas acreditavam nela. Paulo foi comissionado para pregar o evangelho enquanto sem ser batizado ou ordenado, e o chamado não foi condicionado a ser batizado e ordenado depois. O chamado foi completo e incondicional. Ele tinha a obrigação de ser batizado, como todos os outros convertidos, ele cumpriu esta obrigação, como todo ministro chamado deve fazer, mas seu chamado foi completado sem que ele fosse batizado ou ordenado.

Na visão que adotamos, o ministério cristão é uma instituição de extraordinária importância. Ele não surge nas igrejas, mas desce do céu. É um presente enviado à humanidade pelo Salvador, que ascendeu ao céu. Depois de declarar que o Redentor exaltado "concedeu dons aos homens", Paulo passa a enumerar esses dons nas seguintes palavras: "ele mesmo concedeu uns para apóstolos, outros para profetas, outros para evangelistas e outros para pastores e mestres" (Ef 4.8; 11). Sobre esses ministros concedidos pelo céu, o Espírito, que os qualifica para sua obra, dá testemunho. As igrejas recebem o testemunho do Espírito e, por sua vez, acrescentam seu próprio testemunho; e o ministro e as igrejas tornam-se juntamente testemunhas de Deus para o mundo. Se essas duas testemunhas viveram durante todo o período sombrio da perseguição papal, deixo para que outras pessoas investiguem, mas se foram aniquiladas, não tenho dúvidas de que o Espírito de Deus reanimou-as e capacitá-las-á a continuar seu testemunho até o fim do mundo.

OFICIAIS DA IGREJA

Bispos

As igrejas devem escolher, dentre os ministros da palavra, bispos ou pastores para ensiná-los e governá-los.

Numerosas passagens das Escrituras falam de pessoas que governavam as igrejas. "Obedecei aos vossos guias" (Hb 13.17); "os presbíteros que presidem bem" (1Tm 5.17). O termo *bispo* significa *supervisor* e implica autoridade para governar. Entre as qualificações necessárias para um bispo, uma delas era governar bem sua própria casa, e a razão para isso é que: "se alguém não sabe governar a própria casa, como cuidará da igreja de Deus?" (1Tm 3.5). É evidente, a partir dessa passagem, que os bispos foram investidos de uma autoridade que é análoga à autoridade que o chefe de uma família exerce sobre sua casa.

Tem sido muito discutido se a autoridade de um bispo está restrita a uma única igreja local. Os episcopais afirmam que ela estende-se às igrejas de um grande distrito chamado diocese, e que o título bíblico para o governante de uma única igreja é presbítero ou ancião. Contra essa opinião, os seguintes argumentos parecem conclusivos. A única igreja em Filipos tinha mais de um bispo (Fp 1.1). Os presbíteros da igreja em Éfeso são chamados de bispos ou superintendentes (At 22.28). Pedro dirige-se aos presbíteros como pessoas que têm a supervisão do rebanho, isto é, a autoridade dos supervisores ou bispos (1Pe 5.2). Na epístola de Paulo a Tito, depois que a ordenação de presbíteros é mencionada, as qualificações de um bispo são enumeradas (Tt 1.5-7); e a conexão indica claramente que presbítero e bispo eram títulos do mesmo ofício.

Os bispos eram os pastores do rebanho confiados aos seus cuidados. Os bispos ou anciãos da igreja em Éfeso eram obrigados a "pastorear o rebanho". Os anciãos a quem Pedro dirigiu-se receberam a ordem de "pastorear o rebanho", e seu ofício de pastores é apresentado como subordinado ao de Cristo, o "Supremo Pastor". Como as igrejas devem ser alimentadas não com comida literal, mas com conhecimento e compreensão, o ofício de ensino está incluído no de pastor. Portanto, um bispo deveria ser "apto para ensinar" (1Tm 3.2).

Ao enumerar os oficiais da igreja, Paulo menciona pastores e mestres. Pode inferir-se daí que havia mestres nas igrejas primitivas que não eram investidos de autoridade pastoral. Eram ministros da palavra, autorizados pela comissão a ensinar a observância de todos os mandamentos de Cristo, mas não autorizados a governar. Os ministros da palavra são oficiais da igreja universal, mas, como tais, não têm autoridade para governar nas igrejas locais. Esta autoridade pertence aos pastores ou bispos.

A autoridade governante de um pastor é peculiar em seu tipo. Embora tenha alguma analogia com a de um pai em sua família, ou de um governador na sociedade civil, é diferente dessas. Cristo distinguiu seu governo daquele dos reis terrenos pela ausência de coerção: "Se o meu reino fosse deste mundo, os meus ministros se empenhariam por mim" (Jo 18.36). Portanto, os governantes espirituais sob Cristo não têm poder coercitivo sobre as pessoas, nem propriedade dos que estão sob sua autoridade. Uma distinção notória entre sua autoridade e a que é exercida por governantes civis é traçada nestas palavras de Cristo:

Sabeis que os governadores dos povos os dominam e que os maiorais exercem autoridade sobre eles. Não é assim entre vós; pelo contrário, quem quiser tornar-se grande entre vós, será esse o que vos sirva; e quem quiser ser o primeiro entre vós será vosso servo (Mt 20.25-27).

Outra peculiaridade de seu governo é que eles não podem governar por sua própria vontade. Isso seria agir como senhores sobre a herança de Deus. Tal poder, se exercido por eles, é uma usurpação e não pertence legitimamente ao seu ofício. A única regra que eles têm o direito de aplicar é a da palavra de Deus, e a única obediência que eles têm o direito de demandar é voluntária. O governante civil está armado com a espada e coage à obediência. O Rei de Sião não colocou armas carnais nas mãos dos governantes da igreja, e toda coerção é inconsistente com a natureza da autoridade que lhes foi confiada. Nenhuma submissão ao Senhor é aceitável, senão a voluntária, e o mesmo tipo de submissão que os antigos cristãos prestavam ao Senhor, eles prestavam aos seus governantes espirituais: "também deram-se a si mesmos primeiro ao Senhor, depois a nós, pela vontade de Deus" (2Co 8.5).

A entrega de suas propriedades foi voluntária. O discurso de Pedro a Ananias e Safira prova que isso é verdade, mesmo na entrega geral que foi feita pela igreja primitiva. É evidente que as contribuições feitas posteriormente pelas igrejas não foram feitas por constrangimento, mas voluntariamente. Aqueles que reivindicam ou indiretamente exercem um poder coercitivo sobre as propriedades dos membros da igreja estão assumindo a liderança movidos de ganância sórdida e não têm a sanção da autoridade de Cristo ou do exemplo de seus apóstolos.

Visto que a obediência das igrejas não pode ser coagida, ninguém pode começar ou continuar o exercício do governo espiritual sobre elas senão por sua vontade. Portanto, seus bispos devem ser pessoas de sua própria escolha. Os apóstolos, embora reunidos todos em Jerusalém e investidos com pleno poder do alto para fazer tudo que era pertinente ao seu ofício, não nomearam nem mesmo os oficiais inferiores da igreja antes de terem sido escolhidos por toda a multidão dos discípulos. Nesse procedimento, eles reconheceram e estabeleceram o direito das igrejas de eleger seus próprios oficiais.

Mesmo a nomeação de um apóstolo para ocupar o lugar de Judas parece ter sido feita por voto popular, quanto mais a nomeação de bispos sobre as várias igrejas. A palavra grega traduzida por *destinados* em Atos 13.48 significa "estender a mão", e provavelmente se refere ao modo de eleição popular realizado por meio do levantar de mãos. Seja ou não justa essa crítica, há prova suficiente de que os oficiais da igreja eram eleitos assim, sem o auxílio desta passagem.

Porque os bispos devem trabalhar na palavra e na doutrina, bem como governar, as igrejas devem elegê-los dentre os ministros da palavra. Assim como eles não têm o direito de coagir as igrejas, as igrejas não têm o direito de coagir o ministro a aceitar o cargo. A relação deve ser assumida voluntariamente por ambas as partes. Essa voluntariedade por parte dos ministros é necessária ao bom exercício de seu ofício: "não por constrangimento, mas espontaneamente, como Deus quer; nem por sórdida ganância, mas de boa vontade" (1Pe 5.2). O ministro não pode coagir um apoio da igreja, mas Deus ordenou que aqueles que pregam o evangelho vivam do evangelho (1Co 9.14). O dever de uma igreja sustentar seu pastor é claramente ensinado na palavra de Deus, e sem o cumprimento desse dever de sua parte, eles não têm o direito de esperar seus serviços, e eles, de certa forma, tiraram-lhe o poder de exercê-los.

Diáconos

Os diáconos devem ser escolhidos pelas igrejas, dentre seus membros, para ministrar nos assuntos seculares.

Por orientação apostólica, a igreja em Jerusalém escolheu dentre si sete homens, honestos e de boa fama, que foram designados para servir às mesas. Esta medida surgiu por conveniência, para que os apóstolos estivessem dedicados à palavra de Deus e à oração. A mesma conveniência requer que os pastores sejam aliviados das responsabilidades seculares e deixados ao serviço espiritual da igreja. Sabemos que existiam diáconos na igreja em Filipos (Fp 1.1) e instruções foram dadas a Timóteo a respeito das qualificações necessárias para o ofício de diácono. Esses fatos permitem concluir que o ofício de diácono foi designado para ser perpétuo nas igrejas. O modo de nomeação deve ser conforme o exemplo da igreja primitiva. As pessoas devem ser escolhidas por voto popular e investidas no cargo por ordenação ministerial.

Alguns pensam que os diáconos, assim como os bispos, são chamados de presbíteros nas Escrituras. Lemos sobre bispos e diáconos em conexão, mas nunca sobre presbíteros e diáconos; lemos sobre a ordenação de presbíteros, sem a menção de diáconos, quando tanto diáconos quanto bispos eram necessários (At 14.23); e lemos das contribuições enviadas aos presbíteros em Jerusalém, depois da nomeação de diáconos, que eram os oficiais adequados para recebê-las e distribuí-las (At 11.30). Argumenta-se, além disso, que a distinção que parece ocorrer em 1Timóteo 5.17 entre os presbíteros que pregam e os que governam, naturalmente sugere que os presbíteros governantes eram os diáconos das igrejas primitivas.

Na igreja Presbiteriana, existe uma classe distinta de oficiais, chamados de *presbíteros regentes*. A única autoridade das Escrituras reivindicada para esse ofício é o último texto referido. Este texto, entretanto, não faz distinção entre diferentes classes de oficiais, mas entre diferentes modos de exercer o mesmo cargo. A palavra traduzida por "afadigam" significa trabalhar até a exaustão. Não é o presbítero que apenas preside que é considerado digno de dupla honra, mas o presbítero que preside bem; e a honra especial não é devida ao presbítero, meramente investido com o ofício de ministrar em palavra e doutrina, mas ao que trabalha nisso — até a exaustão. Assim interpretado, o texto não fornece autoridade para os presbíteros leigos presbiterianos, tampouco argumento nenhum para supor que os diáconos sejam chamados de presbíteros.

Os outros argumentos para provar que os diáconos foram incluídos no presbitério das igrejas primitivas não são sem plausibilidade, mas inconclusivos e opõem-se aos fatos de que todos os presbíteros da igreja em Éfeso são chamados bispos; que todos os presbíteros a quem Pedro dirige-se exercem supervisão ou ofício episcopal; e que os presbíteros que Tito deveria nomear parecem ter sido todos bispos, visto que as qualificações para o ofício de diácono não estão associadas àquelas que são descritas como necessárias para o primeiro ofício.

Entre as qualificações do ofício dos diáconos, não é exigido que eles sejam aptos para ensinar. Eles, portanto, não são nomeados para atuar como mestres públicos da palavra. Mas outras qualificações são mencionadas, que indicam que se espera que eles estejam na vanguarda da promoção dos interesses espirituais da igreja. Tal obrigação recai sobre todos os membros, e os diáconos não são dispensados dela por sua nomeação para ministrar em assuntos seculares.

Em vez de se tornarem imersos na secularidade, espera-se que, pelo exercício adequado de seu ofício, adquiram para si justa preeminência e muita intrepidez na fé (1Tm 3.13). Se os diáconos fossem sempre ativos em sustentar as mãos dos pastores, como Arão e Hur ergueram as mãos de Moisés, a prosperidade das igrejas estaria muito avançada e o sucesso do evangelho muito mais abundante.

CAPÍTULO 9
DISCIPLINA

ADMISSÃO DE MEMBROS

As igrejas devem admitir crentes batizados à membresia.

Uma igreja devidamente organizada consiste em discípulos que professaram sua fé em Cristo por meio do batismo. Logo, somente tais pessoas devem ser admitidas como membros. A unidade e o amor fraterno exigem que todos sejam amantes de Cristo. O amor deve ser manifestado pela obediência, mas Cristo não é obedecido quando sua ordem que direciona o modo de profissão cristã não é obedecida.

Cada igreja em si mesma tem a responsabilidade de admitir sua própria membresia. Uma única igreja pode excluir alguém de sua própria comunhão, como no caso do membro incestuoso excomungado pela igreja de Corinto. O poder de excluir implica o poder de admitir. O pastor não tem esse poder, nem é ele possuído por qualquer juízo eclesiástico a não ser a própria igreja. A igreja deve exercer o poder de admissão à membresia em sujeição à vontade revelada de Cristo, e está, portanto, proibida de receber qualquer pessoa que não possua as qualificações exigidas.

Para que a igreja possa julgar se um candidato está devidamente qualificado para ser membro, eles devem ouvir sua profissão de fé. Ele deve deixar sua luz brilhar diante de todos os homens, para a glória de Deus. É especialmente necessário que aqueles com quem ele pretende estar associado em comunhão como um filho da luz vejam esta luz brilhar. Ele deve estar sempre pronto para responder a qualquer um que perguntar a razão da esperança que há nele (1Pe 3.15), e, especialmente, deve estar pronto a responder, neste ponto, àqueles que estão para recebê-lo em seu número, como chamados na mesma esperança de seu chamado. Ele deve proclamar o louvor daquele que o chamou das trevas para a sua maravilhosa luz, e deve se alegrar em dizer: "Vinde, ouvi, todos vós que temeis a Deus, e vos contarei o que tem ele feito por minha alma" (Sl 66.16).

As igrejas não são juízes infalíveis, pois são incapazes de sondar o coração. Porém, pela causa de Cristo, e pelo próprio candidato, devem exercer o melhor julgamento de que são capazes. Receber alguém com uma simples profissão de palavras, sem nenhum esforço para verificar se tal pessoa entende e sente o que professa, é infidelidade aos seus interesses e aos interesses da religião. Nos tempos primitivos, quando a perseguição desencorajava a profissão de fé, e quando o Espírito atuava de maneira mais visível, o perigo de erro era menor. Mesmo assim, nem todos os que professavam eram recebidos. João Batista rejeitou alguns para o batismo, pois não produziam frutos dignos de arrependimento. Aqueles que são inadequados para o batismo são inadequados para serem membros da igreja.

Para preservar a unidade na igreja, a admissão de um membro deve ser por voto unânime. Harmonia e confiança mútua são necessárias para a paz e prosperidade de uma igreja; e, se forem perturbadas pela admissão de um novo membro, é muito melhor, tanto para ele quanto para a igreja, que sua admissão seja adiada, até que possa ser efetuada sem prejuízo.

A admissão à membresia pertence às igrejas, mas a admissão ao batismo pertence propriamente ao ministério. Um único ministro tem o direito de receber alguém para o batismo, sob sua responsabilidade individual, como fica claro no batismo do eunuco por Filipe, estando ele sozinho. Mas quando um ministro está oficiando como pastor de uma igreja, é conveniente que o ministro e a igreja unam seus conselhos no julgamento das qualificações de um candidato. Contudo, o pastor deve se lembrar que a responsabilidade de receber para o batismo é propriamente sua. O conhecimento superior que ele deve possuir, seu ofício como pastor do rebanho e a prioridade do batismo para a membresia da igreja combinam-se para tornar necessário que ele primeiro, e principalmente, cumpra esta responsabilidade e atue de acordo com ela no temor do Senhor.

CRESCIMENTO ESPIRITUAL

As igrejas devem trabalhar incessantemente para promover o amor fraterno em seus membros e maior devoção ao serviço de Deus.

O espírito de unidade permeia o cristianismo e tende a levar os discípulos de Cristo a associarem-se uns aos outros. Sob a influência dessa tendência, igrejas são formadas e nelas é dada oportunidade para a demonstração de amor fraternal. Nessa demonstração, Cristo é honrado, e o mundo é convencido de que sua religião é divina. Por amor a Cristo, portanto, e por amor ao mundo, toda igreja deve trabalhar para promover o amor fraternal.

As igrejas são a glória de Cristo, não apenas no amor fraternal que demonstram, mas em sua pureza e devoção ao serviço de Deus. Elas são apenas associações pequenas e temporárias. Ainda assim, podem refletir a glória de Cristo à vista de um mundo que a observa, como puras gotas de orvalho refletem o brilho do sol. Portanto, honrar a Cristo deve ser o esforço constante das igrejas, e, para isso, deve-se ter cuidado com a espiritualidade de cada membro. O pastor deve dedicar-se, com incessante labuta e oração, ao bem espiritual de seu rebanho; os diáconos devem unir seus esforços aos dele para atingir esse grande objetivo; e os membros devem zelar uns pelos outros, exortar uns aos outros e estimular uns aos outros ao amor e às boas obras.

Deus deu o ministério cristão para a edificação de seu povo, e toda igreja deve aproveitar-se desse dom divino e usá-lo da melhor maneira possível. Para esse propósito, o ministro deve ser sustentado por alegres contribuições dos membros da igreja, para que possa devotar-se à promoção de seus interesses espirituais. Ele deve ser encorajado de todas as maneiras possíveis à diligência e fidelidade em seus deveres. Suas imperfeições devem ser tratadas com ternura; e se, a qualquer momento, ele tornar-se negligente em seu trabalho, ou desviar-se dele para atividades seculares, a igreja deve, com gentileza e amor, falar-lhe com a linguagem que Paulo ordenou que fosse usada a Arquipo (Cl 4.17). Mas tal discurso não pode ser feito com bons resultados por uma igreja que não sustenta seu ministro, livrando-o da necessidade dos cuidados mundanos.

A frequência pontual nas ministrações da palavra é necessária para o crescimento espiritual da igreja. É necessário encorajar o coração do ministro. Não se pode esperar que ele pregue com fervor e zelo perseverante se seu povo não manifesta prazer em ouvir a verdade que ele proclama. Que ele saiba que eles bebem da palavra com deleite, que suas almas são refrescadas por ela e que ela aumenta grandemente sua fecundidade em santidade. Com esse conhecimento, ele será estimulado a prosseguir em sua obra com ousadia e a suportar todas as suas labutas com a firme segurança de que seu trabalho não é em vão no Senhor.

A assistência regular às ministrações da palavra é necessária para que os ouvintes possam crescer na graça e no conhecimento de Cristo. A comida não é mais necessária para o corpo do que o alimento espiritual é para a alma, e a palavra é o meio designado de nutrição espiritual. É o leite sincero que os bebês em Cristo desejam e pelo qual são nutridos; e é a carne forte, que podem usar com proveito os que atingiram a maturidade na vida divina.

Não se pode esperar saúde espiritual se o alimento espiritual que Deus providenciou for recebido em intervalos muito distantes e irregulares. Um retorno regular de um dia em sete foi sabiamente indicado pelo grande Autor de nosso ser, que conhece nossa estrutura e compreende perfeitamente o que é melhor para a promoção de nossos mais elevados interesses. Aqueles que negligenciam essa provisão de sua benevolência rejeitam o conselho de Deus contra si mesmos e causam fraqueza espiritual em sua alma.

Não é suficiente receber o alimento espiritual; ele deve ser digerido interiormente. A verdade que é ouvida no dia sabático deve ser objeto de meditação durante a semana, e sua influência deve levar as ações, as palavras, os pensamentos e até mesmo a imaginação à obediência ao evangelho de Cristo. Assim, o processo de nutrição espiritual continuará, até que o próximo sábado traga outro suprimento do alimento celestial. Assim, a alma crescerá em força e atingirá a estatura da maturidade espiritual.

Além da ministração pública da palavra, outros meios de promoção do conhecimento religioso devem receber a atenção e o apoio das igrejas. O estudo da Bíblia deve ser incentivado, seja por indivíduos, por classes bíblicas ou por escolas dominicais. É uma grande falta confiar a obra de instrução inteiramente aos jovens. Que as cabeças que ficaram grisalhas no serviço do Senhor curvem-se com prazer para transmitir instruções às mentes abertas da nova geração, e semeiem neste solo promissor a descendência que produzirá uma rica colheita, depois que o instrutor grisalho tiver partido para sua recompensa eterna. Que a circulação de bons livros religiosos e publicações periódicas seja promovida, e um espírito de investigação religiosa seja incentivado de todas as maneiras apropriadas. Que os homens sejam ensinados tanto pelas palavras como pelas ações daqueles que afirmam ser de Cristo e que têm a religião como a principal preocupação.

A saúde do corpo requer exercícios tanto quanto comida, assim também a ação espiritual é necessária para a saúde da alma. As igrejas devem exortar seus membros a serem diligentes em toda boa obra, não apenas para o benefício daqueles ao seu redor, mas também para seu próprio crescimento espiritual. Nesse curso de serviço ativo, suas próprias almas tornar-se-ão fortes no Senhor, e sua experiência pessoal confirmará as palavras de Cristo: "Mais bem-aventurado é dar do que receber" (At 20.35).

A grande obra que exige a energia de todo o povo de Deus é a expansão da religião. Todo membro da igreja deve trabalhar para isso em seus esforços pessoais dentro da esfera de sua influência individual e, cooperando com outros, estender as bênçãos do evangelho a todas as partes da terra. A palavra de Deus não prescreve o modo preciso de cooperação, tampouco prescreve o modo preciso pelo qual os membros da igreja devem se dirigir a seus locais de culto público. Mas a coisa a ser feita está prescrita; e, se o coração está na obra do Senhor, empregará suas energias em pensar o melhor método de realizá-la e em trabalhar para alcançar o objetivo com confiança em oração na bênção divina.

O evangelho deve ser pregado a toda criatura, e aquele que ama a Cristo deve sentir um santo prazer em ajudar aqueles assim dispostos a executar a vontade de Cristo, por sua ordem de levar a palavra da salvação aos que perecem. A união no esforço religioso não apenas promove o crescimento espiritual de cada cristão, mas também conduz grandemente à harmonia das igrejas. Quando prevalece a frieza na religião, os membros de uma igreja são como peças de metal, que não apenas estão separados uns dos outros, mas podem ser empregados para infligir golpes uns aos outros. Contudo, quando o calor espiritual derrete-os, eles fluem juntos e tornam-se um. As rixas e controvérsias inúteis cessam quando os homens estão ativamente engajados no serviço a Deus, e quando se esforçam para estimular uns aos outros a nada mais que ao amor e às boas obras.

As reuniões de oração são um meio importante de crescimento espiritual. Já foi dito que a reunião de oração de uma igreja é o termômetro pelo qual sua temperatura espiritual pode ser aferida. Quando os cristãos amam encontrar-se para, unidos, derramarem suas súplicas diante do trono da graça, o Salvador, em cumprimento à sua promessa, reúne-se com eles e concede bênçãos que transcendem infinitamente todos os bens terrenos, e são o início da bem-aventurança celestial.

EXCOMUNHÃO

O direito de excomungar pertence à igreja, sem qualquer apelação.

Isso fica claro nas palavras de Cristo: "se recusar ouvir também a igreja, considera-o como gentio e publicano" (Mt 18.17). Que excomungar não é atribuição de um ministro fica claro nas instruções de Paulo à igreja em Corinto (1Co 5.4, 5). Se os ministros tivessem o direito de excomungar, Paulo, com sua alta autoridade apostólica, teria exercido o direito ele mesmo, ou teria assim ordenado ao tribunal clerical pelo qual o direito deveria ser exercido. Mas ele instruiu a igreja a fazer a obra e, portanto, a ela pertence de maneira adequada. A punição deveria ser infligida, não pelos oficiais da igreja, mas por toda a igreja reunida com o poder e a presença de Cristo, e o ato realizado é chamado de "punição pela maioria" (2Co 2.6). Alguns, porque a palavra traduzida como "maioria" na passagem está no grau comparativo, a interpretaram como uma maioria simples, mas seja esse seu significado ou não, parece implicar que a sentença foi aprovada por voto popular.

A obrigação de excluir pessoas indignas da comunhão da igreja é ensinada em várias passagens das Escrituras. "Expulsai, pois, de entre vós o malfeitor" (1Co 5.13). "Evita o homem faccioso, depois de admoestá-lo primeira e segunda vez" (Tt 3.10). "Nós vos ordenamos, irmãos, em nome do Senhor Jesus Cristo, que vos aparteis de todo irmão que ande desordenadamente e não segundo a tradição que de nós recebestes" (2Ts 3.6). "Caso alguém não preste obediência à nossa palavra dada por esta epístola, notai-o; nem vos associeis com ele, para que fique envergonhado" (2Ts 3.14). "Rogo-vos, irmãos, que noteis bem aqueles que provocam divisões e escândalos, em desacordo com a doutrina que aprendestes; afastai-vos deles" (Rm 16.17).

Na excomunhão, deve-se levar em consideração não apenas a glória de Deus, mas o bem do ofensor. Isso aparece nas palavras de Paulo: "para a destruição da carne, a fim de que o espírito seja salvo" (1Co 5.5). O feliz resultado dessa excomunhão, a única particularmente registrada na história das igrejas do Novo Testamento, é um forte incentivo ao exercício da disciplina fiel. Tem sido observado que, quando a disciplina deixa uma igreja, Cristo vai embora com ela.

CAPÍTULO 10
TÓPICOS DIVERSOS

CONVENIÊNCIA DA ORDEM BÍBLICA DA IGREJA

Nossa obrigação de observar os preceitos positivos da religião depende inteiramente da vontade revelada do Legislador. Não se segue, entretanto, que eles sejam sem razão, mas apenas que a razão para eles está além da descoberta da sabedoria humana. Depois que a sabedoria divina os instituiu, podemos ser capazes de descobrir sua adequação para cumprir o propósito para o qual foram designados, e percebe-se que são necessários para a ordem e harmonia dos arranjos de Deus. Dessa maneira, a conveniência de obedecer a preceitos positivos pode, às vezes, ser claramente vista pelo estudante inteligente da vontade de Deus; porém, onde não podemos andar por vista, devemos andar pela fé no caminho dos mandamentos de Deus, e sentir-nos seguros, em todas as ocasiões, de que obedecer a Deus em todas as coisas é sempre o mais conveniente.

Ao longo das discussões anteriores, temos nos empenhado em fixar nossos olhos firmemente nos preceitos divinos e fortalecer-nos no propósito de obedecer implicitamente, mesmo quando nenhuma razão para a exigência é detectável. Mas agora, no final de nossas investigações, será proveitoso obter mais uma visão da ordem da igreja que deduzimos das Sagradas Escrituras, a respeito de sua conveniência.

Uma doutrina fundamental, no sistema de ordem da igreja que deduzimos das Escrituras, é que a piedade genuína é necessária à membresia da igreja. Se esta doutrina tivesse sido firmemente mantida desde os tempos dos apóstolos, a corrupção que se espalhou pelas igrejas teria sido evitada, e a apostasia papal nunca teria ocorrido. A admissão de membros não convertidos abriu a porta para todo mal e, por fim, sujeitou as igrejas ao espírito que opera nos filhos da desobediência. A reforma de Lutero corrigiu muitos abusos, mas essa grande brecha de entrada do mal não se fechou. Logo, as igrejas reformadas não exibem a pureza, devoção e zelo que caracterizavam as igrejas dos tempos primitivos. Precisamos de uma reforma mais completa.

Precisamos colocar o machado na raiz das árvores, e isso é feito quando ninguém é admitido como membro da igreja, a não ser pessoas verdadeiramente convertidas. A doutrina que exclui todas as outras estabelece o valor e a necessidade da religião vital e, portanto, é da maior importância para os interesses da igreja e do mundo.

Grande dano resultou da ambição do clero. Isso elevou o pontífice romano a seu alto posto de poder, e seus adeptos são movidos pelo mesmo espírito. Para neutralizar tal influência, Cristo ordenou a seus discípulos: "Vós, porém, não sereis chamados mestres, porque um só é vosso Mestre, e vós todos sois irmãos" (Mt 23.8). A doutrina da igualdade entre os ministros de Cristo guerreia contra a ambição clerical, e uma firme manutenção dela teria efetivamente barrado o Homem da Iniquidade, e agora destruiria a hierarquia romana e ensinaria aos prelados arrogantes a necessidade da humildade cristã.

A ambição do clero precisa de uma combinação de igrejas para sustentá-la. A doutrina de que toda igreja é um corpo independente, e que nenhuma combinação de igrejas é autorizada por Cristo, opõem-se a seus esquemas de preferência eclesiástica. Ela iguala os pastores ou bispos e não permite outra preferência senão a devida à piedade e utilidade superiores. A independência das igrejas e a forma democrática de governo da igreja apelam fortemente para a responsabilidade individual e têm, portanto, uma forte tendência a promover a santidade entre os membros leigos. Todo homem sente que a causa de Cristo foi, em alguma medida, confiada a ele. A igreja não é um corpo intermediário entre ele e Cristo, e encarregado da responsabilidade exclusiva de glorificar a Cristo, mas ele mesmo é em parte a igreja, e a ele pertence a obrigação de honrar seu divino Mestre. Esta doutrina de responsabilidade individual une-se à doutrina da membresia da igreja para convertidos, para dar às igrejas a glória de Cristo.

Já foi dito o suficiente para direcionar a visão do leitor atento à excelência da ordem bíblica da igreja. No que resta desta seção, consideraremos algumas objeções contra a doutrina da independência da igreja.

Objeção 1

A forma independente de governo da igreja não permite influência suficiente ao ofício ministerial. Teólogos eruditos podem ser derrotados por leigos ignorantes, e os pastores, que deveriam governar seus rebanhos, podem ter sua paz e reputação destruídas por suas igrejas, sem qualquer direito de apelação.

A objeção supõe outro poder além do moral como necessário para os ministros. Um homem cuja piedade e chamado de Deus ao ministério são inquestionáveis, que dá prova cabal àqueles entre os quais ministra de que busca o bem supremo, e que serve a um povo que o tem em alta estima por causa de seu trabalho, exerce sobre eles uma influência quase ilimitada. Ele vem a eles em nome de Deus, e eles percebem que suas instruções e preceitos provêm da palavra de Deus. Ele dirige-se a eles com referência ao mundo eterno; e eles percebem que logo estarão juntos diante de Deus.

A autoridade de Deus e os importantes interesses do mundo eterno dão peso a cada palavra que ele profere. As faculdades de suas mentes dobram-se sob sua influência. Ministros assim influenciaram tanto o coração dos homens cristãos que o martírio não é um terror para eles. Eles desafiaram a fúria cruel dos tiranos, e enfrentaram a fúria popular destemidos. Não é essa influência grande o suficiente para ser exercida por qualquer ministro? Objetá-la não substituiria esta influência por uma parte do poder do tirano que ela superou? Os apóstolos, no dia de Pentecostes, foram dotados de poder do alto, mas não era o poder de coerção. A verdade de Deus e uma vida santa tornaram o ministério invencível, e o ministro que pede outro poder confunde a natureza de seu ofício.

Alega-se que um teólogo erudito pode ser derrotado por leigos ignorantes. E daí? A verdade e a santidade perdem seu poder ao serem vencidas em votação? O teólogo erudito pode estar errado, ou pode arrogantemente reivindicar uma deferência à qual não tem direito. Nesse caso, dar a ele poder de governo seria um triste remédio para o suposto mal. Talvez ele esteja certo e possua a mansidão e humildade de Cristo. Nesse caso, ele ensinará ao povo como responder à objeção que agora temos diante de nós. Ele escolherá com mansidão instruir aqueles que se opõem a ele, em vez de prevalecer sobre eles pela autoridade. Pode ser que tenham boas intenções, mas precisam de informações. O remédio é dar-lhes as informações necessárias. Isso é muito melhor do que negar-lhes o poder de pensar e agir. Possivelmente, eles podem ser homens maus e astutos. Nesse caso, não deveriam estar na igreja. Certamente não é sábio mantê-los na igreja e tentar torná-los inofensivos privando-os de influência na igreja, especialmente se formos obrigados, ao mesmo tempo, a tornar todos os bons membros leigos da igreja igualmente impotentes.

Entre as relações na sociedade humana, a de um pastor piedoso com o rebanho sob sua responsabilidade é uma das mais prolíficas em bênçãos. Enquanto ele aponta para o céu em suas instruções e os conduz no caminho por seu exemplo, eles ouvem com reverência e imitam com a afeição de crianças. Não basta dizer que sua felicidade e reputação estão a salvo em suas mãos. Eles são um muro de defesa ao seu redor e uma fonte do mais puro e doce prazer. Mas os benefícios dessa relação decorrem do laço moral que une as partes. Eles brotam do amor fraterno que flui espontaneamente de corações renovados e que os une no serviço ao mesmo Senhor. Substitua por isso o mero laço de relação oficial, e o jardim do Senhor torna-se um deserto árido. Quando um pastor busca defender-se de seu povo, entrincheirando-se na autoridade oficial ou apelando a um tribunal superior, há um mal radical que precisa de outro remédio.

Concordamos que a forma independente de governo da igreja não é adaptada para pastores ímpios e membros de igreja não convertidos. É adequada apenas para aqueles que estão unidos em amor fraternal e esforçam-se juntos para glorificar a Deus e promover a causa da verdade e da justiça. É para tais pessoas que Cristo instituiu a igreja, e todas as objeções às quais está sujeita encontram sua ocasião na depravação dos homens. O governo da igreja nunca foi projetado para ser um remédio para a depravação humana. Foi projetado para homens a quem o Espírito Santo santificou. A sabedoria que poderia adaptá-lo a homens de caráter diverso não vem do alto.

Objeção 2

Os homens astutos têm o poder de desencaminhar o povo, e o mal resultante não pode ser evitado, se não houver um alto tribunal ao qual os demagogos sejam sujeitos.

A prevenção e a cura desse mal não devem ser buscadas no estabelecimento de um alto tribunal eclesiástico, mas na iluminação e santificação do povo. Sabedoria e benevolência unem-se em recomendar que as mentes dos homens sejam fortificadas contra os sedutores, sendo bem instruídas na verdade, e o expediente de conter o sedutor pela alta autoridade eclesiástica não garante o maior bem possível. Além disso, não temos garantia de que o tribunal não será corrompido. O mesmo poder que afirma reprimir um sedutor, pode reprimir um reformador a quem Deus levantou para trazer os homens de volta ao caminho certo. É muito melhor opor o erro com a verdade e a demonstração do Espírito do que com a autoridade eclesiástica.

Objeção 3

As igrejas independentes não têm vínculo de união e força, e nenhum meio de prevenir a divisão.

O amor é o vínculo da perfeição, que une os verdadeiros membros de Cristo. Quando esse vínculo de ouro está em falta, uma liga de ferro, forjada pela autoridade eclesiástica, pode prender os homens uns aos outros, mas esta não será na comunhão do evangelho. A falta de comunhão na igreja é uma doença que ataca a força espiritual do corpo, e é melhor que seja vista e sentida até que o remédio apropriado seja aplicado, do que ser escondida por uma cobertura externa de formas eclesiásticas.

Quando a mera organização fornece a união e a força em que confiamos, deixamos de cultivar a unidade do Espírito e de confiar no poder da verdade. A objeção, portanto, é infundada. O que ela considera uma falha é, na realidade, uma alta excelência da ordem eclesiástica ensinada nas Escrituras, e demonstra que se originou na sabedoria de Deus.

COMUNHÃO ENTRE IGREJAS

Uma relação feliz poderia subsistir entre as igrejas, estivessem todas andando no Espírito, sãs na fé, corretas na ordem e cuidadosas na disciplina. Tal estado de coisas existia, em grande medida, nos tempos apostólicos. Os homens cristãos passavam de uma região a outra e descobriam, em todos os lugares, que os que professavam o nome de Cristo eram um só coração e uma só alma. Os membros de uma igreja local eram, em geral, bem-vindos na comunhão de todas as outras igrejas.

Mas a relação entre as diferentes igrejas locais não é tal que obrigue cada igreja a receber os ministros e membros de todas as outras igrejas. Essa obrigação não era sentida nem mesmo nos dias dos apóstolos. João ordenou: "Se alguém vem ter convosco e não traz esta doutrina, não o recebais em casa, nem lhe deis as boas-vindas" (2Jo 10). Esses mestres de falsa doutrina eram provavelmente membros de alguma igreja local que, como a igreja de Pérgamo, tolerava o erro (Ap 2.14, 15), mas sua membresia não lhes conferia respeito e confiança universais.

Alguns consideram que cada igreja local atua por todo o corpo dos fiéis, e inferem que seus atos são vinculantes para todas as outras igrejas. Mas essa opinião é inconsistente com a verdadeira doutrina da independência da igreja e com a responsabilidade separada de indivíduos e igrejas. Quando as igrejas cumprem seu dever, a recomendação de um ministro ou membro de uma igreja irá, como a recomendação dada a Apolo (At 18.27), encaminhá-lo às afeições e confiança de outras igrejas, mas nenhuma recomendação de uma pessoa indigna pode forçar a consciência daqueles que conhecem seu verdadeiro caráter. O intercâmbio livre e a confiança mútua entre as igrejas são muito desejáveis, e todos devem trabalhar para promovê-los, mas a pureza de doutrina e prática nunca deve ser sacrificada para efetivá-los.

Para a promoção da comunhão cristã, cada um deve exigir mais de si mesmo do que de seu irmão. Podemos tolerar legitimamente nos outros o que não podemos tolerar ou aprovar em nós mesmos. Algum grau de tolerância deve ser exercido quando cristãos imperfeitos convivem harmoniosamente na comunhão de uma igreja local. As igrejas locais devem exercer tal tolerância umas em relação às outras. Algumas coisas na disciplina de uma igreja podem não ser aprovadas por uma igreja vizinha, mas isso não quer dizer que o relacionamento afável entre elas deva ser perturbado. Cada um deve agir por si mesmo, sem buscar forçar o outro. Mas quando uma igreja torna-se corrupta na fé ou prática, as igrejas vizinhas devem revogar sua comunhão.

IMPOSIÇÃO DE MÃOS

A imposição de mãos, às vezes, é mencionada nas Escrituras como significando algo diferente da mera forma ou cerimônia. As mãos foram impostas sobre a rainha Atalia, para que ela fosse condenada à morte (2Cr 23.15). Neemias ameaçou impor as mãos sobre aqueles que violassem o sábado (Ne 13.21) e no mesmo sentido, é dito que quando procuraram impor as mãos sobre Jesus, temeram a multidão (Mt 21.46).[1] Mas a imposição das mãos também é mencionada como uma forma ou cerimônia significativa. Ela foi usada [1] para representar a transferência de culpa para as vítimas que foram oferecidas em sacrifício (Lv 4.4; 16.21); [2] para representar a transferência de autoridade de Moisés a Josué (Nm 27.18-20); [3] como forma de bênção, às vezes acompanhada de oração (Gn 48.14; Mc 10.16);.[4] para conferir o Espírito Santo (At 19.6); e [5] para ordenar ao ofício ministerial (At 13.3).

Tem prevalecido em muitas igrejas a prática da imposição das mãos do pastor sobre aqueles que foram batizados recentemente, acompanhando o ato com uma oração a Deus em favor deles. Nenhum comando da Escritura ordena esta cerimônia. As mãos foram impostas sobre aqueles que haviam sido batizados nos tempos dos apóstolos para comunicar o Espírito Santo, mas isso foi feito apenas pelos apóstolos. Quando Cornélio e os que estavam com ele receberam o Espírito Santo antes do batismo, o apóstolo Pedro não impôs as mãos sobre eles depois.

Na consagração solene ao serviço ministerial, outras mãos, além das dos apóstolos, às vezes, eram impostas sobre as pessoas ordenadas. No caso ocorrido em Antioquia, o único apóstolo presente era uma das pessoas sobre as quais as mãos foram impostas (At 13.1, 2). Segue-se que isso não foi feito para outorgar o dom do Espírito Santo, que parece ter sido conferido apenas pelos apóstolos. Na ordenação de Timóteo, outras pessoas além de Paulo, que são chamados de "presbitério", participaram da imposição das mãos. Esses fatos justificam a conclusão de que a imposição das mãos por ministros

1 Nos três exemplos, as traduções para o português trazem "lançar mão", e não "impor as mãos" [N. T.].

ordinários é, de acordo com o uso primitivo, uma cerimônia adequada na ordenação ao ofício ministerial.

O significado da ordem dada a Timóteo, "a ninguém imponhas precipitadamente as mãos" (1Tm 5.22), não está perfeitamente claro. Não é provável que se refira ao uso literal de força. Por direcionar seu uso de uma forma significativa, sua referência mais provável é a ordenação ministerial. Assim entendida, a instrução fornece prova fortemente corroborativa de que a imposição das mãos era a cerimônia adequada para a designação ao ofício sagrado.

REBATISMO

Sobre sua necessidade

O crente que, em algum momento, recebeu aspersão como batismo, não está isento da obrigação de ser imerso, em obediência ao mandamento de Cristo. Nesse caso, a imersão não pode ser chamada apropriadamente de rebatismo. Mas se um indivíduo foi imerso na infância, de acordo com o uso da Igreja Grega, esse fato não o isenta da obrigação de ser imerso novamente, ao tornar-se um crente em Cristo. Sobre os casos mencionados, não há dúvida ou diversidade de prática entre aqueles que aderem estritamente aos preceitos de Cristo.

Mas outros casos ocasionalmente se apresentam, cuja decisão apresenta alguma dificuldade. Os mais comuns são os seguintes: [1] homens que uma vez foram batizados por profissão de fé, e depois se afastaram de Cristo e, às vezes, voltam com provas de conversão recente; [2] homens que foram imersos por ministros pedobatistas, ou por ministros batistas indignos, às vezes se apresentam para rebatismo ou para serem admitidos em uma igreja. Nesses dois casos, surge a questão: o rebatismo é necessário de acordo com as Sagradas Escrituras?

Quem deve decidir

Ao decidir a questão, a primeira responsabilidade recai sobre o candidato. Ele é obrigado a fazer uma profissão de fé batismal, de acordo com a vontade revelada de Cristo, e se ele não cumpriu devidamente o seu dever, a obrigação de obedecer recai sobre ele.

A responsabilidade também recai sobre o administrador, a quem o candidato pode solicitar o rebatismo. Está claro nas Escrituras que, em casos comuns, o batismo foi designado para ser administrado apenas uma vez; e o administrador, como servo de Cristo, deve decidir, no temor de Deus, se o caso diante dele justifica a repetição do rito.

Além das duas partes que foram nomeadas, e que têm a responsabilidade imediata no caso, a igreja a que um indivíduo de batismo duvidoso solicita a adesão tem a responsabilidade de julgar se seu batismo cumpriu o mandamento divino. Se o batismo é um pré-requisito para a membresia, a igreja não tem liberdade de lançar toda a responsabilidade da questão sobre o candidato ou o administrador.

Aconteceu algumas vezes que os ministros divergiram em seus pontos de vista, e um candidato, que um ministro se recusou a rebatizar, foi rebatizado por outro. Em tais casos, não ocorre quebra de comunhão entre os ministros, nem deve ser isso permitido. Semelhantemente, pode existir uma diferença de opinião entre as igrejas, e uma igreja pode admitir sem rebatismo, quando outra igreja o exigiria. Essa diferença não deve perturbar a relação fraterna entre as igrejas. Mas se o indivíduo que foi recebido sem rebatismo procurar mudar sua membresia para a igreja que considera o rebatismo necessário, esta última igreja tem autoridade, como um corpo independente, para rejeitá-lo.

Embora exista alguma diferença de opinião sobre essas questões, que deve ser tolerada, cada um deve esforçar-se para aprender seu dever quanto a elas, por meio de um estudo diligente das Sagradas Escrituras. As direções da palavra inspirada são claras, contanto que os homens mantenham a maneira prescrita. Porém, quando se afastam dela, nenhuma surpresa deve haver se o método de retorno não for tão claramente indicado. Daí resulta que os homens que interpretam os preceitos expressos de Cristo da mesma forma, podem, ao aplicá-los a casos complexos, diferir em seus julgamentos. A seguir, darei minhas opiniões, com deferência àqueles cujas investigações levaram a uma conclusão diferente.

Primeiro caso

O primeiro caso supõe que houve no batismo anterior um engano a respeito das qualificações do candidato.

O batismo foi planejado para ser a cerimônia da profissão cristã. Se, no primeiro batismo, o candidato cria ser um cristão e recebeu o batismo em uma profissão de fé crível em Cristo, nenhuma qualificação superior pode ser obtida para um segundo batismo. Aqueles a quem foi confiada a administração do rito não possuem o poder de sondar o coração. Uma profissão de fé confiável, feita com sinceridade, é tudo o que os homens falíveis podem esperar; e, uma vez que a ordenança foi confiada a homens falíveis, ela é devidamente administrada mediante profissão sincera e confiável.

Certa confirmação dessa visão pode ser derivada do caso de Simão, o mágico. Embora batizado mediante profissão de fé, foi descoberto depois que seu coração não era reto aos olhos de Deus. Ao fazer a descoberta, Pedro não ordenou que ele se arrependesse e fosse batizado, como ordenou aos não batizados no dia de Pentecostes, mas seu discurso foi: "Arrepende-te, pois, da tua maldade e roga ao Senhor; talvez te seja perdoado o intento do coração" (At 8.22).

Esse discurso, por não conter nenhuma ordem a respeito do batismo, favorece a opinião de que o rebatismo, neste caso, não teria sido exigido.

Segundo caso

O segundo caso supõe que houve no primeiro batismo falta da devida qualificação do administrador.

Na discussão desta questão, devemos precaver-nos contra noções impróprias a respeito da validade do batismo. O rito não tem eficácia sacramental da qual dependa sua validade, da forma como a posse de um espólio depende da validade do título. Se assim fosse, poderia ser de grande importância poder rastrear o fluxo da virtude misteriosa por meio de uma linhagem contínua de administradores autorizados desde os dias dos apóstolos. Mas a validade do batismo não significa nada além de que o dever foi cumprido. Se realizado, não há necessidade de repeti-lo.

A questão, então, é se o candidato cumpriu seu dever. A responsabilidade de decidir esta questão começa com ele, mas não termina com ele. A igreja da qual ele deseja tornar-se membro deve exercer julgamento sobre o caso. Se a satisfação do candidato sobre seu batismo fosse suficiente, pessoas batizadas na infância poderiam obter admissão em nossas igrejas sem outro batismo. A igreja deve julgar e regular seu julgamento pela vontade de Deus.

Das investigações na parte anterior desta obra, aprendemos que um candidato não tem o direito de batizar a si mesmo, ou selecionar seu próprio administrador, sem considerar se ele é devidamente qualificado de acordo com a vontade divina. Os administradores apropriados são pessoas chamadas por Deus ao ofício ministerial e nele introduzidos de acordo com a ordem estabelecida pelos apóstolos. Diante de tais pessoas, o candidato deve apresentar-se e, se recebesse a ordenança de qualquer outro, seria como se tivesse escolhido o administrador por sua própria vontade, ou se tivesse mergulhado a si mesmo.

A possibilidade de que em algum momento tenha existido um estado de coisas no qual não foi possível obter um administrador regular não milita contra a conclusão que acabamos de obter. Esse assunto foi considerado no capítulo 8, seção 3. Por ser necessário fazer algo incomum para restaurar a ordem da igreja quando ela é destruída, não segue que temos, por esse motivo, justificativa para negligenciar a ordem regular quando ela existe. Cada igreja deve respeitar essa ordem, e um candidato que não a respeitou em um batismo anterior, pode, com boa consciência, vir novamente a obedecer ao mandamento do Senhor, em perfeita conformidade com a exigência divina.

Para a execução adequada do batismo, um candidato e um administrador dispostos são necessários, os quais devem prestar o serviço em obediência a Cristo. Por uma provisão sábia, a tendência social do cristianismo é mostrada bem no início da profissão cristã. O candidato não pode obedecer sozinho, mas deve procurar um administrador para se unir a ele no ato de obediência, e por este arranjo a comunhão cristã começa com a profissão de fé cristã. Mas para que os dois caminhem juntos nesse ato de obediência, é necessário que estejam de acordo. Se o administrador e o candidato diferirem amplamente em seus pontos de vista a respeito da natureza e do desígnio da ordenança, não podem ter comunhão um com o outro no serviço.

Alguns ministros pedobatistas administram a imersão com relutância, acreditando ser um modo inelegível de batismo, dificilmente consistente com o refinamento e a decência. Como pode um candidato, que conscientemente acredita que não há outro batismo, ter comunhão no serviço com tal administrador? Mas isso não é tudo. Ministros pedobatistas, em geral, não administram o rito como um emblema do sepultamento e ressurreição de Cristo. Ignoram completamente essa parte importante de seu desígnio.

Se um administrador da Ceia do Senhor, confundindo o propósito da cerimônia, partisse o pão e distribuísse vinho em comemoração, não de Cristo, mas da libertação da escravidão egípcia sob Moisés, que cristão poderia receber os elementos de suas mãos? Assim, quando um administrador confunde o desígnio do batismo e ignora seu principal significado simbólico, todo candidato esclarecido e consciente, que entende a natureza e o desígnio da cerimônia, pode muito bem duvidar do cabimento de se unir com tal ministro em um serviço sobre o qual estão em tão pouco acordo.

A repulsa que se difundiu contra o anabatismo impede muitos de repetirem a cerimônia, mas as Escrituras em nenhum lugar reprovam-na. Aquele que deseja encontrar um anátema contra isso, não precisa procurá-lo na Bíblia. O livro sagrado fornece prova satisfatória de que, uma vez que o rito foi devidamente realizado, não há necessidade de repeti-lo, mas não fornece nenhuma prova de que Deus ficará descontente se alguém que falhou em cumprir a plena medida de seu dever buscar outra oportunidade para obedecer ao mandamento divino com escrupulosa exatidão.

TRATAMENTO DE MINISTROS NÃO BATIZADOS

Em um tratado, intitulado *An Old Landmark Reset (A reconstrução de um antigo marco)*, por J. M. Pendleton,[2] o autor sustenta que os

2 Disponível em: https://gpp-5grace.com/baptist%20books/aolpend.htm [N.T.].

batistas não devem reconhecer pregadores pedobatistas como ministros do evangelho. Esse ensaio circulou amplamente e sua doutrina é adotada por muitos. As discussões sobre o assunto por vezes podem ter produzido um mal temporário, mas quando as partes têm um desejo sincero de saber a verdade e disposição de seguir aonde quer que ela leve, o resultado final será bom. As partes que concordam entre si em seus pontos de vista sobre a doutrina e as ordenanças cristãs, e cuja única diferença diz respeito ao modo de tratar os que estão em erro, não devem brigar sobre essa questão. Cada um deve agir nisso por sua própria responsabilidade, e as discussões para determinar o modo correto de agir devem ser conduzidas com espírito de bondade, mansidão e humildade. As discussões assim conduzidas tenderão a desenvolver a verdade; e, se não nos levarem às mesmas conclusões do ensaio, podem nos permitir corrigir as premissas das quais essas conclusões foram tiradas.

A questão não é de mero gosto, sobre o qual as pessoas podem inocentemente divergir. Ao contrário, envolve obrigação moral. Isso está implícito na palavra *devem*: "Batistas não *devem*". Tudo o que é moralmente errado deve ser evitado como ofensivo a Deus. Se pecamos nesse assunto, por ignorância e descrença, embora Deus possa ter perdoado graciosamente nossos pecados, não devemos perseverar no erro. Nossa atenção é agora chamada para o assunto como uma questão de dever, e devemos examiná-lo no temor de Deus, e assim agir daqui em diante conforme Deus aprova.

Os batistas não são as únicas pessoas preocupadas em saber qual é seu dever. Se os batistas não devem reconhecer os pregadores pedobatistas como ministros do evangelho, outras pessoas podem reconhecê-los sem culpa? Se a coisa é certa para os outros, por que não para os batistas? Se o ato é errado em si mesmo, ninguém pode executá-lo sem algum grau de culpa. Para os batistas, a prática pode envolver uma inconsistência peculiar e um alto grau de culpa. Mas se o ato em si é algo que Deus desaprova, todos os homens devem ser advertidos a não cometê-lo.

Ao investigar o ensaio mencionado para descobrir por que razão *batistas* não devem reconhecer pregadores pedobatistas como ministros do evangelho, logo descobrimos que a razão não tem relação exclusiva com os batistas. A doutrina é que os pregadores pedobatistas não são ministros do evangelho; e, se essa doutrina é verdadeira, os outros devem acatá-la e agir de acordo com ela, assim como os batistas. A doutrina não se refere a alguns ministros pedobatistas apenas, que podem ser menos dignos de estima e confiança do que o resto, mas refere-se a todos. Nenhum deles é ministro do evangelho, e nenhum deles deve ser reconhecido como tal.

A honra de Cristo está profundamente envolvida em seu ministério. Se alguns mensageiros enviados pelas igrejas foram chamados por Paulo de "glória de Cristo" (2Co 8.23), o mesmo pode ser afirmado enfaticamente a respeito dos mensageiros enviados pelo próprio Cristo ao mundo, para pregar seu evangelho à humanidade. Ele prometeu estar com eles, eles falam por sua autoridade e em seu lugar. Carregam em vasos de barro um tesouro inestimável que ele lhes confiou, e com o qual ele pretende enriquecer o mundo.

Que homens a quem Cristo nunca enviou afirmem que carregam este tesouro e estão autorizados a dispensá-lo; que receberam dele a comissão de dirigir-se à humanidade em seu nome, e têm sua presença com eles, e a aprovação dele sobre seus trabalhos — que homens a quem Cristo não enviou reivindiquem tudo isso, é um mal de grande magnitude. Sua presunção deve ser altamente ofensiva para ele, e todos os que os reconhecem como seus ministros se opõem à vontade dele em um assunto que ele tem em alta conta.

A questão, portanto, é de uma magnitude tremenda. Ofenderam a Cristo todos que reconheceram como seus ministros Whitefield, Edwards, Davies, Payson e outros homens de quem eles supuseram ter recebido a palavra de Cristo, e por cujo ministério julgam terem sido levados ao conhecimento de Cristo? Se os batistas não devem reconhecer tais homens como ministros do evangelho, ninguém deve. E o respeito que receberam dos homens como ministros do evangelho deve ser ofensivo a Cristo.

Não afirmamos que todas essas consequências estão declaradas naquela obra. Porém, se a doutrina do ensaio não levou o autor tão longe, não nos conduzirá legitimamente a essas conclusões, se a adotarmos e mantivermos consistentemente? Mas parece que temos a aprovação do autor ao fazer essa aplicação de seus princípios. Ele diz:

> Se não é muito absurdo supor tal coisa, suponha-se que houve pessoas nos tempos apostólicos correspondentes aos pedobatistas modernos. Pode algum batista acreditar que Paulo, vendo as práticas de tais pessoas — vendo a aspersão em crianças substituindo a imersão dos crentes — teria reconhecido os ministros de tais seitas como ministros de Cristo, agindo de acordo com o evangelho? Certamente que não. Paulo teria protestado contra essa caricatura do sistema cristão. Ele teria dito a tais ministros: "não cessarás de perverter os retos caminhos do Senhor?" (At 13.10).

Conclusões tão desfavoráveis a todo o ministério pedobatista são revoltantes para as mentes de multidões. Eles veem em muitos desses ministros provas de humilde piedade, devoção sincera à causa de Cristo e profunda preocupação pela salvação de almas. A essas manifestações de espírito próprio para o ministério do evangelho, acrescenta-se um alto grau de conhecimento das Escrituras e um talento para instruir. Quando tais homens são vistos devotando suas vidas à árdua labuta pela conversão de almas, e quando Deus aparece para coroar seus trabalhos com grande sucesso, é difícil resistir à convicção de que eles são verdadeiramente ministros do evangelho, agindo com autoridade e aprovação de Deus. Mas a obra de Pendleton ensina que esses homens não são ministros do evangelho. Por isso, seus argumentos em apoio a essa opinião precisam de um exame cuidadoso.

De quais premissas Pendleton tira suas conclusões? O autor informa-nos em sua carta ao Dr. Hill. Ele diz: "Como referência ao que escrevi, você verá que o Dr. Griffin, um famoso pedobatista, forneceu as premissas das quais minha conclusão foi tirada".

Ele não professa tê-las derivado diretamente das Escrituras. O ensaio não contém uma única citação das Escrituras com o propósito de sustentá-las. Qualquer que seja o peso da autoridade pedobatista em uma discussão com pedobatistas, quando os batistas estão trabalhando em temor a Deus para determinar seu dever, eles devem buscar informações em uma fonte superior.

Nas citações feitas pelo Dr. Griffin, encontramos as seguintes afirmações:

> O batismo é a ordenança iniciática que nos introduz na igreja visível. É claro que onde não há batismo, não há igrejas visíveis [...] Não devemos ter comunhão com aqueles que não são batizados e, é claro, não são membros da igreja, mesmo que os

> consideremos cristãos. Não tenho o direito de enviar os elementos sagrados para fora da igreja".

Estas são as premissas das quais o ensaio tira suas conclusões. O princípio aqui estabelecido é uma doutrina das Sagradas Escrituras? Se for assim, somos obrigados a acatá-lo com todas as consequências que podem ser legitimamente extraídas dele.

No capítulo 3 investigamos a doutrina das Escrituras a respeito da igreja universal. Se não nos enganamos sobre o ensino divino sobre o assunto, todo homem que é nascido do Espírito é membro desta igreja. A regeneração, não o batismo, o introduz nela. O dogma de que o batismo inicia alguém na igreja, e que aqueles que não são batizados não são membros da igreja, mesmo que sejam cristãos, nega a existência dessa igreja espiritual, e a substitui pela igreja católica visível dos teólogos. Os males resultantes dessa substituição antibíblica foram mostrados na seção 4 do capítulo. Eles são suficientes para evitar uma admissão irrefletida ao dogma do qual o ensaio procede.

O Dr. Gill chamou o batismo infantil de "uma parte e um pilar do papado", e podemos justamente chamar o dogma do Dr. Griffin de uma parte e um pilar do batismo infantil. Se a verdadeira igreja universal é espiritual, compreendendo todos os regenerados e ninguém mais, e se as igrejas locais são associações temporárias de pessoas pertencentes à igreja universal, não se encontra lugar em nenhuma delas para crianças não regeneradas. Mas quando o batismo é feito a porta de entrada, em vez da regeneração, um caminho de entrada é aberto para as crianças.

O pedobatismo começou na doutrina da regeneração batismal, e essa doutrina, de alguma forma, é necessária para o seu suporte. O poder regenerador primeiramente atribuído ao batismo parece ter sido entendido como sendo a atribuição da nova relação que constitui a membresia da igreja. Uma igreja espiritual, com uma porta de entrada espiritual, não se adequava à tendência carnal que estava rapidamente levando os homens ao romanismo. A substituição da igreja espiritual de Cristo pela igreja católica visível, e da regeneração pelo batismo, levou ao batismo infantil, a uma membresia da igreja corrompida e a todos os males do papado.

Esse dogma agora sustenta com eficiência a causa do pedobatismo. O Dr. Mason considerava-o um pilar principal do batismo infantil, conforme aparece claramente em seus "Ensaios sobre a Igreja". Seu efeito prático é claramente exemplificado no caso do falecido Dr. Alexander. Aquele homem excelente e dois outros distintos ministros presbiterianos da Virgínia ficaram insatisfeitos com as provas do batismo infantil nas quais haviam confiado. Por um tempo, um deles tornou-se batista e os outros estavam fortemente inclinados a segui-lo. Mas todos esses homens, por fim, firmaram-se na crença do pedobatismo, e o processo de raciocínio que satisfez a mente do Dr. Alexander, e provavelmente dos outros, é dado em sua biografia.

Duas considerações impediram-no de juntar-se aos batistas. A primeira era que a prevalência do batismo infantil já nos séculos quarto e quinto parecia inexplicável para ele, supondo que tal prática não existisse na época dos apóstolos. A outra foi sua inferência de que, se estão certos, os batistas são a única igreja cristã na terra, e todas as outras denominações estão fora da igreja visível. Ele havia percebido a tendência corruptora do batismo infantil, mas o dogma de uma igreja católica visível com um limite batismal ajudou a manter sua mente nobre presa ao erro. Devem os batistas aceitar este dogma com todas as suas consequências?

Que essa doutrina pedobatista entra profundamente nos raciocínios da obra de Pendleton é evidente em passagens como as seguintes: "Quem pode ser ministro de Cristo segundo o evangelho, sem pertencer à igreja?". "Ora, se não pertencem à igreja de Cristo, os pregadores pedobatistas não devem ser reconhecidos como ministros de Cristo". "Nossa recusa em ter comunhão com os pedobatistas vem do fato de que eles não são batizados e estão fora da igreja". Nessas passagens, o ensaio usa a expressão "a igreja" em aparente conformidade com a doutrina comum da igreja católica visível, visto que ninguém é membro dela, senão pessoas batizadas.

Mas outra passagem no ensaio apresenta uma doutrina diferente: "Não há igreja universal visível, e se a igreja universal invisível, composta de todos os salvos, tem o que o Dr. E. chama de 'forma', é impossível saber o que ela é. Não temos ideia de 'forma' além da visibilidade." De acordo com isso, a verdadeira e única igreja universal é "composta de todos os salvos". Como isso pode ser reconciliado com as citações anteriores, que apresentam todas as pessoas não batizadas como fora "da igreja"? Como isso pode ser reconciliado com as premissas adotadas pelo Dr. Griffin, de que "aqueles que não são batizados não são membros da igreja, mesmo que os consideremos cristãos"?

Uma igreja composta por "*todos* os salvos" deve conter algumas pessoas não batizadas, a menos que todos os não batizados não sejam salvos. Se pudermos contabilizar qualquer pessoa não batizada como membro da "igreja", abandonamos a premissa daquele ensaio. Não encontro evidência de que o ensaio adote a teoria da igreja genérica do Sr. Courtney; mas quer use a expressão "a igreja" genericamente, quer a use coletivamente, o resultado é o mesmo.

De alguma forma, seu significado estende-se além dos limites de uma única igreja local. Ainda assim, não é a verdadeira igreja universal, "composta de todos os salvos". Mas "a igreja" que aparece nas premissas e raciocínios daquela obra é, na melhor das hipóteses, apenas uma modificação batista da igreja católica visível, a igreja que deu o pedobatismo e o papado ao mundo. Muitos escritores batistas competentes caíram nesse erro pedobatista a respeito da igreja, mas as discussões que o ensaio de Pendleton proporcionou tenderão, esperamos, a estabelecer uma teologia mais sólida.

A obra investiga a autoridade sobre a qual pregadores pedobatistas agem:

> Se as sociedades pedobatistas não são igrejas de Cristo, de onde seus ministros derivam sua autoridade para pregar? Existe alguma autoridade bíblica para pregar que não venha por meio de uma igreja de Cristo? E se os ministros pedobatistas não estão nas igrejas cristãs, eles têm o direito de pregar, isto é, eles têm alguma autoridade *segundo o evangelho*? Eles são, sem dúvida, autorizados pelos formulários e regulamentos de suas respectivas sociedades. Mas eles agem sob autoridade evangélica? É perfeitamente evidente para o escritor que não.

Respondemos que, se o Espírito Santo qualificou homens para pregar o evangelho, eles o pregam com autoridade divina. O Espírito Santo, que concede a cada homem individualmente conforme deseja, não dá as qualificações necessárias para o ministério do evangelho sem designar que elas sejam usadas. Visto que somente ele pode dar essas qualificações, estamos certos de que todo homem que as possui é obrigado, pela autoridade de Deus, a usá-las para o fim para o qual foram concedidas. Chegamos a esta conclusão, além de todo raciocínio sobre cerimônias e igrejas, e a prova oferece convicção irresistível. Aqui está um marco da verdade, que não deve ser abandonado, por mais que estejamos perplexos com raciocínios sobre as formas externas.

Afirmamos no capítulo 8 que os ministros da palavra, como tais, são oficiais da igreja universal, e que seu chamado para o ministério pelo Espírito Santo é completo em si mesmo, sem a adição de cerimônia externa. A pessoa chamada deixa de cumprir seu dever se negligenciar o método divinamente indicado pelo qual deve assumir a obra para a qual foi chamada. Essa falha tende a obscurecer a evidência de seu chamado divino. Mas quando, através da obscuridade, a evidência de seu chamado apresenta-se com força convincente, agimos contra a razão e contra a Escritura, se rejeitamo-la. O selo da autoridade divina é afixado ao ministro que exibe em seu trabalho as qualificações que somente Deus pode conceder.

Embora defendamos que pregadores pedobatistas, que dão provas de que foram chamados para essa obra pelo Espírito Santo, devem ser considerados ministros do evangelho, não insistimos que os batistas devam convidar todos eles para ocupar seus púlpitos. Essa é uma questão totalmente diferente. Quando o Espírito Santo chama, ele torna dever do chamado estudar as Sagradas Escrituras e pregar o que ali é ensinado. Seu chamado não torna os ministros infalíveis, nem garante a aprovação divina para tudo o que eles possam ensinar. Portanto, não obriga ninguém a renunciar ao direito de julgamento privado e receber com fé implícita tudo que for pregado.

Muitos erros são às vezes inculcados por pregadores cujo chamado divino para o ministério não podemos questionar. Mesmo o batismo e a ordenação, embora regulares, não tornam um ministro sólido na doutrina e digno de ocupar todo e qualquer púlpito. A responsabilidade de convidar ministros ao púlpito deve ser exercida com uma consideração zelosa pela glória de Deus e os interesses das almas.

Um argumento para excluir pregadores pedobatistas de nossos púlpitos é traçado pelo ensaio de Pendleton a partir de nossa comunhão fechada: "É frequentemente dito pelos pedobatistas que os batistas agem inconsistentemente ao convidar seus ministros para pregar com eles, enquanto negam-se a recebê-los à mesa do Senhor. Eu reconheço a inconsistência. É uma inconsistência flagrante. Ninguém deve negá-la."

Esta objeção pedobatista é endossada não apenas por Pendleton, mas também pelos batistas que praticam a comunhão aberta. Todos esses afirmam que somos inconsistentes em admitir ministros no púlpito, se negamos a eles um assento à mesa da comunhão. Mas uma acusação de inconsistência feita contra nós por pessoas que estão erradas no próprio tema não deve nos surpreender ou inquietar. Que nosso procedimento, em cada caso, seja regulado pela palavra de Deus, e podemos estar certos de que, no final, seremos considerados consistentes, mesmo se não pudermos imediatamente tornar nossa consistência aparente para todos.

A tendência insidiosa de substituir a espiritualidade pela cerimônia nos encontra em todos os lugares, e está, creio eu, na base dessa acusação. Se a comunhão à mesa do Senhor é "uma função espiritual principal", conforme afirmado pelo Sr. Hall, e se, como nessa objeção de Pendleton, pode ser equiparada com a pregação da palavra como algo de caráter semelhante, a acusação de inconsistência ao exigir uma qualificação cerimonial para uma e não para a outra, se mostrará justa. Mas se a Ceia do Senhor é uma cerimônia, pode ser necessária uma qualificação cerimonial para ela, que pode não ser indispensável ao ministério da palavra. E pode ser o dever dos batistas, tanto na teoria quanto pela prática, ensinar a seus irmãos errantes a importante distinção, muitas vezes esquecida, entre o serviço espiritual a Deus e o que é cerimonial.

A legitimidade de convidar pregadores pedobatistas ao púlpito foi defendida com base em que qualquer cristão tem o direito de falar de Cristo e de sua grande salvação. Nossos irmãos que concordam com Pendleton admitem que todos têm o direito de tornar conhecido o evangelho em particular, mas negam que qualquer um tenha o direito de proclamá-lo publicamente, exceto aqueles que foram regularmente empossados no ofício ministerial. A distinção entre falar de Cristo em particular e proclamar seu evangelho publicamente parece-me respeitar a obrigação em vez do direito.

Se um cristão tem o direito de falar de Cristo a um companheiro que está sentado ao seu lado, ou anda na estrada com ele, tem o mesmo direito de falar a dois da mesma maneira e, até onde vejo, tem o mesmo direito de falar a dez, cem ou mil. A obrigação de exercer esse direito é limitada apenas por sua capacidade de fazer o bem e pela oportunidade que a Providência apresenta de usar os talentos que possui para a glória de Deus e o benefício de almas imortais. Um chamado divino para a obra do ministério, sendo sempre acompanhado de qualificações para utilidade pública, cria uma obrigação em vez de conferir um direito, assim como a riqueza cria a obrigação, e não o direito, de socorrer os pobres.

Ora, para defender a legitimidade de convidar um pregador pedobatista ao púlpito, tem-se considerado suficiente sustentar que a pessoa assim convidada tem o direito de falar de Cristo a homens, que estão perecendo, recomendando que aceitem a salvação. O argumento parece-me válido, mas escolhi tomar uma posição mais elevada, e sustentar que muitos ministros pedobatistas dão provas convincentes de que o Espírito Santo chamou-os e qualificou-os para pregar o evangelho, e que, portanto, não é apenas seu direito, mas seu dever, cumprir o ministério que Deus lhes confiou.

Supomos que um indubitável chamado divino de qualquer um para o ministério do evangelho exigiria o respeito de todos os que reverenciam a autoridade do Altíssimo, mas nesse ponto a obra de Pendleton exibe a seguinte linguagem notável:

> Eu vou mais longe e digo que se Deus, com uma voz audível, tão forte quanto o trovão mais poderoso do céu, chamasse um pedobatista para pregar, não seríamos justificados em afastar-nos das Escrituras, a menos que nos seja divinamente dito que as declarações daquela voz tinham a intenção de substituir os ensinos do Novo Testamento. Essas informações indicariam o início de uma nova economia, e estou escrevendo sobre a presente dispensação.

Quanto a isso não sabemos o que dizer. Não temos nenhum argumento a oferecer. Se a voz de Deus vinda do céu não prevalece, todos os nossos argumentos devem ser ineficazes, pois não temos nada mais convincente do que a palavra do Rei Supremo. Para nós, se a indubitável voz de Deus vinda do céu chegasse a nossos ouvidos, nada teríamos a opor à sua autoridade. Reverenciamos as Escrituras, mas todos os nossos raciocínios a partir das Escrituras são como nada quando Deus fala. Não reivindicamos o direito de exigir explicações a respeito de suas dispensações como condição para receber sua palavra. E, se a voz de Deus vinda do céu introduzisse uma nova economia, não desejaríamos autoridade maior do que seu mero anúncio, mesmo que não acompanhado de qualquer explicação. Podemos estar bem certos de que todos os nossos raciocínios sobre economias, ordem da igreja e tópicos semelhantes são errôneos, se nos levarem a rejeitar a voz de Deus falando do céu.

Mas como um chamado divino de não batizados para pregar o evangelho constitui uma nova economia? João Batista, que pregou por autoridade divina, no início da presente dispensação, foi não batizado. Depois que a dispensação foi estabelecida pela exaltação de Cristo e o dom do Espírito Santo, Saulo de Tarso foi chamado para pregar o evangelho enquanto não era batizado. Hoje ocorrem casos em que as pessoas que se submetem a exame para a ordenação remetem as suas convicções de dever com referência ao ministério a um período anterior ao batismo; e nenhum presbitério ordenador seria justificado em negar a possibilidade de um chamado pelo Espírito Santo antes que o seu alvo fosse batizado.

Aquele que chama os não batizados ao arrependimento e à fé tem o poder e o direito de chamá-los também ao ministério, se assim desejar. Deus nunca se comprometeu de forma alguma a exigir que ninguém, a não ser pessoas batizadas, preguem sua palavra, e não temos o direito de limitar o Santo de Israel. Em nossa opinião, a concessão da graça ministerial e das qualificações pelo Espírito Santo indica a vontade divina; se não tão claramente como por uma voz do céu, ainda não podemos resistir à convicção que ela traz à nossa mente. Quando Deus fala do céu, ou indica claramente sua vontade, não devemos nada além de reverência e submissão.

Tem sido argumentado que os batistas não devem convidar ministros pedobatistas para seus púlpitos se excluem, tanto de sua comunhão quanto de seus púlpitos, um ministro batista que ensine a doutrina pedobatista. Esse argumento também é um mero apelo à consistência. Tal argumento nunca deve ser usado quando podemos ter algo melhor. Se houver qualquer costume estabelecido entre os batistas com o qual o convite dos ministros pedobatistas seja inconsistente, o costume pode precisar ser mudado. Então, o presente argumento cairá por terra. Mas, até onde sei, homens que deixaram o ministério batista para o ministério em uma denominação pedobatista são, de resto, considerados e tratados como outros ministros pedobatistas, cada caso sendo julgado de acordo com seu mérito. Se um ministro batista de coração falso mantivesse sua conexão com uma igreja batista, valendo-se dela para disseminar o erro pedobatista, mereceria ser excluído tanto da comunhão quanto do púlpito. Mas se um ministro batista se tornasse um pedobatista, e deixasse, na mente de seus irmãos batistas, a plena convicção de que agiu honesta e conscienciosamente, não creio que ele seria visto de forma menos favorável que outros ministros pedobatistas.

Lembro-me de um caso que ilustrará este ponto. Um jovem irmão batista, de fervorosa piedade e notável talento, foi licenciado por sua igreja e iniciou estudos para se preparar para ser útil no ministério. Ao prosseguir seus estudos, sua mente foi influenciada por pedobatistas, e ele anunciou à sua igreja uma mudança em seus pontos de vista e o desejo de se conectar com os pedobatistas. A igreja separou-o de sua comunhão, mas os próprios homens que votaram nessa separação convidaram-no depois para seu púlpito. Eles haviam-no licenciado porque acreditavam que ele era chamado por Deus para a obra do ministério. Sua total crença nisso permaneceu, e o convidaram a pregar, não como pedobatista, mas como ministro de Cristo, a quem, como tal, amavam. Na opinião deles, era impróprio para ele permanecer em uma igreja batista e participar de sua comunhão, mas criam ser certo que ele cumprisse o ministério para o qual havia sido divinamente chamado. Em sua opinião, a exclusão da comunhão e a admissão ao púlpito eram perfeitamente consistentes. Se outros pensarem de forma diferente, ainda admitirão que nenhum princípio foi violado nesse caso, simplesmente por ele ter sido batista outrora. Essa admissão anulará o presente argumento e deixará a questão para ser resolvida por outros motivos.

Se admitimos um ministro pedobatista em nossos púlpitos, não aprovamos seus erros? Sim, se esperamos que ele ensine esses erros, ou se permitirmos que ele ensine-os sem correção. Mas isso é igualmente verdade com respeito aos ministros batistas. A responsabilidade de convidar geralmente recai sobre o pastor da igreja, que deve instruir o povo sob sua responsabilidade na verdade e justiça, e protegê-los, tanto quanto possível, de todo erro. Ele está, portanto, sob a obrigação, quando convida outros a ocuparem seu púlpito, de exercer cautela prudente. Essa cautela é necessária com respeito aos batistas tanto quanto aos pedobatistas.

Em várias ocasiões, convidei ministros pedobatistas para pregar onde estou acostumado a oficiar e, em todos os casos, pude aprovar a doutrina que pregavam. Em um único caso, aconteceu de um ministro convidado a ocupar o púlpito pregar uma doutrina tão errônea, que julguei meu dever corrigi-la em um discurso posterior, mas o pregador desse erro era um batista. Se tal experiência tiver algum valor prático, eu inferiria dela não que o ministério batista seja menos ortodoxo do que o pedobatista, mas que a cautela é necessária onde menos suspeitamos de perigo. O convite a ministros pedobatistas não, necessariamente, introduz uma pregação incorreta. Se um pastor convida para seu púlpito um ministro pedobatista que ele sinceramente crê ter sido chamado por Deus para o ministério, e que, crê, em sua pregação, não saberá nada além de Cristo, e este crucificado, esse pastor pode desfrutar de uma consciência pura para com Deus, inabalado por quaisquer erros de seu irmão pedobatista que ele nunca aprovou.

Mas será dito que, embora o pastor não planeje seu convite ao ministro pedobatista como uma aprovação de seus erros, será assim entendido pelo próprio ministro e por outros. Creio que isso é um engano. Se o pastor se esforçou para tornar a verdade conhecida, e definiu claramente sua própria posição, e a sustentou com firmeza e consistência, haverá pouco perigo de que seu ato, nesse caso, seja mal interpretado. O que sustentamos é que o convite de um ministro pedobatista para pregar em um púlpito batista não é em si ilegítimo, mas se é conveniente em cada caso particular, dependerá das circunstâncias do caso. Se um pastor batista está consciente de que falhou em expor a verdade de maneira clara e completa, a objeção que estamos considerando pode com justiça envergonhá-lo. O modo apropriado de escapar disso, contudo, é declarar todo o conselho de Deus habitualmente e sem reservas.

Se não tivéssemos nenhuma obrigação com respeito aos ministros pedobatistas, poderíamos, de forma segura, recusar ter qualquer conexão com eles. Mas nosso Divino Mestre ordenou-nos que amemos todos os que são nascidos de Deus. Muitos desses homens manifestam forte amor a Cristo, e devemos amá-los por amor a Cristo. Estão trabalhando zelosa e fielmente para honrar a Cristo e salvar as almas dos homens, e a prova de que são chamados por Deus para esta obra obriga-nos a admitir que são nossos cooperadores na causa gloriosa, não obstante a irregularidade de sua entrada nela.

Podemos nos afastar de tais homens e proclamar ao mundo que eles não são ministros de Deus? Certamente não é necessário, descontando suas irregularidades, desacreditar todo o seu ministério. Podemos aprovar tudo que eles fazem certo e alegrar-nos com isso, sem aprovar o que é errado. Este é o modo simples de resolver toda a dificuldade. Se as pessoas não entendem imediatamente a solução, vamos agir de acordo com ela, conscienciosamente e no temor de Deus, até que os homens entendam-na. Dessa forma, daremos a recomendação mais eficaz da verdade.

CONCLUSÃO
O DEVER DOS BATISTAS

A Ordem da Igreja que este tratado afirma estar baseada nas Sagradas Escrituras não poderia contar com o apoio da autoridade humana. O grupo que o mantém não faz figura imponente nas páginas da história eclesiástica, e não ocupa tal posição entre as denominações cristãs, a ponto de recomendar suas peculiaridades à aceitação geral da humanidade. Quando o evangelho foi apresentado pela primeira vez ao mundo, poucos sábios, poderosos e nobres apareceram em sua defesa. Deus agradou-se de confundir os poderosos com as coisas fracas do mundo, para que nenhuma carne pudesse gloriar-se em sua presença. O evangelho não é um sistema de invenção humana, e a verdadeira fé recebe-o como a sabedoria de Deus, por mais fracos e desprezíveis que possam parecer os instrumentos de sua promulgação. O verdadeiro discípulo de Cristo não deve permitir que o ódio pelo nome *anabatista* impeça-o de obedecer estritamente a todos os mandamentos de seu Senhor.

Embora a verdade de Deus não precise da autoridade humana, ou do patrocínio de grandes nomes, é, no entanto, do agrado divino torná-la conhecida ao mundo por instrumentalidade humana. Essa instrumentalidade precisa ser adaptada ao propósito para o qual é empregada. Se Deus comissionou um grupo combatido em toda parte para tornar conhecida a verdade que os sábios e eruditos negligenciaram, esse grupo deve entender o serviço para o qual foi designado, e deve cumprir o dever prescrito com firmeza, fidelidade e no temor do Senhor. Como homens designados para um serviço peculiar, procuremos, com esforço sincero e constante, reconhecer a vontade daquele cuja autoridade suprema entregamos todos os nossos poderes, e obedeçamos diligente e perseverantemente a essa vontade, quer os homens insultem ou elogiem-nos.

1. É nosso dever manter as ordenanças de Cristo, e a ordem da igreja que ele instituiu, em estrita e escrupulosa conformidade com as Sagradas Escrituras.

Se as investigações do sagrado volume, que foram tentadas nesta obra, não foram malsucedidas, o grande corpo dos professos seguidores de Cristo desviou-se do caminho certo. Eles estabeleceram organizações eclesiásticas que não estão de acordo com sua vontade e corromperam as cerimônias de adoração que ele instituiu. Esses erros têm a aprovação do tempo e de homens veneráveis por sua sabedoria. Manter nossas peculiaridades em oposição a tais influências tem a aparência de intolerância e estreiteza de espírito, e, se são peculiaridades que a palavra de Deus não exige, devemos abandoná-las. Mas se alcançamos o conhecimento da vontade divina em pontos onde a grande massa de nossos irmãos cristãos está enganada, um dever de responsabilidade solene impõe-se sobre nós, para reter o que recebemos e defender a verdade especialmente confiada sob nosso encargo.

Frequentemente, alega-se que há bons homens em todas as denominações e que as várias formas de religião, sendo igualmente consistentes com a piedade, são questões de menor importância e devem ser deixadas para as preferências dos indivíduos. Se não admitirmos prontamente esse apelo em toda a sua extensão, talvez entendam que negamos que a piedade possa ser encontrada fora de nosso próprio grupo, ou que reivindicamos deferência indevida ao nosso julgamento em questões religiosas. Mas quer os homens entendam-nos ou não, devemos obedecer a Deus em tudo.

Nenhuma ordem que ele deu pode ser tão sem importância a ponto de termos a liberdade de lhe desobedecer quando quisermos. Quando o dedo de Deus aponta o caminho, não nos resta nenhum lugar para as preferências humanas. E quando conhecemos a vontade de Deus, somos obrigados não apenas a obedecer por nós mesmos, mas também a ensinar outros a obedecer, enquanto estão sob a influência de nossas instruções. Podemos, sem suposição arrogante, declarar o que estamos firmemente persuadidos de ser a vontade de Deus, e devemos então deixar cada um sob o julgamento daquele a quem todos devem prestar contas. O homem que pode desobedecer a Deus porque a coisa ordenada é de menor importância não tem o espírito de obediência em seu coração, e o homem que, conhecendo a vontade de Deus, abstém-se de declará-la porque o peso da autoridade humana está contra ele, teme os homens mais do que a Deus.

2. É nosso dever, enquanto prestamos obediência meticulosa a todos os mandamentos de Deus, considerar as formas e cerimônias da religião como tendo muito menos importância do que suas verdades e preceitos morais.

Uma das primeiras corrupções do cristianismo consistia em ampliar a importância de suas cerimônias e atribuir-lhes uma eficácia salvadora. Com essa reverência supersticiosa das formas externas, foi introduzida uma tendência de corromper essas formas e substituir as ordenanças de Deus por cerimônias de invenção humana. Restaurar essas ordenanças à sua pureza original e, ao mesmo tempo, compreender e ensinar que os ritos externos não têm eficácia salvadora, parece ser um serviço para o qual Deus chamou especialmente os batistas.

Muitas vezes somos acusados de dar muita importância à imersão, mas a noção de que o batismo possui eficácia sacramental não encontra defensores em nossas fileiras. Tal noção introduziu o batismo infantil e prevaleceu com ele, e ainda persiste entre aqueles por quem o batismo infantil é praticado. Nossos princípios, ao restringir o batismo àqueles que já são regenerados, subvertem a doutrina da regeneração batismal e exibem a cerimônia em sua relação apropriada com a religião experimental. Dar o devido destaque à espiritualidade acima de todas as cerimônias externas é um serviço importante para o qual Deus chamou nossa denominação.

3. É nosso dever manter e exibir todo o sistema da doutrina cristã em todas as suas justas proporções.

Um importante avanço é feito na exibição apropriada da verdade cristã, quando a cerimônia é devidamente subordinada à espiritualidade. Isso dá a oportunidade de ajustar as partes do sistema em sua harmonia adequada. Uma segurança adicional para a preservação da sã doutrina é encontrada na membresia da igreja para convertidos que nossos princípios exigem. A igreja universal é coluna e baluarte da verdade, porque consiste naqueles que amam a verdade; e na proporção em que as igrejas locais são formadas do mesmo material, elas são preparadas para servir de baluarte contra a heresia.

As igrejas batistas são conhecidas por prestar esse serviço à causa da verdade. A concordância geral das igrejas batistas, tanto na doutrina quanto na ordem da igreja, é um fato que dá ocasião para devota gratidão a Deus. Que seja nosso cuidado contínuo nunca distorcer o belo sistema da verdade divina, ampliando qualquer parte dele além de sua justa proporção, ou suprimindo qualquer parte do todo harmonioso.

Por sermos diferentes de outros professantes de religião em nossa fé e prática, no que diz respeito às exterioridades da religião, estamos sob a constante tentação de dar muita importância a essas peculiaridades externas. Devemos sempre lutar contra essa tentação. Se ampliarmos indevidamente a cerimônia, abandonamos nossos princípios e deixamos de cumprir a missão que o Cabeça da Igreja designou a nós.

4. É nosso dever manter uma vida de santa obediência em todas as coisas.

Muitas pessoas têm aparência de piedade, mas desconhecem seu poder. Eles obedecem aos preceitos cerimoniais, enquanto negligenciam questões mais importantes de obrigação moral. Mas a observância meticulosa de cerimônias não tem conexão necessária com a negligência em deveres mais importantes. Numa família afetuosa, espera-se que os filhos que se esforçam para agradar aos pais e satisfazer seus desejos nas preocupações mais triviais sejam ainda mais zelosos nas coisas mais importantes. Tais filhos de nosso Pai celestial devem ser os batistas.

Afirmamos obedecer à sua vontade mais plenamente nas formas externas de religião do que qualquer outra pessoa. A consistência exige que sejamos mais obedientes também nas questões de maior importância. É altamente ofensivo a Deus se, enquanto negligenciamos seus mandamentos mais importantes, tentamos agradá-lo com mero serviço externo. Seu olho onisciente detecta a tentativa de fraude e sua santidade detesta-a. Mesmo os míopes descobrem a trapaça e desprezam nossa hipocrisia.

A reputação da religião é afetada por nossa infidelidade, e os homens, que observam nossa conduta, são confirmados na incredulidade, para sua ruína eterna. Pessoas que não professam obedecer a Deus em todas as coisas, podem, com efeito menos pernicioso, negligenciar seus santos preceitos, mas os batistas devem ser santos em todas as coisas. Nossa profissão de fé exige que sejamos as melhores pessoas do mundo, e deve ser nosso esforço constante caminhar de acordo com essa profissão.

5. É nosso dever trabalhar fiel e perseverantemente para levar todos os homens ao conhecimento da verdade.

Afirmamos que executamos a comissão que Cristo deu aos seus apóstolos mais plenamente do que outras denominações cristãs. Essa comissão exige que preguemos o evangelho a todas as criaturas, e devemos ser os primeiros a prestar-lhe obediência. Essa obrigação foi sentida por alguns de nossa fé e ordem, e todos nós devemos sentir isso. Os batistas ingleses têm a honra de ser os pioneiros no trabalho das missões modernas, e os nomes de Carey e de seus cooperadores, que foram os pioneiros neste difícil serviço, merecem ser mantidos em lembrança duradoura.

Os nomes de Judson e Rice aparecem entre os principais na história das missões americanas, e a conversão desses homens à fé batista pode ser considerada como um chamado especial de Deus aos batistas americanos para trabalharem pela propagação do evangelho por toda a terra.

No Continente da Europa, Oncken e seu nobre grupo de associados estão, por seus esforços diligentes e bem-sucedidos na causa do Redentor, praticamente cumprindo as obrigações que todo batista deve sentir. A devoção voluntária a Cristo e a responsabilidade imediata para com ele são evidentes em nossas peculiaridades distintas. Devemos ser destacados entre os seguidores de Cristo, por nossos empenhos ou sofrimentos em sua causa.

6. É nosso dever promover a unidade espiritual da Igreja Universal, exercendo o amor fraterno a todos os que levam a imagem de Cristo.

Vários esquemas foram propostos pela sabedoria dos homens para amalgamar as diferentes denominações cristãs. Tudo isso origina-se da concepção errônea de que a unidade da igreja universal deve ser encontrada na organização externa. Para efetivar a união buscada, são necessárias concessões das várias partes, e a consciência individual deve ceder ao julgamento de muitos. Todos esses esquemas de amálgama são inconsistentes com a fé batista. Buscamos unidade espiritual. Gostaríamos que cada indivíduo estivesse firmado no terreno bíblico e assumisse sua posição ali, no exercício imparcial de seu próprio julgamento e consciência. Ali esforçamo-nos para assumir nossa posição, e ali, e somente ali, convidamos nossos irmãos de todas as denominações a encontrarem-se conosco.

Cedemos tudo o que não é exigido pela palavra de Deus, mas no que esta palavra requer, não temos nenhuma concessão a fazer. Regozijamo-nos em ver, em muitos que não aceitam nossos pontos de vista da verdade divina, brilhante evidência de amor a Cristo e sua causa. Nós amamos a estes por causa de Cristo, e esperamos unir-nos a eles em seu louvor pelas eras eternas. Somos um com eles em espírito, embora não possamos conformar-nos com seus usos em qualquer particular em que se desviem da Bíblia. Quanto mais abundantemente os amamos, mais cuidadosamente nos esforçamos para andar diante deles em estrita obediência aos mandamentos de nosso Senhor comum. E se eles, às vezes, entendem mal nossos motivos, e julgam mal nossas ações, é nosso consolo saber que temos a aprovação de nosso divino Mestre, e que eles também irão aprovar-nos quando, futuramente, estivermos na presença deles.

APÊNDICE

JOHN L. DAGG

POR MARK E. DEVER

BIOGRAFIA

John Leadley Dagg (1794-1884) foi o primeiro teólogo sistemático da Convenção Batista do Sul dos Estados Unidos a ser amplamente lido pelos Batistas do Sul. Ele exerceu um ministério longo, proeminente e influente como pastor, administrador e professor nos estados americanos de Virgínia, Pensilvânia, Alabama e Geórgia. Mais de cem anos depois de seu nascimento, seu *Manual de Teologia* ainda era frequentemente citado e utilizado em faculdades e seminários teológicos. Agora, mais de duzentos anos depois de seu nascimento, as obras deste teólogo relativamente desconhecido, intituladas *Manual de Teologia* e *Manual de Eclesiologia,* estão sendo novamente publicadas. Em 1903, E. Y. Mullins escreveu que Dagg "foi uma das figuras mais notáveis entre os Batistas do Sul durante o século 19. [...] Sua obra sobre teologia exercera uma influência ampla e poderosa por todo o Sul, bem como em outros lugares. Verdadeiramente, sua vida era rica em influência para o bem, e essas influências continuam poderosas até o presente momento".[1] Quem era esse homem? O que ele ensinou?

John L. Dagg nasceu em 14 de fevereiro de 1794, em Middleburg, Virgínia.[2] Sua infância foi, em grande parte, bem normal. Sua educação formal foi insuficiente. A religião não foi uma grande parte da família Dagg, durante os primeiros anos. Embora a mãe dele tivesse sido criada no presbiterianismo, nenhum de seus pais afirmava ser convertido até os primeiros anos da adolescência de Dagg. Ele relata que a sua conversão ocorreu em 1809.

Uma vez convertido, Dagg empreendeu um estudo da doutrina altamente controversa do batismo infantil. Cercado de literatura e amigos presbiterianos, Dagg pensou que era seu dever investigar os pensamentos sobre o tema. Chegando a conclusões de natureza batista, Dagg foi batizado na *Ebenezer Baptist Church* por William Fristoe, na primavera de 1812. Depois de alguns anos estudando medicina, Dagg foi ordenado ao ministério em novembro de 1817. Ele passou os próximos oito anos no norte da Virgínia, onde nascera, pastoreando algumas igrejas menores. Pregador de alguma habilidade, Dagg recebeu convites para igrejas urbanas maiores.[3] Entretanto, ele não aceitou os convites e continuou a servir as igrejas pequenas.

O segundo capítulo do ministério de Dagg começou em janeiro de 1825, quando aceitou o convite para a elegante *Fifth*

1 E. Y. Mullins, "A Southern Baptist Theologian", *The Baptist Argus* 7 (7 de maio de 1903): 1.

2 Exceto em artigos breves, Dagg nunca foi o assunto de uma biografia publicada. É preciso reconstruir sua história de vida por meio de fragmentos de sua autobiografia, das correspondências trocadas, e das dissertações a respeito de algum aspecto de sua teologia.

3 A igreja batista em Alexandria, Virgínia, estava interessada nele em 1822, mas ele recusou-se a considerar a questão. A *First Baptist Church* de Richmond, a maior congregação batista da nação até então, estendeu um convite a Dagg em dezembro de 1824, que ele também recusou.

Baptist Church, da Filadélfia. Essa jovem congregação já ostentava um santuário que acomodava 1.300 pessoas sentadas — o maior santuário batista da Filadélfia. Durante essa época, seu envolvimento em questões denominacionais mais amplas, naturalmente, aumentou.[4] Ele era um fervoroso porta-voz da obra missionária, seja no oeste da Pensilvânia ou entre os índios Cherokees, na Geórgia. O pastorado bem-sucedido de Dagg na Filadélfia acabou devido a um grave problema vocal, em 1834. Desejando manter seus serviços naquela região, os batistas da *Philadelphia Association* o abordaram, consultando-o sobre a possibilidade de servir como presidente e professor de teologia numa nova escola (o *Haddington Institute*) que desejavam abrir. Dagg aceitou a posição e serviu ali até 1836, quando a escola foi dissolvida.

Dagg passou os oito anos seguintes de sua vida em Tuscaloosa, Alabama, como presidente do *Alabama Female Athenaeum*. Ele continuou ativo na vida batista, servindo em muitos comitês e como oficial da Convenção Batista do Alabama. Entretanto, ele não podia comparecer em encontros nacionais facilmente devido à sua saúde frágil e às dificuldades da jornada.

Dagg deixou Tuscaloosa em 29 de janeiro de 1844, rumando para a *Mercer University*, em Penfield, Geórgia, onde tinha sido chamado à presidência e à docência de teologia. Ele foi com grandes esperanças de que a *Mercer* se tornaria o "Seminário Teológico

4 Dagg foi oficial na *Philadelphia Baptist Missionary Society* (1825-1827) e um dos fundadores da *Pennsylvania Baptist Missionary Society* (precursora da Convenção Batista da Pensilvânia). Dagg também serviu no conselho de diretores da *Triennial Convention* (1826-1836), como vice-presidente da *Triennal Convention* (1838-1845), no conselho de diretores da *American Baptist Home Missionary Society* (1832-1836), como vice-presidente da *American and Foreign Bible Society* (1837-1843), e como presidente, vice-presidente, além de outras funções, da *Baptist General Tract Society* (1824-1843). Ele também serviu como pastor anfitrião da *Triennal Convention* de 1829.

para os estados do Sul".[5] Como presidente (1844-1854), Dagg trabalhou para construir o departamento teológico da *Mercer*. No início dos anos de 1850, essa era, talvez, a escola teológica mais celebrada no Sul.[6] Como professor (1844-1855), ele foi tido em alta consideração por seus pares. *Mercer* desfrutou de grande prosperidade durante sua presidência, com grande procura, valorização da propriedade e aumento nas doações.[7] Durante seu mandato bem-sucedido na *Mercer*, Dagg foi chamado para o serviço denominacional mais amplo.[8] Em 1856, aposentou-se do ensino da teologia naquela instituição.

Dagg continuou a viver na Geórgia pelos próximos 15 anos. Durante os primeiros anos da sua aposentadoria, escreveu seus quatro maiores livros. O primeiro, e mais celebrado, foi seu *Manual of*

5 Dagg, "Mercer University", *The Christian Index* (8 de agosto de 1844), p. 3.

6 Basil Manly, Sr., amigo próximo, sugeriu Dagg para a presidência da *Mercer* depois que o próprio Manly declinou da indicação. Dagg, antes, tinha recusado uma oferta para a Cadeira de Teologia no *Howard Institute*, em Birmingham. Na *Mercer*, Dagg não apenas serviu como professor e presidente, mas como o único oficial na história da instituição a servir no conselho de administradores (1848-1855).

7 Enquanto aluno na *Mercer*, W. L. Kilpatrick foi perguntado sobre o que pensava do Presidente Dagg. Referindo-se às enfermidades físicas de Dagg, Kilpatrick respondeu: "Ele não pode ler nem escrever, ele não pode andar e nem falar, mas é um Presidente muito bom", B. D. Ragsdale, *Story of Georgia Baptists* (Atlanta: Foote and Davies Co., 1932), 1:101.

8 Depois de se mudar para a Geórgia, Dagg se tornou ativo na Convenção Batista da Geórgia. Ele serviu no Comitê Executivo (1844-1855). Dagg foi uma das dez pessoas designadas para se reunirem em 28 de abril de 1845, em Providence, Rhode Island, para providenciar a dissolução da *American Baptist Home Missions Society*. Um mês depois, enquanto estava presente na reunião organizacional da Convenção Batista do Sul, Dagg foi designado como um dos vice-presidentes do novo Conselho de Missões Domésticas da Convenção do Sul. Ele também foi designado pelo comitê para elaborar a constituição da nova convenção. Dagg, novamente, compareceu à Convenção Batista do Sul em 1849. Suas atividades ali incluíram o comando de um comitê sobre as missões na China, apresentar o relatório do comitê à Convenção, e falar à Convenção como um mensageiro correspondente da *American Sunday School Union*.

Theology [Manual de Teologia], publicado em 1857.[9] A este seguiram-se *Treatise on Church Order* [Manual de Eclesiologia] (1858), *Elements of Moral Science* [Elementos de Ciência Moral] (1859) e *Evidences of Christianity* [Evidências de Cristianismo] (publicado apenas em 1869). Durante esse período, suas enfermidades cresceram muito. Em 1870, Dagg se mudou com sua filha, a sra. Henry Rugeley, para Lowndesboro, por alguns meses, e dali para Hayneville, Alabama (perto de Montgomery), onde permaneceu até sua morte, em 11 de junho de 1884, aos 90 anos.

Dagg compareceu na reunião da Convenção Batista do Sul de 1869, em Macon, Geórgia. Então com 75 anos, o único envolvimento dele foi conduzir os exercícios devocionais na primeira manhã da Convenção. Embora nunca tenha podido participar de outra reunião da Convenção, sua influência duradoura no corpo é evidente. Através dos seus longos anos de estupendo serviço na Virgínia, na Pensilvânia, no Alabama e na Geórgia, Dagg tinha desenvolvido muitos relacionamentos próximos com os líderes religiosos do seu tempo. Seu serviço na *Mercer* era bem conhecido e grandemente apreciado. Seus escritos serviram para manter os pensamentos dele diante das mentes de milhares dos seus colegas de ministério. Em

9 Revisões elogiosas foram publicadas em jornais e revistas batistas por toda a nação. Veja *The Southern Baptist* 12 (29 de setembro de 1857): 2; *Western Recorder* 24 (7 de outubro de 1857): 154; *Mississipi Baptist* 1 (8 de outubro de 1957): 2; *The Comission* 2 (janeiro de 1858): 223; *The Baptist Family Magazine* 1 (outubro de 1857): 310; *The Religious Herald* 26 (1 de outubro em 1857): 2. A revisão de C. D. Mallary em *The Christian Index* até sugeriu que "esse seria um bom Livro a ser lido em nossas igrejas — especialmente naquelas que não são regularmente supridas com pregação. O volume poderia ser facilmente dividido em cerca de 25 porções de 12 a 18 páginas — cada porção suprindo rico material para uma meditação de dia de Sábado". Mallary, *The Christian Index* 36 (14 de outubro de 1857): 162-163. Embora discordasse completamente da eclesiologia de Dagg, J. M. Pendleton designou o *Manual de Teologia* de Dagg como seu texto-base na Union College, em Tennessee (1857-1861). James P. Boyce fez algum uso do *Manual de Teologia* de Dagg durante os primeiros dois anos da existência do The Southern Baptist Theological Seminary.

1879, durante a reunião da Convenção Batista do Sul em Atlanta, W. H. Whitsitt defendeu que "um catecismo [...] contendo a substância da religião cristã" fosse elaborado pelo "venerável" J. L. Dagg. A resolução foi aprovada de forma unânime.[10] Assim eram o respeito e a influência de John Leadley Dagg.[11]

EXPOSIÇÃO

O *Manual de Teologia* de John L. Dagg revela uma teologia simples e, ao mesmo tempo, profunda. No *Manual* em si, Dagg não cita, nem menciona algum autor além do Autor da Sagrada Escritura. Seu objetivo era "orientar a mente do leitor diretamente às fontes

10 Foi solicitado a J. B. Jeter, a R. H. Mell, a E. T. Winkler, a J. B. Gambrell e a J. P. Boyce que auxiliassem Dagg e assumissem as tarefas que ele não poderia. Não há registro dos resultados dessa solicitação da Convenção. É interessante notar que Boyce, colega de Whitsitt, e presidente do corpo docente do seminário e da Convenção daquele ano, já tinha um catecismo impresso.

11 Considerando o amplo uso do *Manual de Teologia* por todo o restante do século 19 e os seus muitos alunos, ouvintes e amigos, a influência de Dagg foi, certamente, subestimada. Um aspecto da vida de Dagg que foi completamente negligenciado é a influência que ele exerceu além de sua própria pessoa, não meramente por meio de sua pregação, seu ensino, seus escritos e seu serviço denominacional, mas também através de sua família. Seu filho, John L. Dagg, serviu como pastor da igreja batista de Milledgeville, Geórgia (1847-1851); foi editor do jornal batista da Geórgia, *The Christian Index* (1851-1857); foi escrevente da Convenção Batista da Geórgia (1855); foi pastor da *Cuthbert Baptist Church* (1857-1866); foi professor (1857-1866) e presidente (1861-1866) do *Cuthbert Female College* em Cuthbert, Geórgia; e presidente do *Bethel Female College*, em Hopkinsville, Kentucky (1866-1872). O enteado de Dagg, pelo primeiro casamento da sua segunda esposa, foi Noah K. Davis. Considerando que o pai de Davis faleceu quando ele tinha apenas alguns meses de vida, Dagg foi o único pai que Davis conhecera. Davis se formou na *Mercer* em 1849. Ele serviu como presidente do *Bethel College* em Russellville, Kentucky (e, nessa função, opôs-se ativamente à ideia de Boyce de mudar o seminário para Louisville). Ele depois se tornou amplamente celebrado como professor de Filosofia Moral na Universidade da Virgínia. (Nesse cargo, Davis entregou uma das primeiras séries de Palestras sobre homossexuais no *The Southern Baptist Theological Seminary* em 1901). A filha de Dagg, Elizabeth, casou-se com S. G. Hillyer, um ministro batista proeminente na Geórgia, que serviu com sucesso como professor de Belas Artes e Teologia e como presidente da *Mercer University*. Outra filha de Dagg, Mary Jane, casou-se com Rollin D. Mallary, filho de C. D. Mallary, um batista da Geórgia muito conhecido. R. D. Mallary se formou na *Mercer* em 1851, e serviu como presidente do *Southwestern Baptist College*, em Cuthbert, Geórgia; no *Shorter College*, em Rome, Geórgia; e no *Shelby Female College*, em Shelby, Carolina do Norte.

do conhecimento religioso, incitando-o a investigar essas fontes por si mesmo, sem qualquer consulta a autoridades humanas".[12] Dagg apresentou a teologia sempre como uma expressão de piedade, um coração amoroso que deseja conhecer mais do seu Amado. Investigar a natureza de Deus, sua vontade e suas obras era uma obrigação de cada crente sincero. A teologia era a tarefa do teólogo, assim como do pastor, do diácono ou do membro da igreja. Ele escreve:

> O estudo da verdade religiosa deveria ser empreendido e continuado com base no senso do dever, tendo como escopo o aprimoramento do coração. Uma vez aprendida, essa verdade não deveria ser guardada em uma estante, como se fosse um objeto de pesquisa; mas deveria ser implantada profundamente no coração, onde o seu poder santificador pode ser sentido. Estudar teologia com o propósito de satisfazer à curiosidade ou de preparar-se para uma profissão seria um abuso, uma profanação daquilo que precisa ser considerado como extremamente santo. Aprender as realidades referentes a Deus meramente para efeito de diversão, ou buscando-se alguma vantagem secular, ou a fim de satisfazer o mero amor ao conhecimento é tratar o Altíssimo com desdém.[13]

Santificação e edificação, e não mera iluminação, eram os fins de toda teologia adequada. O conhecimento de Deus foi apresentado como o veículo que o Espírito santo usa para levar alguém a conhecer a Deus e ser completamente transformado por ele. Dagg, portanto, introduziu cada um dos oito "livros" do seu *Manual de Teologia* com

12 Dagg, *Manual de Teologia*, p. 21-22.

13 Ibid., p. 25.

uma seção sobre o dever que surge da doutrina nele discutida. O conhecimento, para Dagg, claramente envolvia a responsabilidade.

Deus

Como conhecemos a respeito Deus a fim de conhecê-lo pessoalmente? Dagg apresentou quatro meios válidos de conhecimento religioso — sentimentos morais pessoais e religiosos, sentimentos morais e religiosos da sociedade, o mundo natural e a revelação divina. Os três primeiros, escreveu Dagg, levavam à "Religião Natural", que ensinava as "verdades fundamentais sobre as quais toda religião está baseada". Entre elas, Dagg incluiu o conhecimento da existência de Deus, que esse Deus deve ser adorado, de que a alma é imortal, alguma moralidade básica e que todas as pessoas são definitivamente responsáveis por suas ações. Mesmo assim, nenhum destes era o conhecimento salvador de Deus. Para isto, é-nos dada unicamente a revelação bíblica, a palavra escrita — "que é o perfeito manancial do conhecimento religioso, como o padrão infalível da verdade religiosa".[14]

Depois de exortar seus leitores para o amor a Deus, Dagg estabeleceu a doutrina de Deus em termos tradicionais. A existência de Deus é "demonstrada" pela nossa própria natureza moral, pela existência do mundo e pelo consentimento comum da humanidade a esse fato. Mesmo assim, a existência e o caráter de Deus só podem ser estabelecidos definitivamente, sem qualquer dúvida, pela revelação de Deus a respeito de si mesmo na Bíblia.

O que aprendemos sobre Deus a partir da revelação divina? Da Escritura, aprendemos que só existe um Deus. Esse Deus é um

14 Ibid., p. 21. Dagg sustentava a noção prevalente de uma Escritura inerrante. Em suas palavras, as Escrituras foram "originalmente escritas sob a orientação infalível do Espírito Santo", p. 24.

espírito que está em todos os lugares, é eterno e conhece todas as coisas. Ele é livre, todo-poderoso, infinitamente benevolente, sempre verdadeiro, perfeitamente justo, imaculadamente santo e infinitamente sábio. Como era típico do pensamento protestante no século 19, Dagg sustentava que a "santidade" era a essência do caráter de Deus, compreendendo em si todas as outras características de Deus. Esses atributos deveriam ser vistos como um todo unificado, que refletia a natureza de Deus.

Deus não é um motor estático e imóvel, mas é um Deus ativo. Ele tem um plano para o mundo e busca-o ativamente, para o deleite de todos os crentes verdadeiros. Ao discutir a vontade de Deus, Dagg distinguia entre a vontade de "mandamento" e a vontade de "propósito". Com a primeira, Dagg queria dizer simplesmente aquela que Deus nos ordena que realizemos. Essa vontade é a que ele exige de nós; é nosso dever revelado em seus estatutos e juízos, revelados mais claramente na Bíblia. A vontade de "propósito" é a sua determinação livre e autoconsciente a respeito do que ele de fato faz.

O fato de que Deus assim determinou suas ações não deveria ser entendido como se destruísse a livre agência dos seres humanos. Embora ele governe todas as coisas, Deus não deve ser acusado da autoria do pecado. Dagg distinguiu a autoria do pecado da permissão do pecado. A primeira é claramente negada na Escritura (1Jo 1.5; Tg 1.13, 17); a segunda, claramente afirmada (At 14.16). Essa distinção, útil como tem sido na teologia cristã, deixa muitas perguntas sem respostas. Dagg reconheceu isso no seu tratado da questão controversa dos réprobos. Ali, Dagg exortou a seus leitores a simplesmente confiar em Deus e a saber que o autor da justiça nunca pode ser injusto. Dagg explicou:

> Se em nossos corações prevalecessem princípios corretos, não ousaríamos ditar ordens àquele que é infinitamente sábio, nem procurar falhas nos seus planos; pelo contrário, haveríamos de aguardar com prazer o desenvolvimento da vontade divina. Mesmo que não pudéssemos perceber a sabedoria e a bondade inerentes às obras do Senhor, deveríamos, movidos pela simplicidade da fé, permanecer na certeza de que os planos de Deus, quando já estiverem totalmente desdobrados, serão vistos como infinitamente retos e sábios.[15]

O que Deus, na verdade, desejou? Dagg respondeu com a distinção tradicional dos atos da criação e da providência. A criação foi a ação de Deus de criar todas as coisas do nada. As obras da providência incluem a contínua preservação de todas as coisas por meio de seu poder e o controle das mudanças, da natureza, do senso moral da humanidade e, em última análise, das ações humanas. Deus, providencialmente, predestinou todas as coisas. Seu desígnio é, em alguns pontos, misterioso (como em sua provisão pelo pecado no mundo), mas, não obstante, é certo. Nesse mistério, a filosofia humana deve sempre mostrar sua inadequação para a tarefa da teologia.

Humanidade

E quanto à humanidade? O fato de que Deus chamou todos ao arrependimento (Mt 3.2; At 17.30) é evidência do estado atual de pecado da humanidade. Originalmente, o homem e a mulher foram criados santos. Os homens não são pecadores por criação, mas apenas pela grande perversão — a Queda. Dagg ensinou que Adão e Eva, personagens literais

15 Dagg, *Manual de Teologia*, p. 183.

e históricos, tinham sido criados por Deus como os primeiros seres humanos, e que eles, pessoalmente, violaram as obrigações de obediência a Deus.[16] Esse ato único de desobediência mergulhou toda a geração deles — a raça humana — num estado de alienação de Deus. Pelo ato de um, todos se tornaram transgressores da aliança de Deus.

Ao recontar sua conversão, Dagg escreveu: "Eu via claramente a tendência dele [do pecado] de destronar a Deus, e senti que, por causa dessa tendência, sua culpa deveria ser considerada".[17] Dagg acreditava que essa era a experiência de toda a humanidade. Adão e Eva agiram como os representantes santos de toda a descendência deles; portanto, a depravação deles moldou a nossa. Através deles, a natureza humana se tornou pecadora. Essa depravação total não queria dizer que não há "afeições amáveis" no coração da pessoa caída. Antes, significa que "O amor de Deus está destronado dos seus corações; assim, faltando este grandioso princípio da moralidade, não existe verdadeira moralidade. A total depravação é a total ausência desse grande princípio que deveria controlar e dirigir nossas ações".[18]

O amor a si mesmo substituiu o amor a Deus. A corrupção e a culpa desse autoamor dominante veio a todos os descendentes de Adão por causa da união federal, moral e natural deles com seu antepassado. A união federal foi aquela pela qual Deus constituiu Adão o representante de todos os seus descendentes. A união moral é o pecado propriamente dito que todos os homens, Adão e seus descendentes,

16 Que isso não era ensinado universalmente entre os evangélicos batistas da época é evidenciado a partir dos sermões do Presidente Francis Wayland, da *Brown University*. Wayland dispensava a questão da historicidade da narrativa da Queda como algo não importante. Francis Wayland, *University Sermons* (Boston: Gould, Kendall e Lincoln, 1849), p. 87-88.

17 John L. Dagg, *Autobiography of Rev. John L. Dagg, D.D.* (Rome, Ga.: J. F. Shanklin, Printer, 1886), p. 8.

18 Dagg, *Manual de Teologia*, p. 256.

cometem intencionalmente. A união natural é o fato de a descendência física de todos os seres humanos vir a partir de Adão. Dagg não foi claro acerca de como, exatamente, essa natureza pecaminosa foi transmitida, mas afirmava que era claro que ela tinha sido transmitida. A depravação implica na corrupção da imagem de Deus nos homens — consciência, ações, e até nossas capacidades mentais. Entretanto, ela não implica na perda da vontade humana. Mesmo assim, uma vez que a vontade de uma pessoa sempre segue a própria natureza dela (que agora é pecaminosa), a pessoa, inevitavelmente, desejará pecar. Todos os homens, portanto, estão condenados, indefesos e — sem a intervenção do Espírito Santo de Deus — espiritualmente mortos.[19]

Cristo

A necessidade dessa intervenção do Espírito Santo leva ao tratado que Dagg elabora a respeito de Cristo. O objeto de nossa fé — Cristo — deve ser entendido tanto como um homem quanto como Deus. Seguindo Anselmo (embora sem mencioná-lo), Dagg argumentou que Deus se tornou homem a fim de que ele mesmo fosse um sacrifício adequado por aqueles cujos lugares ele assumiria. Mesmo assim, o homem Cristo Jesus também é apresentado nas Escrituras como Deus (Jo 1.1, 14, 20.28; At 20.28; Rm 9.5; Hb 1.8; 1Jo 1.3; Ap 19.13). Os nomes, os atributos, as obras, as referências do Antigo Testamento e a adoração a Deus, todos estes são atribuídos a Jesus no Novo Testamento. Sem se referir a Calcedônia ou utilizar toda a linguagem dela, Dagg ensinou a

19 "Em nosso estado natural, somos totalmente depravados. Nenhuma inclinação para a santidade existe no coração carnal; nenhum ato de santidade pode ser realizado, nem pode ser prestado qualquer serviço efetivo a Deus, até que o coração seja mudado. Essa mudança é efetuada pelo ofício do Espírito Santo." Dagg, *Manual de Teologia*, p. 440-441.

ortodoxia de Calcedônia. A união das naturezas humana e divina em Jesus Cristo não tinha confusão ou dissolução.

Dagg afirmou claramente a preexistência de Cristo, sua encarnação e sua ressurreição, ascensão e intercessão. Ele utilizou a distinção tripartite dos três ofícios de Cristo — profeta, sacerdote e rei. Como profeta, Jesus Cristo revelou Deus aos homens. Como sacerdote, ele "apresentou um sacrifício eficaz pelos pecados do seu povo, e agora intercede por eles, à mão direita de Deus, abençoando-os com toda sorte de bençãos espirituais".[20] Finalmente, como rei, Cristo tem autoridade sobre todos, para a glória de Deus e pelo bem do seu povo. Dagg tratou o ofício de sacerdote mais extensivamente. Ele ensinou que o sacrifício de Cristo efetuou expiação entre pecadores indefesos e Deus. Cristo morreu como um substituto por aqueles que tinham incorrido na ira de Deus, reconciliando, deste modo, os pecadores e Deus. Ele rejeitou qualquer ideia da cruz como simplesmente um exemplo tocante. Que a morte de Cristo foi realmente um sacrifício expiatório pelos nossos pecados, escreveu, era a doutrina "essencial ao cristianismo".[21]

> Eles não pregavam a Cristo transfigurado no monte Tabor, nem Cristo acalmando a tempestade e ressuscitando mortos, tampouco Cristo ressurgindo triunfalmente do sepulcro e ascendendo glorioso ao seu trono nos mais altos céus, em meio aos louvores angelicais. O evangelho era a pregação de Cristo sobre a cruz, expirando em trevas e com profunda tristeza de coração, o qual os primeiros pregadores se comprazíam em exibir para a fé dos seus ouvintes. Este era o centro e a glória da sua pregação.[22]

20 Dagg, *Manual de Teologia*, p. 339.

21 Ibid., p. 342.

22 Ibid.

Espírito Santo

O "livro" mais breve do *Manual de Teologia* de Dagg foi reservado ao Espírito Santo. Essa brevidade não é evidência de uma pneumatologia inferior ou subdesenvolvida, mas sim de toda uma teologia realizada "em conjunto" com o Espírito Santo. Cada doutrina é tratada como uma ferramenta santificadora do Espírito santo. Portanto, boa parte da obra do Espírito é discutida em outros lugares, por todo o *Manual de Teologia*. Dagg ensinou que os cristãos são totalmente dependentes, no que tange às suas vidas espirituais, de uma Pessoa, distinta do Pai e do Filho — o Espírito Santo. Essa terceira Pessoa da Trindade não é uma mera força ou influência, mas, claramente, uma Pessoa. E essa Pessoa, claramente, é Deus. Na fórmula para o batismo, e na Grande Comissão, o Espírito Santo é nomeado, ao lado do Pai e do Filho, como Deus. O Espírito Santo é legitimamente adorado (1Co 6.9), e pode-se pecar contra ele (At 5.3, 4). Além disso, passagens no Antigo Testamento aplicadas a Deus são claramente aplicadas, no Novo Testamento, ao Espírito Santo (Êx 17.17; cf. Hb 3.9; Is 6.8; cf. At 28.25; Jr 31.31-34; Hb 10.15-17). O Espírito Santo é eterno, onipresente e onisciente. Ele criou, faz milagres e levantou Cristo dos mortos. Em resumo, o Espírito Santo é Deus. Sua obra entre os cristãos é nos separar como o povo especial de Deus e nos confortar. Ele se tornou nosso Emanuel.

Salvação

A graça divina é muito importante na teologia de Dagg. Como um batista, Dagg permaneceu na tradição reformada dos primeiros teólogos batistas como John Bunyan, Benjamin Keach, John Gill, Andrew Fuller e Isaac Backus. A teologia de Dagg enfatizou a graça de Deus e a resposta humana de gratidão. Quase se pode dizer que, para Dagg, toda a teologia era um estudo da graça de Deus. Portanto, não surpreende que encontremos seu tratamento da doutrina da Trindade em seu livro sobre a "Graça Divina". "A doutrina de uma distinção tripartida na Divindade pertence especialmente à economia da graça".[23] É assim porque Dagg combinou um tratamento ortodoxo e niceno da Trindade (afirmando que Pai, Filho e Espírito Santo são três Pessoas em uma essência divina) com as expressões da teologia da Aliança. Essa teologia se originou entre os reformadores, e foi desenvolvida mais claramente no final do século 15 e no século 16. A teologia da Aliança ensinava que, antes da fundação do mundo, as três Pessoas divinas da Trindade determinaram cooperar na salvação de acordo com o pacto trinitariano eterno e pré-temporal. Dagg, também, ensinava que essa era a estrutura sobre a qual toda a história da redenção deveria ser entendida.[24]

Segundo Dagg, "a salvação dos homens depende inteiramente da graça divina".[25] Cada aspecto da nossa salvação — perdão, justificação, adoção, regeneração, santificação, perseverança final e perfeição definitiva — é realizado apenas pela graça de Deus. Isso é consistente com o ensino de Dagg a respeito do desamparo da humanidade depravada. Essa salvação se deve completamente à graça de Deus, e é vista mais claramente no fato de que Cristo carregou por nós o nosso fardo do pecado. Apenas o sangue dele poderia, eficazmente, remover nossos pecados. Sem essa ação, ninguém poderia ser salvo. A justiça dele é imputada naqueles pelos quais ele morreu. Os crentes obtêm esse benefício de Cristo por meio das uniões consensual, espiritual e federal com Cristo (fazendo um paralelo com as três uniões da

23 Ibid., p. 397.
24 Ibid.
25 Ibid., p. 415.

humanidade com Adão). A união consensual é aquela união de Cristo e do crente pela qual Cristo consente em ser o substituto do crente, e o crente, em ser encontrado em Cristo. A união espiritual é aquela união do espírito, pela qual o espírito do crente é nascido de novo pelo Espírito de Deus. A união federal é aquela pela qual o crente é incorporado na aliança da graça, agora tomando a Cristo como seu representante legal diante de Deus.

Por meio dessas uniões com Cristo, os crentes são justificados diante de Deus. A adoção acontece, e, por meio dela, o amor e a disciplina de Deus são dados livremente ao crente. A regeneração é feita possível apenas por meio do dom da fé dado por Deus.[26] A santificação, também, é primariamente a obra do Espírito de Deus. A perseverança dos regenerados é certa, pela graça de Deus. Rejeitar a doutrina da perseverança final colocava a esperança da salvação no esforço humano, e não no propósito e graça de Deus. Da obra da eleição até a glorificação, Dagg resistiu a qualquer noção que transferisse a responsabilidade pela salvação de Deus para o homem.

Essa insistência sobre a prioridade de Deus na salvação surgiu, em partes, do entendimento de Dagg a respeito do ensino da Escritura sobre a eleição, a redenção particular, e o chamado eficaz. Nessas doutrinas, as atividades consistentes e cooperativas do Pai, do Filho e do Espírito Santo podem ser vistas, cada uma delas trabalhando pela salvação de uma grande multidão da humanidade. Antes da fundação do mundo, o Pai elegeu a alguns. Considerando que a salvação de qualquer pessoa foi puramente uma questão de graça, excedendo a mera justiça ou qualquer merecimento humanos, a acusação de que

26 Dagg tem uma discussão cuidadosa da fé que precede a regeneração e da fé viva que somente pode ser o resultado da regeneração.

Deus é injusto não pode ser levantada de maneira significativa contra qualquer de seus ator de salvação.

Dagg afirmou uma eleição eterna inflexível de Deus como a base da salvação. "Todos os que finalmente serão salvos foram escolhidos por Deus Pai para a salvação antes da fundação do mundo e foram dados a Jesus Cristo, no pacto da graça".[27] Essa eleição é ensinada na Escritura e é corroborada pelo fato de que Deus certamente distinguirá entre os justos e os injustos no dia do juízo. Se é correto que ele faça tal distinção no julgamento, então é correto que esse era seu propósito em toda a eternidade. Dagg, especificamente, rejeitou a interpretação arminiana (embora não nominalmente) de que a eleição de Deus estava baseada em sua presciência da fé e da obediência de alguns. Ele insistiu que Deus, por sua simples graça, escolheu alguns entre todos aqueles que estavam sob a condenação justa e os elegeu como objetos de sua misericórdia.

Dagg definiu as implicações práticas dessa doutrina. Ao invés de tornar inúteis os esforços humanos, a eleição produz a confiança definitiva e a dependência de Deus que são extremamente necessárias para que nós continuemos vivendo como crentes. Ao invés de minar a moralidade e de criar o antinomianismo, ela encoraja os crentes a viver vidas santas e obedientes, sabendo que as Escrituras ensinam que essas vidas são evidências da eleição de Deus. Em vez de sugerir que Deus é injusto, ela mostra que Deus é, de uma só vez, verdadeiramente soberano e justo, e também misericordioso e gracioso. Em vez de provar que Deus "respeita as pessoas", ela demonstra que os regenerados não são tão abençoados por causa de qualquer superioridade em si mesmos, mas simplesmente por causa da graça de Deus.

27 Dagg, *Manual de Teologia*, p. 484.

Em vez de considerar "promíscua" a pregação do evangelho a todos os "não-sinceros", esse entendimento da doutrina da eleição sublinha a fidelidade de Deus a todos, seja no julgamento dos seus pecados, seja na salvação graciosa daqueles que respondem em confiança a ele por meio da mensagem do evangelho. Em vez de diminuir a extensão do amor de Deus, ela deixa a extensão definitiva, do ponto de vista arminiano, intacta, ao mesmo tempo que aumenta sua profundidade e altura (isto é, de eternidade a eternidade). Ao invés de apresentar a Deus como um tirano déspota por causa da sua reprovação de uma parte da raça humana, jogada à miséria, Deus é mostrado como gracioso (Mt 20.13-15). E finalmente, em vez de ser a doutrina daqueles que supõem que estão entre os escolhidos, essa doutrina é o ensino da Escritura, criando não orgulho e autossatisfação entre aqueles que a recebem, mas sim humildade e reconhecimento da total dependência de Deus. O favor de Deus nunca pode ser conquistado — nem mesmo pela aceitação da doutrina da eleição por parte do crente.[28]

A doutrina da eleição particular claramente segue os preceitos dessa doutrina da eleição. Aqueles a quem o Pai escolheu, o Filho redimiu. Jesus tinha um povo em particular em vista quando entregou sua vida. Assim como a eleição do Pai foi particular, não se estendendo a todos os indivíduos, o Filho morreu para redimir não a todos os indivíduos, mas a um povo em particular. A cruz não foi uma barganha divina, mas um triunfo divino. Isso, Dagg insistia, é consistente com a ideia da existência do inferno. Por que alguém deveria sofrer no inferno se Cristo já tinha sofrido por ele? Isso não seria injusto? E ainda se Cristo tivesse morrido como um substituto para todos, com certeza ninguém poderia ser mandado para sofrer novamente

28 A discussão de Dagg sobre essa doutrina é um bom modelo de uma discussão pastoral sensível e apropriada para um membro de igreja comprometido.

por esses mesmos pecados pelos quais Cristo já tinha sofrido. Dagg sustentava que a intenção da expiação era, claramente, que os eleitos fossem redimidos. Objetar tanto que a morte de Cristo deva ter sido infinitamente valiosa ou que ele tivesse que sofrer uma quantidade adicional específica por cada um daqueles que respondessem ao evangelho estava além do testemunho da Escritura. A fé simples prescreveria que a morte de Cristo foi de valor apropriado para o fim para o qual ele a pretendeu. Dizer que era mais do que isso ou tentar avaliá-la mais especificamente não encontra base na autorrevelação de Deus na Escritura. Tudo que a Escritura ensina claramente é que "O Filho de Deus deu sua vida para redimir aqueles que lhe foram dados pelo Pai, no pacto da graça".[29]

A parte do Espírito Santo nessa aliança de redenção era chamar eficazmente ao arrependimento e à fé a todos aqueles que o Pai elegera, e por quem Cristo morrera. Ao mesmo tempo em que todos que ouvem o evangelho são chamados externamente, apenas aqueles que sentiram a graça distintiva de Deus, a graça interna, têm esse chamado externo tornado eficaz. Esse chamado eficaz do pecador pelo Espírito Santo sempre resulta em regeneração. Novamente, Deus é o autor da salvação. Todos estão sob a condenação justa de Deus por causa da rebelião intencional, e, mesmo assim, Deus — Pai, Filho e Espírito Santo — agiu para trazer alguns, graciosamente, à nova vida, para o louvor de sua glória. Essa ação de um Deus assim para com criaturas tais como essas é totalmente sem explicação, se não considerarmos o amor supremo dele por nós em Cristo.

29 *Manual de Teologia*, p. 505. Dagg cita Efésios 5.25-27; Tito 2.14; João 10.11; Apocalipse 1.5-6; Atos 20.28; Hebreus 10.14; Isaías 53.5,11. Estranha como essa doutrina pode soar a muitos evangélicos hoje, Dagg sustentava o que, claramente, tinha sido a posição bíblica entre os batistas do Sul e os presbiterianos ao longo de boa parte dos séculos 18 e 19.

Escatologia

Qual deveria ser o fim desse grande drama da redenção? Dagg respondeu que, para a alma e o corpo, e para o justo e o ímpio, os fins serão diferentes. Quanto à alma, Dagg ensinou que havia imortalidade. Deus criou todas as almas imortais. Isso não ocorre porque filosoficamente deveria ser assim, mas porque, biblicamente, Deus revelou que era assim (2Co 5.8; Lc 23.43; Jo 14.3). Com relação ao corpo, as Escrituras ensinaram que o corpo de todos que morrem "será levantado dentre os mortos e novamente unido a seu respectivo espírito, para o julgamento do grande dia".[30]

Finalmente, deverá haver um dia de juízo futuro, no qual Cristo julgará a todas as pessoas de acordo com suas obras. Esse dia de julgamento ocorrerá no segundo advento de Cristo. Dagg não declarou de forma clara a sua posição sobre a Segunda Vinda de Cristo nos termos das divisões que são comuns hoje (pré-milenismo, pós-milenismo ou amilenismo). O que era importante para ele era a certeza e o resultado desse evento. A certeza era clara na Escritura — Cristo retornaria corporalmente em poder e grande glória para julgar os vivos e os mortos. O resultado desse evento era duplo. Para os justos, o resultado será o céu e a felicidade eterna na presença e no deleite de Deus. Ao mesmo tempo em que muita coisa não é dita na Escritura, é certo de que haverá a melhor sociedade possível, as ocupações mais deliciosas, a ausência de toda infelicidade e a presença de todos os prazeres verdadeiros. Para os ímpios, o inferno é o destino eterno. Ali, eles "sofrerão eterna punição pelos seus pecados".[31] Onde e quando quer que o inferno possa literalmente

30 Ibid., p. 541.
31 Ibid., p. 567.

ocorrer, a Escritura ensina claramente que essa deve ser a natureza dele. Essa miséria não é para fins de purificação, para que todos possam ser restaurados para Deus, nem é aniquilação definitiva. A justiça de Deus exige que cada pessoa seja considerada um agente moral, inclinadas ao amor e à obediência dele, e que aqueles que não agem desta forma sejam justamente considerados culpados, tornando a punição necessária. Isso, ensinou Dagg, de forma alguma estraga a benevolência de Deus para com a humanidade; antes, assegura a existência da verdadeira moralidade no mundo.

A Igreja

A doutrina que é mais distintiva dos batistas, e, mesmo assim, que tem sido a mais discutida nos grupos batistas, é, certamente, a doutrina da igreja. Questões de estrutura, formas de adoração, a natureza da igreja (local e/ou universal) e, é claro, o batismo, têm dividido e definido, repetidamente, os grupos batistas. No meio do século 19, a fronteira americana foi a arena de Alexander Campbell e J. R. Graves. Contendas e orgulho denominacionais eram incomumente proeminentes. Portanto, não surpreende que John L. Dagg escolheria escrever um livro separado, quase igual em extensão ao seu *Manual de Teologia,* que lidaria apenas com eclesiologia. Isso refletia não somente a situação histórica de Dagg, mas também seu comprometimento com a realidade e a importância da obediência a Cristo em tudo que é revelado. Dagg concluiu sua introdução a *A Treatise on Church Order* [*Manual de Eclesiologia*] escrevendo:

> A eclesiologia e os cerimoniais da religião são menos importantes do que um novo coração e, aos olhos de alguns, qualquer esforço de estudar questões concernentes a eles pode parecer

> desnecessário e sem proveito. Mas nós sabemos, por meio da Escritura Sagrada, que Cristo deu ordens a respeito desses assuntos e não podemos recusarmo-nos a obedecer. O amor incita nossa obediência e também incita o estudo que pode ser necessário para descobrir a vontade dele. Vamos, então, seguir na investigação que está a nossa frente com fervorosa oração, para que o Espírito Santo, que guia a toda a verdade, auxilie-nos no aprendizado da vontade daquele a quem adoramos e amamos de forma suprema.[32]

Dagg ensinou que uma igreja cristã é "uma assembleia de crentes em Cristo, organizada em um corpo de acordo com as Sagradas Escrituras, para o louvor e serviço de Deus".[33] Diferentemente dos "landmarquistas" do seu tempo, Dagg utilizou *igreja* para se referir a assembleias locais de cristãos, não se importando com os distintivos denominacionais. Os membros de uma igreja são aqueles que professam a confiança salvadora em Cristo. (Dagg reconhecia que isso não era equivalente a dizer que apenas os eleitos são membros da igreja local, mas era negar, entre outras coisas, a prática da membresia infantil.)[34]

Essa igreja era, por definição, uma assembleia organizada. Também era uma assembleia distinta e independente, sendo que o Novo Testamento, em lugar nenhum, ensinou que uma igreja deveria ser supervisionada por qualquer organização ou indivíduo fora da igreja local. A regra que conduz as igrejas contemporâneas deve sempre ser a prática da igreja do Novo Testamento. Ao mesmo tempo que não significava que "cada aspecto particular da atividade da igreja"

32 John Dagg, *Manual de Eclesiologia* (Rio de Janeiro: Pro Nobis, 2022), p. 29.

33 Ibid., p. 109.

34 Veja o capítulo *Membresia infantil*, p. 199-274.

tenha que ser regulado pelo seguir da prática do Novo Testamento, em questões maiores o Novo Testamento é tido como o padrão da igreja.[35] Assim, o batismo ainda é um pré-requisito para a membresia na igreja porque era assim na igreja do Novo Testamento.

Dagg também ensinou que a palavra *igreja* foi utilizada no Novo Testamento para se referir a uma companhia universal de todos aqueles que são salvos por Cristo. Essa posição foi rigorosamente criticada nos novos ensinos dos "landmarquistas". Mesmo assim, Dagg defendeu especificamente essa doutrina contra os adeptos do landmarquismo, até mesmo citando os escritos populares deles.[36] Dagg, entretanto, não igualou a dicotomia local-universal com a dicotomia visível-invisível. Ele insistiu que qualquer um que fosse verdadeiramente considerado membro da igreja local ou da universal deveria ser visível ao mundo. "Não obstante os erros que o julgamento humano pode cometer em casos individuais, ainda é verdade que a luz da piedade é visível."[37] Ele também não igualou a igreja universal com nenhuma organização. A igreja universal era unida não pela organização, mas pela sua natureza espiritual. Ela será consumada no fim do mundo e continuará eternamente. A palavra *igreja*, no pensamento de Dagg, "aplica-se a uma igreja local, porque os membros dela realmente se reúnem; e se aplica à igreja universal, porque seus membros realmente se reunirão na presença e para a adoração eterna de Deus".[38]

35 Ibid., p. 127.

36 O *Manual de Eclesiologia* de Dagg tem tratados extensos de argumentos específicos utilizados pelos landmarquistas para negar que "igreja" tem uma referência universal em Mateus 16.18 e Efésios 1.22, 3.21. A disposição de Dagg de citar autoridades humanas em seu *Manual de Eclesiologia* sugere que Dagg percebeu que estava lidando com questões ensinadas de forma menos clara na Escritura, e que eram menos centrais ao evangelho.

37 Dagg, *Manual de Eclesiologia*, p. 173.

38 Ibid., p. 196.

O batismo foi uma das primeiras doutrinas com as quais Dagg lutou. Sua primeira batalha o deixou com opiniões claras sobre quase todos os aspectos concebíveis da doutrina e da prática do batismo. O batismo com água certamente era uma ordenança para a igreja, até que o reino de Deus se consumasse pelo retorno de Cristo. O cristão não deve meramente buscar um batismo "espiritual", mas é obrigado a buscar o batismo com água pela ordenança de Cristo e dos apóstolos. Ele não pode ser colocado de lado como uma questão de indiferença para o cristão moderno. Dagg percorreu grandes distâncias para demonstrar que apenas o entendimento adequado do batismo é, a partir da própria natureza da palavra, "imergir".[39] Isso é provado a partir do uso do termo grego, e pelo propósito simbólico do ato do batismo na Escritura. Ler *baptizō* de qualquer outra forma é negar os resultados claros da pesquisa etimológica, histórica e escriturística. Os únicos objetos adequados desse batismo são os que se arrependem de seus pecados e creem em Cristo para a salvação. "O batismo foi designado para ser a cerimônia de profissão cristã", com ninguém além das pessoas batizadas sendo adequadamente apto a ser admitido à membresia na igreja.[40] Não utilizar esse princípio seria permitir a desobediência clara ao Cristo ao qual se alega seguir.

Portanto, não é surpreendente descobrir que Dagg se opôs duramente à membresia infantil na igreja. Com isso, Dagg não queria sugerir que as crianças não deveriam ser admitidas na igreja. Qualquer um, adulto ou criança, que fornecesse uma profissão de fé crível e fosse batizado deveria ser admitido na igreja. Entretanto, as crianças pequenas, que eram incapazes de ter fé e que contavam apenas com a

39 Portanto, Dagg insistia (em alguma medida) no batismo por imersão, até em climas mais frios. Veja Dagg, *Manual de Eclesiologia*, p. 101-102.

40 Ibid., p. 104.

alegação de fé da parte de seus pais, não eram candidatos adequados à membresia. "Assim como a aliança da circuncisão em seu sentido literal não admitia ninguém na descendência da aliança senão descendentes literais de Abraão, também, no sentido alegórico, ninguém está incluído na descendência espiritual a não ser os verdadeiros crentes."[41] Portanto, o batismo infantil estava errado. O fato de que aqueles que morrem na infância, na verdade, podem ser salvos pela graça de Deus não é argumento para a prática antibíblica do batismo infantil. O batismo infantil não é ordenado em lugar nenhum no Novo Testamento. Os que eram batizados no Novo Testamento eram discípulos, algo que crianças pequenas não podem ser. A analogia do batismo à circuncisão nas Escrituras é uma analogia feita com a circuncisão do coração (conversão), e não com a circuncisão da carne. De fato, argumentou Dagg, o batismo infantil não é mencionado antes do fim do segundo século.

Se Dagg fornecera uma resposta não-convencional à pergunta "Quem deve ser batizado?", ele não fez o mesmo com relação à pergunta "Quem pode batizar?". É verdade que a conclusão dele neste ponto foi alcançada por uma série mais sutil de pensamentos a partir da Escritura e da história, sugerindo que "a autoridade para administrar o batismo é conferida no curso normal da sucessão ministerial, quando um indivíduo, chamado pelo Espírito Santo para o ministério da palavra, é publicamente designado para esse serviço".[42]

Argumentando novamente contra os landmarquistas, Dagg insistiu que ministros não batizados fossem reconhecidos como verdadeiros ministros, ainda que estivessem em erro, e que fossem tratados com respeito. George Whitefield, Jonathan Edwards, Samuel

41 Ibid., p. 238.
42 Ibid., p. 347.

Davies e Edward Payson são exemplos anunciados por Dagg de homens que eram incontestavelmente usados por Deus como ministros do evangelho, mesmo que estivessem errados quanto à questão do batismo. Os batistas devem conhecer e proclamar a verdade do batismo, mas perceber que essa não é a essência do cristianismo. Cometer esse erro é cair em um novo tipo de "papado".

> É nosso dever, enquanto prestamos obediência meticulosa a todos os mandamentos de Deus, considerar as formas e cerimônias da religião como tendo muito menos importância do que suas verdades e preceitos morais [...] Por sermos diferentes de outros professantes de religião em nossa fé e prática, no que diz respeito às exterioridades da religião, estamos sob a constante tentação de dar muita importância a essas peculiaridades externas. Devemos sempre lutar contra essa tentação. Se ampliarmos indevidamente a cerimônia, abandonamos nossos princípios e deixamos de cumprir a missão que o Cabeça da Igreja designou a nós.[43]

Os distintivos de nossa denominação nunca devem se confundir com os aspectos essenciais de nossa fé.

Como o batismo, a comunhão deve ser observada pela igreja até o fim do mundo, porque foi assim instituído por Cristo. Ao mesmo tempo em que negava a eficácia automática do rito da comunhão, Dagg via uma importância mais plena na comunhão do que muitos batistas permitiriam. Essa ceia deve ser entendida como um memorial de Cristo, "uma representação de que o comungante recebe nutrição

43 Ibid., p. 405-407.

espiritual dele e um símbolo de comunhão entre os comungantes".[44] Essa ceia deve ser celebrada em igrejas locais por membros batizados de quaisquer igrejas reconhecidas ali presentes. Dagg defendia a posição conhecida como "comunhão estrita". Isto é, ao mesmo tempo em que se dava boas-vindas aos cristãos de qualquer denominação à mesa, Dagg a negaria a qualquer um que não fosse imerso, como crente. Ele negou, entretanto, que os irmãos pedobatistas se sentissem renegados por essa restrição: "certamente existem muitas maneiras de testificar e nutrir a mais calorosa afeição para com os irmãos que erram, sem participar de seus erros. Podemos estar prontos, em obediência a Cristo, a dar nossa vida por nossos irmãos — embora possamos escolher morrer, em vez de, por falsa ternura para com eles, violar o menor de seus mandamentos".[45]

O restante dos "sete sacramentos" do catolicismo romano, e o lava-pés que alguns irmãos batistas consideravam uma ordenança, Dagg rejeitou de maneira específica. Apenas o batismo e a Ceia do Senhor eram ordenadas por Cristo para serem perpetuamente observados em sua igreja.

Dagg lidou brevemente com o restante das questões externas da igreja. A adoração pública deveria acontecer no domingo, o sábado cristão. A reunião regular da igreja deveria ser caracterizada por "orações, canções de louvor e a leitura e exposição da palavra de Deus".[46] Formas prescritas de orações são questionáveis, ainda que o uso de hinários não sejam. Aqueles que ministram a Palavra deveriam ser os que foram especificamente chamados por Deus para fazê-lo. Eles deveriam ser separados especificamente para a obra da pregação da Palavra. Embora o

44 Ibid., p. 284.
45 Ibid., p. 295.
46 Ibid., p. 323.

ministério apostólico tenha cessado, Deus continuou a dar à sua igreja ministros e missionários para espalhar o evangelho. Dagg ensinou que o dom profético também tinha cessado, e que isso era simplesmente mais uma confirmação da suficiência da revelação da Escritura. Aquele que é chamado ao ministério deveria estudar especialmente a Escritura, e deveria ter seu chamado corroborado pelo corpo maior de Cristo em sua igreja; porque "todo homem que crê sozinho que foi chamado por Deus para o ministério tem motivos para entender que sob uma ilusão. Se ele perceber que aqueles que dão provas de que honram a Deus e amam as almas dos homens não reconhecem suas qualificações ministeriais, tem motivos para suspeitar que elas não existem".[47] Os diáconos, também, devem ser reconhecidos pela igreja local, conforme a necessidade o exigir. A ordenação é apropriada, mas não obrigatória (não é ordenada na Escritura). De entre esses ministros da Palavra, as igrejas devem escolher bispos, ou pastores, para a congregação local. Esses diáconos e bispos (pastores) são os únicos oficiais ordenados para a igreja local na Escritura. Os membros devem laborar cuidadosamente para a edificação de todos os irmãos e irmãs em Cristo através da frequência pontual e regular à pregação, ao estudo bíblico, à leitura e às discussões religiosas, às boas obras e às reuniões de oração. A excomunhão, também, deve ser utilizada pela igreja local como uma ferramenta para a santificação do corpo de Cristo.

AVALIAÇÃO

Para avaliar a teologia de John L. Dagg, deve-se primeiro relembrar o propósito dos escritos teológicos dele. O seu *Manual de Teologia*, e todos os seus escritos expressamente teológicos, foi

47 Ibid., p. 336.

> projetado para ser usado por aqueles que não têm tempo nem oportunidade de estudar obras mais volumosas sobre teologia. Ao prepará-lo, o meu propósito foi apresentar o sistema de doutrinas cristãs com clareza e demonstrar, a cada passo, a sua veracidade e a sua tendência para santificar o coração do crente. Indivíduos dotados de inclinação e talento para pesquisas profundas talvez prefiram discussões mais elaboradas. No entanto, se a pessoa iniciada na religião cristã obtiver, através deste livro, ajuda na tarefa de determinar no que consiste a verdade e qual o seu uso apropriado, então a principal meta desta obra terá sido alcançada.[48]

Assim, Dagg não faz nenhuma tentativa de reproduzir o enorme *Body of Divinity* [Corpo de Divindade] de Gill, uma obra influente em sua própria formação teológica. O *Manual de Teologia* de Dagg pode, apenas, ser comparado imperfeitamente à *Teologia Sistemática* de Boyce [Pro Nobis Editora, 2. ed., 2021] (um texto das anotações de preleções de Boyce, no qual a discussão de debates teológicos históricos é proeminente). A abordagem de Dagg poderia ser mais bem comparada com o *Christian Doctrine* [Doutrina Cristã] de J. M. Pendleton, ou com o *The Christian Religion in Its Doctrinal Expression* [A Religião Cristã em Sua Expressão Doutrinária] de E. Y. Mullins. Nenhum desses últimos volumes era renomado pela sua discussão complexa de problemas teológicos clássicos. Antes, assim como o *Manual de Teologia* de Dagg, estas obras serviram como exposições simples da verdade cristã a partir de uma perspectiva batista. E, deve-se notar, a simplicidade extrema deles forneceu muito

48 Dagg, *Manual de Teologia*, p. 19.

da ampla influência da qual desfrutaram no pensamento e na prática da denominação.

Mesmo assim, o *Manual de Teologia* de Dagg não era apenas simples, e, portanto, acessível (como as teologias escritas de Pendleton e de Mullins). Ele foi escrito especificamente como um exercício na edificação teológica.

> Não fez parte de meu propósito conduzir o humilde interessado à região espinhosa das polêmicas teológicas. Evitar tudo que estivesse sujeito às controvérsias era impossível, porquanto cada aspecto da verdade divina tem sido atacado. Porém, planejei acompanhar o curso das investigações sendo afetado o menos possível pelos conflitos dos disputantes religiosos, não entrando em controvérsia senão com a incredulidade dos nossos próprios corações.[49]

Como parte desse plano, Dagg decidiu apelar para nenhuma autoridade além da própria Escritura. Portanto, ao mesmo tempo em que ele prossegue em exegese cuidadosa das passagens, e, às vezes, lida extensivamente com as línguas originais, ele não interage expressamente em nenhum lugar com os debates históricos que muito fizeram para moldar a teologia cristã contemporânea. Niceia e a Reforma, o Concílio de Trento e a Assembleia de Westminster não aparecem em lugar nenhum, por nome, em sua teologia, embora muitas das suas expressões e argumentos sejam formados pelas discussões que ocorreram nesses contextos. Dagg, por assim dizer, recriou muitos dos debates da história da teologia cristã (ele

49 Ibid., p. 20.

certamente não os ignorava), ainda que no contexto de discussões simples e aparentemente contemporâneas acerca das Escrituras. Essa foi a vantagem de recriar no leitor o que sempre foi a questão teológica fundamental para Dagg — "O que diz a Escritura?". Mesmo assim, também se deve dizer que por mais útil que possa ser para o leigo, não é uma introdução adequada à ciência teológica para o estudante de teologia. Idealmente, o estudante deve ser suprido não apenas com a leitura que Dagg tem do texto e dos problemas, mas também com as definições e debates teológicos históricos exatos, e as circunstâncias nas quais eles surgiram.

Isso não é dizer que o método teológico de Dagg estava errado. Sua tentativa de ser definitivamente dependente da Escritura é louvável. Esse deveria ser o alvo de todo teólogo bíblico. Além disso, a preocupação dele com a santificação do coração por meio da pesquisa teológica é muito adequado (e, deve-se acrescentar, é, infelizmente, ausente nos dias de hoje, especialmente em meio a boa parte da "teologia" descrente contemporânea). A preocupação de Dagg pelo conhecimento de Deus, que permeia a discussão dele sobre o conhecimento de Deus, é minuciosa e singularmente apropriada. Combinar esse zelo pela lembrança da presença de Deus ao longo da discussão sobre o próprio Deus juntamente com uma percepção cuidadosa das histórias das discussões seria um alvo admirável para qualquer teologia escrita.

Pode-se muito bem dizer que a preocupação principal de Dagg é a santidade de Deus — não simplesmente a retidão moral dele, mas sua divindade. Todos os seus atributos são vistos como uma unidade no caráter divino, não unidades separadas. Tudo deve ser feito para a glória de Deus. Tudo deve ser conhecido para a glória de Deus. Tudo é para a glória de Deus. Assim, deveríamos buscar amar, obedecer, crer e agradecer a Deus. As seções introdutórias do seu *Manual de Teologia* são o sumário prático da teologia de Dagg. Essa também é a base para a discussão que ele faz daquela que é a mais espinhosa das questões teológicas — a teodiceia. Deus, por sua natureza, deve ser crido. Ele pode ser mal compreendido por nós quanto ao que ele faz ou permite, mas não se pode declarar que ele errou. Definitivamente, Dagg responderia com o apóstolo Paulo: "Quem és tu, ó homem, para discutires com Deus?" (Rm 9.20).

Para alguns, a postura devocional de Dagg pode parecer em flagrante dissonância com sua apresentação inflexivelmente reformada sobre Deus: mesmo assim, pode ser argumentado que essas duas facetas são perfeitamente complementares — uma visão "elevada" de Deus, combinada com uma forte devoção a ele. Esse Deus não deveria ser condenado pelo problema do mal, mas sim louvado pelo amor não merecido que ele demonstra em Cristo. A eleição mostra que Deus não é um tirano déspota, mas um amante determinado. Moralmente, a humanidade está justamente condenada por escolher a desobediência. A única justiça a ser exigida é a condenação da humanidade. O amor de Deus, que nos é mostrado em Cristo, é uma questão de tremendo louvor exatamente porque ele não era obrigado a nos tratar dessa forma.

Em tudo isso, Dagg poderia muito bem ser um professor de cristianismo contemporâneo no mundo de fala inglesa. A evangélicos arminianos e a muitos teólogos mais "progressivos", Dagg poderia muito bem fazer perguntas desconfortáveis: de que maneira podemos defender biblicamente a ideia de que Deus sempre trabalha para o bem maior de cada pessoa, não importando a maneira como ela age? Essa ideia certamente seria popular, mas como ela se conforma às realidades mais desconfortáveis do texto bíblico e do mundo real?

Aqui, a teologia de Dagg, tão antiquada como possa parecer a alguns por causa do seu estilo e de sua substância, pode abordar algumas dificuldades básicas que a pessoa moderna e igualitária tem em compreender e "permitir" que haja um Deus absolutamente soberano, justo, amoroso e autoexistente.

Entretanto, é exatamente nesse ponto que deveríamos notar também os ensinos éticos de Dagg — a fonte da sua infâmia em alguns círculos hoje. A sua obra *Elements of Moral Science* [Elementos de Ciência Moral] (1859) foi a última grande defesa da escravidão publicada em forma de livro. Ao mesmo tempo em que a ética de Dagg merece um tratamento mais extenso, isso deve ser deixado ao leitor, através do exame da obra por conta própria. Dagg afirmou que a qualidade moral de um ato repousa na intenção por trás dele. Ele também ensinou que não deveria haver igualdade de direitos sem igualdade de condição.[50] Direitos sociais sempre foram desiguais na sociedade (como no reconhecimento da propriedade privada, ou nos direitos dos pais sobre os filhos). Era próprio do governo restringir as liberdades de alguns mais do que as liberdades de outros, se fosse pretendido para o próprio bem. Também, Dagg defendia a escravidão como uma instituição tolerada, e não condenada, na Escritura. Finalmente, ele argumentou pragmaticamente que, enquanto a escravidão tivera muitos males lamentáveis, Deus, por sua providência soberana, tinha, na verdade, feito os africanos prosperarem por meio dela.

As fontes do conservadorismo de Dagg em questões sociais são matéria de especulação. Alguns atribuíram a satisfação dele com o *status quo* ao seu calvinismo, talvez pensando que ele supunha que tudo

50 John L. Dagg, *Elements of Moral Science* (New York: Sheldon and Co., 1859), p. 170.

a respeito dele fosse a vontade perfeita de Deus.[51] Ao mesmo tempo em que sua teologia calvinista poderia ser uma fonte indireta, filtrada através de suas atitudes ou prioridades, certamente não seria uma fonte direta de seu conservadorismo social. O próprio Dagg estava dolorosamente ciente do caráter caído e da imperfeição do mundo presente. Também, ele era ativo pela mudança em outros assuntos de natureza social. Ele foi um dos primeiros líderes entre os batistas em assuntos de temperança, de educação e no lidar com os problemas dos povos nativos americanos.

Dagg claramente reconheceu que a escravidão, como era praticada, foi acompanhada por um grande mal. Mesmo assim, ele reagiu contra os chamados à mudança radical na cultura que ele conheceu por meio século. Havia, com certeza, amplo material na Escritura a partir do qual elaborar uma defesa da escravidão, se essa fosse a intenção. Muitos dos seus contemporâneos mais eruditos (R. L. Dabney, J. H. Thornwell) haviam, muito antes, assumido a defesa da escravidão. Dagg reagiu com uma defensividade natural e lamentável quando as falhas de sua própria cultura (que são claras a nós) foram apresentadas à nação. O fato de que essas faltas foram apresentadas de maneira mais barulhenta e dramática por aqueles que eram os maiores opositores à escravidão tornou bem mais fácil para Dagg a tarefa de criar uma caricatura de seus opositores culturais. Além disso, os batistas (e os metodistas) tinham se estabelecido no Sul dos EUA, e um bem espiritual evidente tinha sido alcançado entre os escravos. Pode ter parecido que os racionalistas e liberais do Norte não costumavam admitir isto, e, portanto, isso talvez evidenciasse os valores completamente diferentes destes em relação às preocupações mais ortodoxas

51 Cf. E. Brooks Holifield, *The Gentlemen Theologians* (Durham, N.C.: Duke University Press, 1978), p. 153.

e escriturística do Sul. Nesse ponto, a cultura de Dagg moldou seu cristianismo numa direção bastante perversa.

A principal distinção teológica de Dagg entre os batistas foi a clara manutenção do que tinha sido a ortodoxia batista no Sul — o calvinismo — e a sua repreensão clara daquilo que estava substituindo esta ortodoxia batista nas fronteiras — o landmarquismo. O landmarquismo de J. R. Graves, A. C. Dayton e J. M. Pendleton foi uma teologia que aceitava o calvinismo, embora não o enfatizasse. Os batistas dos séculos XVII, XVIII e XIX, cujas teologias eram distintamente calvinistas, costumavam ser aqueles que destacavam sua unidade essencial com outros protestantes evangélicos. As doutrinas centrais de Deus, da humanidade, de Cristo e da graça eram aquelas ao redor das quais os grupos se formaram, pelas quais foram definidos, e sobre as quais se dividiram.

Na metade do século XIX, a ênfase na fronteira americana estava se distanciando cada vez mais daquelas questões centrais que uniram os cristãos evangélicos, prosseguindo para aquelas questões que distinguiam um corpo de cristãos do outro. O landmarquismo foi a forma dominante que essa ênfase assumiu entre os batistas. Dagg foi corajoso, cortês e inflexível na sua defesa de uma versão anterior do cristianismo batista — inflexivelmente batista, mas clara e fundamentalmente cristão — contra as alegações indevidas dos landmarquistas. Dagg ensinou corretamente que Deus era o dono do ministério daqueles que estavam errados em vários pontos, inclusive em sua doutrina a respeito do batismo. Dagg ensinou corretamente que a palavra *igreja* era utilizada nas Escrituras num sentido local e universal, e que poderia ser corretamente utilizada para se referir até àquelas assembleias locais que compreendiam mal o batismo. Em tudo isso, Dagg estava escrevendo "contra a correnteza", mas o fez de uma maneira tão claramente ortodoxa que até J. M. Pendleton, defensor do landmarquismo, recomendaria posteriormente o *Manual de Teologia* e o *Manual de Eclesiologia* de Dagg, e os utilizaria como texto-base na *Union University*, no Tennessee.

Concluindo, seria justo dizer que Dagg não traz contribuições únicas aos que se engajam no estudo da teologia hoje. Sua exposição doutrinária era típica de posições cristãs históricas formuladas inicialmente por outros. Não importa o quanto se ache necessário, nos dias de hoje, recuperar a ortodoxia bíblica presente na teologia de Dagg, o fato é que, se a teologia quiser evitar o suicídio e expressar o verdadeiro evangelho de Cristo, devemos reconhecer que, de muitas formas, é melhor aprendê-lo de outros autores com apresentações mais amplas das Escrituras, da doutrina, da história e da razão.[52] Os escritos de Dagg não são adequados para se utilizar como texto-base de teologia num seminário moderno. Dito isso, deve-se declarar que se Dagg não é, particularmente, um notável doutor no conteúdo da teologia, ele é quase insuperável entre os batistas como um doutor no propósito da teologia. Dagg ensinaria que, para que a busca da teologia seja legítima, seu propósito deve estar claro. Buscar conhecimento do Deus bíblico só pode ser feito adequadamente buscando conhecer o Deus bíblico. Ser cativado pelo conhecimento de Deus é idolatria, a menos que nos deixemos cativar pelo próprio Deus. Que Dagg estava bastante cativado por isso é algo claro; sua contribuição duradoura é que ele possa nos ensinar a ser assim.

52 O tratado de teologia de Dagg, porém, oferece explicações de rara clareza e simplicidade a respeito de muitas doutrinas bíblicas, abordando-as de maneiras que mostram muita sensibilidade pastoral às perguntas que, normalmente, são feitas pelos membros das igrejas.

BIBLIOGRAFIA

OBRAS DE DAGG

Autobiography of Rev. John L. Dagg, D. D. (Rome, Ga.: F. Shanklin, Printer, 1886).

“Effectual Calling”. *The Christian Index*, 31 (11 de Maio de 1863): 1.

The Elements of Moral Science (New York: Sheldon and Co., 1859).

The Evidences of Christianity (Macon, Ga.: J. W. Burke and Co., 1869).

“The Fallen State of Man”. *The Christian Index*, 32 (20 de Março de 1863): 1.

A Manual of Theology. Charleston: Southern Baptist Publication Society, 1857. [Edição em português: *Manual de Teologia* (São José dos Campos: Fiel, 2022).]

A Treatise on Church Order (Charleston: Southern Baptist Publication Society, 1858). [Edição em português: *Manual de Eclesiologia* (Rio de Janeiro: Pro Nobis, 2022).]

OBRAS SOBRE DAGG

Blackaby, Melvin Duane. “The Nature of the Church and Its Relationship to the Kingdom of God in Baptist Theology: John Leadley Dagg, Benjamin Harvey Carroll, and Dale Moody”, dissertação de Ph.D., Southwestern Baptist Theological Seminary, 1997.

Brantley, W. T., Sr. “The Doctrines of Grace”. *The Columbian Star*, 1 (8 de Agosto de 1829): 91.

Cline, C. W. “Some Baptist Systematic Theologians”. *Review and Expositor*, 20 (1923): 311-316.

Cuttino, Thomas E. “A Study of the Theological Works of John Leadley Dagg”. Tese de Th.M., The Southern Baptist Theological Seminary, 1954.

Dever, Mark E. “Representative Aspects of the Theologies of John L. Dagg and James P. Boyce: Reformed Theology and Southern Baptists”. Tese de Th.M., The Southern Baptist Theological Seminary, 1987.

_____________. ed., *Baptist Polity* (Washington: Center for Church Reform, 2000).

Gardner, Robert G. “The Alabama Female Athenaeum and John Leadley Dagg in Alabama”. *The Alabama Baptist Historian*, 5 (Julho de 1969): 3-32.

_____________. “The Bible [...] A Revelation from God, Supplying the Defects of Natural Religion”. *Foundations*, 4 (julho de 1961): 241-258.

_____________. “John Leadley Dagg”. *Review and Expositor*, 54 (Abril de 1957): 246-263.

_____________. “John Leadley Dagg in Georgia”. *Baptist History and Heritage*, 3 (Janeiro de 1968): 43-50.

_____________. “John Leadley Dagg, National Leader”. *The Quarterly Review*, 33 (Abril-Junho de 1973): 48-53.

_____________. “John Leadley Dagg: Pioneer American Baptist Theologian”. Dissertação de Ph.D., Duke University, 1957.

_____________. “Men under the Dominion of the Lower Propensities”. *The Chronicle*, 20 (Julho de 1957): 115-130.

________________. "A Tenth-Hour Apology for Slavery". *The Journal of Southern History*, 26 (Agosto de 1960): 352-367.

Holifield, E. Brooks. *The Gentleman Theologians* (Durham, N.C.: Duke University Press, 1978).

Humphreys, Fisher, ed. *Nineteenth Century Evangelical Theology* (Nashville: Broadman Press, 1983).

Kutilek, Doug. "The Text and Translation of the Bible: Nineteenth Century American Baptist Views", tese de Th.M., Central Baptist Theological Seminary, 1998.

Loftis, John. "Factors in Southern Baptist Identity as Reflected by Ministerial Role Models, 1750–1925". Dissertação de Ph.D., The Southern Baptist Theological Seminary, 1987.

Lumpkin, William L. *Baptist Foundations in the South* (Nashville: Broadman Press, 1961).

Mallary, C. D. Review of *A Manual of Theology*, by John L. Dagg. *The Christian Index*, 36 (14 de Outubro de 1857): 162-163.

Matheson, Mark. "Religious Knowledge in the Theologies of John Leadley Dagg and James Petigru Boyce: With Special Reference to the Influence of Common Sense Realism". Dissertação de Ph.D., Southwestern Baptist Theological Seminary, 1984.

Moody, Dwight A. "Doctrines of Inspiration in the Southern Baptist Theological Tradition". Dissertação de Ph.D., The Southern Baptist Theological Seminary, 1982.

Mueller, William A. "Southern Baptists and Theology". *The Theological Educator*, 1 (Outubro de 1970): 49-62.

Nettles, Thomas J. *By His Grace and for His Glory* (Grand Rapids: Baker Book House, 1986).

Patterson, L. Paige. "An Evaluation of the Soteriological Thought of John Leadley Dagg".

Pendleton, J. M. *Christian Doctrines: A Compendium of Theology* (Philadelphia: American Baptist Publication Society, 1878).

Phillips, Charles D. "The Southern Baptist View of the Church: As Reflected in the Thought of J. L. Dagg, E. C. Dargan, and H. E. Dana". Tese de Th.M., The Southern Baptist Theological Seminary, 1957.

Revisões de *A Manual of Theology*, de John L. Dagg, em *The Baptist Family Magazine*, 1 (Outubro de 1857): 310; *The Commission*, 2 (Janeiro de 1858): 223; *Mississippi Baptist*, 1 (8 de Outubro de 1857): 2; *The Southern Baptist*, 12 (29 de Setembro de 1857): 2; e *Western Recorder*, 24 (7 de Outubro de 1857): 154.

Sands, William. Revisão de *A Manual of Theology*, de John L. Dagg. *The Religious Herald*, 26 (1 de Outubro de 1857): 2.

Straton, Hillyer Hawthorne. "John Leadley Dagg". Tese de M.A., Mercer University, 1926.

A Pro Nobis Editora nasceu da visão de servir à igreja brasileira mediante uma literatura cristã de qualidade. O ministério da Pro Nobis tem por alvo especial ajudar os batistas brasileiros na missão de edificar a igreja e anunciar o Evangelho ao mundo. Para tanto, o conhecimento de suas raízes históricas e de sua herança teológica é fundamental. Existem excelentes editoras evangélicas no Brasil com as quais juntamos forças nesse trabalho de servir ao povo de Deus.

Mas por que Pro Nobis? Trata-se de uma expressão em latim que significa POR NÓS. Na tradição cristã, essa expressão está relacionada à obra de Jesus Cristo em nosso favor. A cruz é o símbolo maior e mais sublime da fé cristã, o coração do Evangelho. O Deus Trino fez uma aliança de redenção em favor de seu povo eleito, salvo pelo sangue do Cordeiro. Nosso objetivo é edificar a igreja para que ela prossiga na missão de proclamar "o evangelho das insondáveis riquezas de Cristo" (Ef. 3.8).

Esta obra foi composta em Arno Pro Regular 12.3, e impressa
na Promove Artes Gráficas sobre o papel Pólen 70g/m², para
Editora Fiel, em Dezembro de 2022

Em seu *Manual de Teologia*, Dagg demonstra muito bem a coerência entre, de um lado, teologia e cristologia ortodoxas e, de outro lado, uma soteriologia evangélica reformada. Sua discussão sobre os atributos de Deus lança sólido fundamento para sua exposição da soberania da graça. Sua discussão sobre a pessoa de Jesus Cristo é fundamental para seu entendimento da obra de expiação de Cristo. No entanto, seu tema dominante é o Espírito Santo como agente de transformação do coração humano, por e para as verdades do evangelho. Cristãos de todas as convicções podem se beneficiar grandemente de suas lúcidas argumentações.

Dr. Thomas Nettles (PhD, Southwestern Baptist Theological Seminary), autor prolífico e professor aposentado de teologia histórica, tendo lecionado no *Southern Baptist Theological Seminary*.

Depois de haver labutado muito em meus primeiros anos como pastor, estudando obras de Knapp e Turretin, Dwight e Andrew Fuller, além de outros teólogos minuciosos, descobri neste *Manual de Teologia* um autêntico deleite e tenho sentido, no decorrer de minha vida, o agradável impulso que ele deu à minha inquirição e reflexão teológica.

John Broadus (1827-1895), pastor batista e segundo presidente do *Southern Baptist Theological Seminary*.

Com a republicação do *Manual de Teologia* de Dagg, uma nova geração de ministros e de membros de igrejas poderá apreciar o dom que esse homem tinha para escrever uma teologia que era, a um só tempo, fiel à Bíblia, clara para a mente e acalentadora para o coração. Se nenhum outro escritor tem estado apto a convencer os leitores de que um verdadeiro conhecimento de Deus envolve tanto a cabeça quanto o coração, deixe John Dagg ter esse privilégio. Ele foi um guia confiável para muitos no passado, e ainda podemos confiar nele hoje.

Mark Dever (PhD, Cambridge University), pastor da Captol Hill Baptist Church, presidente do ministério 9Marcas e autor de *9 marcas de uma igreja saudável, O evangelho e a evangelização, Igreja: o evangelho visível,* entre outros.

Manual de TEOLOGIA

John Leadley Dagg

Dados Internacionais de Catalogação na Publicação (CIP)
(eDOC BRASIL, Belo Horizonte/MG)

D125m Dagg, J. L. (John Leadley), 1794-1884.
Manual de teologia / John Dagg; tradução João Bentes. – 4.ed.
– São José dos Campos, SP: Fiel, 2022.
592 p. : 16 x 23 cm

Título original: Manual of Theology
ISBN 978-65-5723-197-5

1. Teologia dogmática. 2. Batistas – Doutrinas. I. Bentes, João.
II. Título.

CDD 230

Elaborado por Maurício Amormino Júnior – CRB6/2422

MANUAL DE TEOLOGIA

Traduzido do original em inglês
Manual of Theology: A treatise on Christian Doctrine

•

Originalmente publicado em inglês por
American Baptist Publication Society,
Philadelphia, EUA.

•

Primeira edição em português: 1989
Segunda edição em português: 1998
Terceira edição em português: 2003
Quarta edição em português: 2022

Os textos das referências bíblicas foram extraídos da versão Almeida Revista e Atualizada, 2ª ed. (Sociedade Bíblica do Brasil), salvo indicação específica.

•

Diretor: Tiago J. Santos Filho
Editor-chefe: Tiago J. Santos Filho
Editor: Tiago J. Santos Filho
Coordenação Editorial: Gisele Lemes
Tradução: João Bentes
Revisão: Laíse Helena Oliveira, Rafael Bello, André Soares, Lucas Vasconcellos Freitas
Diagramação: Rubner Durais
Capa: Rubner Durais
Ilustração: Marcos Rodrigues
ISBN impresso: 978-65-5723-197-5
ISBN e-book: 978-65-5723-198-2

FIEL Editora

Caixa Postal, 1601
CEP 12230-971
São José dos Campos-SP
PABX.: (12) 3919-9999
www.editorafiel.com.br

John L. Dagg

SUMÁRIO

LIVRO III: DOUTRINA CONCERNENTE À VONTADE E ÀS OBRAS DE DEUS

LIVRO IV: DOUTRINA CONCERNENTE À QUEDA E AO ESTADO ATUAL DO HOMEM

LIVRO V: DOUTRINA CONCERNENTE A JESUS CRISTO

LIVRO VI: DOUTRINA CONCERNENTE A O ESPÍRITO SANTO

LIVRO VII: DOUTRINA CONCERNENTE À GRAÇA DIVINA

LIVRO VIII: DOUTRINA CONCERNENTE AO MUNDO

APRESENTAÇÃO

Em 1824, J. B. Jeter ouviu John Dagg pregar em Romanos 1.14. A ocasião era uma reunião de uma Sociedade Missionária. O local era Richmond. Jeter descreveu assim o estilo da pregação de Dagg:

> Sua conduta era calma e pausada; sua voz era nítida e solene; seu estilo era puro, concentrado e vigoroso; seus gestos eram poucos, mas apropriados; e seu raciocínio era pertinente, convincente e impressionante.

Mude tal descrição para descrever o meio escrito em vez do oral e, novamente, as palavras corretamente descrevem John Dagg.

Em clareza, convergência e fidedignidade das expressões, nenhum teólogo do Século 19 supera John L. Dagg. Assim celebro o surgimento desses volumes como uma bênção de Deus para a igreja.

Esta edição da Teologia de Dagg é singular. Ela traz em si ambas as partes de seu clássico: *Manual de Teologia* e *Manual de Eclesiologia*[1]. As duas obras refletem o espírito genuinamente cristão do autor. Em ambos os tratados, o vibrante calvinismo prático de Dagg cativa o espírito do leitor e abre sua mente para considerar a magnitude da graça de Deus.

1 John Dagg, *Manual de Eclesiologia* (Rio de Janeiro: Pro Nobis, 2022).

Dagg, nascido em 1794, em Loudoun County, Virgínia, viveu mais de 90 anos. Ele faleceu em junho de 1884, como um dos homens mais respeitados no cenário batista e permanece como um dos pensadores mais profundos que sua denominação produziu. A diversidade de seus trabalhos demonstra isso.

Além dos mencionados tratados teológicos, Dagg escreveu um livro-texto sobre ética cristã, intitulado *The elements of moral science* (*Os elementos da ciência moral*, 1860), além de uma defesa da fé cristã intitulada *The evidences of Christianity* (*As evidências do cristianismo*, 1869).

A quantidade volumosa de escritos, a persuasão de seus argumentos e a relevância de seus *insights* revelam essas obras como algo extraordinário para um homem em condições normais de saúde. Contudo, quando se descobre que Dagg era praticamente cego, mudo e aleijado no momento de sua maior produtividade, tal conquista excede a compreensão.

John Broadus tinha em alta conta o caráter de Dagg e beneficiou-se significativamente de seus escritos. Em *Memoir of James Petigru Boyce*, Broadus afirma:

> O Dr. Dagg era um homem de grande habilidade e um caráter amável. Seus trabalhos são dignos de um estudo meticuloso, especialmente seu pequeno volume *Manual de Teologia*, que é digno de nota quanto a suas declarações claras de verdades profundas e sua doçura devocional. Perdoem o autor dessas Memórias ao reconhecer que, depois de muito labutar, em seus primeiros anos como pastor, com as obras de Knapp e Turretin, Dwight e Andrew Fuller, assim como outros teólogos complexos,

> encontrou alegria nesse Manual e tem sentido um prazeroso impulso dado por ele à reflexão e às pesquisas teológicas.[2]

A teologia de Dagg tem sido classificada como "calvinismo-agostinianismo moderado". Tal nomenclatura não deve deixar a impressão de que as doutrinas teológicas e soteriológicas de Calvino fossem rejeitadas ou estivessem escondidas de qualquer forma. Entendida corretamente, a frase revela Dagg como um calvinista prático, não apenas como um teólogo escolástico. A evidência estrutural mais notável da aplicabilidade da teologia de Dagg é sua combinação impressionante e nítida das verdades do dever e da graça.

O dever do homem é apresentado na introdução de cada "livro" da pesquisa teológica. Na verdade, a introdução do Manual declara a obrigação do homem de estudar a verdade religiosa.

O estudo da verdade religiosa deveria ser empreendido e continuado com base no senso do dever, tendo como escopo o aprimoramento do coração. Uma vez aprendida, essa verdade não deveria ser guardada em uma estante, como se fosse um objeto de pesquisa; antes, deveria ser implantada profundamente no coração, onde o seu poder santificador pode ser sentido. Essa é a postura e a forma de toda a obra:

- no Livro II, "Doutrina concernente a Deus", a primeira seção começa com uma explicação do dever de amar a Deus;
- o Livro III, "Doutrina concernente à vontade e às obras de Deus", começa com um tratado sobre "o dever de nos deleitarmos na vontade e nas obras de Deus";

2 John Broadus, *Memoir of James Petigru Boyce* (New York: A. C. Armstrong and Son, 1893), p. 112-113, n1.

- o Livro IV, "Doutrina concernente à Queda e ao estado atual do homem", inicia-se com uma declaração sobre o dever do arrependimento;
- o Livro V, "Doutrina concernente a Jesus Cristo", começa com uma admoestação quanto ao dever de crer em Jesus Cristo;
- o Livro VI, "Doutrina concernente ao Espírito Santo", começa com o dever de viver e andar no Espírito;
- o Livro VII, "Doutrina concernente à graça divina", inicia afirmando o dever da gratidão pela graça divina;
- o Livro VIII, "Doutrina concernente ao mundo vindouro", tem em sua introdução uma declaração acerca do dever de preparar-se para o mundo futuro.

Paralelamente ao dever ou obrigação do homem, Dagg insere a graça de Deus. Enquanto um homem deve realizar todo o seu dever para com Deus, ele não pode fazê-lo à parte da graça de Deus. Da mesma forma, enquanto, somente pela graça, alguém pode arrepender-se e crer, essa realidade não o isenta da obrigação de cumprir tais deveres. Dever designa a relação do homem com Deus; sem a livre graça, não é possível realizar nenhum dever.

A doutrina de que a salvação é pela graça não é uma especulação sem proveito; antes, está no âmago da experiência cristã, e a fé que não a reconhece também não recebe a Cristo da maneira como ele é apresentado no evangelho. Dagg enxerga o amor de Deus como a causa eficiente que produz fé dentro do pecador.

> Está claro, portanto, que o amor de Deus atua como uma causa eficiente, antes de operar como um motivo para a santidade... A fé é produzida pelo poder eficiente desse mesmo amor...

> Essa operação divina, que é uma adição ao poder motivador da verdade, provém daquilo que se tem denominado como a influência direta do Espírito Santo.

Assim, a fé, um dever, é gerada pelo amor de Deus sob a atuação direta e efetiva do Espírito Santo.

Dagg é quase despretensioso demais. Ele cita poucos autores – e, mesmo assim, praticamente só em *Manual de Eclesiologia*. Essa atitude baseia-se no propósito de apresentar uma exposição direta e sistemática dos ensinos das Escrituras, em vez de analisar a crença de outros homens. As Escrituras são citadas abundantemente, e nenhuma proposição sustenta a si mesma sem suporte do ensino das Escrituras. Ele tem o propósito de evitar "a região espinhosa das polêmicas teológicas".

Não se deve concluir disso que Dagg não estivesse ciente da teologia e dos argumentos de outros homens. Ele estava claramente informado das posições que divergiam de suas próprias e apresenta tais argumentos diferentes de forma justa. Ele, então, procede para desmantelar o ponto mais forte da oposição com as fortes e convincentes ferramentas da exposição bíblica, interpretando a Escritura de acordo com a gramática, história e analogia da fé. Ele, contudo, não menciona nomes, pois estava resoluto a não se envolver em controvérsias, "senão com a incredulidade dos nossos próprios corações".

Em seu *Manual de Teologia*, Dagg demonstra muito bem a coerência entre, de um lado, teologia e cristologia ortodoxas e, de outro lado, uma soteriologia evangélica reformada. Sua discussão sobre os atributos de Deus lança sólido fundamento para sua exposição da soberania da graça. Sua discussão sobre a pessoa de Jesus Cristo é fundamental para seu entendimento da obra de expiação de Cristo.

No entanto, seu tema dominante é o Espírito Santo como agente de transformação do coração humano, por e para as verdades do evangelho. Cristãos de todas as convicções podem se beneficiar grandemente de suas lúcidas argumentações.

Seu *Manual de Eclesiologia* será especialmente proveitoso para os batistas, visto ser uma das mais coerentes defesas da visão batista sobre a igreja. Além disso, aqueles de convicção batista verão esse como um complemento necessário para uma soteriologia reformada. A defesa que Dagg faz da igreja universal é significativa no contexto da crescente influência do landmarquismo[3] na sua geração. O autor, porém, não se aprofundou nesse tratado com o mesmo deleite que o acompanhou no anterior, sobre doutrina; mas, em conformidade com sua própria posição teológica, ele seguiu pelo senso de dever.

Em 1879, a Convenção Batista do Sul endossou, de forma expressiva, a posição teológica básica de Dagg. Sob a liderança de W. H. Whitsitt, a Convenção decidiu que "um catecismo fosse desenvolvido, contendo a essência da fé cristã para instrução de crianças e servos e que o irmão John L. Dagg fosse designado para escrevê-lo".

Minha oração é que esse volume renove o compromisso teológico entre os batistas e, mais do que isso, que o espírito desse homem fique tão evidente, que cheguemos a compartilhar de seu caloroso compromisso experimental com as realidades de Deus, como ele expressou em sua autobiografia:

> Para encorajar gratidão a Deus, eu desejo mencionar a bondade do Senhor para com a nossa família. Todos os meus cinco filhos professaram a Cristo. Dois deles já estão no céu e os três

3 N. T.: Influência das ideias do artigo *An old landmark reset,* escrito por J. M. Pedleton em 1854.

restantes estão no caminho. 17 dos meus netos professaram a Cristo e são verdadeiros discípulos, eu espero. Se todos esses 22 são herdeiros da herança incorruptível, a qual vale mais do que todos os reinos da terra, que família rica somos! Vamos todos nos unir em gratidão a Deus por suas bênçãos sem fim. Mas não nos esqueçamos de que há ainda nove netos e oito bisnetos que precisam de Cristo e sua grande salvação. Por eles, devemos orar fervorosamente, para que todos sejam trazidos para os braços de Cristo e o sirvam fielmente na terra, unindo-se aos demais, para formar uma família inteira no céu.

Tom Nettles
Fort Worth, Texas, EUA
Outubro de 1981

PREFÁCIO

Este volume foi projetado para ser usado por aqueles que não têm tempo nem oportunidade de estudar obras mais volumosas sobre teologia. Ao prepará-lo, o meu propósito foi apresentar o sistema de doutrinas cristãs com clareza e demonstrar, a cada passo, a sua veracidade e a sua tendência para santificar o coração do crente. Indivíduos dotados de inclinação e talento para pesquisas profundas talvez prefiram discussões mais laboradas. No entanto, se a pessoa iniciada na religião cristã obtiver, através deste livro, ajuda na tarefa de determinar no que consiste a verdade e qual o seu uso apropriado, então, a principal meta desta obra terá sido alcançada.

Ao delinear a verdade divina, podemos expô-la segundo diferentes aspectos e relações. Podemos encará-la como proveniente de Deus, dotada de suprema autoridade; ou, então, como um sistema revelado por Jesus Cristo, cujas suas partes se conjugam harmoniosamente umas às outras, agrupando-se em torno da doutrina da cruz, que é o ponto central; ou, ainda, como verdade que penetra no coração humano através da agência do Espírito Santo, transformando-o segundo a imagem de Deus. Esforcei-me, sobretudo, para que este último aspecto se tornasse o traço mais proeminente destas páginas. O princípio moral e religioso do homem requer uma influência adequada para que se desenvolva e aperfeiçoe; nas verdades aqui descritas, encontra-se tal influência. A capacidade de uma doutrina em produzir esse efeito é aqui considerada como prova de sua veracidade e de sua origem divina. De acordo com isso, até certo ponto, podemos deduzir os "artigos da fé" pelos exercícios da piedade no íntimo.

Entretanto, não se dependeu exclusivamente desse método para demonstrar a veracidade das doutrinas. Também foram examinadas outras fontes de conhecimento religioso, sobretudo a Bíblia, na qual a verdade de Deus é diretamente conhecida. O apelo final sempre é feito ao Livro Santo, o padrão supremo; a harmonia de suas estipulações com as deduções extraídas de nossa experiência interna é sempre observada para confirmação da nossa fé. Mesmo que esse sistema seja aqui visto como algo que emanou de Deus e que agora atua sobre o ser humano, não temos dirigido a nossa atenção exclusivamente para a sua origem ou sua conclusão. Não foi negligenciada a convergência de todas as suas linhas para o glorioso centro, que é a cruz de Cristo. Espero que o leitor ache provas, nestas páginas, do fato de que a doutrina da cruz é o ensino segundo a piedade.

Não fez parte de meu propósito conduzir o humilde interessado à região espinhosa das polêmicas teológicas. Evitar tudo que estivesse sujeito às controvérsias era impossível, porquanto cada aspecto da verdade divina tem sido atacado. Porém, planejei acompanhar o curso das investigações sendo afetado o menos possível pelos conflitos dos disputantes religiosos e não entrando em disputa alguma, senão com a incredulidade dos nossos próprios corações. Foram examinadas as questões capazes de deixar perplexos os inquiridores sinceros; e, se elas não puderam ser totalmente elucidadas ou respondidas para a satisfação de todos, espero que tenham sido tratadas de tal maneira que a mente do investigador descanse pacificamente sobre a verdade claramente revelada, esperando com paciência pela luz mais forte da eternidade, a qual dissipará toda e qualquer treva restante.

Nos assuntos religiosos, os homens parecem mui naturalmente inclinados para aquilo que é difícil e obscuro; talvez porque fujam da inquietante verdade plenamente revelada. O próprio iniciante, abandonando assuntos claros, gosta de mergulhar em investigações profundas, em raciocínios difíceis, os quais o teólogo habilidoso sente ser mais sábio evitar. Surge a frequente necessidade de relembrar ao investigador que existem temas que se prolongam até muito além dos limites de sua compreensão e que, se ele se esforçar por explorá-los além do ponto até onde é guiado pela revelação divina, corre o risco de confundir a verdade de Deus com meras hipóteses ou com as deduções de raciocínios enganosos. Uma hipótese pode ser legitimamente admitida com o propósito de remover objeções, contanto que jamais nos esqueçamos de que uma hipótese é apenas uma hipótese. Um raciocínio complexo deve ser permitido quando for necessário penetrarmos em labirintos, com o propósito de desembaraçar dali os que neles se perderam. Não obstante, quando se trata de provas diretas, atinentes a todo e qualquer artigo de fé, este livro depende das declarações expressas da Palavra de Deus ou daquelas deduções que podem ser utilizadas por mentes práticas e destituídas de complicações.

Qualquer pessoa que deseje examinar uma história das opiniões religiosas não a encontrará neste volume. A religião é uma transação que se efetua entre cada indivíduo e o seu Deus; cada indivíduo deveria buscar a verdade com independência, sem importar quais sejam as opiniões de outras pessoas. Tenho sido guiado pelo alvo de procurar orientar a mente do leitor diretamente às fontes do conhecimento religioso, incitando-o a investigar essas fontes por si mesmo, sem qualquer consulta a autoridades humanas. Ele poderá conhecer, através da ajuda aqui oferecida, quais são os meus pontos de vista. Todavia, desejo acautelá-lo, de uma vez por todas, a não adotar qualquer opinião que eu porventura apresente, além daquilo que estiver solidamente sustentado pela Palavra de Deus. Se o meu desejo fosse fixar a fé do investigador na autoridade humana, eu me teria utilizado de citações de escritores célebres em apoio às minhas opiniões; mas preferi não o fazer. O meu desejo é que, no que concerne à autoridade humana, o leitor não enxergue nas doutrinas aqui expostas senão a mera opinião de um verme falível; mas que, no que diz respeito ao apoio da Palavra de Deus, ele as receba como a verdade divina.

Este volume não contém coisa alguma referente aos aspectos externos da religião. A forma da piedade é tão importante quanto o seu poder, e a doutrina referente à piedade é uma porção integrante do sistema cristão; todavia, fui incapaz de incluí-la na presente obra.

Caso esta humilde tentativa de beneficiar a outros não alcance sucesso, ainda assim, ela não terá sido inútil para mim mesmo. Diante da eternidade que já se aproxima, senti ser vantajoso reexaminar os alicerces sobre os quais repousa a minha fé. Se o manuseio destas páginas proporcionar ao leitor tanto proveito e deleite quanto propiciou ao autor a sua preparação, então, no mundo futuro, acharemos motivos para nos regozijarmos juntos pelo fato de que amigos cristãos tenham demandado esse pequeno serviço em favor da causa do nosso Redentor.

LIVRO I

O ESTUDO DA VERDADE RELIGIOSA

CAPÍTULO 1

A OBRIGAÇÃO

O estudo da verdade religiosa deveria ser empreendido e continuado com base no senso do dever, tendo como escopo o aprimoramento do coração. Uma vez aprendida, essa verdade não deveria ser guardada em uma estante, como se fosse um objeto de pesquisa; mas implantada profundamente no coração, onde o seu poder santificador pode ser sentido. Estudar teologia com o propósito de satisfazer à curiosidade ou de preparar-se para uma profissão seria um abuso, uma profanação daquilo que precisa ser considerado como extremamente santo. Aprender as realidades referentes a Deus meramente para efeito de diversão, ou buscando-se alguma vantagem secular, ou a fim de satisfazer o mero amor ao conhecimento é tratar o Altíssimo com desdém.

Nossos interesses eternos estão envolvidos na questão religiosa, e deveríamos estudá-la dentro desses interesses. Um agricultor deveria estudar agronomia tendo em vista aumentar a sua produção; porém, se, em lugar disso, vier a esgotar suas energias, indagando como as plantas multiplicam as suas espécies ou como os diferentes tipos de solo foram originalmente formados, os seus campos ficarão repletos de espinheiros e abrolhos, e seu celeiro, vazio. Igualmente sem proveito será aquele estudo das doutrinas religiosas que for efetuado com o mero propósito da especulação. Seria como se o alimento necessário para o sustento do corpo, em vez de ser ingerido e digerido, fosse preparado apenas para satisfazer a vista. Em tal caso, o corpo certamente pereceria de fome. Com idêntica certeza, a alma perecerá de inanição espiritual, se não for nutrida com a verdade de Deus.

Quando a doutrina religiosa é considerada meramente como objeto de especulação, a mente não se contenta com a verdade simples, conforme ela pode ser encontrada em Jesus, mas corre atrás de questões sem proveito e acaba se enredando em dificuldades das quais é incapaz de desvencilhar-se. Disso é que resulta o ceticismo de muitos. A verdade que poderia salvar e santificar as suas almas é por eles intencionalmente rejeitada, por não satisfazer a sua imensa curiosidade e, tampouco, solucionar todas as suas perplexidades. Estes agem à maneira de um lavrador qualquer que rejeita a ciência inteira da agricultura, recusando-se a cultivar o seu terreno, tão somente porque existem muitos mistérios no desenvolvimento das plantas, os quais ele se sente incapaz de explicar.

Se dermos início à nossa inquirição pela verdade religiosa movidos pelo senso do dever e com o propósito de fazer o melhor uso possível dessa verdade, podemos estar certos do êxito. O Senhor abençoará os nossos esforços, porquanto ele mesmo prometeu: "Se alguém quiser fazer a vontade dele, conhecerá a respeito da doutrina" (Jo 7.17). À medida em que formos avançando, descobriremos tudo quanto se faz necessário para qualquer finalidade prática; o senso do dever, sob o qual haveremos de agir, não nos impulsionará para além desse limite.

O senso de obrigação religiosa que nos impele a buscar o conhecimento da verdade, embora desconsiderado por larga porção da humanidade, pertence à própria constituição da natureza humana. O homem foi originalmente criado para seguir a religião, assim como o olho foi formado com o propósito de ver. Será de grande vantagem considerarmos bem esse fato logo no início das nossas investigações. Então, sentiremos que estamos prosseguindo de conformidade com os melhores ditames da natureza humana.

As diversas partes que constituem o mundo no qual habitamos são admiravelmente adaptadas umas às outras. Muitas dessas adaptações tornam-se patentes diante de nossa mais descuidada observação; se as procurarmos com diligência, elas se multiplicarão quase infinitamente diante dos nossos olhos. A semente cai no solo como se fosse um grão de areia, mas, diferentemente da areia, ela encerra em suas minúsculas dimensões uma maravilhosa provisão para a produção de uma futura planta. Tal provisão, entretanto, seria destituída de finalidade, se não encontrasse um solo adaptado para a nutrição do gérmen. A umidade também é um fator necessário; o vapor, elevando-se de algum mar distante, é levado pelo vento, e, condensando-se na atmosfera, desce na forma de chuva fertilizadora. Todavia, todas essas adaptações seriam insuficientes, se não fosse suprido o calor. Assim, para completar o processo, a cerca de 140 milhões de quilômetros, o sol envia os seus raios vivificadores. Arranjos complicados como esses são abundantes em todas as obras da natureza.

Os propósitos realizados por essas adaptações, com frequência, são perfeitamente óbvios. No caso das plantas e dos animais, elas dão provisão para a vida de cada um e para a continuação das espécies. As plantas foram adaptadas de tal modo que se tornaram alimentos para os animais, e tanto plantas quanto animais prestam importantes benefícios ao homem. Entretanto, o próprio ser humano tem suas adaptações, e, com base em considerações como essas, o lugar que cabe ao homem pode ser compreendido dentro do imenso sistema do universo.

À semelhança de outras formas de vida, o homem foi constituído de tal maneira que há provisões para a continuação de sua vida, bem como da raça. Se não houvesse na constituição do homem sinais de qualidades mais elevadas, ele poderia comer e beber como qualquer animal; a satisfação dos seus apetites naturais e de suas propensões poderia ser considerada a mais elevada finalidade do seu ser. Todavia, quando os homens se brutalizam, isso é uma manifesta degradação da sua natureza. Os seres humanos possuem faculdades que os qualificam para propósitos muito mais nobres do que esses.

Os elevados poderes intelectuais do homem requerem um exercício apropriado e condigno. Seus conhecimentos não se limitam a objetos ao alcance de suas mãos nem àquelas relações e propriedades das coisas que são percebidas de imediato pelos sentidos. A sua razão percebe relações remotas, seguindo a cadeia de causas e efeitos através de longas sucessões. Partindo do momento presente, perscruta a história passada, vinculando acontecimentos na ordem própria de dependência uns dos outros. Mediante o seu conhecimento do passado, o homem é capaz de prever e de preparar-se para o futuro. Nas causas atualmente existentes, ele pode descobrir efeitos que se desenvolverão dentro de longo prazo. Tais faculdades humanas harmonizam-se bem com a opinião de que o homem é um ser imortal e que sua presente vida transitória é apenas a preparação para outra existência, a qual jamais terá fim; mas, de forma alguma, concordam com a opinião de que o homem morre como um bruto. Ninguém diz que o boi ou o asno preocupa-se com o problema de que, possivelmente, a imortalidade o aguarda ou que é importante que ele se prepare para a imortalidade. Todavia, a ideia de um estado futuro tem ocupado um lugar na mente dos homens de todos os séculos e sob todas as formas de expressão religiosa. A abelha e a formiga preparam-se para o inverno; e o inverno, para o qual os seus instintos as impelem a se prepararem, realmente lhes sobrevém. Se, porventura, nunca chegar a concretizar-se a vida futura, pela qual os homens têm esperado de uma maneira tão generalizada, pela qual suas mentes estão amoldadas a esperar e em face da qual eles se têm preparado laboriosamente, com cuidados incessantes, então, tal irrealização violaria toda a analogia, discordando com a harmonia da natureza universal.

A mente humana está qualificada para um contínuo progresso no conhecimento e, assim sendo, para o estado da imortalidade. Essa adaptação inclui um insaciável desejo de obter conhecimento, bem como a capacidade de adquiri-lo. O pintinho, não muitas horas depois de haver abandonado a casca do ovo, onde começara a sua débil existência, já é capaz de selecionar o seu alimento, de andar à cata dele e de retornar à proteção das asas da galinha. O homem nasce neste mundo como o mais dependente de todos os seres. Semanas cansativas se escoam antes de começarem a aparecer os primeiros sinais de desenvolvimento de seus poderes intelectuais. O progresso é lento, e muitos meses de aprimoramento gradual se passam antes que ele possa equiparar-se, quanto à capacidade de autopreservação, a muitas outras criaturas que têm vivido apenas algumas horas. Os animais, entretanto, estacam em um ponto além do qual, segundo podemos asseverar, nunca progridem. As aves edificam os seus ninhos tais e quais já os construíam há cinco mil anos; as admiráveis organizações sociais que se verificam entre as abelhas e as formigas não estiveram sujeitas a qualquer processo de melhoramento. Não obstante, nenhum ponto, nenhuma linha são capazes de limitar o progresso da mente humana.

Embora estejamos bem familiarizados com os notáveis avanços que têm sido obtidos nos campos das artes e das ciências, contemplamos essas realizações com espanto e admiração; sentimos que uma carreira sem limites está aberta à frente do intelecto humano, convidando-o a fazer os esforços que ele internamente sente estar preparado para fazer. Porém, no que concerne a cada indivíduo, abrir-se-iam em vão os vastos campos do conhecimento, existiriam em vão as suas potencialidades para explorar esses campos e requeimariam em vão no seu peito os impulsos para explorá-los, se a vida presente, que voa ligeira como a lançadeira de um tecelão, fosse realmente a única oportunidade conferida ao homem, e se todas as suas esperanças e aspirações fossem sepultadas juntamente com ele, para sempre, no túmulo.

As faculdades morais com as quais o homem foi dotado adaptam-no para um estado de sujeição ao governo moral. Nossas mentes foram constituídas de tal maneira que somos capazes de perceber uma certa qualidade moral nas ações, podendo nós aprová-las ou desaprová-las. A consciência de termos feito o que é direito oferece-nos um de nossos mais elevados prazeres; a angústia do remorso, por causa de alguma maldade praticada, é tão intolerável como qualquer outro sofrimento ao qual o coração humano esteja suscetível. A nossa consciência exerce um certo governo moral, recompensando-nos ou castigando-nos pelas nossas ações, de acordo com o seu caráter moral. Grande parcela de nossa felicidade depende da aprovação daqueles com quem estamos associados. E, assim, encontramos o governo moral tanto fora como dentro de nós mesmos; a cada ponto, em nossas relações com outros seres inteligentes, sentimos as restrições desse império moral. Onde se acham os limites do governo moral? Eles precisam ser tão extensos quanto as nossas relações com outros seres morais e tão duradouros como a nossa própria existência.

São verdades fundamentais da religião os fatos de que o homem é imortal e de que está debaixo de um governo moral, mediante o qual o seu futuro estado será bem-aventurado ou miserável, em consonância com a sua conduta na vida presente. O homem é um ser religioso, e é por isso que a persuasão sobre a sua própria imortalidade e a expectação de alguma futura retribuição encontram guarida em sua mente. Ninguém imagina que pensamentos dessa ordem tenham sido entretidos, por um momento sequer, por qualquer dos inúmeros animais existentes sobre a face da terra. No caso da raça humana, esses pensamentos têm prevalecido em todas as nações e em todas as épocas. Tais pensamentos têm estado misturados com as cogitações de sábios e ignorantes, de letrados e analfabetos, por igual modo, mesclando a religião com a história da humanidade.

As considerações que acabamos de apresentar demonstram que a verdade religiosa merece nosso mais elevado respeito e nossa mais diligente investigação. Aquele que negligencia essas reivindicações da verdade religiosa está agindo contrariamente à sua própria natureza e está se degradando até ao nível dos animais. Todavia, que homens costumam degradar-se desse modo é um fato que um correto ponto de vista da verdade religiosa não pode ignorar: "O boi conhece o seu possuidor, e o jumento o dono da sua manjedoura; mas Israel não tem conhecimento, o meu povo não entende" (Is 1.3). Trata-se de uma glória peculiar e de uma excelente característica da revelação cristã o fato de que ela foi adaptada a essa condição decaída da humanidade e que tem o poder de efetuar a sua restauração. É medicamento para o enfermo, assim como alimento para o indivíduo saudável. Um apetite saudável clama por alimento nutritivo, e o alimento, quando recebido, administra a nutrição que se faz necessária. Desse modo, a adaptação é recíproca. Entretanto, nos estados doentios, o estômago repele os alimentos e rejeita os medicamentos de que precisa para ser curado. Contudo, a adaptação do remédio para a condição do enfermo nunca deixa de ser um fato. Outro tanto sucede no caso do evangelho de Cristo. Embora rejeitado pelos homens, o evangelho é "digno de inteira aceitação", porque ele é um medicamento admiravelmente adaptado à nossa condição de depravação. Milhares e milhares que têm experimentado o poder restaurador do evangelho se unem, recomendando sua eficácia às multidões que não se dispõem ao menos a examiná-lo.

Ao considerarmos as verdades da religião, podemos apreciá-las de vários ângulos. Podemos considerá-las provenientes de Deus, ou demonstradas por provas abundantes, ou harmônicas entre si, ou tendentes à glória de Deus. É interessante e instrutivo ver tais verdades no seu contato imediato com o coração humano, e, à semelhança do Espírito de Deus pairando por sobre o caos original, produzindo ordem onde havia confusão, e infundindo luz e vida onde previamente reinavam as trevas e a morte. Ao exercer esse poder de criar vida nova, aparece a origem divina das verdades cristãs, e essa demonstração torna-se tanto mais satisfatória por ser prática, ao alcance da capacidade de todos os homens.

Na qualidade de seres religiosos, procuremos compreender as verdades da religião. Na qualidade de seres dotados de imortalidade, esforcemo-nos por nos familiarizar com a doutrina da qual depende a nossa felicidade eterna. Tenhamos o cuidado para não aceitar essa verdade com um frio entendimento, mas de tal maneira que o seu poder renovador jamais cesse de atuar em nossos corações.

CAPÍTULO 2

FONTES DE CONHECIMENTO

Encontramo-nos em um mundo onde não temos moradia permanente. Dispomos, dentro e fora de nós, de provas e avisos de que os nossos supremos interesses se fixam em uma outra existência e de que a nossa principal atividade neste mundo consiste em nos prepararmos para o estado futuro, no qual brevemente ingressaremos. Carecemos de informações referentes àquele mundo invisível e ao correto método de nos prepararmos para ele; nenhum outro conhecimento é tão importante para nós quanto esse. Porventura, não disporíamos de meios para adquirir tal conhecimento? Para a nossa orientação quanto às coisas deste mundo, foram tomadas todas as providências. Temos olhos, e o mundo onde fomos colocados fornece a luz necessária para tornar os nossos olhos úteis na orientação dos nossos passos. Possuímos compreensão, e foram-nos presenteados os meios de conhecimento, mediante os quais podemos selecionar os objetos que estivermos procurando, bem como os melhores meios para a sua obtenção. Assim sendo, podemos concluir que deve existir algum meio de conhecimento acerca dos nossos mais altos interesses. As fontes onde esse conhecimento pode ser obtido são as seguintes:

1. Nossos sentimentos morais e religiosos. Os animais possuem instintos por meio dos quais são guiados; no ser humano, também existem propensões instintivas, adaptadas à sua natureza, às condições e às circunstâncias de sua existência. O afeto maternal não é característica exclusiva do mundo animal, como se fosse um instinto peculiar aos irracionais, mas também pode ser encontrado em elevado grau nas mães humanas. Esse instinto mistura-se naturalmente no seio materno com sentimentos morais e religiosos peculiares e inseparáveis à natureza humana. A mãe sente a obrigação moral de velar por seu infante, antes mesmo de raciocinar sobre a questão. Quando procuramos determinar o que é certo e o que é errado, mediante algum processo de raciocínio, ajuizamos em harmonia com alguma lei ou regra do direito; entretanto, no caso de uma mãe, ela é uma lei para si mesma. A mãe não precisa de influências externas para ensiná-la quanto ao dever de cuidar de seus filhos. O pecado pode aviltar de tal maneira a natureza humana, que certas mães perdem seus afetos naturais — e essas mães deixam de exibir sinais de sentimentos morais; todavia, por mais que esteja enterrado debaixo de nossas corrupções, esse princípio moral é um elemento constitutivo da nossa natureza. Por esse motivo, até mesmo os pagãos são uma lei para si mesmos, trazendo a obra da lei gravada naturalmente em seus corações. O senso moral, que, a princípio, coopera com o afeto maternal instintivo, induzindo a mãe a cuidar dos seus filhos, posteriormente coopera com a sua razão, para que ela planeje o melhor método de promover o bem das suas crianças.

Quando foi preciso determinar qual dentre duas mulheres era a mãe de uma criança viva, reclamada por ambas como sua, a sabedoria de Salomão decidiu que a relação maternal existiria onde existisse o afeto maternal. Com base nesse mesmo princípio e alicerçados sobre nossos sentimentos morais e religiosos, podemos entender a nossa relação para com o governo moral e para com o Governante supremo. Escudados nessa lei gravada indelevelmente em nossos corações, poderíamos obter muito conhecimento religioso, se a Queda do homem no pecado não tivesse obscurecido aquela gravação.

2. Os sentimentos morais e religiosos de nossos semelhantes. Fomos criados para viver em sociedade e somos capazes de nos beneficiar reciprocamente nas coisas desta vida, bem como no que tange às realidades da vida futura. Os juízos a que outras pessoas têm chegado nos ajudam em nossos próprios juízos, e os sentimentos morais e religiosos de outras pessoas, por semelhante modo, podem ajudar-nos em nossos próprios. Na aprovação ou desaprovação da humanidade, descobrimos um importante meio de sabermos o que está certo e o que está errado. Por essa razão, faz parte das regras do dever praticarmos aquelas coisas que são de boa reputação.

Se algum antigo escrito nos for transmitido através de numerosas cópias, todas elas mutiladas e quase apagadas, a probabilidade de determinarmos o escrito original será bem maior se compararmos muitas cópias umas com as outras do que se possuirmos apenas uma cópia. Por essa exata razão, o senso moral e religioso da humanidade em geral é uma fonte de conhecimento mais digna de confiança do que se examinássemos apenas a natureza moral de um único indivíduo. A consciência insensibilizada de um único transgressor talvez falhe em reprová-lo, mesmo quando seus crimes choquem o senso moral de uma comunidade inteira. Mas, com base na desaprovação coletiva, ele poderia aprender quão iníqua tem sido a sua conduta, embora todo o seu senso moral tenha sido extinto em seu próprio peito.

Ao examinar essa fonte de conhecimento, notamos o consenso da humanidade em geral: Deus existe; ele deve ser adorado; há uma diferença entre a virtude e o vício; existe um governo moral que é parcialmente administrado nesta vida pela providência divina; a alma humana é imortal; após a morte, uma futura retribuição espera pelo indivíduo. Essas verdades religiosas aparecem na história da humanidade, a despeito de toda a corrupção que as tem encoberto e obscurecido.

3. O curso da natureza. As coisas foram de tal maneira dispostas pelo Criador e Governante do mundo que algumas ações tendem por promover e outras por destruir a felicidade do indivíduo e da sociedade. Observando essa tendência das ações, podemos aprender o que se deve fazer e o que se deve evitar. Deus estabeleceu a natureza das coisas, e a voz da natureza é a voz de Deus. A consciência é Deus falando dentro de nós; mas, em virtude do afastamento humano para longe de Deus, frequentemente a consciência nos anuncia falsos oráculos. Por conseguinte, fazemos bem em voltar a atenção para a voz de Deus que nos fala mediante a natureza universal.

A tendência dos vícios é produzir a miséria; isto é patente a todos quantos observam o curso das coisas ao seu redor. Os alcoólatras e os viciados no jogo acabam na pobreza, arruinando as suas famílias, estragando a sua saúde e, finalmente, atirando-se precocemente no sepulcro, por meios violentos ou por mãos suicidas. Crimes de todas as espécies exibem suas tendências perniciosas em milhares de formas diferentes, e, nesse arranjo, podemos ver claramente o governo moral de Deus; a conduta por ele aprovada é indicada pelo dedo de sua providência. O governo moral de Deus transparece nesta vida de maneiras suficientes para demonstrar a sua existência; as imperfeições manifestas na presente administração fornecem provas satisfatórias de que esse governo se estende para além desta vida, sendo aperfeiçoado no mundo por vir.

O conhecimento religioso que pode ser obtido dessas três fontes constitui o que se chama de religião natural. Embora insuficiente para satisfazer às necessidades do homem em sua condição decaída, ela ensina as verdades fundamentais sobre as quais toda a religião está alicerçada e conduz àquela fonte superior de conhecimento, por intermédio da qual podemos nos tornar sábios para a salvação. Essa fonte superior é:

4. A revelação divina. Visto que todos os demais meios de conhecimento são insuficientes para conduzir os homens à santidade e à felicidade, Deus agradou-se em fazer conhecida a sua vontade mediante uma revelação especial, e isso em virtude de sua compaixão pela nossa raça. Além da voz divina que se faz ouvir na consciência e na natureza, Deus profere a sua voz desde os céus. Na antiguidade, essa revelação era feita através dos profetas que foram comissionados para falarem aos homens em nome do Senhor; posteriormente, através do Filho de Deus, que desceu do céu. Para nós, que vivemos nestes últimos dias, Deus fala por meio de sua Palavra escrita, a Bíblia, que é o perfeito manancial do conhecimento religioso, como o padrão infalível da verdade religiosa.

A Bíblia se divide em duas porções: 1) O Antigo Testamento, ou Escrituras Hebraicas. Esse é o volume cuidadosamente preservado pelos judeus espalhados pelo mundo inteiro, os quais o consideram sagrado, como uma revelação de Deus. 2) O Novo Testamento, que consiste em vários escritos criteriosamente preservados pelos cristãos de séculos passados e que, agora, consideramos como revelação dada por Deus, através dos seguidores imediatos de Jesus Cristo.

Nesta obra, assumimos a posição de que a Bíblia é uma revelação de Deus. Se o leitor tem quaisquer dúvidas no tocante a esse particular, poderá estudar, com grande proveito pessoal, qualquer dos numerosos compêndios existentes a respeito das evidências do cristianismo; ou, então, na ausência de produções literárias mais elaboradas, poderá ler um pequeno livreto deste autor, intitulado *Origem e autoridade da Bíblia.*[1]

INSPIRAÇÃO E TRANSMISSÃO

Embora seja uma revelação de Deus, a Bíblia não veio diretamente dele para nós, os leitores, mas foi recebida através da intermediação humana. É uma questão importante se a sua veracidade e autoridade foram, de alguma maneira, prejudicadas ao passar por esse intermédio. A princípio, a agência humana foi utilizada quando da redação das Escrituras, bem como posteriormente, por ocasião da sua transmissão, mediante cópias e traduções que foram levadas até locais distantes, no decurso de gerações sucessivas.

Os homens que originalmente redigiram as Escrituras Sagradas realizaram a sua obra sob a influência do Espírito Santo. Tão grande foi a extensão dessa influência, que, uma vez saídos das mãos deles, tais escritos foram declarados como outorgados por divina inspiração. Foi por isso que Paulo disse, referindo-se especialmente ao Antigo Testamento: "Toda Escritura é inspirada por Deus e útil [...] a fim de que o homem de Deus seja perfeito e perfeitamente habilitado para toda boa obra" (2Tm 3.16, 17). Embora Moisés e os profetas tivessem se ocupado do trabalho de escrita, é afirmado que tudo foi conferido por Deus; a perfeição atribuída a esses escritos demonstra que eles não sofreram qualquer prejuízo por causa da instrumentalidade humana que Deus escolheu empregar. Jesus Cristo referiu-se às Escrituras Hebraicas como a Palavra de Deus (Mc 7.13). O escritor

1 N. E.: Disponível no Apêndice 1.

de Hebreus expõe o que foi dito pelos profetas como afirmações divinas (Hb 1.1). Pedro atribuiu aos escritos de Paulo idêntica autoridade àquela possuída pelas Escrituras do Antigo Testamento (2Pe 3.16). Paulo também reivindicou uma igual autoridade para o que ele dizia e escrevia (1Co 14.37). Cristo prometeu aos seus apóstolos que, após a sua partida deste mundo, eles receberiam o dom do Espírito Santo, descrevendo o efeito de sua influência sobre eles com estas palavras: "visto que não sois vós os que falais, mas o Espírito de vosso Pai é quem fala em vós" (Mt 10.20). Esse dom do Espírito Santo foi derramado sobre os cristãos convertidos no dia de Pentecostes; essa grande realidade foi confirmada pelo poder que eles receberam de falar em línguas e de operar milagres.

Alicerçados nesses informes, aprendemos que tudo quanto foi dito e escrito através da inspiração divina é revestido de elevadíssima autoridade, como se tivesse procedido diretamente de Deus sem o uso da instrumentalidade humana. Quando Pedro disse ao aleijado: "em nome de Jesus Cristo, o Nazareno, anda!" (At 3.6), a voz que falou era a de Pedro, e o poder que restaurou os membros do coxo foi o de Deus. As palavras, embora saídas dos lábios do apóstolo, foram proferidas sob influência divina; porque, de outro modo, o poder divino não as teria acompanhado. Por semelhante modo, o evangelho, recebido dos lábios dos apóstolos, foi acolhido "não como palavra de homens, e, sim, como em verdade é, a Palavra de Deus" (1Ts 2.13). Os homens que falaram e escreveram segundo eram impulsionados pelo Espírito do Senhor, foram instrumentos usados por Deus, a fim de falarem e escreverem a sua Palavra. As peculiaridades do pensamento, do sentimento e do estilo deles não puderam impedir que aquilo que diziam e escreviam fosse a Palavra de Deus, apesar do seu tom de voz ou da sua caligrafia.

A indagação que busca saber se a inspiração divina desceu até aos próprios vocábulos da revelação, e não somente a pensamentos e raciocínios, é respondida por Paulo: "Disto também falamos, não em palavras ensinadas pela sabedoria humana, mas ensinadas pelo Espírito" (1Co 2.13). Os pensamentos e os raciocínios nas mentes dos escritores sagrados não puderam servir de revelação para outras pessoas, enquanto não foram expressos por meio de palavras. Se a influência do Espírito Santo tivesse cessado antes que esses pensamentos e raciocínios tivessem recebido forma, ele não poderia ter feito qualquer revelação à humanidade, e estaríamos lendo a Bíblia, hoje, não como a Palavra de Deus, mas apenas como a palavra de homens – homens bons e honestos, mas apenas homens falíveis. A ideia de que a expressão é apenas humana solapa a confiança com a qual a Palavra de Deus merece ser acolhida; porquanto não saberíamos determinar quando ou até que ponto essa expressão poderia ter fracassado em sua tentativa de transmitir o sentido tencionado pelo Espírito de Deus. Não mais se poderia garantir que as Escrituras são a "tanto mais confirmada palavra profética" (2Pe 1.19), a qual "não pode falhar" (Jo 10.35), nem que as coisas que foram escritas são "mandamento do Senhor" (1Co 14.37).

A doutrina da inspiração plena da Bíblia, quando devidamente compreendida, não subentende que o Espírito Santo tivesse empregado os escritores sagrados como meros instrumentos inconscientes. Pelo contrário, afirma que a memória deles e as suas faculdades foram utilizadas na execução da obra tanto quanto as suas mãos o foram, embora insistindo que essas mãos, por certo, também foram controladas pelo guia infalível. Essa doutrina também não dá a entender que o Espírito Santo seja o autor original de cada vocábulo existente no Volume Sagrado. Ali estão registradas as declarações de Satanás, bem como as palavras do orador Tértulo, e isso com toda a fidelidade; no entanto, o Espírito Santo não foi o autor dessas afirmativas.

Em 1 Coríntios 7, Paulo distingue entre aquilo que ele mesmo transmitiu como mandamentos dados pelo Senhor e aquilo que ele disse, sem dispor de nenhum mandamento. À primeira vista, poderia parecer que Paulo repudiava a inspiração divina, no caso de suas declarações pessoais. Porém, mesmo que admitamos que essas coisas eram questões próprias do conselho humano, sem a autoridade divina, não se pode concluir disso que os escritos que contêm os pareceres do apóstolo não eram inspirados. A Palavra Inspirada, que registra as afirmações de Satanás e de Tértulo, pode registrar o prudente conselho de um sábio apóstolo, mesmo quando esse conselho não tenha sido dado com a plena chancela da autoridade divina. No entanto, quando se referiu ao seu conselho, Paulo declarou: "e penso que também eu tenho o Espírito de Deus" (v. 40). Ora, se Paulo pensava que aquele conselho fora dado através do Espírito, seria uma precipitação e imprudência de nossa parte se pensássemos de outra maneira. Não devemos entender a palavra usada por Paulo, "penso", como se desse a entender que havia alguma dúvida na mente do apóstolo nem precisamos tolerar qualquer dúvida de que o conselho que ele havia dado fora conferido sob o impulso da sabedoria que vem do alto.

Embora as Escrituras Sagradas tivessem sido originalmente escritas sob a orientação infalível do Espírito Santo, não se segue disso que tenha ocorrido um milagre permanente, preservando-as de todos os erros humanos de transcrição. Pelo contrário, sabemos que os manuscritos existentes diferem uns dos outros e que, nos lugares onde aparecem diversas variantes, somente uma dessas formas pode ser a correta. Um milagre se fazia necessário na produção original das Escrituras e, em conformidade com isso, um milagre foi realizado; mas a preservação da Palavra inspirada, com toda perfeição necessária para corresponder aos propósitos para os quais ela fora dada, não exigia um milagre. Esse aspecto ficou ao encargo da providência divina. A providência que tem preservado os oráculos divinos tem sido especial e notável. A princípio, as Sagradas Escrituras foram entregues à guarda dos judeus, os quais exerceram o máximo cuidado na sua preservação e transmissão correta. Depois disso, foram acrescentadas as Escrituras cristãs, e cópias manuscritas multiplicaram-se extraordinariamente; muitas versões foram preparadas em outros idiomas; inúmeras citações foram feitas pelos primeiros pais da igreja. Surgiram facções religiosas que, em controvérsia umas com as outras, apelaram para os escritos sagrados e resguardaram sua pureza com vigilância incessante.

A consequência é que, embora as variações textuais encontradas nos manuscritos existentes sejam numerosas, podemos, em cada caso, determinar-lhes a forma correta, pelo menos na proporção necessária para confirmar a nossa fé ou para orientar-nos em nossa prática, em cada particularidade importante. Mas, afinal de contas, essas cópias diferem tão pouco umas das outras que essas minúsculas diferenças, quando contrastadas, tornam ainda mais impressionante a harmonia geral que entre elas existe, podendo-se mesmo dizer que isso serve praticamente para aumentar — e não para servir de empecilho para — a nossa confiança na exatidão geral dessas cópias. Os mais extremos desvios que figuram nessas cópias não alteram em coisa alguma a direção da linha da verdade; e, mesmo parecendo que, em alguns pontos particulares, essa linha se alarga um pouco, ainda assim, a vereda que se estende entre os pontos mais afastados é por demais estreita para permitir qualquer desvio de nossa parte.

Da mesma maneira que as Escrituras Sagradas, embora registradas por mãos falíveis, são suficientes para a nossa orientação no exame das verdades divinas, as traduções, embora preparadas por mãos não inspiradas, são suficientes para aqueles que não têm acesso aos originais inspirados. Homens de pouca instrução não serão responsabilizados por qualquer grau de luz que ultrapasse aquilo que a eles foi outorgado; a benevolência de Deus, ao conceder-nos a revelação escrita, não dotou a todos com o dom da interpretação de línguas. Quando esse dom foi miraculosamente proporcionado na Antiguidade, visava à edificação de todos; e, agora, quando é conferido no decurso normal da providência divina, o seu propósito continua inalterado. O Senhor considerou ser melhor e mais sábio permitir que os membros do corpo de Cristo sintam a necessidade de exercer simpatia mútua, dependendo uns dos outros, em vez de ter ele propiciado cada dom espiritual a cada indivíduo. Deus deu o conhecimento necessário para a tradução de sua Palavra a um número suficiente de homens fiéis, segundo a medida do propósito de sua benevolência. A menos exata das traduções dentre as que são oferecidas ao povo comum está repleta de verdades divinas, as quais são aptas a tornar seus leitores sábios para a salvação.

A plena convicção de que a Bíblia é a Palavra de Deus é necessária para infundir-nos confiança em seus ensinamentos, bem como para encher-nos de respeito quanto às suas determinações. Munidos dessa convicção, ao ler as páginas sagradas podemos perceber claramente que Deus está falando conosco. Quando sentimos que a verdade vai tomando conta do nosso coração, compreendemos que precisamos manter relacionamento pessoal com Deus e prestar-lhe contas. Quando estudamos os preceitos da Bíblia, todas as nossas faculdades inclinam-se diante deles, por sentirmos que esses preceitos exibem a indubitável vontade de nosso soberano Senhor. Quando somos animados e sustentados pelas consolações das páginas sagradas, nós as recebemos como bênçãos derramadas desde o eterno trono de Deus. A natureza e a ciência não oferecem qualquer luz que nos possa guiar em nossa busca pela bem-aventurança imortal, mas Deus nos conferiu a Bíblia para que ela nos sirva de lâmpada para os pés e luz para iluminar o caminho. Acolhamos essa dádiva divina com gratidão e entreguemo-nos confiadamente às orientações com que ela nos brinda.

APÊNDICE 1
ORIGEM E AUTORIDADE DA BÍBLIA

ORIGEM

Somos seres racionais e, assim, o desejo de obter conhecimento é natural em nós. Na primeira infância, na medida em que vamos conhecendo cada novo objeto, perguntamos quem o fez. Enquanto avançamos através dos anos, acompanha-nos esse mesmo espírito inquisitivo, impelindo-nos a investigar as fontes do conhecimento que estão perenemente se abrindo diante de nós. As criaturas irracionais olham com indiferença para as obras de Deus e pisam as produções do engenho humano sem jamais se interessarem pela origem dessas coisas. Mas os homens, sendo racionais, não podem agir dessa maneira sem fazerem violência aos primeiros princípios de suas próprias naturezas. Entre os objetos que têm ocupado espaço largo no pensamento humano e que clamam pela nossa consideração, a Bíblia destaca-se notavelmente. A sua antiguidade, a veneração com que muitos a têm tratado e a influência que ela tem fortemente exercido sobre a conduta e a felicidade de muitíssimas pessoas são fatores suficientes, se não para despertarem as nossas emoções mais elevadas, pelo menos, para atraírem a nossa curiosidade, excitando em nós o desejo de conhecer a sua origem e o seu verdadeiro caráter.

Somos seres morais. A Bíblia chega até as nossas mãos como uma regra de conduta. A reivindicação estabelecida para a Bíblia é de que ela trata do mais elevado padrão de moral, e suas determinações não admitem qualquer apelo. Por conseguinte, estamos sob a mais estrita obrigação de examinar as bases dessa reivindicação.

Se a Bíblia diz a verdade, somos mesmo seres imortais. Os filósofos pagãos conjecturaram que o ser humano talvez fosse imortal, e os incrédulos têm professado crer nessa realidade. Porém, se excluirmos a Bíblia, não disporemos de nenhuma fonte indubitável de conhecimento que se manifeste sobre esse particular. No entanto, trata-se de uma questão da mais urgente importância. Se somos seres imortais, os nossos interesses vão além do sepulcro e transcendem a todos os nossos interesses da presente vida. Que insensatez é rejeitar a única fonte informativa sobre esse importante tema! Além disso, se temos tais interesses pelo mundo futuro, não dispomos de quaisquer outros meios para sabermos como garanti-los, exceto através da Bíblia. Não seria desatino e loucura lançarmos para longe de nosso alcance esse livro, confiando, em seguida, em inúteis conjecturas sobre questões nas das quais todos nós estamos tão envolvidos?

Indagamos, pois: de onde veio a Bíblia? Veio do céu ou dos homens? Se veio dos homens, será produto de homens bons ou de homens maus?

Se os escritores da Bíblia fossem homens maus, tê-la-iam escrito a seu próprio sabor. Se ela tivesse sido planejada para satisfazer os caprichos desses homens, agradaria a homens de caráter semelhante. No entanto, a Bíblia não é um livro deleitável aos homens maus. Antes, eles a odeiam. Seus preceitos são demasiadamente santos para eles; suas doutrinas são por demais puras; suas denúncias contra todas as formas de iniquidade são sobremodo terríveis. Ela não foi escrita, de modo algum, conforme o gosto de tais homens. Existem homens que dão grande valor às Escrituras, que estudam atentamente as suas páginas com deleite, que recorrem a elas em todas as suas perplexidades e tristezas, em busca de conselhos que os orientem e de instruções que os tornem sábios, homens que valorizam suas palavras mais do que ao ouro e que se banqueteiam com elas, como seu alimento preferido. Porém, quem são esses homens? São aqueles que detestam todo o engano e toda a falsidade; são pessoas que esse livro santo tem transformado de homens iníquos e viciados em homens puros e santos. Portanto, é impossível que a Bíblia tenha sido produzida por homens ímpios.

Resta determinar se a Bíblia se originou no céu ou se somente veio da parte de homens bons. Uma corrente tão pura não pode proceder de uma fonte corrompida. Se os escritores da Bíblia foram homens bons, não haveriam de querer enganar-nos propositalmente. Por isso, examinemos o relato deles a respeito da origem da Bíblia: "Toda Escritura é inspirada por Deus" (2Tm 3.16). "Se alguém se considera profeta, ou espiritual, reconheça ser mandamento do Senhor o que vos escrevo" (1Co 14.37). "Temos assim tanto mais confirmada a palavra profética, e fazeis bem em atendê-la, como a uma candeia que brilha em lugar tenebroso, até que o dia clareie e a estrela da alva nasça em vossos corações; sabendo, primeiramente, isto, que nenhuma profecia da Escritura provém de particular elucidação; porque nunca jamais qualquer profecia foi dada por vontade humana, entretanto homens [santos] falaram da parte de Deus, movidos pelo Espírito Santo" (2Pe 1.19-21).

Talvez alguém queira levantar objeção ao uso que fizemos das citações acima, permitindo que a Bíblia fale por si mesma. Todavia, isso não é sem precedentes. Se um estranho estivesse passando pela vizinhança, e tivéssemos o desejo de saber de onde ele veio, não seria incomum apresentar a indagação ao próprio indivíduo. E, se nele houvesse sinais de honestidade e simplicidade de caráter, e, se após nossas mais cuidadosas investigações, parecesse não haver nele qualquer desígnio maligno nem qualquer interesse de promover-se mediante um engano, deveríamos depender das informações que dele pudéssemos extrair. Tal desconhecido é a Bíblia. Há motivo para não dependermos do testemunho que ela nos dá acerca de si mesma? Na verdade, a Bíblia não é nenhum desconhecido. Embora reivindique origem celestial, ela já está conosco na Terra faz muito tempo, saindo e entrando entre nós, como um companheiro que nos é familiar. Estamos acostumados a ouvir as suas palavras; sabemos que elas já foram examinadas com extrema atitude de suspeita e em todas as minúcias; entretanto, nenhuma falsidade tem sido detectada na Bíblia. Mais do que isso, a Bíblia tem estado entre nós como mestra da verdade e da sinceridade; a verdade e a sinceridade têm prevalecido na exata proporção em que os ensinamentos das Escrituras têm sido ouvidos. Enquanto velhos enganadores procuram evitar ser sondados pela Bíblia, tremendo diante de suas ameaças, jovens têm sido ensinados por ela a desistirem de toda mentira e hipocrisia. Será possível que a própria Bíblia seja uma enganadora e uma impostora? Impossível! Ela tem de ser aquilo que afirma ser, um livro que desceu do céu — o livro de Deus

O fato de que a Bíblia procede de Deus é confirmado não somente pelos homens que a escreveram movidos pelo Espírito Santo, mas também é comprovado por muitas outras provas decisivas, algumas das quais passamos a considerar.

A origem divina da Bíblia é comprovada pelo **caráter da revelação** que ela contém.

O caráter de Deus

O caráter de Deus, conforme é mostrado na Bíblia, não pode ter origem nas concepções humanas. Sabemos qual é o tipo de deuses que os homens criam, pois eles têm multiplicado infinitamente o número de tais divindades. Esculpem-nas em blocos de madeira e de pedra e adoram-nas com a mais estúpida adoração. Mas essa ainda não é a mais aviltante e abominável idolatria da qual os homens se têm feito culpados. A sua vã imaginação amolda deuses ainda mais vis do que esses. Os ídolos de madeira ou de pedra podem assumir a forma de pássaros, de quadrúpedes e de répteis; mas as divindades que obtêm a sua origem na imaginação dos homens são dominadas por paixões e propensões mais do que bestiais. Esses são os objetos que os homens adoram com laboriosa e dispendiosa devoção. Deixe que uma pessoa qualquer visite os templos pagãos, observe as horrendas cerimônias que ali se desenrolam, estude o caráter das divindades ali adoradas e, então, pergunte-lhe se esses deuses e o Deus da Bíblia podem ter tido uma só e comum origem.

Alguns contestadores talvez aleguem que as divindades a que nos referimos pertencem às tribos não civilizadas. E daí? Os deuses das mais civilizadas nações porventura foram melhores do que esses? Quais eram as divindades veneradas pelos antigos gregos e romanos, inclusive pelos seus sábios e filósofos — cujos talentos e gênio têm sido admirados em cada século? Júpiter, o *optimus maximus* deles, o maior e melhor de todos, era um monstro criminoso; Vênus, Baco,

Mercúrio, Marte e todo o resto de suas divindades eram companheiros apropriados daquele primeiro. Tais deuses eram os patronos e grandes exemplos do vício. O incrédulo Rousseau descreveu corretamente o caráter dessas divindades, ao afirmar:

> Lance os seus olhos por todas as nações, sobre a história de todas as nações. Em meio a tantas superstições desumanas e absurdas, em meio àquela prodigiosa diversidade de maneiras e de caracteres, você descobrirá, por toda parte, os mesmos princípios e distinções de moral boa e má. O paganismo, no Mundo Antigo, realmente produziu divindades abomináveis, que, na terra, teriam sido repelidas e punidas como monstros e que ofereceram como quadros de felicidade suprema tão somente crimes a serem cometidos e paixões a serem saciadas. Mas o vício, armado com essa autoridade 'sagrada', desceu em vão da sua morada infernal, pois encontrou no coração do ser humano um instinto moral capaz de repeli-lo. A continência de Xenócrates era admirada por aqueles que celebravam os festins debochados de Júpiter; a casta Lucrécia adorava a impudica Vênus; o mais intrépido dos romanos oferecia sacrifícios ao deus Medo. As mais desprezíveis divindades eram servidas pelos homens mais virtuosos. A voz santa da natureza, mais potente do que a voz dos deuses, fazia-se ouvir e era respeitada e obedecida na terra, chegando a parecer ter banido para o confinamento do céu, por assim dizer, primeiramente a culpa, e em seguida os culpados. [1]

1 Thomas Brown, *Lectures on The Philosophy of the Human Mind*, vol. III (Philadelphia: W. Brown, 1824), p. 138.

Avizinhemo-nos agora do panteão romano e estudemos o caráter das inúmeras divindades romanas. Depois que a Incredulidade tiver reconhecido que essas divindades são monstruosas, muito mais depravadas do que os próprios homens e que exerciam uma influência corruptora sobre a sociedade humana, deveríamos convidá-la a estudar o caráter de Jeová, o Deus da Bíblia, um Espírito cuja forma não pode ser representada, um Ser cujos olhos não podem contemplar a iniquidade, glorioso em santidade, temível em louvores, que opera maravilhas e que requer ser adorado na beleza da santidade. Que a Incredulidade se poste ao lado de Moisés, na fenda da rocha, e ouça o Senhor Deus a proclamar o seu nome: "SENHOR, SENHOR, Deus compassivo, clemente e longânimo, e grande em misericórdia e fidelidade; que guarda a misericórdia em mil gerações, que perdoa a iniquidade, a transgressão e o pecado, ainda que não inocenta o culpado" (Êx 34.6, 7). Sem a menor sombra de dúvida, a Incredulidade inclinará a cabeça em atitude de reverência e confessará que *essa é a voz de Deus.*

A narrativa sobre *a vida e o caráter de Cristo,* conforme podemos lê-la nos Evangelhos, não é uma ficção da inventividade humana. A introdução do cristianismo, a sua existência no mundo, as perseguições que teve de enfrentar, a sua propagação apesar de toda a oposição e a influência que o cristianismo tem exercido sobre as nações e os governos estão totalmente entrelaçados com a história dos últimos 1900 anos de tal maneira que, se esses particulares da história cristã fossem fábulas, teríamos de duvidar da história inteira.

As evidências sobre a existência de homens como Alexandre ou Júlio César não são tão abundantes como as que comprovam a existência de Jesus Cristo, o qual surgiu em cena no tempo e no local mencionados nos Evangelhos. As narrativas sobre a sua vida, os seus sofrimentos, a sua morte e ressurreição, conforme as encontramos nos escritos de Mateus, Marcos, Lucas e João, chegaram até nós com todos os sinais de uma história autêntica. Nem o mínimo vestígio de fraude pode ser detectado nessas narrativas. A admirável simplicidade dos escritores sagrados, o engenho que eles demonstraram ao relatar as falhas e debilidades de seu próprio caráter, a maneira simples como retrataram as sublimes virtudes de seu Mestre e registraram as estupendas realizações dele, assim como o modo desapaixonado com o qual descreveram o cruel tratamento por ele recebido às mãos de seus perseguidores e homicidas — todas essas considerações estampam a veracidade dessas narrativas com o selo de uma certeza que desconhece sombra de dúvida.

Acresça-se o fato de que os apóstolos contavam com meios suficientes para conhecerem a veracidade dos fatos que historiavam. Eles confirmaram a sinceridade de sua fé ao suportarem torturas e até a própria morte; aqueles que acolheram o testemunho deles e o transmitiram a nós testificaram de sua fé com igual perseverança. Não existem outros fatos da história que disponham de evidências comprobatórias tão definitivas. Todavia, se essas evidências vierem a ser rejeitadas, uma dificuldade insuperável terá de ser enfrentada, a saber, que é impossível explicar-se a existência dos Evangelhos com base em qualquer outra suposição, senão que esses escritos são realmente aquilo que professam ser, verdadeiros delineamentos de uma personagem real. Os escritores sagrados eram homens incapazes de conceber ficções dessa ordem. Até mesmo homens como Virgílio e Homero seriam incapazes de tão tremendo esforço da imaginação. Poderiam conceber personagens como Enéias e Ulisses, mas não alguém como Jesus Cristo. Além disso, a erudição do mundo foi posta em ordem de combate contra o cristianismo; aos destreinados e humildes pescadores da Galileia foi dada a tarefa de registrarem por escrito a vida e as obras de Jesus de Nazaré. Que homens tão sem expressão no mundo tivessem podido transmitir às gerações sucessivas uma ficção dessa magnitude, é um feito incrível — de fato, impossível.

Outra citação extraída dos escritos de Rousseau mostrará a influência dominante dessas considerações sobre a mente de um homem incrédulo:

> Digo ainda mais: que a majestade das Escrituras me deixa pasmo de admiração, na medida em que a pureza do evangelho exerce a sua influência sobre o meu coração. Investiguemos as obras dos nossos filósofos, com todo o seu pomposo estilo — quão mesquinhas, quão desprezíveis são elas, quando confrontadas com as Escrituras! Um livro ao mesmo tempo tão simples e tão sublime poderia ter sido mera obra humana? Seria possível que o personagem sagrado, cuja história as Escrituras contêm, tenha sido, ele mesmo, apenas um homem? Acaso descobrimos que ele assumiu a pose de um entusiasta, ou de um sectário ambicioso? Quanta pureza e quanta doçura em suas maneiras! Quanta graça contagiante nos seus discursos! Quão grande é a sublimidade das suas máximas! Quão profunda é a sabedoria dos seus sermões! Que presença de espírito! Que sutileza! Quanta verdade há nas suas respostas! Quão grande era o controle sobre as suas paixões! Onde está o homem, onde está o filósofo que poderia ter vivido e morrido como ele viveu e morreu, sem manifestar muita fraqueza e muita ostentação? Haveríamos de supor que a narrativa dos Evangelhos não passa de ficção? Na verdade, meu amigo, ela não exibe as marcas distintivas da ficção. Pelo contrário, a história de Sócrates, que

> ninguém presume pôr em dúvida, não é tão bem atestada como a história de Jesus Cristo. Os autores judaicos eram simplesmente incapazes de tal estilo e totalmente estranhos à elevada moral contida nos Evangelhos; as evidências da autenticidade dos seus relatos são tão notáveis e invencíveis que o inventor seria um personagem ainda mais admirável do que o seu herói.[2]

Se os Evangelhos expõem um relato autêntico e veraz sobre Jesus Cristo, ele foi realmente um mestre que desceu do céu, e tanto a doutrina que ele ensinava como as Escrituras, que ele frequentemente apontava como dotadas de autoridade divina, procedem de Deus.

O método de salvação

O método de salvação revelado na Bíblia não é um esquema humano. A pregação de Cristo crucificado era para os judeus uma pedra de tropeço e, para os gregos, uma insensatez; apesar disso, a salvação pela cruz é a grandiosa peculiaridade do evangelho. Se o cristianismo fosse uma fábula engenhosamente fabricada, uma doutrina tão ofensiva à humanidade não teria ocupado posição tão proeminente dentro do sistema cristão. Até nestes nossos dias, homens de orgulhoso intelecto e dotados de coração corrompido rejeitam uma doutrina de salvação através da obediência e dos sofrimentos de uma outra pessoa. Para os humildes e contritos, oprimidos pelo senso do pecado e que, desesperadamente, estejam procurando algum método divino para escaparem da ira vindoura, essa doutrina é triplamente bem-vinda. Sem dúvida, os humildes e contritos não são os que se inclinam a ludibriar o mundo com algum sistema religioso forjado.

2 *The Works of the Rev. Andrew Fuller, in Eight Volumes*, vol. III (New Haven: S. Converse, 1824), p. 133-134.

As **bênçãos** que a Bíblia transmite à humanidade têm sua origem na infinita benevolência de Deus.

Comparem-se as condições de vida daquelas nações onde impera o paganismo às condições dos povos onde predominam as mais corruptas formas da cristandade, e descobrir-se-á que estas últimas nações são preferíveis àquelas. Faça-se comparação entre estas últimas nações com os países onde prevalece um cristianismo mais puro e onde a Bíblia é colocada à disposição de todos, em vez de ser arrebatada das mãos do povo, e perceber-se-á um estado bem melhor da sociedade humana onde o Volume sagrado é bem conhecido. E, novamente, sejam comparadas, nesses países mais favorecidos, as famílias em que a Bíblia é tida em pouca estima com aquelas entre as quais as doutrinas da Bíblia são reverenciadas e os seus preceitos são obedecidos, e notar-se-á, sensivelmente, que uma influência celeste permeia estas últimas. Entretanto, até mesmo na família, os membros frequentemente diferem uns dos outros. Embora todos costumem adorar diante do mesmo altar e todos leiam uma mesma Bíblia, alguns trazem a Palavra da Verdade somente nos seus lábios, enquanto outros entesouram-na profundamente em seus corações, como algo mais doce do que o mel ao paladar. Quanta elevação de caráter, quão grande, pura e sem mancha é a bem-aventurança de que desfrutam esses últimos! Consideremos, finalmente, um dos indivíduos dessa última e mais favorecida classe, fazendo comparação entre os diferentes momentos de sua vida — aqueles instantes nos quais as Escrituras são menos consideradas com aqueles momentos nos quais ele se banqueteia com as verdades e promessas da Bíblia, experimentando indizíveis alegrias e instantes de glória, quando acolhe a divina Palavra em seu coração! E, então, obteremos uma visão plena das benditas influências que a Bíblia é capaz de exercer.

Sabemos que o sol é fonte de luz e calor e que tudo fica tenebroso e frio quando os seus raios estão encobertos; também sabemos que a luz e o calor aumentam na proporção exata da proximidade do sol. Dá-se precisamente o mesmo com respeito à Bíblia. Poderíamos começar pelo paganismo, onde predominam o frio e as trevas espirituais e a Bíblia é desconhecida, e chegarmos até aos santos em seus momentos de arrebatadora devoção, quando eles saboreiam os mais doces antegozos dos céus que os mortais podem experimentar. A luz da verdade que aclara o entendimento e o calor do amor que aquece o coração manifestam-se na proporção exata em que nos aproximamos da Bíblia. Se o sol que ilumina este mundo material é obra de um benévolo Criador, muito mais benevolência podemos atribuir-lhe pela autoria da Bíblia, que é a fonte de toda a iluminação espiritual.

Tendo feito a comparação entre o sol e a Bíblia, eis a ocasião propícia para declararmos que ambas essas fontes luminosas (o sol e a Bíblia) têm seus próprios pontos escuros — a Bíblia possui suas porções obscuras, e o sol, suas manchas. Os deístas talvez critiquem um, e os ateus, o outro; mas as críticas de ambos são igualmente absurdas e inúteis. Visto que existem manchas no sol, só por isso concluiríamos que não foi Deus quem o criou ou que não é uma bênção para a humanidade? Contudo, essa conclusão não seria mais irracional do que negar que Deus é o autor da Bíblia ou que a Bíblia é uma bênção para a humanidade, somente porque há determinados pontos difíceis de entender em suas páginas. Suponhamos que as manchas do sol e os pontos obscuros da Bíblia sejam imperfeições. Seria negado, só por isso, que o Senhor é o autor de certas coisas que contêm imperfeições? Se tudo quanto é material e tudo quanto é humano caracteriza-se por imperfeições, não poderia Deus, apesar disso, haver-se glorificado por meio de coisas materiais e humanas?

A nova Jerusalém não terá necessidade de qualquer sol para iluminá-la, porque a glória de Deus e do Cordeiro será a sua luz. A despeito disso, Deus colocou o sol na expansão celeste para iluminar este mundo material; o sol que brilha no firmamento, apesar de suas manchas, declara a glória do Criador. Por semelhante modo, Deus pode revelar-se às inteligências puras que há no céu mediante uma linguagem isenta das imperfeições humanas. No entanto, quando se dirige aos mortais que vivem sobre a terra, ele usa a linguagem dos mortais; e qualquer que seja a imperfeição desse meio de comunicação, ainda assim, a revelação de Deus exibe a sua glória com a luz mais ofuscante que os olhos humanos são capazes de contemplar.

Deveriam mesmo ser reputadas imperfeições aquelas manchas solares e aqueles pontos obscuros da Bíblia? A luz do sol é pura e abundante. Se essa luz fosse deficiente, poderia ser contrabalançada, ou expandindo-se as dimensões do sol, ou removendo-se as suas manchas. Por conseguinte, seria tão racional queixar-se de que o sol não é maior em tamanho, como reclamar que existem manchas no disco solar. Por semelhante modo, a luz da Palavra de Deus é pura e suficiente para conduzir os homens à sabedoria da salvação. Com igual razão, poderíamos nos queixar de que a Bíblia não é maior em volume, tanto quanto de que ela encerra alguns pontos obscuros.

Acrescente-se a isso que os pontos obscuros das Escrituras talvez tenham alguma finalidade benéfica. Se, conforme supõem alguns astrônomos, as manchas solares são correntes gasosas que se elevam na atmosfera que circunda o Sol, difundindo-se como se fossem o combustível do grande astro que ilumina o dia, estão longe de serem imperfeições, como também não são imperfeições as nuvens que ocasionalmente obscurecem o firmamento; pois são ricas fontes da fertilidade da terra, que possibilitam enchermos nossos celeiros de farta colheita. Assim também, alguns dos pontos obscuros existentes na Bíblia são apenas as realidades profundas de Deus vistas através da luz da revelação — o inescrutável mistério da natureza divina a transparecer através da luz que o envolve. Com a passagem do tempo, muitos mistérios têm sido esclarecidos, redundando em bênçãos para muitos. Também era um mistério serem "os gentios coerdeiros, membros do mesmo corpo e coparticipantes da promessa em Cristo Jesus por meio do evangelho" (Ef 3.6). No entanto, esse mistério foi esclarecido no devido tempo, derramando as mais ricas bênçãos sobre os povos gentílicos. A revelação do Antigo Testamento era obscura, repleta de sombras das coisas excelentes que ainda viriam; porém, desde o instante em que o sol da justiça surgiu no horizonte, os lugares tenebrosos foram iluminados, mostrando serem cheios de instrução. Profecias têm sido transmitidas em linguagem obscura; mas o seu cumprimento tem sido capaz de esclarecê-las completamente. Determinados pontos obscuros têm dado margem a que os incrédulos acusem a Bíblia de estar minada de contradições; porém, um exame mais acurado da Palavra inspirada só tem servido para repelir tal acusação, através da conciliação de discrepâncias aparentes; além disso, esse exame tem contribuído para adicionar novas provas ao fato de que as Escrituras foram registradas por homens honestos e destituídos de segundas intenções, sem tendências fraudulentas.

Esse exame mais minucioso tem servido para demonstrar a perfeita harmonia existente entre as declarações bíblicas — mesmo quando aparentemente elas discordam entre si. Homens dotados de um intelecto superior podem ter como exercício agradável e proveitoso lançar mão de seus elevados poderes intelectuais para investigar aquelas porções da Bíblia que são menos claras. Ao mesmo tempo, as verdades mais simples da Bíblia prestam-se perfeitamente bem para serem compreendidas por homens de menor capacidade intelectual, sendo suficientes para as necessidades deles. Na Bíblia, existem águas onde "um cordeiro pode vadear", ou "um elefante pode nadar".

Ainda, há uma outra utilidade para os pontos obscuros da Bíblia. Quando o Senhor deu leis para a humanidade obedecer, não lhes deu leis impossíveis de serem violadas, mas decretou preceitos que os homens, como livres agentes que são, podem violar, embora o façam somente para a ruína de suas próprias almas. Assim também, quando Deus revelou a sua Palavra à humanidade, não nos deu uma revelação na qual não pudéssemos encontrar qualquer dificuldade; antes, existem pontos passíveis de serem torcidos, mas os que o fazem arruínam as suas próprias almas. Os pontos obscuros da Bíblia servem para essa finalidade, porquanto a própria Bíblia declara que ela encerra "certas coisas difíceis de entender, que os ignorantes e instáveis deturpam, como também deturpam as demais Escrituras, para a própria destruição deles" (2Pe 3.16). Aqueles que preferem deturpar os pontos obscuros da Bíblia, ao invés de andarem debaixo da luz de seus ensinamentos, leiam essa declaração de Pedro, temam e tremam.

As revelações expressas na Bíblia são confirmadas por **milagres**. É um claro ditame do bom senso que o Deus Todo-Poderoso, que criou este mundo e o governa, pode dirigir seus movimentos conforme lhe parecer melhor. Ele determinou as leis da natureza e, sempre que desejar, pode suspender qualquer dessas leis e alterar o curso normal das coisas. É igualmente patente que ninguém, excetuado o Autor da natureza, é capaz de efetuar tais modificações. Segue-se que os milagres, quando ocorrem em confirmação a alguma revelação que afirma ser proveniente do céu, trazem em si mesmos o selo da onipotência divina. Algumas pessoas, ao testemunharem milagres dessa categoria, raciocinam acertadamente quando observam, à semelhança de Nicodemos: "Rabi, sabemos que és Mestre vindo da parte de Deus; porque ninguém pode fazer esses sinais que tu fazes, se Deus não estiver com ele" (Jo 3.2).

A despeito do fato de que as evidências dos milagres foram muito mais impressionantes para as testemunhas oculares do que para nós, que só os vemos à luz da narrativa histórica, os argumentos neles fundamentados são perfeitamente conclusivos, mesmo nos nossos dias. Que Moisés, os profetas, Jesus Cristo e seus apóstolos realizaram obras verdadeiramente miraculosas, é fato tão bem confirmado como qualquer outro acontecimento histórico. O caráter das realizações atribuídas a eles, o número delas, as circunstâncias em que tiveram lugar, a ausência de todo e qualquer indício de fraude, os sofrimentos mediante os quais aquelas testemunhas demonstraram sua sinceridade, a aceitação pronta e extensa obtida pelo testemunho prestado diante de amarga perseguição, bem como a ausência de qualquer testemunho em contrário são considerações que nos compelem a crer que os milagres realmente ocorreram. Se é fato que tais milagres foram realizados, também é fato que a revelação que eles atestam veio de Deus.

No que concerne às evidências dos milagres, não estamos inteiramente endividados às páginas da história. Não são necessárias provas históricas para satisfazer as nossas mentes de que as pirâmides do Egito foram edificadas pelo labor e habilidade humanos. Estamos perfeitamente satisfeitos quanto a isso, como se as tivéssemos visto erguerem-se com o trabalho braçal dos escravos. Sabemos que elas são obras de seres humanos porque, dentro de sua espécie, assemelham-se às outras obras humanas. Porém, aquele que contemplar de perto aquelas estupendas estruturas, bem poderá volver os olhos, ao redor, concluindo com igual certeza que o globo terrestre não pertence à categoria das obras humanas. Igualmente, quando consideramos algum sistema de mitologia ou de filosofia pagã, podemos ficar perfeitamente convencidos de sua origem humana, porque tais sistemas trazem em si mesmos todas as características do engenho humano. Porém, quando examinamos a Bíblia, bem como a religião que ela introduziu no mundo, podemos ter a mais serena certeza de que a origem delas é sobre-humana. Um sistema destituído de tudo quanto o tornaria atrativo para a mente carnal e que afirma ser confirmado "por sinais, prodígios e vários milagres" (Hb 2.4) não poderia obter, na ausência de tais milagres, de acordo com o curso natural das coisas, crédito fácil e extensivo entre os seres humanos, tornando-se firmemente estabelecido na confiança deles. A ampla propagação do evangelho, sob tais circunstâncias, deve em si mesma ser considerada um milagre.

Para o presente argumento, não tem a mínima importância se o milagre foi realizado diante dos olhos daquele que acolheu a doutrina ou se foi realizado na sua mente, para incliná-lo a acolher tal doutrina. Em quaisquer dessas alternativas, houve um grande milagre, a saber, a interposição do poder de Deus. Essa interposição demonstra bem claramente que a doutrina cristã procede de Deus.

As profecias

As **profecias** expressas na Bíblia devem ter tido origem em uma presciência infalível. Isso é comprovado pelo seu cumprimento cabal.

Na presença de Nabucodonosor, a orgulhosa cabeça do Império Babilônico, então no auge de seu esplendor e glória, Daniel profetizou que o seu império cederia lugar diante de três outros impérios, os quais se levantariam depois do Império Babilônico (Dn 2.39 e 45). A sucessão de impérios, Babilônico, Medo-Persa, Grego e Romano, é mais amplamente descrita um pouco mais adiante, em outra profecia de Daniel, juntamente com uma série de eventos que se prolonga até aos nossos próprios dias (Dn 7.12). Mais de um século antes da época de Daniel, o profeta Isaías predisse (Is 21.9; 45.1, 3) que os persas derrubariam a Babilônia, embora a Pérsia fosse uma nação débil e obscura ao tempo daquela profecia. Isaías chegou mesmo a predizer o nome do líder persa e até a maneira pela qual ele entraria na capital do Império Babilônico, ou seja, através dos portões da cidade, os quais, devido a uma determinação especial da providência divina, foram, por descuido, deixados abertos pelos babilônicos, durante uma festa de bebedeiras. Outros profetas ainda previram a destruição final das cidades de Babilônia (Jr 51) e Nínive (Na 1 e 3), a destruição da antiga cidade de Tiro pelas tropas de Nabucodonosor (Ez 26.7, 11), assim como, mais tarde ainda, a destruição da Tiro insular pelas forças de Alexandre, o Grande (Ez 27.32), e até mesmo o declínio e o estado atual do Egito (Ez 29), antigamente a mais soberba de todas as nações do mundo. Todas essas profecias foram entregues quando os eventos preditos eram altamente improváveis, quando dificilmente seu cumprimento poderia ter sido antecipado pela sagacidade humana. A despeito disso, a história e os relatos dos viajantes confirmam o cumprimento à risca dessas predições bíblicas. Muitos outros exemplos similares envolvendo profecias cumpridas poderiam ser facilmente acrescidos.

As profecias concernentes ao povo judeu são especialmente notáveis, e nós nos referimos a elas com tanto maior satisfação porque, até certo ponto, o leitor possivelmente tem algum conhecimento pessoal dos fatos previstos. O povo judeu está disperso pela maioria das nações do mundo, incluindo o nosso país. Sinagogas judaicas, onde os judeus se reúnem para adorar o Deus de seus antepassados, podem ser encontradas em todas as nossas cidades principais. As Escrituras do Antigo Testamento são regularmente lidas na adoração pública dos judeus, sendo conservadas com profunda veneração religiosa, por serem os livros sagrados, recebidos da parte de Deus pelos antigos profetas e transmitidos por seus antepassados até às gerações atuais. O Livro sagrado descreve com minúcias e em linguagem profética os intensos sofrimentos dos judeus, a sua maravilhosa preservação como um povo distinto e até mesmo a sua dispersão por entre as nações (Lv 26; Dt 27 e 30). Outras tribos antigas, uma vez dispersas, diluíram-se completamente em meio à massa heterogênea da humanidade; mas os judeus, após séculos de dispersão e perseguição, continuam sendo um povo distinto, aparecendo diante do mundo como testemunhas vivas do maravilhoso cumprimento das predições, conforme foram proferidas pelos seus antigos profetas.

Os escritos sagrados dos judeus não apenas encerram predições sobre a dispersão, os sofrimentos e a preservação admirável desse povo, mas também fornecem explicações para tão extraordinários acontecimentos. O Livro santo descreve uma aliança que foi estabelecida entre essa nação e o Deus a quem adoram; seus registros demonstram que os judeus violaram repetidas vezes esse pacto firmado com o Senhor, tendo sofrido, a cada vez, a pena imposta por Deus. A narrativa da nação judaica ilustra como Deus trata com os judeus em conformidade com as estipulações daquela aliança. Já uma vez antes, como castigo por suas infidelidades, os judeus tinham sido expulsos de sua terra para o cativeiro, durante um período de 70 anos. Não obstante, foram preservados e trazidos de volta à terra de Israel. As declarações proféticas expressas no seu Volume sagrado explicam que a atual dispersão e sofrimentos, igualmente, são consequências da rebeldia, mas que a sua atual preservação é um prenúncio de mais uma restauração. A condição deles, pois, assemelha-se à de um malfeitor encravado na cruz, com a sua acusação afixada acima de sua cabeça; uma bem-merecida punição para a nação que exigiu a crucificação do Senhor da glória. Os judeus, pois, seguram entre as mãos o livro que especifica os seus crimes e que prediz os sofrimentos de sua gente; assim sendo, dão em suas próprias pessoas o espetáculo do cumprimento dessas predições bíblicas. Não somente os judeus asseveram que seu Livro sagrado tem origem divina, mas eles mesmos são uma prova concreta dessa origem.

Os judeus também podem ser convocados como testemunhas acerca do Novo Testamento que rejeitam, bem como acerca do cristianismo, o qual eles abominam. Qual foi o seu tão hediondo crime que fez com que se prolongassem a sua dispersão e os seus sofrimentos milenares? O Novo Testamento nos fornece a única resposta satisfatória a essa indagação, e isso em perfeita harmonia com as Escrituras do Antigo Testamento. É que os judeus rejeitaram e crucificaram o seu próprio Rei, seu tão esperado Messias, a respeito de quem os profetas tanto haviam falado. Fora predito que o Messias apareceria antes que a tribo de Judá viesse a extinguir-se como nação ou deixasse de contar com um governo próprio (Gn 49.10), antes que o segundo templo de Jerusalém fosse destruído (Ag 2.7, 9), e 490 anos depois de Ciro haver decretado a reconstrução de Jerusalém (Dn 9.24-27). Foi exatamente na época marcada que Cristo apresentou-se publicamente e declarou ser o Messias, tendo fornecido as mais conclusivas provas de que viera da parte de Deus. No entanto, tal como os profetas haviam predito, eles rejeitaram o Messias (Is 53.3) e aliaram-se aos governantes gentios, a fim de destruí-lo (Sl 2.1, 2). O seu ódio por Jesus Cristo, mesmo em face das próprias Escrituras, constitui o crime pelo qual sofrem. O sofrimento dos judeus prova que Jesus era o Messias e que o cristianismo tem origem divina.

O Novo Testamento encerra várias predições (Mt 24; Mc 13 e Lc 21) que têm tido cumprimento exato, tais como a destruição da cidade de Jerusalém, as calamidades que têm acometido aos judeus, a sua dispersão e preservação, as perseguições desfechadas contra o cristianismo, a propagação do cristianismo por toda a face da terra e a apostasia (2Ts 2.3-12; 1Jo 2.18 e 1Tm 4.1-3). Além dessas, existem ali diversas outras predições que se cumprirão no devido tempo, acerca da conversão dos gentios, da restauração dos judeus e do estado milenar da igreja. Quando todos esses eventos profetizados se tiverem cumprido, ficará completa a evidência profética que mais e mais se vai acumulando.

Concluindo a investigação no terreno da origem da Bíblia, podemos expressar nossa admiração e veneração pela maravilhosa providência divina, que tem feito dos próprios adversários do Senhor os preservadores da sua revelação e as suas testemunhas. Os judeus, que foram os assassinos dos profetas e que exigiram a crucificação do próprio Filho de Deus, têm sido os veículos da preservação e transmissão das Escrituras do Antigo Testamento e, agora, são testemunhas diante do mundo inteiro da origem divina desses documentos sagrados e da veracidade das predições ali contidas.

Até a Igreja Católica Romana, considerada por muitos como o grande anticristo, o homem do pecado, embriagado com o sangue dos santos, tem ajudado a transmitir as Escrituras do Novo Testamento e, atualmente, fornece da mesma dupla maneira o seu testemunho referente a essa porção do Volume sagrado. Os próprios incrédulos escarnecedores são forçados a se tornarem testemunhas inconscientes. Nas páginas da Bíblia, é predito o aparecimento desses zombadores, com o seu coração corrompido, do qual — e não de algum juízo sóbrio — procedem as suas zombarias. Tudo isso é ali retratado com uma exatidão e uma habilidade que nos deixam entrever a presença do divino autor, aquele que sonda os corações dos homens. A Palavra, que é "viva e eficaz, e mais cortante do que qualquer espada de dois gumes, e penetra até ao ponto de dividir alma e espírito, juntas e medulas, e apta para discernir os pensamentos e propósitos do coração" (Hb 4.12), necessariamente tem de ser "a Palavra de Deus". A própria linguagem relutante dos incrédulos, como no caso de Rousseau, algumas vezes é constrangida a prestar o seu testemunho audível; em outras oportunidades, quando o perigo ameaça ou a morte se aproxima, o estado de alarme e terror em que se veem os infiéis divulga a verdade de que a rocha deles não é a nossa Rocha, sendo eles mesmos os juízes. Infeliz incrédulo! Existe mesmo Deus? Você possui uma alma imortal? Enquanto você, com indômita coragem, não puder responder negativamente a ambas essas indagações, não deveria querer desvencilhar-se da Bíblia, o Livro de Deus, a luz da imortalidade.

AUTORIDADE

Embora a Bíblia tenha sido escrita por homens inspirados, seus escritores precisam ser considerados meros instrumentos escolhidos, preparados e empregados por Deus para produzi-la. O próprio Deus é o autor da Bíblia. Quando nos pomos a ler as suas páginas sagradas, deveríamos dar-nos conta de que é Deus quem está falando conosco; por outro lado, quando permitimos que seja negligenciada, devemos lembrar-nos de que estamos nos recusando a ouvir a Deus, ao mesmo tempo em ele se oferece para instruir-nos sobre assuntos de infinita importância.

A Bíblia contém o *testemunho* de Deus, razão pela qual é a *regra da fé*. As afirmações de um homem honesto devem ser dignas de crédito, e muito mais ainda as declarações feitas pelo Deus da verdade. "Se admitimos o testemunho dos homens, o testemunho de Deus é maior" (1Jo 5.9). Rejeitar o testemunho de Deus é reduzi-lo à condição de mentiroso. Chamar um nosso semelhante qualquer de mentiroso é um insulto dos mais grosseiros. Esse é o insulto que lançamos contra o grande Deus quando nos recusamos a aceitar o seu testemunho, o qual nos é oferecido na sua Santa Palavra.

A Bíblia contém os *preceitos* de Deus e, por conseguinte, é uma *regra do dever*. Estamos na obrigação de obedecer às ordens de nossos pais e das autoridades civis; Deus, entretanto, tem ainda maior direito à nossa obediência. Ele é o nosso Pai celeste, bem como o supremo Legislador do universo. Rebelamo-nos contra essa autoridade elevadíssima sempre que nos recusamos a obedecer aos mandamentos da Bíblia.

A Bíblia contém as *promessas* de Deus e, por isso, é a *regra da esperança*. Ela determina não somente aquilo em que devemos acreditar e o que devemos fazer, mas, igualmente, o que nos cumpre esperar. Ela apresenta, como o alicerce de nossa esperança, a promessa e o juramento de Deus; duas coisas imutáveis, nas quais é impossível que Deus minta. Olhamos para Deus como o galardoador daqueles que o buscam diligentemente, e toda a nossa confiança concernente à natureza e extensão desse galardão, bem como a certeza de que haveremos de obtê-lo, está fundamentada sobre a "mais confirmada palavra profética", a Bíblia.

Sem importar se é considerada como regra de fé, de dever ou de esperança, o fato é que a autoridade da Bíblia é *suprema*. Podemos depender do testemunho dos homens, mas muitas vezes eles nos enganam. Podemos regulamentar a nossa conduta mediante as ordens daqueles a quem estamos subordinados ou mediante os ditames da nossa própria consciência; porém, os chefes podem ordenar o que é errado, e a consciência humana é falível. Podemos embalar esperanças alicerçadas sobre as promessas humanas ou sobre as tendências naturais das coisas, mas umas e outras são enganosas, são quais botões de flores, que, embora belos e perfumados, geralmente fenecem antes mesmo de frutificarem. Deus nunca engana ninguém. "Seca-se a erva, e cai a sua flor; a palavra do Senhor, porém, permanece eternamente" (1Pe 1.24, 25). As determinações da Bíblia não dão margem a dúvidas nem admitem apelo a qualquer tribunal humano.

A autoridade da Bíblia é independente. Essa independência não lhe foi conferida pelos homens impulsionados pelo Senhor para a escreverem, tampouco se deriva de qualquer dos indivíduos que a transmitiram até nós. A mais pura igreja terrena não é capaz de conferir à Bíblia a menor parcela de autoridade, e muito menos pode fazê-lo a corrompida Igreja de Roma. Os escritores movidos pelo Espírito Santo fizeram alusão à autoridade com que haviam escrito, atribuindo o resultado ao Senhor. Os copistas dos manuscritos, agentes da providência divina para a preservação e transmissão do Volume sagrado, assim como os impressores e encadernadores mediante cujo trabalho esse Livro santo circula tão amplamente, não têm podido conferir-lhe parcela alguma de autoridade. A Bíblia possui autoridade em si mesma, simplesmente porque ela é a Palavra de Deus.

A autoridade da Bíblia é imediata. Suas comunicações procedem diretamente de Deus, sendo endereçadas diretamente à mente e ao coração de cada leitor. Não temos outro mediador além de Cristo nem algum outro intérprete infalível, exceto o Espírito Santo. Podemos receber ajuda da parte de certos homens, a fim de compreendermos melhor a Bíblia, mas eles não têm o direito de entendê-la em nosso lugar. Devemos exercitar as nossas próprias mentes no estudo da Palavra de Deus, não permitindo que qualquer intérprete humano venha intervir entre Deus e a nossa consciência. Cada um de nós deveria ser capaz de dizer pessoalmente: "Fala, Senhor, porque o teu servo ouve" (1Sm 3.9).

Quão preciosa dádiva é a Bíblia! Quem não lhe dará valor? Quem não a entesourará no seu coração? Estamos postados no estreito istmo da vida, entre dois oceanos: o passado sem fim e o futuro sem limites. Os registros da eternidade passada estão fora de nosso alcance, mas o "Ancião de Dias" os abriu, revelando-nos nas Escrituras tudo quanto é necessário sabermos. O presente que se desvanece é muitíssimo importante para nós, porque dele é que depende toda a nossa eternidade. O único Deus sábio condescendeu em nos dirigir a palavra através da Bíblia, ensinando-nos a ordenar nossos passos na breve vereda da vida, de tal modo que a vida eterna nos seja assegurada. O mundo futuro está bem próximo de nós. Quanto a mim mesmo, tenho a consciência de que me encontro à beira de um oceano sem fim, apenas com mais alguns centímetros de areia esfarelando-se debaixo dos meus pés. Ouço os gritos agoniados do incrédulo moribundo ao meu lado, para quem toda a realidade está encoberta por trevas impenetráveis. Ele igualmente tem chegado à beira daquele oceano e, agora, com grande satisfação, se recusaria a prosseguir, mas não pode parar. Perplexo, aterrorizado, trêmulo, ele se atira no oceano e afunda — sem saber para onde. Quão precioso, nesses momentos de prova, é o Livro de Deus! Quão animadora é essa luz do céu! Diante desse livro, percebo que as trevas se vão dissipando. A Bíblia alça a sua tocha luminosa — não, não alguma tocha de luz mortiça, conforme aquela que é erguida pela razão humana

—, a fim de rebrilhar nas trevas e tornar visíveis todas as coisas. A Bíblia projeta a luz do sol do meio-dia sobre as vastíssimas possibilidades à minha frente, capacitando-me a lançar-me na eternidade com a plena certeza da esperança, jubiloso e tranquilo. Mortais, que vos dirigis apressadamente em direção às retribuições da eternidade, sede sábios. Recebei a revelação que, desde o céu, nos foi dada e que nos é apresentada na Bíblia. Dai atenção diligente às instruções que ela contém, reverenciando a sua autoridade como a Palavra do Juiz supremo, a cuja presença, em breve, todos haveremos de comparecer.

LIVRO II

DOUTRINA CONCERNENTE A DEUS

INTRODUÇÃO

O DEVER DE AMAR A DEUS

"Amarás, pois, o Senhor teu Deus de todo o teu coração, de toda a tua alma, e de toda a tua força" (Dt 6.5). É nesses termos que a Bíblia ordena o principal de todos os deveres. Nenhuma razão é dada com relação a esse requisito. Não se aduz qualquer prova da existência de Deus nem provas de que ele seja possuidor de perfeições tais que o intitulem ao supremo amor de suas criaturas. Jeová apresenta-se diante dos súditos do seu governo e decreta o seu mandamento. Ele não espera qualquer apresentação formal de sua pessoa. Sem fazer promessas ou ameaças, ele ergue sua voz com majestade e proclama sua lei, deixando seus súditos debaixo do peso da responsabilidade.

Com base na maneira como esse pronunciamento é feito, podemos obter ensinamento. Não é preciso abordarmos qualquer demonstração formal da existência de Deus nem iniciarmos qualquer investigação sobre os divinos atributos, antes de começarmos a cumprir o dever que temos de amar ao Senhor. Já sabemos sobre ele o suficiente para podermos amá-lo. Assim sendo, adiar o cumprimento desse dever até havermos completado as nossas investigações seria o mesmo que iniciar o cumprimento do dever com corações não santificados, em franca rebeldia contra o Senhor. Os céus e a terra têm declarado a glória de Deus; seus ministros e seu povo têm proclamado seu nome; ele não é para nós um Deus desconhecido, exceto até onde voluntariamente cegamos nossas mentes para as manifestações de sua glória. Por conseguinte, se contivermos os afetos de nossos corações, não disporemos de qualquer justificativa no argumento de que mais evidências são necessárias. E, com corações tão alienados de Deus, desde o começo, todas as nossas inquirições religiosas serão provavelmente destituídas de qualquer proveito. Pois, qual é a probabilidade de que maiores evidências produziriam uma devida impressão e um correto efeito sobre as nossas mentes, se aquelas evidências com que já contamos são negligenciadas ou corrompidas por nós? Se, alicerçados sobre aquilo que já sabemos a respeito de Deus, nós o admiramos e louvamos, então, desejaremos saber mais e prosseguiremos estudando com proveito e deleite. Mas, se já expulsamos Deus de dentro de nossos corações, todas as investigações intelectuais que fizermos a respeito dele deixar-nos-ão em um estado de cegueira espiritual.

O dever exigido corresponde ao caráter da religião do qual ele é parte essencial. Os deuses dos pagãos não podiam mesmo reivindicar um supremo amor da parte de seus veneradores, e as mentes dos pagãos não faziam a mínima ideia de uma religião alicerçada sobre um amor supremo às divindades. Até certo ponto, essas divindades eram objetos de temor; grande parte daquilo que supostamente pertencia ao seu caráter ou à sua história servia tão somente para propósitos de diversão ou para satisfazer a imaginação. A conduta atribuída a essas divindades era tal que, com frequência, até os pagãos mais virtuosos desaprovavam-na. Por todas essas razões, aqueles deuses não podiam ser objetos de amor supremo, e ninguém chegou a reivindicar-lhes esse tipo de amor. O requisito de um amor supremo mostra que a religião ensinada nas páginas da Bíblia procede do verdadeiro Deus. Quando iniciamos nossas investigações religiosas, admitindo essa obrigação e aceitando-a plenamente em nossos corações, podemos ter a certeza de que estamos palmilhando o caminho certo.

A simplicidade desse requisito é admirável. No tocante a esse dever, nenhuma explicação se faz necessária. As formas de adoração podem ser muitas e variadas, e é possível levantar dúvidas quanto ao tipo mais aceitável. Muitos dos deveres externos da moralidade, com frequência, são determinados com muita dificuldade. Surgem indagações perturbadoras acerca da natureza do arrependimento e da fé. Quanto a essas coisas os desinformados precisam receber instrução; porém, ninguém precisa ser instruído acerca do que seja o amor. Até mesmo a mente mais humilde pode entender o dever de amar e pode desfrutar de prazer em sua consciência pelo fato de estar obedecendo a esse dever. O filósofo erudito é como uma criancinha diante desse preceito, sentindo que o poder do mandamento afeta cada faculdade de seu ser. Esse princípio tão simples permeia toda a religião verdadeira, vinculando somente a Deus — o centro do grandioso sistema — todas as inteligências, quer grandes, quer pequenas. Poderíamos estabelecer uma bonita analogia entre esse poder e a força da gravidade no mundo natural, a qual unifica átomos e grandes massas, pedregulhos e vastos corpos celestes.

A abrangência desse preceito não é menos admirável. Dele deriva-se aquele outro preceito que diz: "Amarás o teu próximo como a ti mesmo" (Mt 22.39). A lei inteira subsiste na dependência desses dois preceitos. Amamos aos nossos semelhantes porque eles são criaturas de Deus, estão sujeitos ao seu governo e porque ele assim ordenou. Amamos supremamente a Deus porque ele é o maior e mais excelente de todos os seres; amamos os outros seres, de conformidade com a importância de cada um deles dentro do sistema universal da existência. Um único princípio interpenetra ambos esses preceitos, tal como o princípio único da gravidade liga a Terra ao sol e cada porção do globo terrestre às suas demais porções. Essa lei associa os anjos ao trono de Deus, bem como cada anjo aos outros anjos. Essa lei também reúne homens e anjos como igualmente sujeitos a um mesmo Soberano. O Decálogo é a expansão dessa lei, adaptada às condições e relações da humanidade. O amor não consiste apenas no cumprimento da lei, pois o amor também é a essência da moralidade do evangelho. Todo ato de obediência evangélica tem ali o seu manancial; sem esse amor, não existe forma aceitável de obediência diante de Deus. Aquele que ama supremamente a Deus não pode ser culpado daquela incredulidade que acusa Deus de ser um mentiroso e não consegue demorar-se a meditar sobre os pecados que tem cometido contra o Senhor sem ser arrebatado por um sincero arrependimento.

Não deveríamos negligenciar a tendência que esse preceito manifesta de produzir um bem universal. Todos reconhecem o quanto a boa ordem e a felicidade da sociedade humana dependem do amor. Se todos os impulsos de bondade fossem expulsos dos corações dos homens, imediatamente este mundo seria transformado em um pandemônio. Porém, o amor que ainda resta neste mundo torna tolerável a nossa existência nele, ao passo que o amor que reina no céu transforma-o em um lugar caracterizado pela felicidade eterna. A perfeita obediência à fundamental lei do amor é suficiente para tornar felizes todas as criaturas. Tal observância abre no peito de cada pessoa um manancial perene de satisfação. Pelo lado de fora, essa observância torna-se merecedora do sorriso aprovador e da bênção de Deus.

Embora a religião caracterizada pelo amor seja ensinada com clareza somente no Livro de Deus, quando a aprendemos ali podemos perceber que ela concorda com a religião natural. Será vantajoso para nós observarmos como as tendências morais de nossa natureza se coadunam, nesse particular, com os ensinamentos da revelação bíblica.

As iniquidades dos seres humanos têm sido um dos motivos das queixas de homens de todas as épocas. Os antigos pagãos lamentavam a degeneração que caracterizava o seu período, fazendo alusão a uma época áurea, perdida no passado remoto, quando a virtude ainda prevalecia. Mesmo nas modernas nações pagãs, paralelamente à depravação que prevalece, resta um certo senso daquela depravação; por toda a parte, admite-se a necessidade ou o desejo de um estado mais virtuoso da sociedade humana. Nos países cristãos, os próprios incrédulos que, em um momento, escarnecem de toda e qualquer manifestação religiosa, põem-se a satirizar, no momento seguinte, a iniquidade da humanidade. O consenso de todos os povos, em cada período da história, é que o desempenho dos homens fica muito abaixo de seus próprios padrões de virtude. Por isso, é necessário — se desejamos adquirir as melhores noções de virtude que a natureza nos pode proporcionar — que nos afastemos para bem distante das práticas de homens malignos e nos voltemos aos sentimentos morais implantados no coração humano, os quais condenam tais práticas e incitam o exercício da mais nobre de todas as virtudes.

É fato bastante conhecido que os homens julgam os atos de seus semelhantes com maior severidade do que as suas próprias ações. Sucede que nossos apetites e paixões interferem com as decisões da consciência quando a nossa própria conduta está sendo sujeita a exame. Portanto, o senso moral da humanidade, em geral, serve de melhor padrão de virtudes do que a consciência isolada de cada indivíduo. Quando se examinam os juízos de outras pessoas, tendo em vista determinar a moralidade das nossas próprias ações, esses juízos tornam-se especialmente dignos de consideração, na medida em que determinam quem será beneficiado ou prejudicado por nossos atos. Segue-se disso que a religião natural aprova aquela regra moral que determina: faze pelos outros aquilo que gostarias que, sob circunstâncias similares, eles fizessem por ti.

Quando as malignidades de outras pessoas interferem com a nossa felicidade, tornamo-nos mais agudamente sensíveis para com a realidade e atrocidade dessas maldades. Por mais vagas e indefinidas que sejam nossas noções de virtude, sempre as conceberemos como se contribuíssem para promover a felicidade de nossos semelhantes. Contudo, não é exatamente cada contribuição à promoção da felicidade alheia que costumamos conceber como tendência virtuosa. O alimento que ingerimos e o leito no qual descansamos tendem a promover a nossa felicidade; ainda assim, não atribuímos qualquer qualidade virtuosa a esses objetos inanimados. Só os agentes racionais e morais manifestam virtudes; a promoção da felicidade precisa ser intencional para que seja reputada como virtuosa.

Existe ainda uma outra limitação. Algumas vezes, os homens conferem benefícios a outros, tendo em vista somente receber de volta maiores benefícios. Sempre que o motivo impulsionador de uma ação qualquer for meramente o benefício que o indivíduo espera obter, o bom senso da humanidade sempre haverá de recusar-se a caracterizar tal ação como virtuosa. Para que uma ação qualquer seja tida como virtuosa, é necessário que haja uma promoção intencional da felicidade alheia, e essa intenção precisa ser desinteressada. A religião natural não nega a existência de um padrão mais elevado de moralidade; apenas assevera que a benevolência desinteressada é virtude e determina a moralidade das ações pelo grau de benevolência desinteressada exibido por elas.

Alguns têm afirmado que o amor-próprio é o princípio fundamental da virtude, seu afeto central, o qual, estendendo-se, a princípio, àqueles que estão relacionados mais de perto conosco, gradualmente se vai ampliando para aquelas pessoas que estão mais distantes, até que, finalmente, se transforme em uma benevolência universal. Tal sistema de moralidade é autocontraditório. Ao mesmo tempo que reivindica ter como alvo a felicidade universal, faz com que o dever de cada indivíduo tenha por finalidade não esse bem público, mas, antes, o seu próprio benefício particular. Sempre que o interesse de outrem entra em conflito com o benefício pessoal, torna-se um dever buscar o interesse próprio, promovendo o interesse do próximo somente até onde isso possa contribuir para o próprio benefício. É verdade que os defensores desse sistema incluem nele a razão humana, como se ela fosse uma influência restringente, supondo os tais que a razão controlará de tal forma o exercício do amor-próprio que obterá como resultado o bem coletivo. De acordo com esse sistema, se, tendo por alvo promover a nossa própria felicidade, praticarmos alguma fraude ou falsidade e nos virmos frustrados na realização de nosso objetivo, poderemos atribuir o nosso fracasso não ao princípio virtuoso que assumimos, movidos pela nossa ação, mas ao fato de que a nossa razão não conseguiu restringi-lo e controlá-lo de modo que viesse a alcançar sua finalidade. Se for argumentado que a consciência não nos permitirá ter a sensação de felicidade por causa daquela prática fraudulenta e falsa, ou que o amor-próprio, ao tomar consciência desse fato, evitará aquelas práticas tão incoerentes com a nossa tranquilidade interior, então, admite-se claramente que a consciência é o princípio mais elevado da nossa natureza, diante do qual as decisões de nosso amor-próprio são obrigadas a ceder.

Visto que a virtude tem por alvo o bem coletivo, forçosamente tem de favorecer os meios necessários para a obtenção desse objetivo. Os governos e as leis civis decretadas e executadas com sabedoria e justiça conduzem grandemente ao bem-estar geral, recebendo, desse modo, a aprovação e o apoio dos homens virtuosos. Se, por acaso, algum indivíduo, por meio de alguma feliz exceção da regra geral, viesse a nascer dotado de mente propensa à virtude, em vez de ter aquelas propensões naturais da humanidade para o egoísmo, e, se essas suas tendências virtuosas fossem aumentadas e desenvolvidas durante seu processo de educação, então, tal indivíduo viveria buscando o bem de todos. Os primeiros benefícios por ele conferidos sem dúvida seriam proporcionados àqueles que estivessem mais próximos dele, embora a sua benevolência desinteressada não parasse nesse ponto. À medida que se familiarizasse com as muitas ramificações da sociedade, também ir-se-iam ampliando os seus desejos e os seus esforços em prol do bem coletivo; o governo civil, leis justas e toda a instituição capaz de beneficiar o povo em geral receberiam dele a mais cordial aprovação. Todo governante sábio e justo e cada indivíduo a ele subordinado que tivessem por alvo promover o bem público seriam objetos de seu apoio. Se continuássemos supondo que os conhecimentos desse indivíduo se expandissem, e que os seus princípios virtuosos se intensificassem cada vez mais, chegando mesmo a abranger um ideal de benevolência universal, e, finalmente, que se apresentasse diante de sua mente a ideia da existência de Deus, isto é, de um Ser dotado de toda a excelência moral possível, como sábio e justo governante do universo, de que maneira o seu coração seria afetado por tudo isso?

De conformidade com essa hipótese, os princípios virtuosos desse indivíduo teriam a oportunidade de manifestar o seu mais elevado exercício, chegando a tornar-se uma devoção religiosa. O glorioso Ser de Deus ocuparia o mais exaltado lugar em sua admiração e em seu amor; a descoberta do fato de que esse Ser divino exerce um domínio universal produziria nele um júbilo indescritível. Ora, tais são as tendências do coração que a própria religião natural nos ensina, e essas são as inclinações que o conhecimento da existência e das perfeições de Deus deveria produzir.

Na Palavra escrita de Deus, aprendemos qual é o nosso dever por um método que é precisamente o oposto do exemplo citado. A existência e o caráter de Deus são expostos imediatamente, e o primeiro e principal de todos os nossos deveres é anunciado de vez: "Amarás, pois, o SENHOR teu Deus de todo o teu coração". Quão sublime e quão apropriado é isso! A mente virtuosa se inclina a acolher essa revelação; sua perfeita harmonia com os mais nobres preceitos da religião natural recomenda-a à nossa compreensão e aos nossos corações. O segundo mandamento, "amarás o teu próximo como a ti mesmo", é apresentado não como um mandamento que conduz ao primeiro, e sim como subordinado ao primeiro. Desse modo, o segundo mandamento assume o lugar apropriado dentro de uma revelação proveniente da autoridade suprema.

Costuma-se dividir o amor em benevolência, beneficência e complacência. À primeira vista, tal classificação pode parecer inconsistente com a simplicidade que tem sido atribuída ao amor. A benevolência é a disposição de se fazer o bem em favor de alguém ou de alguma coisa, e a beneficência é justamente a concessão desse benefício. A beneficência não é amor propriamente dito, mas um efeito ou manifestação do amor. Por sua parte, a complacência inclui a causa motivadora do amor, juntamente com a afeição. O amor pode ser orientado na direção de um objeto indigno, como quando Deus ama aqueles que estão mortos em seus delitos e pecados. Por outro lado, também pode ser exercido em prol daqueles cujo caráter moral os torna dignos objetos desse amor. Nesse caso, visto que o amor é vinculado à aprovação do objeto amado, é chamado de complacência. Quando o amor tem por objeto alguma coisa inanimada, como quando Isaque apreciou o cozido saboroso, o vocábulo usado refere-se ao prazer obtido; mas, quando o objeto do amor é algum ser dotado de sensibilidade, esse termo sempre implica na concessão de alguma satisfação, mesmo quando algum prazer dali se obtém, ou quando se espera algum contentamento como recompensa.

O amor a Deus subentende a cordial aprovação ao seu caráter moral. Seus atributos naturais, como a eternidade, a imensidade, a onipotência etc., podem encher-nos de admiração; mas esses atributos não são, em si mesmos, apropriados para despertar o nosso amor. Se viermos a adorar o Senhor na beleza da sua santidade, essa beleza de santidade haverá de estimular o amor em nossos corações. À medida que for aumentando o nosso conhecimento a respeito dessas perfeições morais de Deus, também ir-se-á ampliando o nosso deleite nelas. O deleite estimulará a pesquisa acerca dessas perfeições morais, bem como uma observância ainda mais diligente dos vários métodos através dos quais essas perfeições se manifestam. A manifestação dessas perfeições divinas, mesmo no caso das mais terríveis exibições da justiça de Deus, será contemplada com um respeito reverente e aprovador. A glória de todas essas perfeições em seu conjunto, conforme elas podem ser contempladas dentro do grandioso esquema de redenção em Cristo, será vista com um deleite incessante e sem diluição.

O amor a Deus inclui a nossa satisfação diante da felicidade de Deus. Deus não é apenas perfeitamente santo, mas é também perfeitamente feliz. Estamos na obrigação de regozijarmo-nos diante da felicidade do Senhor. Quando amamos o próximo, regozijamo-nos com sua felicidade, desejando promovê-la ainda mais. Nada podemos adicionar à já perfeita felicidade de Deus, mas podemos rejubilar-nos diante da felicidade que ele possui. Se nos deleitarmos na felicidade de Deus, haveremos de esforçar-nos por agradá-lo em todas as coisas, fazendo tudo quanto ele nos ordena, procurando pôr em execução os seus planos, a consumação do que está no coração de Deus. Por conseguinte, o amor inclui a obediência aos mandamentos divinos, assim como a resignação e submissão à vontade do Senhor.

O amor a Deus fará o estudo das provas comprobatórias de sua existência parecer uma tarefa agradável, bem como será aprazível a investigação a respeito daqueles gloriosos atributos que o tornam um digno objeto de nosso mais supremo afeto. Daremos início a esse estudo impulsionados pelo santo amor a Deus e motivados pelo intenso desejo de que esse nosso afeto vá aumentando mais e mais.

CAPÍTULO 1

A EXISTÊNCIA DE DEUS

DEUS EXISTE[1]

A doutrina da existência de Deus não é aqui demonstrada como se fosse uma nova verdade. Essa verdade ficou subentendida em todas as páginas anteriores. Entretanto, tendo em vista um arranjo sistemático, sentimos que é apropriado reunir todas essas provas debaixo de um único item. Uma declaração ainda mais incisiva sobre essas provas dará confirmação à nossa fé.

1. Nossa natureza moral demonstra a existência de Deus

Essa natureza moral demonstra harmonizar-se perfeitamente bem com um governo moral. Descobrimos que esse governo atuante dentro de nós e administrado pela nossa consciência concorda com as influências externas que nos afetam, a saber, os juízos e os sentimentos morais dos nossos semelhantes. Esse governo restringe os nossos apetites e paixões. Ainda que essa restrição seja tão mal acolhida, em razão das nossas propensões para a malignidade, cada um de nós sabe que esse governo conduz ao nosso bem-estar.

1 Gn 1.1; Sl 14.1; Mc 12.32; 1Co 8.6; Hb 3.4.

Somos seres morais bem como sociais. As circunstâncias conforme as quais ingressamos neste mundo e as inclinações que já trazemos desde o berço conjugam-se de tal maneira que o estabelecimento da sociedade humana torna-se uma necessidade. As aves ajuntam-se em revoadas; as abelhas, em enxames. Os instintos foram adaptados às relações sociais que as espécies estabelecem. Para os seres humanos, que vivem em sociedade, os princípios morais são indispensáveis. Se cada membro da sociedade dos homens visse banidas as restrições que a sua própria consciência e o senso moral da comunidade lhe impõem, a terra ficaria desolada ou se tornaria um inferno. A força bruta e a astúcia diabólica, sob o domínio das paixões irracionais, tomariam o controle do mundo, povoando-o com as piores desgraças.

Os governos civis originam-se da influência combinada de nossos princípios morais e sociais; a existência desses governos, conforme bem o demonstra a experiência, é algo indispensável para o bem-estar da sociedade. Esses governos têm diferido imensamente no tocante ao seu desempenho e grau de excelência, e alguns povos têm sido administrados da maneira mais injusta e cruel. Não obstante, o pior tipo de governo civil é considerado preferível à anarquia desenfreada.

A noção de um governo moral, tal como o senso de sua necessidade, deriva-se espontaneamente do espírito humano; no entanto, nenhuma variedade terrena de governo satisfaz nossos anseios ou vem de encontro às nossas necessidades. A consciência nos refreia e, se, porventura, desconsiderarmos as suas advertências, ela nos aguilhoará com o remorso. A despeito disso, os homens continuam maus. O sentimento público identifica o vício como uma infâmia; todavia, os homens continuam escravos dos vícios. Os governantes anunciam suas penalidades e os magistrados brandem suas espadas, mas os homens perseveram na iniquidade e com frequência o fazem impunemente. A voz da natureza, que se faz ouvir dentro de cada um de nós, exige alguma forma de governo isenta dessas imperfeições. Se, partindo da ideia de um soberano petulante de uma única tribo ou nação, chegarmos à ideia de um governante moral que controle todas as criaturas inteligentes; se, em lugar de imperfeitos juízos e sentimentos morais que notamos existirem nos corações dos homens, atribuirmos a esse soberano universal todas as perfeições morais possíveis; se atribuirmos ao citado governante moral um conhecimento suficientemente amplo para detectar todo e qualquer crime, bem como um poder suficiente para manifestar a sua desaprovação de uma forma apropriada e eficaz; e, finalmente, se esse exaltado soberano, em vez de ser concebido como distante de cada um de nós, for colocado em relação de companheirismo conosco, de maneira tal que nele vivamos, e nos movamos, e tenhamos a nossa existência, então, reunindo todas essas diversas condições, teremos chegado ao mais sublime conceito de governo moral de que as nossas mentes finitas são capazes. Esse é exatamente o conceito que nos é apresentado naquela proposição que diz: DEUS EXISTE.

A ideia da existência de Deus, como o governante moral do universo, combina-se, com exatidão, com as tendências e demandas da nossa natureza moral. Por outro lado, se não quisermos admitir essa grande realidade, ficarão inteiramente destituídas de explicação tanto as nossas faculdades morais quanto os fenômenos que elas demonstram possuir.

As relações que mantemos com nossos semelhantes oferecem oportunidade de desenvolvimento e exercício dos princípios morais que caracterizam a nossa natureza. Porém, para o pleno desenvolvimento e exercício dos princípios morais, coisa alguma poderá substituir o nosso relacionamento com Deus e com seu domínio universal. Esse exercício de nossos princípios morais é precisamente aquilo de que se constitui a religião. Portanto, a religião é o aperfeiçoamento da moralidade; a existência de Deus é a doutrina fundamental da religião.

2. A existência do mundo, com toda a sua estrutura, confirma a existência de Deus

Se a nossa natureza moral nos permite conceber Deus como o dirigente moral do universo, bem como nos leva à crença em sua existência, nossa natureza intelectual aproxima-se dele como a grande causa primária de todas as coisas. A razão humana acompanha a cadeia de causa e efeito, elo após elo, e descobre que cada elo depende daquele que o antecede. Assim, a razão chega à indagação: do que dependerá essa cadeia em sua inteireza? Para essa pergunta, não se encontra resposta satisfatória enquanto não se admitir a existência de um Ser eterno, autoexistente e independente, que é a causa fundamental de todas as coisas. A mente humana só encontra repouso quando alcança essa conclusão.

O argumento mais constantemente utilizado pela religião natural com o intuito de provar a existência de Deus deriva-se das indicações de um desígnio que se mostra abundantemente na natureza. A adaptação dos meios aos seus fins, bem como a concretização de propósitos através de planos que envolvem uma perfeita habilidade, são visíveis por toda parte. Qualquer plano implica na existência de um planejador. A inteligência planejadora, com frequência, pode ser detectada até mesmo em criaturas destituídas de inteligência; em outros casos, quando pode ser percebida em criaturas inteligentes, sem dúvida não procede das próprias criaturas, porquanto tal inteligência manifesta-se sem o conhecimento delas e opera sem que a controlem. Tal desígnio tem de ser atribuído a uma causa primária inteligente. Esse argumento em prol da existência de Deus reveste-se de um notabilíssimo valor prático, visto que ele é exposto diante de nosso espírito todos os dias e horas, bem como em todas as obras da natureza. Percebemos essa realidade nos raios do sol que transmitem às plantas e aos animais o calor necessário à vida e que fornece luz aos olhos, sem a qual eles seriam completamente inúteis. Manifesta-se também de uma maneira convincente na formação dos olhos dos homens, dos animais, dos pássaros, dos peixes, dos insetos e dos répteis, permitindo a recepção e refração da luz para possibilitar a visão. Essa capacidade puramente mecânica coaduna-se com as leis da ótica, conforme se pode ver na estrutura de um telescópio. Podemos contemplar esse plano universal na chuva que rega e fertiliza o solo, provocando o crescimento da verdura; no gérmen que aflora à superfície da terra, na folhagem que se espalma, na espiga que aparece, no grão que amadurece — em tudo transparece claramente aquele esquema geral que transcende infinitamente à arte humana.

Também percebemos esse plano nos instintos com os quais a galinha choca os seus ovos e cuida dos seus pintinhos; por igual modo, na adaptação de cada uma das espécies de criaturas terrestres, aéreas e aquáticas a seu próprio modo de existência. Tal plano pode ser visto na sucessão dos dias e das noites, nas mudanças das estações do ano, no vento que sopra na atmosfera e no vapor que se ergue nos oceanos e flutua até aos continentes por meio da atmosfera. Também o detectamos nos ossos do esqueleto, cada um adaptado a seu respectivo movimento, assim como nos músculos que permitem esses movimentos, no coração que pulsa, no sangue que circula, no estômago que digere, nos pulmões com seus alvéolos. Em todas as coisas que os olhos podem contemplar ou sobre as quais a mente pode refletir, descobrimos manifestações do poder e da sabedoria do Criador. O coração devoto fica profundamente impressionado diante das múltiplas evidências da existência de Deus, tão abundantemente exibidas em todas as obras de suas mãos, sentindo-se, por isso, incitado à admiração e à adoração. O universo inteiro torna-se um gigantesco templo, permeado com a presença e a glória divinas; cada lugar transforma-se em um altar, sobre o qual podem ser oferecidos ao Senhor holocaustos de louvor e de ações de graças.

3. A doutrina da existência de Deus é confirmada pelo senso comum da humanidade

Houve tribos que desconheciam qualquer literatura e, até certo ponto, viviam quase sem ciência e sem arte, mas a noção da existência de um poder invisível que a tudo controla, juntamente com alguma forma de adoração religiosa, tem-se manifestado de forma quase universal. Quanto a esse particular, o homem distingue-se de todos os seres que povoam o nosso globo. Se, porventura, existisse alguma parcela de nossa espécie humana na qual não se encontrasse a ideia de Deus nem qualquer religião, poderíamos afirmar que essa sociedade teria se brutalizado completamente. Ora, a crença na existência de Deus tem prevalecido de maneira tão generalizada na humanidade que se pode reconhecer nesse fato a própria veracidade dessa doutrina. Se essa é uma antiquíssima revelação, transmitida pelas tradições dos povos, essa revelação provém de Deus, o que, por si só, comprova a sua existência.

4. A revelação divina dissipa todas as dúvidas relativas à existência de Deus

Na Bíblia, a existência de Deus aparece como fato desde o primeiro momento. "No princípio criou Deus os céus e a terra" (Gn 1.1). Essa doutrina é apresentada como um dos princípios fundamentais da religião: "é necessário que aquele que se aproxima de Deus creia que ele existe" (Hb 11.6). A negação dessa realidade é atribuída à insensatez: "Diz o insensato no seu coração: Não há Deus" (Sl 14.1). A Bíblia, como revelação divina, é uma luz que emana do Pai das luzes, sendo, por essa razão, uma prova independente de sua existência. Ao estudarmos as páginas desse livro, na luz dele enxergaremos luz e, assim, as nossas mentes serão dominadas por uma convicção ainda mais definida e permanente, baseada no fato de que ele, a grande fonte de luz, realmente existe.

A perfeita harmonia que se percebe entre religião natural e religião revelada, no que tange às doutrinas, ratifica os ensinamentos de ambas. "Os céus proclamam a glória de Deus e o firmamento anuncia as obras das suas mãos. Um dia discursa a outro dia, e uma noite revela conhecimento a outra noite" (Sl 19.1, 2). Apesar de que os céus e a terra, o dia e a noite manifestam-se em favor de Deus, ele, por sua vez, fala pessoalmente em sua palavra inspirada, confirmando, assim, o testemunho da natureza e completando as instruções que a natureza nos proporciona. A revelação bíblica nunca contradiz nem põe de lado os ensinamentos da religião natural. Deus afirma que "os atributos invisíveis de Deus, assim o seu eterno poder como também a sua própria divindade, claramente se reconhecem, desde o princípio do mundo, sendo percebidos por meio das coisas que foram criadas" (Rm 1.20). Não é com prejuízo da autoridade ou da perfeição das

Sagradas Escrituras que estudamos a religião natural. A própria Escritura nos dirige a esse estudo. "Mas, agora, pergunta aos animais, e ele te ensinarão; pergunta às aves do céu, e elas lhe contarão" (Jó 12.7, A21). O mesmo Deus que fala conosco através de sua palavra escrita também fala conosco por intermédio de suas obras; e, sem importar de que maneira ele esteja falando, deveríamos dar-lhe atenção e receber a sua instrução.

O fato de que os homens negam ou desconsideram a existência de Deus é uma lamentável prova da depravação humana. Acabamos de ler a respeito do insensato que, em seu coração, segreda para si mesmo que Deus não existe. Lemos também sobre nações que se esquecem de Deus e de indivíduos que não o incluem em todas as suas cogitações. Essas pessoas não encontram seu deleite em Deus, e é precisamente por isso que dizem: "Afasta-te para longe de nós. Não desejamos travar conhecimento com os teus caminhos." Para um ateísmo tão intenso, a única cura eficaz é um coração renovado. Contra as ocasionais sugestões das dúvidas próprias do ateísmo, que podem assediar, vez por outra, a um homem piedoso, o remédio é o estudo diligente da Palavra e das obras de Deus, criterioso sinal de suas mãos providenciais e um reconhecimento piedoso e confiante de que ele está envolvido em todos os nossos caminhos. Se temos o hábito de andar na companhia de Deus, jamais haveremos de duvidar de sua existência.

A invisibilidade de Deus é um dos grandes obstáculos para o exercício de uma vívida fé em sua existência. Talvez contribua para a remoção desse obstáculo refletir no fato de que a mente humana também é invisível, afinal; apesar disso, nunca pomos em dúvida a existência da mente. Ouvimos as palavras e vemos as ações de nossos semelhantes, as quais nos indicam qual seja o seu caráter e estado mental, despertando em nós a admiração ou o repúdio, o amor ou o ódio. Se, enquanto estamos ouvindo as palavras de alguém ou observando as suas ações, podemos perceber com clareza a inteligência que está por detrás dessas palavras e dessas ações, por qual motivo não poderíamos, com idêntica clareza, perceber a inteligência de onde procedem todos os movimentos da vasta natureza? Se podemos conhecer, admirar e amar a uma mente humana invisível, é semelhantemente possível conhecer, admirar e amar a um Deus que não pode ser visto.

CAPÍTULO 2

OS ATRIBUTOS DE DEUS

À medida que adquirimos conhecimentos sobre outros seres e sobre as relações entre esses seres e nós mesmos, vamos tendo oportunidade de desenvolver os nossos princípios morais e de exercitar o nosso senso moral. Concorda com os ditames da consciência de cada indivíduo, com os juízos comuns à humanidade e com os ensinos ministrados pela Palavra de Deus o fato de que os sentimentos que exercitamos e as ações que realizamos em favor de outras pessoas deveriam harmonizar-se com o caráter delas e com os relacionamentos que elas têm conosco. Se quisermos realmente compreender os nossos deveres para com o Senhor Deus, teremos de conhecer o seu caráter. Não nos basta acreditar que ele existe; também deveríamos esforçar-nos por adquirir conhecimentos sobre a sua pessoa. Portanto, indagamos com toda reverência: Quem é o Senhor?

1. UNIDADE

Há um só Deus[1]

As nações pagãs têm adorado muitos deuses. Mas o Volume inspirado, da primeira à última página, inculca a doutrina da existência

1 Dt 6.4; Sl 86.10; Mc 12.29, 32; Jo 17.3; Gl 3.20; Ef 4.6; 1Tm 2.5; Tg 2.19.

de um único Deus. Moisés declarou: "Ouve, Israel, o Senhor nosso Deus é o único Senhor" (Dt 6.4). E essa mesma verdade é ensinada no Novo Testamento: "Porquanto há um só Deus e um só Mediador" (1Tm 2.5). E igualmente: "para nós há um só Deus" (1Co 8.6).

Não fica claro que a unidade de Deus pode ser provada pela religião. O argumento mais satisfatório deriva-se da uniformidade de planejamento conforme se vê nas obras da criação. As mesmas leis da natureza prevalecem por toda parte. Ao viajarmos de uma região do mundo para outra, nunca sentimos que estamos ingressando nos domínios de algum outro Senhor. A luz que emana das remotas estrelas possui as mesmas propriedades e obedece às mesmas leis que o sol de nosso próprio sistema planetário.

A prova da unidade de Deus, conferida pela revelação escrita, é clara e decisiva. É verdade que nomes plurais para indicarem a divindade são frequentemente usados nas páginas do Antigo Testamento. Porém, é evidente que o desígnio desses títulos no plural não é o de ensinar a doutrina do politeísmo. Em Deuteronômio 6.4, o vocábulo "Deus" encontra-se no plural, no original hebraico; no entanto, a passagem inteira encerra uma das mais inequívocas declarações da unidade de Deus. Em Gênesis 1.1, o nome "Deus" está no plural, mas o verbo "criou" está no singular. Assim, fica neutralizada qualquer ideia politeísta. Em diversas passagens bíblicas, são utilizados vocábulos no plural quando Deus fala a respeito de si mesmo. "Façamos o homem à nossa imagem" (Gn 1.26); "vinde, desçamos e confundamos ali a sua linguagem" (Gn 11.7); "eis que o homem se tornou como um de nós" (Gn 3.22). Essas passagens, especialmente a última delas, não podem conciliar-se com a doutrina da unidade de Deus, tão repetidamente ensinada em outros trechos, a menos que se suponha que elas subentendem a doutrina da Trindade, a qual será considerada mais adiante.

A unidade de Deus resulta em um só governo moral divino, unificando todos os seus súditos em um único grande império. Essa unidade não nos deixa qualquer dúvida quanto ao Ser a quem devemos a nossa lealdade e fixa um único grande centro no universo, para onde devem convergir todos os afetos do coração humano. Essa unidade tende por unificar o povo de Deus. Assim é que, se temos "um só Deus", igualmente temos "um corpo e um Espírito" (Ef 4.4, 6).

2. ESPIRITUALIDADE

Deus é Espírito[2]

Através de nossos sentidos externos obtemos conhecimento a respeito das propriedades de uma classe de substâncias que chamamos de matéria, tais como: extensão, solidez ou impenetrabilidade, divisibilidade, formato, cor etc. Através da consciência, tomamos conhecimento dos nossos próprios pensamentos e sentimentos; essas ideias atribuímos à determinada origem, chamada mente, a qual é capaz de perceber, relembrar, comparar, ajuizar, raciocinar e querer. A distinção entre essas duas classes de realidades é reconhecida pelo discernimento de todos os homens. Nunca atribuímos a capacidade de pensar ao fogo, ao ar, à terra, à água etc. Jamais concebemos a mente como se fosse quadrada ou redonda, negra ou branca. As capacidades que descobrimos nas nossas próprias mentes também atribuímos às mentes das outras pessoas; facilmente concebemos a existência de tais propriedades em seres pertencentes a uma ordem diferente. O vocábulo "espírito" é empregado

2 Jo 4.24; Is 31.3; Hb 12.9.

para denotar uma entidade imaterial e inteligente, ou um ser, uma entidade destituída das propriedades peculiares à matéria, embora possuidora de propriedades análogas àquelas que caracterizam a mente humana. Nesse sentido, Deus é um espírito. Ele não tem extensão, não é sólido nem divisível, como se fosse uma rocha, uma árvore ou um corpo humano; no entanto, ele pensa e tem vontade própria, e isso livre de qualquer imperfeição.

Os textos escriturísticos que ensinam diretamente a espiritualidade de Deus não são muitos. Mas essa ideia pode ser inferida de Isaías 31.3, onde se lê: "Pois os egípcios são homens, e não Deus; os seus cavalos carne, e não espírito." Nessa passagem, a base do paralelismo é que Deus é espírito. Em Hebreus 12.9, Deus é chamado de Pai dos espíritos: "tínhamos os nossos pais segundo a carne, que nos corrigiam, e os respeitávamos; não havemos de estar em muito maior submissão ao Pai dos espíritos, e então viveremos?" Um pai e seu filho possuem ambos uma natureza comum; assim como o pai de nosso corpo de carne é carne, por igual modo, o Pai de nosso espírito é espírito. João 4.24 ensina expressamente essa doutrina: "Deus é espírito". Esse trecho deveria ser suficiente para provar a doutrina, ainda que ela não fosse reiterada em qualquer outra passagem bíblica.

Não serve de objeção à doutrina o fato de Deus ser descrito como se possuísse um corpo humano com mãos, pés, olhos etc. Como é evidente, todas essas coisas são claras acomodações da linguagem humana, porque não dispomos de vocábulos mais apropriados do que esses para exprimir as operações da mente divina. Se reputamos como inadmissível falar sobre os olhos de Deus, já que ele não possui os órgãos materiais da visão, conforme nós os temos, também seria inadmissível falar da visão de Deus, porque ele não enxerga as coisas por meio da luz física, conforme se dá conosco; ou, então, falar dos pensamentos de Deus, visto que seus pensamentos não são como os nossos pensamentos.

O uso prático dessa doutrina foi ensinado por Cristo Jesus: "Deus é espírito; e importa que os seus adoradores o adorem em espírito e em verdade" (Jo 4.24). Não basta que nos aproximemos de Deus de joelhos dobrados ou com o corpo prostrado; mas as nossas mentes, o nosso coração, todo o nosso ser espiritual devem prestar tal homenagem, para que seja aceitável diante dele.

A espiritualidade de Deus é o alicerce do segundo mandamento do Decálogo: "Não farás para ti imagem de escultura, nem semelhança alguma do que há em cima nos céus, nem embaixo na terra, nem nas águas debaixo da terra. Não as adorarás, nem lhes darás culto" (Êx 20.4, 5). A razão apresentada para explicar esse mandamento foi que, quando os israelitas estiveram diante de Deus, no monte Sinai, não viram qualquer forma (Dt 4.12-18). O Senhor apareceu aos israelitas em nuvens e fogo. Uma coluna de nuvens e de fogo seguia adiante dos israelitas, como sinal da presença divina. Esse sinal também apareceu no tabernáculo e, posteriormente, no templo erigido e dedicado por Salomão. Deus apareceu a Moisés em uma sarça ardente. Porém, não devemos compreender, por causa dessas descrições, que o Senhor seja uma nuvem ou fogo. Essas são substâncias materiais, e não espirituais. Visto que aquilo que é puramente espiritual não pode ser percebido pelos nossos sentidos físicos, Deus agradou-se em empregar esses símbolos materiais para nos dar uma demonstração sensível da sua presença. Por esse motivo, algumas vezes ele apresentava a si mesmo em forma humana.

Em todas essas manifestações materializadas de Deus, registradas no Antigo Testamento, temos razão para crer que a segunda pessoa da divindade é que estava assim se manifestando — a mesma segunda pessoa que veio em carne humana com o nome de Jesus Cristo. Ele é chamado de Anjo do Senhor, de Anjo da presença do Senhor e, ainda, de Jeová. Acrescente-se que ele reivindicou para si aquela reverência devida somente a Jeová. Um mero anjo criado não tem qualquer direito de exibir esse título ou de reivindicar tal honraria. Mas tanto o título quanto a reivindicação à honraria pertencem ao Filho de Deus, o Anjo da Aliança, o qual, após sua encarnação, tornou-se Deus manifestado na carne. Essa posição é confirmada pelo ensino do Novo Testamento: "Ninguém jamais viu a Deus; o Deus unigênito, que está no seio do Pai, é quem o revelou" (Jo 1.18). Concernente a Deus Pai, o Senhor Jesus declarou: "Jamais tendes ouvido a sua voz, nem visto a sua forma" (Jo 5.37). Aos seus discípulos Jesus disse: "Quem me vê a mim, vê o Pai" (Jo 14.9). Desse modo, uma comparação entre essas diversas passagens pode perfeitamente nos satisfazer, no sentido de que todas as manifestações da divindade, diante dos sentidos humanos, visíveis ou audíveis, eram feitas na pessoa do Filho ou Verbo de Deus.

A espiritualidade de Deus contradiz totalmente a noção panteísta de que o universo é Deus. O universo não é espiritual. Oferecer nossas devoções religiosas ao universo é uma idolatria não menos degradante do que a das mais ignorantes tribos pagãs. Os pagãos adoram troncos de árvores e pedras; mas a filosofia panteísta reveste cada torrão de terra com a divindade e diz que a matéria tem direito ao nosso louvor. Os pagãos prestam honras divinas a um pequeno número de seres humanos, os quais, devido a algum mérito extraordinário, são arrolados entre as divindades; essa ideia dirige a nossa adoração na direção errada. O nosso coração devoto deve estar na direção daquela Inteligência indivisível e espiritual, a única a quem devemos prestar a nossa adoração.

A ideia de que Deus é a alma do universo talvez não esteja sujeita precisamente às mesmas objeções. Porém, o que essa proposição significa? O único sentido em que é possível compreender que Deus é a alma do universo é que ele mantém para com o universo uma certa relação análoga àquela que existe entre a alma e o corpo humano. No entanto, até que ponto essa analogia é válida? A alma não criou a matéria de que se compõe o corpo nem amoldou as porções habilidosamente entretecidas daquele admirável mecanismo orgânico, tampouco planejou os seus misteriosos movimentos que agora estuda com admiração e que compreende somente com tão pouco entendimento. A alma humana exerce um controle bastante diminuto sobre o corpo. Os músculos de movimentação voluntária estão debaixo do seu controle e se movimentam às suas ordens; nesse fato, somos capazes de descobrir uma pálida analogia com as operações daquele que fez todas as coisas segundo o conselho de sua vontade e em quem todas as criaturas existem, se movimentam e têm o seu ser. Em nossas comunicações com o ser humano, podemos perceber e reconhecer, nos movimentos de cada membro do corpo, nas alterações da fisionomia de uma pessoa e nas palavras de sua boca, o poder e a inteligência de uma alma humana atuante. Igualmente óbvio, mas infinitamente mais extenso e profundo, é o controle exercido por Deus a cada instante e sobre cada porção do universo. Dotadas de uma apropriada concepção da espiritualidade de Deus e de seu controle sobre o mundo e tudo o que há nele, as nossas mentes estabelecem comunicação com a mente de Deus de uma maneira tão direta e indubitável como aquela que mantemos com as mentes de nossos semelhantes humanos, e isso de uma maneira mais constante, mais enobrecedora e mais satisfatória.

3. IMENSIDADE E ONIPRESENÇA

Deus está em todos os lugares[3]

Cada objeto material do universo encontra-se em um lugar. O sol ocupa seu próprio lugar, assim como o globo terrestre, cada grão de areia e cada gota de água. As gotas de água podem ficar alterando perpetuamente a sua posição; porém, a cada instante, cada gota ocupa o seu próprio lugar, com exclusão de qualquer outra matéria existente no universo.

No conceito que fazemos da mente humana, também lhe determinamos algum lugar, embora de maneira diferente, porque não lhe atribuímos comprimento, largura e altura, segundo costumamos fazer com algum bloco de mármore, que pode ser medido por meio de metros e centímetros. Mas concebemos que a mente está presente no corpo humano, vinculada a ele e ausente de qualquer outro corpo com o qual não está vinculada. A mente de cada pessoa sofre a influência das impressões captadas pelos órgãos dos sentidos, pertencentes ao seu próprio organismo, e atua, mediante as suas volições, sobre os músculos do movimento que pertencem a esse organismo. De acordo com esse ponto de vista, concebemos cada mente como presente em seu corpo humano, e não em algum outro lugar. Concebemos também a alteração de lugar da mente apenas por meio de uma mudança de lugar do corpo e enquanto existir sua conexão com ele.

Quando concebemos seres espirituais finitos, como os anjos, também atribuímos a eles algum lugar; pois suas atividades, embora não confinadas como a mente humana a um corpo específico, são, todavia, limitadas. Esses conceitos concordam com os ensinamentos bíblicos, nos quais os anjos são apresentados como seres que se

3 1Rs 8.27; Sl 139.7; Jr 23.23.

movem de um lugar para outro, a fim de executarem a vontade de seu Soberano. Assim foi que um anjo veio até Daniel (Dn 9.23) e até Pedro (At 12.7), como também um deles é apresentado a atravessar voando a expansão do céu (Ap 14.6).

Não devemos conceber a onipresença de Deus como física. Afirmamos que a atmosfera se encontra em cada porção da superfície terrestre, mas isso não concorda com a estrita realidade dos fatos. Não é a totalidade, mas tão somente uma pequena porção da atmosfera que está presente em cada local, ao passo que Deus é indivisível. Não podemos dizer que uma porção de sua essência está aqui e que outra porção está lá. Se essa fosse a maneira da onipresença divina no espaço universal, ele estaria infinitamente dividido, e apenas uma porção infinitamente pequena de seu Ser estaria presente em cada lugar. Também não seria a divindade inteira que conheceria as nossas ações e que ouviria nossos pedidos. Tal noção é extremamente desfavorável para a piedade e contrária ao verdadeiro sentido da Bíblia: "Os olhos do SENHOR estão em todo lugar, contemplando os maus e os bons" (Pv 15.3). "Porque os olhos do Senhor repousam sobre os justos, e os seus ouvidos estão abertos às suas súplicas" (1Pe 3.12).

Nas Escrituras, há passagens que aludem ao fato de que Deus se move de um lugar para outro; que ele se aproxima de um lugar ou vai-se dali; que ele reside no céu, mas pode avizinhar-se de seu povo, fixando residência entre eles. Essas passagens são claras acomodações da linguagem humana. Elas aludem às manifestações de sua presença em várias obras e dispensações, nas quais tais mudanças ocorrem e que são, de forma mais apropriada e impressionante, expressas nessa linguagem.

Quando rebatemos a ideia da onipresença física de Deus como se a sua essência estivesse dividida e difusa, ou quando dizemos que a divindade inteira está presente em toda a parte, mediante a sua energia e operação, não se deve compreender com isso que negamos a onipresença essencial de Deus. Pois, sem importar a maneira exata como a sua essência esteja presente em toda a parte, o fato é que ela se manifesta em toda parte. Qual seja o modo exato das manifestações dessa presença, não o sabemos. Não conhecemos a essência da mente humana nem a maneira como a mente se faz presente no corpo. Muito menos ainda podemos entender a essência do Deus infinito ou o modo como se manifesta a sua onipresença.

A essa incompreensível propriedade da natureza divina foi dado o título de "imensidade", mediante a qual ele é capaz de estar totalmente presente, ao mesmo tempo, com cada uma de suas criaturas, sem nenhuma divisão de sua essência e sem a remoção de um lugar para outro. A essência de Deus é imensa e sem medida, ou seja, é incomensurável. É incomensurável por ser espiritual e, portanto, sem dimensões que possam ser medidas em metros e centímetros; porque desconhece limites em qualquer sentido em que lhe atribuamos dimensão. O tempo também possui uma dimensão que não pode ser medida em termos de metros e centímetros. A respeito do tempo podemos afirmar que é algo onipresente; pois o mesmo momento ocorre na Europa e nas Américas, em Saturno ou bem no interior da Terra. Todavia, a onipresença do tempo não explica a onipresença de Deus, embora possa ajudar-nos a admitir a possibilidade de uma onipresença sem divisão de essência ou sem qualquer remoção de um lugar para outro. Não obstante, a onipresença do tempo ainda não constitui imensidade, pois o tempo tem a sua medida, e um momento de tempo não é a mesma coisa que a eternidade.

A glória e a dignidade de Deus não são depreciadas diante do fato de que ele está presente em todos os lugares. Existem lugares imundos, onde os seres humanos preferem não estar; esses lugares não afetam a divindade da mesma forma que afetam os seres humanos. Os raios de sol são projetados sobre esses lugares imundos sem sofrerem contaminação por isso; o Deus santo também não pode ser contaminado por causa desses lugares. Existem cenas repletas de iniquidade de onde qualquer homem piedoso se afastará revoltado, e, de acordo com a linguagem figurada das Escrituras, Deus é "tão puro de olhos" (Hb 1.13) que não pode contemplar o mal. Não obstante, noutra passagem, uma linguagem menos figurada nos diz que os olhos de Deus contemplam tanto o mal quanto o bem, apesar de abominar certas coisas.

O indivíduo que acredita sinceramente na onipresença de Deus não pode estar indiferente para com as questões religiosas. Perceber que o governante moral do universo está sempre próximo, em toda a sua santidade e poder, e tão presente, como se ele não estivesse em qualquer outro lugar, é algo que forçosamente desperta em nós uma certa ansiedade. Quando o senso de culpa oprime alguém, tal senso torna-se um companheiro simplesmente intolerável. O indivíduo culpado esforça-se por fugir da presença de Deus, à semelhança do que Jonas fez. A doutrina da onipresença de Deus ensina-nos que qualquer tentativa dessa ordem é totalmente inútil. O poder da consciência, que atormenta o indivíduo culpado por onde quer que vá, é terrível, e a presença do Deus ofendido, cuja ira ele agora teme, é ainda pior. Para a alma que já se reconciliou com Deus, entretanto, essa doutrina está repleta de consolo. Em todos os lugares, em quaisquer condições, é motivo de consolo e de júbilo indizíveis termos conosco um amigo Todo-Poderoso e um Pai bondoso. Não precisamos temer, embora tenhamos de atravessar um incêndio ou uma inundação, porque Deus está conosco. Mesmo no vale da sombra da morte não precisamos temer qualquer mal. Em cada circunstância e provação, saber que Deus está presente conosco contribui para conduzir-nos à santificação.

4. ETERNIDADE E IMUTABILIDADE

Deus é eterno[4]

Dentro do conhecimento que temos dos objetos que nos circundam, incluímos não somente o seu estado presente, mas também a sua existência contínua e as modificações pelas quais passam. Algumas coisas atravessam o campo de nossa visão como figuras que duram apenas alguns instantes; mas há outras, como as rochas, o sol, as estrelas etc., que duram por muitas e muitas gerações. Poucas criaturas vivas têm um período de vida tão longo quanto o homem; no entanto, a brevidade da vida humana é comentada diariamente pelos homens e por impressionantes declarações bíblicas (1Cr 29.15; Jó 7.6; 9.25, 26). A duração da divindade é posta em contraste com tudo isso: "Dá-me a conhecer, Senhor, o meu fim, e qual a soma dos meus dias, para que eu reconheça a minha fragilidade. Deste aos meus dias o comprimento de alguns palmos; à tua presença, o prazo da minha vida é nada" (Sl 39.4, 5). Mil anos cobrem a duração de muitas gerações da humanidade; a despeito disso, em comparação com a eternidade de Deus, são "como o dia de ontem, que se foi, e como a vigília da noite" (Sl 90.4). O dia de amanhã, apesar de ser ainda um prazo futuro, pode parecer à nossa vista um período de considerável duração; mas o dia de ontem, visto que já se esvaiu, quão breve foi! Uma só das horas do dia, repleta de grande variedade de acontecimentos que talvez requeiram horas para serem narrados, torna-se longa em nossa impressão; contudo, quão breve é uma hora, quão contraída é uma noite, quando dormimos e despertamos, sem sequer saber que o tempo se escoava!

4 Dt 32.40; 33.27; Sl 9.7; 102.27; 146.10; Is 57.15; 63.16; Jr 10.10; Lm 5.19; 1Tm 1.17.

A fim de aguçar a nossa compreensão sobre a eternidade de Deus, ela é posta em contraste com a duração das coisas naturais que parecem dotadas de maior estabilidade: "No princípio, Senhor, lançaste os fundamentos da terra, e os céus são obras das tuas mãos; eles perecerão; tu, porém, permaneces; sim, todos eles envelhecerão qual vestido; também, qual manto, os enrolarás, como vestidos são igualmente mudados; tu, porém, és o mesmo, e os teus anos jamais terão fim" (Hb 1.10-12).

No entanto, depois que já expandimos ao máximo os nossos conceitos, ainda assim, eles não conseguem abranger tão vasto assunto. Esticamos os nossos pensamentos para frente e para trás, mas, ainda, em nosso horizonte, não aparecem nem o começo, nem o fim da existência de Deus. A fim de aliviar a nossa tão sobrecarregada imaginação e pormos um ponto final ao esforço de tentar compreender aquilo que é incompreensível, introduzimos, então, a ideia negativa — não houve começo nem haverá fim.

Que tudo teve início — exceto a pessoa de Deus, é óbvio — é uma doutrina que faz parte da revelação bíblica: "No princípio criou Deus os céus e a terra" (Gn 1.1). Essa é uma doutrina que a filosofia nunca pôde contradizer. Porém, existem determinadas manifestações de propósito até mesmo na matéria desorganizada, vistas nas muitas variedades e quantidades existentes e até mesmo na utilidade para a qual cada tipo de matéria foi adaptado. Se a matéria é eterna, ou se ela é produção do mero acaso, por que toda ela não pertence a um único tipo? Por que são essas variedades, juntamente com suas respectivas quantidades, proporcionais umas às outras, tão evidente resultado de algum propósito? A revelação bíblica fornece resposta a essas perguntas através de uma declaração: "Que variedade, SENHOR, nas tuas obras! Todas com sabedoria as fizeste" (Sl 104.24).

Ao contemplarmos Deus como a causa primeira, consideramos que a sua existência jamais foi causada. Quando nos voltamos para as infindas expansões do passado, procurando encontrar alguma existência que não tenha tido começo, somos forçados a ir examinando, um por um, os elos de uma longa sucessão de causas e efeitos até chegarmos a uma existência que não foi causada: Deus! Insatisfeitos com a ideia meramente negativa, existência sem causa, homens eruditos têm procurado designar uma certa causa à existência de Deus, apresentando-a como a causa de si mesma ou como se ela incluísse em si mesma a sua própria causa. Eles expressam essa ideia dizendo que Deus é o autoexistente. Tal expressão acomoda-se à nossa tendência de filosofar; mas talvez não nos transmita nenhum outro pensamento inteligível senão aquele de que a existência de Deus não tem nenhuma causa.

Uma outra expressão filosófica, Deus existe *por necessidade*, parece possuir algum significado profundo. Mas, quando labutamos por explorar a verdadeira profundidade do assunto, talvez não sejamos capazes de descobrir outra ideia inteligível senão aquela que afirma que Deus existe e sempre existiu. A existência de Deus sempre tornou impossível a sua não existência, pois é impossível que uma coisa exista e não exista ao mesmo tempo. Se a filosofia se puser a investigar por detrás da existência de Deus, à procura de alguma causa que tenha tornado necessário o seu Ser, estará desviando-se de sua legítima área de investigação. Permitimos que a filosofia procure acompanhar as relações de causa e efeito até onde essas relações possam ser encontradas; entretanto, quando a filosofia tiver chegado até à existência não causada do Eterno, deveremos dizer-lhe: até este ponto poderás seguir, mas não além!

A eternidade de Deus tem sido definida como existência sem começo, sem fim e sem sucessão. Para nós, o tempo tem os aspectos de passado, presente e futuro; contudo, acredita-se que a existência de Deus consista em um perpétuo "agora". O tema está muito acima de nossa compreensão, embora seja perfeitamente razoável concluirmos que o modo da existência de Deus difere do modo de nossa própria existência, pelo menos no que diz respeito ao tempo e ao espaço. Visto que o Senhor existe igualmente em cada ponto do espaço, sem divisão alguma em sua imensidade, por semelhante modo, ele existe em cada instante do tempo sem qualquer divisão em sua eternidade. É provável que essa ideia deva ser entendida na declaração bíblica que diz: "o Sublime, que habita a eternidade" (Is 57.15). Nós vivemos dentro do tempo, uma moradia que contém vários compartimentos. Vamos passando de uma para outra dessas dependências por sua ordem. No entanto, a habitação de Deus é dentro de uma eternidade destituída de divisões. O nosso período de vida tem a suas divisões, como infância, meninice, juventude, idade adulta e velhice; a vida de Deus não pode ser dividida quanto à sua existência.

Deus é imutável[5]

A doutrina da eternidade de Deus e a doutrina de sua imutabilidade formam um par quase inseparável; assim como a eternidade de Deus exclui a ideia de sucessão, também exclui a toda a possibilidade de mudanças. A imutabilidade aplica-se não somente à essência divina, mas também aos seus atributos. A espiritualidade de Deus é sempre a mesma, a sua onipresença é sempre a mesma, e isso também se dá com todos os seus demais atributos. Observe-se que o propósito

5 Nm 23.19; Sl 102.27; Mt 3.6; Hb 1.12; 13.8; Tg 1.17

de Deus também não sofre variações; por isso, é chamado de "o eterno propósito" (Ef 3.11). Deus assevera: "O meu conselho permanecerá de pé" (Is 46.10). Em certo ponto, as Escrituras chegam a declarar que Deus se arrependeu; no entanto, exatamente naquele capítulo onde isso foi dito por duas vezes, também é afirmado: "A Glória de Israel não mente nem se arrepende; porquanto não é homem, para que se arrependa" (1Sm 15.29). Não podemos supor agora que o escritor sagrado tivesse a intenção de contradizer a si mesmo de forma tão clara, no espaço de alguns poucos versículos. Assim, em acomodação ao nosso modo de falar, é dito que Deus se arrepende quando ele efetua alguma mudança em suas ações, o que, na esfera humana, teria sido produzido pelo arrependimento.

Nos homens, o arrependimento envolve aflição mental e modificação nas atitudes. A aflição é incoerente com as perfeições de Deus, ao passo que a modificação das atitudes não é. A destruição do mundo por meio do dilúvio, assim como a criação no princípio de tudo, não indicou qualquer mudança em Deus. Cada um desses atos divinos efetuou colossais modificações, mas, em ambos os casos, Deus mesmo permaneceu imutável. Nenhuma outra forma de linguagem poderia representar, de maneira mais impressionante, o quanto Deus abomina a iniquidade dos homens, a ponto de enviar o dilúvio, como aquela utilizada pelo escritor sagrado: "Então se arrependeu o Senhor de ter feito o homem na terra, e isso lhe pesou no coração" (Gn 6.6).

Quando consideramos a brevidade da vida humana, as incessantes alterações de tudo quanto nos circunda neste mundo, bem como as mudanças dentro de nós, enquanto vamos passando do berço para a sepultura, bem podemos exclamar, volvendo os olhos para o alto, ao Deus eterno e imutável: "Que é o homem, que dele te lembres? Ou o filho do homem, que o visites?" (Hb 2.6). O senso de nossa comparativa nulidade muito contribui para o nosso senso de humilhação. A visão da eternidade e da imutabilidade de Deus é necessária para o devido exercício de nossa confiança nele. É pura insensatez confiarmos na insegurança das riquezas e nas coisas que perecem com o uso; porém, é demonstração de sabedoria confiar no Deus vivo. Os homens com quem temos comunhão estão desvanecendo-se; a vida está sujeita a uma condição de perpétua mudança. Em todas as nossas relações para com as coisas terrenas, é como se estivéssemos à superfície de um oceano que nunca cessa de agitar-se. Mas Deus é uma rocha inabalável em meio às águas turbulentas; enquanto mantivermos uma inquebrantável confiança nele, os nossos pés permanecerão firmes e poderemos contemplar todo o cenário conturbado ao nosso redor, sem jamais desmaiarmos. Os homens idosos são merecedores do nosso respeito, e seus conselhos alicerçados sobre a sua longa experiência devem ser altamente considerados. Quem não reverenciará o Ancião de Dias, o Deus eterno? Quem rejeitará o conselho daquele "cujas origens são desde os tempos antigos, desde os dias da eternidade?" (Mq 5.2).

A imutabilidade de Deus tem sido empregada por algumas pessoas como desculpa para não dirigirem orações ao Senhor. Essa atitude, porém, está baseada em um equívoco. Mesmo que a outorga ou a negação das bênçãos almejadas não fossem afetadas pelas nossas orações, ainda restariam suficientes motivos para oferecermos petições constantes a Deus. O sentimento de devoção é aceitável aos olhos de Deus e proveitoso para a alma. Se a oração é impotente para trazer Deus até a alma, pode, pelo menos, levar a alma a Deus. Um homem em um bote, sobre águas rápidas e ameaçadoras, pode ser resgatado por meio de uma corda atirada de um barranco. Ao começar a puxar a corda, caso a rocha em que está presa a outra ponta não se aproximar do bote, este se aproximará da rocha. Por semelhante modo, a oração aproxima a alma de Deus.

A verdade, entretanto, é que a outorga ou a negação de uma bênção desejada é afetada pelas nossas petições ao Senhor. Embora Deus seja imutável, suas operações modificam-se quanto ao efeito que produzem sobre as criaturas, em conformidade com o caráter e circunstâncias voláteis delas. O mesmo sol que endurece a argila amolece a cera. Adão desfrutou do favor divino enquanto não caiu no pecado; depois, ficou sob o desprazer de Deus. Quando uma pessoa qualquer se converte, sai de debaixo da ira de Deus e vai para o estado favorecido pelo Senhor. A partir desse momento, todas as coisas cooperam juntamente para o seu bem. Em tudo isso, porém, Deus em nada muda. No passado, Deus proporcionou bênçãos em resposta às orações dos homens, e sua imutabilidade nos encoraja à esperança de que ele continuará agindo assim. O plano completo de Deus foi arranjado de tal maneira, em sua infinita sabedoria, que muitas das suas bênçãos são outorgadas exclusivamente em resposta às nossas orações. A conexão entre a oração e a doação das bênçãos solicitadas é tão fixa pelo propósito divino como o é aquele entre causa e efeito no âmbito das coisas naturais. Por conseguinte, a imutabilidade de Deus ao invés de servir de motivo para nos restringirmos em nossas orações, torna a oração indispensável. As nossas débeis petições produzem o devido efeito diante de Deus quando estão em consonância com o seu propósito imutável. Negar essa possibilidade equivale a negar a eficácia da intercessão de Cristo em nosso favor.

5. ONISCIÊNCIA

Deus sabe todas as coisas[6]

Devido à sua estupidez, os homens têm adorado deuses de madeira e pedra, ídolos que, tendo olhos, não veem e, tendo ouvidos, não ouvem; porém, o Deus que a Bíblia nos apresenta é o Deus de todo o conhecimento (1Sm 2.3). A própria religião natural ensina que o criador e governante do mundo deve ser um ente inteligente; a degradante idolatria de aves, quadrúpedes e répteis que se arrastam pelo chão é uma aberração diante da mente humana, tanto quanto é um erro em face da revelação bíblica.

Não podemos compreender o **modo** ou a natureza do conhecimento de Deus. A Escritura e a nossa razão aliam-se no ensino de que os pensamentos do Senhor não são como os nossos. Derivamos nosso mais preciso conceito do conhecimento possuído por Deus ao examinarmos as nossas próprias operações mentais. Contudo, cumpre-nos cuidar para não imaginarmos que Deus é inteiramente semelhante a nós quanto a esse particular. Assim como Deus difere de todas as criaturas no tocante ao modo de sua presença e de sua duração, assim também difere de todos os outros seres inteligentes quanto ao seu modo de conhecimento.

Deus não *adquire* conhecimentos tal como nós o fazemos. Tomamos conhecimento de objetos externos através dos sentidos físicos que possuímos; Deus não tem corpo nem órgãos de sentidos como os nossos. Aprendemos as relações menos óbvias que há entre as coisas mediante o processo do raciocínio, com frequência cansativo e entediante; Deus, porém, não exerce qualquer esforço para adquirir conhecimentos nem gasta tempo para obtê-los. Todas as

6 Jó 37.16; Sl 147.5; Is 42.9; 46.9, 10; At 1.24; Rm 11.33; Hb 4.13; 1Jo 3.20.

coisas estão nuas e patentes aos seus olhos (Hb 4.13). Aprendemos muitas coisas por meio do testemunho de outras pessoas; Deus não depende de informações prestadas por quaisquer de suas criaturas. Obtemos conhecimento de nossas próprias operações mentais por intermédio da percepção. Visto que isso se dá sem qualquer processo de raciocínio, independe de nossos sentidos físicos e ocorre sem o concurso do testemunho de outras pessoas, podemos derivar disso nossos melhores conceitos acerca de como Deus conhece as coisas. Todas as coisas que Deus conhece encontram-se perante a sua mente de forma tão imediata e completa como os estados e operações de nossa mente estão diante da nossa percepção. Ainda assim, as nossas melhores noções ficam infinitamente aquém desse assunto deveras incompreensível. Assim como os céus são mais elevados do que a terra, os pensamentos do Senhor são mais elevados do que os nossos (Is 55.9).

Deus não *possui* seus conhecimentos à nossa maneira. O grande armazém de nossos conhecimentos é a memória, uma faculdade admirável com a qual todas as mentes humanas foram dotadas. Sem a memória, todo e qualquer conhecimento logo se evaporaria da nossa mente, tal qual a imagem refletida em um espelho desaparece quando sai da frente dele o objeto que a produz. Contudo, se a duração de Deus desconhece sucessão, no caso dele, não há passado a ser relembrado. Por essa razão, para ele, a memória é algo inteiramente diferente do que sucede conosco. Todo o seu modo de existência difere tanto do nosso que não podemos atribuir-lhe faculdades humanas sem degradar a sua divindade.

Em nosso estudo sobre os atributos de Deus, é muito importante que não nos esqueçamos de que todos eles são incompreensíveis para nós. Deveríamos agir assim não somente com o propósito de nos humilharmos, mas a fim de nos resguardarmos de inferências equivocadas, as quais estamos sujeitos a extrair de nossas noções imperfeitas da divindade. É deveras instrutivo observarmos até que ponto os elementos desses conceitos se derivam do que sabemos a respeito das nossas próprias mentes. Nenhuma combinação de tais elementos é capaz de nos dar conceitos adequados da mente eterna e infinita. As próprias Sagradas Escrituras, que nos revelam a pessoa de Deus, não nos suprem com conceitos elementares necessários à obtenção de um perfeito conhecimento acerca de Deus. As Escrituras falam aos seres humanos utilizando-se da linguagem humana, e o conhecimento que elas nos transmitem é suficiente para as nossas atuais necessidades e capaz de nos tornar sábios para a salvação. No entanto, não deveríamos nos esquecer de que a linguagem humana não pode expressar o que a mente humana é incapaz de conceber, e, portanto, essa linguagem não pode transmitir-nos um perfeito conhecimento da divindade.

Grande parte do conhecimento humano consiste em meras negações. Frequentes exemplos desse fato ocorrem em nosso estudo sobre os atributos divinos. Não podemos saber no que consiste a espiritualidade de Deus, mas sabemos que não é matéria. Por igual modo, não podemos compreender a natureza da eternidade de Deus; entretanto, em nosso esforço para a compreendermos, esticamos ao máximo as nossas noções positivas sobre a duração do tempo e, finalmente, encontramos alívio somente em ideias negativas — sem princípio, sem fim e sem sucessão. Essa série de negações testificam acerca da imperfeição de nossos conhecimentos. O conhecimento possuído por Deus é direto e positivo. Ele não busca qualquer alívio mental nas negações que achamos tão convenientes.

Deus não *usa* o seu conhecimento conforme nós o fazemos. A fim de que orientemos apropriadamente as nossas ações, é necessário o conhecimento tanto sobre as coisas realmente existentes quanto sobre as coisas de existência meramente possível. Nossas mentes são possuidoras de ambas essas variedades de conhecimento, mas somente em extensão limitada, utilizando-as de uma forma imperfeita.

No estudo da história e da geografia, adquirimos conhecimentos a respeito das coisas que existem ou que já existiram dentro da realidade. A matemática aborda as quantidades, e a geometria as magnitudes; entretanto, essas ciências não nos ministram lições sobre a existência real das coisas. Ao considerarmos casos hipotéticos, as nossas mentes são capazes de determinar o que poderia existir mediante um raciocínio alicerçado sobre as relações abstratas e sobre as propriedades das coisas. Por meio desse processo, o nosso conhecimento estende-se ao limite das coisas possíveis. Esse tipo de conhecimento é necessário à nossa volição e, portanto, às nossas ações voluntárias. Se apenas uma coisa fosse possível, não haveria espaço para qualquer seleção entre alternativas. Contudo, precisamos saber quais são as possibilidades antes de podermos escolher entre elas.

Deus, por sua vez, tem um perfeito conhecimento do que é possível, porquanto todas as coisas dependem do seu poder. Além disso, Deus tem um perfeito conhecimento das coisas reais, e essas dependem de sua vontade. Ele sabia quantos mundos poderia criar, como também quantas espécies vegetais e animais. Então, dentre todas as possibilidades, ele selecionou quais mundos, plantas e animais haveriam de existir. De acordo com nossa maneira de conceber as coisas, o conhecimento da possibilidade precede à vontade ou ao propósito de Deus, derivando disso o conhecimento das coisas reais. Entretanto, não nos atrevemos a afirmar que existe qualquer sucessão de pensamentos na mente divina. Por isso, não podemos compreender como Deus utiliza seus conhecimentos em seu conselho ou em seus atos.

A extensão do conhecimento de Deus

A extensão do conhecimento de Deus é ilimitada. Deus conhece todas as coisas — todas as coisas possíveis e todas as coisas reais. Ele conhece a si mesmo de uma maneira perfeita, embora não seja plenamente conhecido por nenhum outro ser. Os atributos divinos, que em vão procuramos compreender, ele entende perfeitamente. Os caminhos de Deus, que, para nós, são insondáveis, por ele são conhecidos com perfeição desde o princípio das suas obras. Todas as criaturas estão patentes diante dele, bem como tudo quanto a elas diz respeito: os anjos dos céus, os homens que povoam a terra e todas as outras criaturas, incluindo os minúsculos pardais e os filhotes de corvo, aos quais ele conhece e dos quais cuida zelosamente. Deus também compreende os pensamentos de todas as mentes e sonda os segredos de cada coração.

Todos os acontecimentos que já ocorreram, estão ocorrendo ou ainda ocorrerão — passado, presente e futuro — são conhecidos por Deus. A Bíblia assegura que Deus relembra os eventos passados; ele reivindica para si a presciência sobre os acontecimentos futuros, desafiando os deuses falsos a se compararem com ele (Is 41.22). A presciência divina a respeito dos acontecimentos futuros é comprovada pelas numerosas predições contidas nas Escrituras, o que demonstra que tais predições procederam de Deus. Para distinguir quais profetas eram realmente da parte do Senhor, os israelitas foram instruídos a observar se as suas predições realmente se cumpririam (Dt 18.22). O conhecimento prévio sobre esses eventos futuros não poderia ter sido transmitido por Deus aos seus profetas, caso ele mesmo não fosse possuidor desse conhecimento.

Não nos é dado entender o *modo* como Deus exerce sua *presciência*. Ele vê as coisas presentes não conforme o homem as vê e relembra o passado não da mesma forma como o faz a memória humana. Por conseguinte, não é surpreendente que não sejamos capazes de compreender como subsiste o conhecimento divino, especialmente no caso de sua presciência, porque é nesse ponto em que menos nos assemelhamos a ele. Temos algum conhecimento do presente e do passado, mas, no que tange ao futuro, não dispomos de qualquer conhecimento absoluto. Sabemos da existência de certas causas e delas podemos inferir que transcorrerão determinadas ocorrências futuras; mas não somos possuidores de nenhuma forma de presciência real acerca dos eventos futuros. Isso deve-se ao fato de que outras causas, sobre as quais agora não temos consciência, poderão intervir no fluxo dos acontecimentos, desapontando toda a nossa expectativa.

Os fenômenos da natureza, que, com grande confiança, esperamos que sucedam, tais como o aparecimento do sol no horizonte ou a ocorrência de um eclipse lunar, só podem ser previstos com a condição de que as atuais leis da natureza continuem operando, sem qualquer mudança ou suspensão. Porém, o Autor do universo pode intervir, alterando a presente ordem das coisas. Supondo-se que Deus tem um perfeito conhecimento de cada uma das causas atualmente em operação, que existem leis fixas que determinam a sucessão dos acontecimentos, e que Deus conhece perfeitamente essas leis, podemos, então, entender que Deus é capaz de predizer, de forma infalível, o que virá a suceder. Nenhum outro, além dele, pode interferir na ordem das coisas que ele mesmo estabeleceu. Podemos conceber essa forma de presciência até certo ponto.

Entretanto, a suposição que nela está envolvida – de que todos os acontecimentos ocorrem de acordo com uma ordem ou sequência preestabelecida – é justamente o que muitos pensadores não se dispõem a admitir. Eles asseveram que os eventos dependentes da volição dos agentes livres não ocorrem assim; portanto, dizem que tais eventos não podem ser conhecidos de antemão.

Existem ainda outros que, tendo adotado a posição acima mencionada, negam que Deus seja capaz de prever os eventos futuros, sempre que esses eventos dependerem da volição humana. Não obstante, eles conferem a Deus o atributo da onisciência, compreendendo-o como *o poder de saber todas as coisas*. Eles afirmam que, assim como a onipotência divina dá a entender que Deus tem o poder de realizar qualquer coisa, mesmo que não chegue a fazê-las, assim também a divina onisciência significa que ele tem a capacidade de saber todas as coisas, embora sem tomar conhecimento delas. Todavia, como é evidente, esse conceito envolve um erro de linguagem. Pois, visto que a onipotência abarca todo o poder, por igual modo, a onisciência abarca todo o conhecimento. Mas Deus não possuiria verdadeira onisciência se possuísse tão somente a capacidade de saber, sem tomar posse do próprio conhecimento. De acordo com aquela teoria, poderia ser questionado até mesmo se Deus possui a capacidade de saber. O poder de Deus poderia ter excluído tais contingências; mas, ao abrir a porta, é difícil compreender como qualquer poder seria capaz de prever quais coisas entrarão por ela, se, pela própria natureza, tais coisas são imprevisíveis.

No entanto, a mais forte objeção possível contra essa teoria jaz no fato de que ela é contrária aos fatos. Deus tem predito muitíssimos acontecimentos que dependem de inúmeros atos de volição dos agentes livres, o que significa que, sem a menor sombra de dúvida,

Deus deve ter tido conhecimento prévio desses atos. Os que advogam essa teoria, opinando que a duração de Deus é um eterno "agora" e que, estritamente falando, não há em Deus nem presciência nem conhecimento posterior, fixam limites muito estreitos à onisciência divina. Pois, se o conhecimento de Deus é imutável, e se ele não tem presciência sobre as contingências, ele não pode ter conhecimento posterior. Contudo, a história inteira da humanidade está subordinada às contingências, fartando-se delas e de acontecimentos que delas dependem. Se essa teoria fosse verdade, todas essas contingências formariam um ponto cego na visão de Deus. Os homens poderiam conhecer sua própria história, registrada em dez mil volumes; não obstante, Deus nada saberia acerca desses acontecimentos, porquanto, embora possuidor da capacidade de saber, supostamente ele teria desistido do direito de exercer tal capacidade. Como, pois, poderia Deus julgar o mundo?

Os seres humanos dispõem de duas maneiras para tomarem conhecimento dos eventos passados: uma delas, através da memória; a outra, inferindo a existência desses eventos com base nos efeitos que se seguiram. Assim é que um indivíduo se lembra de que certo edifício foi incendiado, já que foi testemunha das chamas que o consumiram; no entanto, outro fica sabendo que o incêndio ocorreu por contemplar as cinzas que restaram. No primeiro caso, a memória repisa o caminho palmilhado pela passagem do tempo; no segundo, a razão traça a linha de causas e efeitos. Todavia, a única maneira de que dispomos para saber os acontecimentos futuros é apelando para o processo do raciocínio. Não podemos determinar se o Senhor Deus tem um método mais similar ao de nossa própria memória ou ao de nossa percepção, ou se ele dispõe de um método mais parecido com o de nossa razão. Se ele dispõe de um método específico, não podemos compreendê-lo, pois nada semelhante existe em nós. Porém, a ausência de tal poder no ser humano de modo algum prova que tal poder não existe em Deus.

Alguns têm imaginado que Deus olha o quadro mental do tempo e vê os futuros eventos, da mesma maneira que nós contemplamos um caminhante se aproximando, estando ele ainda a alguma distância de nós. Entretanto, os casos não são análogos; pois vemos o pedestre enquanto ele está *vindo*, e não já *tendo chegado*. Vemos o que é presente em relação ao tempo, e não o que é futuro. Em relação à chegada do tal caminhante, que é um acontecimento ainda futuro, só tomamos conhecimento dela mediante um processo de raciocínio. A suposição é que Deus tem uma percepção imediata do evento futuro, sem qualquer interferência do raciocínio. Dizer que Deus vê tal acontecimento expressa a questão de maneira figurada, mas não a explica.

A doutrina que ensina a ausência de qualquer elemento de sucessão na eternidade de Deus não nega nem explica sua presciência. (1) *Não a nega.* Alguns pensadores têm afirmado que, estritamente falando, não há nem presciência nem conhecimento posterior na mente de Deus; isso até poderíamos admitir, caso a presciência necessariamente implicasse em sucessão de pensamentos. Entretanto, a presciência que atribuímos a Deus não é conhecimento anterior a alguma outra coisa existente na mente divina, e sim conhecimento anterior do evento previsto. As predições acerca dos eventos futuros derivam-se do conhecimento de Deus. Tal conhecimento, se, porventura, se manifestasse em alguma mente humana, seria presciência; de acordo com a linguagem humana, esse é seu mais apropriado título. (2) *Não a explica.* A doutrina em questão ensina que todos os tempos e todos os eventos passados, presentes e futuros são presentes aos olhos de Deus. Assim, a destruição da cidade de Babilônia pelas tropas de Ciro e a predição acerca desse evento por parte do profeta Isaías foram ambos eventos históricos e, como tais, supostamente estiveram presentes na mente de Deus desde os primórdios do mundo. Ora, o fato de que essa destruição estava presente na mente divina não pode ter sido a causa da revelação feita ao profeta nem a causa da predição que se seguiu; visto que, segundo essa doutrina, tal predição já se achava na mente de Deus, tanto quanto o acontecimento predito. Assim, sua existência deve ser também pressuposta na ordem de causa e efeito. Portanto, se quisermos explicar essa predição, bem como quaisquer outras predições existentes nas Escrituras, seremos compelidos a admitir que Deus é possuidor de uma forma de presciência acerca da qual não adquirimos qualquer discernimento através da doutrina do perpétuo "agora".

Porém, por qual motivo nos entregaríamos a inúteis especulações, exaurindo as nossas energias com esforços que não produzem quaisquer resultados? Somos como crianças que entram no oceano com o objetivo de descobrir a sua profundidade por meio da medida de suas pequenas estaturas, mas que, no primeiro passo, exclamam: "Oh, quão profundo ele é!" O próprio apóstolo Paulo, ao analisar esse tema, disse: "Ó profundidade da riqueza, tanto da sabedoria, como do conhecimento de Deus! Quão insondáveis são os seus juízos e quão inescrutáveis os seus caminhos!" (Rm 11.33).

Em contraste com a infinita inteligência de Deus, quão diminuto é todo o conhecimento humano! Honramos a figura de Newton e de outros gigantes intelectuais que têm contribuído para o progresso do conhecimento da nossa raça. No entanto, a mais exaltada glória deles foi desvendar porções minúsculas dos caminhos de Deus. Que todas as faculdades de nossas mentes se prostrem diante de sua infinita compreensão, com profunda humildade e devota adoração.

Pesquisamos as nossas próprias mentes e nelas descobrimos muitas coisas que somos incapazes de explicar. Mesmo quando empregamos nossos parcos conhecimentos a respeito de nossas mentes, em laboriosos esforços para compreender algo sobre Deus, uma parcela importante do uso desse conhecimento consiste em convencer-nos de que não podemos encontrar Deus e de que os pensamentos do Senhor não são como os nossos pensamentos.

Na qualidade de seres inteligentes, podemos contemplar a onisciência de Deus com uma devota admiração; na qualidade de seres culpados, deveríamos temer e tremer diante dela. Isso porque Deus sonda os recessos mais ocultos de nossos corações. Os odiosos pensamentos que temos e que não desejamos que sejam descobertos nem mesmo por um miserável companheiro são todos conhecidos por Deus. Ele jamais se esquece de todo pensamento, palavra e ação e levará tudo a julgamento. Quão terrível é esse atributo da onisciência de nosso grande Juiz, que desmascara os segredos de todos os corações e retribui a cada indivíduo conforme suas próprias obras — embora não observadas ou esquecidas pelos homens!

Contudo, apesar de todo o senso de *grande temor* que o envolve, esse atributo da natureza divina é deleitável para o homem piedoso. Tal homem regozija-se ao dizer: "Deus, tu me vês!" Esse homem também ora como segue: "prova-me e conhece os meus pensamentos; vê se há em mim algum caminho mau, e guia-me pelo caminho eterno" (Sl 139.23, 24). Tal homem alegremente se entrega à orientação daquele que é o possuidor de todo o conhecimento. Consciente de sua própria cegueira e das trevas de sua pequena compreensão, tal homem não sabe qual caminho lhe convém tomar nem o que é melhor para si. No entanto, munido daquela confiança que desconhece indecisões, ele coloca-se nas mãos do Deus onisciente.

6. ONIPOTÊNCIA

Deus pode fazer tudo quanto quiser[7]

Nossa primeira concepção de poder provavelmente deriva-se do controle que exercemos sobre nossos músculos, bem como do uso que deles fazemos, a fim de produzirmos efeitos sobre as coisas à nossa volta. Nossos membros e nossa voz tornam-se instrumentos de nosso poder; assim, do uso que deles fazemos para conseguirmos os nossos propósitos, surge a nossa noção de poder. Em seguida, transferimos essa noção e a incorporamos no conceito que temos a respeito de outros seres inteligentes semelhantes a nós. Isso, por sua vez, torna-se um dos elementos do nosso conceito de divindade. No mundo material, as causas são seguidas pelos seus efeitos de um modo semelhante àquele em que efeitos são produzidos pelos movimentos dos nossos membros; então, dizemos que as causas materiais têm poder. É por isso que falamos sobre o poder do vapor d'água ou de uma máquina.

Percebemos bem que o nosso poder é limitado, pois não conseguimos realizar muitas das coisas que tentamos fazer. A fim de expressar o conceito de onipotência, introduzimos, tal como em outros casos, a ideia negativa: *sem falhas*. Isso, entretanto, não exclui a ideia de tentativa, de desejo ou de exercício da vontade. O fato de que Deus não realiza aquilo que não tem desejo ou vontade em nada diminui sua onipotência. É impossível a Deus mentir ou contradizer-se; essas são coisas que Deus não se agrada em fazer, pois são incompatíveis com as suas perfeições morais. Nem mesmo a realização dessas coisas seria qualquer indicação de poder supremo. Também é verdade que Deus não pode fazer coisas que, em si mesmas, impliquem

7 Gn 17.1; Jó 5.9; Jr 32.17; Mt 19.26; Ap 1.8; 19.6.

em, como fazer com que uma coisa seja e não seja ao mesmo tempo; fazer com que um círculo seja, ao mesmo tempo, quadrado etc. Se um poder finito não consegue realizar esses feitos, tal poder falha não porque é finito, mas porque essas são coisas simplesmente impossíveis. Nenhuma medida de poder chegaria mais perto do sucesso nesses casos. Quando se trata de realizar o impossível, a impotência é tão eficaz quanto a onipotência.

Ficamos tomados de profundo senso de respeito quando admiramos a onipotência de Deus. Quando ouvimos o ribombar do trovão no firmamento ou sentimos a terra estremecer por causa do terremoto, nossas mentes são invadidas por pensamentos solenes sobre as realidades divinas! Com base nos fenômenos da atmosfera rasgada pelo corisco ou da terra abalada com o terremoto, voltemos a nossa atenção para aquele poder mais alto que trouxe a criação à existência e alonguemos a nossa visão para aquele poder divino que haveremos de contemplar no último dia. Quem não temeria um ser como Deus?

Visto que nossa mente exerce o seu poder por meio do nosso corpo, o exercício imediato do poder é limitado. Mesmo através dos corpos, o poder é mantido dentro de estreitos limites, pois não podemos acrescentar um côvado à nossa estatura nem fazer um cabelo tornar-se preto ou branco. Não obstante, Deus mantém debaixo de seu perfeito e imediato controle tudo quanto existe no universo. Ele não precisa de quaisquer instrumentos, de quaisquer auxílios mecânicos, de nenhuma série de arranjos; pelo contrário, todas as coisas simplesmente se ajustam sob o controle da sua vontade, sem importar se está em pauta a produção de um micróbio ou a criação de um mundo. Por determinação de nossa vontade, movemos um dedo da mão; pela volição divina, um planeta é lançado em órbita, e isso com uma potência tal que um disparo de canhão nos forneceria apenas uma ideia diminuta daquela energia. Os tufões que varrem a superfície da terra levantando no ar moradias, corpos humanos e outros objetos são dotados de imenso poder. Os oceanos que açoitam gigantescos navios são dotados de um imenso poder. Os vulcões que explodem na superfície da terra com espantosa força são dotados de imenso poder. Porém, depois de havermos combinado a força do ar, do oceano e do fogo subterrâneo, devemos ainda multiplicá-la pelo número de tais atividades em operação em todo o universo de Deus, antes que possamos começar a compreender adequadamente a onipotência do Senhor. "Eis que isto são apenas as orlas dos seus caminhos! Que leve sussurro temos ouvido dele! Mas o trovão do seu poder, quem o entenderá?" (Jó 26.14).

7. BONDADE

Deus é infinitamente bondoso[8]

A bondade de Deus exercida em favor das suas criaturas é, com frequência, referida nas Escrituras através do vocábulo "amor". O amor deve ser distinguido da benevolência, da beneficência e da complacência. A benevolência é o amor considerado em sua intenção ou disposição; a beneficência é o amor em ação, quando seus benefícios são conferidos; e a complacência é a aprovação às boas ações ou disposições. A bondade, quando é exercida em prol de alguma pessoa indigna, é chamada graça; quando é exercida em prol dos que sofrem, é chamada misericórdia ou compaixão. O primeiro desses dois termos dá a entender que o sofrimento, ou a sujeição ao sofrimento, deriva-se de um justo desagrado divino.

8 Êx. 34.6; Sl 103.1-8; Zc 9.17; Mt 7.11; Lc 2.14; 12.32; Rm 5.8; 1Jo 4.8.

A bondade implica na disposição de transmitir a felicidade. Temos consciência própria de prazer ou de dor. Também sabemos que, até certo ponto, podemos servir de causa de prazer ou de dor para outras pessoas. Um prazer contínuo já constitui a felicidade; uma dor contínua já é a miséria. Deus é capaz de produzir a felicidade ou a miséria na ocasião, na extensão e na intensidade em que ele desejar fazê-lo. Qual dessas coisas a sua natureza infinita mais se dispõe a produzir?

Pode-se argumentar em favor da bondade de Deus com base nas manifestações dela dentro da obra da criação. O mundo foi povoado por seres sensíveis, capazes de sentir prazer; por toda a parte, foram providenciadas fontes de prazer para satisfação dessas criaturas. Cada sentido de cada espécie animal serve como porta de entrada ao prazer; foram providenciados meios de prazer para cada um desses sentidos. Esses seres captam e aproveitam aquilo que Deus lhes dá; a cada instante, as mãos abertas de Deus derramam benefícios sobre a sua existência. Quando nos pomos a refletir sobre as inúmeras criaturas vivas que, neste momento, estão recebendo prazeres dos depósitos variados e abundantes que a energia criativa de Deus lhes forneceu, e quando meditamos que essa torrente abundante vem fluindo incessantemente desde a criação do mundo, podemos considerar infinita a fonte de onde tudo isso emana.

Todos esses fatos servem de comprovações da bondade divina, pois os prazeres desfrutados pelas criaturas de Deus não lhes sobrevêm fortuitamente, mas são patentes resultados do planejamento e do desígnio divinos. Os alimentos poderiam nutrir os corpos sem o acompanhamento do prazer experimentado no ato de comer. Poderíamos ter sido constituídos de tal maneira que fôssemos forçados a tomar alimentos exclusivamente quando impelidos pela sensação da fome, ingerindo os alimentos em meio a muitas dores, muito piores do que aquelas envolvidas nas contrações do estômago. Mas Deus adicionou prazeres onde estes não são absolutamente necessários, fazendo com que a própria manutenção da existência do corpo seja acompanhada por uma perpétua satisfação.

Esse argumento tem a sua força muitas vezes multiplicada por causa do fato de que as obras de Deus não contêm indicações de algum desígnio malévolo. De fato, com frequência, experimenta-se a dor, mas ela nunca aparece como parte de um arranjo especialmente traçado para sentirmos dor. Não há nenhum órgão em nossa constituição para o qual possamos apontar e dizer que ele foi especialmente concebido para nos proporcionar dor.

Mas a mera satisfação animal não é a bênção maior concedida por Deus. Às suas criaturas inteligentes, Deus abriu uma outra fonte de prazer, isto é, na busca e na aquisição de conhecimentos. Precisamos tanto de conhecimentos como de alimentos e poderíamos ser forçados a buscar esses conhecimentos através de alguma necessidade dolorosa qualquer, sem disso derivarmos qualquer senso de prazer. Porém, uma vez mais, nisso manifesta-se a benevolência de Deus. O prazer é um acréscimo agradável quando obtemos os conhecimentos necessários; e, mesmo quando o progresso já atingiu os limites das nossas necessidades, nem por isso o prazer cessa. O apetite intelectual nunca se sacia até o ponto de repulsa.

Deus, entretanto, tornou-nos suscetíveis de um prazer ainda mais alto e mais nobre: o exercício da virtude e da religião. Para tanto, ele adaptou a nossa natureza moral e fez-nos capazes tanto do exercício como do deleite vinculados à virtude e à religião. A constituição da sociedade humana, nas várias relações que mantemos dentro das suas organizações, fornece abundantes oportunidades para o exercício da virtude e da religião. Há, então, uma fonte de satisfação aberta à nossa espera no senso moral da sociedade humana, como também na aprovação provocada pela virtude, mesmo quando o tributo não é espontaneamente conferido. No exercício apropriado das nossas faculdades morais, somos capazes de amar e de sentir prazer em Deus. Dessa forma, somos capazes de experimentar uma felicidade que transcende infinitamente a todos os demais prazeres e satisfações. Esse oceano sempre rico, essa fonte de felicidade eterna e inexaurível, é uma perfeita demonstração da infinita bondade de Deus. Acrescente-se a isso que tal deleite jamais satura; antes, à medida que progride, aumenta o prazer que dele obtemos.

Apesar da abundância das provas comprobatórias em seu favor, a doutrina da bondade de Deus está cercada de várias dificuldades. Embora os animais sensíveis não tenham sido criados com órgãos propositalmente designados a captarem dor, possuem órgãos capazes de infligir dor, órgãos que, inquestionavelmente, foram traçados a propósito, por desígnio e planejamento. As presas das serpentes venenosas e os ferrões de certos insetos são exemplos disso; a esses poderíamos acrescentar os esporões, as garras e os bicos com que certos animais e aves carnívoras foram dotados para atacar as suas vítimas. Como a existência desses órgãos, capazes de infligir dor e sofrimento, pode ser harmonizada com a infinita bondade de Deus? Ainda em harmonia com essa doutrina, como podemos explicar os sofrimentos pelos quais têm de passar os animais, por causa da violência de outros animais ou, então, por causa da fome, do frio ou das enfermidades? Além disso, como poderíamos conciliar as inúmeras misérias que envolvem a sociedade humana em cada nível e condição de vida? Se Deus é infinitamente bom, por qual razão a vida humana começa em meio a dores, termina em dores e está sujeita às dores ao longo de todo o seu curso?

Essas dificuldades revestem-se de proporções tais que não podem simplesmente ser negligenciadas. Elas deixam nosso entendimento perplexo e inquietam-nos o coração. Assim, exigem uma criteriosa e imparcial consideração de nossa parte. Oferecemos as observações abaixo, a fim de resguardar nosso coração contra a influência dessas dificuldades.

1. Se admitimos a plena existência de tais dificuldades, o que resultará disso? Teremos de chegar à conclusão de que Deus é um ser malévolo? Se assim fosse, seriam abundantes as provas de sua malignidade, tal como abundam as provas de sua bondade. Por toda a parte, encontraríamos animais dotados de sentidos preparados para serem captadores de misérias, e tais sentidos seriam bem desenvolvidos para transmitirem dor. Porventura, teremos de concluir que Deus é indiferente à felicidade ou à miséria das suas criaturas? Essa suposição fica eliminada através das numerosas provisões feitas com o manifesto propósito de conferir satisfação aos animais. A conclusão, então, é que Deus é inconstante? Tal conclusão também fica neutralizada diante do fato de que, sem importar quantos sofrimentos prevaleçam neste mundo, tais sofrimentos são contrabalançados por outros tantos prazeres. Assim é que a felicidade e a miséria estão atadas uma à outra, formando ambas um único grande sistema. Resumindo o conjunto inteiro, descobrimos que a vida animal é cercada de maior número de satisfações do que de sofrimentos, e que as dores, na maioria dos casos, são apenas incidentais. Em nossa experiência diária, vemos que as bênçãos são incessantemente derramadas sobre nós; quando os sofrimentos surgem em cena, com frequência temos a consciência de que se devem

ao fato de que, de alguma maneira, temos abusado da bondade de Deus. Isso significa que os sofrimentos não servem de motivo para argumentarmos contra a bondade do Senhor.

Em muitos casos, descobrimos que os atuais sofrimentos são oportunidades abertas para alguma bênção futura; temos motivo para crer que seria sempre assim, se os suportássemos com uma atitude correta, procurando tirar proveito deles. Portanto, quando nos sobrevierem os sofrimentos, será conveniente lembrarmo-nos de que há neles um resultado benéfico, mesmo quando não pudermos descobrir a sua localização, já que compreendemos tão pouco dos caminhos de Deus. Temos averiguado que todos os demais atributos do Senhor são incompreensíveis ao nosso entendimento e não deveríamos ficar surpresos se a sua bondade também cria problemas de compreensão em nosso espírito.

Os sofrimentos que experimentamos ou que testemunhamos em outros seres humanos tornam-se motivos para a nossa fé ser testada. Conforme o pequeno entendimento da criança, a disciplina aplicada por seu pai talvez não lhe pareça nem sábia, nem bondosa. Muitas vezes, são negadas a tal criança aquelas satisfações que ela tanto anela, ao mesmo tempo que podem ser-lhe impostas tarefas e privações extremamente desagradáveis. Sob tais circunstâncias, é dever da criança confiar, embora não possa ainda entender. Portanto, nós também deveríamos exercitar confiança na sabedoria e na bondade de nosso Pai celeste, acreditando que os seus caminhos se caracterizam pela bondade, ainda que uma grande parte deles seja inescrutável para nós. Vemos a bondade de Deus em todos os lugares e podemos nos satisfazer diante do fato de que a existência de mistérios não pode ocultar nem anular a bondade do Pai.

2. Não se pode provar que uma mescla de dor acompanhada por uma maior medida de prazeres conferidos por Deus às suas criaturas seja algo desarmônico com a sua bondade. O inseto que vive um único dia ou o ente imortal que vive ao lado do trono do Senhor derivam o seu contentamento da mesma fonte de bondade infinita. Se o inseto de vida tão curta passasse as suas poucas horas debaixo dos raios do sol, sem sentir qualquer dor, e se fosse aniquilado sem nenhum sofrimento, a dificuldade estaria solucionada. Ora, se uma criatura de outra espécie qualquer experimentasse satisfações cem vezes mais duradouras com apenas um centésimo de sofrimento, a existência desse outro ser, no seu todo, seria 99 vezes mais desejável do que a existência daquele inseto. Haveríamos, então, de negar que essa existência também procede do bondoso Deus? Se a dor, juntamente com o prazer, faz parte de um mesmo e único sistema, cumpre-nos atribuir ambas as coisas ao mesmo autor; e o animal que goza de 99 vezes mais satisfações do que sofrimentos não teria mais direito de se queixar da proporção de apenas 1% de males do que aquele inseto, cujos prazeres são 99 vezes menos duráveis do que os da criatura favorecida. Essas considerações talvez nos satisfaçam quando tivermos de experimentar algum sofrimento, paralelamente a uma proporção muito maior de satisfações, mostrando-nos isso que a dor não é incompatível com a doutrina que afirma que Deus é infinitamente bondoso.

Outrossim, é perfeitamente concebível que a própria dor possa, pelo menos em algumas instâncias, intensificar os nossos prazeres, como o alívio dos sofrimentos pode dar intensos prazeres. E, ainda que agora nos seja vedado compreender, a dor pode produzir algum resultado benéfico. De acordo com esse ponto de vista, a existência dos sofrimentos não pode ser reputada incompatível com a bondade divina.

3. Grande parcela do sofrimento existente no mundo claramente é efeito do pecado, e, nesse caso, devemos considerar o sofrimento como um castigo infligido pela justiça de Deus. A justiça divina reivindica espaço para o seu devido exercício, tanto quanto a sua bondade o faz. A bondade de Deus é infinita e concede felicidade na ampla medida em que é consistente com as outras perfeições da natureza divina. É a teoria favorita de alguns estudiosos que o Senhor tem por escopo principal garantir o máximo de felicidade possível para o universo, e também que Deus só admite a intromissão do mal porque essa admissão produzirá, finalmente, uma felicidade proporcionalmente ainda maior do que teria podido fazer a exclusão do mal. De acordo com essa teoria, a própria administração da justiça divina é uma modificação da benevolência divina; a dor experimentada por um ser é infligida por amor à totalidade da criação. Porém, sem importar se a administração da justiça é ou não uma modificação da divina benevolência ou se é um atributo distinto, possuído por Deus, o fato é que as suas reivindicações precisam ser levadas em conta. A bondade divina não deixa de ser bondade somente porque não transtorna o governo de Deus ou não age em oposição a outras de suas perfeições.

Alguns indivíduos costumam atribuir todos os sofrimentos dos animais ao pecado humano, embora as próprias Escrituras não ensinem diretamente essa espécie de doutrina. Além disso, já tivemos oportunidade de demonstrar que as dores que os animais padecem podem ser conciliadas de outras maneiras com a bondade de Deus. Mas é bem claro que os animais sofrem por causa do pecado humano, quando padecem em vista das frequentes crueldades que recebem das mãos humanas. No entanto, não é patente que todos os sofrimentos das espécies animais procedam dessa causa. A menos que a ordem das coisas tenha sofrido grandes modificações por ocasião da Queda do homem no pecado, os gaviões já eram dotados de bicos e de garras desde o dia em que foram criados e se utilizavam deles antes da Queda, dominando e devorando animais menores. Assim sendo, não parece que o sofrimento e a morte, no caso dos animais, tenham entrado no mundo por causa do pecado humano. Os animais, considerados em seu conjunto, levam uma existência feliz. Livres de ansiedades, remorsos ou do temor da morte, eles desfrutam intensamente dos prazeres que o Criador lhes outorgou. Esses prazeres não diminuem a dádiva da sua infinita bondade somente porque são limitados ou porque são contrabalançados por alguma medida de sofrimento.

4. É possível que a bondade de Deus não consista apenas em distribuir felicidades. Segundo esse ponto de vista, a felicidade pode não ser o único bem nem mesmo o bem supremo. Deus se sente perfeitamente feliz consigo; contudo, essa perfeição da sua natureza não nos é apresentada em sua Palavra como o alicerce único ou mesmo principal sobre o qual repousa a sua reivindicação à adoração e ao respeito que lhe são devidos por parte de suas criaturas inteligentes. As hostes celestes atribuem a ele uma infinita santidade, adorando-o por esse motivo, e não por motivo de sua felicidade. Se pudéssemos conceber Deus como um Ser supremamente feliz, mas que derivasse essa felicidade da crueldade, da falsidade ou da injustiça, teríamos de ser possuidores de uma natureza diferente daquela com a qual ele nos dotou, bem como de uma Bíblia diferente daquela com a qual ele nos brindou, antes que pudéssemos prestar-lhe sincera e profunda adoração.

No controle de nossa conduta, quando os prazeres e os deveres muitas vezes entram em conflito uns com os outros, de nós é exigido que demos o nosso voto aos deveres; com frequência, isso torna-se o próprio teste de nossa sincera obediência. Com base nesse mesmo princípio, se fossem postas à nossa frente uma vida inteira de deveres e uma vida inteira de prazeres, a fim de que escolhêssemos uma dentre essas duas coisas, sem dúvida, seria requerido de nós que preferíssemos a santidade à felicidade. Por isso, concorda com o julgamento de Deus não considerar a felicidade como o sumo bem, e a produção da mais intensa felicidade possível não pode ter sido o objeto primário de Deus, por ocasião da criação do mundo. Portanto, a bondade de Deus não consiste em indulgência frouxa de sua parte para com as suas criaturas, administrada com o intuito de conferir-lhes prazer, sem importar a conduta e o caráter moral delas. De fato, está em vista na mente divina a felicidade das criaturas, mas sempre em subordinação a um propósito mais elevado e mais nobre. De acordo com a ordem das coisas que Deus estabeleceu, torna-se impossível a um ser pecaminoso vir a obter a felicidade. Tal ordem das coisas harmoniza-se com a bondade de Deus, a qual tem por alvo não a mera prevalência da felicidade em seu universo a qualquer preço, e sim o bem-estar de todos, no melhor sentido possível.

Se essas ideias estão corretas, as misérias introduzidas no mundo em razão do pecado, em vez de lançarem a bondade de Deus em descrédito, procedem dessa bondade, chegando mesmo a comprová-la. Esses são meios empregados por Deus para disciplinar sua imensa família, a fim de impedir consequências piores. A sabedoria do alto nos ensina a fazer precisamente esse uso dos julgamentos e ameaças divinas. Depois, quando esses meios terríveis, uma vez abençoados para nós como meios de santificação, já conseguiram ensinar-nos a malignidade do pecado, percebemos neles uma manifestação da bondade de Deus.

5. A fim de podermos inferir a infinitude da bondade de Deus a partir de seus efeitos, precisamos encará-la em seu conjunto total. A perfeição da justiça divina transparece em sua adaptação precisa e minuciosa a cada caso em particular. Cada parcela dessa administração divina deve, quando comparada à norma da retidão, concordar de modo perfeito com ela. Porém, como medimos uma linha não para examinar cada detalhe seu, mas para verificar a sua extensão, assim também a infinita bondade de Deus precisa ser aquilatada de acordo com o agregado total de seus efeitos, da mesma maneira como compreendemos o poder de Deus não alicerçados em algum grão de areia isolado, mas com base na extensão total das obras da criação.

Contudo, se realmente quiséssemos sondar a extensão de tão vasto assunto, precisaríamos ser possuidores da mente infinita do próprio Deus. Nos acontecimentos que agora nos parecem obscuros e contaminados por mistérios, podem estar envoltas as sementes de futuros benefícios para as criaturas de Deus, sementes que, mais tarde, haverão de produzir os seus frutos, a fim de que as inteligências se inclinem para admirar e adorar o Senhor da providência. As partes constitutivas do grande sistema estão tão maravilhosamente ajustadas umas às outras que nenhum ser finito pode ousar afirmar que isso é inútil ou que aquilo é pernicioso ou prejudicial. O motivo pelo qual Deus criou exatamente aquelas espécies de animais e plantas que habitam no mundo juntamente conosco ou a razão por que ele determinou para cada espécie a sua maneira particular de existência, juntamente com vantagens e inconvenientes que lhe são peculiares, é algo que somos totalmente incapazes de dizer. Além disso, se nos atirássemos à tarefa de determinar por qual razão Deus ao menos criou qualquer criatura, poderíamos referir-nos a algum motivo que pensamos ser capazes de entender, mas acerca do qual, na realidade, compreendemos pouquíssimo. Se a inteligência unida do universo pudesse bradar diante de Deus, como se fosse a voz de uma única criatura, e dizer-lhe: "Por que me criaste deste jeito?", isso seria uma descarada impiedade. Portanto, quão impróprio é para o homem, que é apenas um verme, atirar-se contra a sabedoria e a bondade do seu Criador!

A bondade de Deus é aquele atributo de sua natureza que, acima de todas as demais qualidades divinas, atrai a afeição de nossos corações. A ideia de sua eternidade, de sua onipresença, de sua onisciência e de sua onipotência enche-nos de um respeitoso temor; no entanto, podemos imaginar facilmente que todos esses atributos poderiam estar aliados a qualidades morais que os tornariam atemorizantes. Entretanto, a bondade de Deus, apesar de ser tremenda e grandiosa, é, ao mesmo tempo, poderosamente atraente. Quando isso é compreendido de modo apropriado, vemos que é a bondade de Deus, e não seu mero propósito de distribuir a felicidade, que torna a pessoa de Jeová o próprio centro do universo moral. Essa é a virtude divina que atrai, no mais íntimo do Ser, todas as inteligências santas que agora habitam no céu e que também está continuamente atraindo, até aquele lugar exaltado e santo, tudo quanto existe na terra de mais amável e excelente. Se, porventura, os corações de alguns repelem esse centro, afastando-se mais e mais dele, é somente porque tais espíritos humanos são "estrelas errantes, para as quais tem sido guardada a negridão das trevas, para sempre" (Jd 13).

8. VERDADE

Deus é um ser dotado de inviolável verdade[9]

A verdade de Deus inclui os aspectos da veracidade e da fidelidade: veracidade nas declarações que Deus faz a respeito das coisas, conforme elas são; fidelidade no exato cumprimento de suas promessas ou ameaças. Com frequência, os homens erram nos testemunhos que prestam simplesmente por estarem equivocados a respeito dos fatos ou, por pura incapacidade, fracassam em promessas que fizeram com honestas intenções. Mas a onisciência de Deus impede que ele chegue a cometer qualquer equívoco; a sua onipotência e a sua imutabilidade asseguram o cumprimento de suas intenções. A verdade, como um atributo moral, consiste na consonância daquilo que é afirmado com o que pensa a pessoa que fez a afirmação. Jamais acusamos os homens de terem faltado com a verdade quando erram em seu testemunho por motivo de puro equívoco; tampouco os acusamos de infidelidade quando não cumprem as suas promessas por falta de capacidade para tanto. O testemunho de Deus é veraz, porquanto concorda perfeitamente com a sua visão das coisas. O fato de que esse ponto de vista concorda com o estado real das coisas deriva-se não da verdade de Deus, mas de sua onisciência. As promessas de Deus são verdadeiras porque concordam exatamente com as suas intenções; o fato de que essas intenções se concretizam ao pé da letra deriva-se de outros atributos divinos, conforme já tivemos ocasião de esclarecer. Compreende-se a verdade principalmente como vinculada a declarações orais ou escritas; porém, a verdade de Deus pode ser entendida, em um sentido mais amplo, como denotando a harmonia entre todas

9 Dt 32.4; Sl 119.142; Jo 8.26; Rm 3.4; Tt 1.2; Hb 6.18; Ap 3.7.

as revelações ou manifestações que Deus fez de si mesmo, a respeito de sua mente e de seu caráter.

O fato de que as manifestações de Deus acerca de si mesmo são verdadeiras não significa que elas sejam completas e perfeitas. Deus mostrou a sua glória a Moisés; mas ele o fez de maneira muito parcial, porquanto Moisés era incapaz de suportar a manifestação completa dessa glória. Todas as manifestações de Deus às suas criaturas são necessariamente limitadas; essas manifestações são outorgadas conforme aquilo que aos olhos do Senhor parece ser conveniente. Nosso conhecimento de Deus, que, infelizmente, é por demais imperfeito, devido às nossas debilidades, frequentemente é falho; visto que fazemos mau uso das manifestações divinas que nos têm sido concedidas. É por esse motivo que o mundo pagão, embora tendo conhecimento de Deus, não o tem glorificado como Deus, mas tem transformado a verdade de Deus em mentira.

Quando os homens fazem mau uso daquele conhecimento de Deus que já possuem, bem como dos meios através dos quais ele lhes foi outorgado, então, ntrega-los às concupiscências dos seus corações, em decorrência de um justo julgamento, não contraria o caráter de Deus. E, visto que não acolhem o amor à verdade, Deus os deixa cair em profunda ilusão (2Ts 2.11), de modo a darem crédito à mentira. Aconteceu assim quando Acabe quis ouvir uma profecia falsa, e seus profetas quiseram agradá-lo; Deus permitiu que ele fosse enganado (1Rs 22). Dentro do simbolismo das Escrituras, isso foi expresso como se tivesse sido enviado um espírito mentiroso àqueles profetas falsos. Acabe foi iludido, a despeito da verdadeira Palavra de Deus, dada através do profeta que o monarca rejeitou. Jeremias queixou-se, dizendo que Deus o havia enganado. Isso, dentro da mais desfavorável interpretação que possamos dar à atitude do profeta, não indica outra coisa senão uma impaciente exclamação de Jeremias, sob dura provação.

Não podemos ter qualquer outro conhecimento de Deus, exceto aquele adquirido mediante as manifestações que ele faça de si mesmo. Porém, quando acolhemos de bom grado essas manifestações, sem importar como elas nos tenham sido feitas, aceitando que elas refletem a mente e o caráter de Deus, estamos exercendo fé em Deus. Por outro lado, quando fechamos nossa mente e coração a essas manifestações, ou quando nos aborrecemos delas, interpretando-as erroneamente e em qualquer sentido, tornamo-nos culpados do grande pecado da incredulidade, o qual repele o testemunho de Deus e o faz mentiroso.

9. JUSTIÇA

Deus é perfeitamente justo[10]

Justiça consiste em dar a cada um o que lhe é devido. A justiça tem sido distinguida em dois aspectos: justiça comutativa e justiça distributiva. A primeira consiste em negociações que tratam de troca de mercadoria, e é uma atividade pertencente ao comércio. A segunda, justiça distributiva, galardoa ou pune os homens de acordo com as suas ações, como uma atividade pertencente ao governo de cada nação. Contudo, conforme qualquer desses dois ângulos, a justiça diz respeito à distribuição de felicidade ou aos meios de obtê-la, ficando pressuposto um princípio (ou regra) segundo o qual essa distribuição é efetuada e de acordo com o qual algo é devido às partes interessadas. A justiça comutativa regulamenta a outorga de um meio de satisfação em troca de outro meio, de maneira a não ficar perturbada

10 Jó 34.12; Sl 9.4; 92.15; Is 28.17; Rm 2.6.

a proporção de satisfação que cabe, por direito, a cada parte. A justiça distributiva eleva-se acima disso, pois diz respeito à própria distribuição de benfeitorias, dando a um e retendo de outro, em consonância com a regra. É somente nesse último sentido que se atribui justiça a Deus. Ela implica na existência do governo moral e é o atributo que assegura uma administração fiel e perfeita do governo divino.

Alguns estudiosos têm admitido outra distinção, dando-lhe o título de justiça pública. Essa determina o caráter do governo moral de Deus, como também determina as regras segundo as quais esse governo funciona. Podemos pensar que é mera questão de definição determinar se a existência e o caráter do governo moral de Deus deveriam ser atribuídos à sua justiça ou à sua bondade. Visto que o governo divino objetiva o maior bem possível do universo, parece não haver razão alguma para negar que ele se origina na bondade divina. Se esse governo for atribuído à justiça pública de Deus, essa justiça pode ser considerada como uma modificação de sua bondade.

Dentro do governo moral de Deus, os homens são reputados seres morais e sensíveis, e a proporção de sua satisfação corresponde ao caráter moral de cada um deles. A precisa adaptação disso é exatamente o campo da justiça. Por causa da cegueira de sua depravação, os homens reclamam prazeres como se fossem um direito natural, sem importar qual seja o seu caráter e a sua conduta moral. Eles rejeitam o governo moral de Deus e buscam a felicidade segundo métodos pessoais. Nisso consiste a rebeldia deles, e a isso é que a justiça de Deus faz oposição. A justiça de Deus é o atributo que infunde terror em tais indivíduos, lançando contra eles a ira da onipotência. Para o pecador pensar em escapar, o governo moral de Deus teria de ser derrubado, e o Monarca do universo, expulso de seu elevado trono de autoridade. Tal indivíduo preferiria jogar-se dentro dos depósitos de contentamento que a infinita bondade de Deus proveu, reclamando-os como possessão sua por direito, banqueteando-se neles conforme sua própria vontade; mas a espada da justiça divina guarda a entrada desse depósito.

Em oposição a esses desejos, o governo de Deus está firmemente estabelecido; a justiça e o juízo são a habitação do seu trono. Mesmo neste nosso mundo, por todos os lados, fazem-se visíveis as manifestações do governo divino; é evidente que Deus existe, Deus de justiça, o Juiz de toda a terra. Contudo, a revelação plena dessa justiça está reservada para o julgamento do grande dia. Por enquanto, como representante de Deus, a consciência frequentemente dita as suas sentenças, embora sua voz seja ignorada. Todavia, a sentença determinada pelos lábios do Juiz supremo não poderá ser ignorada, fixando para sempre a condenação final do pecador impenitente.

Embora existam corações tão insensíveis que não se sentem afetados pelo senso da justiça de Deus, um correto ponto de vista desse glorioso e temível atributo divino inspira-nos o temor ao Senhor, que é o princípio da sabedoria. Uma certeza duradoura de que o Deus justo está sentado sobre o trono do universo é indispensável para o apropriado exercício da piedade.

10. SANTIDADE

Deus é imaculadamente santo[11]

Bondade, verdade e justiça são atributos morais de Deus. A santidade não é um atributo distinto daqueles outros, mas é um título que os inclui, sendo que todos são opostos às qualidades contrárias a eles. A santidade subentende a perfeição de todos esses atributos

11 Êx. 15.11; Lv 11.44; 1Sm 2.2; Jó 4.18; Sl 5.4, 5; 22.3; Is 6.3; Hc 1.13; Mt 5.48; 1Jo 1.5; Ap 4.8.

— a ausência de tudo quanto lhes é oposto no tocante a qualquer das propriedades neles inclusas. Os homens são ímpios, mundanos, destituídos de santidade. Os mais puros dentre os homens têm as suas máculas de caráter. Bem podemos estabelecer um confronto entre o caráter de Deus e o caráter dos homens. Tal estudo desperta mais ainda a nossa admiração e amor, acrescenta fervor à nossa devoção e incita-nos a adorar ao Senhor na beleza de sua santidade, imitando-o em nossas vidas e em nosso caráter. "Sereis santos, porque eu sou santo" (Lv 11.44).

11. SABEDORIA

Deus é infinitamente sábio[12]

O conhecimento e a sabedoria, embora confundidos um com o outro por parte de pensadores negligentes, na verdade, diferem um do outro. A sabedoria sempre está vinculada às ações. Os nossos sentidos são afetados pelos objetos existentes na realidade externa, cuja percepção surge em nossas mentes, constituindo uma larga fatia de nossos conhecimentos. Aprendemos as propriedades e relações desses objetos, e esse conhecimento acumulado na memória torna-se um valioso tesouro, do qual podemos tirar proveito quando seu uso se faz necessário. É exatamente no uso desse tesouro que se manifesta a sabedoria. Quando as impressões externas já despertaram o mecanismo mental interno, este, por sua, vez atua sobre as coisas externas. É precisamente nessas externalizações da mente que a sabedoria torna-se manifesta e preocupa-se em formar nossos planos e propósitos para agir. Nosso conhecimento e nossos princípios morais exercem grande influência no direcionamento da nossa conduta.

12 Jó 4.18; 36.5; Sl 104.24; Pv 21.30; Rm 11.33; 1Co 1.25; 1Tm 1.17.

É considerado sábio o indivíduo cujos conhecimentos e princípios morais norteiam bem a sua conduta. Isso posto, a sabedoria é considerada como escolher a melhor linha de ação, bem como os melhores meios para a realização dessa finalidade.

Deus é infinitamente sábio porque seleciona a melhor linha de ação possível. Não podemos afirmar qual é a finalidade que Jeová tem em vista em todas as suas obras. As Escrituras aludem à glória de Deus como a finalidade da criação e da redenção, e parece que estamos autorizados a dizer que esse é o fim de todas as obras divinas. Não obstante, qual é o sentido completo da expressão "a glória de Deus"? Supomos que ela indique aquela manifestação das perfeições divinas, sobretudo de suas perfeições morais, que são supremamente agradáveis a ele mesmo e, portanto, agradáveis também a todos os seres inteligentes e dotados do mesmo tipo de mentalidade que ele. Porém, sentimo-nos inteiramente perdidos nessa contemplação.

Deus é infinitamente sábio, pois adota os melhores meios possíveis para a realização do objetivo que tem em vista. Quando da criação, tudo foi trazido à existência com sabedoria (Sl 104.24); na redenção, Deus mostra-se rico em sabedoria a favor dos remidos (Ef 1.8). Deus é sábio em conselho e faz todas as coisas "conforme o conselho de sua vontade" (Ef 1.11).

Para nós, a sabedoria de Deus é um abismo insondável. Os caminhos de Deus podem ser percebidos nos oceanos, e as suas veredas nas águas poderosas. "Ó profundidade da riqueza, tanto da sabedoria como do conhecimento de Deus!" (Rm 11.33). Uma criança não é capaz de entender os planos de um sábio estadista; muito menos pode o mais sábio dentre os homens compreender os planos do único e sábio Deus. Nunca deveríamos nos esquecer dessa realidade, sempre que nos dispuséssemos a inquirir as razões do modo de proceder do Senhor.

O motivo pelo qual Deus permitiu a intromissão do pecado no mundo é uma questão que tem deixado perplexa a sabedoria dos entendidos. Na qualidade de um ser dotado de perfeita santidade, Deus abomina o pecado com um ódio perfeito. Se ele é dotado de poder infinito, capaz de excluir o pecado dos seus domínios, por qual razão permitiu a sua entrada? Na qualidade de Pai benévolo de sua grande família, por que ele permitiu a invasão de um mal tão arruinador em seus domínios? Teria havido algum lapso em seu planejamento, alguma falha na sabedoria de seu desígnio, possibilitando tão espantoso desastre? Visto que a nossa fé, com frequência, se queda perplexa diante dessas indagações, observações como as que expomos a seguir podem ser úteis para ajudar-nos em nossa fraqueza.

1. O pecado está no mundo, mas Deus é infinitamente bondoso e sábio. A primeira dessas proposições expressa um fato a respeito do qual descobrimos comprovações diárias, diante dos nossos olhos ou em nosso próprio coração. A segunda proposição exprime uma inegável verdade da religião natural e da religião revelada. Embora sejamos incapazes de conciliar essas duas proposições, ambas são dignas de serem acolhidas com a mais absoluta confiança. Nenhum ser humano dotado de perfeito juízo haverá de pôr em dúvida qualquer uma delas.

2. A existência do pecado não deve ser atribuída a qualquer fraqueza em Deus, pois facilmente ele poderia ter barrado o pecado para que não penetrasse em seus domínios. Deus poderia ter declinado de criar agentes morais livres e poderia ter povoado o mundo com criaturas destituídas de faculdades morais e, por isso mesmo, incapazes de pecar. Ou, conforme aquilo que parece ser a ideia oposta, Deus poderia ter criado agentes morais, confirmando-os de tal modo

na santidade, desde o começo, que a Queda deles na transgressão se tornasse simplesmente impossível. Ou, ainda, por ocasião do surgimento do pecado em qualquer de suas criaturas, Deus poderia ter aniquilado prontamente o transgressor, impedindo, assim, que o mal se propagasse e arruinasse seus súditos ou que o mal permanecesse em seu império.

Se, por um momento, apenas pudermos tolerar dúvidas acerca do poder de Deus no mundo caído, o perfeito controle que Deus demonstra exercer sobre o mal, agora que a transgressão obteve entrada nos domínios do Senhor, é suficiente para confirmar a nossa confiança no poder de Deus. O pecado realmente invadiu o reino de Deus, e o príncipe das potestades do ar está recebendo o apoio de inúmeras legiões de espíritos, procurando conferir ao diabo a vitória e o predomínio. Porém, com o propósito de destruir as obras do diabo, apareceu o Filho de Deus, revestido de natureza humana. Ele escolheu a debilidade da natureza humana, a fim de mostrar, por meio dela, o seu poder ao esmigalhar a cabeça da antiga serpente, Satanás. Por essa razão é que Cristo é o poder de Deus. Em sua mais profunda humilhação, nas horas em que esteve pendurado na cruz, triunfou sobre seu grande adversário, dando provas de seu poder triunfante ao arrancar o ladrão penitente, que expirava ao seu lado, da beira dos desfiladeiros da destruição. A cruz, pois, exibe o maior espetáculo da onipotência divina.

3. A existência do pecado não é incompatível com a justiça de Deus. Faz parte das atribuições da justiça punir o pecador, embora não aniquilar o pecado. A justiça, naquele sentido mais amplo segundo o qual ela é chamada de justiça pública, coincidente com a bondade divina, será considerada mais adiante, no item a seguir. Todavia, em seu sentido comum, fica pressuposta a existência do governo moral de

Deus bem como a existência de agentes morais e, portanto, a possibilidade de ocorrerem transgressões. As leis são decretadas tendo em vista coibir os desregrados e os desobedientes. Em vão, os magistrados civis estariam munidos da espada se não houvesse transgressores para quem eles representassem um terror. A justiça não impede a entrada do pecado; antes, em face da transgressão, encontra a ocasião mais propícia para seu mais elevado exercício. Esse atributo da justiça é exibido de modo temível e glorioso na punição dos ofensores. Ao contemplarem a destruição do anticristo, bem como a fumaceira do seu tormento, subindo para todo o sempre, os habitantes do céu são vistos a exclamar: "Aleluia! Pois reina o Senhor nosso Deus, o Todo-Poderoso" (Ap 19.6). No exercício da justiça punitiva de Deus é que os habitantes do céu compreenderão melhor o governo divino, contemplando o Senhor assentado no seu trono. "Justiça e direito são o fundamento do teu trono" (Sl 89.14).

4. A existência de pecado não é incompatível com a bondade de Deus. Nem mesmo aqueles que explicam a bondade como amor à felicidade (como um fim em si mesma) e entendem a utilidade[13] ou a geração de felicidade como o fundamento da virtude concluem que a bondade de Deus deva necessariamente excluir o mal do mundo. Antes, entendem que ele, soberanamente, governará sobre o mal, de modo a produzir uma quantidade de alegria muito maior no universo do que haveria sem a entrada do mal.

Se tudo isso for considerado como uma mera hipótese, pelo menos enquanto não for rebatida, ela será suficiente para retrucar as objeções; tal hipótese não pode ser anulada por uma mente incapaz de compreender esse infinito assunto. Se a bondade de Deus visa ao

13 N. R.: Utilidade é a medida usada pelo utilitarismo, uma escola de pensamento filosófico, para avaliar a bondade de qualquer ação.

bem-estar do universo mais do que à sua felicidade, poderíamos levantar uma outra hipótese, igualmente impossível de ser rebatida, a saber, que Deus soberanamente controla as manifestações do pecado, de modo a produzir os mais importantes benefícios morais. Quais serão esses benefícios não podemos esperar ser capazes de entender; porém, podemos conjecturar a respeito de, ao menos, um resultado. Assim como as perfeições morais de Deus são a grande glória do seu caráter, o seu governo moral é a glória de seu esquema universal. Dessa forma, pode ter sido agradável diante de sua mente infinita permitir a entrada do pecado, porquanto isso seria ocasião para mostrar sua justiça e seu governo moral. Talvez concorde melhor com a sua infinita sabedoria confirmar em santidade os seus súditos obedientes não através de alguma necessidade física, mas por meio da influência moral; a demonstração de sua justiça e de seu governo moral, com certeza, serve de importantíssimo meio para a concretização dessa finalidade. Pois como poderiam as inteligências — que terão de desenvolver-se continuamente na presença de seu trono — receber aquelas impressões morais necessárias ao aprimoramento de sua santidade, se, para sempre, permanecessem ignorando a justiça de Deus, bem como o ódio que ele vota contra o pecado?

Ao considerarmos esse tema, importa conservarmos em mente o fato de que a bondade de Deus precisa ser aquilatada de acordo com o seu efeito total, envolvendo todos os seus aspectos. Naquilo em que essa bondade envolve apego à felicidade, também provê satisfação para as suas criaturas; nesta vida, tais satisfações são inúmeras e estão sempre presentes entre nós, embora não em proporções infinitas e sem diluição. Assim também, na existência vindoura, prevalecerá aquilo que olho não viu, ouvido não ouviu, coração não concebeu. Deus não lançou esse grande acúmulo de contentamentos perante as suas criaturas a fim de que cada uma delas se apossasse da maior parcela possível; antes, à infinita justiça divina está reservado o direito de fazer a equitativa distribuição. A regra empregada no processo dessa distribuição é aquela que a justiça pública, ou a bondade de Deus — considerada como o amor ao bem-estar geral —, prescreveu no estabelecimento de seu governo moral. A bondade infinita de Deus garante o maior bem possível, com base na administração universal exercida por Deus, ao passo que a justiça perfeita regula todos os detalhes dessa administração, sempre em admirável harmonia com o grandioso desígnio do Senhor.

5. A prática de males para que resultem benefícios é uma atitude reprovada pela Palavra de Deus; contudo, permitir o mal, o qual Deus controla visando ao bem, harmoniza-se perfeitamente com o seu método de atuação. As Escrituras dizem: "Pois até a ira humana há de louvar-te; e do resíduo das iras te cinges" (Sl 76.10). Essas palavras deixam claramente entendido que uma certa parcela da ira humana manifesta-se sem qualquer restrição imposta por Deus, pois é permitida, embora controlada para a produção do bem. E indaga o apóstolo Paulo: "Que diremos, pois, se Deus querendo mostrar a sua ira, e dar a conhecer o seu poder, suportou com muita longanimidade os vasos de ira, preparados para a perdição?" (Rm 9.22).

As palavras "suportou" e "longanimidade" refletem a permissão divina à continuação do mal; no entanto, a demonstração da justiça e do poder de Deus, refletida nessas ideias, fica manifestamente subentendida na pergunta do apóstolo. Assim foi que a crucificação de Jesus Cristo, perpetrada por mãos iníquas, foi permitida por Deus. Cristo foi realmente entregue pelo "determinado desígnio e presciência de Deus" (At 2.23). Esse acontecimento, porém, foi controlado pelas mãos de Deus, de tal modo que daí resultaram certos benefícios inconcebivelmente vastos. Não deveríamos supor que se harmonize com a sabedoria infinita de Deus permitir a entrada do pecado, tendo em vista o glorioso esquema da redenção por intermédio do sangue de Cristo? Cristo crucificado é a "sabedoria de Deus", conforme lemos em 1 Coríntios 1.23, 24. Na sua cruz, foram gloriosamente demonstrados o poder, a bondade, a justiça e a sabedoria de Deus, formando um todo harmônico.

Contudo, se, por uma parte, nos gloriamos na cruz de Cristo, por outra, não podemos nos esquecer de que os adversários da cruz haverão de perecer. Por mais lamentável que nos pareça, nossos corações haverão de aprovar a sentença que será proferida e executada contra eles, quando a ouvirmos dos lábios do justo Juiz. Tal era a benevolência do coração de Paulo, que ele se dispunha a dar a sua própria vida pela salvação das almas. Ao mesmo tempo, tão forte era seu senso da necessidade de amor a Cristo em cada coração humano, que ele não hesitou em exclamar: "Se alguém não ama ao Senhor, seja anátema. Maranata!" (1Co 16.22). Ora, se proferir isso não estava em descompasso com o amor do apóstolo pelas almas, da mesma forma, harmonizar-se-á com a benevolência divina punir os inimigos de Cristo com eterna perdição — banidos para longe da presença do Senhor e da glória do seu poder (2Ts 1.9). Se, agora, as nossas mentes não conseguem aprovar totalmente a duríssima sentença, isso se deve ao fato de que somos incapazes de conceber, de uma maneira adequada, a glória e o caráter amável de Cristo.

Deveria servir de motivo de alegria para nós o fato de que Deus, em sua sabedoria infinita, guia todas as atividades que se desenrolam neste mundo. Muitos desses eventos estão envoltos em trevas e mistério, e, às vezes, parece reinar uma insolúvel confusão. Com frequência, prevalece a iniquidade, e, aparentemente, Deus se esqueceu das criaturas que ele trouxe à existência. Nossa própria vereda, ao longo da existência, é longa e tortuosa, dificultada a cada passo por dificuldades e perigos. Quão cheia de consolos é essa doutrina de que a sabedoria divina está orientando cada acontecimento, produzindo ordem em meio ao caos, produzindo a luz dentre as próprias trevas e, para aqueles que amam a Deus, fazendo com que todas as coisas, sem importar o seu aspecto presente e sua aparente tendência, cooperem juntamente para o bem dos remidos.

CONCLUSÃO

A doutrina concernente a Deus harmoniza-se com os afetos que pulsam em um coração piedoso, inclinando-se por nutri-los e aprimorá-los. A natureza moral daqueles que não amam a Deus demonstra a existência de Deus e a obrigação que eles têm de amá-lo; consequentemente, sua natureza está em permanente conflito consigo mesma. No íntimo do indivíduo revoltado, ruge um conflito entre a consciência e as inclinações depravadas. O princípio moral dentro de um coração não renovado é dominado pelas paixões imundas; nele, o princípio moral não pode desenvolver-se devidamente, enquanto aquelas inclinações não tiverem sido santificadas. Quando, através dessa transformação no íntimo, é devolvida a harmonia no homem interior, tudo quanto ali existe passa a vibrar em consonância com a doutrina concernente a Deus. Então, a mente humana, atuando de uma maneira apropriada e saudável, acolhe jubilosamente a doutrina e encontra em Deus o objeto de seu mais intenso amor. O homem piedoso regozija-se no fato de que Deus existe, como também que os atributos divinos são exatamente aquilo que a natureza e a revelação bíblica proclamam que eles são. "Quem mais tenho eu no céu? Não há outro em quem eu me compraza na terra" (Sl 73.25).

A doutrina concernente a Deus não somente mostra-se harmônica com a piedade no íntimo, mas também inclina-se por conferir grande valor a essa piedade. Se o amor a Deus já existe quando ainda é conhecido apenas em parte, esse amor será cada vez mais intenso conforme nosso conhecimento dele aumentar. À medida que o indivíduo piedoso vai estudando o caráter de Deus, vão rebrilhando diante de sua consideração a beleza e a glória do caráter divino, e o coração do homem piedoso sente-se atraído para perto do Senhor com mais intenso afeto. O salmista foi favorecido com tão arrebatadoras visões dessa realidade que chegou a exclamar: "Ó Deus, tu és o meu Deus forte, eu te busco ansiosamente; a minha alma tem sede de ti; meu corpo te almeja, numa terra árida, exausta, sem água. Assim eu te contemplo no santuário, para ver a tua força e a tua glória" (Sl 63.1, 2).

O amor a Deus, que se expande em face do verdadeiro conhecimento de Deus, não consiste em mero senso de gratidão pelas bênçãos recebidas. Muitas pessoas fazem comentários sobre a bondade de Deus e professam amá-lo, embora não sintam prazer na contemplação de sua santidade e de sua justiça, pois esses atributos são mal acolhidos. Quando essas pessoas tiverem de apresentar-se diante de Deus, por ocasião do Juízo Final, temos razões para temer que descobrirão um Deus bem diferente daquele a quem amavam e elogiavam enquanto viviam neste mundo. O amor ao verdadeiro Deus é o amor ao Deus da santidade e da justiça, em quem estão reunidas todas as perfeições morais. Ora, se o nosso afeto ao Senhor pertence a essa categoria, haveremos de nos deleitar no exame das glórias pertencentes ao caráter divino, a despeito dos benefícios recebidos da parte de Deus. Assim, ficaremos enamorados pelo caráter essencialmente amável do Senhor.

O amor a Deus, que cresce à medida que se aprofunda o nosso conhecimento sobre ele, está permeado por uma grande reverência pelo seu caráter. A frivolidade com que muitos costumam aproximar-se de Deus e dirigir-se a ele de maneira alguma se coaduna com aquelas temíveis demonstrações que Deus nos tem oferecido sobre si mesmo em suas obras e em sua Palavra. Aqueles que professam amar a Deus, mas não têm qualquer senso solene de sua infinita grandiosidade e santidade, ainda não aprenderam a temer ao Senhor, o que é o princípio da sabedoria. O verdadeiro conhecimento de Deus é suficiente para corrigir esse mal do coração humano

O verdadeiro amor a Deus é sempre acompanhado de humildade. Quando estamos absorvidos pela contemplação da mente, podemos ficar admirados ante o progresso do conhecimento humano. A mente humana deixou a escuridão da não existência para tornar-se uma leve faísca, de modo que apenas um olhar onisciente poderia perceber sua luz. No curto período que se seguiu, o seu esplendor cresceu gradualmente, provavelmente surpreendendo o mundo com o seu brilho. O que outrora foi um fraco raio de intelecto tornou-se um Newton, um Locke, um Napoleão. Quando refletimos que essa mente imortal continuará a expandir seus poderes no futuro infinito, estamos prontos para formar uma imagem elevada da grandeza humana. Mas, quando nos lembramos de que o homem, o que quer que ele seja e quaisquer sejam as suas habilidades, é uma criatura formada pela mão de Deus e cujas nobres capacidades foram dadas por Deus; quando consideramos que, mesmo com todo o avanço que ele obtenha nas eras futuras, será para sempre como nada comparado à infinitude de Deus; e quando olhamos para a eternidade passada e contemplamos Deus existindo em toda a sua perfeição sem limites, eras e eras antes de nossa frágil existência começar; então, poderemos deixar a admiração da grandeza humana e exclamar: "Que é o homem, que dele te lembres? Ou o filho do homem, que o visites?" (Hb 2.6).

Não obstante, o mais poderoso incentivo à humildade está no contraste entre a nossa própria depravação e a santidade de Deus. Por mais admirável que seja o intelecto humano, a verdade é que está arruinado por haver-se afastado de Deus. Cada depravado filho de Adão que tenha chegado a estudar os atributos de Deus e atingido um determinado grau de conhecimento sobre a sua santidade imaculada não poderá, tocado pela mais profunda humildade, omitir-se de dizer: "Ai de mim! Estou perdido! Porque sou homem de lábios impuros, habito no meio dum povo de impuros lábios, e os meus olhos viram o Rei, o SENHOR dos Exércitos!" (Is 6.5).

O verdadeiro conhecimento de Deus nos infunde a confiança nele. Em face dessa verdade, aprendemos a depositar uma inabalável confiança nas manifestações que ele nos tem oferecido sobre si mesmo, bem como nas promessas que nos tem feito como o grande alicerce da nossa esperança. Há ocasiões em que um homem bom perde o senso do favor divino que, antes, o satisfazia, oportunidades em que a espada da justiça divina parece apontar na direção de seu peito. Porém, até mesmo nessas ocasiões, munido do verdadeiro conhecimento de Deus e do amor pelo Senhor, em seu coração, pode dizer: "Ainda que ele me mate, nele esperarei".

A doutrina concernente a Deus que a Bíblia ensina confirma a alegação escriturística de que ela deve ser considerada a Palavra de Deus.

Essa doutrina, conforme temos averiguado, foi propositalmente designada para ajustar-se à natureza moral do ser humano, trazendo à tona os princípios morais e religiosos com que foi dotado pelo seu Criador, a fim de que atinja seu melhor e mais nobre exercício.

Quando é encarado à parte de seu relacionamento para com Deus, o homem, uma criatura tão admiravelmente capacitada, torna-se um enigma no universo; a doutrina concernente a Deus fornece-nos a solução para esse mistério. A tendência dessa doutrina de exercer uma poderosa influência santificadora sobre o âmago de todos os sentimentos e ações dos seres humanos demonstra que ela procede de Deus. Quem experimenta em seu coração o poder santificador do ensinamento bíblico tem em si mesmo a prova de sua veracidade, prova que não poderia obter por qualquer outro meio. No caso dessa doutrina, estamos endividados principalmente para com a Bíblia Sagrada. Nela, o Deus que tem mostrado apenas parcialmente a sua pessoa, por meio das suas obras, entra em comunicação direta conosco, tornando-se visível em suas próprias luzes, à semelhança do sol que brilha em um firmamento sem nuvens. Se o princípio religioso infundido em cada um de nós estivesse atuando como deve, essa doutrina bíblica seria tão harmônica conosco como a luz do sol é com a visão. E, assim, ficaríamos tão plenamente convencidos da existência do Deus da Bíblia como o estamos da existência do sol, vendo-o brilhar em todo o seu ofuscante esplendor do meio-dia.

As provas de que a Bíblia é a Palavra de Deus acumular-se-ão à medida que fizermos progresso na investigação da verdade religiosa. Temos avançado um passo nesse estudo pelas nossas inquirições acerca da existência e dos atributos de Deus; a glória da doutrina bíblica de Deus já tem brilhado fortemente sobre nós. Continuemos, pois, em nossos estudos, guiados por este santo Livro. Se abrirmos o coração ao poder santificador das suas verdades, veremos ainda mais confirmada, pela influência que elas têm sobre as nossas próprias almas, a prova de que a Bíblia procede do Deus de santidade.

LIVRO III

DOUTRINA CONCERNENTE À VONTADE E ÀS OBRAS DE DEUS

INTRODUÇÃO

O DEVER DE NOS DELEITAMOS NA VONTADE E NAS OBRAS DE DEUS[1]

Se alguém supõe que a religião consiste meramente em autonegação e dolorosas austeridades, que está contaminada por melancolia e tristezas, com exclusão de qualquer felicidade, equivocou-se terrivelmente quanto ao verdadeiro caráter do cristianismo. As religiões falsas, bem como os falsos pontos de vista sobre a religião autêntica, são passíveis dessa acusação. Mas a religião que tem Deus como seu autor e que conduz a alma a ele é plena de paz e de alegria. Ela nos reanima em meio às provações da vida e nos deixa contentes com toda e qualquer sorte que a providência divina nos tenha concedido, felizes no exercício da piedade e da devoção e alegres diante da expectativa de uma felicidade plena e sem fim. Para nós, o céu está bem próximo; enquanto caminhamos para aquele mundo de bem-aventurança eterna e perfeita, é-nos permitido, até certa medida, antecipar as suas alegrias, sendo, aqui mesmo, abençoados com toda sorte de bênçãos espirituais nos lugares celestiais, em Cristo Jesus, nosso Senhor (Ef

1 Sl 37.4; 40.8; 119.47; 107.22; Rm 7.22.

1.3). Somos, assim, capacitados não somente a prosseguir, com contentamento e alegria, em nossa peregrinação até a boa terra, mas até mesmo a nos "agradarmos do Senhor" (Sl 37.4). Nossa felicidade não consiste apenas na ausência da adversidade e da dor, e sim na presença de positivos deleites espirituais.

O deleite que acompanha outros exercícios religiosos deveria, igualmente, ser sentido quando investigamos a verdade religiosa, estimulando-nos à diligência e à perseverança nesse mister. A verdade bíblica não é apenas santificadora, mas também proporcionadora de felicidade. Para os antigos, essa verdade parecia mais doce do que o mel e seu favo (Sl 19.10). Os primeiros cristãos, ao confiarem na verdade, conforme ela se acha em Jesus, exultavam "com alegria indizível e cheia de glória" (1Pe 1.8). Se amássemos a verdade divina como temos obrigação de fazê-lo, haveríamos de experimentar tal deleite quando os nossos corações lhe dessem acolhida; e a investigação criteriosa das páginas sagradas deveria ser fonte do mais puro e permanente prazer. Não é suficiente dedicarmos nossos poderes intelectuais à discussão de intricadas questões acerca da doutrina cristã; cumpre-nos, também, descobrir um rico e variado banquete nas verdades que podem ser conhecidas e lidas por todos. As gloriosas verdades que são claramente reveladas sobre Deus, bem como a respeito das realidades divinas, são suficientes para permitir que o crente deleite-se no Senhor.

Temos verificado que o amor a Deus é o fundamento da religião autêntica. O amor, considerado como simples benevolência, tem por objetivo produzir felicidade, e não a receber. Porém, mediante o sábio planejamento da bondade infinita de Deus, a produção da felicidade abençoa tanto aquele que dá como aquele que recebe. Por esse motivo, "mais bem-aventurado é dar que receber" (At 20.35). Porém, quando Deus é o objeto de nosso amor, visto que não podemos contribuir para aumentar a sua felicidade, deleitamo-nos no fato de que Deus já goza de felicidade perfeita. Deus é amor, e amar a Deus de todo o coração equivale a ter o coração cheio, até à medida completa de sua capacidade, com as bênçãos da natureza divina. Nisso consiste a plenitude do deleite espiritual.

Fundamentos suficientes para a reivindicação de supremo amor a Deus são encontrados na existência e nos atributos divinos. Porém, para o ativo exercício da santa afeição, Deus precisa ser visto não meramente como existindo, mas como agindo. Para que haja deleite nele, suas perfeições têm de ser manifestadas. Da mesma forma, apreciamos os objetos de nossa convivência e nos deleitamos naquelas qualidades que nos atraem o coração. O céu está repleto de bem-aventuranças porque os seus habitantes não apenas amam a Deus, mas também contemplam as manifestações de sua glória. Para desfrutar de Deus na terra, devemos contemplá-lo naquelas manifestações de si mesmo que ele se agrada de revelar a nós, que habitamos no estrado dos seus pés. Tais manifestações podem ser encontradas nas declarações de sua vontade e também nas suas obras, as quais são a execução da sua vontade. Na contemplação dessas coisas, o coração piedoso encontra uma fonte de puro e elevado deleite.

Quando o Filho de Deus consentiu em aparecer sob a forma humana para a salvação do homem, disse: "agrada-me fazer a tua vontade, ó Deus meu" (Sl 40:8). Se tivéssemos a mesma atitude mental que havia em Cristo Jesus, também nos deleitaríamos na vontade de Deus. Deveríamos fazer nossas as palavras do salmista: "Terei prazer nos teus mandamentos, os quais eu amo" (Sl 119.47); ou, juntamente com Paulo, deveríamos exclamar: "Tenho prazer na lei de Deus" (Rm 7.22). Cumpre-nos prestar obediência a cada preceito não de forma relutante, mas com ânimo e de bom grado – não apenas com ânimo, mas também com alegria e satisfação. Essa obediência deveria servir-nos de comida e bebida, tal como o era para nosso bendito Senhor. O nosso contentamento religioso não estaria meramente em receber benefícios da parte de Deus, mas em prestar-lhe ativo serviço, como os bem-aventurados espíritos que estão diante do trono do Senhor, os quais o servem dia e noite, deleitando-se nos serviços que lhe prestam. Não somente devemos deleitar-nos em render serviço pessoal ao nosso Soberano, mas deveríamos ansiar ver a sua vontade cumprida por todos os outros e regozijar-nos em seu universal domínio. "Reina o Senhor. Regozije-se a terra" (Sl 97.1).

Assim como os santos da antiguidade regozijavam-se na vontade e no governo de Deus, também se regozijavam em suas obras. Eles viam nelas as manifestações da sua sabedoria, poder e bondade e deleitavam-se em meditar nelas. A glória do Senhor, mostrada nos céus, e as obras das suas mãos, visíveis na terra, eram por eles contempladas com santo contentamento. Regozijavam-se em lembrar: "Foi ele quem nos fez" (Sl 100:3). Aproximando-se dele com veneração, tinham-no como o Criador de tudo o que existe: "Tu, Soberano Senhor, que fizeste o céu, a terra, o mar e tudo o que neles há" (At 4.24).

A bondade que transparece nas obras de Deus desperta gratidão no homem piedoso. Enquanto desfruta do dom divino, reconhece a mão que o presenteou. Cada nova bênção torna-se ainda mais preciosa, por ter sido conferida por aquele a quem ele tanto ama. Tal homem vê na criação um depósito de contentamentos e bendiz o seu Autor. Da providência divina, ele recebe inúmeros benefícios derramados diariamente e louva seu generoso benfeitor. Deus está em cada ato de misericórdia, e o coração piedoso, comprazendo-se nisso, volve-se para o Senhor com incessante louvor e ações de graça.

O teste para nosso deleite em Deus vem com a aflição. O homem piedoso sente que também isso vem da mão de Deus. Assim pensaram todos os santos, cuja experiência nos é relatada na Bíblia. Eles submeteram-se às aflições em espírito de resignação para com a vontade de Deus, pois reconheciam que Deus era o autor das aflições. Assim fez Jó: "o Senhor o deu, e o Senhor o tomou; bendito seja o nome do Senhor" (Jó 1.21). Igualmente, Davi: "Emudeço, não abro os meus lábios, porque tu fizeste isso" (Sl 39:9). Disse Eli: "É o Senhor; faça o que bem lhe aprouver" (1Sm 3.18). Os companheiros de Paulo, da mesma forma: "Faça-se a vontade do Senhor" (At 21.14).

Sim, os santos da antiguidade confiavam na providência controladora de Deus e davam boa acolhida a todas as aflições ordenadas pelo Senhor, em cada particular da vida; sobre essa confiança, alicerçava-se a resignação que assinalava a profunda piedade deles. Para a carne, as aflições não eram motivos de alegria, mas de tristeza, razão pela qual não podiam regozijar-se nas aflições, consideradas em si mesmas; entretanto, após terem suportado as mais agudas angústias, podiam dizer, juntamente com Jó: "Bendito seja o nome do Senhor". Aqueles santos acreditavam firmemente que todas aquelas provações eram sábia e bondosamente determinadas pelo Senhor e que ele fariam o bem nascer do mal. Mesmo oprimidos pelos sofrimentos e cercados de tristeza na vida presente, confiavam em Deus com fé inabalável, e em deleitar-se nele sua miséria era aliviada, e seu sofrimento, diminuído.

Que o amor a Deus queime em nossos corações, enquanto contemplamos os fatos de sua existência e de seus atributos. Que os deleites do Senhor elevem-se em nós até ao mais exaltado arrebatamento a que as mentes humanas são capazes, enquanto estudamos a sua vontade e as suas obras. A grandiosa obra da redenção, a qual os anjos desejam, em especial, observar e que também é o tema dominante dos cânticos dos glorificados, presta-se admiravelmente para produzir em nós o mais elevado êxtase. Porém, até mesmo os temas da criação e da providência podem infundir-nos satisfação, se nos pusermos a examiná-los conforme devemos fazê-lo. Quando foram lançados os fundamentos da terra, as estrelas entoaram cânticos conjuntamente, e todas as criaturas de Deus irromperam em expressões de júbilo; e, agora, os anjos deleitam-se em ser os ministros da providência divina. Que nós, com similar devoção ao Deus Todo-Poderoso, deleitemo-nos em sua vontade e em suas obras.

CAPÍTULO 1

A VONTADE DE DEUS

O termo "vontade", que sempre importa em "desejo", é variavelmente empregado, de acordo com o objeto de desejo.

1. O termo denota intenção ou propósito de agir. É dito de Apolo: "de modo algum era a vontade dele ir agora" (1Co 16.12), isto é, ele não tinha formado a intenção, o propósito de ir. Nesse sentido, a vontade de Deus é anunciada: "segundo o propósito daquele que faz todas as coisas conforme o conselho da sua vontade" (Ef 1.11). Propósito ou intenção podem existir antes de vir o tempo de ação. Quando é tempo de agir, a mente determina um ato chamado "volição" para produzir o efeito desejado. No caso dos seres humanos, os propósitos podem ser volúveis e sofrer modificações, antes do tempo em que a ação deva concretizar-se; porém, o propósito ou intenção de Deus jamais sofre alterações. Chegado o tempo oportuno de ser produzido o propósito desejado, não devemos supor que uma nova volição apareça na mente de Deus. O efeito se concretiza de acordo com a sua vontade, sem qualquer novo empenho da parte dele.

2. O termo "vontade" importa em um desejo de ação, restrito por fortes desejos opostos ou outras influências contingentes. Pilatos estava "desejando" soltar a Jesus (Lc 23.20), mas outras considerações presentes em sua mente prevaleceram sobre esse desejo e determinaram sua ação. Nossa inclinação é conceber a mente divina a partir do conhecimento que temos do nosso próprio ser. Mesmo a Escritura adapta sua linguagem aos nossos conceitos. Desse modo, um desejo de agir é atribuído a Deus, quando considerações opostas impedem sua ação. "Eu teria dito: Por todos os cantos os espalharei; farei cessar a sua memória dentre os homens, se eu não tivesse receado a provocação do inimigo" (Dt 32.26, 27). "Quantas vezes quis eu reunir os teus filhos [...] e vós não o quisestes!" (Mt 23.37).

3. "Vontade" é também usado em referência a um objeto externo desejado ou a uma ação que se deseja que alguém realize. "Sacrifício e oferta não quiseste" (Hb 10:5). "Faça-se contigo como queres" (Mt 15.28). "Pedireis o que quiserdes, e vos será feito" (Jo 15.7). "Que farei, então?" (Mc 15.12). Nesse sentido, expressando simplesmente o que em si mesmo seria aprazível a Deus, atribui-se vontade a ele: "não querendo que nenhum pereça, senão que todos cheguem ao arrependimento" (2Pe 3.9). "Não tenho prazer na morte do perverso" (Ez 33.11). "Pois esta é a vontade de Deus, a vossa santificação" (1Ts 4.3).

4. Estreitamente unido a este último significado e, talvez, nele implícito, está o uso do termo "vontade" com o sentido de "ordem" ou "ordenança". Quando alguém, exercendo autoridade sobre outra pessoa, deseja que ela realize uma determinada ação, seu desejo expresso assume o caráter de preceito. A vontade expressa por um suplicante é uma petição; a vontade expressa por um soberano é uma ordem. Aquilo que sabemos que Deus se agrada em que façamos é nosso dever fazer, e aquilo que nos é dado conhecer como sendo aprazível a Deus torna-se uma lei.

VONTADE DE COMANDO

É especialmente importante distinguir entre a primeira e a última significações já enumeradas para o termo "vontade". Na primeira, a vontade de Deus se refere exclusivamente às suas próprias ações e implica em sua firme determinação quanto ao que fará. Essa é a chamada vontade de propósito que sempre se realiza. No último sentido, o termo refere-se às ações de suas criaturas e expressa o que lhe seria agradável que fizessem. Essa é a chamada vontade de preceito, a qual deixa de ser cumprida quando os atos de suas criaturas não lhe agradam, quando vão contra os seus mandamentos.

A vontade de propósito está em textos como: "segundo o propósito daquele que faz todas as coisas conforme o conselho da sua vontade" (Ef 1.11). Ou: "segundo a sua vontade, ele opera com o exército do céu e os moradores da terra" (Dn 4.35). A vontade de preceito está em: "Faça-se a tua vontade, assim na terra como no céu" (Mt 6.10). Note-se que, no primeiro caso, o único agente é Deus, e o efeito é certo; no último, suas criaturas são os agentes, e o efeito não é assegurado, pois se trata de uma petição.

A vontade divina de comando, sem importar de que maneira nos foi dada a conhecer, é a nossa regra de dever[1]

As Escrituras fazem da vontade de Deus a nossa regra de dever, tanto para aqueles que têm claro conhecimento, quanto para aqueles que não o têm. A desobediência dos primeiros será punida com muitos açoites e a dos últimos, com menos. Nenhum homem será responsabilizado senão pelos meios de conhecimento ao seu alcance, os quais, porém, mesmo no caso de ignorantes pagãos, são suficientes para torná-los indesculpáveis. Não temos o direito de determinar a

1 Sl 40.8; 143.10; Mt 6.10; Rm 2.18; Êx 20; Rm 2.12-15; Ec 12.13.

Deus a maneira pela qual nos fará conhecida a sua vontade; contudo, é nossa responsabilidade utilizar todos os meios possíveis a fim de obter tal conhecimento. Quando o adquirimos, é nosso dever obedecer a Deus perfeitamente e de coração.

Vários termos têm sido usados na Sagrada Escritura para indicar a vontade de Deus: estatutos, juízos, leis, preceitos, ordenanças etc. Os dois grandes preceitos, base de todas as leis, são: "Amarás, pois, o Senhor teu Deus de todo o teu coração, de toda a tua alma, de todo o teu entendimento e de toda a tua força" e "amarás o teu próximo como a ti mesmo" (Mc 12.30, 31). O primeiro está expandido dentro dos quatro mandamentos que formam a primeira tábua do Decálogo; e o segundo, nos seis últimos mandamentos, constituindo a segunda tábua. O Decálogo foi dado como lei aos filhos de Israel, como está aparente em sua introdução: "Eu sou o Senhor teu Deus, que te tirei da terra do Egito, da casa da servidão" (Lv 19.18). Porém, distinguia-se entre as outras leis dadas àquela nação, visto ter sido pronunciado audivelmente desde o monte Sinai pela voz de Deus e escrito pelo seu dedo nas tábuas de pedra. Quando examinamos esses preceitos, descobrimos que tratam das relações dos homens para com Deus e para como os demais homens; encontramos, no Novo Testamento, a sua obrigatoriedade mantida, enquanto é estendida aos gentios sob a dispensação do evangelho (Rm 13.8, 9; Ef 6.2). Inferimos, portanto, que o Decálogo, embora dirigido aos israelitas, era-lhes dirigido como a homens, e não como a um povo peculiar, e que é igualmente obrigatório para todos os homens.

A lei cerimonial dizia respeito aos filhos de Israel como uma congregação de adoradores, chamada "congregação do Senhor". Essa lei começou com a instituição da Páscoa e terminou quando Cristo, nosso cordeiro pascal, foi sacrificado por nós, e quando o escrito da dívida, na forma de ordenanças, foi encravado na cruz. Cessou, então, a sua obrigatoriedade. O Batismo e a Ceia do Senhor são as cerimônias da dispensação cristã, obrigatórias para os discípulos de Cristo, até ao fim do mundo.

A lei judicial foi dada aos israelitas como a uma nação e não era obrigatória a nenhum outro povo. Os princípios de justiça em que estava baseada, contudo, são universais e devem ser incorporados em todo código civil.

VONTADE DE PROPÓSITO

Deus quer fazer tudo quanto ele faz

Deus é um agente voluntário. Há muitas forças na natureza que operam sem volição. O fogo consome o combustível, o vapor movimenta a máquina, e o veneno tira a vida; contudo, essas forças não têm vontade.

Mesmo seres dotados de vontade agem, às vezes, involuntariamente e, em outras ocasiões, contra a sua vontade ou por compulsão de um poder superior. Deus age voluntariamente em tudo quanto faz — não por engano, por descuido ou poder involuntariamente exercido. Homens podem justificar seus atos, alegando que foram cometidos impensada ou inadvertidamente; Deus, porém, jamais terá de desculpar-se. Ele conhece todas as suas obras, desde o começo da criação (At 15.18), o que significa que todos os atos de Deus são devidamente refletidos.

2 Jó 23.13; Dn 4.35; Ef 1.11.

Deus faz tudo quanto quer fazer[3]

Deus não seria onipotente se desejasse ou quisesse fazer alguma coisa, mas não conseguisse realizá-la.

Tudo quanto Deus faz é segundo um propósito eterno, imutável, perfeitamente livre e infinitamente sábio[4]

Todos os que atribuem sabedoria a Deus não podem negar que ele tem um propósito. Agir sem qualquer propósito é próprio de um infante ou de um idiota. Uma pessoa sábia não age sem qualquer propósito, e muito menos poderia fazê-lo o Deus que é todo-sábio. Além disso, as Escrituras referem-se tão expressamente ao propósito de Deus, que ninguém que admita a autoridade da revelação bíblica pode rejeitar essa doutrina, mesmo que venha a abusar dela ou a interpretá-la equivocadamente. Esse termo subentende que Deus tem uma finalidade em vista em tudo quanto faz, tendo um plano que orienta suas ações.

O propósito de Deus é eterno e imutável. Um homem sábio, ao executar um propósito, pode experimentar muitos atos de volição separados uns dos outros, os quais são atitudes momentâneas de sua mente; mas o seu propósito é algo mais duradouro, continuando desde sua formação na mente até à sua completa execução. O vocábulo "vontade", aplicado ao ato da mente divina, porém, não implica por si mesmo em duração; não obstante, o propósito de Deus, com base na própria significação do termo, necessariamente envolve duração. Deus tinha um propósito quando criou o mundo; as Escrituras, efetivamente, referem-se à existência do propósito dele antes do começo

3 Jó 23.13; Dn 4.35; Ef 1.11; Is 46.10; Dn 11.36.

4 Jó 23.13; Is 40.14; 46.10; Jr 51.29; Rm 8.28; Ef 1.11; 3.11; 2Tm 1.9

do mundo. Mas a duração desse propósito é ainda mais explicitamente declarada através das palavras "o eterno propósito" (Ef 3.11). Esse termo não é usado no plural pelos escritores sagrados, pois transmitiria a ideia de que Deus dispunha de muitos planos, ou de uma sucessão de planos ou esquemas. Trata-se de um único, grande e glorioso plano, e seu início vem desde a eternidade. A eternidade desse propósito subentende imutabilidade; a sua imutabilidade subentende eternidade; e a sua unidade concorda com ambas essas propriedades.

O propósito de Deus é inteiramente livre. Não é forçado por nenhum poder exterior, porque nada existia para restringir a mente daquele que era antes de tudo. Esse é o beneplácito que "propusera em Cristo" (Ef 1.9). A vontade é a de Deus e, assim sendo, deve ser voluntária. Os vocábulos "propósito" e "vontade" aplicam-se à mesma coisa, segundo aspectos diferentes ou conforme diversos modos de conceber. Se o vocábulo "propósito" sugere mais naturalmente a ideia de duração, o termo "vontade" sugere a sua voluntariedade. Não está em pauta a ideia de destino que os antigos pagãos consideravam que controlava os próprios deuses, tão verdadeiramente como aos seres humanos.

O propósito de Deus é infinitamente sábio. Temos argumentado que Deus deve ter um propósito, porque ele é sábio. Portanto, a sua sabedoria está por detrás do seu propósito. Não se trata de algum esquema arbitrário ou caprichoso; antes, de um esquema traçado mediante sabedoria infinita, adotando os melhores meios possíveis para a sua concretização.

Os escritores de obras teológicas têm empregado o vocábulo "decretos", a fim de denotarem o propósito de Deus. Uma das objeções contra o uso desse termo alicerça-se sobre o fato de que não há qualquer autoridade inspirada para o emprego do vocábulo nesse sentido. Quando as Escrituras lançam mão do vocábulo "decreto", dão a entender uma ordem promulgada, a fim de ser observada por aqueles que estão sob autoridade. Esse aspecto é o que chamamos de vontade de preceito, em vez da vontade de propósito. Além disso, seu uso no plural não se coaduna bem com a ideia de unidade do plano divino.

Dificilmente qualquer outra doutrina religiosa tenha gerado tanta oportunidade para zombaria e tropeço quanto a doutrina dos decretos de Deus. Como se os homens fossem mais sábios do que Deus, eles se recusam a permitir-lhe traçar um plano ou encontram falhas nesse plano, uma vez formado; e pouquíssimos têm bastante simplicidade de fé e humildade que lhes permita escapar inteiramente do embaraço que as objeções a essa doutrina têm produzido. Portanto, essas objeções precisam ser examinadas cuidadosamente.

Objeção 1

O propósito de Deus é incompatível com a livre-agência do homem.

Já serve de resposta plena a essa objeção o fato de que um mero propósito não pode interferir com a liberdade de alguém. Quando um déspota qualquer resolve aprisionar um de seus súditos, enquanto tal resolução não for posta em execução, a liberdade daquele súdito não é violada. Ele continuará movimentando-se em liberdade, como sempre fez, sem ser afetado pelo mal premeditado. A violação de sua liberdade só tem início quando aquele propósito começar a ser executado, e não antes. Assim também, dentro do governo divino, o propósito do Governante supremo não interfere de modo algum na liberdade de seus súditos, enquanto permaneça como um propósito. Essa objeção, que ora consideramos, é totalmente inaplicável à doutrina do propósito de Deus. Se essa objeção tem alguma razão, é contra a doutrina da providência divina, e sob esse título será considerada apropriadamente. Até esse ponto, nem o propósito divino, nem a sua execução podem ser acusados de estarem interferindo na liberdade moral do homem; pelo contrário, ambos unem-se para estabelecer essa liberdade. A finalidade de Deus foi criar o homem como um agente livre, e foi assim que o fez. O propósito de Deus foi governar o homem, considerando-o como um livre agente. E Deus não tem agido dessa maneira? Se cada ser humano sente que a providência de Deus, ao mesmo tempo que preside as suas atividades, deixa-o em perfeita liberdade para agir com base em sua escolha em tudo quanto faz, que base existe para a acusação de que o propósito de Deus interfere na livre agência humana? Se o mal acusado não está presente na execução do propósito, certamente não está no propósito em si.

Essa objeção frequentemente nos é apresentada na prática. Quando somos convocados a realizar alguma ação que nos é contrária, surge ocasião para aquele argumento que diz: "Se Deus preordenou tudo quanto haveria de acontecer, cada acontecimento é certo; e aquilo que tiver de suceder sucederá sem nenhum esforço da nossa parte." É digno de nota que esse argumento jamais nos induz a nos desviarmos de um curso para o qual nos sintamos inclinados. Se algum prazer acena para nós, nunca dispensamos o seu deleite com base na alegação de que, se tivéssemos de desfrutar de tal prazer, acabaríamos desfrutando dele de qualquer maneira. Esse fato é suficiente para mostrar-nos a insinceridade daquela justificativa. Tal argumento só permanece arraigado nos espíritos de alguns por causa do engano do pecado; e, por mais plausível que pareça ser quando ele coincide com as nossas inclinações, nunca confiamos nele em qualquer outra situação. Nenhuma pessoa de bom senso permanece no interior de uma residência em chamas, alegando que, se ela tiver de sair ilesa, isso acontecerá de qualquer maneira. A providência de Deus estabelece a correta relação entre causas e efeitos, concedendo amplo espaço para a influência da vontade humana. Argumentar que efeitos serão produzidos sem as causas apropriadas é negar o conhecido arranjo da providência. Aquele que espera da parte do propósito de Deus o que a providência de Deus lhe nega espera que o propósito seja incompatível com o seu próprio desenvolvimento. Tal pessoa estará acusando o plano do Deus todo-sábio de incoerência e insensatez, somente a fim de que ele mesmo encontre um subterfúgio para as suas indulgências criminosas.

Objeção 2

Se Deus determinou a Queda de anjos e de homens, é o autor do pecado deles.

Antes de começarmos a responder a essa objeção, será necessário examinarmos os termos mediante os quais ela foi expressa. Em qual sentido Deus determinou a Queda dos anjos ou dos homens, ou qualquer dos atos pecaminosos praticados por eles? Há um sentido — familiar para todo homem piedoso — em que tudo o que acontece sob a providência controladora de Deus é atribuído a Deus, quaisquer que sejam os agentes subordinados que possam estar envolvidos na efetivação do evento. O vento, o relâmpago, os caldeus, os sabeus, todos estiveram envolvidos nas aflições que sobrevieram ao patriarca Jó. Não obstante, ele continuou reconhecendo o governo controlador da mão de Deus em cada ocorrência e exclamou piedosamente: "o Senhor o deu, e o Senhor o tomou; bendito seja o nome do Senhor!" (Jó 1.21). Por semelhante modo, quando foi vendido por seus irmãos e levado para o Egito, José viu a mão de Deus naquele acontecimento e explicou o desígnio da providência divina nestes termos: "para conservação da vida, Deus me enviou adiante de vós" (Gn 45.5). Precisamente no mesmo sentido em que a providência de Deus está envolvida em acontecimentos dessa ordem, seu propósito também está envolvido, e em nenhum outro sentido.

Após essa explanação introdutória, procedamos à consideração dessa segunda objeção. Porventura, José resolveu acusar a Deus de haver sido o autor do pecado dos seus irmãos? Nada poderia estar mais afastado dos seus pensamentos. Eles tinham sido verdadeiramente culpados do sangue de seu irmão, e a própria consciência deles os acusava do crime. Eles sentiram que eram responsáveis por aquele pecado, e José não formava outra ideia a respeito disso. Nada de tudo quanto ele disse teve a finalidade de transferir para Deus a responsabilidade deles. No entanto, José viu e se deleitou no propósito divino naquela ocorrência. Esse propósito foi o de que "se conserve muita gente em vida" (Gn 50.20).

Esse propósito foi executado, e Deus foi o seu autor, assim como dos benéficos resultados. Assim, em cada caso, o bem que Deus faz advir do mal moral, e não o mal em si mesmo, é o verdadeiro objetivo do propósito divino.

Nunca deveríamos esquecer-nos de que o propósito de Deus é a sua intenção de agir e de que, estritamente falando, ele é vinculado exclusivamente à sua própria ação. Esse propósito, na verdade, estende-se a tudo quanto existe, mas abrange tudo somente no sentido em que Deus se preocupa com tudo. Aquilo que Deus faz, e nada além disso, é o objetivo real do propósito divino. "O propósito daquele que faz todas as coisas conforme o conselho da sua vontade" (Ef 1.11). "Farei toda a minha vontade" (Is 46.10). "Segundo a sua vontade ele opera com o exército do céu e os moradores da terra" (Dn 4.35). É impossível reparar demais no fato de que o propósito divino relaciona-se, estrita e apropriadamente, às suas próprias ações. Deus não participa do pecado, e, portanto, o seu propósito nunca será capaz de transformá-lo no autor do pecado.

Essa segunda objeção, embora pareça ter maior força quando aplicada ao primeiro pecado humano, na realidade, não é mais aplicável a este do que a qualquer outro que, desde então, tenha sido cometido. Deus criou Adão e todos os seus descendentes como agentes morais responsáveis, preservando-lhes a existência e sustentando as suas faculdades morais. Ele permitiu o pecado deles, ao mesmo tempo que superou os efeitos maléficos, desde o princípio até o fim, para efetivar um resultado ainda mais glorioso. Em tudo isso, o que Deus tem feito e continua fazendo já se propusera a fazer antes. Em tudo, a sua atuação é a mais justa, sábia e santa; portanto, é o seu propósito, sendo o autor não do mal moral que ele permite, mas do bem que ele faz redundar do mal.

Alguns pensadores têm negado a distinção entre a permissão e autoria do pecado; porém, ao agirem assim não têm contado com o respaldo da Palavra de Deus. O teor inteiro das Escrituras leva-nos a considerar Deus como o autor da santidade, e jamais do pecado. Somos ensinados que em Deus não há pecado algum e também que "Deus é luz, e não há nele treva nenhuma" (1Jo 1.5); dele não procede o pecado, e sim "toda boa dádiva e todo dom perfeito [...] descendo do Pai das luzes" (Tg 1.17). Igualmente, "Deus não pode ser tentado pelo mal, e ele mesmo a ninguém tenta" (Tg 1.13). Por meio de uma linguagem dessa natureza, somos ensinados a considerar Deus como o autor e a fonte da santidade. É tão contrário à doutrina da Palavra de Deus atribuir o pecado ao Senhor como o é atribuir as trevas ao sol.

Não obstante, a própria Palavra de Deus ensina-nos que Deus é quem permite a manifestação do mal: "o Deus vivo [...] o qual nas gerações passadas permitiu que todos os povos andassem nos seus próprios caminhos" (At 14.15, 16). A longanimidade de Deus, por tantas vezes aludida nas Escrituras, subentende a permissão do pecado. Mas a grande verdade é que o Senhor não pode ser o autor daquilo que lhe é altamente ofensivo, ainda que ele o tolere.

Objeção 3

Se Deus tinha como propósito a condenação final dos ímpios, ele os criou com a finalidade de condená-los.

Certos homens apreciam expor essa objeção sob a forma mais repulsiva; porém, cumpre-nos examiná-la reverentemente, em razão daquele cujo caráter e motivos ela ataca. Imaginemos que estamos presentes nas ocorrências do dia final. O justo Juiz está assentado sobre o seu grande trono branco, e todas as nações estão reunidas diante dele. Abrem-se os livros, e cada indivíduo é imparcialmente julgado, segundo os feitos praticados por intermédio do corpo. Os galardões são distribuídos, e a sentença condenatória é pronunciada. Aos ímpios é dito: "Apartai-vos de mim, malditos, para o fogo eterno, preparado para o diabo e seus anjos", ao passo que os justos são bem-vindos ao "reino que vos está preparado desde a fundação do mundo" (Mt 25.41, 34). A cena passa, e a misteriosa administração da longanimidade e da graça de Deus finalmente se encerra. Haveria qualquer coisa indigna de Deus em toda essa transação? Haveria qualquer coisa de que os habitantes glorificados do céu se lembrariam com desaprovação durante a sua existência imortal? De maneira nenhuma. O Juiz, se, por um lado, punirá os ímpios com eterna perdição, banidos da presença do Senhor e da glória de seu poder, por outro lado, será glorificado em seus santos, admirado em todos aqueles que nele confiaram (2Ts 1.9, 10); para sempre ele aparecerá como um Ser eminentemente glorioso, à luz das decisões tomadas naquele último dia. Se os atos de Deus, naquele último dia, serão para ele gloriosos, poderia ser uma desonra para ele o fato de que se propôs a agir daquela maneira?

Caso alguém se disponha a entreter seriamente a ideia de que Deus será apanhado de surpresa e compelido a passar sentenças não premeditadas por ocasião do Juízo Final, terá de desistir terminantemente de tal ideia ante o fato de que aquele grande dia e, especialmente, a temível condenação dos ímpios foram preditos tão cedo quanto os dias de Enoque, o sétimo depois de Adão. "Eis que veio o Senhor entre suas santas miríades, para exercer juízo contra todos e para fazer convictos todos os ímpios, acerca de todas as obras ímpias que impiamente praticaram" (Jd 14, 15). Esse pronunciamento também demonstra que o Senhor não haverá de castigar os ímpios pelo mero prazer de puni-los. Por qual motivo ele faz advertências referentes àquele dia final? Por que motivo os seus mensageiros são enviados para advertir os homens, a fim de que fujam da ira vindoura? E por qual motivo essas mensagens são proferidas com tão grandes rogos e com tão apaixonadas exposições, a ponto de os servos do Senhor terem dito: "somos embaixadores em nome de Cristo, como se Deus exortasse por nosso intermédio. Em nome de Cristo, pois, rogamos que vos reconcilieis com Deus" (2Co 5.20). Na qualidade de criaturas moldadas pelas suas mãos, Deus não tem nem pode ter qualquer prazer em causar-lhes a infelicidade; mas, visto que se tornam rebeldes contra a autoridade divina, inimigas do caráter e do governo de Deus, opositoras da boa ordem de seu império universal e que, obstinadamente, rejeitam seu esquema de misericórdia e de reconciliação, Deus terá de infligir-lhes a punição que a sua justiça requer.

A recompensa conferida à retidão será um reino preparado para os justos desde antes da fundação do mundo; mas as chamas eternas para as quais os ímpios irão não foram preparadas especialmente com o fim de acolhê-los, mas para o diabo e seus anjos (Mt 25.34, 41). Foi dessa maneira significativa que Deus achou por bem ensinar-nos que os seus castigos foram preparados de antemão não para as suas criaturas, como tais, mas para os pecadores, em vista de *pecados* já cometidos. A fim de resguardar-se do embaraço, haveria Deus de afirmar que foi apanhado inteiramente de surpresa e que, desde o princípio do mundo, ele jamais esperava tão terrível resultado? Se as ocorrências daquele grande dia final serão tão gloriosas para Deus que ele há de considerá-las com prazer por toda a eternidade futura, por qual razão ele não pode tê-las considerado com prazer por toda a eternidade passada?

Essa objeção, originada numa aversão pela justiça divina, distorce inteiramente o caráter do justo juízo de Deus. Tal objeção salta desde a criação do homem até a condenação final dos ímpios, totalmente indiferente para com a causa dessa condenação. Essa objeção argumenta como se o pecado fosse uma questão sem importância e como se Deus assim o considerasse; por isso, expõe o castigo infligido pelo pecado como se tivesse sido imposto arbitrariamente. Todavia, a sentença proferida quando do julgamento final será motivada por uma causa justa e suficiente; e, no propósito de Deus atinente a tal sentença, essa causa nunca foi perdida de vista. Aquilo que Deus faz e os motivos que o impulsionam a fazê-lo são aspectos que estão igualmente inclusos no seu propósito. Porém, é exatamente essa conexão entre a causa e efeito que aquela objeção ignora inteiramente.

Deus não considerou o pecado insignificante quando, por causa da transgressão, destruiu o mundo antigo através do dilúvio. Como se quisesse dar resposta precisamente à objeção que ora consideramos e a fim de convencer os homens de que Deus não os criara somente para mais tarde saborear o prazer de destruí-los, a Bíblia registra: "Viu o Senhor que a maldade do homem se havia multiplicado na terra, e que era continuamente mau todo desígnio do seu coração; e então se arrependeu o Senhor de ter feito o homem na terra, e isso lhe pesou no coração" (Gn 6.5, 6).

O nosso bom senso decide que este mundo não pode ter sido criado sem nenhum propósito, e seria algo infinitamente indesejável se os seus imensos movimentos agora se prolongassem sem qualquer finalidade. As melhores obras produzidas pelas mãos humanas, que admiramos com um senso de prazer, foram formadas com algum propósito; nenhum ser inteligente poderá encarar as obras de Deus com satisfação, se puder imaginar que elas foram iniciadas e executadas sem qualquer desígnio. Quem não ficaria abatido no espírito se pensasse que todo o vasto maquinário que é a criação está movimentando-se sem qualquer finalidade? Ou que os planetas foram lançados no espaço ao acaso, sem serem guiados em suas órbitas por um sábio conselho e sem serem controlados em sua velocidade? Ou que o sol brilha, que os animais existem, que o homem imortal continua vivendo e movimentando-se sem nenhum propósito? Quão tremendo enigma seria a existência, se prevalecesse esse ponto de vista! A nossa compreensão finita talvez consinta em não compreender o propósito pelo qual o mundo foi criado, mas não é capaz de consentir a ideia de que o mundo foi criado sem qualquer propósito. Nossa natureza inteligente repele tal pensamento.

A doutrina do propósito de Deus, se, por um lado, torna-se atraente diante de nosso entendimento, por outro lado, aplica um severo teste aos princípios morais de nossos corações. Se Deus tem um propósito, deveríamos deleitar-nos em investigar esse propósito, regozijando-nos no seu cumprimento; em seguida, nossos corações e nossas vidas deveriam ser norteados em consonância com esse propósito. Quando preferimos acreditar que Deus não tem nenhum propósito em vista ou que esse propósito deveria ser diferente daquilo que realmente é, o nosso coração não pode ser tido como reto aos olhos do Senhor. Se amássemos a Deus conforme é o nosso dever, deveríamos regozijar-nos no cumprimento da vontade do Senhor, contemplando prazerosamente o desdobramento de seus grandiosos desígnios. Os santos anjos investigam os mistérios do amor remidor e aprendem, com base na graça dispensada à igreja, a multiforme sabedoria de Deus (Ef 3.10). Se em nossos corações prevalecessem princípios corretos, não ousaríamos ditar ordens àquele que é infinitamente sábio nem procurar falhas nos seus planos; pelo contrário, haveríamos de aguardar com prazer o desenvolvimento da vontade divina. Mesmo que não pudéssemos perceber a sabedoria e a bondade inerentes às obras do Senhor, deveríamos, movidos pela simplicidade da fé, permanecer na certeza de que os planos de Deus, quando já estiverem totalmente desdobrados, serão vistos como infinitamente retos e sábios.

CAPÍTULO 2

AS OBRAS DE DEUS: A CRIAÇÃO

DEUS CRIOU TODAS AS COISAS DO NADA[1]

Originalmente, nada existia além de Deus. Não havia matéria a partir, da qual as coisas visíveis pudessem ser formadas, tampouco havia substância espiritual, da qual anjos e almas humanas pudessem ser amoldados. Deus, no entanto, conferiu forma a tudo quanto existe.

Tem-se argumentado que a matéria não pode ser eterna, porque a autoexistência é uma propriedade por demais nobre para ser atribuída a uma natureza inferior, mas esse argumento não satisfaz. Por qual motivo uma coisa pequena não poderia existir sem causa, tanto quanto algo grande? Podemos conceber que é mais fácil uma natureza superior produzir um efeito particular qualquer do que uma natureza inferior. Todavia, no caso da autoprodução, o efeito é equivalente à sua causa, e a dificuldade para se produzir qualquer coisa deve ser tão grande para uma dessas naturezas quanto o é para a outra.

1 Gn 1; Ne 9.6; Jó 9.9; Sl 89.11; 95.5; 103.19; 104.4, 19; Cl 1.16; Ap 4.11; Hb 3.4; 11.3; At 17.24.

Em todos esses argumentos *a priori*, inclinamo-nos a enganar a nós mesmos; talvez o perigo disso seja mais acentuado quando o argumento parece mais profundo. Se depender de princípios filosóficos, um átomo de matéria é absolutamente indestrutível. De acordo com esses princípios, se a matéria realmente tiver de existir por toda a eternidade futura, também pode ter existido por toda a eternidade passada.

O milagre da criação está acima das demonstrações filosóficas tanto quanto o milagre do aniquilamento. Aceitando a existência de um Deus poderoso para operar milagres, surge em cena a probabilidade de que a matéria seja produção do poder divino, e podemos perceber nitidamente a presença da inteligência criadora demonstrada nas propriedades e proporções dos vários tipos de matéria, bem como na adaptação destas, visando a propósitos benéficos. Porém, se quisermos provas decisivas de que todas as coisas foram feitas do nada, teremos de apelar para a Palavra de Deus, recebendo seus informes como verdades da fé, ainda que não sejam próprias da razão. “Pela fé entendemos que foi o universo formado pela Palavra de Deus, de maneira que o visível veio a existir das coisas que não aparecem” (Hb 11.3).

No texto acima citado, a doutrina da criação não é expressa através da linguagem mais comumente empregada para exprimi-la. As Escrituras não afirmam expressamente que o mundo foi criado do nada, embora essa ideia seja expressa de forma diferente. Quando contemplamos uma estátua, vemos o mármore de que ela foi feita; quando olhamos uma casa, vemos os vários materiais com os quais ela foi construída. O escritor sagrado ensina que o mundo que vemos não foi formado com base em substâncias visíveis aos nossos olhos, ou seja, não foi formado de matéria já existente; antes, a matéria de que agora o mundo é formado foi trazida à existência concomitantemente com as coisas criadas.

A obra da criação foi realizada sem qualquer esforço. O Senhor falou, e tudo se fez. Deus disse: "Haja luz" e a luz apareceu. Após ter trabalhado pelo espaço de seis dias, Deus descansou no sétimo dia não porque estivesse cansado, mas porque o santificou, fazendo dele um dia de descanso para o homem. É por essa razão que lemos que o sábado "foi estabelecido por causa do homem" (Mc 2.27).

Mediante o exame da crosta terrestre, os geólogos — segundo eles pensam — têm descoberto que os animais e as plantas já existiam muito antes da data mosaica da criação. Têm sido propostos diversos métodos que buscam conciliar as narrativas contidas no primeiro capítulo de Gênesis com aquelas supostas descobertas. Alguns têm pensado que cada "dia" da criação envolveu longos períodos, que se prolongaram por muitos e muitos séculos. E o sétimo dia, no qual Deus descansou da obra da criação, eles entendem que continua até à nossa época, embora já se tenham passado quase 6000 anos; imaginam que cada dia antecedente da criação dever ter perdurado pelo menos por um período tão longo quanto esse. Outros pensadores opinam que as palavras "no princípio", ditas no primeiro versículo da narrativa sagrada, referem-se a tempo muito anterior àquele referido no segundo versículo, isto é, "a terra, porém, era sem forma e vazia." Uma transição similar, embora não tão súbita, apareceria no primeiro capítulo do evangelho de João: "No princípio era o Verbo [...] e o Verbo se fez carne" (Jo 1.1-14).

Muitos teólogos têm-se mostrado dispostos a considerar com suspeita a ciência da geologia, reputando as suas deduções como violências contra a fé. Porém, inexiste qualquer motivo justificado para temermos a ciência, em qualquer de seus campos, enquanto a ciência estiver seguindo legitimamente as suas investigações, chegando às suas deduções com a modéstia que lhe convém. O autor da Bíblia é o Criador do mundo, além de ser o autor de toda a verdade; as suas obras e a sua Palavra devem harmonizar-se entre si, porquanto a verdade sempre se mostra compatível consigo mesma. Certas passagens da Bíblia têm sido reputadas inconsistentes com outras, e, no entanto, um exame mais cuidadoso tem servido para demonstrar total harmonia entre elas. Por esse motivo, não precisamos temer que uma correta investigação científica não venha a mostrar que a Palavra de Deus seja harmônica com todas as legítimas deduções da ciência.

As coincidências não premeditadas, segundo o parecer humano, que têm sido descobertas na narrativa bíblica constituem uma porção altamente satisfatória das evidências internas contidas nas Escrituras Sagradas, comprovando que os seus registros são verazes. Quanto mais evidente ficar que as coincidências são fortuitas, tanto mais satisfatória é a prova fornecida por elas. Quando duas porções bíblicas que, antes, pareciam discordantes entre si, após um exame mais cuidadoso, mostram ser perfeitamente coincidentes uma com a outra, é alta a probabilidade de que essa coincidência não tenha sido planejada, o que lhe empresta um valor todo especial. Assim, as supostas discrepâncias que, a princípio, deixavam-nos um tanto embaraçados terminam por servir de motivos para a confirmação da nossa fé. Mesmo depois, quando ainda restam algumas discrepâncias que ainda não aprendemos a harmonizar, somos ensinados a esperar, com paciência confiante, que esses pontos obscuros serão um dia iluminados.

Idêntica fé e paciência deveriam ser exercidas quando a ciência e as Sagradas Escrituras parecem estar em desacordo. Os incrédulos deleitam-se em destacar aparentes discrepâncias na Bíblia e exultam quando podem anunciar alguma descoberta da ciência que, supostamente, entra em choque com a Palavra revelada por Deus. Quando a incredulidade parece triunfar, homens de fé vacilante ficam perplexos e atônitos. Contudo, é realmente frágil aquela fé que não pode resistir diante de tais abalos. Poderíamos duvidar que o sol resplandece somente porque a sua luz foi momentaneamente oculta por espessas nuvens de chuva. O acúmulo das evidências de que a Bíblia é a autêntica Palavra de Deus é tão grande que bem podemos dar-nos ao luxo de esperar até que passem as nuvens escuras, na mais confiante certeza de que a luz solar brilhará novamente, talvez até com maior esplendor do que antes. A geologia ainda é uma ciência jovem. O que ela finalmente fará pela causa da verdade só será decidido nos anos futuros, e não é sábio temermos o resultado.

Ouviremos os argumentos dos geólogos, considerando-os com cuidado; mas não poderemos omitir-nos de notar a harmonia entre as descobertas da geologia e os fidelíssimos registros da inspiração bíblica. Se a ciência da geologia retrocedesse a origem da raça humana até uma data muito anterior àquela referida por Moisés, ela estaria contradizendo não somente a Bíblia, mas igualmente a história inteira, tanto a escrita como a tradicional. Se a raça humana já existisse desde milhares e milhares de gerações anteriores, não se acharia explicação para o fato de que os nossos conhecimentos sobre a história antiga limitam-se a um período iniciado ainda bem recentemente. O progresso no povoamento da face da terra e o estabelecimento de antigos reinos e cidades estão espalhados diante de nós nas páginas da história, e a geologia não contradiz esse registro histórico.

Embora a verdadeira ciência nunca venha a contradizer as Escrituras, ela poderá servir para corrigir inferências errôneas extraídas da Palavra de Deus; ao fazê-lo, incidentalmente poderá demonstrar a sabedoria que deu origem à Bíblia. Quando atingimos a idade adulta, relembramo-nos de certas instruções que, durante a infância, recebemos de nossos sábios pais, instruções que foram adaptadas ao propósito a que estavam destinadas. Essas instruções não nos ensinavam informes científicos, como, desde então, fomos capazes de aprender; mas também nada nos ensinavam em contrário às ciências. Agora somos capazes de perceber, mediante aquilo que foi dito e aquilo que foi omitido, que nossos pais compreendiam bem as ciências, embora, naquele tempo, eles não procurassem elaborar princípios científicos. Se nossos pais não tivessem tido tal compreensão, teriam empregado outras expressões, e, agora, seríamos capazes de recordar alguma palavra ou alguma declaração que refletisse a ignorância deles.

Por falta dessa compreensão básica, as falsas revelações do mundo pagão entram em contradição com a ciência. Algumas daquelas revelações chegam mesmo a contradizer a primeiríssima lição de geografia. Mas a ciência, com todo o seu desenvolvimento, embora tenha obtido as maiores conquistas nos países onde a Bíblia é mais bem conhecida, nada tem encontrado que possa entrar em contradição com a Palavra de Deus. A única maneira racional de se entender tudo isso é supor que o autor da Bíblia compreendia perfeitamente bem a ciência. Em porção alguma da Bíblia, lê-se que a Terra seja apoiada sobre um elefante, o qual se manteria de pé sobre as costas de uma tartaruga. Pelo contrário, lemos que o Senhor "estende o norte sobre o vazio e faz pairar a terra sobre o nada" (Jó 26.7). Essa afirmativa, feita durante a infância da revelação, convence-nos de que o autor da Bíblia tinha perfeita compreensão a respeito do mecanismo do universo.

Na sua ignorância, certos religiosos da Idade Média afirmaram que a ordem dada por Josué, a fim de que o sol parasse, tornava improvável o sistema astronômico de Copérnico; porém, aquela infantil inferência, extraída da linguagem bíblica, atualmente se compreende como totalmente carente de base. Pois tanto os cientistas que obviamente acreditam no sistema de Copérnico quanto pessoas que jamais ouviram dizer que o aparecimento e o desaparecimento do sol se devem à rotação da Terra usam expressões comuns, como "o sol surgiu" ou "o sol se pôs" no horizonte. Assim, o avanço científico poderá corrigir outras inferências incorretas que têm sido extraídas inadvertidamente das Escrituras. Ainda, o resultado fornecerá provas adicionais ao fato de que o Autor da natureza é o mesmo autor da Bíblia.

Nossas almas adquirem poderosas impressões acerca do poder, da sabedoria e da bondade do Senhor, quando nos demoramos a meditar no fato de que ele criou os céus e a terra, juntamente com tudo quanto em ambos está contido. Mas, acima de tudo, quando refletimos que ele nos criou, sentimo-nos constrangidos a reconhecer que ele tem o direito de requerer de nós aquele serviço, aquele louvor e aquela dedicação que lhe somos capazes de prestar. Ele não somente formou os nossos corpos; ele é o Pai de nossos espíritos. Não haveríamos de devolver a ele aquilo que por direito lhe pertence? Não haveríamos de servi-lo e glorificá-lo com o nosso corpo e espírito, que só a ele pertencem? O direito de Deus em virtude da redenção pode apresentar reivindicações mais fortes, mas seu direito em virtude da criação é suficiente para estabelecer nossa obrigação para com ele; cumpre-nos reconhecer a força desse direito.

CAPÍTULO 3

AS OBRAS DE DEUS: PROVIDÊNCIA

Aproximemo-nos um pouco mais do objeto de nosso supremo amor. Um Ser como Deus seria digno dos mais caros afetos de nossos corações, mesmo que estivéssemos debaixo do domínio de algum outro senhor e devêssemos nossa existência a algum outro poder criador. À semelhança da rainha de Sabá, quando ouviu falar na sabedoria e no esplendor da corte de Salomão, também poderíamos, com grande propriedade, desejar visitar o remoto palácio de Jeová, a fim de tomarmos conhecimento de seu caráter e da organização de seu império. Se Deus, após ter criado o mundo, o tivesse deixado sob a gerência de outras mãos e tivesse se afastado, a fim de ocupar-se de outras realizações, ainda assim, a nossa inquirição poderia ter por alvo a sua pessoa, e seria louvável desejarmos conhecer o nosso Criador. No entanto, Deus não está longe de nenhum de nós. Depois que ele criou este mundo, não o abandonou aos cuidados de outrem. O mundo é objeto de seus cuidados constantes, e a sua mão envolve todos os seus movimentos. Quer olhemos para a direita, quer para a esquerda, podemos perceber claramente onde ele está operando; e, nas manifestações de sua sabedoria, poder e bondade, que a todo instante aparecem à nossa vista, encontramos estímulos constantes para o adorarmos e amarmos.

Os cuidados de Deus pela sua criação recebem o título de providência, estando inclusas nesse título as ideias de preservação e de governo.

1. PRESERVAÇÃO

Todas as coisas criadas são mantidas em existência pela vontade e pelo poder de Deus[1]

Compreendemos tão pouco dos atos da providência como pouco entendemos do ato da criação. Sabemos que ambos são atos de Deus e que implicam a sua vontade e poder.

Não se pode duvidar que um contínuo ato de preservação faz-se necessário para conservar em existência todas as criaturas de Deus. A expressão "sustentando todas as coisas" (Hb 1 :3) aponta claramente para esse ato preservador. Um arquiteto pode dirigir a construção de um edifício, o qual, uma vez acabado, fica de pé independentemente do labor e da capacidade do tal arquiteto, servindo de monumento a ambas essas qualidades, quando ele tiver sido ceifado pela morte. Por igual modo, inclinamo-nos a pensar que a obra de Deus permaneceria existindo, mesmo que fosse abandonada à sua própria sorte, sem contar com os cuidados e o apoio constantes de Deus. Mas esses casos diferem grandemente. O arquiteto humano encontra seus materiais de construção dentro daquilo que já existe; todo o trabalho consiste em adaptar as formas desses materiais, combinando-os de acordo com novas ordens de arrumação.

1 Jó 1.21; 5.18; Sl 33.10-15; 103.5, 10; 104.27-30; 127.1, 2; Pv 16.9; Mt 5.45; Lc 12.6; At 17.28.

Os materiais usados não são criados pelo próprio arquiteto, e a essência particular deles, antes de serem usados, é retida depois que as mãos dos construtores já acabaram a sua obra. Mas os materiais propriamente ditos, bem como suas qualidades intrínsecas, vieram diretamente das mãos de Deus; se Deus chegasse a retirar a sua mão, todas estas coisas ficariam sem o devido apoio e deixariam de existir. Do contrário, a expressão "sustentando todas as coisas" não teria qualquer significação.

Muitos têm afirmado que o ato preservador não somente procedeu do mesmo Autor da criação, mas também coincidiu com o ato criativo. Eles consideram como verdade filosófica a ideia de que a preservação é uma criação perpétua. Eles concebem que todas as existências criadas, por causa de sua tendência natural ao aniquilamento, acabam-se a cada instante e são reproduzidas por um novo ato de criação. Porém, sem importar com os engenhosos argumentos que têm sido propostos em apoio a essa opinião, a filosofia continua estabelecendo a distinção entre esses dois atos, o da criação e o da preservação, considerando que a criação reveste-se do caráter miraculoso, ao passo que a preservação está ajustada às leis da natureza. Inclinamo-nos a conceber que trazer à existência o que é não existente difere de preservar na existência o que já existe. Para todas as finalidades práticas, a filosofia considera que é suficiente atribuir a preservação de tudo ao poder e à vontade daquele Ser que originalmente criou todas as coisas. Em conformidade com a sua vontade, o mundo veio à existência e, de acordo com a sua vontade, continua a existir.

2. GOVERNO GERAL

Todas as coisas criadas estão sujeitas ao controle do Senhor, a fim de que as modificações ocorram em harmonia com o propósito divino.[2]

As coisas criadas interagem continuamente umas com as outras, em suas relações de causa e efeito. As propriedades e poderes, através dos quais as coisas atuam, foram conferidas a cada uma por ocasião de sua criação e têm continuidade dentro do ato de preservação. Segue-se daí que todas as coisas criadas interagem entre si, produzindo alterações umas nas outras, mediante a vontade e o poder de Deus. Se elas dependem de Deus quanto à sua existência, sem dúvida devem ser dependentes dele quanto às suas propriedades e poderes e, consequentemente, quanto às operações.

O controle de Deus sobre todas as coisas que acontecem é um tema largamente ensinado nas Escrituras, as quais aludem a questões como o vento (Jr 4.8), a chuva (Mt 5.45), a pestilência (Lv 26.25), a fartura (Gn 27.28), a relva (Mt 6.30), as aves do céu (Mt 6.26), os cabelos de nossas cabeças (Mt 10.30) etc., como objetos da providência divina.

As Escrituras não somente atribuem os acontecimentos à mão controladora de Deus, mas também se referem a ele como quem determina os acontecimentos para a realização de algum propósito em vista. Assim é que as plantas crescem a fim de prover alimentos (Sl 104.14). A pestilência é permitida para que os homens sejam castigados por causa dos seus pecados (2Sm 24.15). José foi enviado ao Egito com o intuito de preservar a vida de muita gente (Gn 45.7). Não são poucos os acontecimentos controlados por Deus; pelo contrário,

2 2Cr 20.6; Sl 104.4, 7, 10, 13, 14, 19, 32; Pv 16.9; Sl 76.10; Dn 4.35; Rm 8.28; Ef 1.11.

a Bíblia afirma que Deus "faz todas as coisas conforme o conselho da sua vontade" (Ef 1.11). A declaração "todas as coisas cooperam para o bem daqueles que amam a Deus" (Rm 8.28) não poderia exprimir uma verdade, se o controle exercido por Deus não abrangesse todos os acontecimentos, levando-os a cooperar no cumprimento do propósito divino.

Algumas pessoas não se dispõem a atribuir a Deus o cuidado e a gerência de eventos minuciosos e destituídos de importância. Elas consideram como abaixo da dignidade divina preocupar-se com questões tão triviais. Essas pessoas acreditam em uma providência geral, que atuaria sobre todos os acontecimentos que ocorrem no mundo, exercida por meio de leis gerais; contudo, atos de providência particular, exercidos no caso de cada incidente na vida de cada ser humano, não são um conceito que ocupe lugar no entendimento e no credo dessas pessoas. As Escrituras mostram-se bem claras quanto a essa questão. A morte de um pardal é uma ocorrência bastante trivial; no entanto, nosso Mestre celestial afirma que isso não pode suceder sem o consentimento do Pai celestial (Mt 10.29).

Se os acontecimentos importantes sucedem em harmonia com leis gerais, isso é igualmente verdadeiro no caso de pequenos incidentes; a operação dessas leis, no caso daquelas coisas pequenas, precisa ser tão bem compreendida e tão perfeitamente controlada como no caso de acontecimentos maiores. Com frequência, sucede que estes dependem de outros também triviais em si mesmos e destituídos de maior importância. Certo rei de Israel foi morto, e a profecia dada por Deus atinente à sua morte foi cumprida por meio de uma flecha atirada inteiramente ao acaso (1Rs 22.34). Quantas pequenas e minuciosas circunstâncias devem ter contribuído para que aquele ato tivesse acontecido! Aquela flecha teve de ser atirada, naquele momento, numa determinada direção, com a força precisamente necessária — e nenhum obstáculo impediu seu curso. Sim, todas essas circunstâncias devem ter ocorrido sob o controle daquele em cujas mãos se encontrava a vida do rei. Da mesma forma que a grandiosidade de Deus permitiu que ele criasse até mesmo a mais ínfima de suas obras, assim também lhe permite cuidar de todas elas. O cuidado de todas essas minúcias é tão fácil e tão isento de distrações para Deus como se toda a sua energia estivesse orientada exclusivamente para cuidar e beneficiar um único homem ou um único anjo.

Os beneficiários da providência de Deus são todos os seres criados, animados e inanimados, racionais ou irracionais. Alguns desses seres, como os anjos e os homens, são agentes morais. Todos os demais, vistos como causadores de qualquer modificação, precisam ser coletivamente classificados como agentes naturais. Com vistas a essa divisão das agências, o governo do Senhor Deus pode ser dividido em governo natural e governo moral.

3. GOVERNO NATURAL

Entre as primeiras lições que recebemos neste mundo, precisamos compreender que existe uma certa relação de causa e efeito e que os acontecimentos têm lugar precisamente devido a essa relação, em consonância com uma preestabelecida ordem de sequência. Se essa ordem de sequência não tivesse sido estabelecida ou se a ignorássemos, seríamos incapazes de cuidar das questões mais corriqueiras da vida. Se algumas vezes os alimentos fossem nutritivos e, em outras, venenosos, ou se fôssemos incapazes de descobrir se há qualidades nutritivas no pão ou no arsênico, seríamos incapazes de regular o processo da alimentação, tão necessário para a preservação da vida. Porém, nosso Criador fez-nos capazes de observar as sequências existentes na natureza, detectando a ordem em que essas sequências ocorrem, bem como as relações de causa e efeito entre as partes da sequência. O estudo dessas sequências é justamente a área da filosofia; mas a filosofia não se confina às universidades ou aos salões de conferências. Pode-se perceber a presença de noções filosóficas em cada aspecto da vida, bem como em cada experiência diária por que passamos. A criança começa a aprender noções filosóficas ainda no berço; sem algum conhecimento a respeito os homens, não saberiam como combater as inundações, os incêndios ou evitar os precipícios.

Em todos os ramos do conhecimento, costumamos classificar as coisas que conhecemos, e as sequências da natureza, uma vez classificadas, tornam-se aquilo que denominamos "leis da natureza". Essas leis consistem naquelas normas ordeiras segundo as quais ocorrem as sequências existentes na natureza. Dentro da expressão "lei da natureza", a palavra "lei" é empregada em um sentido modificado. Quando esse termo é empregado no campo da moral, refere-se a uma ordem dada por uma autoridade, envolvendo também a obediência de alguém. A natureza, porém, não é um ser possuidor de autoridade; as coisas naturais são incapazes de obedecer, no sentido mais óbvio da palavra. No campo da moral, as leis podem ser desobedecidas, mas os processos da natureza sempre se conformam àquilo que chamamos de leis da natureza. Estas podem ser consideradas como as maneiras mediante as quais opera a providência de Deus. A vontade do Senhor determinou a relação que prevalece entre a causa e efeito, e, por esse motivo, as leis da natureza são as ordens de sequência segundo as quais sucedem as modificações das coisas naturais, em consonância com o propósito divino.

Quando contemplamos a ordem que prevalece no mundo natural, contemplamos a exibição da sabedoria inerente à divina providência. O governo natural de Deus, bem como o seu governo moral, caracteriza-se pela mais perfeita sabedoria. Não podemos presumir-nos capazes de entender todas as razões divinas que levaram o Senhor a planejar as coisas exatamente como elas são; mas as vantagens resultantes dessa ordem podem ser por nós percebidas em cada experiência da vida. Se as sequências da natureza acontecessem desordenadamente, o fato de termos sido criados com a capacidade de observar tais leis naturais não teria propósito. Se a sucessão de eventos fosse caracterizada pelo caos, a filosofia seria uma ciência impossível, e seriam igualmente impossíveis todas as artes e ciências mais comuns. A razão, por sua vez, seria uma faculdade inteiramente inútil.

4. GOVERNO MORAL

Chamamos de agente moral aquele que é voluntário e dotado do senso de certo e de errado. Tal agente é um súdito da lei moral propriamente dito. Ele é suscetível de ordens e pode obedecer ou desobedecer. Ele tem a faculdade de sentir a força das obrigações morais e de ser afetado pela autoaprovação ou pelo remorso.

A lei moral não consiste em alguma ordem fixa de sequência, conforme se verifica no caso das leis da natureza. Quanto a esse particular, certos estudiosos têm procurado achar um ponto de acordo entre as leis da natureza e a lei moral. Eles referem-se ao fato de que uma ação moral sofre consequências inseparavelmente ligadas a ela, as quais resultam da sua qualidade moral. Porém, a conexão dessas consequências com a ação moral pertence antes à classe das sequências naturais. À semelhança de outras sequências naturais, a ordem é inviolável. No entanto, a lei moral pode ser violada. A ordem de sequência que a lei moral procura regulamentar é aquela que subsiste entre a ordem e a ação, e não entre a ação e as suas consequências. Na primeira dessas sequências, e não na última, é que figura a obediência ou desobediência à lei moral. Se a lei moral fosse uma ordem fixa de sequência, à maneira das leis naturais, ninguém além de Deus seria capaz de violá-la, porquanto ninguém além dele pode operar milagres. Contudo, enquanto Deus não pode incorrer em pecado, o qual é uma transgressão à lei moral, o pecado pode ser cometido pelos anjos e pelos homens, o que tem sido comprovado pela triste experiência.

A distinção que se tem feito entre a lei da natureza e a lei moral precisa ser atenciosamente observada, para que compreendamos a diferença que há entre o governo natural e o governo moral. O governo moral é um departamento da universal administração divina e é especialmente adaptado para agentes morais. Ele dá margem tanto para o exercício das atividades morais desses agentes como para o exercício da justiça de Deus. O governo moral não é inconsistente com os demais aspectos da administração divina, embora seja distinto dos outros aspectos, pois se trata do Santo dos Santos, onde o Senhor supremo manifesta sua mais exaltada glória. É verdade que, dentro desse aspecto, a vontade de Deus não é invariavelmente cumprida, ao passo que, em seu governo natural, ele faz todas as coisas contribuírem para seus objetivos, segundo a sua vontade.

Entretanto, é imprescindível lembrar que o termo "vontade" é usado com diferentes conotações. A vontade que é violada dentro do governo moral é a vontade de preceito, e a vontade que é invariavelmente executada dentro do governo natural é a vontade de propósito. A totalidade do governo moral de Deus concorda perfeitamente com o propósito divino. Foi do seu propósito instituir esse governo e criar agentes morais, submetendo-os a uma lei moral que continha preceitos que eles, na qualidade de agentes morais livres, podem violar ou não. Permitir a violação dessa lei moral, entretanto, responsabiliza os violadores. Tudo isso faz parte do propósito de Deus; tudo foi planejado e realizado por ele. Visto que o termo "vontade" é usado em dois sentidos, manifestamente distintos um do outro, torna-se necessário, quando queremos empregá-lo, manter em vista essa distinção, a fim de que o nosso raciocínio não seja confuso.

A proposição geral que se acha debaixo do título "Governo geral" deste livro diz: "Todas as coisas criadas estão sujeitas ao controle do Senhor, a fim de que as modificações ocorram em harmonia com o propósito divino." A verdade contida nessa proposição concernente ao governo natural de Deus é prontamente admitida. Uma importante parcela das variações que ocorrem no mundo consiste em ações efetuadas pelos agentes morais. Na aplicação dessa proposição aos agentes morais, é necessário distinguir entre *o propósito eficiente e o propósito permissivo de Deus*. Nem mesmo a mais pecaminosa das ações acontece sem a permissão de Deus. Segundo esse ponto de vista, aquela proposição abrange tanto o governo natural quanto o governo moral de Deus.

5. LIVRE AGÊNCIA

O que significa livre agência? Se dissermos que significa isenção de responsabilidade diante de algum poder superior, não existe outro livre agente além de Deus. Contudo, não é esse o sentido com que a expressão "livre agência" é empregada tecnicamente e segundo o qual ela denota uma agência voluntária — agência sem qualquer compulsão.

A criatura que age voluntariamente, reconhecendo a diferença entre o certo e o errado, está devidamente sujeita ao governo moral de Deus. O bom senso humano determina que uma pessoa nessas condições é responsável pelos seus atos. Não precisamos entrar em qualquer inquirição metafísica para determinar por meio de quais processos mentais foi formada essa ou aquela volição; basta-nos saber que tal volição foi formada. Se um homem fizer aquilo que não tencionava fazer, naturalmente ele agiu involuntariamente; porém, quando fica comprovada a intenção de perpetrar uma ação qualquer, tendo o sujeito pleno conhecimento da criminalidade dessa ação, nenhuma sutileza metafísica será capaz de isentá-lo de culpa. Segundo o juízo humano comum, tal homem será considerado responsável pelo erro praticado.

Alguns pensadores têm afirmado que, para responsabilizar um agente, é necessário que a vontade dele tenha a capacidade de autodeterminação. Esses pensadores asseveram ser necessário não somente que o agente atue voluntariamente, mas também que seja possuidor da capacidade de querer agir de modo contrário. Ora, que esse agente tenha a capacidade de *agir* contrariamente ao que fez fica implícito no seu ato voluntário, isto é, sem compulsão, e isso é necessário para que ele seja responsabilizado. Todavia, a capacidade de *querer agir* de modo diferente do que se faz é uma adição suplementar à voluntariedade que o bom senso humano não procura perscrutar; mas, na qualidade de uma perplexidade metafísica, tal questão requer a nossa atenção.

Poder autodeterminador da vontade. É inconsistente com a precisão do pensamento filosófico falar da vontade como determinadora ou decisória. As faculdades da mente não são agentes distintos, de existência separada da própria mente. Podemos afirmar que uma pessoa compreende ou quer, bem como que sua mente compreende ou quer; mas dizer que a sua compreensão compreende ou que a sua vontade quer implica uma filosofia confusa. Se concebermos que a vontade determina a si mesma, assim como uma agulha magnética determina sua posição, sem o concurso de qualquer raciocínio, sem qualquer direito de escolha, admitiremos uma suposição que jamais poderá harmonizar-se com os pontos de vista daqueles que defendem a tese de que a vontade tem a capacidade autodeterminante. Por outro lado, se concebermos que a determinação da vontade é por deliberação própria ou por qualquer outro processo mental, a vontade será representada como um agente distinto, dotado de uma mente inteiramente sua.

Poder da vontade. Essa expressão aponta para outra incongruência. Nos atos externos dos seres humanos, poder e vontade são aspectos concomitantes e necessários a um ato qualquer. Com a ausência de um desses aspectos, o ato não pode concretizar-se. Porém, além do ato de se querer, o que se faz necessário além da vontade? Qual poder precisa estar aliado à vontade? Quão errônea seria a suposição de que a vontade tem vontade de exercer a volição, mas não tem o poder de realizá-la! Contudo, algo similar a isso precisa ser concebido, se quisermos emprestar uma significação distinta e inteligente à expressão "poder autodeterminante da vontade".

6. NECESSIDADE MORAL

Se um par de dados fosse posto dentro de uma caixa e depois lançado sobre uma mesa, é evidente que cada um assumiria uma posição sobre qualquer um de seus seis lados. Mas ninguém poderia predizer qual a combinação ou sobre quais dos seus lados cada dado haveria de repousar. Essas posições são atribuídas ao acaso. Embora ninguém queira atirar-se à tarefa de predizer qual posição será ocupada pelos dados, acredita-se que todos os movimentos envolvidos, até que cada um dos dados assuma a sua posição definitiva, estão de acordo com as leis da natureza; ao mesmo tempo, acreditam que a queda dos dados não está em consonância com essas leis mais do que a sua posição final. Uma mente matemática que quisesse dar-se ao afã de fazer todos os cálculos, medindo os efeitos exatos das forças aplicadas, do começo ao fim dos movimentos, no caso de cada dado em particular, poderia determinar o resultado com tanta certeza quanto a de um astrônomo que se ponha a computar um eclipse qualquer. A posição final de cada dado não terá sido um efeito maior da pura chance do que a ocorrência de um eclipse. Nesse último caso, "chance" é um termo relativo, porquanto alude à nossa ignorância de todos os fatos envolvidos.

Uma grande parte dos eventos que consideramos fortuitos só o são por causa de nossa ignorância. Permanece de pé a dúvida se realmente existe qualquer contingência absoluta neste mundo. Haverá acontecimentos neste mundo que ocorram sem nunca se amoldarem a alguma ordem fixa de sequência?

A doutrina da necessidade nega a existência da contingência absoluta, asseverando que as relações de causa e efeito, com sua ordem fixa de sequências, não somente são relações gerais, mas também universais. Em oposição a essa doutrina, outros argumentam que as ações humanas não se conformam a qualquer ordem de sequência; é alegado que tal conformidade transformaria o homem em mera máquina, agindo quando movido e, por conseguinte, irresponsável pelos seus atos.

A esse argumento, retruca-se que aquela doutrina admite plenamente a distinção entre um homem vivo, que pensa, que escolhe e que é um ser moral, e uma simples máquina, que não vive nem pensa; e que essa diferença forma o alicerce da responsabilidade humana. Também tem sido argumentado que, se as ações humanas não fossem uma consequência de suas volições, mediante uma fixa ordem de sequência, elas não seriam voluntárias, e nenhuma pessoa poderia ser responsabilizada pelos seus atos. A validade desse argumento, pelo menos até onde ele prossegue, provavelmente ninguém se atreveria a negar. Assim, a questão toda é afunilada até ser reduzida à seguinte pergunta: "As volições humanas ocorrem como efeitos de causas antecedentes dentro de uma ordem fixa de sequências?" Tal indagação envolve grandes dificuldades, e as mentes dos mais peritos pensadores têm-se dedicado à tentativa de solucioná-la; porém, ninguém chegou, até hoje, a uma solução que satisfaça a todos. A própria complicação do tema deixa óbvio que o nosso benevolente Criador não tornou necessária a solução do problema, quer para a nossa fé, quer para o nosso dever.

Caso a questão não se intrometesse nas mentes de todos os inquiridores, afetando, até certo ponto, opiniões teológicas, poderíamos deixar o dilema da sua complexa investigação ao encargo de mentes mais aptas. Nesse caso, é aconselhável procurar determinar, se possível, no que consiste a dificuldade da questão e até que ponto a questão está vinculada à nossa fé ou prática.

A analogia favorece a doutrina da necessidade. Uma ordem regular de sequências reconhecidamente existe em todo este nosso mundo material. Admite-se que essa ordem de sequências regulares também existe, até certo ponto, nas operações da mente humana. As impressões colhidas pelos órgãos dos sentidos produzem sensações apropriadas sobre a mente, de acordo com leis fixas. Seguem-se a isso a percepção, o juízo e a corrente do raciocínio, os quais estão de tal modo presos a leis fixas que a ordem de sua sucessão é estudada, tendo em vista o descobrimento dessas leis. A ciência da filosofia prossegue com base na suposição de que essas leis existem e concentra os seus esforços em desvendá-las. A corrente das operações mentais, começando pela sensação, que vem imediatamente depois da colheita de impressões através dos órgãos dos sentidos, termina com a volição, que é seguida, logo depois, pelas ações musculares. Uma ordem harmoniosa de sequência pode ser acompanhada desde o princípio, e isso se dá em grande parte do seu trajeto dentro dos processos mentais, até chegar ao ponto da volição final. Daí em diante, novamente podemos contemplar a linha de sucessão nas ações que se seguem, bem como em todos os seus efeitos. Quando muito, apenas alguns poucos elos dessa sucessão se perdem de vista. Um exame criterioso favorece a conclusão de que tais elos nunca estão ausentes, mas existem mesmo quando não somos capazes de detectá-los.

Um argumento em prol da doutrina da necessidade pode ser extraído do fato de que as volições humanas tornam-se, todos os dias, suscetíveis de cálculo. O homem que nem sequer tenta calcular a posição final de um dado lançado calculará o que um conhecido faria sob determinadas circunstâncias. E ele confiará de tal maneira em seu cálculo que este governará até mesmo suas decisões mais importantes. É por esse motivo que um general sagaz, por muitas vezes, antecipa os movimentos das tropas do inimigo. Ora, essa antecipação e esse cálculo seriam impossíveis se as sequências das volições humanas fossem desenfreadas, destituídas de qualquer ordem.

A doutrina da necessidade tem sido defendida com base na presciência de Deus. Quanto mais sagaz for um indivíduo qualquer, com muito maior sucesso poderá julgar com antecedência o que fará um outro indivíduo em determinadas circunstâncias. Se um homem sagaz pode predizer as decisões de outrem, muito mais pode fazê-lo Deus, que é onisciente. Se todos os acontecimentos estão contidos em suas respectivas causas e haverão de desenvolver-se no devido tempo, em harmonia com uma bem estabelecida ordem de sequência, podemos conceber que o Deus onisciente é capaz de perceber esses acontecimentos ainda em suas próprias causas, predizendo seu futuro desenvolvimento com uma infalível certeza. Por outro lado, se imperasse neste mundo uma contingência absoluta, seríamos incapazes de explicar de que maneira o próprio Deus pode prever os eventos futuros; alguém poderia argumentar que Deus ocasionalmente fica desapontado – e, talvez, até mesmo frustrado – em alguns de seus planos, devido à sua inesperada ocorrência.

Os argumentos mais notáveis contra a doutrina da necessidade moral são que ela é inconsistente com a livre agência do homem e que ela faz de Deus o autor do pecado.

É argumentado que essa doutrina entra em conflito com a livre agência humana. Enquanto vemos o mundo material movimentando-se ao nosso redor em obediência às leis da natureza, temos consciência de que os nossos atos não são dirigidos pela mesma necessidade. Todos os dias podemos escolher um entre vários cursos de ação; a própria escolha, da qual temos perfeita consciência, implica no poder que temos de tomar qualquer desses caminhos. A faculdade de escolha seria uma prerrogativa inútil se vivêssemos obrigados a tomar somente um curso de ação, e isso por motivo de alguma necessidade invencível. Não há livre atuação onde um indivíduo é obrigado a seguir um único caminho.

A isso os advogados da doutrina da necessidade respondem que a liberdade de nossos atos, sobre a qual a consciência testifica, é amplamente admitida pela sua doutrina. Liberdade de ação consiste em fazer aquilo que se quer fazer. A compulsão de agir contra a nossa própria vontade envolve a necessidade física. A necessidade moral, pela qual estamos contendendo, diz respeito não ao relacionamento entre a volição e seus atos subsequentes, mas entre a volição e suas causas antecedentes. Quando se sabe que as volições de uma pessoa são determinadas por princípios dominantes que governam as suas ações, mantém-se que a livre atuação dessa pessoa é tão perfeita como se tal ação fosse resultante de uma longa e contínua deliberação. Enquanto estamos conscientes de que estamos agindo com base em nossa própria preferência e somos, portanto, livres agentes, igualmente temos consciência de que a nossa própria escolha, em muitos casos, é determinada, instantânea e firmemente, por fortes princípios reguladores. Também entendemos que esse fato, em vez de diminuir o valor da livre agência humana ou o valor dos nossos atos, serve de motivo para nosso mais elevado elogio.

Alguns também têm argumentado que a doutrina da necessidade faz de Deus o autor do pecado. As leis da natureza, dentro do nosso mundo material, são encaradas como a maneira pela qual Deus age. Assim, se o sol brilha e a chuva cai, é Deus quem proporciona a luz às suas criaturas e fertiliza o solo para benefício delas. Quando as tempestades vêm e os tufões varrem a superfície da terra, essas fatalidades, originadas nas leis da natureza que foram estabelecidas por Deus, ainda assim, são consideradas operações de Deus. Em cada um desses casos, segundo eles, a causa da causa é a causa do efeito. Se, no departamento das leis morais, o governo é por leis fixas, com idêntica necessidade, então, afirma-se que Deus deve ser considerado o autor de tudo quanto acontece em obediência a essas leis. Pois, tendo estabelecido pessoalmente essas leis e criado as causas que encerram em si mesmas todos os efeitos posteriormente desenvolvidos, segundo uma fixa ordem de sequência, Deus é verdadeiramente o autor desses efeitos, como se eles se derivassem diretamente de suas mãos. Assim sendo, seria tão incorreto, segundo os oponentes da doutrina da necessidade, afirmar que Deus apenas permite o pecado ocorrer quanto afirmar que uma tempestade ruge pela permissão divina. Cada pecado, à semelhança de uma tempestade, é encarado como uma operação de Deus. Ora, esse é precisamente o argumento que os advogados da doutrina da necessidade sentem ser mais difícil de responder.

De acordo com a minha opinião, os argumentos filosóficos em torno dessa questão inclinam-se mais em favor da ideia da necessidade. De fato, não podemos conceber claramente como a filosofia poderia chegar a decisões contrárias a esse conceito. Iniciando suas investigações com base no pressuposto de que as leis da natureza existem, a filosofia resolve que a sua finalidade principal é descobrir quais são essas leis. Se, por acaso, os filósofos vierem a observar qualquer evento que não se coadune com essas leis conhecidas, chegarão a supor que deve existir alguma lei que governe tal evento e reiniciarão todos os seus esforços, a fim de descobrirem essa nova lei. Portanto, se a filosofia decidisse que existem acontecimentos que não se conformam a qualquer lei, teria de abandonar o alicerce sobre o qual sempre se colocou firmemente. Se tais eventos realmente ocorrem, pertencem a um departamento da natureza que está fora de alcance para as investigações da filosofia.

Quando é considerada como uma questão teológica, a doutrina da necessidade vê-se seriamente embaraçada pela dificuldade referente à autoria do pecado. O tema inteiro da providência divina, no caso do pecado, é extremamente complicado. Mais adiante, uma seção desta obra será dedicada às considerações sobre esse tema.

A verdade, sem importar se foi averiguada pela filosofia ou pela teologia, precisa ser coerente consigo mesma. Entretanto, não devemos esquecer-nos de que os testes por intermédio dos quais a filosofia chega à verdade são diferentes dos critérios utilizados pela teologia. A filosofia permite conclusões tiradas de induções baseadas em particularidades, que são inevitavelmente incompletas. Até o ponto que as nossas observações pessoais têm podido alcançar, a força da gravidade atua em cada palmo da superfície de nosso planeta. Com base no testemunho prestado por outras pessoas, sabemos que a força da gravidade existe em qualquer parte da terra na qual os homens tenham posto os seus pés. Para a filosofia, essa indução parece suficiente, e disso conclui que a gravidade opera em cada região da superfície da terra, mesmo naquelas mais inóspitas e desabitadas. Se algum viajante chegasse a dar testemunho de que, em certa ilha, a gravitação deixa de operar à distância de três metros acima do solo, tal anúncio, se fosse considerado digno de crédito, haveria de produzir um grande abalo em toda a classe dos filósofos, e eles correriam a realizar experimentos *in loco*, necessários para determinar a veracidade ou falsidade de tão estranho relato. Se fosse descoberto que, sob experiência, os objetos lançados ao ar a três metros de altura, naquela ilha, continuavam o seu trajeto ascendente, até perderem-se no espaço, os filósofos começariam a investigar a causa do fenômeno, ou seja, procurariam uma lei que o justificasse.

Com frequência, os filósofos são obrigados a corrigir as suas conclusões anteriores, porque foram formadas com base em induções incompletas, extraídas de casos isolados. Para a filosofia de certos povos antigos, que viveram em zonas tórridas da terra, parecia impossível que a água pudesse tornar-se sólida, na forma de gelo. Por semelhante modo, uma boa parte de nossas mais excelentes noções filosóficas incorre em erro devido à nossa ignorância. Mas Deus é dotado de conhecimento perfeito, sendo simplesmente impossível que ele se engane. Se o testemunho humano parece suficiente para corrigir alguma conclusão equivocada da filosofia, muito mais o testemunho de Deus deveria ser considerado suficiente. Um "assim diz o Senhor" é alicerce muito melhor para a nossa fé do que todas as deduções da filosofia humana. Além disso, só pode ser considerada celestial aquela fé que está fundamentada sobre esse alicerce espiritual.

Imaginemos que todas as coisas criadas tivessem sido trazidas à existência e deixadas, durante algum tempo, num estado de desordem, antes que as leis da natureza fossem fixadas. Nesse caos, os átomos não respeitariam a primeira lei da filosofia, a qual assevera que a matéria em repouso continuará em repouso e, quando posta em movimento, move-se em linha reta e com velocidade uniforme. Todas as afinidades e atrações eletivas, agora tão familiares aos químicos, seriam desconhecidas para as várias formas de matéria e não poderiam ser observadas em parte alguma. As partículas dançariam e parariam alternadamente, nas mais caprichosas maneiras. Haveriam de atrair-se mutuamente por algum tempo, para, em seguida, repelirem umas às outras da forma mais inconstante e imprevisível.

Se, quando o decreto de Jeová reduziu essa confusão toda a uma grande organização e ordem, sujeitando todos os movimentos da matéria a leis reguladoras, foi de seu agrado estabelecer, em alguma parcela do seu vasto império, uma exceção no operar dessas leis, então, o que a filosofia pode dizer contra isto? Sem dúvida, tal isenção deve ter tido razões inteligentes. Talvez a finalidade disso fosse mostrar às inteligências celestiais o efeito benéfico da boa ordem, para relembrar o caos primevo, mais ou menos como um punhado do maná foi depositado na arca, para benefício das futuras gerações de israelitas. Se foi permitido a permanência de uma tal região caótica, esta, sem dúvida, ficou tão confinada que o seu estado confuso não pode perturbar a boa ordem vigente no império universal de Deus. Ora, se descobrimos que o elo entre a volição e a(s) causa(s) antecedente(s) é o (único) lugar que Deus teria deixado sem qualquer lei controladora, a filosofia seria forçada a emudecer. Se o Senhor Deus disser que é assim, cumpre-nos dar-lhe crédito. Podemos deduzir que

Deus conserva essa conexão destituída de leis sob seu controle, a fim de que ela não venha a subverter todo o seu governo.

Se os pontos de vista acima expostos estiverem corretos, chegaremos às seguintes conclusões: (1) A doutrina da necessidade moral não é incompatível com os conceitos da livre agência e da responsabilidade do ser humano. (2) Não se pode provar, pelo menos com base na filosofia humana, que a doutrina da necessidade moral esteja laborando em erro. (3) Não devemos admitir qualquer inferência, alicerçada sobre essa doutrina, como se fosse um artigo de fé, a menos que tal inferência conte com o respaldo da autoridade das Santas Escrituras.

7. DESÍGNIOS DA PROVIDÊNCIA

Dentro do conceito que temos formado a respeito do governo providencial de Deus, temos incluído o fato de que ele determina os eventos que se sucedem de tal modo que os seus propósitos encontram cumprimento. Isso é chamado de predestinação. O propósito divino tem em vista a finalidade que ele busca concretizar, assim como os meios que serão usados para a concretização dessa finalidade.

A doutrina da predestinação ensina que nenhum acontecimento chega a tornar-se realidade se não estiver debaixo da mão controladora de Deus. Também ensina que todos os acontecimentos são dirigidos por ele, de tal maneira que o seu propósito se cumpre. Se um evento vier a ameaçar o propósito divino, será impedido de ocorrer; ou, se um evento qualquer puder contribuir somente em parte para o propósito em vista, só terá permissão de prosseguir até um determinado ponto. Esse controle divino envolve todos os agentes, animados e inanimados, racionais e irracionais, sendo exercido sobre cada um deles, em perfeita consonância com a sua natureza, bem como em harmonia com as leis naturais, segundo foram elas originalmente estabelecidas. Os agentes físicos são controlados como agentes físicos; os morais, como agentes morais. Estes últimos atuam tão livremente como se nenhuma providência divina pesasse sobre eles. Escolhem os seus fins e adotam os seus próprios meios; por isso, são considerados responsáveis pelos seus atos, como se não houvesse nenhuma predestinação divina em operação. Contudo, Deus não se desinteressa por nenhum daqueles atos; pelo contrário, controla a todos eles, em conformidade com sua vontade.

Os santos homens da antiguidade estavam acostumados a notar a mão de Deus em tudo quanto faziam. São numerosas as passagens bíblicas que nos ensinam que Deus dirige as atividades e as ações humanas. "O coração do homem traça o seu caminho, mas o Senhor lhe dirige os passos" (Pv 16.9). "Como ribeiros de águas, assim é o coração do rei na mão do Senhor; este, segundo o seu querer, o inclina" (Pv 21.1). Os jardineiros geralmente tiram proveito de algum filete de água, com o qual regam os seus canteiros; abrindo um canal aqui ou preparando pequena barragem acolá, dirigem as águas fertilizantes a qualquer parte do jardim que queiram aguar. A água, por sua vez, embora assim dirigida, move-se segundo a sua própria tendência natural. Por igual modo, o coração do monarca inclina-se para lá ou para cá, conforme as suas próprias propensões, mas a mão orientadora de Deus guia os seus movimentos, embora livremente efetuados, tendo em vista a concretização daquelas finalidades que a infinita sabedoria de Deus tiver designado. São numerosos os trechos bíblicos que mostram que essa direção que se imprime aos eventos tem por escopo a realização de algum propósito divino. "Deus o tornou em bem" (Gn 50.20). "Todas as coisas cooperam para o bem" (Rm 8.28). Cada acontecimento particular tem em si um propósito; a totalidade dessas orientações concretiza o grandioso propósito divino, ao qual todos os propósitos particulares estão subordinados. Da mesma forma, aquele que edifica uma casa, ao ajustar cada tijolo em seu lugar, tem um propósito subordinado ao propósito geral ou final que é construir a casa.

Todo aquele que admite a doutrina da necessidade não pode duvidar de que Deus tem em suas mãos o controle completo sobre todas as coisas. Mesmo que as volições humanas sejam absolutamente contingentes, o controle de Deus sobre os atos externos deve ser concebido como perfeito, tal como na outra hipótese. Assim como são necessárias as dimensões de comprimento e largura para ser constituída uma área, ou assim como deve haver a intensidade e velocidade para ser constituída uma força, também são necessários volição e poder para que se manifeste uma ação. Nunca chega a agir quem tenha apenas vontade sem poder ou vice-versa. Ora, esse poder depende de Deus e está sob seu mais perfeito controle. Por conseguinte, sem importar o que a vontade humana possa determinar, nenhum ato externo poderá ser realizado, senão pela permissão de Deus. E, consequentemente, nenhuma influência pode fazer sentir a sua força, em qualquer porção dos domínios de Deus, de maneira a servir de perturbação à administração divina. Mesmo tomado por grande cólera, um homem não pode mover um dedo sem a permissão de Deus (veja 2Rs 19.28).

Efetivamente, ainda que a volição humana seja completamente contingente, permanece o fato de que os homens, com frequência, são capazes de prever as decisões de outras pessoas com suficiente dose de certeza, a ponto de saberem como dirigir as próprias ações em referência a essas decisões. Um soberano sagaz conhece bem o caráter de seus súditos, bem como os partidos existentes dentro de seu governo, e adota as medidas administrativas capazes de enfrentar as crises, conforme elas forem surgindo. Por que não poderia Deus, que está sentado no trono do universo, gerenciar os negócios de seu governo com igual habilidade? Um soberano humano às vezes fracassa por lhe faltar tempo suficiente para deliberar. Seus inimigos traçam os seus esquemas, e os conluios às vezes terminam prevalecendo, antes mesmo que aquele soberano possa conscientizar-se dos planos deles. Quando esses planos são finalmente descobertos, aquele governante não pode valer-se dos recursos postos à sua disposição nem traçar algum plano de contra-ataque em tempo para enfrentar a emergência. Porém, Deus vê o brotar de cada volição, e, visto que seu poder pode ser exercido em qualquer situação, mesmo enquanto a volição humana ainda está tomando forma, todos os recursos de sua infinita sabedoria lhe permitem harmonizar os seus planos. Deus é verdadeiramente capaz de governar o mundo; quem duvida de que ele tem a vontade de fazê-lo? A nossa crença de que Deus governa o mundo, predestinando os diversificados acontecimentos que aqui sucedem, a fim de cumprir o conselho de sua vontade, não depende de qualquer especulação metafísica.

8. PROVIDÊNCIA SOBRE O PECADO

A providência divina tem sido definida como os cuidados que Deus exerce em favor do mundo inteiro. Embora esses cuidados sejam vigilantes e bondosos, o pecado penetrou no mundo, arrastando inúmeros males em sua esteira. Assim, o mal, mesclado com a corrente inteira das atividades humanas, propaga o caos e a morte onde deveriam estar reinando imperturbados a paz, a boa ordem, a vida e a felicidade. Como tudo isso pode ter acontecido, sob o governo de um Deus infinitamente sábio, poderoso e bom, é questão que se reveste de enormes dificuldades. As observações expostas a seguir não conseguirão dissipar inteiramente as trevas que envolvem o assunto; mas, talvez, sejam suficientes para ajudar-nos em nossa fé, resguardando os nossos corações de pensamentos indignos a respeito de Deus.

1. Que a providência exerce controle sobre o pecado é indiscutível, não obstante as dificuldades que envolvem o fenômeno. Se há algo de que Deus ficaria afastado, é o pecado, a abominação que ele tanto odeia. Porém, coisa alguma demonstra tão claramente a universalidade da providência divina como o fato de que ela abrange até mesmo o pecado. De fato, se a providência divina permanecesse distante de tudo quanto é pecaminoso, ficariam entregues à sua própria sorte todas as atividades humanas, tão inevitavelmente misturadas com o pecado. As Escrituras referem-se em linguagem claríssima e convincente ao controle divino sobre os agentes pecaminosos. Deus chamou os caldeus contra Jerusalém (Hc 1.6) e despertou os medos contra a Babilônia (Is 13.17; Jr 51.11). Eram nações constituídas por homens ímpios e não poderiam ter sido postas em movimento pela providência divina, se até os agentes ímpios não estivessem sujeitos ao controle do Senhor. Na Bíblia, os homens iníquos são chamados de vara, bordão, machado e serra nas mãos de Jeová (Is 10.5-15), o que indica que Deus se utiliza dos ímpios como seus instrumentos, segundo a sua vontade. As Escrituras, entrando em maiores minúcias ainda, chegam a fazer alusão aos próprios atos através dos quais os agentes ímpios exibem a sua iniquidade e atribuem tais atos a Deus. Isso se dá no caso das maldições de Simei contra Davi (2Sm 16.11) ou no caso da contaminação das concubinas de Davi, por parte de Absalão (2Sm 16.21). Por mais malignas que tenham sido tais ações, elas são atribuídas ao Deus dotado de toda a santidade, dentro das palavras dadas por inspiração.

Por qual motivo esses relatos teriam sido registrados, senão para ensinar-nos que a providência de Deus envolve até mesmo os atos pecaminosos dos homens? Tão surpreendentes são alguns dos fatos narrados na Palavra santa – como no caso do arrependimento, o qual é atribuído a Deus – que precisam ser explicadas através do conteúdo geral das instruções sacras. Deus cega a vista (Jo 12.40) e endurece o coração (Rm 9.18) de homens pecaminosos; envia sobre eles fortes ilusões (2Ts 2.11), a fim de que deem crédito à mentira e sejam condenados. Deus levantou Faraó como monarca do Egito (Êx 9.16) e, então, endureceu seu coração (Êx 7.13), a fim de exibir nele o seu poder. Não há dúvida de que tal linguagem teve a finalidade de causar profunda impressão sobre as nossas mentes, no sentido de que Deus exerce um perfeito controle sobre os atos de todos os agentes pecaminosos. Que Deus controla e direciona os atos ímpios de indivíduos iníquos, tendo em vista a realização de seu grandioso propósito, é tão claro quanto o fato de que Deus abomina tais atos. Estamos na obrigação moral de dar crédito a todas essas informações, sem importar quantos mistérios estejam envolvidos. As coisas que sabemos acerca de qualquer tema não são menos verdadeiras ou menos dignas de crédito somente porque há elementos envolvidos acerca dos quais pouco ou nada sabemos.

2. Aquilo que desconhecemos acerca da providência divina sobre o pecado é algo reservado a Deus, e não a nós. Portanto, seguramente, podemos deixar a interpretação disso com ele. Como pode ser governado um mundo composto por agentes pecaminosos é um problema que não nos compete procurar resolver, visto que essa tarefa não nos tem sido designada. Se Deus nos tivesse imposto esse dever, sem dúvida ter-nos-ia ensinado como deveríamos cumprir a tarefa. Porém, ele reservou para si mesmo essa incumbência; ele não presta contas de questões particulares. Portanto, em vez de ficarmos surpresos diante do fato de que existem coisas dentro do governo de

Deus que, para nós, são inescrutáveis, deveríamos ficar surpreendidos se as coisas fossem ao contrário. Os governos terrenos guardam os seus segredos, e esses frequentemente dizem respeito ao controle de agentes hostis. Sem nos sentirmos ofendidos, deveríamos permitir que o Governante supremo tenha os seus segredos e que ele os divulgue somente até o ponto que lhe pareça conveniente.

Com frequência, pelo menos aparentemente, ficamos por demais ansiosos por resguardar o caráter de Deus de todas as suspeitas maliciosas; entretanto, com segurança, podemos deixar ao encargo do Senhor a reivindicação de sua própria causa. Faríamos bem em cuidar para que a nossa cautela serviçal não venha a revelar a nossa indisposição em depositarmos inteira confiança na sabedoria e na bondade dos caminhos do Senhor, quando estes ultrapassam a nossa compreensão. Que as próprias obscuridades, as quais Deus permitiu que existissem, sirvam para estimular-nos a aprimorar a nossa fé, testando-a e fortalecendo-a.

3. A distinção entre o fato de que Deus permite o pecado e a ideia de ser ele a causa eficiente do pecado é algo que julgamos estar autorizados a fazer, a fim de liberarmos nossos pensamentos de qualquer embaraço quando meditamos sobre o assunto. Em muitas das declarações existentes nas Escrituras, está implícito mais do que a mera permissão divina do pecado, pois a Bíblia refere-se à influência através da qual as propensões pecaminosas das criaturas são conduzidas a um canal, e não a outro. Todavia, seríamos incapazes de conciliar as nossas ideias acerca do caráter de Deus com a noção de que ele é a causa eficiente dos atos de agentes pecaminosos. Tal noção, é evidente, não é ensinada no Volume sagrado. Deus é um sol; as trevas morais aparecem pela ausência, e não pela presença dos seus raios. Não ousamos duvidar que, se assim ele desejasse, poderia ter

derramado sua magnífica influência positiva e divina, de modo que a raça humana teria sido inteiramente preservada de qualquer contaminação do pecado. O fato de que ele assim não o fez é justamente o que se denomina de permissão divina do pecado. No entanto, todos prontamente concebem essa permissão como algo inteiramente diverso de uma eficiência positiva, que produz diretamente o mal moral. É sábio considerarmos que todo o bem procede de Deus, que devemos louvá-lo por isso e que todo o nosso mal procede de nós mesmos, assumindo, por isso, toda a merecida culpa. Por semelhante modo, sabendo que Deus controla tudo para o bem, quando contemplamos o pecado em outras pessoas, podemos considerá-las culpadas do mal, enquanto louvamos ao Senhor pelo bem que ele extrai desse mal.

4. Deveríamos conservar as nossas ideias filosóficas dentro de devidos limites, e não nos entregarmos a deduções delas extraídas quando tais deduções tendem a perturbar a nossa fé. Já tivemos oportunidade de mostrar que a filosofia é compelida a depender de induções incompletas, que as suas inferências não gozam de uma igual autoridade à daquela que caracteriza as declarações divinas. Fomos constituídos de tal maneira que dependemos da uniformidade das leis da natureza; por conseguinte, cremos que essas leis continuarão operando no futuro tal como operaram no passado. Essa propensão constitucional nos foi proporcionada pela sabedoria divina, capacitando-nos a moldar e dirigir os nossos passos neste mundo. A despeito de todos os propósitos que giram em torno dessa propensão, ela não nos foi dada a fim de enganar-nos. Todavia, existem limites de acordo com os quais ela precisa ser restringida. Uma criança qualquer nos indaga sobre algo que ela acaba de observar; então, após lhe termos respondido, ela pergunta: "Mas qual é a causa disso?" E, quando, respondendo às suas sucessivas perguntas,

a tivermos conduzido a pensar em Deus como a causa primária de tudo, a criança acabará perguntando: "Mas, quem fez Deus?" Poderemos, então, replicar, com grande sabedoria, que Deus é autoexistente. Essa resposta, porém, não significará outra coisa para a criança, senão que a sua filosofia inquiridora precisa parar aqui, por haver chegado ao ponto final.

Sem importar se podemos ou não explicar metafisicamente toda essa questão, o fato é que existe uma certa tendência na mente humana para considerar cada agente moral como uma espécie de fonte original de ações, mais ou menos da mesma maneira que concebemos Deus. Essa tendência, talvez tão universal quanto a propensão que manifestamos de depender da uniformidade das leis da natureza, pode ter-nos sido outorgada com o propósito de refrear a nossa filosofia, ao presumirmos que podemos explicar a origem do mal existente no coração de um agente moral. Acostumada como está a nossa filosofia a contemplar a relação existente entre causa e efeito, operando dentro de uma ordem fixa de sequência, ela não se submete a considerar o homem como uma fonte original de ações, mas esforça-se por tentar explicar o mal moral que nele existe através de causas que operam externamente e, enfim, chega a atribuir a Deus esse mal.

Poderíamos indagar se a filosofia, quando impele a doutrina da necessidade até os mistérios mais profundos desse tema, não está assumindo, baseada em leis consideradas fixas, que, tanto na mente quanto na matéria, prevalece uma inércia natural, ou melhor, uma espécie de imutabilidade natural. Entre os argumentos que foram apresentados em favor da ideia da necessidade moral, foi dito que as volições de um indivíduo qualquer, que esteja sujeito a certas influências, com frequência, são passíveis de cálculo. Porém, a fim de que esse cálculo obtenha êxito, é necessário que tal indivíduo seja conhecido;

isto, por sua vez, implica no fato de que ele deve possuir algumas qualidades invariáveis. Qualquer mudança que nele ocorra, mesmo sem haver qualquer modificação nas circunstâncias externas, efetua uma mudança no resultado final. No campo da física ou da química, uma experiência feita em nossos dias opera precisamente da mesma maneira que o faria nos dias anteriores ao dilúvio, porquanto cada átomo da matéria possui exatamente as mesmas propriedades que tinha então. A matéria caracteriza-se como possuidora de uma espécie de imutabilidade natural; contudo, poderia ser atribuída a mesma qualidade à mente? Porventura, a filosofia não subentende essa qualidade da mente como fato, quando aplica sua doutrina da necessidade aos fenômenos mentais sem nenhuma limitação e, ousadamente, afirma que Deus é o autor do pecado, como sua causa primária?

Por força de hábito, a mente humana tende a ter considerações fixas referentes a virtude e ao vício. Entretanto, a filosofia não deveria admitir que exista uma imutabilidade natural na mente, anterior à formação dos hábitos. A matéria, em cada um de seus átomos, é imutável; somente em suas combinações ela é mutável. A mente humana, embora seja uma essência simples, isto é, não composta, não é imutável. Deus criou a matéria como algo imutável, ou melhor, ele opera imutavelmente em relação à matéria. Por outro lado, se Deus preferiu não fazer a mesma coisa no caso da mente, mas, de alguma maneira, fez com que cada mente fosse uma fonte original de ações, a filosofia precisa curvar-se diante dos fatos, aplicando as suas fixas ordens de sequência, com plena segurança, exclusivamente aos casos que lhe dão firmes motivos para tanto.

A fim de ilustrarmos a distinção que procuramos estabelecer acima, suponhamos que uma esfera de metal tenha sido posta sobre o vértice pontudo de uma pirâmide. Nenhuma arte humana poderia ajustar essa esfera de modo que ela não venha a escorregar por um dos lados da pirâmide. Poderíamos demonstrar matematicamente a possibilidade de tal ajustamento, mostrando que o poder da gravidade, operando igualmente em cada ponto da esfera, conseguiria retê-la naquela posição, de modo a ficar ali fixada permanentemente. Porém, apesar de todos os cálculos matemáticos, na prática, aquela esfera cairá. A filosofia procurará explicar esse fracasso como se fosse alguma falha de ajustamento preciso ou devido a alguma causa externa, como o assopro da brisa operando de fora, mas jamais com base em qualquer alteração ocorrida na própria esfera. Uma vez iniciado o movimento descendente da esfera, a filosofia admite que sua tendência será mover-se na direção tomada; porém, não aceita que ela passará do estado de repouso para o estado de movimento, senão através de alguma influência externa. Ora, se a filosofia igualmente nega que a emoção possa originar-se na mente e mantém que a sua doutrina da necessidade é aplicável aos processos mentais (não somente quando esses processos atuam sob a influência de hábitos, mas antes mesmo da formação deles), não temos razão ao dizer que a filosofia professa uma natural imutabilidade mental ao atribuir o primeiro impulso para o caminho errado a uma falha de ajustamento por parte de Deus ou à operação de causas externas provocadas por uma ação da parte dele? Ora, se a filosofia realmente raciocina na base dessa premissa, não podemos confiar nas conclusões dos filósofos.

CONCLUSÃO

A piedade genuína, uma vez implantada no coração, produz aquela espécie de inquirição que aflorou dos lábios de Saulo de Tarso: "Senhor, que queres que eu faça?" Sim, o coração convertido procura saber a vontade de Deus com o propósito de pô-la em prática, tão naturalmente quanto o apetite do recém-nascido busca o leite materno. Os homens do mundo andam pelo caminho de sua própria escolha e cumprem os desejos de suas próprias mentes; mas os piedosos procuram andar no caminho do Senhor, pondo em prática aquilo que lhe é agradável. Por isso mesmo, os piedosos deleitam-se em meditar na lei do Senhor. A Bíblia não seria um livro adaptado ao estado mental do homem piedoso, se não contivesse preceitos que visam orientá-lo em sua conduta.

O infante não deseja somente o alimento, mas o alimento apropriado. Esse fato é aludido nas palavras de Pedro: "desejai ardentemente, como crianças recém-nascidas, o genuíno leite espiritual, para que por ele vos seja dado crescimento para salvação" (1Pe 2.2). A Bíblia, a Palavra de Deus, supre-nos o leite genuíno, de que o filhinho na graça tanto carece e deseja. As Escrituras Sagradas não somente nos fornecem preceitos; mais precisamente, tais preceitos tendem a confirmar e fortalecer os santos afetos da alma recém-nascida. Paulo deleitava-se na lei de Deus, não só porque ela era a lei de Deus, mas também porque era santa, justa e boa (Rm 7.12). Os próprios incrédulos reconhecem a moralidade de Cristo e de sua doutrina; é exatamente a mesma moralidade que transparece no Decálogo, bem como nos dois grandes preceitos morais, dos quais dependem toda a lei e os escritos dos profetas. Conforme alguns têm pensado, o Decálogo, gravado em tábuas de pedra pelo dedo de Deus, teria sido o primeiro tipo de escrita alfabética que o mundo viu. Se essa suposição está ou não com a razão, sem dúvida alguma, o Decálogo encontra-se entre os mais antigos exemplos de escrita, pelo menos até onde vai o nosso conhecimento. O fato de que, em uma época tão remota, foi outorgada à humanidade uma lei tão pura e perfeita, reveste-se de notável importância, só podendo ser explicado satisfatoriamente com base na suposição de que essa lei originou-se no próprio Deus. As excelências intrínsecas da lei divina correspondem perfeitamente à solenidade e à grandiosidade da sua promulgação no monte Sinai. O homem piedoso admira profundamente a perfeição da lei e deleita-se em sua santidade, vendo nela uma prova de que a Bíblia é realmente a Palavra de Deus.

Quando os desejos são apropriadamente controlados no íntimo, todas as externalizações da alma são feitas em conformidade com a vontade de Deus. Elas manifestam-se de formas tão bem adaptadas às circunstâncias de nosso ser que chegam a demonstrar que o poder que fez as coisas externas é o mesmíssimo poder que opera em nós tanto o querer quanto o realizar.

Todas as obras de Deus, tanto as lá de cima, onde o sol, a lua e as estrelas declaram a sua glória, quanto as aqui de baixo, que são plenas de sua bondade, têm a finalidade de excitar a nossa admiração e a nossa gratidão. Admiramos a habitação terrestre que o nosso

Criador proveu para nós, tão esplêndida e tão ricamente preparada. Invadidos por uma transbordante gratidão, sentamo-nos à mesa que a sua providência preparou diante de nós com tão extraordinária profusão e variedade.

A doutrina da providência geral de Deus é suficiente para o exercício da gratidão em um coração piedoso. Os arranjos gerais existentes no mundo em que fomos postos demonstram a benevolência daquele que planejou todas as coisas. Deveríamos ter justos motivos para nos sentirmos gratos, em face desse planejamento sábio e beneficente, mesmo que cheguemos a conceber que Deus abandonou este mundo aos cuidados das leis gerais por ele instituídas, sem oferecer qualquer orientação a operação dos minúsculos pormenores dessa lei em nossa experiência diária. Mas a piedade genuína não fica menos comprovada por meio da resignação na hora do sofrimento do que quando nos sentimos agradecidos em face das satisfações que encontramos por toda a parte. Todavia, a resignação debaixo das aflições seria uma atitude impossível se elas não fossem consideradas como provenientes das mãos de Deus. Jó resignou-se durante seu período de aflições, porquanto considerava seus sofrimentos como enviados por Deus: "temos recebido o bem de Deus, e não receberíamos também o mal?"

A fim de que demonstremos a qualidade da resignação, torna-se necessária a crença na providência particular de Deus. Os esquemas gerais da providência que, em vista de sua natureza benévola, despertam em nós o senso de gratidão, podem, conforme as exigências da situação presente, não satisfazer as nossas necessidades. Sofremos as consequências dessa falha, e a piedade leva-nos a suportar o sofrimento com submissão à vontade de Deus. Todavia, isso seria impossível se não acreditássemos que este ou aquele acontecimento particular estão em harmonia com a vontade do Senhor. É necessário que encaremos a providência divina não somente como a instituidora das leis de caráter geral, mas também como uma força que direciona as épocas e as circunstâncias em que as operações dessas leis atravessarão o nosso caminho.

Para o bom exercício da piedade, a providência em que acreditamos não pode envolver somente particulares isolados, mas tem de ter em vista a execução de um plano previamente determinado. A resignação diante do destino cego não é piedade. Precisamos não apenas sentir a presença da mão de Deus em nossas aflições, mas também precisamos entender que tudo é planejado para nosso benefício. Temos de levar em conta não tanto a atuação da mão de nosso Pai Celeste, mas o seu coração. Para o devido exercício da piedade, não é necessário que sejamos capazes de compreender os eternos desígnios do Senhor; cumpre-nos acreditar na realidade desses desígnios. Não é exigido de nós que compreendamos ou que expliquemos todos os mistérios que acompanham a doutrina da predestinação. A crença em tal doutrina é, contudo, necessária ao exercício inteligente de uma resignação piedosa. Uma sábia providência opera com um propósito em vista, e somente a esse tipo de providência resigna-se a piedade inteligente.

A depravação humana inclina-se a usar erroneamente a verdade de Deus. Assim é que a doutrina concernente à vontade de propósito de Deus é transformada em pretexto para a negligência quanto à sua vontade de comando e em desculpa para a desobediência no passado. O transgressor gosta de argumentar: "Pois quem jamais resistiu à sua vontade?" Por outro lado, a piedade sincera permite que Deus execute a sua vontade de propósito à sua maneira, ao mesmo tempo que faz da vontade de preceito a sua regra de dever. Essa piedade dá a Deus o direito de realizar a sua obra, deleitando-se nela como obra de Deus. E, mesmo que essa forma de piedade não possa compreender o desígnio divino, ainda assim, continuará confiando no Senhor, regozijando-se na certeza de que Deus faz direito todas as coisas. Tal piedade reconhece a atuação da mão de Deus em todas as coisas externas; contemplando essa atuação, descobre inúmeros motivos para admiração, gratidão e resignação. Entretanto, sempre que surge uma questão de dever, ela não é solucionada através de inquirições como: "O que fez Deus?" Ou: "O que Jesus se propõe a fazer?" Pelo contrário, a piedade autêntica indaga: "O que foi que Deus ordenou que fosse feito?" A conjugação da resignação e da obediência, em um mesmo coração, é a prova da piedade verdadeira. Feliz é a pessoa em quem essa dupla influência é percebida. Ela deleita-se na vontade de Deus e, enquanto lhe obedece, pode sentir-se no céu, mesmo estando neste mundo, e pode regozijar-se até mesmo nas tribulações, aceitando um leito de espinhos como uma cama macia, contanto que Deus a tenha posto sobre ele.

[illegible]

[illegible] da glória, [illegible]

[illegible]: "O que fez Deus?", mas: "O que Deus me propõe a fazer?" [illegible]
Somente a piedade antiga [illegible]: "O que é que Deus quer
que eu faça?" A combinação da resignação e da obediência, em uma

um feixe de espinhos como uma coroa, sabendo que Deus
a tenha posto sobre ela.

LIVRO IV

DOUTRINA CONCERNENTE À QUEDA E AO ESTADO ATUAL DO HOMEM

INTRODUÇÃO

O DEVER DO ARREPENDIMENTO[1]

Temos verificado que a religião não se confina ao intelecto do homem, mas envolve os mais profundos sentimentos do coração. O amor a Deus, bem como o deleite em sua vontade e em suas obras, conforme temos demonstrado, são elementos essenciais da religião cristã. Esses são sentimentos que não operam à superfície, mas que comovem a alma até as suas profundezas. Se, em nossos estudos sobre a verdade religiosa, tivermos chegado até a presente altura sem quaisquer sentimentos – e sentimentos fortes –, todo o nosso trabalho terá sido sem proveito. Faremos bem em começar tudo novamente. Não deveríamos perder tempo em nossa busca pela finalidade principal para a qual estudamos a verdade divina. Se, até agora, temos tratado a verdade de Deus como se fosse outra ciência qualquer, não devemos continuar nesse caminho, para que o uso profano das coisas sagradas não se torne um hábito, provocando Deus a negar-nos a sua iluminadora graça.

1 Mt 3.2; At 17.30.

O amor a Deus, o deleite em sua vontade e em suas obras são exercícios santos e agradáveis à mente; mas, em um ser pecaminoso, a religião necessariamente é acompanhada pela dor. Sentir-se à vontade estando em pecado é prova de que o coração está morto em "delitos e pecados" (Ef 2.1). Todo aquele que é vivificado pelo Espírito de Deus torna-se sensível ao pecado e sente a dor de um coração quebrantado por causa da transgressão. A angústia do remorso pode ser aliviada ao sentir a misericórdia perdoadora; contudo, a alegria do perdão recebido não pode fazer estancar o quebrantamento. À semelhança da mulher que muito foi perdoada, o crente, enquanto recebe o perdão de seus pecados com uma alegria transbordante, não perde o senso de pecado, mas está pronto a lavar os pés de seu Senhor com lágrimas. Essas lágrimas revestem-se de uma doçura toda especial.

A necessidade do arrependimento é ensinada sobejamente nas páginas sagradas. A linguagem usada por Cristo foi explícita: "se, porém, não vos arrependerdes, todos igualmente perecereis" (Lc 13.3). Não temos direito de considerar que estamos no caminho da vida eterna se desconhecemos o arrependimento. Nem é suficiente termos sido alarmados durante algum tempo por causa dos pecados. Um falso arrependimento, do qual a pessoa voltará atrás algum dia, tem satisfeito muitas almas iludidas. O arrependimento genuíno é um sentimento permanente e profundo de pecado; é a autocondenação diante de Deus por causa do pecado; é o abandono do pecado com repugnância e aversão e com a firme determinação de nunca mais cometê-lo e não estar em paz na sua presença. Esse senso de pecado conduz a alma aos pés de Cristo e une-se ao exercício da fé em Cristo para distinguir a genuína religião cristã das simulações de que este mundo está cheio.

A razão ensina que é dever dos homens, como pecadores que são, arrepender-se dos seus pecados. Quando um homem tem ofendido outra pessoa, pelo senso comum da humanidade, é seu dever lamentar a sua ofensa. Se não sentimos pesar por haver ofendido a Deus, nós o tratamos com menos respeito do que aos nossos semelhantes – "vermes" como nós. Não sentir pesar é tentar justificar a ofensa cometida e, virtualmente, repeti-la. Deus sonda os nossos corações e conhece os nossos mais íntimos pensamentos. Se permanecermos indiferentes após havermos transgredido contra ele, é como se lhe disséssemos, face a face, que estávamos com a razão quando repudiamos a sua autoridade. Nossa indiferença insulta a majestade do Senhor e afronta a sua ira.

Porém, o dever de arrependimento não nos foi deixado para ser inferido a partir do senso comum da humanidade. É verdade que o Decálogo não contém qualquer mandamento a respeito do arrependimento. Aquele sumário de deveres foi outorgado aos homens como homens, e não como a pecadores. O seu propósito era o de restaurar os homens ao favor divino; por conseguinte, não os tratava como a pecadores. Porém, quando o evangelho começou a ser pregado, a sua primeiríssima proclamação foi: "Arrependei-vos, porque está próximo o reino dos céus" (Mt 3.2). Em toda a pregação do evangelho, esse é o primeiro dever requerido do ser humano. Sem o arrependimento, não poderá ser dado um único passo no caminho de retorno a Deus nem haverá possibilidade de obtenção do favor divino. "Se, porém, não vos arrependerdes, todos igualmente perecereis" (Lc 13.3). Por conseguinte, é importantíssimo compreender o que é arrependimento, adquirindo aquela visão da verdade que tende a produzi-lo em nossos corações.

Quando nos aproximamos de alguém a quem ofendemos, a fim de fazer-lhe a nossa confissão e pedir-lhe perdão, espera-se que nos mostremos sensíveis diante da maldade praticada, lamentando-a e assumindo a culpa, reconhecendo o direito que o próximo tem de se sentir ofendido e resolvendo ou mesmo prometendo que nunca mais faremos tal coisa. Tudo isso deve existir no arrependimento para com Deus, se não quisermos repetir nossos insultos contra aquele que sonda os corações. Podemos enganar um semelhante nosso com confissões de arrependimento sem sinceridade, somente para acalmá-lo; mas Deus não pode ser enganado, e tentar a façanha é zombar dele.

Para um sincero arrependimento diante de Deus é indispensável compreendermos que temos pecado contra ele. Usualmente, os homens não comparam suas ações com a reta lei de Deus, e sim com os atos de outros homens. Andamos segundo o curso deste mundo e ficamos contentes quando nos amoldamos a regras de conduta que os homens consideram respeitáveis. Grandes multidões passam através da vida sem uma apropriada convicção de pecado e morrem impenitentes, sem nunca terem examinado e submetido à prova sua conduta por meio de uma regra superior. Para despertar tais pessoas e arrancá-las de suas falsas e ilusórias justificativas, teremos de convencê-las de que o curso deste mundo é decadente e pervertido e que o fato de estarem em conformidade com ele deveria alarmá-las, em vez de satisfazê-las. A doutrina da depravação total e universal, portanto, conduz ao arrependimento.

Não sentiremos arrependimento verdadeiro das ofensas praticadas contra o nosso semelhante nem lhe pediremos perdão com sinceridade, se não cremos que ele tem um justo motivo para sentir-se ofendido. Se a ofensa se originou de algum equívoco da parte do nosso próximo, devemos tentar acalmá-lo, explicando-lhe o que pode corrigir seu equívoco. Se está desgostoso por capricho, podemos, então, apresentar diante dele nosso parecer e apontar o seu erro. A fim de exercermos um genuíno arrependimento para com Deus, precisamos reconhecer que ele tem o direito de sentir-se ofendido conosco, que ele não está incorrendo em qualquer engano e que qualquer tentativa nossa de convencê-lo de que ele está errado será fracassada. A fim de que tudo isso fique profundamente gravado em nossas mentes, é necessário apenas que estejamos plenamente convencidos de que estamos debaixo da justa condenação de Deus e que todas as nossas desculpas de autojustificação não têm fundamento.

Homens piedosos têm buscado motivos para o arrependimento nas doutrinas que temos acabado de mencionar. Davi humilhou-se diante do Senhor, confessando a sua depravação natural. "Eu nasci na iniquidade, e em pecado me concebeu a minha mãe" (Sl 51.5). Ele encarou o seu crime com maior repugnância quando percebeu e confessou a justiça do castigo que recebera da parte do justo Juiz: "de maneira que serás tido por justo no teu falar e puro no teu julgar" (Sl 51.4).

O verdadeiro arrependimento torna-se ainda mais profundo e pungente quando temos a visão da miséria e desamparo que o pecado tem trazido sobre nós. Por isso é que Paulo exclamou: "Desventurado homem que sou! Quem me livrará do corpo desta morte?" (Rm 7.24).

CAPÍTULO 1
O ESTADO ORIGINAL DO HOMEM

O primeiro homem e a primeira mulher foram criados santos e, por algum tempo, serviram ao seu Criador de maneira aceitável[1]

Não dispomos de meios para saber por quanto tempo o primeiro casal permaneceu em seu estado original de inocência e felicidade; todavia, transparece nas páginas do registro sagrado que eles continuaram assim por algum tempo. Havia um franco relacionamento com o Criador, e o sinal do favor divino, o acesso à árvore da vida, não lhes foi negado senão após a primeira violação do pacto de Deus.

O fato de que o primeiro casal continuou servindo ao Senhor de modo aceitável durante algum tempo prova que Deus os havia capacitado para esse serviço. A posse dessas faculdades está implícita nas palavras: "Criou Deus, pois, o homem à sua imagem" (Gn 1.27). Interpretar essas palavras como se elas dissessem respeito ao formato do corpo humano é totalmente inconsistente com a espiritualidade de Deus. É verdade que, posteriormente, o Senhor manifestou-se sob forma humana, mas as Escrituras apresentam o Filho de Deus,

1 Gn 1.27, 31; Ec 7.29.

quando ele assumiu a nossa natureza, como sendo necessário que ele fosse "semelhante aos irmãos" (Hb 2.17). Portanto, supor que o corpo humano de Jesus Cristo serviu de padrão para o corpo com que Adão foi formado é interpretação que altera a ordem de acontecimentos apresentada na Palavra de Deus. A expressão "imagem de Deus", conforme é explicada pelo apóstolo Paulo (Cl 3.10; Ef 4.24), inclui "conhecimento, retidão e verdadeira santidade". Imagem de Deus, portanto, diz respeito às faculdades mentais do primeiro casal, mediante as quais foram capacitados a prestar serviço aceitável a Deus.

Para que Deus fosse adorado, motivo pelo qual o homem foi criado, fazia-se necessário que este possuísse inteligência. Um vasto mundo havia sido criado, repleto de criaturas que, em sua admirável estrutura, exibiam a sabedoria e o poder do seu Criador. Na abundante provisão para o suprimento de suas necessidades, a bondade divina era ricamente demonstrada. Entretanto, nenhuma dentre todas aquelas criaturas era capaz de apreciar a sabedoria, o poder e a bondade do Criador. Tinham olhos para ver a luz do sol; mas, embora os céus estivessem declarando a glória de Deus, e a terra estivesse transbordando de provas de sua bondade, eram totalmente cegas para essas maravilhas. Tornava-se necessário o aparecimento de uma criatura capaz de conhecer a Deus, e precisamente esse foi o conhecimento outorgado aos nossos primeiros pais.

Algo mais do que mera capacidade intelectual fazia-se necessário para capacitar os nossos primeiros pais a prestarem um serviço aceitável a Deus. Essa capacidade intelectual também era um atributo dos anjos, mesmo daqueles que não guardaram o seu primeiro estado e tornaram-se inimigos de Deus, lançados para longe de sua presença. A pureza de coração era necessária e, consequentemente, Adão e Eva foram dotados de retidão e verdadeira santidade. Eles não somente conheciam a Deus, mas também o amavam supremamente. Cada desejo natural que os caracterizava era devidamente subordinado a esse afeto predominante. Mesmo o amor que tinham um pelo outro, puro e genuíno, era muito inferior ao amor que devotavam ao Senhor, que diariamente os favorecia com suas visitas, ensinando-os a perceber sua glória em todas as obras que os cercavam.

Podemos interpretar a expressão "imagem de Deus" como incluindo também o domínio de que o homem fora investido sobre todas as criaturas inferiores. Ao referir-se ao homem como o cabeça da mulher, Paulo fala do varão, no relacionamento do casal, como sendo "a imagem e glória de Deus" (1Co 11.7). Essa investidura de autoridade dá ao homem uma certa semelhança com Deus como o governante supremo. No seu estado de inocência, o homem possui essa autoridade sem temor de qualquer outra criatura. Enquanto o homem não se rebelou contra Deus, não foi permitido que os animais se rebelassem contra o homem. Como senhor nomeado sobre o mundo irracional, todas as criaturas rendiam-lhe homenagem. O homem, como representante de todas as criaturas terrestres, era como o sacerdote num grande templo, para oferecer serviço e adoração espiritual ao Deus de toda a criação. De cada criatura a que deu nome, Adão podia aprender algo mais a respeito de Deus; a cada nova lição, um novo tributo de adoração era prestado ao Criador de tudo.

Nessas particularidades que temos mencionado, a imagem de Deus é "renovada" naqueles que experimentam as influências regeneradoras do Espírito Santo e foram criados em Cristo Jesus para as boas obras. A palavra "renovados" faz os nossos pensamentos retrocederem ao estado original do homem. Uma nova criação é realizada pelo Espírito de Deus, restaurando no regenerado o conhecimento, a retidão e a santidade que ele havia perdido. Nesse estado renovado, os efeitos da Queda ainda aparecem e permanecerão, até quando a morte, o último inimigo, será destruída. Porém, a ligação entre os regenerados e o segundo Adão, que é Cristo, garante que a boa obra neles iniciada será completada, assegurando-lhes que, no fim, trarão a imagem do Adão celestial, que é a imagem de Deus.

A alma humana traz a semelhança de Deus, o "Pai dos espíritos", em sua espiritualidade e imortalidade. Igualmente, a felicidade desfrutada por Adão e Eva, enquanto permaneceram no estado de inocência, era um córrego que fluía do manancial de bem-aventuranças que é o Deus eterno. Nessa felicidade, a imagem de Deus aparecia, até que veio a tornar-se tristemente ofuscada pela transgressão. A espiritualidade e a imortalidade da alma permanecem, mas a felicidade do jardim do Éden nunca mais retornou à terra e só poderá ser desfrutada novamente no paraíso celeste. Espiritualidade e imortalidade sem conhecimento, retidão, santidade e comunhão com o Deus bendito fariam de nós espíritos imortais em eterna perdição.

Com grande proveito, podemos volver os olhos para o santo e feliz estado em que se encontravam os nossos primeiros pais, quando vieram das mãos do Criador; com excelente proveito, podemos recordar-nos de onde o ser humano caiu. Uma devida contemplação desse assunto haverá de favorecer a nossa aceitação do gracioso plano de restauração que o evangelho expõe na pessoa e na obra do segundo Adão. Que *shabbath* (descanso) aquele em que o Senhor Deus, após os seis dias de criação, manteve comunhão com o homem, a última obra de suas mãos, quando o homem, ainda não maculado pelo pecado, trouxe a primeira oferta de louvor da recém-criada terra, como oferta aceitável ao Criador! Tal *shabbath* a terra não conhece hoje, mas ainda resta um descanso como esse para o povo de Deus, e bem-aventurados aqueles que nele hão de entrar.

CAPÍTULO 2
A QUEDA

O primeiro homem, tendo sido posto sob um pacto de obras, violou-o e trouxe sobre si mesmo e seus descendentes as consequências[1]

A narrativa da Queda, como é dada no livro de Gênesis, deve ser considerada não como um mito, mas como história autêntica. Nas porções subsequentes das Escrituras Sagradas, essa narrativa é sempre considerada como verdadeiramente histórica. A sua conexão com outros eventos históricos é suficiente para excluir a suposição de que não está em pauta um fato.

A revelação da vontade de Deus a Adão, como está registrada no livro de Gênesis, não é chamada "aliança". Por isso, alguns têm duvidado da propriedade do uso desse termo para denotar tal revelação. Se a palavra, no seu uso bíblico, tem o mesmo significado que nas transações humanas, um acordo entre iguais, independentes um do outro, então, agimos bem ao rejeitar o uso dessa palavra. Porém, nas Escrituras, o termo é usado em um sentido mais amplo, significando:

1 Gn 2.17; 3.6, 16-19; Rm 5.12, 15-19.

- *Uma ordenança imutável* (Jr 33.20). Dentro desse sentido, pode ser incluída a ideia de *irrevogável vontade ou testamento* (Hb 9.15-17).
- *Uma promessa firme e estável* (At 3.25; Is 59.21).
- *Um preceito* (Êx 34.28).
- *Um acordo mútuo* (Gn 31.44; 26.28, 29; 1Sm 18.3).

Com tão amplo significado, a palavra deve ser considerada como aplicável ao caso presente. Não haveria necessidade de insistir no emprego desse termo, se as próprias Escrituras não fizessem tal aplicação. Tome-se Oséias 6.7, que diz: "Mas eles transgrediram a aliança, como Adão." Com idêntico sentido pode ser compreendida a expressão, no hebraico, em Jó 31.33 e Salmos 82.6, 7.

Visto que o termo "aliança", às vezes, é aplicado a alguma promessa gratuita, sem qualquer condição estipulada, é próprio caracterizar a aliança estabelecida com Adão como um pacto de *obras*. Era uma lei que tinha uma penalidade determinada: "De toda árvore do jardim comerás livremente, mas da árvore do conhecimento do bem e do mal não comerás; porque no dia em que dela comeres, certamente morrerás" (Gn 2.16, 17). Não foi feita nenhuma promessa de que Adão continuaria a desfrutar dos favores divinos caso ele tivesse continuado em obediência; porém, a promessa é claramente subentendida. Não somos informados se a perseverança de Adão em sua obediência seria galardoada mediante algum favor ainda superior àquele do qual ele já gozava. Temos razões para concluir que, à medida que progredisse em fazer o que é certo, teria ainda maiores sinais da aprovação divina. Com base naquilo que sabemos a respeito da força do hábito, como uma tendência que fixa o agente moral na virtude ou no vício (tendência que existe porque Deus assim a determinou), não é improvável conjecturar que, se Adão tivesse perseverado em sua obediência, após algum tempo, teria sido confirmado na santidade. Contudo, onde a Escritura omite-se, não podemos formar conjecturas e transformá-las em artigos de fé.

É inútil e pecaminoso convocar Deus ao tribunal de nossa razão, por ter ele determinado como teste de obediência o não comer de uma simples fruta. Até poderíamos nos esquecer da devida reverência para com Deus, questionando-lhe a sabedoria e bondade, por ter feito de algo tão simples uma tão grande demanda; contudo, em assim fazendo, demonstramos grande impiedade. O Juiz de toda a terra não agiria corretamente? Deve bastar-nos que Deus assim o fez. Os atos divinos nunca são pequenos, mesmo quando cria um minúsculo átomo. Assim também as exigências divinas não devem ser menosprezadas, mesmo quando ele decreta o menor de seus mandamentos. A própria simplicidade da questão, embora a insensatez humana queira disso fazer zombaria, é o que pode melhor concordar com a sabedoria divina. Caso Adão tivesse tentado destronar seu Criador, a razão humana admitiria a amplitude de seu crime. Entretanto, seu débil esforço não teria infligido mal maior à onipotência divina do que ele infligiu ao comer do fruto proibido. Então, que diferença há na gravidade do crime? Nenhuma em seus efeitos, nenhuma em seus princípios. Desobedecer nos limites do que é possível à criatura é tentar destronar Deus. Deveríamos zombar de Deus permitindo-lhe ocupar o trono da autoridade universal, ao mesmo tempo que negamos obediência a essa autoridade? Não nos enganemos; Deus não se deixa zombar. Aquele que desobedece a Deus rejeita o seu reinado. É assim que Deus vê as coisas. O teste de obediência determinado a Adão era fácil, o que torna ainda mais indesculpável a sua transgressão. A fortaleza da fé que possuía Abraão ficou demonstrada quando resistiu a um teste tão severo como foi aquele de ser-lhe requerido tirar a vida de seu próprio filho, Isaque, e oferecê-lo em holocausto a Deus. Do mesmo modo, ficou demonstrada a gravidade do pecado de Adão, o qual poderia ter sido evitado tão facilmente.

Não temos como saber os tipos de fruto produzidos pela árvore da vida e pela árvore do conhecimento do bem e do mal. Mesmo que pudéssemos obter tal conhecimento, isso não nos traria qualquer proveito. Alguns têm questionado se um fruto tinha a capacidade para produzir a imortalidade e o outro, para causar a morte. Essa também é questão sem proveito. A natureza não tem qualquer eficácia senão em cumprir o que foi determinado pela vontade de Deus. Aquelas árvores serviam para o uso que foi do seu agrado determinar, e essa era uma lei eficaz tanto quanto qualquer lei da natureza.

A narrativa sagrada nos informa que o jardim do Éden, onde fora colocado o inocente e feliz casal, era repleto de árvores que produziam toda espécie de frutos aprazíveis. No meio do jardim, havia duas árvores que se distinguiam de todas as outras, separadas para um uso todo especial. A utilidade de cada uma é algo que pode ser inferido dos nomes que lhes foram dados. A árvore da vida, cujos frutos não foram proibidos de comer, asseguraria a imortalidade, ou seja, a isenção da penalidade da aliança. A árvore do conhecimento do bem e do mal foi designada para um propósito diferente, e foi proibido o uso do seu fruto. Não saber distinguir entre o bem e o mal é uma peculiaridade atribuída às crianças (Dt 1.39; Hb 5.14). O bem e o mal, quando contrastados um com o outro, podem referir-se à qualidade moral das ações, apesar de não estarem restringidos a esse sentido. Quando Jó disse: "temos recebido o bem de Deus, e não receberíamos também o mal?" (Jó 2.10), não aludia à distinção moral entre as nações, e sim ao contentamento e ao sofrimento. Quando Barzilai recusou-se a acompanhar Davi a Jerusalém, para com ele residir, e desculpou-se dizendo que não tinha a capacidade de distinguir entre o bem e o mal, referia-se ao contentamento, e não à qualidade moral (1Sm 19.35). Eva resolveu comer do fruto proibido porque viu que "a árvore era *boa*", não em um sentido moral, mas "para se comer". Crianças que ainda não têm o conhecimento de bem e mal são instruídas por seus pais tanto a respeito do que fazer quanto acerca do que apreciar; o dever e proveito delas consiste em seguir essas instruções. O primeiro casal ocupava o lugar de filhos pequenos em relação ao Criador. Enquanto se abstiveram do fruto proibido, admitiam a sua incapacidade para distinguir entre o bem e o mal e dependiam da orientação da infinita sabedoria de Deus. Em abstendo-se, reconheciam as prerrogativas divinas para decidir o que era bem e o que era mal.

Mui significativamente, as duas árvores foram postas uma perto da outra, no meio do jardim. A árvore da vida era o símbolo do favor divino; a outra árvore, o símbolo da prerrogativa divina. De modo geral, as árvores do jardim produziam frutos aprazíveis e sustentadores da vida física; porém, o fruto da árvore da vida era diferente dos demais, como uma garantia especial do favor divino. Contudo, a proximidade entre essa árvore e a árvore proibida relembrava permanentemente ao casal sob provação que o favor de Deus podia ser desfrutado somente se fosse respeitada a prerrogativa divina. Esse símbolo da autoridade divina encontrava-se bem no meio do jardim, para relembrá-los de que tinham o privilégio de comer de todas as frutas agradáveis pela permissão do supremo Senhor e de que o desfrutar dos bens naturais devia ser regulado pela decisão de Deus, cuja prerrogativa era conhecer o bem e o mal.

O desvio de Eva da reta linha do dever é claramente assinalado na narrativa sagrada. "Vendo a mulher que a árvore era boa para se comer" (Gn 3.6). Na expressão "*vendo* a mulher", percebe-se que ela julgou por si mesma o que era bom. A narrativa dada por Deus acerca da transgressão é como segue: "Eis que o homem se tornou como um de nós, conhecedor do bem e do mal" (Gn 3.22). Em outras palavras, é como se Deus tivesse dito: "O homem usurpou nossa prerrogativa." Essa foi a primeira transgressão. O seu desejo natural foi tornado a regra de ação. O desejo natural prevaleceu sobre a reverência pela autoridade de Deus. Nessa transgressão, podemos ver não somente o desejo por uma fruta agradável, mas também o desejo de isenção da dependência nas decisões divinas como regra de conduta – "árvore desejável para dar entendimento" (Gn 3.6), isto é, para ser feito independente da sabedoria divina. Tal foi a primeira transgressão: rejeitou a autoridade de Deus, usurpou a sua prerrogativa, e deixou suas mentes ao domínio do desejo natural.

Por ter violado a aliança, o homem foi excluído daquilo que era o símbolo do favor divino. Um querubim, munido de uma espada flamejante, foi posto para guardar o caminho para a árvore da vida, a fim de que o homem não viesse a comer de seu fruto e vivesse para sempre. O homem havia incorrido na penalidade prevista, e esta passou a ser-lhe imediatamente aplicada. É questão de alguma dificuldade qual seria o sentido exato da palavra *morte,* como a penalidade a que Adão estaria sujeito se desobedecesse. Se estava envolvida a morte do corpo, a ameaça não foi cumprida no tempo designado: "porque no dia em que dele comeres, certamente morrerás" (Gn 2.17). Adão não morreu fisicamente no dia em que transgrediu o mandamento. Alguns têm explicado isso supondo que teria havido a interposição mediadora de Cristo, impedindo a execução imediata da sentença. Não temos motivos para duvidar de que o propósito misericordioso de Deus, por intermédio de Jesus Cristo, nunca foi perdido de vista em seu relacionamento com Adão, mas as Escrituras, em parte alguma, explicam que essa misericórdia resguardou o homem da pena imposta. Se a morte literal e imediata era o sentido mais exato do castigo ameaçado, e se Adão foi liberado dela pela mediação de Cristo, então, foi libertado de um mal menor para suportar um mal muito maior. Ele teria sido poupado para viver uma vida de depravação e para morrer condenado à miséria eterna sob a ira de Deus, caso morresse impenitente.

Se for argumentado que a miséria eterna ter-se-ia seguido à morte de Adão, caso ele tivesse morrido em seguida, como pode ser explicado que essa temível consequência da transgressão não estava claramente indicada naquela ameaça? E, se for alegado que a palavra "morte" também inclui a ideia de miséria eterna, é abandonada a interpretação literal dessa palavra, e seu sentido central já dirá respeito a uma outra questão, de muito maior importância do que a mera dissolução do corpo físico. O Espírito Santo é o melhor expositor dessa questão; após haver dito que a morte foi introduzida no mundo por meio do pecado de Adão (Rm 5.12), um contraste entre a morte e a vida eterna obtida por Jesus Cristo é declarado: "porque o salário do pecado é a morte, mas o dom gratuito de Deus é a vida eterna em Cristo Jesus nosso Senhor" (Rm 6.23). Da mesma maneira que a vida eterna não é isenção da morte literal, o seu oposto, a morte eterna, não consiste na mera perda da vida física.

Podemos compreender que a pena imposta foi executada em Adão, em seu verdadeiro sentido, quando lhe foi negado o direito de aproximar-se da árvore da vida. Para Adão, a árvore da vida havia sido o grande símbolo do favor divino. Não sabemos o conhecimento que ele tinha a respeito da morte física; é perfeitamente possível que ele nunca tivesse recebido qualquer instrução a respeito disso, até ouvir a sentença: "porque tu és pó e ao pó tornarás" (Gn 3.19). Mas Adão, além de possuir um corpo formado do pó da terra, havia recebido de Deus uma "alma vivente", incapaz de sofrer dissolução. Alguma noção acerca desse princípio vivo, que o distinguia dos seres irracionais ao seu redor, deve ter formado uma parte do "conhecimento" que lhe fora conferido, conhecimento que reflete, em parte, a imagem de Deus. Para a sua alma vivente, o que estava envolvido na morte? Por meio de sua feliz experiência, Adão sabia o que era desfrutar da comunhão e do favor do Deus vivo; ser cortado desses privilégios era a temida morte, o único tipo de morte que o seu espírito imortal poderia experimentar. Essa penalidade foi executada com todas as suas horrendas consequências.

A separação entre o corpo e a alma, que recebe o nome de "morte", tem muitos pontos de semelhança com a separação entre a alma e Deus. A dissolução do corpo, não importa se pelos vermes ou pela cremação, leva a mente a meditar sobre o verme que não morre, bem como sobre o fogo que não se extingue, que são as consequências da segunda morte. A morte da alma envolve esses aspectos mais graves e terríveis. Se Adão chegou a crer em Cristo, foi liberto da pena da morte da alma, e não meramente impedido de ser atingido por ela. A dissolução do corpo, que é a extensão dessa penalidade à parte material, não foi impedida no caso de Adão; mas, se, de fato, creu, haverá de ser redimido na ressureição do corpo.

O casal decaído no pecado não somente foi privado dos sinais do favor divino, mas passou a sofrer aflições concretas em consequência do desagrado divino. Eles foram expulsos do jardim do Éden, o lar de sua inocência e alegria. Eles foram compelidos a deixar para sempre as agradáveis sombras do jardim, suas lindas flores, seus odores fragrantes, seus frutos deliciosos. A deleitável ocupação de cultivar o jardim, que lhes provia sustento sem trabalho penoso, precisou ser substituída pelo labor árduo do cultivo de um solo amaldiçoado, que produzia espinhos e abrolhos. O alimento seria o pão adquirido com o suor do rosto. Um castigo foi anunciado contra a mulher, a primeira a cair no erro: "em meio de dores darás à luz filhos" (Gn 3.16). A primeira dor mencionada nas Escrituras viria a tornar-se símbolo das dores mais excruciantes que os seres humanos experimentariam. Todas essas denúncias prediziam um triste futuro. Aguilhoados pelo remorso, caçados por terrores, sofrendo sob a ira de um Deus ofendido, com as suas almas condenadas, eles se despediram de sua feliz habitação, tornando-se peregrinos na terra, até que os seus corpos, afundando sob o peso dos males sofridos, caíram por terra e transformaram-se em pó. O primeiro casal e a sua posteridade teriam de descobrir, por meio de suas lamentáveis experiências, tanto que outros males estavam inclusos na terrível pena de morte quanto o pleno significado dessa palavra.

CAPÍTULO 3

O ESTADO ATUAL DO HOMEM

Os males derivados da desobediência dos nossos primeiros pais não atingiram somente a eles, mas sobrevieram igualmente aos seus descendentes. Adão foi criado à imagem de Deus; porém, depois que essa imagem foi perdida devido à transgressão, gerou um filho a ele semelhante (Gn 5.3). Desde então, todos os seus descendentes nasceram trazendo a imagem do seu pai decaído, assemelhando-se a ele não apenas quanto ao caráter depravado, mas também quanto à condição. O assunto será examinado em maiores detalhes nas seções seguintes.

1. REALIDADE DO PECADO

Os seres humanos de todas as épocas e nações têm violado a lei de Deus com suas ações[1]

O Texto Sagrado, ao descrever o estado do mundo antes do dilúvio, afirma que "a terra estava corrompida à vista de Deus e cheia de violência" (Gn 6.11). A narrativa sobre o período anterior ao dilúvio é extremamente breve. Não obstante, no começo dessa narrativa, encontramos o episódio do assassinato de Abel por seu irmão (Gn 4.8) e, na sequência, a bigamia de Lameque (Gn 4.19-23), bem como o

1 Rm 3.9-19; 1Jo 5.19; Ef 2.2, 3.

homicídio por ele confessado às suas mulheres. Ao final desse trecho da narrativa, há o relato da total corrupção do gênero humano, com o predomínio da violência. O dilúvio foi trazido pela ira de Deus contra as transgressões dos homens; contudo, as suas águas não purificaram o mundo do pecado. A iniquidade continuou do mesmo modo que acontecia antes do dilúvio. As condições da humanidade, em todas as nações, eram como as que Paulo descreveu no primeiro capítulo da sua epístola aos Romanos. Os filhos de Abraão, escolhidos para serem um povo peculiar de Deus, foram separados do resto da humanidade. Porém, apesar das vantagens religiosas de que desfrutaram, o relato da história dos judeus é pouco mais do que um registro de rebeliões contra o Senhor e de castigos que os atingiram por causa das suas provocações. Tão comum é a iniquidade na terra que isso é intitulado de "o curso deste mundo" (Ef 2.2), e as Escrituras declaram que "o mundo inteiro jaz no maligno" (1Jo 5.19).

Dessa corrupção universal nenhum ser humano está isento, "pois, não há homem que não peque" (2Cr 6.36). Todos aqueles a quem o Espírito de Deus traz ao conhecimento de si mesmos, confessam: "Porque todos tropeçamos em muitas coisas" (Tg 3.2). Em razão disso, oram: "perdoa-nos os nossos pecados" (Lc 11.4). Se outros não confessam os seus pecados nem imploram pelo perdão divino, isso se deve à cegueira e à dureza dos seus corações.

Todo aquele que olha para o estado da sociedade ao seu redor encontra provas da iniquidade humana. Crimes multiplicam-se por toda a parte e a terra anda cheia de violência, tal como sucedia na antiguidade. As leis restringem os crimes e a violência dos homens, mas a própria necessidade de leis mostra a maldade que caracteriza a raça humana. Guerras e opressões compõem, em grande medida, a história da nossa raça; inúmeras obras de impiedade, que jamais encontram lugar nas páginas da história, estão registradas no livro de memórias do Senhor e serão trazidas a lume no dia em que os homens haverão de ser julgados segundo as obras praticadas por intermédio do corpo.

As próprias transgressões dos homens consistem em fazer aquilo que Deus proibiu e deixar de fazer aquilo que Deus ordenou. Assim, no primeiro caso, temos os pecados de comissão e, no segundo, os pecados de omissão. Todos os homens são, em alguma medida, culpados de ambos os tipos de transgressão. Mesmo aqueles que se abstêm de crimes mais grosseiros, não obstante, têm cometido muitos pecados e omitido muitos deveres. Mas o pecado, considerado como um ato exteriorizado, constitui apenas uma pequena parte da pecaminosidade dos homens, conforme veremos a seguir.

2. DEPRAVAÇÃO

Todos os homens são, por natureza, totalmente depravados[2]

A depravação que lamentamos no gênero humano diz respeito aos princípios de ação como seres morais. Como seres perceptíveis apenas, os homens são afetados pelos objetos externos; como seres racionais, podem tirar conclusões científicas acertadas. O mal e a debilidade, consequências da depravação moral, podem embotar tanto os sentimentos quanto a razão. A depravação moral aparece em atos exteriores de transgressão; contudo, por mais atrozes que sejam os atos exteriores, é, sobretudo, a depravação do coração que Deus observa e abomina. "Viu o Senhor que a maldade do homem se havia multiplicado na terra, e que era continuamente mau todo desígnio do seu coração" (Gn 6.5). No coração dos homens,

2 Gn 6.5; 8.21; Sl 14.2, 3; 51.5; Rm 1.21-25; 3.9-23; 6.17; 8.5-8; Ef 2.1; 1Jo 5.19.

portanto, foi que Deus viu a grande iniquidade que prevalecia em toda a terra. "Coração" é um termo metafórico, denotando aquelas inclinações mentais que são o princípio ou o início das ações externas. Assim, pois, a depravação está na própria fonte de onde fluem todos os atos humanos.

A depravação do homem é total. Não queremos dizer com isso que a sua conduta seja tão má quanto poderia ser ou que bons sentimentos não tenham algum lugar em seu coração. O jovem rico que se dirigiu ao Redentor, indagando com todo o respeito como poderia alcançar a vida eterna, parece não ter sido pessoa convertida, mas, a despeito disso, tinha qualidades tão amáveis que a seu respeito ficou registrado nas Escrituras: "Mas Jesus, fitando-o, o amou" (Mc 10.21). Grande é a bondade de Deus, até mesmo para com os ingratos e maus. Ele tem decidido implantar afetos naturais em corações que não desejam mantê-lo em seu conhecimento, contrabalançando, assim, más tendências, mesmo onde não há santidade alguma, para que a vida e a sociedade humanas ainda tenham os seus encantos.

Assim que os nossos primeiros pais permitiram que os desejos naturais prevalecessem sobre a autoridade divina, a depravação humana começou a manifestar-se. Desse manancial corrupto saíram as águas turvas que hoje se dividem em córregos por toda a terra. Os homens buscam as vantagens que pensam ser-lhes convenientes e andam por seus próprios caminhos, sem se importarem com a autoridade de Deus. O amor de Deus está destronado dos seus corações; assim, faltando esse grandioso princípio da moralidade, não existe verdadeira moralidade. A total depravação é a total ausência desse grande princípio que deveria controlar e dirigir nossas ações. A dura linguagem das Escrituras descreve bem a situação da natureza humana em seu estado decaído: "era continuamente mau todo o desígnio do seu coração" (Gn 6.5).

A depravação humana é universal. Em nações pagãs, os homens não se deleitaram em reter consigo o conhecimento de Deus; a sua própria religião encheu-se de ritos abomináveis. Mesmo nas terras abençoadas com a luz da revelação, os homens amam mais as trevas do que a luz, dando tristes provas do fato de que não têm amor a Deus em seus corações. Ricos e pobres, instruídos e ignorantes, jovens e velhos, todos evidenciam que servir e agradar a Deus não é o seu principal deleite, sua comida e bebida. Apenas alguns poucos, alcançados pela graça divina, diferem do restante da humanidade, considerando a obediência a Deus seu prazer e honra. Entretanto, esses mesmos homens testificam que foi Deus que os transformou e que, em si mesmos, são iguais a todos os outros homens. "Tais fostes alguns de vós; mas vós vos lavastes, mas fostes santificados, mas fostes justificados, em o nome do Senhor Jesus Cristo e no Espírito do nosso Deus" (1Co 6.11). "Porque eu sei que em mim, isto é, na minha carne, não habita bem nenhum (Rm 7.18).

A depravação é natural ao homem; ele não a adquire no decurso da vida, mas já nasce com ela. Não pode ser atribuída aos maus hábitos ou à força de maus exemplos. Os maus hábitos são formados mediante a repetição da prática do mal; e essa prática não seria uma realidade, se não houvesse propensão para o mal. Não haveria maus exemplos em parte alguma, se a natureza humana não fosse em parte alguma corrupta. A tendência de seguir o mau exemplo não seria tão comum e não exigiria tanta precaução, se a depravação não fosse natural ao homem. As Escrituras ensinam claramente essa doutrina: "Eu nasci na iniquidade, e em pecado me concebeu minha mãe" (Sl 51.5). O salmista não tinha o intuito de acusar sua própria mãe de crime em sua tão humilde confissão; antes, seu desejo era reconhecer que a sua depravação estava entretecida com a sua própria natureza, e isso desde a sua concepção. O Salvador ensinou-nos que o que é nascido da carne é carne (Jo 3.6). O termo "carne", que faz contraste com "espírito", significa, tal como em outros trechos bíblicos, nossa natureza depravada. Isso faz com que a depravação do homem esteja relacionada diretamente com o seu nascimento.

Visto que cada indivíduo de nossa raça nasce de pais depravados, trazendo ao mundo sua depravação, somos levados a pensar que a depravação se transmite de pai para filho. Isso concorda com aquilo que a Bíblia expressa: "Viveu Adão cento e trinta anos, e gerou um filho à sua semelhança, conforme a sua imagem" (Gn 5.3). Isso também concorda com as analogias a que já estamos acostumados.

Plantas, animais e seres humanos propagam suas respectivas espécies; com frequência, as enfermidades são hereditárias, e as peculiaridades mentais e temperamentais que distinguem os pais reaparecem em seus filhos. Em nossa tendência de encontrar falhas nos desígnios de Deus, indagamos por qual motivo se propagou a natureza decaída de Adão, ao invés da natureza original que recebera das mãos de Deus. Também poderíamos queixar-nos de que a ascensão do estado do pecado para o da inocência não é tão fácil como foi a Queda. As virtudes capacitam as criaturas humanas para a convivência em sociedade, e é nas relações sociais que as virtudes encontram a propícia oportunidade para se manifestarem. Isso faz com que um ser humano tenha influência sobre o outro, conforme o relacionamento existente entre eles. Os próprios anjos, criados independentes uns dos outros, têm certa influência recíproca, de maneira que o maior apóstata da grande rebelião arrastou após si grande número de seguidores. Quando o homem foi criado, pareceu bem à sabedoria infinita instituir relações sociais mais íntimas do que aquelas que subsistiam entre os anjos. Disso resultou uma influência mútua muito maior do que aquela possível entre as hostes angelicais. Ora, se Adão tivesse transmitido a sua natureza original, conforme havia sido criada por Deus, o efeito teria sido como se os filhos tivessem sido criados diretamente pela mão divina, e a singularidade designada para distinguir a raça humana teria sido virtualmente suprimida.

Outra reclamação que algumas vezes aparece em nossa mente murmuradora é que homens piedosos não propagam sua piedade, e sim sua depravação natural. Da mesma forma, os homens de grande ciência não transmitem o seu conhecimento a seus filhos, como uma herança natural. Essa reclamação oferece ainda maior aparência de razão, porque as obras piedosas, em um sentido bem verdadeiro, são realizações pessoais; contudo, qualquer santidade que possa ser detectada em uma pessoa não é derivada de dotes naturais ou de realizações próprias, mas de um derramamento especial da graça divina.

Nossa mente parece encontrar alívio na descoberta de que o propagar da depravação na raça humana concorda bem com as analogias existentes na natureza. Na realidade, porém, essa questão não tem sido explicada. A natureza não é uma regra superior, com a qual Deus precise concordar; antes, ele mesmo foi quem a instituiu, e, por isso, ela, como parte da criação, não pode ser considerada reta em sua totalidade, se as suas partes não estiverem corretas. Se a propagação da depravação humana em si mesma não está justificada, todas as analogias baseadas na natureza não seriam capazes de justificá-la. O verdadeiro benefício, ao traçarmos analogias, é percebermos que todos os desígnios existentes são derivados da mesma mente divina e, com maior reverência ainda, submetermos o nosso julgamento às decisões da infinita sabedoria, fazendo calar as nossas murmurações no mais profundo silêncio.

Nossa curiosidade natural aproveita-se dessa questão para atirar-se às especulações inúteis. Posto que a depravação transmitida pertence mais apropriadamente à alma do que à estrutura material do homem, perguntamos se a alma é propagada hereditariamente. Alguns têm preferido considerar a alma como produção direta do poder criador de Deus. Entendem que esse é o significado da passagem das Escrituras, que diz: "formou o espírito do homem dentro nele" (Zc 12.1). Entendem que a única porção do ser humano que é transmissível é o corpo e supõem que o Criador forma um espírito no interior desse corpo, assim como soprou o espírito de vida no corpo ainda inanimado de Adão, tornando-o alma vivente. Encaram a propagação como pertencente à porção material de nossa natureza, considerando impossível que, dentro da ordem das coisas, o corpo seja capaz de gerar um espírito imaterial. Este último argumento, que é meramente filosófico, vê-se forçado a enfrentar o fato de que todos os animais geram algo mais do que a simples matéria. Isso ocorre através dos poderes que lhes são doados, os quais, em muitos particulares, se assemelham às faculdades mentais de um ser humano. Porém, o argumento anterior, baseado nas Escrituras, fracassa quanto ao seguinte ponto: também é dito que Deus forma o corpinho da criança no ventre de sua mãe (Jó 31.15; Is 44.2); a despeito disso, nunca consideramos o corpo como produto da criação direta da parte de Deus. É verdade que o corpo de Adão não teve vida durante algum tempo; todavia, não foi nesse estado sem vida que gerou um filho à sua semelhança. Não tentaríamos argumentar, com base nisso, que toda e qualquer modalidade de vida, animal ou vegetal, seja produto de uma direta criação, e não da propagação das espécies. Igualmente, o versículo em Zacarias não apresenta, com maior validade, argumento algum em favor da criação individual de cada alma.

Após terem sido considerados todos os prós e contras, a questão fica reduzida a quê? Se a preservação de todas as coisas é estritamente uma perpétua ou contínua criação, a distinção é inteiramente inválida; pois a alma, desde o primeiro instante de sua existência e também em cada momento subsequente de sua vida, é uma criação direta. Porém, ainda que esse ponto de vista não seja admitido, continua sendo verdade que a preservação é tão dependente da vontade eficaz de Deus quanto a criação. Deus quis que a alma de Adão viesse à existência, e assim aconteceu; a isso chamamos criação. Deus também quis que Adão procriasse um filho e que esse filho, à semelhança de seu pai, tivesse tanto alma quanto corpo. A descendência veio a existir conforme à vontade de Deus. Essa obra difere da primeira no fato de que não é única, singular; antes, ajusta-se àquilo que denominamos de uma lei da natureza. Entretanto, as leis da natureza não existem por si mesmas. Quando atribuímos tal obra à eficaz vontade de Deus, é um mero caso de classificação o referir-se à criação ou à providência.

Uma objeção contra a doutrina da depravação natural é Jesus ter-se referido às criancinhas como exemplos para seus discípulos. Todavia, isso não nos autoriza a inferir que as criancinhas não são atingidas pela depravação. O mesmo Jesus disse a seus discípulos: "sede, portanto, prudentes como as serpentes e símplices como as pombas" (Mt 10.16). Assim como nos próprios animais, que não têm caráter moral, pode existir algo para se imitar, incluindo até as serpentes (a despeito do veneno que possuem), da mesma forma, características dignas de serem imitadas podem ser indicadas em crianças, a despeito de sua natureza decaída. Outra objeção é tirada da passagem da Escritura a respeito de crianças que ainda não praticaram nem bem, nem mal (Rm 9.11). Contudo, a doutrina não diz que todos têm cometido atos externos de transgressão; refere-se à tendência natural do coração. Uma fonte pode ser corrupta antes mesmo de suas águas aflorarem à superfície, assim como mais tarde. Também nenhuma objeção digna de exame pode ser baseada na declaração de Paulo de que os filhos dos crentes de Corinto eram santos (1Co 7.14), porque é evidente que essa afirmação envolve somente a capacidade que aquelas crianças tinham para participar da vida em família, com seus pais.

Será completamente inútil receber a doutrina da depravação humana em nossos credos se ela não for recebida em nosso coração. Uma total convicção de nossa completa depravação é necessária para que nos humilhemos diante de Deus, impelindo-nos à fonte que foi aberta para a purificação do pecado e da imundícia. Não pode haver genuína experiência cristã onde essa realidade não é reconhecida e operante.

3. CONDENAÇÃO

Todos os homens nascem sob a justa condenação divina[3]

A depravação dos homens incapacita-os para o favor e a comunhão com Deus. A separação, que é justamente a morte da alma, seria o resultado inevitável, mesmo que nenhuma declaração nesse sentido tivesse sido feita pelo supremo Juiz. Tal sentença, porém, foi declarada. A voz da *providência* declara-a em alto e bom som. A dor que acompanha o nosso primeiro suspiro, as enfermidades e fraquezas que nos assediam desde o berço, as tristezas e labutas de nossos melhores anos, as enfermidades da velhice e, por fim, a morte – a qual, se ainda não nos tiver alcançado, ameaça-nos a cada passo,

3 Sl 7.11; Mc 16.16; Jo 3.36; Rm 1.18; 2.5, 6; 3.19; 5.12-21.

mantendo-nos debaixo de servidão por todos os nossos dias, até que, finalmente, triunfe sobre nós –, tudo isso proclama, em linguagem clara e sem equívoco, que estamos sujeitos ao desagrado de Deus. A maldição de Deus pesa sobre a própria terra em que pisamos; sua ira é derramada sobre nossa raça na forma de guerras, fomes e pestilências com que as nações são frequentemente visitadas.

A sentença é proferida contra nós pela voz da *consciência,* que é, para nós, como a voz de Deus: "pois, se o nosso coração nos acusar, certamente Deus é maior do que o nosso coração, e conhece todas as coisas" (1Jo 3.20). Deus fala em sua santa *Palavra,* proclamando a sentença: "Maldito todo aquele que não permanece em todas as coisas escritas no Livro da lei, para praticá-las" (Gl 3.10). "Ora, sabemos que tudo o que a lei diz aos que vivem na lei o diz, para que se cale toda boca, e todo mundo seja culpável perante Deus" (Rm 3.19). O ponto de vista aqui exposto acerca das condições humanas refere-se não somente às transgressões dos homens, mas também ao seu estado natural. Por essa razão, foi dito: "e éramos por natureza filhos da ira" (Ef 2.3).

Essas manifestações do desprazer divino procedem desde a antiguidade, começando com as primeiras desgraças que atingiram a humanidade. Podem ser traçadas até à primeira sentença pronunciada contra nossos criminosos pais, quando foram expulsos do jardim do Éden. Paulo esclarece que todos nós fomos inclusos nessa sentença e que disso provém a nossa condenação: "por uma só ofensa veio o juízo sobre todos os homens para condenação" (Rm 5.18). *Desde* aquela hora, os descendentes de Adão, seu lugar de habitação, suas atividades e recreações foram postos sob a maldição. De fato, bênçãos têm sido derramadas em profusão sobre a nossa raça culpada; porém, até nosso cesto e amassadeira (Dt 28.5) foram amaldiçoados, e mesmo o cálice das misericórdias vem misturado com amargura. A paciência e a longanimidade de Deus são manifestas, mas a mão de sua ira continua erguida.

A condenação, debaixo da qual todos nascemos, é justa. Trata-se da sentença de Deus, e todos os seus juízos são retos. Não é incomum que aqueles que são condenados pelas leis humanas queixem-se da sentença aplicada. Manifestamos nossa falta de harmonia com a justiça de Deus pelos duros pensamentos que formamos contra ele, quando sofremos ou tememos o seu desprazer.

Nossos corações rebeldes negam a justiça de nossa condenação, alegando que foi Deus – e não nós mesmos – quem nos criou. Se ele não criou diretamente as nossas almas com propensões depravadas, trouxe-nos à existência sob circunstâncias que causaram nossa depravação. Afirmamos que Deus nos trouxe à existência a seu bel-prazer e que não tivemos qualquer controle sobre as circunstâncias de nossa origem. Portanto, é injusto, diz o homem carnal, que agora sejamos punidos e condenados por causa das propensões pecaminosas que trazemos conosco a este mundo ou pelos feitos pecaminosos que natural e necessariamente procedem dessas circunstâncias. É dessa maneira que nos inclinamos por transferir a culpa de nossas iniquidades para nosso Criador. Assim fez Adão: "A mulher que me deste por esposa, ela me deu da árvore, e eu comi" (Gn 3.12). E assim continuam fazendo todos os seus descendentes. Cada um de nós tem consciência de que raciocínios desse tipo, vez por outra, têm achado lugar em nossa mente e de que é difícil eliminá-los completamente. Por isso, requerem de nós um completo e sóbrio exame.

Uma consideração que deveria silenciar nossos pensamentos acusadores contra Deus é que, por mais que o condenemos, não inocentamos a nós mesmos. Ainda que admitamos que Adão não teria comido do fruto da árvore proibida se Deus não lhe tivesse dado uma esposa, e mesmo que admitamos que Deus possa ser acusado de lhe ter dado uma esposa que poderia vir a ser a tentadora, ainda assim, isso não inocenta o primeiro homem. Sem dúvida, a esposa de Adão tornou-se culpada por havê-lo tentado. Não obstante, a culpa de Adão não foi diminuída por esse motivo. Cada pessoa é responsável pelos seus próprios atos. A justiça distributiva de Deus, que dá a cada homem aquilo que ele merece, não conhece nem pode conhecer outra regra. Os tribunais humanos não inocentam os réus somente porque certas influências contribuíram para que chegassem a violar a lei. A lei toma conhecimento direto da pessoa e de seus atos. Isso concorda com o senso comum da humanidade. Por semelhante modo, a justiça divina condena o ímpio e não pode assumir outra atitude, independentemente do modo como tornou-se ímpio e de quem mais possa ser acusado de ter contribuído para o seu estado. Esse princípio não pode ser esquecido em todos os nossos raciocínios a respeito da questão.

Uma dificuldade em aceitar o princípio que acabamos de expor e em aplicá-lo ao caso deriva-se do fato de que o Juiz por quem fomos condenados é também o nosso Criador. A fim de estarmos livres de embaraço ao tratar desse assunto, suponhamos que o caso fosse de outra maneira. Imaginemos que, quando "rejubilavam todos os filhos de Deus" (Jó 38.7), ao verem lançados os fundamentos da terra, quando a sua superfície acabada foi recoberta de verdura e de beleza, o Altíssimo houvesse tido por bem nomear um dos membros daquele jubiloso coral para ocupar-se do honroso serviço de povoar o novo mundo e o tivesse dotado de poderes para concretizar esse plano. Imaginemos, ainda, que, justamente quando estava prestes a executar a comissão de que fora encarregado, ele tivesse concebido a ideia de tornar-se o deus do mundo que estava para povoar e que, com esse alvo em vista, tivesse enchido o mundo com habitantes profanos, dispostos a se aliarem a ele na rebeldia contra o Governante supremo. Esse caso, embora imaginário, serve para submeter à prova o princípio que estamos analisando, e a questão que se apresenta diante de nós para julgamento é a seguinte: como, segundo a regra de justiça, eterna e imutável, este mundo de rebeldes deveria ser tratado?

Talvez se dissesse que o ser que abusou dos poderes criativos a ele conferidos deveria ser castigado, e as criaturas que trouxe à existência, aniquiladas. Todavia, não é essa a alegação que se tem feito em prol da raça humana. A alegação apresentada pelos filhos de Adão, na presença do Juiz de toda a terra, não é que nós deveríamos ser aniquilados, mas que não deveríamos ser punidos e condenados. Lembremo-nos de que aquela suposta ordem de malignas criaturas também poderia objetar, diante de seu próprio aniquilamento, julgando-se dotada de direitos à vida e à impunidade, assim como nós o fazemos. Poderiam alegar que o aniquilamento é somente uma tática para tirar a questão do tribunal e livrar o Juiz da dificuldade. Poderiam insistir em seus direitos, alegando que, se foram criadas como seres imortais, pelo poder outorgado àquele que as criou, então, têm direito à imortalidade. Poderiam alegar que essa imortalidade deveria ser isenta de toda e qualquer punição, visto que a sua depravação lhes é natural. Contudo, por sábias razões, o Juiz poderia não querer evitar a responsabilidade de julgar o caso. Assim sendo, qual seria a sentença justa para o caso? Até mesmo aniquilar aquelas criaturas contra a vontade delas já seria um castigo que deveria ser aplicado, se o apelo de inocência pudesse manter-se pela afirmativa de que a depravação daquelas criaturas é algo natural. Diante de um juiz terreno, tal alegação não prevaleceria por um momento! Quem toleraria que um criminoso tivesse o direito de ser deixado livre na comunidade somente por haver nascido mau, por ter crescido como uma pessoa perversa, considerando o cometimento de latrocínios, homicídios e toda sorte de crime tão natural quanto a respiração? Tal alegação, que a justiça humana jamais admitiria, a justiça de Deus também não admite. Aquela suposta nova ordem de criaturas seria tratada como merece; e a infinita sabedoria de Deus, em vez de aniquilá-las, poderia adotar outro expediente, a fim de contrabalançar as diabólicas intenções do ser que as criara.

O caso imaginário aqui descrito não é tão inteiramente fictício como pode parecer à primeira vista. Embora não seja verdade que algum anjo de luz fosse comissionado para criar uma população na terra, o que aconteceu, para todos os propósitos da nossa discussão, tem o mesmo sentido. Adão e Eva, ainda em seu estado de inocência, foram incumbidos de procriarem uma raça de seres imortais que viesse a povoar o mundo. Satanás aproveitou-se desse poder, ambicionando receber honrarias divinas, a fim de fazer de si mesmo o deus deste mundo. Valendo-se do expediente da tentação, conquistou o primeiro casal para a sua causa. O poder procriador dado ao primeiro casal tornou-se-lhe tão completamente sujeito, que os descendentes de Adão são chamados de "os filhos do diabo" (1Jo 3.10; Jo 8.44). Tão completo é o controle exercido por Satanás sobre os homens que ele chega a ser intitulado "espírito que agora atua nos filhos da desobediência" (Ef 2.2). Os descendentes de Adão foram "feitos cativos por ele, para cumprirem a sua vontade" (2Tm 2.26). Mais ainda, a morte, consequência da desobediência, é atribuída ao poder de Satanás: "para que, por sua morte, destruísse aquele que tem o poder da morte, a saber, o diabo" (Hb 2.14). A situação imaginária, portanto, vê-se concretizada em nosso próprio caso. Se a rebeldia contra o

Senhor, a subserviência a Satanás e a conspiração com ele na tentativa de derrubar o governo do Rei eterno não podem ser justificadas diante do tribunal da justiça divina, então, somos verdadeiramente culpados, sendo justamente condenados.

Contudo, é extremamente difícil suprimirmos os nossos pensamentos acusadores contra Deus. Temos visto que o mundo inteiro é culpado diante dele; no entanto, nem toda boca fica calada. Continuamos permitindo pensamentos acusadores, proferindo palavras duras contra Deus; assim, diz a criatura àquele que a criou: "Por que me fizeste assim?" (Rm 9.20).

Devemos evitar essa impiedade. Deveríamos sentir que a nossa depravação cabe inteiramente a nós, independentemente de como chegamos a essa condição. Deveríamos reconhecer que ela nos torna inaptos para a sociedade e gozo do santo lugar onde Deus habita e incapazes de prestar-lhe serviço, gozar de comunhão com ele e receber o seu favor. Deveríamos considerar nossa iniquidade abominável aos nossos próprios olhos, tal como é considerada pelo Deus santo. Se nossos corações condenam nossa depravação, devemos estar prontos a admitir, sem reclamações, que Deus também a condena. E o que podemos dizer contra Deus a respeito disso? O que tem ele feito de errado? A sua justiça distributiva não falha quando trata os ímpios em conformidade com o seu caráter depravado. Se Deus incorreu em qualquer erro, esse deve estar relacionado ao departamento da justiça geral, o qual, conforme já foi explicado anteriormente, busca o bem possível maior e equivale à benevolência universal. Então, quem se atreveria a dizer que o plano de Deus não produzirá o bem maior? Quem é mais sábio ou melhor do que Deus, para ensinar-lhe um plano melhor do que o seu? Quando Satanás conseguiu obter a sua conquista sobre os nossos primeiros pais, Deus poderia tê-lo confinado imediatamente ao abismo, infligindo contra ele o pleno tormento que já lhe estava reservado. Também poderia ter aniquilado toda a raça humana, concentrada no primeiro casal. Toda a dificuldade teria sido resolvida mediante um ato de poder. Todavia, quem pode afirmar que isso teria sido o mais sábio ou o melhor? Deus teria parecido desapontado e frustrado, e sua justiça distributiva teria sido meramente mitigada, e não incrementada.

Satanás triunfou mediante um artifício; Deus escolheu derrotá-lo através do conselho de sua sabedoria. Satanás exaltou-se como o dominador do mundo; Deus determinou vencê-lo não através de poder, mas por humilhação. Satanás obteve sua vitória por intermédio do primeiro Adão; Deus, na pessoa do segundo Adão, esmagou a cabeça da serpente. Através de seu sucesso, Satanás obteve o poder da morte; Deus, valendo-se da morte de Jesus Cristo, destruiu Satanás e seu poder (Hb 2.14). Quem ousaria dizer que o plano de Deus não é o melhor? Devemos estar seguros, apesar de qualquer obscuridade que, porventura, continue envolvendo a questão, de que Deus não teria entregado seu próprio Filho para libertar-nos da condenação caso ela não fosse justa, assim como não teria dispensado uma tão grande dádiva nem pago tão grande preço se o plano fosse indigno de sua infinita sabedoria ou se houvesse a possibilidade de ser traçado um plano melhor, que evitasse o sacrifício de seu Filho.

Depois de assentada a questão e estabelecido o princípio de que os homens devem ser considerados responsáveis pelos seus próprios pecados, sem inquirir como se tornaram pecadores, ainda resta a dificuldade com respeito à data em que foi decretada a condenação sob a qual todos nos encontramos, bem como a base da sentença original. Quando nossa mente está perplexa diante de raciocínios ardilosos, é bom mantermos os fatos prontamente em vista, apegando-nos ao pleno testemunho da verdade inspirada. É dito explicitamente na Palavra inerrante que "o julgamento derivou de uma só ofensa, para a condenação." E novamente: "por uma só ofensa veio o juízo" (Rm 5.16, 18). Aqui, é claramente ensinado que um único juízo e uma só sentença incluiu todos os homens e que esse juízo foi formado e a sentença foi pronunciada em decorrência da ofensa de um único homem. Os fatos concordam com esse explícito ensino das Escrituras. As indicações do desprazer divino contra a raça humana não são adiadas até que cada um tenha nascido neste mundo. Cada mãe não é reconduzida ao jardim do Éden antes de dar à luz a seu filho, a fim de que ele possa ouvir pessoalmente a sentença condenatória, ter seu acesso à árvore da vida negado, ser expulso do jardim de delícias e condenado à tristeza, à labuta árdua e à morte. Sem importar o que os nossos raciocínios determinem a respeito desse assunto, é plenamente declarado que, antes do seu nascimento, já faz parte da vontade de Deus que, ao nascer, cada indivíduo esteja nas mesmas condições em que a maldição divina deixou o pai da raça humana.

A Bíblia e a voz da natureza concordam nesse ponto. Se nossa razão diz que o Autor da natureza e da Bíblia incorreu em erro, deveríamos suspeitar que nós mesmos erramos em nossas inferências ou nas premissas das quais as derivamos. Mesmo que fosse demonstrado que uma sentença separada fosse dita sobre cada um que nasce no mundo, ainda assim, sua condição não seria alterada. Sendo depravados por natureza, somos "por natureza filhos da ira" (Ef 2.3). A ira divina continua sendo a nossa herança. A relação bíblica da ira para com a doutrina da justificação mediante a obediência de Cristo, constitui a principal reivindicação para nossa cuidadosa consideração desse assunto.

A sentença divina, "tu és pó e ao pó tornarás" (Gn 3.19), foi proferida contra a pessoa de Adão. Contudo, ele ficou como representante dos seus descendentes, sobre os quais, todos eles, a sentença pesa. Semelhantemente, Eva escutou a sentença no singular: "em meio a dores darás à luz filhos" (Gn 3.16). Mas ela ocupava a posição de representante de todas as suas filhas, sobre quem recai a penalidade. Como os pais naturais, Adão e Eva ficaram juntos na posição de cabeça da raça humana. Todavia, há um sentido peculiar em que tal papel pertencia exclusivamente a Adão. Embora Eva tivesse sido a primeira pessoa a transgredir, não foi dito acerca da mulher o mesmo que foi dito sobre o homem: "por um só homem entrou o pecado no mundo" (Rm 5.12). O julgamento divino não foi imposto por causa de duas ofensas praticadas pelos dois progenitores naturais da raça, e sim por causa da ofensa particular de Adão; a ofensa da mulher não foi levada em conta. Adão é contrastado com Cristo como o cabeça da raça, sendo chamado de o que "prefigurava aquele que havia de vir" (Rm 5.14). Essa comparação é novamente trazida à tona em 1 Coríntios 15.45 e 47, onde Cristo é intitulado de "o segundo Adão", e no versículo 22, onde lemos: "assim como em Adão todos morrem, assim também todos serão vivificados em Cristo". Repousava especialmente sobre Adão a responsabilidade de povoar o novo mundo com uma raça de santos imortais. Embora Satanás, astuciosamente, dirigisse o seu primeiro ataque contra a mulher, o seu esquema jamais teria obtido êxito se Adão não tivesse sido conquistado. A nomeação divina de Adão como o cabeça da raça humana fez de sua desobediência a questão central da qual dependia toda a futura condição de sua posteridade. Paulo lança mão desse fato para ilustrar a dependência dos crentes da obediência do segundo Adão, Jesus Cristo, quanto à sua justificação e vida eterna.

Alguns têm contestado essa posição afirmando que, de acordo com os princípios da justiça, a culpa de um homem não pode ser transferida para outro; tampouco pode alguém ser condenado com justiça por aquilo de que lhe é impossível arrepender-se. Nenhum ser humano vivo pode arrepender-se do pecado cometido por Adão, e a culpa do pecado de Adão não pode ser lançada com justiça sobre outra pessoa. Essas pressuposições, tão confiadamente assumidas, bem podem ser postas em xeque. Devemos crer nas Escrituras quando afirmam: "o Senhor fez cair sobre ele a iniquidade de nós todos" (Is 53.6). "Carregando ele mesmo em seu corpo, sobre o madeiro, os nossos pecados" (1Pe 2.24). Sabemos também que os homens não podem arrepender-se de obras completamente esquecidas, mas ainda são responsáveis por elas.

Não obstante, há um caminho muito mais curto para chegar ao centro dessa questão, em vez de fazê-lo mediante um tedioso exame das pressuposições assumidas. Ninguém dirá que a culpa de Adão tenha sido transferida para outrem. A culpa continua sendo dele, continua inseparavelmente vinculada a ele. Porém, todos sabemos que pode haver união e cumplicidade em um crime. Em atividades comerciais, se 20 homens devem R$ 100,00, cada um poderá pagar R$ 5,00, e a dívida do grupo inteiro estará saldada. Por outro lado, no terreno moral, se 20 cidadãos se compactuam para assassinar o rei, cada um deles é culpado do crime inteiro, porquanto cada um deles tinha a plena intenção de cometê-lo. Talvez um só realmente chegue a apunhalar o coração do rei, mas o crime pode ser imputado a todos, embora a culpa individual não possa ser transferida para nenhum dos seus companheiros. Agora, podemos indagar se tal união não existe entre Adão e seus descendentes, justificando, assim, que o pecado tenha sido imputado a todos; em outras palavras, essa imputação concorda perfeitamente com a justiça.

Paulo, ao fazer a comparação entre Adão e Cristo como cabeças da raça humana, em Romanos 5, salientou pontos de diferenciação e de identificação. A morte vem da desobediência de Adão; a vida derivou-se da obediência de Cristo. Além disso, em Romanos 6.23, o apóstolo ensina que há uma importante diferença quanto à maneira como esses resultados ocorrem. A morte é um salário, um castigo merecido; a vida é uma dádiva gratuita. Os benefícios de justiça recebidos de Cristo são pela fé: "Essa é a razão por que provém da fé, para que seja segundo a graça" (Rm 4.16). A condenação e a morte que herdamos de Adão não são gratuitas e arbitrárias, mas vêm sobre nós com toda a justiça. Portanto, perguntamos se há tal vinculação entre Adão e seus descendentes, para tornar a imputação do pecado um ato de justiça.

1. Há uma união moral entre Adão e seus descendentes. A sua desobediência ergueu a bandeira da rebelião, e todos estamos reunimos às suas fileiras. Não só aprovamos as obras de nosso pai, como também empunhamos as armas contra o céu, na guerra proclamada por Adão. Ele é o principal nessa conspiração, mas nós todos somos co-conspiradores. Quanto à forma exterior do pecado — o comer do fruto proibido —, não o cometemos, mas, ao considerá-lo a declaração de independência e revolta, fazemo-lo o nosso próprio pecado, de maneira que pode ser justamente lançado em nossa conta, como se nós pessoalmente o tivéssemos cometido. Em vista disso, se não podemos, estritamente falando, arrepender-nos do pecado que Adão cometeu, podemos, sim, desaprovar totalmente a revolta contra Deus, na qual nossa raça está engajada; podemos amargamente lamentar que, um dia, foi iniciada, assumindo pessoalmente nossa

culpa e vergonha, em profunda humildade para com Deus pelo fato de estarmos também engajados na grande revolta.

Com tais sentimentos no coração, a doutrina que imputa o pecado de Adão a nós não será rejeitada como inconsistente com a justiça. Se, estritamente falando, não podemos arrepender-nos daquele pecado, podemos, ao menos, tomar-lhe a culpa, em um sentido que concorda perfeitamente com a verdadeira penitência. Quando o Espírito Santo nos tiver ensinado a imputar a culpa daquele pecado a nós mesmos, não teremos reclamação contra Deus.

2. Há uma união natural entre Adão e seus descendentes. Adão é o nosso pai natural; por causa dessa ligação, temos herdado a sua natureza depravada. A partir do momento em que temos existência separada, nossa união moral com ele torna justa a nossa condenação, por causa de nossa depravação pessoal. A nossa união natural com Adão torna apropriada que nossa condenação estivesse inclusa debaixo de uma única sentença.

3. Há uma união forense entre Adão e seus descendentes. Já vimos que foi estabelecida uma aliança com Adão, não em sentido comum, mas no sentido bíblico do termo. Essa aliança, esse arranjo ou ordem de coisas fez com que o caráter e as futuras condições de seus descendentes dependessem da sua obediência. Nesse sentido, ele foi o cabeça legal da humanidade. Alguns afirmam que a aliança estabelecida com Adão foi o pacto da natureza, e, assim, Adão teria sido o genitor natural, o pai de toda a raça humana, e não mais do que isso. Felizmente para nós, uma decisão para o caso não é indispensável à nossa atual discussão. A união natural e moral que já consideramos é suficiente para a justa sentença divina contra a humanidade inteira na pessoa de Adão. Entretanto, um exame mais profundo da questão pode levar-nos a uma melhor compreensão do assunto.

Visto que a natureza está separada da operação de Deus, não é tão importante determinar até que ponto o pacto adâmico dizia respeito à natureza e o quanto ultrapassava os seus limites. A revelação da vontade de Deus no jardim do Éden foi muito acima do campo da natureza, como também a revelação subsequente, no Sinai, da mesma forma que o juízo pronunciado após a transgressão. Contudo, a inclusão dos filhos na penalidade decorrente de pecados cometidos por seus pais é vista na divina providência, isto é, envolve o domínio da natureza, tanto na dispensação geral, quanto em dispensações especiais. Todos sabemos da miséria e sofrimentos trazidos sobre os filhos por causa da intemperança e outros crimes de seus pais. Os males da guerra, a fome, a pestilência, juízos divinos contra o pecado caem tanto sobre os filhos quanto sobre os pais. No dilúvio, na destruição de Sodoma, pais e filhos foram destruídos.

Nesse ponto, a Palavra de Deus concorda com sua providência. Nós, às vezes, nos preocupamos em defender a reputação de Deus e hesitamos em falar da visitação do pecado dos pais nos filhos; contudo, somos mais cautelosos do que o próprio Senhor. Ele, com sua própria voz, proclamou desde o Sinai e, com seu próprio dedo, registrou na pedra: "eu sou o Senhor teu Deus, Deus zeloso, que visito a iniquidade dos pais nos filhos até a terceira e quarta geração daqueles que me aborrecem" (Ex 20.5). Quando mostrou sua glória a Moisés e lhe proclamou seu nome, em vez de ter cuidado em ocultar o fato, mostrou-se Deus zeloso por fazê-lo conhecido: "visita a iniquidade dos pais nos filhos" (Ex 34.7).

As solenes declarações de Deus quanto a esse ponto não só explicam a sua providência, mas demonstram, de modo impressionante, a enorme responsabilidade dos pais em relação a seus filhos. Trazer um ser imortal à existência e amoldar o seu caráter para o tempo e a eternidade é uma responsabilidade seríssima. Essa responsabilidade pesa sobre os homens, e convém que eles a sintam. A fim de despertar o senso dessa responsabilidade é que Deus fala com uma linguagem tão solene nas passagens que citamos.

Ao passo que as Escrituras procuram despertar nos pais o senso de sua responsabilidade, também não permitem que os filhos tenham qualquer pretexto para encobrirem as suas culpas. Alguns têm dito que o "os caminhos do Senhor são tortuosos", pois "os pais comeram uvas verdes, e os dentes dos filhos é que se embotaram" (Ez 18.2). A tais reclamadores disse Deus: "Eis que todas as almas são minhas; como a alma do pai, também a alma do filho é minha, a alma que pecar essa morrerá" (Ez 18.4). Essa não é uma lei que invalida o Decálogo, e sim um princípio que deve ser explicado em harmonia com ele. Os pecados dos pais afetam tanto o caráter quanto a condição dos filhos, e, por tudo isso, os pais são responsáveis. Porém, a condição dos filhos não é pior do que o seu próprio caráter. Assim, os caminhos do Senhor são justos, e todas as reclamações dos homens contra ele, sem fundamento.

O caso de Adão diferiu do de todos os pais que têm vivido desde então. Estes últimos podem transmitir aos seus filhos propensões e traços peculiares de temperamento e influenciá-los mediante a instrução e exemplo. Contudo, não podem trazê-los ao mundo livres da depravação e condenação do pecado original. Embora a responsabilidade de Adão fosse grande, continua sendo verdade, tal como em outros casos, que os seus descendentes são responsáveis por si mesmos e que nenhum deles sofrerá acima do demérito de seu caráter pessoal. Tão forte é a união entre Adão e seus descendentes, que a depravação e a condenação passam dele para todos, não separadamente, mas como uma única herança. O pecado de Adão, por causa do qual sofrem, pertence-lhes tanto quanto a ele, e a eles é imputado porque, com toda justiça, também pertence a eles.

Após todas as explicações que foram apresentadas, é possível que o nosso coração continue acusando a Deus, dizendo secretamente que, se tivéssemos estado no seu lugar, teríamos tratado a raça humana mais gentilmente do que ele tem feito. Deus ouve essas acusações. Ele entende perfeitamente o mais secreto murmúrio no coração. É uma arrogante impiedade para nós, que tão pouco conhecemos dos seus caminhos, presumirmos ser mais sábios do que ele. E, se nada mais for suficiente para convencer-nos de que merecemos a ira de Deus, que essa impiedade o seja! Oh! Que nós paremos com nossas acusações e fechemos nossa boca, em profundo silêncio diante dele, confessando nossa culpa.

4. INCAPACIDADE

Os homens são incapazes de salvarem a si mesmos[4]

A incapacidade dos homens de salvarem a si mesmos diz respeito tanto à condenação como à depravação.

1. Os homens não podem libertar-se da condenação

A justiça através da qual todos somos condenados é imutável. É um atributo da natureza divina, sendo Deus não somente a causa primária de todas as coisas, mas também o próprio padrão de toda a perfeição. Quando inquirimos se os caminhos de Deus são retos, temos apenas de indagar se esses caminhos correspondem à sua perfeição, porquanto não existe padrão mais alto pelo qual possam ser

4 Jr 13.23; Jo 3.3; 6.44; Rm 3.19, 20; 8.7, 8; Gl 3.10; Hb 10.4; 12.14.

testados. Assim como as perfeições são imutáveis, o padrão de retidão é imutável. Alguma mudança na lei pela qual somos condenados é, portanto, impossível. Algumas vezes, por causa de circunstâncias peculiares de algumas pessoas, Deus lhes tem dado mandamentos especiais, que não são obrigatórios para todos os homens. Contudo, o dever de obedecer-lhe, no que quer que ele ordene, é universal e perpétuo, e nenhum ato de desobediência pode ser jamais justificado diante do seu justo governo.

A sentença condenatória foi devidamente pronunciada. Não se tratou de alguma decisão precipitada, com a necessidade de ser revisada. O onisciente Juiz conhecia bem todos os fatos envolvidos, todas as circunstâncias atenuantes, todos os efeitos de sua decisão sobre nós, e todas as consequências da sentença sobre seu próprio caráter e governo. Sua determinação em criar o mundo não foi tomada com deliberação maior ou com base mais firme do que a afirmação da sentença. Para ele, revogar a sentença seria tão plausível quanto aniquilar todas as criaturas que formou.

As Escrituras afirmam que, mediante as obras da lei, nenhuma carne será justificada (Rm 3.20). A lei requer perfeita e perpétua obediência, não se satisfazendo com nada menos do que isso. Quando os seus requisitos não são obrigatórios, a lei é convertida em mera advertência. Reivindicar o privilégio de violar a lei ou de ficar aquém de suas exigências é como reivindicar isenção para com a autoridade da lei e, portanto, isenção do governo moral de Deus. A justiça divina jamais permitirá tal isenção. Sua norma é: "Maldito todo aquele que não permanece em todas as coisas escritas no Livro da lei, para praticá-las" (Gl 3.10). "Ora, sabemos que tudo o que a lei diz aos que vivem na lei o diz, para que se cale toda boca, e todo o mundo seja culpável perante Deus" (Rm 3.19). A visão da condição humana aqui apresentada relaciona-se não meramente às transgressões do homem, mas também ao seu estado natural. Por isso, está escrito: "e éramos por natureza filhos da ira" (Ef 2.3). A sustentação da lei estava tão perto do coração de Deus que aquele que estava no seio do Pai e entendia todos os seus conselhos têm solenemente nos asseverado: "Porque em verdade vos digo: Até que o céu e a terra passem, nem um i ou um til jamais passará da lei, até que tudo se cumpra" (Mt 5.18).

Existe um meio para escapar da condenação, mas não foi planejado nem executado pelo homem. Sua realização exigiu uma demonstração de sabedoria, poder e amor que ultrapassam os mais elevados esforços humanos. É uma obra de Deus que suscita a admiração dos anjos, exigindo gratidão, louvor e prazerosa aceitação da parte de cada ser humano.

2. Os homens são incapazes de se libertarem da depravação. O primeiro elemento dessa incapacidade é visto no fato de que aos homens falta a disposição necessária para tanto. Por natureza, preferimos as trevas à luz, o pecado à santidade. Estar livre da depravação é ser santo, e ninguém pode desejar a santidade ou a perfeita conformidade com a lei de Deus, se não se deleita nessa lei. No entanto, a experiência e as Escrituras estão unidas para ensinar-nos que a mente carnal não está nem pode estar sujeita à lei de Deus (Rm 8.7). O motivo é que a mente carnal é inimiga de Deus. Os homens preferem o caminho da transgressão e não desejam o conhecimento dos caminhos de Deus; assim, falta-lhes a disposição necessária para desvencilharem-se da depravação e estarem estritamente conformados à lei de Deus.

Um outro fator que corrobora essa total incapacidade é que, ainda que os homens tivessem a disposição, não têm o poder necessário.

Os homens têm o poder necessário para cumprirem os atos externos que a lei de Deus requer. Se estivessem totalmente dispostos a realizar tais atos, mas fracassassem devido à mera inabilidade física, tal inabilidade seria uma desculpa válida. Deus aceita o homem conforme aquilo de que o homem dispõe (2Co 8.12). É ordenado a nós que não deixemos de nos congregar, mas aquele que está preso ao leito por motivo de paralisia não está obrigado a ir à casa de Deus. A depravação não consiste em atos externos, mas está ligada ao coração. As inclinações do coração não estão sujeitas à vontade como estão sujeitos os movimentos dos membros do nosso corpo. Por isso, disse o apóstolo: "para que não façais o que porventura seja do vosso querer" (Gl 5.17). Todo homem convertido sabe o significado dessas palavras. A corrente de depravadas afeições em nosso coração, que, desde o princípio de nosso ser, vem fluindo na direção errada e adquirindo vigor pela força do hábito, não estanca apenas por desejarmos a sua interrupção. A volição não pode estancá-la, como se estivesse movendo um dedo. Se alguém pensa que, por vontade própria, terá o poder de ser santo, que experimente realizar a façanha e descobrirá como está enganado.

A inabilidade acima descrita, que, usualmente, é intitulada "incapacidade moral", deve ser criteriosamente distinguida daquela incapacidade física que justifica os atos externos. A incapacidade física impede a ação, mesmo que o coração esteja totalmente empenhado em realizá-la. Tal incapacidade justifica o fracasso na tentativa de agir, mas não justificará um coração corrompido ou dividido. Pode-se desculpar um paralítico por não frequentar a casa do Senhor, mas ele não poderá ser justificado por preferir fazer-se ausente ou por não ter prazer em frequentar os átrios do Senhor. A inabilidade moral do homem consiste no fato de que seu coração está dividido ou de que pende inteiramente para a prática do mal. Todo homem convertido identifica-se com o primeiro caso, admite a sua culpabilidade e lamenta a sua incapacidade. O segundo caso descreve o homem natural, não convertido. Nesse caso, a incapacidade inclui a falta tanto de disposição quanto de poder de ação, resultando em total inabilidade. Essa inabilidade não é uma desculpa para a depravação, mas é a própria depravação, em sua total influência sobre todos os poderes da alma.

As Escrituras Sagradas apresentam uma fortíssima descrição da inabilidade do homem. Dos homens é dito que são fracos (Rm 5.6), estão cativos (2Tm 2.26), escravizados (2Pe 2.19; Rm 6.16, 17), dormindo em sono profundo (1Ts 5.6), mortos (Ef 5.14; Cl 2.13) etc. O ato mediante o qual os homens são libertados de seu estado natural é chamado de "regeneração", "vivificação" ou o "receber a vida", "renovação", "ressurreição", "transladação" e "criação". É um ato diretamente atribuído ao poder de Deus, o poder que das trevas criou a luz e que levantou Cristo dentre os mortos.

A visão que temos do nosso caráter e condição naturais está totalmente incorreta, caso imaginemos que algum pequeno retoque que empreendamos quando quiséssemos seria suficiente para deixar tudo em ordem. Milhares e milhares, baseados nessa vã imaginação, ficam adiando a solução para os interesses da alma. Uma verdadeira percepção de nossa inabilidade nos levaria diretamente àquele que é poderoso para salvar.

CONCLUSÃO

Frequentemente, pessoas que pouco se preocupam com religião admitem, embora sem muito comprometimento, que os homens são pecadores; podem até suscitar acusadoras reclamações contra as iniquidades de outrem. Entretanto, tão grande é o poder entorpecedor da depravação humana, que os homens têm pouquíssimo a queixar-se de si mesmos. Sua condição de pecadores contra Deus desperta muito pouca inquietação. Ocasionalmente a concupiscência pode até ser despertada e produzir alarme. Porém, através do engano do pecado, repreensões e advertências tornam-se desapercebidas, e os homens tornam a adormecer em segurança carnal. Enquanto essa fatal indolência não for quebrada, e uma total e profundamente enraizada convicção de pecado não se apoderar da mente, roubando-lhe a tranquilidade, o estado espiritual do homem não apresenta nenhuma indicação favorável.

Às vezes, a convicção do pecado produz efeitos muito inquietantes na mente dos incrédulos, destituídos do verdadeiro conhecimento de Deus. Sacrifícios dispendiosos e dolorosas austeridades têm sido empregados com o propósito de aplacar divindades ofendidas. A própria natureza ensina aos homens sobre o perigo que os ameaça, mas não pode mostrar-lhes o meio de escape. Nessas circunstâncias, quão bem acolhida é a luz que a Bíblia derrama em nosso caminho! Essa luz dá-nos uma maior descoberta do perigo em que nos encontramos, enquanto abre para nós a porta da esperança.

Inicialmente a convicção do pecado pode abranger tão somente nossos atos externos de impiedade; porém, se for completa e eficaz, também será estendida ao coração depravado, de onde procedem as más ações. A convicção de pecado abrirá nossos olhos para essa fonte interna de corrupção, esse mar profundo que espuma lama e sujeira. Para explorar os meandros da depravação, obscuros e cheios de imundícia, precisamos da tocha da revelação divina. O uso dessa tocha faz-nos conhecer a nós mesmos, o que demonstra a sua origem divina. A mulher samaritana disse a respeito de Jesus: "Vinde comigo, e vede um homem que me disse tudo quanto tenho feito. Será este, porventura, o Cristo?" (Jo 4.29). A Bíblia, que nos mostra com tanta exatidão tudo aquilo que se acha em nossos corações, deve proceder de Deus, o esquadrinhador de corações. O mundo de iniquidade existente dentro de nós era anteriormente uma terra desconhecida, mas, agora, já o temos explorado em parte e podemos testificar que o único mapa correto para esse mundo está nas Sagradas Escrituras. À medida que progredimos no conhecimento de nós mesmos, através do curso da nossa experiência religiosa, o que lemos em nosso coração e o que lemos na Bíblia concordam perfeitamente. Sempre trazemos conosco a prova de que a doutrina da Bíblia é a verdade de Deus.

Muitos dos que professam considerar a Bíblia como uma revelação proveniente do céu não aceitam a sua doutrina a respeito do presente estado do homem. Não podem conceber o coração humano tão enganoso e desesperadamente ímpio como a Bíblia o declara. Sobretudo, não podem conceber que o seu próprio coração seja assim. Por isso, sabemos que homens assim não poderiam ter escrito a Bíblia.

Quando a luz da verdade produz em nós uma total convicção do pecado, lemos a Bíblia com novos olhos e nela descobrimos a caligrafia daquele que disse: "Eu, o Senhor, esquadrinho o coração" (Jr 17.10).

A extrema pecaminosidade do pecado é vista quando se percebe que é cometido contra Deus. Disse Davi: "Pequei contra ti, contra ti somente, e fiz o que é mal perante os teus olhos" (Sl 51.4). À vista das perfeições de Deus, a genuína convicção de pecado é esmagadora. Por termos pecado contra um tão glorioso e elevado Ser; por termos nos rebelado contra o Soberano do universo e intentado destroná-lo; por termos violado sua lei, santa, justa e boa; por termos pisado sua autoridade, insultado sua majestade e desprezado as riquezas de sua longanimidade e bondade; por termos perseverado em nosso procedimento, apesar dos apelos da sua misericórdia divina; e por termos, a despeito de todas as suas ameaças e advertências, débeis vermes que somos, desafiado sua onipotente vingança, nossa alma enche-se de angústia quando esses aspectos do pecado nos são apresentados à luz da Palavra de Deus, e, em profunda tristeza e autocondenação, adotamos a oração do publicano: "Ó Deus, sê propício a mim, pecador!" (Lc 18.13).

A Palavra de Deus, que "penetra até ao ponto de dividir alma e espírito, juntas e medulas, e apta para discernir os pensamentos e propósitos do coração" (Hb 4.12), geralmente causa dor por meio de suas inquirições, mas tende a produzir um resultado salutar. Tais inquirições não são bem vindas para os hipócritas e falsos mestres; mas o homem de sincera piedade ora: "Sonda-me, ó Deus, e conhece o meu coração; prova-me e conhece os meus pensamentos; vê se há em mim algum caminho mau, e guia-me pelo caminho eterno" (Sl 139.23, 24). A Bíblia arranca a máscara do hipócrita e mostra ao fariseu que toda a sua justiça não passa de trapos de imundícia (Is 64.6).

Porém, por mais humilhantes que sejam essas salutares instruções, o verdadeiro penitente regozija-se em recebê-las. Ele teme ser enganado e bendiz ao seu Deus pela luz da verdade, pela qual seu verdadeiro caráter é revelado.

Quando os olhos dos homens são abertos para ver o seu perigo espiritual, eles geralmente tentam, em sua própria força, desenvolver a sua salvação. Tais esforços provam ser inúteis, e eles aprendem pela experiência que não têm nenhuma ajuda em si mesmos. Nessa verdade, embora claramente ensinada na Bíblia, eles nunca realmente haviam crido, até que fosse desse modo aprendida. Aqui surge, no centro da experiência cristã, outra confirmação para a doutrina bíblica. Uma verdade em que nenhum homem sinceramente acredita até que o Espírito de Deus lhe ensine, por experiência pessoal, tem de ser procedente de Deus. Em todo o desenvolvimento de nossa vida espiritual, tornamo-nos cada vez mais convencidos de nossa absoluta incapacidade e total dependência do poder divino. A doutrina bíblica a respeito disso adquire, então, eterna e crescente confirmação.

A experiência cristã inaugura-se com a convicção do pecado, mas, bendito seja Deus, não para por aí. Apenas o conhecimento de nossa depravação, condenação e incapacidade deixar-nos-ia em desespero, não tivesse a salvação, adaptada precisamente às nossas necessidades, sido provida pela misericórdia de Deus e revelada no evangelho de seu Filho. A mesma verdade que, de outra forma, nos encheria de angústia e desespero prepara-nos para a alegre aceitação da salvação em Cristo. Quem rejeita essa verdade não sente necessidade de ter Cristo e, portanto, não vem a ele para receber vida. Os sãos não precisam de médico (Mt 9.12). Que a verdade tratada nesse capítulo seja recebida no profundo do coração. Estaremos, então, preparados para um estudo proveitoso no próximo assunto.

LIVRO V

DOUTRINA CONCERNENTE A JESUS CRISTO

INTRODUÇÃO

O DEVER DE CRER EM JESUS CRISTO[5]

Em estreita relação com o arrependimento pelo pecado, a Escritura acrescenta o dever de crer em Cristo (At 16.31; Jo 9.35, 36): "arrependei-vos e crede no evangelho" (Mc 1.15), "testificando [...] o arrependimento para com Deus e a fé em nosso Senhor Jesus [Cristo]" (At 20.21). Esses deveres dizem respeito aos homens como pecadores. Sem o seu cumprimento, é impossível escapar da penalidade do pecado. A exigência de haver fé junto ao arrependimento prova que a simples tristeza pelo pecado não bastará; são muitas as passagens bíblicas que expressamente declaram que a fé é necessária à salvação. "Ide por todo o mundo e pregai o evangelho a toda a criatura. Quem crer e for batizado será salvo; quem, porém, não crer será condenado" (Mc 16.15, 16). "De fato, sem fé é impossível agradar a Deus" (Hb 11.6). "Por isso, quem crê no Filho tem a vida eterna; o que, todavia, se mantém rebelde contra o Filho não verá a vida, mas sobre ele permanece a ira de Deus" (Jo 3.36). "Quem nele crê não é

5 At 16.31; Jo 9.35.

julgado; o que não crê já está julgado, porquanto não crê no nome do unigênito Filho de Deus" (Jo 3.18).

Essas claras provas de que a fé é necessária para a salvação demonstram a importância de se entender a natureza da fé. Visto que a salvação não é resultante de todo tipo ou exercício de fé, mas unicamente da fé em Cristo, é do maior interesse saber o que é crer em Cristo.

Todo aquele que reflete sobre as operações da própria mente perceberá que a fé precede o surgimento de cada afeição mental e cada propósito de ação. Antes que objetos externos possam despertar na mente qualquer emoção, é preciso crer no testemunho de nossos sentidos. Temos de acreditar na uniformidade das leis da natureza e nas deduções da razão, antes de resolvermos contornar um precipício ou trabalhar com vistas a um resultado futuro. Nas atividades corriqueiras da vida, a fé é a base da ação. O homem que acredita que sua casa está em chamas ou que tem um rico tesouro sob o assoalho agirá de maneira correspondente. Também é verdade que a fé está no fundamento de cada sentimento ou dever religioso. Quem ama a Deus e deleita-se em sua vontade e em suas obras precisa crer que Deus existe e que a vontade e obras nas quais se deleita são realidades e possuem as qualidades que a sua mente lhes atribui. Quem se arrepende do pecado deve crer que o pecado do qual se arrepende foi de fato cometido e que esse pecado tem a natureza maligna, a qual ele condena e repugna. Assim, em tudo o mais, a fé é a base da religião.

Nesse ponto de vista, a fé é algo meramente intelectual e não implica nenhuma emoção, agradável ou desagradável. Contudo, a fé pode instantaneamente suscitar emoções, agradáveis ou não, conforme o caráter da verdade acreditada e o estado mental em que é recebida. A crença em certa verdade dá prazer para uma mente e dor para outra. Da mesma forma, a verdade de Deus, que o homem aborrece enquanto não convertido, é um deleite para o seu coração, depois de transformado.

A fé, nesse sentido geral, é necessária para a obediência de santas criaturas e está associada com todos os exercícios de piedade em suas mentes. Entretanto, santas criaturas são incapazes de arrependimento, porque não têm pecado de que se arrepender; não podem aproximar-se de Deus através de Cristo, como réus à procura de perdão. O evangelho dirige-se a homens pecadores e apresenta-lhes Cristo como o Salvador de pecadores. Fé em Cristo, conforme é requerida pelo evangelho, é a aceitação da verdade que o próprio evangelho declara a respeito de Cristo.

Embora a fé possa ser vista como meramente intelectual, e antecedendo toda e qualquer emoção, não é nesse sentido abstrato que a fé é ordenada pelo evangelho e que tem a promessa da salvação. Junto com a verdade, os homens precisam acolher "o amor da verdade para serem salvos" (2Ts 2.10). Uma fé meramente intelectual, sem o amor à verdade crida, não pode produzir os frutos da fé; porque a fé "atua pelo amor" (Gl 5.6). A fé meramente intelectual também não pode assegurar as bênçãos prometidas à fé, pois "com o *coração* se crê para justiça" (Rm 10.10). A fé que existe apenas no intelecto, deixando o coração intocado e frio, é a fé morta da qual Tiago falou (Tg 2.26).

Fé em Cristo é fé nas declarações do evangelho a respeito de Cristo; é também crer que tais declarações vieram da parte de Deus. É acolher o testemunho que Deus dá a respeito de seu Filho. Podemos, então, perceber o grande pecado que é a incredulidade, pois o que não crê faz de Deus um mentiroso (1Jo 5.10). Vemos, além disso, quão firme é o alicerce lançado para uma fé inabalável. O evangelho é a Palavra do Deus que não pode mentir. Nossos sentidos podem enganar-nos, e as deduções da razão podem ser falsas. Se dependermos dessas faculdades, estaremos sujeitos a erro, mas, na busca da vida eterna, podemos crer na verdade de Deus com inabalável confiança. A sua Palavra não pode falhar.

A fé *em Cristo* é necessária à salvação. Podemos crer em muitas coisas que Deus nos diz em sua Santa Palavra, sem, contudo, crer em Cristo; podemos crer em muitas verdades a respeito de Cristo, sem possuir aquela fé nele que tem a promessa da vida eterna. A verdadeira fé recebe Cristo em sua inteireza, conforme nos é apresentado no evangelho. Se qualquer aspecto de seu caráter, ofícios ou doutrina não for bem recebido pelo coração, não há fé autêntica. Não é necessário um perfeito conhecimento de Cristo para que haja verdadeira fé; caso contrário, a verdadeira fé seria impossível, visto que são insondáveis as riquezas de Cristo (Ef 3.8), e o seu amor ultrapassa todo o entendimento (Ef 3.19). No entanto, o verdadeiro crente deleita-se em Jesus Cristo quanto mais tem conhecimento dele e deseja conhecê-lo mais, a fim de ser ainda mais plenamente tomado pelo seu amor. A revelação feita aos santos do Antigo Testamento era obscura; todavia, até onde lhes era possível contemplar Cristo, segundo a luz recebida, eles se regozijaram em ver o seu dia e se alegraram (Jo 8.56).

A partir da necessidade da fé em Cristo, podemos inferir a grandeza do seu caráter. Quando Jesus disse: "se não crerdes que eu sou, morrereis nos vossos pecados" (Jo 8.24), requereu para si uma importância à qual Isaías ou Paulo jamais poderiam aspirar. Quando os seus apóstolos ensinaram: "abaixo do céu não existe nenhum outro nome, dado entre os homens, pelo qual importa que sejamos salvos" (At 4.12), estavam lhe atribuindo um ofício de excedente grandeza. Se cremos em Cristo, de acordo com as Escrituras, justificamos plenamente tudo quanto ele atribuiu a si mesmo, bem como tudo quanto os apóstolos declararam a seu respeito e nos regozijamos em render-lhe toda honra e louvor.

Consideremos a pergunta que nos foi proposta: "Crês tu no Filho do Homem?" (Jo 9.35). Da resposta a essa pergunta depende toda a nossa eternidade. Como pecadores culpados, estamos debaixo da condenação, e a ira de Deus permanece sobre nós. Entre todos os seres do universo, nenhum outro libertador pode ser encontrado além de Jesus Cristo, e não existe possibilidade de salvação a não ser mediante a fé nele. Portanto, é uma questão de infinita importância se cremos ou não. O homem a quem o Salvador fez a pergunta muito propriamente retrucou: "Quem é, Senhor, para que eu nele creia?" (Jo 9.36). Estamos prontos a perguntar: "Quem é ele?" Enquanto examinamos as Sagradas Escrituras para encontrar a resposta, tomemos cautela para que confiemos nele de todo o coração. Regozijemo-nos em descobrir que ele é poderoso para salvar e que, em cada particular, ele é precisamente o Salvador de que precisamos. Enquanto estudamos seu caráter e suas obras, recebamo-lo em nosso coração, entreguemo-nos a ele como remidos comprados pelo seu sangue e procuremos glorificá-lo em nosso corpo e espírito, que a ele pertencem.

CAPÍTULO 1
A PESSOA DE CRISTO

1. SUA HUMANIDADE

Jesus Cristo era um homem[6]

A concepção de Jesus Cristo foi algo singular. Sem ter tido um pai humano, ele foi concebido no ventre de uma virgem, pelo poder do Espírito Santo. Até onde o filho de Maria era igual aos outros filhos de pais humanos e quanto era diferente deles, não podemos saber com certeza, apenas com base nas circunstâncias de sua concepção. O poder divino que formou o homem do pó da terra poderia formar um homem no ventre de uma virgem. Mas, se essa extraordinária produção seria um homem ou um ser de alguma outra ordem, dependia inteiramente da vontade de Deus. Para o conhecimento do que Jesus Cristo era, dependemos totalmente do testemunho das Sagradas Escrituras.

O testemunho da Palavra inspirada é bem explícito nesse ponto. Independentemente do que mais Cristo possa ter sido, certamente

6 Jo 1.14; Fp 2.7, 8; Hb 2.14-17; Mc 9.12; 1Tm 2.5; Mt 1.18-25; Lc 1.28-35; Gl 4.4; Mt 4.2; 21.18; Jo 4.6, 10; Mt 8.24; Is 53.3; Jo 11.35; Lc 19.41; Mt 26.37, 38; Lc 22.44; Mt 4.1; Mc 1.13; Lc 4.2; Hb 2.18; 4.15; Lc 2.10, 52; Mt 4.11; Lc 22.43; Mc 15.34.

ele foi um homem, porque inúmeras passagens bíblicas assim o declaram: "Jesus, o Nazareno, varão aprovado por Deus diante de vós" (At 2.22). "Um só Mediador entre Deus e os homens, Cristo Jesus, homem" (1Tm 2.5).

Jesus Cristo tinha um corpo humano. Seu corpo não era uma forma de humanidade disfarçada; pois, mesmo depois de sua ressurreição, ele disse aos seus discípulos: "apalpai-me e verificai, porque um espírito não tem carne nem ossos, como vedes que eu tenho" (Lc 24.39). Um autêntico corpo humano suportou o peso da cruz e foi nela encravado. Um corpo verdadeiro foi traspassado pela lança; a água e o sangue vertidos eram reais. O corpo que recebeu aromas e especiarias no sepulcro e que também ressuscitou dentre os mortos era real. Era um corpo humano. Era sustentado por alimentos e estava sujeito a fome e cansaço, necessitava do sono como qualquer corpo humano necessita.

Jesus Cristo tinha uma alma humana. Se a natureza divina tivesse vindo residir em seu corpo, como se este fosse apenas um tabernáculo de carne, suprindo o lugar de uma alma humana, não se poderia, então, dizer: "crescia Jesus em sabedoria" (Lc 2.52). A simples estrutura material não podia ter sabedoria, e a sabedoria divina não é passível de crescimento. Tampouco era algum espírito criado, com uma natureza angélica ou superangélica animando seu corpo. Jesus foi feito em todas as coisas semelhante a seus irmãos (Hb 2.17) e não poderia ser um irmão nem membro de família, feito à mesma semelhança, se o espírito que habitava sua carne humana não fosse humano. Sem isso, ele não teria sido um homem. Se não tivesse uma alma, não poderia ter dito: "A minha alma está profundamente triste" (Mc 14.34). Além disso, a seu respeito não se poderia escrever: "quando der ele a sua alma como oferta pelo pecado" (Is 53.10). Se a sua alma não tivesse sido humana, não teria sido apropriada para o sacrifício pelo pecado dos homens. Cristo não assumiu a natureza dos anjos, mas a descendência de Abraão (Hb 2.16). Ele tinha de ser feito semelhante àqueles que veio substituir diante da lei, em favor dos quais ofereceu-se como holocausto.

A alma de Cristo era diferente da alma de todos os outros homens, por não trazer a mácula do pecado. A menção dessa exceção prova, em termos ainda mais contundentes, as semelhanças quanto a outros aspectos. "Foi ele tentado em todas as coisas, à nossa semelhança, mas sem pecado" (Hb 4.15). Se a natureza divina tivesse servido como alma, tal declaração teria sido desnecessária e imprópria. Jesus podia ser um homem sem depravação, pois assim foi Adão antes da Queda. Na comparação entre Cristo e Adão como cabeças, Adão é chamado de *o primeiro homem*, ao passo que Cristo é chamado de *o segundo homem* (1Co 15.47). A humanidade do segundo homem era tão real quanto a do primeiro.

Na realização de milagres, Deus tem demonstrado ser capaz de suspender as leis da natureza. Ele poderia ter suspendido aquela pela qual pais depravados geram filhos depravados. Se assim Deus o quisesse, Jesus poderia ter tido tanto um pai quanto uma mãe humanos, sem, contudo, conhecer pecado, porque para Deus tudo é possível. Entretanto, não foi da vontade de Deus que Jesus nascesse desse modo; a razão de ter sido concebido pelo poder do Espírito Santo é dada nas palavras do anjo à virgem sua mãe: "*por isso* também o ente santo que há de nascer será chamado Filho de Deus" (Lc 1.35). A geração ordinária teria feito de Jesus Cristo o Filho do Homem; mas a sua geração foi extraordinária, porque ele era também o Filho de Deus. A concepção pelo Espírito Santo não produziu uma natureza intermediária entre a divina e a humana, como os semideuses dos pagãos supostamente possuíam. Nesse caso, Cristo, como o Filho de Deus, teria sido Filho do Espírito Santo, e não do Pai. Antes, o Espírito Santo foi o agente na preparação do corpo pelo qual o sacrifício pelos nossos pecados devia ser feito, e tal era a união entre esse corpo e a divindade, que o nome "Filho de Deus" pertencia à inteira pessoa de Jesus, assim constituída.

2. SUA DIVINDADE

Jesus Cristo é Deus[7]

Assim como a humanidade de Jesus Cristo, concebida pelo poder do Espírito Santo, não poderia ser conhecida sem o testemunho das Escrituras, também a sua divindade, considerando-se que ele nasceu de uma mãe humana, não poderia ser conhecida, senão pelo testemunho da mesma Palavra inerrante. Sua concepção pelo poder do Espírito Santo já é suficiente para deixar entendido que ele não era um homem comum, e a declaração de que, em consequência disso, ele seria chamado "Filho de Deus" capacita a mente humana a conceber o fato de que ele era possuidor da natureza divina. Os semideuses, de acordo com os pagãos, tinham uma natureza intermediária entre deuses e homens. Porém, temos visto que Jesus Cristo foi, segundo o testemunho das Escrituras, verdadeiramente homem; e precisamos, agora, apelar para esse mesmo testemunho para saber se ele era também verdadeiramente Deus.

As provas bíblicas da divindade de Jesus Cristo são abundantes e serão apresentadas em várias categorias ou títulos.

7 Mq 5.2; Hb 1.8; 13.8; Ap 1.8, 18; Jo 2.24; 10.15; 21.17; At 1.24; Ap 2.23; Mt 18.20; 28.20; Jo 1.48; Cl 2.3; Jd 25; Mt 3.17; Lc 1.35; 10.22; Jo 5.23; 1Jo 5.20; Mt 28.19; Is 40.3; Zc 2.8, 10; 4.8; Ml 3.1; Mt 3.3; 1Co 15.47; Ap 19.16; Is 9.6; Jo 1.1; Rm 9.5; 1Tm 3.16; Fp 2.6; Mt 28.9; Lc 23.42; At 7.59; Ap 5.12; Jo 1.3, 10; Cl 1.16; Hb 1.10.

1. Os nomes de Deus são atribuídos a Jesus Cristo

"O Verbo era Deus" (Jo 1.1). Esse testemunho do discípulo amado era muito importante, porque seu desígnio era informar-nos quem era o seu divino Mestre. João abre a sua primeira epístola apresentando Jesus Cristo como "a vida eterna, a qual estava com o Pai, e nos foi manifestada" (1Jo 1.2), e inicia o seu evangelho apresentando-o como o Verbo que estava com Deus e era Deus. Os versículos seguintes claramente mostram que esse "Verbo tornou-se carne na pessoa de Jesus Cristo. O mesmo escritor, em outro lugar, ainda mais uma vez, atribui o nome Verbo a Jesus Cristo (Ap 19.19). Ora, não é incrível que o evangelho começaria com uma declaração que tem levado seus leitores de todas as eras a crer que Jesus Cristo é Deus, se ele fosse apenas um simples homem. Para nenhum propósito teria o apóstolo dito: "Filhinhos, guardai-vos dos ídolos" (1Jo 5.21), se os seus próprios ensinamentos são tais que inevitavelmente conduzam à idolatria. A sua linguagem é usualmente simples e direta. Nesse caso, entretanto, é preciso uma interpretação distorcida do ensino para não concluir que Jesus é Deus. João escreveu de modo que possamos crer em Jesus e, crendo, ter vida em seu nome (Jo 20.31). Porém, se ele escreveu de modo a levar-nos ao pecado da idolatria, nossa fé, então, é para morte, e não para vida.

"O qual é sobre todos, Deus bendito para todo o sempre" (Rm 9:5). Cristo é aqui chamado Deus; não em algum sentido subordinado, mas acima de todos e bendito para sempre. Esse mesmo versículo reafirma a sua possessão da natureza humana: "deles descende o Cristo, segundo a carne, o qual é sobre todos". Em contraste a isso, sua divindade é distintamente trazida à vista. O que ele era, *segundo a carne,* não é tudo o que ele era; antes, muito mais do que isso, ele era sobre todos, Deus bendito para todo o sempre. Toda a crítica que tem sido aplicada deixa claro e decisivo o testemunho desse texto.

"Senhor meu e Deus meu!" (Jo 20.28). Essas palavras de Tomé são uma breve, mas expressiva declaração de sua fé e foram assim recebidas por seu Mestre: "Porque me viste, creste?" Igualmente, a revelação do verdadeiro caráter de Jesus Cristo à mente de Natanael trouxe a sua declaração de fé: "tu és o Filho de Deus" (Jo 1.49). Também, a confissão de Tomé foi suscitada pelo descortinar do caráter do seu Salvador em sua mente. Tomé e Natanael foram ensinados pelo mesmo Espírito que revelou o caráter de Cristo a Pedro (Mt 16.17). Todos os três tiveram sua declaração de fé aceita e publicamente aprovada. Se Cristo não era Deus, ele deveria corrigir o seu discípulo, livrando-o da idolatria.

"O teu trono, ó Deus, é para todo o sempre" (Hb 1.8). Nesse trecho, como no primeiro capítulo de João, o escritor inspirado está determinadamente afirmando quem Jesus era. Ele o apresenta como superior aos profetas, por quem Deus outrora falara aos pais; maior do que os anjos, como sendo o próprio objeto da adoração angélica; finalmente, completa o seu raciocínio com citações do Antigo Testamento, nas quais ele é chamado Deus e Senhor, e a criação dos céus e da terra lhe é atribuída, sendo que ele permanece para sempre. Se ele não era Deus, o escritor estava enganado.

A esses vários textos, nos quais o nome "Deus" é atribuído a Jesus Cristo, podem-se acrescentar os seguintes: "igreja de Deus, a qual ele comprou com o seu próprio sangue" (At 20.28); "aquele que foi manifestado na carne" (1Tm 3.16); "estamos no verdadeiro, em seu Filho Jesus Cristo. Este é o verdadeiro Deus e a vida eterna" (1Jo 5.20); "cada um de nós dará contas de si mesmo a Deus" (Rm 14.12, comparado com o verso 11); "aquele que estabeleceu todas as coisas é Deus" (Hb 3.4, considerado em conexão com o seu contexto, que mostra que o Filho é a pessoa subentendida).

Muitas outras passagens podem ser citadas como exemplos pertinentes, se a tradução comumente usada no idioma inglês[8] pudesse ser levemente corrigida, tais como: "a manifestação da glória do nosso grande Deus e Salvador, Cristo Jesus" (Tt 2.13); "a graça de nosso Deus e Senhor, Jesus Cristo" (2Ts 1.12); "no reino de Cristo e Deus" (Ef 5.5), isto é, daquele que tanto é Deus quanto Cristo; "perante o Deus e Cristo, Jesus" (1Tm 5.21); "fé igualmente preciosa na justiça de nosso Deus e Salvador, Jesus Cristo" (2Pe 1.1). Essas retificações na tradução não foram feitas arbitrariamente, e sim em harmonia com as regras gramaticais do original grego, tal como o uso do artigo, antecedendo dois substantivos ligados por uma conjunção.

2. *Os atributos de Deus são aplicados a Jesus Cristo*

Eternidade – O profeta Isaías proclama: "e o seu nome será: Maravilhoso, Conselheiro, Deus Forte, Pai da Eternidade, Príncipe da Paz" (Is 9:6). Se o título "Pai da Eternidade", aplicado a Cristo, tivesse sido dado por homens falíveis, poderíamos supô-lo impróprio; contudo, foi utilizado pelo infalível Espírito de Deus, que falava pela boca dos antigos profetas. Eis outra profecia referente a Cristo: "cujas origens são desde os tempos antigos, desde os dias da eternidade" (Mq 5.2). Essas palavras são claramente aplicadas a Cristo em Mateus 2.6. No capítulo 8 de Provérbios, a Sabedoria é-nos apresentada através destas palavras: "Desde a eternidade fui estabelecida, desde o

8 N. R.: À época de Dagg, a versão em inglês mais comumente usada era a *King James Version*.

princípio, antes do começo da terra [...] então eu estava com ele e era seu arquiteto, dia após dia era as suas delícias, folgando perante ele em todo o tempo; regozijando-me no seu mundo habitável, e achando as minhas delícias com os filhos dos homens" (Pv 8.23-31). A mais coerente interpretação aplica essa passagem à pessoa de Cristo, o Verbo eterno, que é também chamado de "poder de Deus e sabedoria de Deus" (1Co 1.24).

Podemos acrescentar, ainda, uma declaração feita pelo próprio Cristo: "Antes que Abraão existisse, eu sou" (Jo 8.58). Visto que Jesus, em seu corpo, ainda não havia atingido nem 50 anos, essas palavras não podiam referir-se à sua vida terrena. Elas fazem a existência de Cristo retroceder até antes da época do nascimento de Abraão. Note-se que, ao afirmar sua própria preexistência, Cristo usou o tempo presente, "Eu Sou". Essa extraordinária maneira de falar concorda precisamente com a linguagem do Antigo Testamento, descrevendo o autoexistente Jeová: "Eu sou o que sou". "Eu sou me enviou a vós outros" (Ex 3.14). Os judeus que ouviram Jesus falar nesses termos compreenderam claramente que ele estava atribuindo para si mesmo a natureza divina; se ele não tinha a intenção de fazer tal exigência, então, é inegável que empregou uma linguagem calculada para enganá-los.

Imutabilidade – "Jesus Cristo ontem e hoje é o mesmo, e o será para sempre" (Hb 13.8); "eles perecerão; [...] tu, porém, és o mesmo, e os teus anos jamais terão fim" (Hb 1.11, 12).

Onipresença – Cristo prometeu que sempre estaria com os seus discípulos até a consumação dos séculos (Mt 28.20), e não somente a todo tempo, mas em todos os lugares: "Porque onde estiverem dois ou três reunidos em meu nome, ali estou no meio deles" (Mt 18.20). Para cumprir essa promessa, ele tem de ser onipresente. A mesma ideia fica subentendida nas palavras: "Ora, ninguém subiu ao céu, senão aquele que de lá desceu, a saber, o Filho do Homem [que está no céu]" (Jo 3.13). Seu corpo estava aqui na terra, quando proferiu essas palavras e, mesmo assim, ele declarou que também está no céu. Isso não poderia ser verdade, a não ser que ele fosse onipresente.

Onisciência – Jesus conhecia os pensamentos dos homens, mesmo quando ocultos em seus corações. Os profetas tinham esse conhecimento através de revelação especial, em ocasiões particulares. Jesus tinha esse conhecimento o tempo todo: "E não precisava de que alguém lhe desse testemunho a respeito do homem, porque ele mesmo sabia o que era a natureza humana" (Jo 2.25). Conhecer os segredos do coração é atribuição exclusiva de Jeová: "Eu, o Senhor, esquadrinho o coração, eu provo os pensamentos" (Jr 17.10). Não obstante, o poder de esquadrinhar o coração é expressamente atribuído a Jesus Cristo: "eu sou aquele que sonda mentes e corações" (Ap 2.23). Pedro apelou a Cristo como aquele que conhecia os segredos do seu coração e expressamente lhe atribui onisciência: "Senhor, tu sabes todas as coisas, tu sabes que eu te amo" (Jo 21.17). O próprio Cristo declarou sua onisciência: "Ninguém conhece o Filho senão o Pai; e ninguém conhece o Pai senão o Filho, e aquele a quem o Filho o quiser revelar" (Mt 11.27). Sem a onisciência Cristo, não estaria qualificado para julgar o mundo.

Onipotência – Paulo, sentindo sua própria fraqueza, desejava que o poder de Cristo repousasse sobre ele (2Co 12.9) e concebia esse poder como infinito, pois declarou: "tudo posso naquele que me fortalece" (Fp 4.13). A onipotência de Cristo manifesta-se em suas obras. Ele afirmou ser tão onipotente quanto Deus, o Pai: "Meu Pai trabalha até agora, e eu trabalho também" (Jo 5.17). "Porque tudo o que este fizer, o Filho também semelhantemente o faz" (Jo 5.19). "E ninguém as arrebatará da minha mão [...] e da mão do Pai ninguém pode arrebatar" (Jo 10.27-29). Vimos que Isaías chamou Cristo de "Deus Forte"; no trecho de Apocalipse 1.8-11, ele é chamado de "o Todo-Poderoso".

3. *As obras divinas são atribuídas a Cristo*

Criação – "Todas as coisas foram feitas por intermédio dele, e sem ele nada do que foi feito se fez" (Jo 1.3). "Pois nele foram criadas todas as coisas, nos céus e sobre a terra, as visíveis e as invisíveis" (Cl 1.16). Cumpre-nos admitir que a expressão "por intermédio" geralmente denota um instrumento utilizado na realização de uma tarefa, mas esse não é o seu único sentido. Ela é aplicada a Deus, o Pai: "Porque convinha que aquele, por cuja causa e por quem todas as coisas existem, conduzindo muitos filhos à glória, aperfeiçoasse por meio de sofrimentos o Autor da salvação deles" (Hb 2.10). Se Cristo fosse um instrumento criado, usado na criação de tudo o mais, ele mesmo teria sido criado fora de tal instrumentalidade, e as palavras de João não seriam verdadeiras: "e sem ele nada do que foi feito se fez". Deus criou todas as coisas por intermédio de Jesus Cristo (Ef 3.9), não como um mero instrumento ou como algum agente inferior; do contrário, não teria sido escrito: "Tudo foi criado por meio dele e para ele" (Cl 1.16). Um agente inferior empregado para realizar uma tarefa não a realiza por si mesmo, mas para o superior que o emprega. O Filho cooperou com o Pai na obra da criação, como Deus supremo. A expressão "por intermédio" não implica em inferioridade alguma. Quando é dito que Cristo, por si mesmo, nos purificou de nossos pecados (Hb 1.3), não há qualquer ideia de agência subalterna por parte de Cristo.

Providência – Todas as coisas são mantidas em existência pelo poder de Jesus Cristo; portanto, ele deve ser Deus: "sustentando todas as coisas pela palavra do seu poder" (Hb 1.3). Todas as forças do universo estão sujeitas ao controle de Cristo, pelo que também todas as operações da providência são dirigidas por ele.

Doação da vida – Durante o seu ministério, Cristo ressuscitou mortos, não como os profetas e apóstolos fizeram em nome e pelo poder de outrem. Os apóstolos operaram milagres não por seu próprio poder, mas em o nome de Jesus Cristo (At 3.12; 4.10). Jesus, pelo contrário, assumiu para si mesmo o poder exercido na operação de milagres. "O Filho vivifica aqueles a quem quer" (Jo 5.21). Ele afirmou estar exercendo seu poder pessoal, tanto no caso da vivificação de almas mortas no pecado como na ressurreição do corpo. "Vem a hora, e já chegou, em que os mortos ouvirão a voz do Filho de Deus; e os que a ouvirem, viverão" (Jo 5.25). "Vem a hora em que todos os que se acham nos túmulos, ouvirão a sua voz e sairão" (Jo 5.28). Paulo atribui a Cristo o poder de ressuscitar mortos, qualificando tal poder como capaz de submeter todas as coisas a si mesmo (Fp 3.21).

4. As Passagens do Antigo Testamento e o nome de Jeová

Numerosas passagens do Antigo Testamento que, sem dúvida, falam de Jeová como o Deus supremo são, no Novo Testamento, aplicadas a Jesus Cristo: Isaías 6.3, comparado com João 12.41; Isaías 40:3, comparado com Mateus 3.1, 3; Isaías 45.21-23, comparado com Filipenses 2.9-11; Zacarias 12.10, comparado com João 19.37.

5. Foi ordenado que se prestasse divina adoração a Jesus Cristo, e isso aconteceu

Aos anjos foi ordenado que o adorassem: "E, novamente, ao introduzir o Primogênito no mundo, diz: E todos os anjos de Deus o adorem" (Hb 1.6). Aos homens foi ordenado crer e confiar em Cristo, como atos de divina adoração. O argumento adquire mais força quando confrontado com a declaração: "Maldito o homem que confia no homem, faz da carne mortal o seu braço, e aparta o seu coração do Senhor!" (Jr 17.5). Cristo permitiu que o adorassem como o Filho de Deus (Jo 9.38). Ele foi adorado por seus discípulos, após ter subido ao céu (Lc 24.52). Os discípulos estavam acostumados a invocar seu nome, isto é, a dirigirem-se a ele em oração (At 9.14). Estêvão, antes de morrer, orou: "Senhor Jesus, recebe o meu espírito" (At 7.59). A administração e o recebimento do Batismo, em seu nome, é um ato de adoração religiosa, no qual Jesus Cristo é igualmente honrado, com o Pai e o Espírito Santo (Mt 28.19).

6. A igualdade entre Pai e Filho

A igualdade entre Pai e Filho é apresentada pelo apóstolo Paulo, no trecho de Filipenses 2.9. O exemplo de Jesus, de humilhar-se a si mesmo, assumindo a forma de servo, é proposto para nossa imitação. Contudo, não haveria qualquer humilhação de sua parte para assumir a forma de servo se essa fosse a única condição que pudesse legitimamente assumir. Porém, ele mostra a grandeza da sua humildade. Uma passagem paralela é encontrada em 2 Coríntios 8.9: "sendo rico, se fez pobre por amor de vós."

7. Se Jesus Cristo não era Deus, sua condenação à morte foi justa

É difícil propor e tratar desse argumento sem deixar uma aparência irreverente. Acusar o divino Jesus de crime, mesmo hipoteticamente, é atentar contra os sentimentos daqueles que o amam e adoram. Porém, deve-se lembrar que o Jesus a quem se aplica esse argumento é o Jesus de outro evangelho, um simples homem, cujo caráter e conduta têm de ser julgados como os demais homens.

Jesus foi condenado à morte pelo Sinédrio judaico. O conselho reportou a Pilatos: "Temos uma lei, e, de conformidade com a lei, ele deve morrer, porque a si mesmo se fez Filho de Deus" (Jo 19:7). Anteriormente Jesus dissera: "Meu Pai trabalha até agora, e eu trabalho também" (Jo 5.17). Eles o acusaram de blasfêmia, porque dizia que Deus era seu próprio Pai, fazendo-se, dessa forma igual, a Deus. Foi nesse particular sentido que a acusação de afirmar ser Filho de Deus foi construída; do contrário, não seria blasfêmia. O sumo sacerdote, presidente do conselho, fê-lo jurar: "Eu te conjuro pelo Deus vivo" (Mt 26.63), e propôs-lhe duas perguntas que, embora mencionadas juntas em Mateus e Marcos, Lucas apresenta separadamente: "Se tu és o Cristo, dize-nos", e: "Logo, tu és o Filho de Deus?" (Lc 22.67, 70). A resposta afirmativa dada por Jesus Cristo à última pergunta foi o pretexto para a sua condenação. Jesus sabia em que sentido a pergunta fora proposta; por causa de corretos princípios morais, ele tinha a obrigação de falar a verdade, honestamente. Portanto, ele afirmou em juramento, perante o tribunal, que era o Filho de Deus, no exato sentido em que fora perguntado. Por causa disso, ele foi condenado à morte; se ele não era o que afirmara ser, era, então, culpado de perjúrio e da sua própria morte. Sob essa acusação, foi condenado à morte pelo conselho, mas Deus o justificou, ressuscitando o dentre os mortos. "Designado Filho de Deus com poder, segundo o espírito de santidade, pela ressurreição dos mortos" (Rm 1.4). Essa foi a prova da injustiça da sua condenação e de que verdadeiramente era aquele que afirmava ser, o Filho de Deus, no sentido em que os judeus consideram blasfêmia.

Esse último argumento mostra claramente a importância dessa doutrina. De acordo com a lei de Moisés, qualquer um que incitasse à idolatria seria punido com a morte (Dt 13.6-9). O conselho perante o qual Jesus foi inquirido era o tribunal que tinha jurisdição sobre essa ofensa. Um simples homem que reclamasse honra divina para si mesmo seria culpado desse crime capital. Embora os romanos tivessem tomado dos judeus o direito de infligir a pena capital, o conselho podia, com toda a propriedade, dar parte de um tal homem ao governador: "de conformidade com a lei, ele deve morrer." Essa foi a decisão que tomaram a respeito de Jesus e a apresentaram a Pilatos. Se ele não tivesse direito à divina honra que pretendera, a decisão teria sido justa.

Duas acusações foram lançadas contra Jesus. Diante do governador romano, ele foi acusado de traição contra Cesar, por afirmar-se rei. Foi por essa acusação que o governador inquiriu a Jesus "És tu o rei dos judeus?" (Jo 18.33). Jesus respondeu afirmativamente, como no outro caso; mas, para não tomar para si um crime do qual não era culpado, explicou: "O meu reino não é deste mundo" (Jo 18.36). Sua resposta foi satisfatória ao governador, que o inocentou da acusação. Na outra acusação, Jesus não somente afirmou ser o Filho de Deus, mas também não apresentou qualquer explicação para que fosse absolvido. Ele poderia ter dito: "Eu sou o filho de Deus, mas não no sentido de pretender honra divina." Ele não deu tal explicação. Se Jesus não tivesse o direito de receber honra divina, ele saberia disso; também saberia que mereceria a morte, pela decisão desse tribunal sobre essa pretensão. Declarar-se Filho de Deus perante o conselho era fazer-se culpado do crime. Responder como respondeu, em juramento, sem que, na verdade, pretendesse ser igual a Deus, seria perjúrio, falso juramento. Permitir que a sentença contra ele fosse dada, sem nenhum esforço de justificar-se, era fazer-se culpado de sua própria morte.

Segue-se, portanto, que, se Jesus Cristo não tinha o direito à honra divina, ele era um homem ímpio e enganador.

Poderíamos supor a possibilidade de um equívoco a respeito de sua declaração perante a corte que o condenou, se, anteriormente, no seu ministério, ele tivesse habitualmente contestado ser digno de honra divina. Porém, em vez disso, ele ensinou: "a fim de que todos honrem o Filho, do modo por que honram o Pai" (Jo 5.23). Jesus afirmou ser maior do que a lei do sábado e arrogou o direito de trabalhar todos os dias como o Pai fazia: "Meu Pai trabalha até agora, e eu trabalho também" (Jo 5.17). Ele afirmou que já existia antes de Abraão, numa linguagem que apropriadamente revela autoexistência: "Antes que Abraão existisse, eu sou" (Jo 8.58). Ele reivindicou ser um com o Pai: "Eu e o Pai somos um" (Jo 10.30). Acima de tudo, ele não rejeitou honra divina quando lhe foi dirigida. Paulo e Barnabé, em Listra, repeliram, indignados, aos que pretendiam honrá-los como deuses (At 14.15), e o anjo impediu prontamente que João o adorasse: "Vê, não faças tal [...] Adora a Deus" (Ap 22:9). Quando o povo pretendia arrebatar Jesus à força e proclamá-lo rei, ele escapou por entre a multidão. Ele recusou fazer-se "juiz ou partidor" (Lc 12.14) e declinou de toda honra civil, exatamente como fez diante de Pilatos. Contudo, em igual coerência com sua declaração perante o Sinédrio, ele jamais rejeitou honras divinas, quando oferecidas por qualquer pessoa. O cego de nascença que ele curou adorou-o como Filho de Deus (Jo 9.38), sem reprovação. As palavras de Tomé, "Senhor meu e Deus meu" (Jo 20.28, 29), não tiveram reprovação, mas aprovação.

A tudo isso podemos ainda acrescentar que os discípulos, a quem ele ensinou os princípios de sua religião e que criam ter a mente de Cristo, estavam acostumados a render-lhe honra divina.

Muitas provas da sua divindade já foram citadas acima, a partir dos escritos de seus discípulos. Está bem claro, em Gálatas 1.1, que Paulo não o considerava apenas um homem: "Paulo, apóstolo, não da parte de homens, nem por intermédio de homem algum, mas por Jesus Cristo." O conteúdo inteiro dos seus escritos mostra que ele sentiu tais obrigações para com Cristo e depositou nele uma tal confiança, fatos que seriam totalmente incoerentes se ele cresse que Jesus era só mera criatura.

Por todos esses fatos, devemos crer que a divindade de Cristo é uma doutrina essencial do cristianismo. Assim como não pode haver religião sem a existência de Deus, também não pode haver credo cristão no qual a doutrina da divindade de Cristo não seja um artigo fundamental. Porém, apesar de as provas serem claras e abundantes, o humilde inquiridor da verdade a respeito de Jesus fica, por vezes, perplexo frente a algumas dificuldades concernentes ao assunto. Será próprio considerarmos brevemente as dificuldades mais comuns.

Objeção 1

Essa doutrina é inconsistente com a unidade de Deus. Essa objeção será considerada mais adiante, sob o título "A Trindade".

Objeção 2

Várias passagens falam de Jesus Cristo como sendo distinto de Deus e, algumas vezes, o fazem de maneira que parecem negar sua divindade própria.

Antes de prosseguir examinando passagens específicas, podemos adotar a premissa de que as Escrituras apresentam a conexão entre a divindade e o homem Jesus Cristo de duas maneiras: união pessoal e habitação. A união pessoal não era com toda a divindade, mas com uma pessoa da divindade. Não foi toda a divindade que se fez carne, mas o Verbo que estava com Deus e era Deus. Deus enviou não a inteira divindade, mas seu Filho, nascido de uma mulher (Gl 4.4). Já a habitação corresponde à divindade toda (Cl 2.9). O Pai habitava no Filho (Jo 14.10), e o Espírito Santo fora-lhe dado sem medida (Jo 3.34). A habitação da divindade não fazia dele uma só pessoa com o Pai e com o Espírito Santo. Seu corpo era um templo para a inteira divindade. Como o Espírito Santo nos profetas era distinto dos profetas, assim a divindade, habitando em Jesus Cristo, era distinta da pessoa de Jesus Cristo.

João 17.3: "E a vida eterna é esta: que te conheçam a ti, o único Deus verdadeiro, e a Jesus Cristo, a quem enviaste." O Pai é aqui referido como o representante da divindade. O Deus que enviou Cristo é distinto da pessoa de Jesus Cristo; não obstante, a pessoa enviada era divina. A sua divindade, embora não afirmada na passagem, pode ser inferida pelo fato de o conhecimento de Jesus Cristo ser necessário para a vida eterna.

1 Coríntios 8.6. "para nós há um só Deus, o Pai, de quem são todas as coisas e para quem existimos; e um só Senhor, Jesus Cristo, pelo qual são todas as coisas, e nós também por ele." Aqui, novamente, o Pai é o representante da inteira divindade, que está nele, como o objeto último de adoração, e forma uma unidade, "de quem são todas as coisas." A mesma divindade está em Jesus Cristo como o meio de manifestação, "pelo qual são todas as coisas." Esse texto não afirma que Jesus Cristo é uma pessoa divina; porém, a sua qualificação para ser o Senhor universal implica nisso. Esse texto não nega que Jesus Cristo seja Deus, bem como que o Pai seja o Senhor.

Do mesmo modo, outras passagens similares podem ser explicadas.

Objeção 3

As várias passagens que falam de Jesus Cristo como inferior ao Pai, como enviado pelo Pai e agindo pelo poder do Pai parecem negar a sua divindade pessoal.

A explicação para todas essas passagens é dada por Paulo em Filipenses 2.5-8: "Tende em vós o mesmo sentimento que houve também em Cristo Jesus, pois ele, subsistindo em forma de Deus, não julgou como usurpação o ser igual a Deus; antes, a si mesmo se esvaziou, assumindo a forma de servo, tornando-se em semelhança de homens; e, reconhecido em figura humana, a si mesmo se humilhou, tornando-se obediente até à morte, e morte de cruz".

O Filho de Deus, embora verdadeiramente divino e destinado à honra divina, humilhou-se a si mesmo e, pela sua união com a natureza humana, nasceu sob a lei. Ele não estava originalmente debaixo da lei, mas foi feito sob ela. Por isso é que lemos da sua inferioridade para com o Pai, sua sujeição à autoridade do Pai etc. Inferioridade de ofícios não requer inferioridade de natureza. Um súdito é inferior em autoridade ao seu rei, embora seja-lhe igual em natureza e até possa suplantá-lo em intelectualidade e valor moral. Jesus Cristo é inferior ao Pai em se tratando de sua natureza humana e em seu ofício de Mediador; mas, em sua natureza divina, ele é Deus sobre todos.

Objeção 4

Jesus Cristo parece admitir, em Lucas 18.19, que não tinha a bondade que é peculiar a Deus e, em Marcos 13.32, parece negar que tivesse onisciência. "Por que me chamas bom? Ninguém é bom senão um só, que é Deus."

Essas palavras são uma pergunta. Perguntas, algumas vezes, implicam uma forte afirmação; contudo, nesses casos, a razão pela qual é feita a pergunta precisa estar aparente. No presente caso, não há indício algum, em todo o contexto, de que Jesus tivesse como propósito explanar o seu próprio caráter. Podemos concluir que a pergunta foi feita em vista de algum outro propósito. O jovem rico julgava-se um bom homem e, dirigindo-se a Cristo como a um outro bom homem de quem desejava receber instrução, perguntou, movido pelo espírito de justiça própria: "que farei eu de *bom*" (Mt 19.16). Tudo na conversa entre Cristo e esse jovem foi intencionado para convencê-lo de sua justiça própria, e a pergunta de Cristo era precisamente adaptada a esse propósito. Ela foi calculada para que conduzisse a mente do jovem à humilde reflexão de que toda a bondade humana, na qual ele confiava e tinha atribuído a Cristo, era insignificante e sem valor, quando comparada com Deus. Aqui, nem se afirma, nem se nega que a bondade divina pertencesse a Jesus Cristo. O jovem rico sequer pensara a respeito disso, e Cristo não fez referência nem falou nada sobre essa questão.

Marcos 13.32: "Mas a respeito daquele dia ou da hora ninguém sabe; nem os anjos no céu, nem o Filho, senão somente o Pai." Essa passagem deve ser explicada em harmonia com o restante das Escrituras. Se Gênesis 18.21 fosse a única passagem bíblica pela qual pudéssemos aprender a respeito da extensão do conhecimento de Deus, chegaríamos à conclusão de que esse conhecimento é limitado. Da mesma forma, se Marcos 13.32 fosse o único texto pelo qual pudéssemos aprender a respeito da extensão do conhecimento de Cristo, acabaríamos por inferir que ele não é onisciente. Contudo, as provas da sua onisciência, como já temos citado, são tão abundantes, que somos obrigados a procurar uma explicação para essa passagem que seja consistente com todas essas provas. Quando consideramos que era o Espírito de Cristo que estava nos antigos profetas, habilitando-os a fazer suas numerosas predições, que Cristo, pessoalmente, predisse tantas coisas, até mesmo, em particular, a respeito desse mesmo dia, o qual é enfaticamente chamado de "o Dia de Cristo" ou "Dia do Senhor" (1 Co. 5.5), parece improvável que ele ignorasse completamente o tempo da sua volta. Cristo fala de si mesmo como um senhor vindo inesperadamente ter com seus servos após um período de ausência. Embora seja razoável que os servos não devessem saber quando o seu senhor estaria para voltar, não há razão aparente porque o senhor mesmo não devesse saber o tempo em que estaria de volta. Esses fatos, portanto, favorecem uma interpretação da passagem que seja consistente com a doutrina da onisciência de Cristo.

O método mais óbvio para interpretar essa passagem em harmonia com outros textos das Escrituras é supor que se refira ao conhecimento que a humanidade de Cristo possuía. Em sua natureza humana, Jesus não era onisciente, pois está escrito (Lc 2.52) que Jesus crescia em sabedoria. O Espírito Santo comunicava, de tempos em tempos, à sua alma humana o conhecimento, à medida que dele tinha necessidade, mas não *todo* o conhecimento, porque a natureza humana não poderia ser feita onisciente.

Há, contudo, uma objeção a essa interpretação, baseada no fato de que Cristo não podia realmente negar-se a nenhum conhecimento que qualquer de suas duas naturezas possuíssem. Essa objeção seria embaraçosa, caso não fosse verdade que, nessa passagem, Jesus estivava colocando seu conhecimento em contraste com o do Pai. Do mesmo modo, em João 5.30, ele negou que tivesse onipotência em si mesmo, não em absoluto, distinguindo-se da onipotência do Pai: "Eu nada posso fazer de mim mesmo." No mesmo versículo e com o mesmo sentido, ele fala de si mesmo como se não fosse onisciente: "na forma por que ouço, julgo". Os discípulos perguntaram: "Dize-nos quando sucederão estas coisas" (Mc 13.4) ao Cristo que lhes era visível em sua natureza humana. Não era apropriado que recebessem uma resposta, porque já estava determinado que eles deveriam vigiar. "Vigiai, pois, porque não sabeis *quando* virá o dono da casa" (Mc 13.35). Visto que a natureza humana de Cristo era o meio pelo qual os discípulos recebiam instruções, e sendo aquele um dos "tempos ou épocas que o Pai reservou para sua exclusiva autoridade" (At 1.7), podemos supor que o Espírito Santo não tivesse comunicado a Cristo esse conhecimento e que a humanidade santa de Jesus não o tivesse buscado, pois esse conhecimento não era necessário para nenhum dos propósitos do seu ministério terreno. De acordo com esse ponto de vista, a resposta de Jesus teve por intuito refrear a curiosidade dos discípulos, não sendo da vontade de Deus que soubessem o tempo da sua vinda. Eles deviam estar informados de que, embora os infinitos recônditos do conhecimento de seu Pai sempre lhe foram acessíveis, ele não tinha escolhido, em sua humanidade (na qual revelava aos discípulos os conselhos do Pai), inquirir a respeito do assunto. Portanto, não poderia comunicar-lhes o conhecimento que, por curiosidade, inutilmente desejavam.

Alguns têm pensado que uma solução mais satisfatória para a dificuldade seria tomar a palavra "sabe" no sentido de *"fazer conhecido"*. Esse é o significado que dão à palavra em 1 Coríntios 2.2. Porém, isso pode ser posto em dúvida. Parece mais adequado considerar a linguagem como uma simples figura de retórica, segundo a qual a causa é posta como efeito. Assim foi que Davi disse: "Emudeço" (Sl 39.9), querendo dizer: "Fiquei tão calado, como se estivesse mudo". Também Paulo, em seu ministério entre os coríntios, tomou a determinação de nada saber, senão Cristo crucificado. Do mesmo modo, as palavras de Cristo podem ser interpretadas como se ele tivesse dito:

"As vossas inquirições a respeito do tempo preciso da minha volta serão todas em vão. Nenhuma fonte estará disponível para vos dar esse conhecimento. De fato, isso vos será como se ninguém tivesse esse conhecimento, senão o Pai, que o dará a conhecer, não pelo ministério de homens, nem de anjos, nem de seu Filho, mas pela sua própria mão, quando executar o seu propósito".

Os dois pontos de vista que apresentamos a respeito dessa passagem diferem um pouco um do outro. Contudo, você não está obrigado a decidir qual seja o melhor nem a aceitar qualquer um deles como inquestionavelmente correto. A perfeita compreensão de cada texto difícil das Escrituras, embora desejável, não é indispensável ao exercício da piedade.

Objeção 5

Jesus Cristo é chamado de "o princípio da criação de Deus" e de "o primogênito de toda a criação". Essas passagens, enquanto atribuem um elevado caráter a Jesus Cristo, referem-se a ele como a uma criatura.

Apocalipse 3.14: "o princípio da criação de Deus". Esse texto pode ser esclarecido através de outros no mesmo livro, como 1.8; 21.6; 22.13. Quando Jesus Cristo é chamado de "o primeiro e o último, o princípio e o fim", não devemos entender que ele tenha sido criado antes de outras criaturas, e, quando essas outras criaturas forem aniquiladas, ele permanecerá. O sentido é que todas as coisas são advindas de Jesus e dirigidas a ele, ou, como Paulo diz, "tudo foi criado por meio dele e para ele (Cl 1.16); ele é a causa primária e original de todas as coisas. O "princípio" significa que "ele é antes de todas as coisas". Nesse sentido é que ele é chamado de "princípio da criação de Deus", isto é, a causa originária de tudo o que foi criado.

Colossenses 1.15: "O primogênito de todas as criaturas" (*King James Version*). Essa oração pode ser gramaticalmente construída de duas formas diferentes. O genitivo "de toda a criação" pode ser governado pelo substantivo "primogênito". Alternativamente, a palavra grega para "primeiro" (que forma "*primo*-gênito") pode ser entendida como um adjetivo superlativo. A objeção assume que a segunda opção é a verdadeira. Partindo dessa suposição, infere-se que Cristo é uma das criaturas porque o grau superlativo geralmente é usado para destacar um membro do mesmo grupo. Mas esse uso do superlativo, embora comum, não é o único possível, pois a palavra "primeiro" é usada duas vezes em João 1 (versos 15 e 30) para outro tipo de comparação. Nesse caso, os tradutores optaram por traduzir a palavra como se estivesse no grau comparativo, e não superlativo: ele "já existia *antes* de mim." Provando que Paulo não desejava incluir Cristo entre as criaturas, podemos argumentar da seguinte forma: os termos descritivos usados não estão de acordo com essa suposição. Para torná-lo parte do grupo, Cristo deveria ter sido chamado de a *primeira* de todas as criaturas criadas ou de o primeiro nascido entre todos os nascidos. No entanto, a diferença existente entre nascer e criar exclui Jesus do grupo das criaturas.

Há, ainda, outro problema no uso da palavra "toda". Não poderíamos dizer que Salomão era o mais sábio entre todos os homens. No entanto, a objeção assume que Paulo usa essa forma de expressão. É verdade que esse problema pode ser removido, em parte, ao traduzir a sentença desta forma: "o primeiro entre toda a criação". Mesmo assim, a ideia que o apóstolo desejava transmitir não estaria expressa de maneira natural. Para que Cristo seja incluído no grupo das criaturas, é necessário o uso de um substantivo plural.

O contexto prova que Paulo não desejava comparar Cristo com as coisas criadas, como se fosse uma delas. Ele diz: "pois, nele, foram criadas todas as coisas [...] ele é antes de todas as coisas. Nele, tudo subsiste" (Cl 1.16, 17). Estas palavras claramente excluem Jesus dentre as coisas criadas.

Se admitirmos que o genitivo é governado pelo adjetivo, os argumentos acima serão suficientes para convencer-nos de que o adjetivo deve ser entendido da mesma forma que seu uso em João 1. Mas a construção que toma o genitivo como governado pelo substantivo é preferível. De acordo com ela, podemos traduzir a frase como: "de toda a criação, o primogênito." Deus disse: "fá-lo-ei, por isso, meu primogênito, o mais elevado entre os reis da terra" (Sl 89.27). O termo primogênito denota superioridade de dignidade, em comparação com os reis da terra. Ao primogênito pertence não apenas dignidade superior, mas também primazia sobre a herança. Cristo, como Filho, foi designado "herdeiro de todas as coisas" (Hb 1.2). Quanto à dignidade e ao direito à herança, ele é o primogênito, rei e herdeiro de toda a criação.

Alguns têm suposto que o versículo 18 seja uma explicação do versículo 15, pelo fato de ter sido utilizada a mesma palavra no texto grego. Segundo essa interpretação, Cristo é o primogênito de toda a criação porque é "o primogênito de entre os mortos" (v.18). Outros entendem que se deva acentuar a palavra grega do verso 15 em uma outra sílaba, para significar "progenitor", "produtor". Alguns, embora admitindo a divindade de Cristo, supõem que sua alma humana tivesse sido criada antes de todas as criaturas e permanecido sem um corpo humano até a encarnação no ventre da virgem. Porém, de acordo com isso, Cristo não foi "feito à semelhança de seus irmãos." Além disso, sendo uma criatura, sua alma deveria ter estado sob a lei de Deus desde o primeiro momento de sua existência. Porém, Gálatas 4.4 diz que ele foi nascido sob a lei pelo fato de ter nascido de mulher. Já vimos que os textos bíblicos não requerem tais hipóteses para serem explicados.

Objeção 6

Em João 10.35, 36, Jesus explicou o uso do nome "Filho de Deus" como se não implicasse necessariamente em divindade. "Se ele chamou deuses àqueles a quem foi dirigida a Palavra de Deus, e a Escritura não pode falhar, então daquele a quem o Pai santificou e enviou ao mundo, dizeis: Tu blasfemas, porque declarei: Sou Filho de Deus?"

Visto que essa objeção se opõe a um forte argumento em favor da divindade de Cristo, será apropriado examiná-la cuidadosamente.

Examinando João 10, no qual essas palavras se encontram, podemos observar os seguintes fatos:

1. A acusação de blasfêmia não se baseou na reivindicação de ser o Cristo.

Enquanto Jesus caminhava pelo pórtico de Salomão, os judeus reuniram-se ao redor dele e perguntaram-lhe: "Até quando nos deixarás a mente em suspenso? Se tu és o Cristo, dize-o francamente" (Jo 10.24). Eles já haviam indagado de João Batista: "És tu o Cristo?" Os judeus estavam na expectativa de que o Messias faria a sua aparição por aquele tempo, e, pelo modo como essas perguntas foram apresentadas, está claro que o fato de ele reivindicar ser o Cristo não poderia necessariamente ser considerado blasfêmia. Para ser aceita a sua reivindicação, apenas era necessário que ele apresentasse as provas. O fato de perguntarem a Jesus se ele era o Cristo já indica que eles estavam propensos a admiti-lo como tal. Jesus não respondeu diretamente à pergunta, mas acusou-os de terem rejeitado o testemunho que havia prestado anteriormente a respeito de si mesmo e as provas que tinha apresentado. Tudo isso aconteceu sem que o acusassem de blasfêmia.

2. A acusação de blasfêmia tinha por base o fato de Jesus dizer-se o Filho de Deus.

Esse ponto está demonstrado pelas palavras de Cristo: "dizeis: Tu blasfemas, porque declarei: Sou Filho de Deus?" Jesus tinha falado de Deus como seu Pai, numa relação peculiar, de acordo com a qual ele podia dizer: "Eu e o Pai somos um." Isso foi dito logo depois de certas declarações atinentes ao poder com que suas ovelhas eram guardadas, declarações em que Jesus deu a entender sua onipotência, à semelhança de seu Pai. Sua identidade com o Pai era, portanto, uma unidade tal que mesmo os atributos divinos estavam nela implicados. Foi assim que os judeus subentenderam, e isso foi o que eles distintamente declararam ser a base de sua acusação: "Não é por obra boa que te apedrejamos, e sim, por causa da blasfêmia, pois sendo tu homem, te fazes Deus a ti mesmo" (Jo 10.33).

Em ocasião anterior, eles tinham levantado a mesma acusação contra ele, com base na mesma alegação. Jesus tinha falado de Deus como seu Pai, num sentido peculiar, para além do que uma mera criatura poderia reivindicar para si mesma. Aqueles que o ouviram, compreendendo a implicação de suas palavras, acusaram-no de blasfêmia, porque "dizia que Deus era seu próprio Pai, fazendo-se igual a Deus" (Jo 5.18). Foi precisamente sob essa acusação que Jesus foi levado pelo Sinédrio judaico a Pilatos, como alguém que se fizera digno de morte: "Temos uma lei e, de conformidade com a lei, ele deve morrer, porque a si mesmo se fez Filho de Deus" (Jo 19.7). Eles também afirmaram que ele se fazia de "Cristo, o Rei" (Lc 23.2).

Porém, não afirmaram que, pela lei judaica, ele deveria morrer. O que os judeus disseram foi: "todo aquele que se faz rei é contra César" (Jo 19.12). Essa era uma acusação da qual a lei romana podia tomar conhecimento e que Pilatos poderia julgar. A outra ofensa era um pecado do qual a lei romana não tomaria conhecimento. A acusação de blasfêmia fora instigada pelo tribunal judaico, mas não com base no fato de Jesus afirmar-se "Cristo, o Rei".

3. Jesus sabia que a acusação de blasfêmia perderia toda a sua força se ele explicasse que, ao afirmar ser o Filho de Deus, não tencionava reclamar para si atributos e honras divinas.

A acusação de blasfêmia foi porque Jesus apresentou-se como Deus e igual a Deus. Ora, os judeus chamavam Deus de Pai; crentes e anjos são chamados filhos de Deus. Reclamar filiação, dentro desses limites, não poderia ser blasfêmia. Jesus sabia de tudo isso e mostrou-se hábil em tirar proveito do argumento que podia ser baseado nessa distinção. Ele fez referência ao uso que a Escritura faz do termo "deuses", aplicado aos magistrados hebreus. Mostrou claramente que, se as palavras que tinha usado tivessem de ser justificadas por meio dessa distinção (se ele tivesse de apresentar-se diante de um daqueles magistrados), Jesus entendia muito bem como poderia fazê-lo.

4. Jesus não pleiteou que, ao apresentar-se como o Filho de Deus, não desejava atribuir a si atributos e honra divinos.

O que se supôs para afirmar que o emprego do título "Filho de Deus" não implica divindade é simplesmente uma pergunta, que não afirma nada: "Se ele chamou deuses àqueles a quem foi dirigida a Palavra de Deus [...] dizeis: Tu blasfemas, porque declarei: Sou Filho de Deus?" Nesse aspecto, temos uma situação parecida com a pergunta dirigida ao jovem rico: "Por que me chamas bom?" Jesus não estava sendo inquirido diante de um tribunal comum. Antes, estava cercado por homens malignos e capciosos, a quem ele não se sentia obrigado a dar respostas ou explicações. Quando lhe pediram que dissesse francamente se ele era ou não o Cristo, em lugar de responder, acusou-os de terem rejeitado o testemunho e provas que já haviam sido apresentados, bem como de intentarem assassiná-lo. Assim, quando culpam Jesus de blasfêmia, ele os acusa de estarem sendo incoerentes na sua acusação.

Os judeus queriam condená-lo. Quando, finalmente, Jesus foi levado ao governador romano, Pilatos "sabia que por inveja o tinham entregado" (Mt 27.18). Jesus, sabendo o que estava no coração do homem, entendeu plenamente que o pretenso zelo pela honra divina era hipocrisia da parte deles. Alguns desses homens, sendo membros do grande concílio, poderiam ter usado as Escrituras para conseguir para si mesmos o título de "deuses". Contudo, não estariam dispostos a considerar atentamente as provas que Jesus tinha oferecido em favor da dignidade por ele assumida.

5. Em vez de permitir que a questão dependesse do apelo que essas palavras supostamente deixavam implícito, Jesus confirmou a sua íntima comunhão com o Pai, dizendo: "para que possais saber e compreender que o Pai está em mim, e eu estou no Pai" (Jo 10.38). Por causa disso, lemos que, nesse ponto, "procuravam outra vez prendê-lo". É evidente que os judeus não entenderam que Jesus estava retratando-se daquela reivindicação que tanto os havia ofendido.

Os magistrados judeus, embora chamados "deuses" em um sentido subordinado do termo, nada tinham daquela íntima união com o Pai que Jesus reivindicara para si. Afinal de contas, eram apenas mortais. "Eu disse: Sois deuses, sois todos filhos do Altíssimo. Todavia, como homens, morrereis" (Sl 82.6, 7). No entanto, a respeito de si mesmo, Jesus dissera: "Porque assim como o Pai tem vida em si mesmo, também concedeu ao Filho ter vida em si mesmo" (Jo 5.26). "O Filho vivifica aqueles a quem quer" (Jo 5.21). "Os mortos ouvirão a voz do Filho de Deus" (Jo 5.25). "Eu e o Pai somos um" (Jo 10.30). Se, depois de ter feito tão extraordinárias afirmações a respeito de si mesmo, Jesus tivesse se rebaixado diante de seus inimigos e tivesse procurado desculpar-se, comparando-se com meros juízes mortais, chamados "deuses", não teria encerrado suas declarações reafirmando aquilo que tinha originado a discussão: "Crede [...] que o Pai está em mim, e eu estou no Pai" (Jo 10.38).

Devemos ainda nos lembrar de que Jesus, nessa ocasião, não estava sob julgamento. Palavras como essas não foram ditas perante o Sinédrio, onde o argumento que elas supostamente contêm era necessário (se é que seria mesmo necessário). Quando formalmente acusado perante aquele tribunal, Jesus não lhe contestou a jurisdição nem o julgamento imposto pelo sumo sacerdote. Ele respondeu direta e claramente à pergunta do sumo sacerdote, embora soubesse que, pelo julgamento do tribunal, a resposta o condenaria por blasfêmia. Onde está, agora, o argumento que, supostamente, Jesus teria levantado na ocasião anterior? Naquela ocasião, ele sabia bem as implicações do argumento. Será que, agora, teria se esquecido?

O argumento apresentado, numa ocasião anterior e noutro local, perante um grupo diferente de pessoas (não estando em julgamento, nem sob juramento), não pode ser considerado agora, a não ser que tivesse sido devidamente reapresentado. Além do mais, quando anteriormente surgiu – se é que realmente foi apresentado – o argumento, estava obscuro, escondido sob a forma de uma indagação. Agora, perante o Sinédrio, é necessário que esse apelo seja apresentado em afirmação clara e direta, mas Jesus não lança mão de tal apelo. Os que insistem em levantar essa objeção expliquem agora o seu silêncio.

3. UNIÃO DE NATUREZAS

As duas naturezas de Jesus Cristo, divina e humana, são unidas em uma única pessoa[9]

O nome "Filho de Deus" denota mais apropriadamente a sua natureza divina, enquanto o nome "Filho do Homem" denota a sua natureza humana. Jesus, frequentemente, chamava a si mesmo de o Filho de Deus; mais frequentemente ainda, de o Filho do Homem. Ambos os nomes eram usados para apontar para uma só e mesma pessoa. Isso é indicado pelos diferentes usos desses nomes. Há, porém, certas passagens que mostram isso mais claramente do que outras. Depois de ter falado de si mesmo como o "Filho de Deus", Jesus diz que o Pai deu-lhe autoridade para executar julgamento, porque ele é o Filho do Homem (Jo 5.27). Aqui, a mesma pessoa é manifestamente chamada de Filho de Deus e Filho do Homem. Em outros casos, atributos ou obras que pertencem a uma natureza são imputados à sua pessoa, referida pelo nome derivado da outra natureza. "Ora, ninguém subiu ao céu, senão aquele que de lá desceu, a saber, o Filho do Homem [que está no céu]" (Jo 3.13). Aqui, Jesus é chamado pela sua natureza humana – Filho do Homem –, enquanto lhe é atribuída onipresença, que pertence à sua natureza divina. Outro exemplo semelhante é: "o Filho do Homem é senhor também do sábado" (Mc 2.28). A superioridade em relação ao sábado corresponde à natureza divina, mas o nome pelo qual é designado pertence à natureza humana. Por outro lado, Jesus é chamado de Deus, o Senhor da glória, quando seu sangue e crucificação (que são pertinentes à sua carne humana) são os temas do discurso: "Jamais teriam crucificado o Senhor da glória" (1Co 2.8). "A igreja de Deus, a qual ele comprou com o seu próprio sangue" (At 20.28).

9 Jo 3.13; Rm 1.4; 9.5; 1Co 2.8; Mt 1.23

Não podemos compreender como duas naturezas, tão diferentes uma da outra, estariam assim unidas. Existe um fato semelhante na união entre o corpo e a alma de um homem, para formar uma pessoa. Embora não possamos compreender essa união, negá-la seria rejeitar o testemunho de nossa própria consciência. Portanto, nenhuma justificativa temos para rejeitar a doutrina que agora consideramos, só porque se trata de uma questão misteriosa.

Em Cristo, a união das duas naturezas não confunde os atributos peculiares de cada uma. Nem a humanidade é deificada, nem a divindade é humanizada. Da mesma maneira, o corpo de um homem não se torna espírito por causa de sua união com a alma, nem a alma torna-se matéria por causa de sua união com o corpo.

A união da divindade de Cristo com sua humanidade é diferente da presença da divindade que nele habitava. O Espírito Santo habita nos crentes, tanto que seus corpos são chamados templos do Espírito Santo. Entretanto, essa união não faz com que o crente e o Espírito Santo tornem-se uma só pessoa. Assim, embora Jesus dissesse: "O Pai está em mim, e eu nele", ao referir-se ao Pai, falava dele como de uma pessoa distinta. O mesmo é verdade com respeito ao Espírito Santo que nele habitava, o qual lhe foi dado sem medida.

A união das duas naturezas na pessoa de Cristo é mais do que uma simples manifestação da natureza divina através da humanidade. Deus manifesta a si mesmo nas obras da criação. Contudo, essa manifestação não é uma união pessoal; do contrário, o universo seria Deus.

Essa união é indissolúvel. Jesus será para sempre o Cordeiro de Deus que se encontra no meio do trono (Ap 7.17), o qual eternamente se manifestará, em sua humanidade glorificada, aos santos que adoram e que, com louvor, para sempre cantarão: "Digno é o Cordeiro, que foi morto, de receber o poder, e riqueza, e sabedoria, e força, e honra, e glória, e louvor" (Ap 5.12).

CAPÍTULO 2

OS ESTADOS DE CRISTO

1. SUA GLÓRIA ORIGINAL

Antes de sua encarnação, o Filho de Deus estava em íntima comunhão de glória e bem-aventurança com o Pai[1]

A existência de Cristo, antes de ele ter vindo ao mundo, é provada em certas passagens das Escrituras que não declaram expressamente a sua divindade.

Se não tivéssemos um ensino mais claro a esse respeito, poderíamos supor que ele fosse um espírito criado, que teria desfrutado de honra e felicidade na presença de Deus e, depois, consentido em aparecer, em obediência à vontade de Deus, na pessoa de Jesus Cristo. Todavia, as provas que têm sido aduzidas de outras partes das Escrituras claramente mostram que esse espírito preexistente era Deus, e não uma criatura.

Diversos nomes são atribuídos à divindade preexistente de Jesus Cristo. João chama-o de "o Verbo de Deus" (Jo 1.1). Ele é mais frequentemente chamado de "Filho de Deus". Várias

1 Jo 1.15, 30; 3.13, 17, 31; 6.38; 8.58; 17.5; 1Co 15.47; Gn 18; 22.15; 32.30; Ex 3; 20; At 7.30, 35, 38; Jo 1.3; Cl 1.16; Hb 1.2, 8, 10; 13.8; Mq 5.2; Ap 1.8, 18.

passagens falam dele como o Filho de Deus, antes mesmo da sua vinda ao mundo. Ele é chamado de "Anjo do Senhor", "Anjo da presença do Senhor", "Anjo da Aliança" e "Capitão dos Exércitos do Senhor". Supõe-se também que seja designado pelo nome de "Sabedoria", em Provérbios 8.

Determinar o preciso significado desses vários nomes é uma tarefa difícil! Parece que Cristo é chamado de "Anjo" ou "Mensageiro" por ser ele enviado para fazer conhecida ou executar a vontade de Deus. Provavelmente, ele é chamado de "o Verbo de Deus" porque é o meio pelo qual a mente de Deus se faz conhecida.

A razão por que ele é chamado de "Filho de Deus" é uma questão na qual os teólogos têm diferido em suas opiniões. Sua concepção miraculosa, seu ofício de Mediador, sua ressurreição dentre os mortos e sua investidura com domínio supremo têm sido apontados como as razões para esse título. Porém, todas essas características parecem declarar que Jesus é o Filho de Deus ou pertencem a ele por causa daquela relação com Deus, em vez de constituírem essa filiação divina. As expressões "primogênito" e "unigênito" parecem referir-se à verdadeira razão do nome "Filho de Deus". Mas, para nós, é provavelmente impossível entender o que essas palavras significam. Ideias tais como dignidade, afeição peculiar e direito de herança, ligadas às palavras "primogênito" e "unigênito", quando usadas entre os homens, podem também ser aplicadas ao Filho de Deus. Porém, todos os conceitos errôneos a respeito de sua significação, como se as palavras tivessem a intenção de trazer-nos à mente a ideia de uma existência derivada, precisam ser descartadas, por serem inconsistentes com a perfeição da divindade.

Alguns têm considerado os títulos "Cristo" e "Filho de Deus" iguais e intercambiáveis. Contudo, a distinção no uso desses nomes, conforme já mencionamos em nosso exame das acusações contra o Redentor, demonstra o erro dessa opinião. Quando Saulo, em Damasco (At 9.22), e Apolo, na Acaia (At 18.28), pregavam aos judeus que Jesus era o Cristo, a intenção era convencê-los de que Jesus era o Messias desde há muito esperado pela nação judaica. Porém, quando Saulo pregou a respeito de Jesus, "afirmando que este é o Filho de Deus" (At 9.20), e quando o eunuco professou sua fé, dizendo: "creio que Jesus Cristo é o Filho de Deus" (At 8.37), algo mais do que o simples fato de Jesus ser o Messias estava sendo apresentado. Cristo, ou Messias, é um título de ofício. No entanto, as palavras "Filho de Deus" denotam não um mero ofício, mas a exaltada natureza que possibilitava esse ofício.

A posse da inerente divindade já bastaria para mostrar-nos que o Filho de Deus era glorioso e feliz eternamente; mas podemos inferir a mesma verdade pela linguagem das Escrituras, quando se referem diretamente ao assunto: "e agora, glorifica-me, ó Pai, contigo mesmo, com a glória que eu tive junto de ti, antes que houvesse mundo" (Jo 17.5). "Pois conheceis a graça de nosso Senhor Jesus Cristo, que, sendo rico, se fez pobre por amor de vós, para que pela sua pobreza vos tornásseis ricos" (2Co 8:9). "Então eu estava com ele e era o seu arquiteto, dia após dia era as suas delícias, folgando perante ele em todo o tempo" (Pv 8.30). "Pois ele, subsistindo em forma de Deus, não julgou como usurpação o ser igual a Deus" (Fp 2.6). "O Deus unigênito, que está no seio do Pai, é quem o revelou" (Jo 1.18). Dessas passagens se pode inferir a plena comunhão do Filho com o Pai, em toda a glória e bem-aventurança da divindade.

2. SUA HUMILHAÇÃO

O Filho de Deus assumiu a natureza humana, e, nessa natureza, experimentou uma vida de fadigas e aflições, e sofreu morte humilhante e dolorosa[2]

A história completa dessa terrível humilhação é narrada pelos quatro evangelistas e é frequentemente referida no resto do Novo Testamento e, ocasionalmente, nas declarações proféticas do Antigo Testamento.

Ao contemplar esse mistério de Deus "manifestado na carne" (1Tm 3.16), não devemos supor que a natureza divina tivesse sofrido alguma alteração real. Deus não pode deixar de ser Deus. A mudança aconteceu na manifestação, e não na natureza. Nessa manifestação, mesmo os anjos ficaram envolvidos, pois fazia parte do mistério que o Deus "manifestado na carne" fosse "contemplado por anjos". Esse novo modo de manifestação foi tão extraordinário que mesmo os anjos não poderiam prontamente reconhecer o seu Deus, em sua humilde forma de um recém-nascido, em Belém, ou na forma de um "homem de dores". Por isso, foi necessária uma ordem especial vinda do trono celeste, antes que pudessem render-lhe adoração divina: "Ao introduzir o primogênito no mundo, diz: E todos os anjos de Deus o adorem" (Hb 1.6). Porém, esse fato, alguém poderia objetar, faz com que pareça mais um ocultamento do que uma manifestação. Até certo ponto, isso é verdade, mas esse é um ocultamento muito semelhante com aquele em que Deus revelou-se a Moisés na fenda da rocha, ocultando os insuportáveis raios de seu esplendor, a fim de que o seu servo, desse modo favorecido, pudesse contemplar uma parte de sua glória, embora pelas costas.

2 2Co 8.9.

Assim também os anjos, enquanto contemplam a divindade encoberta na natureza humana, obtêm vislumbres da glória divina que não poderiam contemplar de outro modo. Essas são as coisas que os "anjos anelam perscrutar" (1Pe 1.12). "Para que, pela igreja" – pela sua proclamação do reino de Deus, através da morte de Cristo – "a multiforme sabedoria de Deus se torne conhecida agora dos principados e potestades nos lugares celestiais" (Ef 3.10).

Na humilhação de Cristo, o ponto mais baixo foi sua morte por crucificação e o ter ficado retido por um momento sob o poder da morte, como um prisioneiro na sepultura. Alguns pensam que, nessa ocasião, ele teria descido até o inferno, mas essa opinião é o resultado de uma interpretação equivocada do versículo que diz: "Pois não deixarás a minha alma no inferno" (Sl 16.10, ARC). Mas a palavra "inferno", aqui, como em muitos lugares nas Escrituras, significa o "mundo invisível" ou o estado em que se encontram os espíritos após a morte.

Quando se lê: "no qual também foi e pregou aos espíritos em prisão" (1Pe 3.19), o sentido é que, no ministério de Noé, que era pregador da justiça, o espírito de Cristo pregou à geração antediluviana, a qual, sendo desobediente e rejeitando o ministério de Noé, foi tragada pelas águas do dilúvio, cujos espíritos, agora, estão em prisão.

Os gloriosos benefícios resultantes da profunda humilhação de Cristo estão retratados nas palavras de Paulo: "para que pela sua pobreza vos tornásseis ricos" (2Co 8:9). Só a eternidade revelará a extensão das riquezas que obteremos pela sua pobreza.

3. SUA EXALTAÇÃO

O Filho de Deus foi ressuscitado dentre os mortos em natureza humana, subiu ao céu e foi investido de domínio supremo sobre todas as criaturas[3]

Os fatos referentes à exaltação de Cristo, assim como os referentes à sua humilhação, estão relatados na narrativa da Escritura e são mencionados em várias partes do Livro sagrado. A exaltação, tal como a sua humilhação, não produziu nenhuma modificação na natureza divina do Filho de Deus. Essa exaltação afetou a manifestação da natureza divina e, além disso, forjou uma real mudança na condição da natureza humana. A natureza humana de Jesus Cristo é, agora, perfeitamente feliz. Ele recebeu a "alegria que lhe estava proposta" (Hb 12:2). A respeito dos santos, que serão felizes com ele para sempre, é dito: "Entra[i] no gozo do teu Senhor" (Mt 25.21). Nessa mesma natureza, repousa também toda a glória da divindade, "glória de Deus na face de Cristo" (2Co 4.6). Assim como, através de Cristo, são oferecidas às criaturas racionais as mais esplendorosas manifestações da glória divina, dele também recebem os mandamentos ordenados por sua autoridade suprema. Ele é o cabeça de todo o principado e potestade: "ressuscitando-o dentre os mortos, e fazendo-o sentar à sua direita nos lugares celestiais, acima de todo principado, e potestade, e poder, e domínio, e de todo nome que se possa referir não só no presente século, mas também no vindouro" (Ef 1.20,21).

A glória a que Cristo foi exaltado não é um mero assunto de fútil especulação que não nos interesse. Dirigindo-se ao Pai, Jesus disse, em referência a seus discípulos: "Eu lhes tenho transmitido

3 Mt 28; Mc 16; Lc 24; Jo 20; At 1.11; 7.56; 9.4; 1Co 15.4-8; Fp 2.9-11.

a glória que me tens dado, para que sejam um, como nós o somos" (Jo 17.22). Por isso, enquanto sofremos com Cristo (Rm 8.17) e por Cristo neste mundo, podemos nos regozijar na esperança de sermos glorificados com ele.

CAPÍTULO 3
OS OFÍCIOS DE CRISTO

JESUS CRISTO É O MEDIADOR ENTRE DEUS E OS HOMENS[1]

Um mediador é uma pessoa que se coloca entre duas partes, procurando reconciliar uma com a outra. Os homens estão sob o desprazer de Deus por causa de seus pecados. Sendo inimigos de Deus nos seus pensamentos, a sua rebeldia é expressa nas suas obras malignas. Cristo aparece como mediador para efetuar uma reconciliação.

A função de um mediador varia de acordo com a relação entre as partes. Quando a divergência surge por causa de algum mal-entendido, uma explicação é tudo o que é necessário para efetuar a reconciliação. Nesse caso, o mediador é simplesmente um intérprete. Quando está envolvida uma ofensa, desde que possa ser perdoada mediante súplica, o mediador torna-se um intercessor. Porém, quando as circunstâncias exigem que seja feita restituição pela ofensa cometida, o mediador precisa suprir a restituição ou tornar-se fiador do ofensor. Da parte de Deus, visto que ele nunca cometeu injustiça, nada mais do que um intérprete (Jó 33.23) é requerido para mostrar

1 1Tm 2.5; 2Co 5.18; Cl 1.20; 1Jo 2.1; Gl 1.4; 3.13; Tt 2.14.

ao homem a sua perversidade. Porém, da parte do homem culpado, é necessário que o mediador seja tanto o intercessor como o fiador.

A união de duas naturezas em Cristo qualifica-o para a obra de mediação. Como homem, ele simpatiza conosco e é acessível, seja quando trazemos petições ou quando desejamos receber instrução. Ele também pode colocar-se como nosso substituto ou fiador, cumprindo, assim, a satisfação da justiça divina. Como Deus, ele compreende plenamente todas as pendências contra nós, tem pronto acesso ao Soberano que foi por nós ofendido, dispõe de todo o conhecimento que pode ser necessário para comunicar-se conosco e pode dar dignidade e valor à satisfação oferecida em nosso favor. Essas qualificações não são encontradas em nenhuma outra pessoa; por isso, "abaixo do céu não existe nenhum outro nome, dado entre os homens, pelo qual importa que sejamos salvos" (At 4.12).

A função de Mediador compreende três ofícios que precisam ser considerados separadamente. São eles os ofícios de Profeta, Sacerdote e Rei.

1. Profeta

Jesus Cristo, como profeta, faz revelação de Deus aos homens[2]

Entre as revelações expostas pelos profetas, a predição de acontecimentos futuros tem ocupado um lugar de proeminência; porém, isso não esgota as funções do ofício. Profecia nem sempre se refere a acontecimentos futuros, conforme está claro num incidente ocorrido durante o injurioso tratamento que o nosso Redentor recebeu quando estava sendo julgado. Estando de olhos vendados, ele foi esbofeteado por um dos servos, que, escarnecendo, exigia: "Profetiza-nos [...]

2 Is 61.1; Lc 4.18, 23; Hb 2.3; 1Pe 1.11; Dt 18.18; Jo 3.34; 16.1; Ap 1.1.

quem é que te bateu!" (Mt 26.68). Daqui aprendemos que a palavra não era usada exclusivamente para indicar a predição de acontecimentos futuros, mas também para qualquer declaração que exigisse um conhecimento sobre-humano.

Jesus Cristo, como um Profeta, foi superior a todos os demais profetas. Moisés foi de tal maneira distinguido acima dos outros profetas, que ficou escrito que nunca se levantaria profeta igual a ele (Dt 34.10). Mas o próprio Moisés predisse a vinda de Jesus Cristo, com estas palavras: "O Senhor teu Deus te suscitará um profeta do meio de ti, de teus irmãos, semelhante a mim: a ele ouvirás" (Dt 18.15). Elias foi profeta altamente destacado em seus dias, tendo, por fim, sido transladado ao céu, sem provar a morte; no entanto, Moisés e Elias apareceram no monte da transfiguração, para deporem o seu ofício profético e honras aos pés de Jesus, quando a voz do céu declarou: "Este é o meu Filho amado, em quem me comprazo: a ele ouvi" (Mt 17.5). Moisés e Elias tinham de ser ouvidos em seus dias; porém, a voz da excelente glória destacou a Jesus como o Profeta superior, cujas instruções somos ordenados a receber.

Não somente Cristo era superior aos profetas da antiga dispensação, mas também foi ele quem os qualificou para o seu ofício e falou através deles (1Pe 1.11). Esse fato concorda com o que Jesus disse: "Ninguém jamais viu a Deus: o Deus unigênito, que está no seio do Pai, é quem o revelou" (Jo 1.18). Nesse sentido, ele é o único Profeta, o único revelador da mente de Deus. Antes que o seu ministério pessoal tivesse começado, ele fez revelações pelos profetas que inspirava. Durante o seu ministério, falava como quem estava no seio do Pai; após ter deixado o mundo, continuou a fazer revelações através dos apóstolos e de outros a quem dera o Espírito. O último livro da Bíblia é uma revelação que ele deu a seu servo João (Ap 1.1); e agora toda a

Bíblia é para nós a palavra de Cristo, a Palavra que ele agora usa, como profeta da igreja, para instruir o seu povo no conhecimento de Deus.

Algumas vezes, Deus tem usado o ministério de anjos para fazer conhecida a sua vontade; mas os profetas, a quem ele geralmente empregava, eram homens como nós, sujeitos aos mesmos sentimentos. Havia peculiar conveniência e uma amável condescendência no fato de o grande Profeta da igreja ser participante da nossa própria natureza. Embora fosse verdade que "jamais algum homem falou como este homem" (Jo 7.46), ainda assim, era verdade que ele falou com a voz de um homem. Em vez dos trovões aterrorizantes ouvidos no monte Sinai, dirigiu-se aos que estavam desejosos de receber suas instruções num tom amável, como um amigo afetuoso.

Todavia, uma tal afeição poderia ter existido mesmo sem que ele tivesse o conhecimento necessário para fazer conhecida toda a mente de Deus. Essa qualificação é suprida pela natureza divina. Paulo, em certa ocasião, pergunta: "Quem, pois, conheceu a mente do Senhor? Ou quem foi o seu conselheiro?" (Rm 11.34). Já havia sido predito que Jesus seria chamado de "Maravilhoso, Conselheiro" (Is 9.6). Ele era a sabedoria de Deus, proveniente do seio do Pai e, portanto, estava plenamente qualificado a revelar aos homens a mente e os conselhos de Deus.

Sentemo-nos aos pés deste Profeta, a fim de aprendermos o conhecimento de Deus. Como fez a irmã de Marta, vamos nós também deixar os cuidados deste mundo e abrir nossos ouvidos e coração para receber as instruções do Mestre. Pedro, Tiago e João viram a sua glória no monte santo e receberam a ordem divina: "a ele ouvi". Tomemos essa direção como guia para o caminho, até que sejamos admitidos a uma visão ainda mais resplandecente da glória divina, da qual aquela primeira manifestação foi apenas uma sombra.

2. *Sacerdote*

Jesus Cristo, como sacerdote, apresentou um sacrifício eficaz pelos pecados do seu povo e, agora, intercede por eles, à mão direita de Deus, abençoando-os com toda sorte de bênção espirituais[3]

Um profeta apresenta-se aos homens trazendo revelações da parte de Deus; um sacerdote aproxima-se de Deus em favor dos homens. Sua principal função é oferecer sacrifícios e fazer intercessão. Os sacerdotes têm existido em várias religiões do mundo pagão, mas é nas formas de adoração instituídas pela autoridade divina para a observância da nação hebraica que encontramos a mais instrutiva exposição do ofício sacerdotal. A epístola aos Hebreus explica o propósito dessa instituição, apresentando os sacerdotes levitas como tipos de Cristo em seu sacerdócio. Lemos que o dever do sacerdote é oferecer "assim dons como sacrifícios pelos pecados" (Hb 5.1).

O texto refere-se a dois tipos de oferendas apresentadas pelos sacerdotes: as ofertas de ações de graças e de propiciação. Várias oferendas eram prescritas como expressão de gratidão pelas misericórdias recebidas; havia também ofertas para expiação de pecados. Os cristãos fazem oferendas de louvor e ação de graças através de Cristo, que é o nosso Sumo Sacerdote. Porém, o único sacrifício de expiação é a oferta que ele fez de si mesmo, quando deu a sua vida em resgate por nós (Mt 20.28).

Todo o sacrifício propiciatório envolve a ideia de substituição. O animal representava o ofertante, levando sobre si os pecados, que eram confessados sobre a cabeça do animal (Lv 16.21). Assim

3 Sl 110:4; Zc 6.13; Hb 4.14, 15; 5.6; 6.20; 7.24, 26; 8:1; 9.11, 12, 14, 26; 10.12, 14; Is 53.5, 7, 12; Jo 1.29; 10.15; 1Co 5.7; Ef 5.2; 1Tm 2.6; Hb 9.26; 10:5; 13.12; 1Pe 2.24; 3.18; 1Jo 1.7; Ap 5.9; 7.14; Rm 8.34; Hb 7.25; 9.24.

também Cristo levou sobre si os nossos pecados (1Pe 2.24), tendo sido postas sobre ele as nossas iniquidades. Por causa do uso de cordeiros nesses sacrifícios, Jesus é chamado de "o Cordeiro de Deus, que tira o pecado do mundo!" (Jo 1.29). A ideia de substituição está claramente indicada em passagens como estas: "Pois poderá ser que pelo bom alguém se anime a morrer. Mas Deus prova o seu próprio amor para conosco, pelo fato de ter Cristo morrido por nós, sendo nós ainda pecadores" (Rm 5.7, 8). "Àquele que não conheceu pecado, ele o fez pecado por nós" (2Co 5.21).

Os que negam a divindade de Cristo também negam a doutrina de seu sacrifício vicário. Quando as Escrituras afirmam que ele morreu por nós, entendem eles essa linguagem como se Cristo tivesse morrido em nosso benefício; mas excluem a ideia de que Cristo morreu em nosso lugar, levando sobre si a penalidade devida pelos nossos pecados, a fim de que fôssemos libertos dessa penalidade. Supõem que ele tenha morrido em nosso benefício a fim de nos deixar um exemplo de paciência e resignação diante dos sofrimentos, confirmando, assim, a doutrina que ensinara, além de imaginarem que, pela sua ressurreição dentre os mortos, ele teria estabelecido a verdade da imortalidade da alma e da ressurreição do corpo.

De fato, todos admitirão que esses vários benefícios são derivados da morte e ressurreição de Cristo. No entanto, essas pessoas não conseguem capturar plenamente o significado da linguagem tão forte que as Escrituras empregam em relação ao assunto. Os antigos mártires, de um modo geral, deixaram-nos um nobre exemplo de paciência e resignação em sofrimentos e morte. Muitos desses mártires exibiram uma coragem e triunfo diante das agonias da morte, como não foram vistos na morte do nosso Redentor. No jardim do Getsêmani, a sua alma estava profundamente entristecida em vista de seus sofrimentos, e três vezes orou para que o cálice se passasse dele. Na cruz, embora fosse totalmente submisso ao Pai e, por fim, tenha entregado o espírito às mãos do Pai, mesmo assim, ele nada exibiu daquela alegre exultação que tem muitas vezes adornado os momentos finais dos mártires. Pelo contrário, ele tinha o semblante oprimido, envolvido pela tristeza, lamentando o seu afastamento da presença do Pai. Se consideramos que a sua morte não teve similaridade com a morte dos mártires, tudo isso pode ser explicado, pois que, na sua morte, ele sofreu debaixo da ira do Pai, por causa das nossas transgressões. Se a sua morte tivesse o mero propósito de nos deixar um exemplo, com maior propriedade ainda poderia ser dito que Pedro, Paulo e outros mártires cristãos morreram por nós. Mas Paulo não admitiria isso, pois faz uma pergunta na qual está implícita uma forte negação: "foi Paulo crucificado em favor de vós?" (1 Co 1.13).

A sinceridade dos antigos cristãos ficou demonstrada pela prontidão em sofrer ou mesmo morrer, mas nunca renunciar à fé que professavam. Pode-se dizer que a morte de Cristo confirmou, por igual modo, a sinceridade do Salvador. Entretanto, se isso é tudo quanto está envolvido em sua morte por nós, segue-se que, no mesmo sentido, Estêvão, Tiago, Pedro e Paulo também morreram por nós. Porém, embora se possa entender que a morte de Jesus Cristo serviu para atestar a sua sinceridade, em confirmação da sua doutrina, ele mesmo, no entanto, estava acostumado a citar, para esse propósito, não a sua morte, mas as suas obras miraculosas e ressurreição. Foi a sua ressurreição, mais do que a sua morte, que comprovou a verdade da imortalidade da alma e da ressurreição do corpo. Se, portanto, a confirmação dessas verdades, para o nosso benefício, é o que se está afirmando quando se diz que Cristo morreu por nós, seria mais correto dizer que ele operou milagres e ressuscitou dentre os mortos por nós. Porém, a sua morte tem lugar tão proeminente nas Escrituras (é à morte de Cristo que devemos a nossa vida eterna), que somos compelidos a procurar um mais alto sentido para a afirmação de que "Cristo morreu por nós".

O humilde discípulo de Jesus que, como uma pequena criança, esteja desejoso de aprender em que sentido o seu Mestre e Senhor morreu por ele tem apenas de ler com atenção as passagens das Escrituras já anteriormente citadas, as quais plenamente estabelecem a doutrina de que a morte de Cristo foi um sacrifício expiatório pelos nossos pecados. Essa doutrina é essencial para a cristandade; ela é a grande peculiaridade do cristianismo. Por isso, Paulo determinou nada saber, senão "Cristo, e este crucificado" (1Co 2.2), e em nada gloriar-se, senão na "cruz de nosso Senhor Jesus Cristo" (Gl 6.14).

O evangelho era a pregação de Cristo crucificado (1Co 1.23). Era também uma pedra de tropeço para o farisaísmo dos judeus e loucura para a sabedoria dos gregos. Mas, para os que o receberam para a salvação de suas almas, o evangelho era o Cristo, poder de Deus e sabedoria de Deus (Rm 1.16).

Eles não pregavam a Cristo transfigurado no monte Tabor, nem Cristo acalmando a tempestade e ressuscitando mortos, tampouco Cristo ressurgindo triunfalmente do sepulcro e ascendendo glorioso ao seu trono nos mais altos céus, em meio aos louvores angelicais. O evangelho era a Cristo sobre a cruz, expirando em trevas e com profunda tristeza de coração, o qual os primeiros pregadores se compraziam em exibir para a fé dos seus ouvintes. Esse era o centro e a glória da sua pregação. A fé nesse evangelho que controlou o coração dos seus convertidos e os fez prontos a morrer por aquele que, pela sua morte, ganhou-lhes a vida eterna. Foi nessa fé que exclamaram: "Mas longe esteja de mim gloriar-me, senão na cruz de nosso Senhor Jesus Cristo" (Gl 6.14). Era a isso que se referiam quando diziam: "Estou crucificado com Cristo; logo, já não sou eu quem vive, mas Cristo vive em mim; e esse viver que agora tenho na carne, vivo pela fé no Filho de Deus, que me amou e a si mesmo se entregou por mim" (Gl 2.19,20).

A doutrina do sacrifício expiatório de Cristo explica a dispensação do Antigo Testamento. Com qual propósito, no Antigo Testamento, as vítimas eram trazidas ao altar, e todos os ritos de adoração eram acompanhados de sangue? Deus realmente se comprazia com a matança de animais e o cheiro dos sacrifícios? O autor da epístola aos Hebreus explicou que essas coisas eram apenas uma sombra dos bens vindouros (Hb 10:1), isto é, do corpo de Cristo. Como simples tipos do sacrifício expiatório de Cristo, essas coisas são inteligíveis; elas prefiguravam esse sacrifício. Foi somente por causa dessa prefiguração do sacrifício de Cristo que os sacrifícios do Antigo Testamento eram aceitáveis ao Senhor. "Como também Cristo vos amou, e se entregou a si mesmo por nós, como oferta e sacrifício a Deus em aroma suave" (Ef 5.2).

A prevalência geral dos sacrifícios nas religiões do mundo é um fato difícil de ser explicado. Supondo que isso se origine em princípios implantados na natureza humana, teremos um forte argumento para provar que a natureza humana sempre sentiu e precisa sentir a necessidade de um sacrifício como o que foi feito através da morte de Cristo. Se a prevalência de sacrifícios pode ser traçada desde uma remota instituição, dada à nossa raça por revelação de Deus nos tempos antigos, temos um argumento ainda mais forte em favor da doutrina que estamos estudando. Segundo esse ponto de vista, parece que a instituição dos sacrifícios não é apenas mais antiga do que as leis de Moisés, mas volta ao tempo quando Abel ofereceu a Deus um sacrifício mais aceitável do que o de Caim (Hb 11.4). Visto que o sacrifício oferecido por Abel, bem como todos os subsequentes que foram apresentados por fé, prefigurava o sacrifício de Cristo, a instituição de sacrifícios, toda ela, dá testemunho em favor da doutrina do sacrifício expiatório.

O sacrifício de Cristo, que é o objeto da fé cristã sobre a terra, será o tema do cântico dos remidos glorificados no céu. O Cordeiro lhes aparecerá no meio do trono, não por ter sido uma vez honrado e poderoso, mas por ter sido feito um sacrifício, "um Cordeiro como tinha sido morto" (Ap 5.6). Uma vez, ele foi a vítima no altar sacrificial; mas, então, será o objeto da adoração no cântico eterno. "Àquele que nos ama, e pelo seu sangue nos libertou dos nossos pecados" (Ap 1.5).

Quando foi anunciado o nascimento de Jesus, o anjo disse: "e lhe porás o nome de Jesus, porque ele salvará o seu povo dos pecados deles" (Mt 1.21). Esse foi o grandioso desígnio da sua vinda ao mundo: "Porque o Filho do Homem veio buscar e salvar o perdido" (Lc 19.10). Para efetuar essa salvação, um sacrifício era requerido; para que pudesse oferecer esse sacrifício, era necessário que assumisse a natureza humana: "Por isso, ao entrar no mundo, diz: Sacrifício e oferta não quiseste, antes corpo me formaste" (Hb 10:5). "Por isso era necessário que também esse sumo sacerdote [Cristo] tivesse o que oferecer" (Hb 8:3). A sua humanidade foi a vítima apresentada sobre o altar, pelo que se diz: "carregando ele mesmo em seu corpo, sobre o madeiro, os nossos pecados" (1Pe 2.24). "Porque convinha que [...] aperfeiçoasse por meio de sofrimentos o Autor da salvação" (Hb 2.10). Ele, portanto, tinha de ter uma natureza capaz de experimentar sofrimento. Foi assim que, "tendo sido feito menor que os anjos, Jesus, por causa do sofrimento da morte, foi coroado de glória e de honra" (Hb 2.9).

Há, sem dúvida, uma peculiar conveniência nesse planejamento, pelo qual o Redentor torna-se parente próximo dos redimidos, e o sacrifício é feito na natureza que tinha pecado. Se o Filho de Deus estivesse encarregado da salvação dos anjos, teria sido conveniente que tomasse em si a natureza dos anjos. Porém, como ele veio para salvar homens, tomou em si a natureza humana e foi feito em tudo semelhante a seus irmãos (Hb 2.16, 17).

Embora a realização do sacrifício dependesse da adoção de uma natureza capaz de provar o sofrimento, o empreendimento da obra, a eficácia do sacrifício, o poder de entregar a sua vida e o poder de recuperá-la dependiam da natureza divina de Cristo. A natureza divina apenas não poderia ter sido colocada sob a lei, e a natureza humana apenas não poderia ter originalmente consentido em ter sido posta debaixo da lei. Portanto, sem a união de naturezas, não seria possível ter existido qualquer humilhação ou empobrecimento voluntário, para que pudéssemos ser feitos ricos.

Algumas vezes se tem perguntado até que ponto a obediência de Jesus Cristo foi uma obrigação devida à sua natureza humana e até que ponto essa obediência foi parte da obra realizada em benefício de outrem. Essa, porém, é uma questão sem proveito, pois se baseia numa concepção equivocada dos fatos concernentes à sua adoção da natureza humana. O homem Jesus Cristo nunca teve uma existência separada de sua natureza divina. O Verbo não veio habitar em carne já previamente existente. Pelo contrário, "o Verbo se fez carne" (Jo 1.14). Se o Verbo tivesse vindo habitar em um homem previamente existente, poderíamos, então, pensar nas obrigações que esse homem teria tido já previamente para com a lei e na continuação dessas obrigações. Porém, o Filho de Deus foi nascido de mulher, nascido sob a lei, para resgatar os que estavam sob a lei

(Gl 4.5). Assim como as obrigações foram assumidas para o benefício de pessoas debaixo da lei, o seu pleno cumprimento tem que ser, igualmente, em benefício delas. Visto que a adoção da natureza humana foi designada para a salvação do seu povo, tudo o que Jesus fez e sofreu nessa natureza precisa ser visto como uma parte do grande plano, constituindo uma parte da sua obra.

Não nos é permitido supor que a natureza divina de Jesus pudesse, por si mesma, padecer os sofrimentos necessários para fazer expiação ou que essa natureza tivesse, na própria acepção da palavra, sofrido com a natureza humana. Não podemos conceber que a perfeita bem-aventurança de Deus possa harmonizar-se com o padecer de sofrimento nem imaginar que a imensidade divina esteja restrita aos limites de um corpo humano. Não obstante, estamos autorizados a concluir que tudo quanto Jesus fez e sofreu, de alguma maneira, representa a mente de Deus para nós.

Imaginar que Deus é um ser inteiramente semelhante a nós é formar uma ideia muito grosseira e pecaminosa de sua pessoa, da qual ele não se agrada. Mas, apesar disso, somos compelidos a formar nossa concepção da sua mente a partir do conhecimento que temos de nossa própria mente. A sua Palavra autoriza esse modo de concepção. A compaixão de um pai por seus filhos é usada pelo próprio Deus como imagem da sua compaixão por aqueles que o temem (Sl 103.13). A compaixão, quando exercida pelos seres humanos, pode ser uma emoção bastante dolorosa. Porém, em se tratando da compaixão de Deus, precisamos concebê-la como sendo dotada de tudo o que é excelente na compaixão humana, mas sem a imperfeição da dor. Assim, a mente do santo Jesus nos exibe a mente de Deus. A compaixão que ele sentiu, a despeito de quão dolorosa possa ter sido para a sua alma, é uma imagem na qual nos é permitido ver a compaixão de

Deus. Se pudéssemos contemplar todas as afeições e emoções que a alma santa de Jesus experimentou, poderíamos, então, aprender mais a respeito da mente de Deus do que de outra forma qualquer. Se entendêssemos os afetos e emoções a que ele esteve sujeito durante as suas últimas horas, provavelmente compreenderíamos, melhor do que de qualquer outro modo, como as perfeições divinas estavam envolvidas em seus sofrimentos de expiação. É nosso dever olhar para Jesus, que suportou a cruz (Hb 12:2), e estudar o seu caráter; a fim de que a mesma mente possa existir em nós, e sintamos a obrigação maior de estudar com que mente ele sofreu a morte, e oremos como Paulo orou, pedindo para ter comunhão com os seus sofrimentos e ser conformado com a sua morte (Fp 3.10).

Quais, portanto, foram as emoções que Jesus sentiu em seus sofrimentos? Quando ele consentiu em fazer o sacrifício no corpo que lhe fora preparado, disse: "Em meu coração está a tua lei" (Sl 40:8). Não há dúvida de que Jesus reteve essa lei no coração, mesmo através da mais intensa agonia, e aprovou a lei, mesmo enquanto suportava a sua horrenda penalidade. Nesse aspecto particular, Paulo tinha comunhão com Cristo, pois podia dizer: "no tocante ao homem interior, tenho prazer na lei de Deus" (Rm 7.22).

Quando Jesus levou nossos pecados em seu corpo sobre o madeiro, é razoável supor que a sua alma humana teve uma percepção da grande malignidade do pecado. Do contrário, não podemos entender como poderia aprovar a lei sob a qual estava sofrendo a penalidade do pecado. Ainda que outras emoções lhe tivessem passado na mente, estamos autorizados a concluir que ele teve um profundo senso da maldade dos pecados que expiava e da excelência da lei à qual esses pecados faziam oposição. Se, por um lado, o amor, mais forte do que a morte, identificava-o com o seu povo, que estava sujeito à sentença imposta pela lei violada, por outro lado, ele amava a lei com todo o seu coração. Esses sentimentos contundentes se debateram juntos em seu peito. Os pecados do seu povo não eram ofensas que ele tinha cometido pessoalmente. Por isso, o remorso, propriamente dito, não existia em seu sofrimento. Porém, um marido amoroso, que ama a esposa como à sua própria carne, quando afligido por um crime cometido por ela, sentiria quase a mesma agonia que teria se ele próprio o tivesse cometido. Assim, quando Cristo amou a igreja, tendo-se entregado por ela, sentiu os pecados da igreja como se fossem seus próprios pecados.

Nesse sentido da malignidade do pecado, que foi um agravante nos sofrimentos de Cristo, era legítimo que Paulo desejasse ter comunhão com ele. As Escrituras ensinam que Jesus ofereceu a si mesmo, através do Espírito eterno (Hb 9.14). Esse mesmo Espírito gera amor a Deus e à sua lei no coração dos crentes e lhes dá um senso da malignidade do pecado; os crentes têm comunhão com os sofrimentos de Cristo nesses dois aspectos. Supondo que o Espírito, que fora dado a Jesus Cristo sem medida, lhe abriu os olhos, estando ele pendurado na cruz, para ver a plena glória da lei divina que a igreja, sua noiva, tinha violado, além da enormidade toda dos pecados que o seu povo tinha cometido, quão intensas agonias essas descobertas teriam produzido! Nenhuma agonia, nem a mais profunda penitência, poderia exceder tanto sofrimento! Suponhamos que Jesus sentiu tudo isso e, nisso, nós também podemos orar para ter comunhão com ele.

Se o ponto de vista aqui assumido dá-nos uma visão precisa das emoções passadas na alma santa de Jesus, quando ele estava pendurado no madeiro por nós, deveríamos sentir profundamente o poder moral daquela cruz. Pensar como ele pensou e sentir como ele sentiu é suficiente para constranger-nos a viver para aquele que morreu por nós. Não precisamos de um motivo mais elevado para a santidade do que o motivo que procede da cruz.

A negação da divindade de Cristo consistentemente é acompanhada pela negação de seu sacrifício expiatório. Teremos pouca necessidade de uma pessoa divina para cumprir os ofícios atribuídos a Cristo, se a necessidade de se fazer um sacrifício eficaz pelo pecado não for inclusa. O sistema teológico em que essas duas doutrinas fundamentais são omitidas é outro evangelho, que Paulo e os primeiros ministros da religião cristã não conheceram e que não pode satisfazer as necessidades dos homens perdidos. Vale notar que as duas ordenanças positivas do cristianismo – o Batismo e a Ceia do Senhor – referem-se a essas duas doutrinas e que, silenciosa e significativamente, pregam a divindade de Cristo e o seu sacrifício expiatório. No Batismo, consagramo-nos ao Pai, ao Filho e ao Espírito Santo, reconhecendo a divindade e autoridade de cada pessoa da Divindade. A divindade da segunda pessoa é mais especialmente reconhecida nas citações breves do batismo, onde se diz que pessoas tinham sido batizadas em nome de Cristo. Na Ceia do Senhor, a doutrina da expiação está claramente apresentada: "isto é o meu sangue, o sangue da [nova] aliança, derramado em favor de muitos, para a remissão dos pecados" (Mt 26.28). Essas duas ordenanças têm sido observadas pelo grande corpo de cristãos professos desde o tempo dos apóstolos, embora sua forma e uso não tenham sido guardadas puras, conforme originalmente entregues; as duas doutrinas que têm sido defendidas têm sido mantidas através dos séculos, ainda que acompanhadas de muita corrupção.

As Escrituras ensinam claramente que o sacrifício propiciatório de Cristo era necessário para compatibilizar a justificação do pecador com a justiça de Deus. "Cristo Jesus; a quem Deus propôs, no seu sangue, como propiciação, mediante a fé, para manifestar a sua justiça, por ter Deus, na sua tolerância, deixado impunes os pecados anteriormente cometidos; tendo em vista a manifestação da sua justiça no tempo presente, para ele mesmo ser justo e o justificador daquele quem tem fé em Jesus" (Rm 3.25, 26).

Se a expiação pelo pecado não tivesse sido absolutamente necessária, não poderíamos aceitar que Deus tivesse infligido ou mesmo permitido que tais sofrimentos viessem a cair sobre o seu Filho amado, que era "santo, inculpável, sem mácula, separado dos pecadores" (Hb 7.26). A morte de Cristo, se ele não era uma pessoa divina, foi como já vimos, o resultado de um juramento falso e de perversão suicida da parte dele. Se a sua morte não era um sacrifício expiatório indispensavelmente necessário para satisfazer a justiça divina, fica difícil mostrar que não tenha sido uma demonstração de injustiça e crueldade da parte do Pai para com o Filho do seu amor. Por que razão os seus ouvidos estavam surdos à petição por três vezes repetida: "Passe de mim este cálice"? Por que as angústias do Getsêmani e o suor tornado em sangue na face do Sofredor agoniado, mas inocente, não tiveram efeito em mover a compaixão do Pai, a quem Jesus tinha dito: "eu sabia que sempre me ouves" (Jo 11.42)? A linguagem resignada do Jesus sofredor e a condição na qual ele baseia sua petição dão-nos a resposta: "Todavia, não seja como eu quero, e sim, como tu queres" (Mt 26.39).

As Escrituras ensinam manifestamente que Deus não poderia, sendo consistente com sua justiça, perdoar nossos pecados apenas com base em nosso pedido de perdão ou mesmo em confissões de penitências. De nós é requerido que perdoemos as ofensas até setenta vezes sete, quando um irmão reconhece sua transgressão. No entanto, os pecados contra Deus não são ofensas particulares para serem canceladas da mesma maneira. Um juiz que viesse a perdoar um criminoso que, de acordo com a lei, deveria ser condenado, soltando--o na comunidade, estaria sendo falso para com o seu ofício sagrado. Deus sempre manifesta o caráter de um reto Juiz; ele está disposto a fazer com que a espada da justiça caia sobre o coração de seu Filho amado antes de desconsiderar as reivindicações da lei ou subverter o seu governo moral. Tal é a reverência do Filho pela lei de seu Pai e as reivindicações da justiça, que, pacientemente, consente em ser levado como um cordeiro ao matadouro, a fim de que sua morte possa justificar Deus ao perdoar e salvar o culpado.

A forma como a morte de Cristo supriu completa satisfação à justiça divina é uma questão que teremos a oportunidade de considerar sob o título "Justificação".

Os que se opõem à doutrina da expiação têm-na considerado inconsistente com a justiça, alegando que um inocente tivesse de sofrer em favor do culpado. Essa opinião, no entanto, de modo algum se concilia com os ensinamentos expostos no Livro de Deus. "Cristo morreu, uma única vez, pelos pecados, o justo pelos injustos" (1Pe 3.18). "Àquele que não conheceu pecado, ele o fez pecado por nós; para que nele fôssemos feitos justiça de Deus" (2Co 5.21). Mesmo nas negociações humanas é permitido que o fiador pague os débitos de outrem. E é com referência nesse bem conhecido acordo que Cristo é chamado de "fiador de superior aliança" (Hb 7.22). Para que essa fiança fosse compatível com a justiça, era necessário que Jesus tivesse dado o seu consentimento voluntário e também que tivesse o direito de dispor de si mesmo. Tal direito ele possuía por causa da sua divindade, e o consentimento já fora dado no pacto da graça que ele fez com o Pai.

Uma parte do ofício do sacerdote consistia em fazer intercessão pelo povo. O sumo sacerdote fazia isso em especial quando entrava nos Santo dos Santos. Jesus fez intercessão quando orou por Pedro, para que a sua fé não desfalecesse; igualmente, quando apresentou diante do Pai a maravilhosa oração registrada em João 17. Mas, agora, no Santo dos Santos, na presença imediata de Deus, ele vive sempre para interceder por nós (Hb 7.25). Não nos sentimos capazes de tentar explicar a maneira como essa intercessão é exercida. Não sabemos de que maneira Cristo apresenta agora as suas petições, mas, de algum modo, ele pede, e os pagãos lhe são dados por herança, e os extremos da terra, em possessão (Sl 2.8). De algum modo, enquanto simpatiza com os seus seguidores em seus sofrimentos neste mundo, ele pede graça em favor deles, a fim de ajudá-los em suas tristezas e provações, e sua intercessão prevalece.

A parte remanescente do ofício do sacerdote consistia em abençoar o povo (Nm 6.22-27). O sumo sacerdote fazia isso ao retornar do Santo dos Santos. O nosso grande Sumo Sacerdote também fará isso, da maneira mais pública possível, quando retornar do céu onde adentrou, para encontrar-se com o seu povo, na grande congregação do Juízo Final. Pouco importa se atribuímos esse ato de abençoar ao ofício de Cristo como sacerdote ou rei. Desde a antiguidade, foi dito que os lábios dos sacerdotes deveriam guardar o conhecimento, e da sua boca deveriam os homens buscar a instrução (Ml 2.7). No entanto, relacionamos os ensinamentos de Cristo mais ao seu ofício profético do que ao sacerdotal. Embora os sacerdotes abençoassem o povo, sua tarefa era mais a de se aproximarem de Deus em favor dos homens do que se aproximarem dos homens com revelações ou bênçãos da parte de Deus. Por isso, podemos considerar as bênçãos conferidas aos obedientes participantes do reino de Cristo como a dispensação da sua generosidade real, que, portanto, estão ligadas a seu ofício de rei. Isso concorda om a linguagem da Escritura: "então dirá o Rei aos que estiverem à sua direita: Vinde, benditos de meu Pai!" (Mt 25.34). Todos os ofícios de Cristo redundam em bênçãos para o seu povo, porque foram assumidos por causa dele.

3. Rei

O Senhor Jesus Cristo, como o mediado entre Deus e os homens, exerce autoridade real sobre todas as criaturas, para a glória de Deus e para o bem do seu povo[4]

A inscrição que Pilatos afixou à cruz, dizia: "Jesus Nazareno, o Rei dos Judeus" (Jo 19.19). Essas palavras expressavam uma verdade da qual o seu autor não estava consciente. Jesus, o Nazareno, era o Messias anunciado pelos profetas hebreus e esperado pela nação judaica como o Rei que os iria governar e conduzi-los a grande prosperidade.

A palavra hebraica "Messias", a qual corresponde à palavra grega "Cristo", significa Ungido. Quando reis e sacerdotes eram introduzidos em seu ofício, entre os israelitas, era comum que fossem ungidos com óleo. Temos um exemplo de como um profeta foi separado para sua função através da mesma cerimônia em 1 Reis 19.16. Jesus era o Ungido porque desempenhava todos os três ofícios e, embora não tivesse sido introduzido em nenhum deles através de uma unção literal com óleo, tinha a unção do Espírito Santo, da qual a unção com óleo era apenas um tipo. A passagem de Isaías, lida na sinagoga de Nazaré, aplicava-se a si mesmo: "O Espírito do Senhor Deus está sobre mim, porque o Senhor me ungiu, para pregar" (Is 61.1). A unção

4 Nm 24.17; Sl 2.6; Is 32:1; Zc 9.9; Mt 21.5; Jo 18.36; Mt 25.34; Hb 2.9; Ap 5.13; 1Tm 6.15; Ap 17.14; 19.16; Ef 1.20-23; 5.23; Fp 2.9, 10.

aqui deve ser entendida referindo-se a seu ofício profético. A mesma referência ao ofício profético parece ter sido feita com sarcasmo e escárnio pelo homem que agrediu a Jesus e disse: "Profetiza-nos, ó Cristo, quem é que te bateu!" (Mt 26.68). Nesse escárnio, vemos que está implícito que Cristo seria um profeta. Contudo, por causa do uso comum da unção com óleo, somos levados a vincular o nome "Cristo" mais aos ofícios de Rei e Sacerdote com que Jesus fora investido. A referência mais comum era ao ofício de Rei. Ele foi denunciado a Pilatos como o que se fazia passar por "Cristo, o Rei" (Lc 23.2). Na sua expectação pelo Messias, os judeus procuravam por um rei que os haveria de governar e livrar de seus inimigos. Muitas das profecias a respeito do Cristo relacionam-se ao seu domínio como Rei sobre Israel. Quando Jesus, perante o concílio judaico, reivindicou ser o Cristo, referiu-se à futura manifestação do seu poder e glória de Rei: "Desde agora estará sentado o Filho do Homem à direita do Todo-Poderoso Deus" (Lc 22.69).

Uma prova de que Jesus era o Messias prometido é demonstrada no fato de que as profecias foram cumpridas em sua pessoa. O tempo e o local de seu nascimento, assim como a tribo e família de que descenderia, foram particularmente preditos, e os eventos, de fato, sucederam. Muitas profecias a respeito da vida de Jesus, seus sofrimentos, morte, sepultamento e ressurreição, foram cumpridos com exatidão. Jesus apontava com confiança para as Escrituras, como prova de suas reivindicações: "Examinais as Escrituras porque [...] são elas mesmas que testificam de mim" (Jo 5.39). Os apóstolos disseram: "Dele todos os profetas dão testemunho" (At 10.43).

Outras provas de que Jesus era o Cristo são fornecidas pelo testemunho de João Batista (Jo 3.28), bem como pela voz do Pai, por ocasião do batismo de Jesus (Mt 3.17); por sua transfiguração sobre o monte (Mt 17.5); por suas obras, as quais Jesus frequentemente aduzia como prova de sua reivindicação; pelas suas próprias declarações a respeito de si mesmo, que eram frequentemente repetidas durante o seu ministério, e que, por fim, foram reafirmadas perante o concílio judaico, assim como diante de Pilatos – declarações que foram comprovadas pelos milagres que Jesus operava e, posteriormente, por sua ressurreição dentre os mortos. A todas essas provas pode-se acrescentar que os judeus, até agora, não encontraram outro Messias. Eles têm esperado confiantemente pelo Cristo, mas a época da sua vinda já passou há muito. Ou Jesus de Nazaré é realmente o Messias predito, ou as profecias eram falsas, e a religião da qual faziam parte não provinha de Deus.

Jesus Cristo, sendo o Deus supremo, tinha direito original de exercer autoridade soberana sobre todas as criaturas. Porém, quando o Verbo se fez carne, tomou sobre si a forma de servo e, por um tempo, aparentou ser desapossado de seu divino poder e glória. Contudo, depois de se ter humilhado e completado a obra à qual a sua humilhação era necessária, Deus se agradou em galardoar essa obra, exaltando Jesus à posição de suprema autoridade sobre toda a criatura. "Toda a autoridade me foi dada no céu e na terra" (Mt 28.18).

Uma peculiaridade do domínio de Cristo como mediador é que esse domínio é por ele exercido em natureza humana. A razão pela qual Deus agradou-se em exaltar a natureza humana a uma dignidade assim tão alta, é impossível compreendermos. Nessa exaltação, vemos a completa derrota de Satanás, o anjo apóstata, aquele que pretendia trazer a nossa natureza inferior inteiramente para baixo de seu poder. Satanás triunfou sobre o primeiro Adão; mas o segundo Adão já triunfou sobre ele e o sujeitará completamente, juntamente com todos os poderes hostis por ele arregimentados. Na própria natureza sobre a qual Satanás triunfou, Jesus Cristo sujeitará todos esses poderes sob o escabelo de seus pés. Esse domínio sobre os poderes e potestades é exercido visando ao bem de seu povo, remido dentre os demais homens. O exercício de seu domínio em natureza humana indubitavelmente contribui para assegurar esse benefício. Os remidos são um com Cristo, como também ele é um com o Pai; de forma que, assim, aquela maravilhosa oração é cumprida: "a fim de que todos sejam um; e como és tu, ó Pai, em mim e eu em ti, também sejam eles em nós" (Jo 17.21). Os remidos são admitidos à comunhão com Deus, muito mais íntima e gloriosa do que poderia, de outro modo, ser desfrutada, sendo exaltados a uma tão grande honra, a ponto de terem sido destinados a reinar com Cristo (Ap 22:5).

Em nenhum lugar da Bíblia, essa dignidade é atribuída a anjos; Jesus Cristo é o Senhor, para a glória de Deus Pai. Esse exercício da autoridade divina, através da natureza humana de Jesus Cristo, irá manifestar a glória de Deus em sua mais esplendorosa demonstração. Anjos e homens, através dos tempos eternos, apreenderão as perfeições da natureza divina, admirando e adorando-a para sempre com inefável alegria.

Outra peculiaridade no domínio de Jesus Cristo é o fato de que isso abre uma nova dispensação para os homens rebeldes. Quando os anjos que não conservaram o seu primeiro estado pecaram contra Deus, foram lançados para fora de sua presença e condenados à irremediável desgraça. Nenhum mediador lhes foi provido, nem evangelho algum de salvação lhes foi jamais proclamado. Uma tal administração da autoridade divina, concedendo esperança de perdão a ofensores, era desconhecida no governo do mundo, até que o homem pecou. Essa administração constitui um aspecto peculiar do reino mediador de Cristo. Por isso, Jesus é o Mediador entre Deus e os homens, e não entre Deus e os anjos; por isso, também, o Mediador é enfaticamente chamado de "Cristo Jesus, homem" (1Tm 2.5).

Estando na terra, o Filho do Homem tinha autoridade para perdoar pecados (Mt 9.6) e, estando agora no céu, está assentado no trono da graça, ao qual temos acesso permitido e somos convidados a ir, a fim de recebermos misericórdia e acharmos graça, "para socorro em ocasião oportuna" (Hb 4.16). Quando Deus mostrou a sua glória a Moisés e proclamou o seu nome aos ouvidos daquele servo favorecido, sua misericórdia perdoadora teve um lugar proeminente na revelação: "Senhor, Senhor Deus compassivo, clemente e longânimo" (Êx. 34.6). Por igual modo, no céu, onde a plena glória de Deus é vista, a dispensação da sua misericórdia, a partir do trono da graça, onde o exaltado Mediador está assentado, constitui a exibição mais amável e atrativa da glória divina que os felizes adoradores têm permissão de contemplar.

Das duas peculiaridades mencionadas acima, como distintivas do domínio mediador de Cristo, a primeira não poderia existir enquanto a humanidade de Cristo não tivesse sido exaltada ao trono celestial. Foi então que o reino de mediador, em total desenvolvimento, começou, quando o Pai disse: "Assenta-te à minha direita, até que eu ponha os teus inimigos debaixo dos teus pés" (Sl 110:1). Quanto à segunda peculiaridade, contudo, existia uma administração incompleta do reino mediador, exercida desde a época da Queda do homem. Antes de o sacrifício eficaz pelo pecado ter sido feito, no qual a humanidade de Cristo tornou-se a vítima, os méritos desse sacrifício foram antecipados e, por sua virtude, o perdão era concedido aos crentes, desde os dias de Abel. Agora, é-nos dado conhecer que o perdão era outorgado por meio da segunda pessoa da Trindade, que se tinha engajado como fiador de pecadores para realizar a obra que, desde a antiguidade, vem realizando. As inquirições dos anjos e a fé dos santos do Antigo Testamento estavam voltadas todas em direção à futura vinda de Cristo, para a explicação daquela misteriosa dispensação, pela qual rebeldes obtinham misericórdia.

Jesus Cristo é o cabeça sobre todas as coisas para a igreja. Ele exerce sua autoridade suprema para o benefício de seu povo, por quem ele se santificou para empreender a obra de mediação. Ele é o cabeça sobre principados e potestades, e os anjos honram e obedecem a ele, sendo enviados como espíritos ministradores aos herdeiros da salvação. Ele é Senhor sobre toda a terra e controla cada agente e cada evento no mundo, de forma que "todas as coisas cooperam para o bem daqueles que amam a Deus" (Rm 8.28). Se Cristo é nosso, tudo é nosso, porque todas as coisas estão em suas mãos, e ele as sustém para o benefício de seu povo.

Nas poucas palavras que Jesus falou a respeito do seu reino quando foi levado a Pilatos, uma instrução muito importante é-nos transmitida. Nunca poderemos extrapolar a sabedoria com que, em tão poucas palavras, ele acuradamente descreveu o reino que viera estabelecer: "O meu reino não é deste mundo. Se o meu reino fosse deste mundo, os meus ministros se empenhariam por mim" (Jo 18.36). Os reis da terra mantêm sua autoridade pela força. A obediência coagida que eles procuram geralmente é prestada com relutância. Os autênticos súditos do reino de Cristo são pessoas bem dispostas que, voluntariamente, se entregam à autoridade do Rei e o servem com prazer. Na expansão de seu reino, Cristo não permitiu o emprego de armas carnais, mas apenas armas que, através de Deus, são poderosas para trazer o coração à sujeição: "Todo aquele que é da verdade, ouve a minha voz" (Jo 18.37). Quem percebe a verdade, ouve a voz do Rei e reconhece a sua autoridade. Crer na verdade é obedecer ao evangelho e estar sujeito a Cristo como Rei.

Os judeus esperavam que o Messias estabelecesse um reino como os demais reinos da terra, mas os suplantando em glória. Ideias semelhantes eram nutridas pelos discípulos; por isso, surgiu o pedido para assentarem-se à direita e à esquerda de Cristo no seu reino. Por esse motivo, veio o desespero quando viram Jesus crucificado. Eles tinham pensado que seria ele quem iria restaurar o reino a Israel (Lc 24.21; At 1.6). Mas sua morte esmigalhou-lhes essa esperança. Já o ladrão, que também padecia sobre uma cruz, pela fé reconheceu, no Jesus que morria, um Rei e orou: "Jesus, lembra-te de mim quando vieres no teu reino" (Lc 23.42). No entanto, os entristecidos discípulos não podiam ver, em meio a escuridão do sepulcro, a brilhante perspectiva do seu reino. Ainda assim, a morte de Jesus era necessária para o estabelecimento do seu reino: "Jesus, por causa do sofrimento da morte, foi coroado de glória e de honra" (Fp 2.8, 9; Hb 2.9). O poder constrangedor que leva o coração a submeter-se à autoridade de Cristo é o amor que ele demonstrou padecendo a morte.

Pontos de vista distorcidos a respeito da natureza do reino do Messias têm produzido inúmeros erros. Os líderes deste mundo crucificaram o Senhor da glória, porque não podiam reconhecê-lo na pessoa de Jesus de Nazaré, o qual veio a este mundo para dar testemunho da verdade e não para introduzir seu reino com a pompa com que a mente carnal se compraz. Cristo tem sido de novo crucificado e exposto ao opróbrio por causa das noções errôneas que alguns de seus professos seguidores têm a respeito do seu reino.

O Messias haveria de governar no meio de seus adversários, e o seu cetro de ferro haveria de despedaçar, como a um vaso de oleiro (Sl 2.9), a todos os desobedientes, que não seguem a verdade. Os que obedecem à verdade são "os filhos do reino", e a estes pertencem as bênçãos e benefícios do reino de Cristo. Nesse sentido restrito, ninguém, senão pessoas regeneradas, entram no seu reino (Jo 3.5). Somos transportados para o reino do amado Filho de Deus quando acolhemos a verdade no coração. Nenhuma profissão religiosa ou observância de formas externas pode trazer alguém para dentro do reino de Cristo. O joio pode assemelhar-se ao trigo, mas o joio são os filhos do maligno, e apenas a boa semente é que são os filhos do reino (Mt 13.38). Quando o Filho do Homem vier recolher do seu reino tudo quanto é ofensivo, o joio, como também os espinhos e abrolhos, serão igualmente rejeitados, e sua condenação será o fogo, por não pertencerem propriamente ao seu reino. Fique bem entendido que o reino de Cristo não é uma grande organização, consistindo em homens bons e maus ligados por algum vínculo eclesiástico. Cristo domina sobre tudo e considera todos os que não obedecem à verdade como inimigos do seu reino. Os hipócritas e formalistas não têm maior parte no seu reino do que Herodes ou Pôncio Pilatos.

Alguma obscuridade tem surgido na interpretação das Escrituras onde a palavra "reino" ocorre, supondo-se que ela sempre se refere ao território ou aos súditos que estão sob o governo de um rei. Reinado é o domínio ou jurisdição de um rei. A ideia primordial é de autoridade real. O termo é empregado com esse sentido em Lucas 19.12: "Certo homem nobre partiu para uma terra distante, com o fim de tomar posse de um reino." Veja-se também Apocalipse 17.12. Essa ideia radical é mantida em todo o lugar em que a palavra é empregada, mas se torna muito modificada, dependendo da conexão em que é usada, podendo referir-se a tempo, lugar ou circunstâncias em que autoridade real é exercida; às pessoas sobre quem é exercida; e, às vezes, aos benefícios resultantes do exercício dessa autoridade.

Um exemplo deste último uso da palavra é encontrado em Romanos 14.17: "Porque o reino de Deus [...] é justiça, e paz, e alegria no Espírito Santo". As expressões "reino dos céus", "reino de Deus", "reino de Cristo", "reino do Filho do seu amor" são usadas em referência ao reino do Messias. Elas denotam *o exercício da autoridade real de Deus, na pessoa do Messias,* sendo que essa ideia radical, como já dissemos, torna-se modificada pela conexão em que as sentenças são usadas. Quando parábolas são introduzidas pelas palavras: "o reino de Deus assemelha-se a...", devemos compreender que uma verdade ou fato vinculado ao reino do Messias é ilustrado na parábola. Será impossível dar o correto sentido de muitas passagens, sem entendermos que o termo "reino" sempre significa os *súditos* sobre os quais Cristo reina. Como, nessa significação do termo, pode o reino de Deus ser como um mercador (Mt 13.45), uma rede (Mt 13.47) ou um tesouro (Mt 13.44)? "O reino dos céus é semelhante a um homem que semeou boa semente no seu campo" (Mt 13.24). Aqui, nenhuma comparação pode ser pretendida entre os *súditos* do reino de Cristo e o homem que semeou a semente. Mas, a parábola ilustra uma importante verdade concernente ao reino do Messias. Ensina que o mundo, representado pelo campo, está sob o domínio de Cristo, e que, por um tempo, é permitido que bons e maus estejam juntos. Mas, além disso, ensina que uma separação será finalmente feita, e as bênçãos do reino de Deus serão desfrutadas somente por aqueles que são a "boa semente", por ele mesmo semeada, sendo que apenas estes são "os filhos do reino".

O reinado mediador de Cristo incluirá o julgamento do grande dia. Está escrito: "importa que todos nós compareçamos perante o tribunal de Cristo" (2Co 5.10). Descrevendo-se as sentenças pronunciadas, é dito: "Então dirá o Rei". Então, os que o condenaram e crucificaram e todos os que não quiseram que ele reinasse sobre eles comparecerão ao seu tribunal. As decisões daquele dia serão tomadas de acordo com a relação que cada pessoa manteve com Cristo. O que os homens tiverem feito ao menor dos seus discípulos, Cristo considerará como tendo sido feito a ele próprio. De acordo com as disposições assim evidenciadas, cada homem terá a sua sentença final. O reinado mediador de Cristo continuará depois dos acontecimentos do grande dia? Sem dúvida, uma importante mudança acontecerá no modo com que seu reinado é exercido. Todos os inimigos terão sido então subjugados, e os redimidos, trazidos ao lar, tendo já o último ato da misericórdia perdoadora sido realizado. Ainda mais, somos informados de que a glória de Deus e do Cordeiro será a luz da Nova Jerusalém (Ap 21.23), que o Cordeiro estará no meio do trono, que ele apascentará os remidos e os conduzirá às fontes de água viva (Ap 7.17). A partir dessas representações, parece que estamos autorizados a concluir que Cristo continuará sendo o meio de comunicação pelo qual os santos se aproximarão de Deus para sempre, recebendo dele glória e bem-aventurança.

A linguagem de Paulo em 1 Coríntios 15.25 não é inconsistente com essa opinião: "Porque convém que ele reine até que haja posto todos os inimigos debaixo dos seus pés". Quando lemos que "até ao regime da lei havia pecado no mundo" (Rm 5.13), não podemos concluir que o pecado já não estava no mundo depois disso. Assim, quando lemos: "convém que ele reine até que...", não devemos inferir que não reinará depois desse tempo. Não estaria de acordo com a própria descrição que Jesus fez do assunto, se ele mesmo deixasse de reinar, quando os que se opuseram ao seu reinado tiverem sido executados perante ele (Lc 19.27). Igualmente, quando lemos: "então o próprio Filho também se sujeitará àquele que todas as coisas lhe sujeitou" (1Co 15.28), não devemos entender que tal sujeição exclui a ideia de que Cristo continuará reinando. Do contrário, teríamos de concluir que, anteriormente, o seu reino não teria sido em sujeição ao Pai. Cristo está agora reinando em sujeição ao Pai, mas a harmonia de sua administração com a vontade e perfeições de Deus não pode manifestar-se plenamente enquanto os rebeldes não estão ainda aprisionados. Porém, quando todos os inimigos tiverem sido subjugados, a harmonia de sua administração com o governo absoluto de Deus aparecerá. A coincidência entre esses dois modos de governo será, então, plenamente manifestada. Esse será o tempo da restauração de todas as coisas (At 3.21). Convém que ele reine até que os seus inimigos sejam subjugados; convém que os céus o recebam até ao tempo da restauração de todas as coisas. Contudo, isso não significa que ele vá, então, abandonar o céu ou deixar de reinar.

CONCLUSÃO

“Que pensais vós de Cristo?” Podemos, agora, com muita propriedade, considerar essa pergunta que nos é solenemente dirigida. Temos contemplado a pessoa, estados e ofícios de Cristo. Que impressão fica em nossa mente? Que emoções essa contemplação suscitou? Porventura, cumprem-se em nosso caso as palavras do profeta: “Não tinha aparência nem formosura; olhamo-lo, mas nenhuma beleza havia que nos agradasse”? Ou, ao contrário, podemos nós dizer: “O mais distinguido entre dez mil”? De acordo com a maneira como vemos a Cristo, a evidência de nosso estado espiritual é favorável ou não, e por esse estado podemos pôr à prova nossa esperança de sermos aceitos através dele e de reinarmos com ele para sempre.

Na experiência comum da humanidade, as afeições são atraídas mais fortemente para aqueles que nos são próximos. Para a imaginação, a distância pode até ser enganadora, mas as afeições do coração se desenvolvem ao redor da sala de estar e se fixam mais intensamente naqueles com quem conversamos com mais familiaridade. De acordo com essa tendência de nossa natureza, o filho de Deus atraiu o coração dos homens porque habitou entre eles, relacionando-se com eles familiarmente, à maneira típica da sociedade humana. Vemo-lo como amável irmão e amigo, chorando pelas tristezas de outros e aliviando-lhes os sofrimentos com palavras e atos de benevolência. A ternura com que, na cruz, ele entregou sua mãe aos cuidados de seu discípulo amado é um exemplo de amor filial, que não pode ser contemplado insensivelmente. Nas simples narrativas de sua vida que foram dadas para a nossa instrução, traçamos o curso de seu andar diário, um homem entre homens caminhando e fazendo o bem, enquanto os traços de seu caráter, exibido no seu relacionamento com os homens, fazem despertar nosso amor por ele.

Os céus, agora, o têm fora de nossa vista, mas sabemos que, em cumprimento de sua promessa, ele está sempre conosco. Somos ensinados a considerá-lo não apenas como alguém que está sempre perto, mas também como quem se compadece por nossas enfermidades, tendo sido tentado em todas as coisas à nossa semelhança. Na humanidade de Jesus, vemos o caráter amável das perfeições divinas, familiar e inteligivelmente exibidas.

Às vezes, acontece, no decorrer da história, que pessoas de extraordinário mérito ficam, por um tempo, na obscuridade, e aqueles que lhes são íntimos são tomados de surpresa quando a insuspeitada grandeza de seu caráter é descoberta. Os escritores de ficção sabem como interessar seus leitores, apresentando grandes personagens sob um disfarce e revelando-os no momento apropriado, a fim de causar impressão. Incidentes, porém, infinitamente transcendentes a toda ficção são achados na história de Jesus Cristo – uma história verdadeira, na qual a majestade encoberta da sua divindade revelou-se, causando extraordinária admiração. O humilde Jesus que dorme no interior do barco deixa o seu sono para acalmar as ondas impetuosas do mar de Tiberíades, enquanto os admiradores do milagre exclamam: "Quem é este, que até os ventos e o mar lhe obedecem?" (Mt 8.27). O cansado viajante chega a Betânia e afirma ser a ressurreição e a vida, e demonstra a verdade de sua reivindicação, chamando ao morto Lázaro do sepulcro. Na cruz, ele é pendurado como um malfeitor e expira. Mas tal é a exibição de sua divindade, que o centurião romano afirma: "Verdadeiramente este era Filho de Deus" (Mt 27.54). Temos contemplado a divindade de Jesus Cristo não apenas nessas manifestações transitórias que ocorreram enquanto ele estava na terra, mas na plena demonstração que tem sido dada desde que subiu ao céu, e isso deve causar uma forte e duradoura impressão em nosso coração. Os discípulos, que participaram no seu ministério pessoal, amaram-no e honraram-no; mas, quando o viram subir ao céu, sendo mais profundamente impressionados com sua divindade, adoraram-no. Que nós também devotamente nos unamos em render-lhe honra divina.

Lemos, com interesse, as biografias de homens que passaram por grandes mudanças em sua condição e, em cada uma, demonstraram grandes e nobres qualidades. Contudo, nenhuma situação humana pode ser comparada à história do Filho de Deus. Uma vez rico, em sua original glória, ele se tornou tão pobre, que nem tinha onde reclinar a cabeça, e dessa pobreza extrema foi exaltado ao supremo domínio e feito proprietário e governador de todos os mundos. Em todas essas situações, ele tem sempre exibido perfeições morais que são plenamente agradáveis a Deus. Seja qual for a condição em que o observemos, vamos nós também nos deleitar nele, assim como o Pai nele se deleitava.

Os ofícios que Cristo desempenha para conosco são justamente aqueles de maior reputação. Profetas, sacerdotes e reis sempre foram considerados dignos de honra. Devemos dar a Cristo a mais alta honra, pois, como Profeta, ele é superior a Moisés; como sacerdote, é superior a Arão; e, como rei, é o Senhor de Davi. Esses ofícios, conforme exercidos por Cristo, merecem nossa honra não somente por causa de sua excelência, mas também por causa de sua adaptabilidade para conosco. Nós somos, por natureza, ignorantes, culpados e depravados. Como ignorantes, precisamos de Cristo, o Profeta, para nos ensinar. Sendo culpados, precisamos de Cristo, o Sacerdote, para fazer expiação por nós. Como depravados, precisamos de Cristo, o Rei, para governar sobre nós e trazer em sujeição todas as nossas rebeldes paixões. Esses ofícios de Cristo são também adaptados às graças que distinguem e adornam o caráter cristão. As principais graças, conforme Paulo as enumerou, são a fé, a esperança e o amor; no exercício da fé, recebemos a verdade revelada por Cristo, o Profeta; no exercício da esperança, seguimos a Cristo, o Sacerdote, que entrou na presença de Deus por nós; e nos submetemos a Cristo, o Rei, no exercício do amor, que é o cumprimento da lei, o princípio e o resultado de toda a santa obediência.

Na teologia dos antigos cristãos, Jesus Cristo ocupava uma posição central e vital. Se tirarmos das cartas de Paulo tudo o que foi dito a respeito de Cristo, que mutilação isso produziria na Bíblia?! Se, por exemplo, na passagem de 1 Coríntios 1, eliminamos a Cristo, o que restará? Na ignorância e incredulidade, Paulo, supondo fazer obra de Deus, perseguia a Jesus de Nazaré. Porém, quando seus olhos foram abertos para ver que o desprezado nazareno, a quem a sua nação tinha crucificado, era o Senhor da glória, quando apreendeu que nele estão os tesouros da sabedoria e do conhecimento, riquezas insondáveis e plenitude de graça, o coração do perseguidor foi mudado, devotando-se ao serviço daquele a quem antes procurara destruir. Daí em diante, Paulo considerou todas as coisas como perda, por causa da excelência do conhecimento de Cristo Jesus. Tem o conhecimento de Cristo produzido semelhante efeito em nós? Se o nosso coração está unido ao do grande apóstolo, estamos, então, preparados a dizer, do fundo da alma: "Mas ainda que nós, ou mesmo um anjo vindo do céu vos pregue evangelho que vá além do que vos temos pregado" — um evangelho do qual Cristo não seja o centro e a essência — "seja anátema" (Gl 1.8). "Se alguém não ama ao Senhor, seja anátema. Maranata!" (1Co 16.22).

Em nossa investigação da verdade religiosa, temos encontrado quatro fontes de conhecimento: (1) os nossos próprios sentimentos morais; (2) os sentimentos morais e juízos das demais pessoas; (3) o curso da natureza; (4) o livro da revelação divina, a Bíblia. Dessas quatro fontes, as três primeiras não nos podem dar conhecimento algum a respeito de Jesus Cristo e da sua grande salvação. Para obter esse conhecimento, dependemos inteiramente da Bíblia. Mesmo quando descobrimos nosso estado natural de perdição e desamparo, o esquema de salvação que a Bíblia revela é tão perfeitamente adaptado à nossa condição, que traz em si mesmo a evidência de se ter originado na sabedoria de Deus.

Quando Paulo pregava o evangelho da salvação, não desejava saber outra coisa, senão Jesus Cristo, e este crucificado. Ele em nada se gloriava, senão na graça de nosso Senhor Jesus Cristo. Temo-nos demorado longamente em nossas meditações na doutrina concernente a Jesus Cristo. Mas, antes que encerremos o assunto, será proveitoso passarmos ainda um pouco mais de tempo junto à cruz, a fim de que possamos, mais uma vez, contemplar a sua glória e sentir o seu poder de conquistar almas.

Na cruz de Cristo, todas as perfeições divinas são gloriosas e harmoniosamente demonstradas. Amor infinito, verdade absoluta e justiça inflexível são todos vistos em sua mais brilhante e maravilhosa combinação de cores. Os céus declaram a glória de Deus, mas a glória da cruz sobrepuja todas as maravilhas do firmamento. As perfeições morais de Deus são aqui exibidas, as quais são a mais alta glória do seu caráter.

A cruz de Cristo é a nossa única esperança de vida eterna. Sobre aquele que lá foi pendurado, pesaram todas as nossas iniquidades, e de suas pisaduras flui o sangue que nos purifica de todo o pecado. Nossa fé contempla a vítima sangrenta e, em paz com Deus, descansa a sua confiança no grande sacrifício expiatório. A fé vê a misericórdia fluindo da cruz; ela vai até a cruz, a fim de obter cada bênção necessitada.

Na cruz, o crente encontra o mais forte motivo para a santidade. Enquanto nos postamos diante dela e contemplamos a demonstração do amor do Salvador, tomamos a resolução de viver para aquele que por nós morreu. O mundo perde a sua atração. Tornamo-nos crucificados para o mundo, e o mundo crucificado para nós. O pecado torna-se odioso. Vemo-lo, agora, como aquela coisa maldita que causou a morte de nosso amado Senhor, e isso noz faz aumentar o propósito de lutar sempre mais contra o pecado. Por causa de todas as agonias do Salvador, não queremos ter paz com o pecado, jamais.

A cruz é o lugar para lágrimas de arrependimento. Olhamos para aquele a quem temos traspassado e lamentamos. Nosso coração se parte em vista do sofredor ensanguentado, morto por nossos pecados. Decidimos que os assassinos têm de morrer. A cruz é um lugar santo, onde aprendemos a ser semelhantes a Cristo, a odiar o pecado como ele o odiou e a nos deleitar na lei de Deus, que estava em seu coração. Na presença da cruz, sentimos que a graça onipotente toma conta do nosso coração e nos rendemos a esse amor que até a morte suportou por nós.

A sabedoria do homem não arquitetou o maravilhoso plano da salvação, e não supomos também que ela tenha orientado o Criador quando ele expandiu os céus e lançou os fundamentos da terra. Mas, assim como, nas nuvens e na terra, a razão humana pode ver o poder e a sabedoria de Deus, assim, para o cristão, Jesus Cristo crucificado é o poder de Deus e sabedoria de Deus. A doutrina da cruz não necessita de nenhuma outra demonstração de sua origem divina, porque isso é demonstrado pelo poder que ela tem de santificar o coração e de trazê-lo à sujeição alegre e voluntária a Cristo.

LIVRO VI

DOUTRINA CONCERNENTE AO ESPÍRITO SANTO

INTRODUÇÃO

O DEVER DE VIVER E ANDAR NO ESPÍRITO[1]

Nós vivemos, nos movemos e temos nossa existência em Deus. A sua presença está sempre conosco; pelo seu poder somos, a cada momento, mantidos em existência. Pelo seu poder, as faculdades das quais procedem todos os movimentos, sejam do corpo ou da mente, são preservadas e mantidas em existência e ação. Tal é a nossa constante e imediata dependência de Deus. Da mesma maneira e no mesmo grau, dependemos do Espírito Santo para a existência da vida espiritual e das faculdades necessárias à ação no campo do espírito. Mas a nossa dependência do Espírito Santo é ainda mais extensa. A própria disposição para uma atitude santa procede do Espírito; o surgimento dessa disposição é obra peculiar do Espírito da santificação. Em nossas ações naturais vivemos e nos movemos em Deus; em nossas ações espirituais, vivemos e andamos no Espírito Santo.

As declarações bíblicas sobre a nossa dependência do Espírito Santo são claras e taxativas. A nossa vida espiritual provém dele, pois é o Espírito que vivifica (Jo 6.63), sendo chamado de "o Espírito da

1 Gl 5.25.

vida" (Rm 8.2). Quando o profeta viu os ossos secos no vale, orou: "Vem dos quatro ventos, ó espírito, e assopra sobre estes mortos, para que vivam" (Ez 37.9), e o Espírito da vida entrou neles. Assim, almas mortas em delitos e pecados são vivificadas pelo Espírito Santo. Vivemos na dependência do Espírito Santo para a nossa vida espiritual, assim como o corpo depende do ar que respira para a manutenção da sua vida. Por isso, oramos para que o Espírito nos seja concedido em maior medida, e não retirado de nós (Sl 51.11). A Bíblia considera a dádiva do Espírito como a imputação de todo bem (compare Mt 7.11 com Lc 11.13). A importância da influência do Espírito Santo no exercício da vida espiritual pode ser inferida de passagens como as seguintes: "Guiados pelo Espírito" (Gl 5.18). "Os que se inclinam para o Espírito, cogitam das coisas do Espírito" (Rm 8:5). "Mas enchei-vos do Espírito" (Ef 5.18). "O Espírito [milita] contra a carne" (Gl 5.17). "Se pelo Espírito mortificardes os feitos do corpo, certamente vivereis" (Rm 8.13). "Também o Espírito, semelhantemente, nos assiste em nossa fraqueza" (Rm 8.26). "O próprio Espírito testifica com o nosso espírito que somos filhos de Deus" (Rm 8.16).

Nenhum crente que tenha qualquer senso apropriado de sua dependência do Espírito Santo, no que concerne à vida espiritual de que goza e todas as bênçãos nela envolvidas, pode mostrar-se indiferente para com o agente através do qual todo esse bem nos é conferido. O crente não pode entristecer voluntariamente o Espírito de Deus, "no qual fostes selados para o dia da redenção" (Ef 4.30). Ele procurará conhecer, em todas as coisas, qual é a mente do Espírito. Para ele, a comunhão com o Espírito Santo será o mais doce antegozo do céu que pode ser desfrutado na terra. Portanto, o estudo do caráter e do ofício do Espírito Santo será para ele uma fonte de deleite espiritual.

CAPÍTULO 1

A PERSONALIDADE DO ESPÍRITO SANTO

O ESPÍRITO SANTO É UMA PESSOA DISTINTA DO PAI E DO FILHO[1]

O Espírito Santo é uma pessoa, e não uma mera influência ou operação divina. Isso pode ser provado pelos seguintes argumentos:

1. Quando Cristo prometeu a vinda do Espírito como outro Consolador, a linguagem claramente se refere ao Espírito como uma pessoa

"E eu rogarei ao Pai, e ele vos dará outro Consolador, a fim de que esteja para sempre convosco" (Jo 14.16). "O Consolador, o Espírito Santo, a quem o Pai enviará em meu nome, esse vos ensinará todas as coisas" (Jo 14.26).

1 Is 48.16; Mt 3.16; Jo 14.16, 26; 16.7; At 10.19, 20; 13.2; 15.28; Ef 4.30; Mt 28.19.

2. Há, nas Escrituras, declarações a respeito do Espírito Santo que só podem ser verdadeiras em se tratando de uma pessoa

"O mesmo Espírito realiza todas estas coisas distribuindo-as como lhe apraz, a cada um, individualmente" (1Co 12.11). "E servindo eles ao Senhor, e jejuando, disse o Espírito Santo: Separai-me agora a Barnabé e a Saulo para a obra a que os tenho chamado" (At 13.2). "Por que encheu Satanás teu coração, para que mentisses ao Espírito Santo...?" (At 5.3). "E não entristeçais o Espírito de Deus" (Ef 4.30).

3. A comissão dada aos apóstolos requeria que batizassem em nome do Pai, e do Filho e do Espírito Santo (Mt 28.19)

Uma mera influência ou virtude não poderia ser assim equiparada com o Pai e o Filho. Nem estaria de acordo com a linguagem das Escrituras falar do *nome* de uma influência ou ordenar a administração do Batismo no nome de uma influência. Na bênção apostólica, o Espírito Santo é vinculado ao Pai e ao Filho de uma maneira similar: "A graça do Senhor Jesus Cristo, e o amor de Deus, e a comunhão do Espírito Santo sejam com todos vós" (2Co 13.13). Em 1 Coríntios 12:4-6, o Espírito Santo é apresentado junto com Deus, o Pai, e com o Senhor Jesus Cristo, como um agente *pessoal*, em igualdade com ambos.

Contra esses argumentos, poder-se-ia argumentar que a Escritura frequentemente usa os termos "espírito" e "Espírito Santo" para denotar influência divina. Porém, é muito comum na linguagem humana que uma influência seja designada pelo nome da fonte da qual emana. Dizemos: "Esta planta cresce melhor à sombra, aquela outra, ao sol". Mas, pela palavra "sol", queremos dizer não o corpo do luminar, mas a luz e o calor que dele emanam. Portanto, quando as

Escrituras dizem: "adorará a Deus, testemunhando que Deus está de fato no meio de vós" (1Co 14.25), não é a onipresença geral de Deus que está implicada, porque a onipresença é igualmente verdadeira para todas as pessoas e lugares. Uma presença peculiar, implicando presença divina especial, é que está em pauta. Seria impróprio, usando-se essa passagem, argumentar que Deus não é senão uma influência. Igualmente impróprio seria dizer que o Espírito Santo não é uma pessoa, porque o nome é usado nas Escrituras para designar uma *influência* que ele, como um agente pessoal, exerce.

A frequência com que o nome é usado para denotar a influência exercida pode ser explicada pelo fato de que o nome é dado ao agente por causa de sua influência. O nome *Espírito Santo* não denota algo que seja peculiar à natureza do agente; pois que também a primeira e a segunda pessoas da divindade são espírito e santas em sua natureza, tanto quanto a terceira pessoa. O nome deve, portanto, ser considerado como uma distinção da terceira pessoa das demais, com referência à sua operação. É chamado "Santo" porque é o agente efetivo na produção da santidade; e "Espírito", o "Espírito de Deus", porque é o agente efetivo que exerce a influência divina, invisível e vivificadora, que procede de Deus.

O Espírito Santo é distinto do Pai e do Filho. As mesmas passagens que provam a sua personalidade provam também esse fato. Ele não poderia ser "outro Consolador" se não fosse distinto do Filho nem ter sido "enviado pelo Pai" se não fosse distinto do Pai. Na comissão para batizar e na bênção apostólica, manifestam-se igualmente tanto a sua personalidade quanto a sua distinção das pessoas do Pai e do Filho, com os quais é nomeado.

CAPÍTULO 2

A DIVINDADE DO ESPÍRITO SANTO

O ESPÍRITO SANTO É DEUS[1]

Tendo já verificado que existe uma pessoa a quem o nome Espírito Santo é aplicado, pouca dificuldade teremos em chegar à conclusão de que esse Espírito é uma pessoa divina. Os seguintes argumentos estabelecem essa verdade.

1. Na Grande Comissão, o Espírito é igualmente citado com o Pai e o Filho, no nome dos quais somos batizados

Se ele não é Deus, somos culpados de idolatria quando nos devotamos a ele no Batismo. O fato de Paulo dizer que os israelitas foram batizados em Moisés (1Co 10.2) não é objeção a esse argumento, porque um batismo formal em nome de Moisés não é afirmado nem cogitado. Nesse texto, uma analogia é traçada entre a conduta de um crente, que, no Batismo, se dedica a Cristo, e a conduta dos israelitas, que se entregaram à direção de Moisés, desde o Mar Vermelho à terra

1 Mt 28.19; Hb 9.14; Sl 139.7; 1Co 6.19; 2Co 6.16; At 5.3, 4.

prometida. Portanto, apenas uma analogia é o que está implicado. Os crentes de Corinto não foram batizados em nome de Paulo (1Co 1.13), embora fosse seu dever segui-lo, tal como ele seguia a Cristo. E os israelitas não foram batizados em nome de Moisés, embora o seguissem como líder. O Anjo do Senhor ia em frente da coluna de nuvem e fogo, e Moisés, como todos os demais, seguia a direção desse Anjo e reconhecia a sua autoridade.

2. Na bênção apostólica, o Espírito Santo é citado em igualdade com o Pai e o Filho e considerado a fonte de todas as bênçãos espirituais

As palavras podem ser entendidas como uma oração ao Espírito Santo para a concessão dessas bênçãos.

3. Quando se diz que o nosso corpo é o templo do Espírito Santo (1Co 6.19), a divindade do Espírito é reconhecida

Os ídolos, aos quais templos de madeira ou pedra foram levantados, eram considerados divindades. Aquele a quem o corpo dos santos serve de templo tem de ser Deus. Porém, não somos deixados à nossa própria inferência quanto a esse assunto. Paulo já traçou a conclusão para nós; depois de ter dito que o corpo dos santos é o santuário do Espírito Santo, diz que os santos pertencem a Deus (1Co 6.20). Em outro lugar, falando dos santos como um templo, diz que o edifício está sendo edificado para a "habitação de Deus no Espírito" (Ef 2.22). A mesma perspectiva é apresentada em 1 Coríntios 3.16, 17, que diz: "Não sabeis que sois santuário de Deus, e que o Espírito de Deus habita em vós? Se alguém destruir o santuário de Deus, Deus o destruirá; porque o santuário de Deus, que sois vós, é sagrado". Era desse modo que se imaginava que as divindades pagãs habitavam nos templos a elas dedicados, assim como Deus estava em seu santo templo, em Jerusalém.

4. A hediondez do pecado contra o Espírito Santo é uma prova de sua divindade

Quando Ananias e Safira mentiram ao Espírito Santo, Pedro explicou a enormidade do pecado cometido com estas palavras: "Não mentiste aos homens, mas a Deus" (At 5.3, 4). Pecar contra o Espírito Santo é pecar não contra uma criatura, mas contra Deus. Esse argumento adquire muito mais força ainda quando consideramos as palavras de Cristo: "Todo pecado e blasfêmia serão perdoados aos homens; mas a blasfêmia contra o Espírito não será perdoada" (Mt 12.31). Qualquer que seja a razão que torna a blasfêmia contra o Espírito Santo um pecado imperdoável, nela deve estar incluso o fato de que ele é Deus. Se não fosse Deus, o pecado cometido contra ele seria, então, considerado menos odioso do que quando cometido contra o Pai ou o Filho.

5. As passagens que, no Antigo Testamento, falam de Jeová, o Deus supremo, no Novo Testamento são aplicadas ao Espírito Santo

Êxodo 17.7, comparado com Hebreus 3.9; Isaías 6.9, com Atos 28.25; Jeremias 31.31-34, com Hebreus 10.15-17.

6. Os atributos de Deus, nas Escrituras, são aplicados ao Espírito Santo

Eternidade – "O sangue de Cristo que, pelo Espírito eterno, a si mesmo se ofereceu sem mácula a Deus" (Hb 9.14).

Onipresença – "Para onde me ausentarei do teu Espírito? para onde fugirei da tua face?" (Sl 139.7).

Onisciência – "Porque o Espírito a todas as coisas perscruta, até mesmo as profundezas de Deus" (1Co 2.10).

7. *Realizações divinas são atribuídas ao Espírito Santo de Deus*

Criação – "E o Espírito de Deus pairava por sobre as águas" (Gn1.2). "Pelo seu sopro (Espírito) aclara os céus, e a sua mão fere o dragão veloz" (Jó 26.13).

Providência – "Envias o teu Espírito, eles são criados, e assim renovas a face da terra" (Sl 104.30).

Milagres – "Se, porém, eu expulso os demônios pelo Espírito de Deus, certamente é chegado o reino de Deus sobre vós" (Mt 12.28). "Porque a um é dada, mediante o Espírito, a palavra da sabedoria [...] segundo o mesmo Espírito [...] a outro, operações de milagres" (1Co 12.8-10).

Ressurreição de Cristo – "E foi designado Filho de Deus com poder, segundo o espírito de santidade, pela ressurreição dos mortos, a saber, Jesus Cristo, nosso Senhor" (Rm 1.4). "Morto, sim, na carne, mas vivificado no Espírito" (1Pe 3.18).

A ressurreição dos crentes – "Se habita em vós o Espírito daquele que ressuscitou a Jesus dentre os mortos, esse mesmo que ressuscitou a Cristo Jesus dentre os mortos, vivificará também os vossos corpos mortais, por meio do seu Espírito que em vós habita" (Rm 8.11).

CAPÍTULO 3
O OFÍCIO DO ESPÍRITO SANTO

O ESPÍRITO SANTO É O SANTIFICADOR E CONSOLADOR DO POVO DE DEUS[1]

O Espírito Santo é o autor da santidade em todos os que são salvos:

"Em santificação do Espírito" (1Pe 1.2). "Mas vós vos lavastes, mas fostes santificados [...] no Espírito do nosso Deus" (1Co 6.11). Ele é o autor da nova vida, também chamada de "vida espiritual", que é produzida na regeneração (Jo 3.6). Não apenas o início dessa nova vida, mas o seu curso inteiro é dependente do Espírito Santo. Por isso, é dito que os crentes vivem e andam o Espírito (Gl 5.25), devem ser guiados pelo Espírito (Gl 5.18) e cheios do Espírito (Ef 5.18); por essa razão, também Davi orou: "Não me retires o teu santo Espírito" (Sl 51.11).

1 Sl 51.10, 12; Ez 36.27; Jo 14.26; At 9.31; Rm 5.5; 8.13, 16, 26; 1Co 6.11; 2Co 1.22; 3.18; Gl 5.22; 2Ts 2.13.

Assim como é o seu ofício mudar a alma e, de um estado de morte em delitos e pecados, trazê-la a uma nova vida, também é seu ofício transformar o nosso corpo corruptível à semelhança do corpo glorioso de Cristo: "Esse mesmo que ressuscitou a Cristo Jesus dentre os mortos, vivificará também os vossos corpos mortais, por meio do seu Espírito que em vós habita" (Rm 8.11). Assim como o corpo e o espírito são redimidos por Cristo, esse mesmo corpo e espírito são transformados pelo Espírito Santo, sendo adequados para viverem na presença e gozo de Deus.

O Espírito Santo é o Consolador do povo de Deus. Pelo seu ensinamento, obtemos o conhecimento da salvação pela remissão de pecados. O Salvador prometeu: "há de receber do que é meu e vo-lo há de anunciar" (Jo 16.15). Em cumprimento dessa promessa, o Espírito torna conhecidas a suficiência e perfeita adequação de Cristo como o Salvador, assim como a eficácia do seu sangue para purificar-nos do pecado. É pelo Espírito Santo que as promessas da Palavra de Deus são aplicadas ao coração. Por isso, alegria e paz são chamadas de "o fruto de Espírito". Esses deleites espirituais, que são um antegozo do céu, são chamados de "o penhor do Espírito" (Ef 1.13, 14; 2Co 1.22). Visto que o penhor é dado a nós através do Espírito, podemos, com razão, concluir que a possessão completa será dada através dele. Assim como Cristo será o meio pelo qual a felicidade do mundo vindouro será concedida, o Espírito, por sua vez, será o agente efetivo dessa concessão. O primeiro consolo aqui na terra e a plena bem-aventurança e glória do céu são igualmente a obra do Espírito Santo.

CONCLUSÃO

Adão tornou-se alma vivente quando Deus soprou nele o fôlego da vida (Gn 2.7). Desde então, o processo da respiração é uma evidência de que existe vida. A oração pode ser considerada a respiração do homem espiritual. Prova suficiente de que Saulo de Tarso se convertera foi dada quando o Senhor disse: "ele está orando" (At 9.11). A oração autêntica procede do Espírito Santo, que suscita vida espiritual e acende em nós os desejos espirituais que se exteriorizam por meio da oração. Esses desejos espirituais são trazidos à presença de Deus no exercício de confiança filial e, estando de acordo com a vontade de Deus, são por ele acolhidos com favor, obtendo respostas que se manifestam em graça e paz.

Enxergando a oração desse modo, podemos ver a propriedade da exortação do apóstolo: "Orai sem cessar" (1Ts 5.17). O cessar da oração seria o cessar da vida espiritual. Pode ser que nem sempre a oração se expresse em palavras, mas desejos espirituais devem sempre ter lugar no coração. E deve haver o hábito de buscar em Deus o cumprimento desses desejos espirituais. Esse relacionamento constante com Deus é a vida da fé. Nós vivemos com ele, conversamos e desfrutamos da comunhão com ele, através do Espírito Santo que habita em nós.

Com frequência, queixamo-nos de que as nossas orações não são respondidas. Contudo, seria bom perguntarmos quais foram essas petições não respondidas. Acaso pedimos riquezas, poder e longa vida? Se assim for, nossos desejos eram carnais e não procediam do Espírito de Deus. Temos de aprender a regular nossos desejos pela vontade de Deus; então, nossas orações serão, com certeza, atendidas graciosamente.

A oração sincera começa a partir do momento em que a vida espiritual se inicia. O choro expressa os desejos de um recém-nascido, antes mesmo que ele saiba como articulá-los em palavras, e a carinhosa mãe saberá entender essa linguagem não articulada. Da mesma forma, os desejos do infante espiritual podem ser expressos através de gemidos inexprimíveis (Rm 8.26). Mas o Senhor compreende esses gemidos e sabe qual é a mente do Espírito, que intercede pelos crentes. Como um cordeiro que repousa no peito do bom pastor, como uma criança no seio de sua carinhosa mãe, assim também o bebê espiritual repousa aos braços do eterno amor de Deus e em seus braços lhe segreda todos os seus desejos.

A vida espiritual, que, a princípio, se evidencia pela respiração espiritual, a oração, é, em seguida, demonstrada pelo crescimento espiritual. Em religião, não podemos permanecer bebês para sempre. Paulo disse aos coríntios: "Eu, porém, irmãos, não vos pude falar como a espirituais; e, sim, como a carnais, como a crianças em Cristo" (1Co 3.1).

A vida espiritual é progressiva e tende a fazer de nós adultos, vigorosos adultos em Cristo Jesus. A verdade de Deus supre o leite para os bebês e o alimento sólido para os que já atingiram a maior idade (1Pe 2.2; Hb 5.12). Temos sido engajados no estudo dessa verdade. Será bom indagarmos se nossa vida espiritual está ou não sendo nutrida por essa verdade; se temos crescido na fé, no amor e em cada graça. A menos que a verdade esteja fortalecendo nosso homem interior, revigorando cada vez mais a nossa vida cristã, nosso estudo da Palavra terá sido em vão.

CAPÍTULO VII

DOUTRINA CONCERNENTE À GRAÇA DIVINA

INTRODUÇÃO
O DEVER DE SER GRATO PELA GRAÇA DIVINA

"Devemos sempre dar graças a Deus por vós,
irmãos amados pelo Senhor, por isso que Deus vos escolheu
desde o princípio para a salvação, pela santificação do Espírito
e fé na verdade" (2Ts 2.13).

"Pela graça de Deus, sou o que sou" (1Co 15.10).

"Graças a Deus pelo seu dom inefável" (2Co 9.15).

Assim como o amor é uma afeição que deveria surgir em nosso coração quando contemplamos o caráter de Deus, assim também a gratidão é sentimento que deveria ser produzido por uma visão dos benefícios que ela confere. A torrente dos seus benefícios flui sem cessar. Recebê-los inadvertidamente, como os animais que perecem, e desfrutá-los sem uma atitude de ação de graças para com aquele de quem esses benefícios vêm é uma demonstração completa da depravação humana. Tal demonstração é dada diária e constantemente na conduta da humanidade, pelo que Deus é ofendido, e sua ira, provocada. Os homens ingratos e maus são inimigos de Deus. Por isso, quando somos chamados a amar nossos inimigos, o exemplo proposto para a nossa imitação é a providencial dispensação da graça de Deus, mesmo sobre os ingratos: "Amai, porém, os vossos inimigos, fazei o bem e emprestai sem esperar nenhuma paga; será grande o vosso galardão, e sereis filhos do Altíssimo. Pois ele é benigno até para com os ingratos e maus." (Lc 6.35).

Temos o dever de dar graças a Deus pelas bênçãos da providência que, tão rica e incessantemente, nos são concedidas. Porém, maior dever de gratidão deriva-se da graça que traz a salvação (Tt 2.11). Essa graça inclui o dom que Deus fez de seu Filho, um dom tão grande que não há como nomeá-lo: "Porque Deus amou ao mundo *de tal maneira* que deu o seu Filho unigênito, para que todo o que nele crê não pereça, mas tenha a vida eterna" (Jo 3.16). O amor do Filho, que também demanda nossa gratidão, não é menos imensurável do que o amor do Pai. Por isso é que Paulo dedicava-se a explorar "a largura, e o comprimento, e a altura, e a profundidade, e conhecer o amor de Cristo que excede todo o entendimento" (Ef 3.18, 19). Mas a nossa gratidão não estará completa enquanto não reconhecermos e, ademais, celebrarmos o amor do Espírito (Rm 15.30), através de quem os crentes são habitados para o gozo de Deus e levados a ter comunhão com ele.

Enquanto exercemos e cultivamos a nossa gratidão pelas bênçãos da salvação, precisamos reconhecer distintamente o fato de que essas bênçãos procedem de Deus e nos são intencionalmente concedidas. Quando percebemos que a fonte dessas bênçãos é o infinito amor do Deus Trino e as recebemos com a consciência de que foram conferidas de acordo com o seu eterno conselho, estamos, então, preparados para, enquanto desfrutamos da benevolência de Deus, retribuir agradecimentos ao seu autor e exclamar com a mais viva emoção: "Bendize, ó minha alma, ao Senhor, e não te esqueças de nem um só de seus benefícios" (Sl 103.2).

Para que a nossa gratidão a Deus seja proporcional às benções que temos recebido, deveríamos recontar as misericórdias divinas e examinar sua magnitude. Imensuráveis! Indizíveis! Acima de todo o entendimento! Mas nem por isso deixamos de nos esforçar para conhecê-las. À medida que progredimos em nosso conhecimento espiritual, a nossa gratidão deveria expandir-se e preencher a capacidade ampliada de nossa mente.

A fim de que se possa exercer total gratidão a Deus, é necessário estar plenamente impressionado pela convicção de que as bênçãos recebidas são completamente imerecidas e que procedem inteiramente da simples misericórdia e graça de Deus. Quando sentimos que somos menores do que a menor de todas as misericórdias de Deus, que nosso único merecimento é o inferno e que, se a salvação nos é concedida, isso se dá por causa da sua bondosa vontade, então, estamos preparados a dar graças pelo seu dom inefável e a dizer: "Não a nós, Senhor, não a nós, mas ao teu nome dá glória" (Sl 115.1).

CAPÍTULO 1

A TRINDADE

PAI, FILHO E ESPÍRITO SANTO SÃO TRÊS PESSOAS EM UMA ÚNICA DIVINA ESSÊNCIA[1]

A unidade de Deus é doutrina fundamental da religião cristã, e nenhuma doutrina inconsistente com esse princípio pode ser verdadeira. Todos admitem que o Pai é Deus. Já vimos que o Filho é Deus e que o Espírito Santo é Deus, de acordo com o ensino da Sagrada Escritura. Conciliar a divindade dessas dessas três pessoas com a estrita unidade de Deus é tarefa de grande dificuldade. Todos admitem que as três pessoas não podem ser três e uma num mesmo sentido. Os teólogos têm usualmente afirmado que os três são um em essência e três em pessoa. A doutrina de uma distinção tripartida na Divindade pertence especialmente à economia da graça e, por isso mesmo, é mais claramente revelada no Novo Testamento do que no Antigo. Algumas indicações a favor dessa doutrina, no entanto, podem ser encontradas nas Escrituras Hebraicas. No primeiro verso da Bíblia, o nome de Deus é plural, mas o verbo "criou" está no singular. Isso apoia a opinião de que, em Deus, há tanto pluralidade quanto

1 Mt 28.19; 2Co 13.13; Ap 1.4; Gn 1.26; 3.22; 11.7; Is 48.16; Jo 14.16. Mt 3.16, 17.

unidade. Porém, visto que, no hebraico, algumas vezes se utilizam substantivos que estão na forma plural para denotar objetos no singular, esse argumento, em si, não pode ser considerado conclusivo a favor de uma pluralidade da Divindade. O argumento, no entanto, adquire força a partir de duas considerações:

1. A Unidade

As Escrituras Hebraicas guardam com grande cuidado a doutrina da unidade de Deus, e, se toda pluralidade fosse inconsistente com essa doutrina, esse importante propósito da revelação dada aos hebreus teria sido mais bem ajudado se apenas nomes no singular tivessem sido admitidos para a Divindade. Contudo, nomes na forma plural são comumente empregados nas Escrituras. Há um caso digno de nota, em que o nome hebraico "Elohim" é usado em uma declaração expressa da unidade Divina: "Ouve, Israel, *Yahweh*, nosso *Elohim*, é um só *Yahweh*" (Dt 6.4). Por que foi introduzido o nome plural? A declaração da unidade Divina estaria completa sem ele. Se foi introduzido apenas para nos salvaguardar de uma errônea inferência quanto ao uso de nomes no plural, isso mostra que tais nomes teriam sido empregados de uma maneira um tanto perigosa e, por isso mesmo, difícil de se conciliar com a sabedoria da revelação. Se o nome "Yahweh" for entendido como referindo-se à divina essência, e "Elohim", às três pessoas, a passagem poder ser interpretada de um modo consistente e maravilhoso, tornando-se uma explícita declaração da doutrina do Novo Testamento.

2. A Pluralidade

As Escrituras Hebraicas contêm outras evidências implícitas de uma pluralidade na divindade. Pronomes do plural são aplicados a Deus, e consultas são feitas entre as pessoas divinas: "Façamos o homem" (Gn 1.26). "Vinde, desçamos, e confundamos ali a sua linguagem" (Gn 11.7). Não se pode supor uma consulta a seres criados, e a opinião de que Deus, nesses casos, falava segundo a maneira pomposa de monarcas orientais, além de ser totalmente improvável, é completamente posta de lado pela passagem que diz: "Eis que o homem se tornou como um de nós" (Gn 3.22). Nenhum monarca oriental jamais falou de sua unidade individual nesse estilo. Nenhuma interpretação consistente pode ser dada a essa linguagem, a não ser que se admita uma pluralidade na divindade. Essa admissão explica o uso de nomes plurais para Deus.

Que a pluralidade existente na divindade é trina, tem-se inferido com base na tríplice declaração da santidade de Deus (Is 6.3) e na tríplice bênção do sumo sacerdote (Nm 6.24-26). Entretanto, um argumento mais satisfatório é derivado de passagens em que as três pessoas divinas são distintamente trazidas à cena (Is 48.16; 61.1; 63.7-10).

Essa doutrina é mais claramente revelada no Novo Testamento. Ela está claramente exibida nas palavras rituais do Batismo cristão (Mt 28.19). Somos batizados em um único nome, porquanto Deus é um só. Mas esse nome é o do Pai, do Filho e do Espírito Santo, pois pertence igualmente a cada uma das pessoas divinas. Encontramo-nos com essa doutrina logo no início de nossa profissão da religião cristã. Se Cristo não era Deus, foi condenado à morte justamente, a sua religião é falsa, e o Espírito Santo, o Consolador por ele prometido, tem tão pouco direito de ser considerado divino quanto o próprio Cristo. Se Cristo e o Espírito Santo não são Deus, a forma do Batismo deveria ser rejeitada como uma parte da falsa religião na qual somos introduzidos. Ninguém pode consistentemente receber o Batismo cristão, se não acredita na doutrina da Trindade.

A DOUTRINA DA TRINDADE NA ECONOMIA DIVINA

Temos falado dessa doutrina como pertencendo especialmente à economia da graça. É na economia da graça que a doutrina é mais claramente desdobrada à nossa vista, e, sem ela, o pacto da graça e todo o seu desenvolvimento na grande obra da salvação não podem ser entendidos. Porém, há demonstrações menos nítidas dessa doutrina em outras obras de Deus. Isso é verdade na criação. Já vimos a consulta que houve entre as pessoas da Divindade na criação do homem como uma prova de pluralidade. Moisés escreveu: "e o Espírito de Deus pairava por sobre as águas" (Gn 1.2). Jó afirmou: "Pelo seu sopro (Espírito) aclara os céus" (Jó 26.13). João diz: "Todas as coisas foram feitas por intermédio dele (o Verbo)" (Jo 1.3). As três pessoas, portanto, estiveram ocupadas na obra da criação, e outras passagens ensinam que todas as três estão ocupadas na obra da providência (Hb 1.3; Is 34.15, 16).

Os mais sóbrios teólogos admitem que existe um incompreensível mistério na doutrina da Trindade. Todas as tentativas para explicá-la têm falhado. Dois dos métodos que têm sido propostos merecem nossa atenção.

Alguns, que são chamados sabelianos, afirmam que a distinção entre Pai, Filho e Espírito Santo não é pessoal, mas que diz respeito aos ofícios desempenhados. Sustentam que Deus é um em pessoa, tanto quanto o é em essência, mas que ele se manifesta em três diferentes modos, sendo que os três diferentes nomes de Deus denotam esses três modos de manifestação. Isso simplifica a doutrina, mas não está de acordo com as Escrituras. Seguindo esse ponto de vista da doutrina, poderíamos parafrasear as palavras de Cristo, em João

14.16, como segue: "Eu, que sou a mesma pessoa que o Pai, rogarei ao Pai, que não é outro senão eu mesmo, em um ofício diferente ou outro modo de manifestação, e ele vos dará um outro Consolador, que não é outro senão a mesma pessoa que meu Pai e eu mesmo". Por esse exemplo, vemos como essa explicação da doutrina está em divergência com a Palavra de Deus.

Outros admitem a distinção de pessoas na Divindade e explicam que as três pessoas possuem uma única essência, da mesma maneira que três homens, Pedro, Tiago e João, possuem uma mesma natureza. Porém, isso é triteísmo; faz do Pai, Filho e Espírito Santo três deuses, assim como Pedro, Tiago e João são três homens. Se podemos chamar as três pessoas de um único Deus, meramente porque são semelhantes em sua natureza, podemos, com igual razão, afirmar que Júpiter, Netuno, Plutão e todas as divindades pagãs eram um único deus. Essa explicação, portanto, deve ser rejeitada, como sendo inconsistente com a unidade essencial de Deus.

Tentativas têm sido feitas para se ilustrar o mistério da Trindade por meio de objetos materiais. Dentre as demais, uma dessas por ser citada como exemplo: água, gelo e neve, dizem, são coisas diferentes e, no entanto, são uma mesma coisa. Por estranho que pareça, três copos, todos com água na forma líquida, teriam servido igualmente bem para representar esse mistério. A distinção entre os três copos seria igualmente óbvia, e a identidade de natureza teria sido real e até mais aparente. Porém, todas as ilustrações desse tipo são como palavras destituídas de conhecimento, que escurecem os desígnios de Deus (Jó 38:2). "Com quem comparareis a Deus? Ou que coisa semelhante confrontareis com ele?" (Is 40.18).

Esses esforços para explicar a doutrina não são apenas infrutíferos, mas conduzem ao erro. Se a mente é satisfeita com tais explicações, é por causa de uma falsa visão do modo de existência de Deus, imaginando que ele seja como um de nós. Muito mais sábio é admitir que ninguém pode penetrar nos mistérios de Deus e abster-nos de esforços inúteis para compreender o que é incompreensível para nossa mente finita. Devemos acreditar naquilo que Deus mesmo nos diz a respeito do assunto e, com essa medida de conhecimento, ficar satisfeitos. Tudo o que vai além disso é mera especulação humana, da qual é nosso dever e interesse acautelar-nos. Além disso, evitando tais especulações, não estaremos suscetíveis à reprovação, por crermos naquilo que ultrapassa o nosso entendimento e não nos foi revelado. Os ensinamentos contidos na revelação divina nos são compreensíveis, e devemos laborar por entendê-los. Porém, o mistério que permanece não revelado ao nosso entendimento não é um objeto da nossa fé. A proposição "Deus é *incompreensível*" é simples e inteligível, e nossa fé a compreende; Deus é o assunto dessa proposição. Contudo, se a fé necessitasse de uma plena compreensão do assunto, seria impossível crer na proposição. Embora não nos seja possível compreender a Deus, compreendemos o significado da proposição, e é nisso que cremos. Assim, a doutrina da Trindade pode ser expressa em proposições, todas inteligíveis, a despeito da incompreensibilidade do assunto.

O ponto de vista que temos apresentado é importante para fortalecer nossa fé na doutrina da Trindade. Enquanto imaginarmos que é necessária uma plena compreensão da natureza de Deus para o exercício da fé, abraçaremos a verdade com indecisão. Porém, examinemos as proposições em que a doutrina pode ser expressa e descobriremos que cada uma dessas proposições é perfeitamente inteligível. O Pai é Deus, o Filho é Deus, o Espírito Santo é Deus; não há senão um Deus. Todas essas proposições podemos entender e receber com fé inabalável, embora estejamos bem certos de que nosso entendimento é infinitamente incapaz de compreender esse tão grandioso mistério e de que existe uma grande dificuldade em se harmonizar o fato de que Deus é um só com a individualidade de cada pessoa, uma dificuldade que a inteligência finita não pode explicar.

Ao receber uma verdade cercada de dificuldades como essa, nossa fé pode ser ajudada ao observarmos que outras verdades que admitimos estão também cercadas de dificuldades. Pode-se demonstrar que a onipresença de Deus é tão incompreensível quanto a Trindade. Se uma porção de matéria está aqui, outra, lá, e outra, mais além, ao mesmo tempo, sabemos que há três porções. Se, na ilustração, substituímos a porção de matéria por um anjo, deduzimos que há três anjos, em três lugares diferentes, e não um só e mesmo anjo. Não obstante, a doutrina da onipresença de Deus ensina que a Divindade inteira está aqui, a Divindade inteira está lá, a Divindade inteira está acolá, mas é uma única e mesma Divindade que está em cada lugar. Se uma Divindade inteira pode habitar, ao mesmo tempo, em três lugares diferentes e, ainda assim, ser apenas uma, por que não poderia uma divindade inteira habitar em três pessoas separadas, Pai, Filho e Espírito Santo, e, contudo, ser um único Deus?

Talvez não haja qualquer analogia entre os dois casos, senão no fato de que ambos, semelhantemente, confundem a nossa aritmética. Entretanto, essa analogia é suficiente para o nosso atual propósito. Se o modo da existência de Deus fosse igual àquele das coisas criadas, sejam elas materiais ou espirituais, Deus, então, não poderia estar em vários lugares ao mesmo tempo ou em três pessoas distintas e, ainda, ser uma unidade indivisível. Somos compelidos a admitir a onipresença de Deus e deveríamos, com igual fé na autoridade da Palavra de Deus, admitir a doutrina da Trindade, imputando a dificuldade do assunto à incompreensibilidade da natureza divina.

Em um particular, a doutrina da onipresença de Deus tem uma dificuldade maior do que a doutrina da Trindade. Esta última dispõe de um atenuante que não pode ser encontrado na doutrina da onipresença e que é derivado da consideração de que Deus não é três e um no mesmo sentido. Deus é três em pessoas e um em essência. Embora não estejamos aptos a explicar a precisa diferença entre pessoa e essência, o fato de que existe uma diferença alivia essa doutrina da acusação de inconsistência.

Estudamos a mente humana nos fenômenos que ela apresenta. As operações de memória, imaginação, raciocínio e outras diferem grandemente umas das outras; porém, atribuímos todas essas operações a uma única e indivisível substância chamada mente, da qual não temos nenhum conhecimento, senão o que adquirimos pela observação de seus fenômenos. Da mesma forma, o que sabemos de Deus, apreendemos das manifestações que ele tem feito de si mesmo em sua Palavra e obras. Nessas manifestações, descobrimos a distinção pessoal de Pai, Filho e Espírito Santo; apesar disso, conforme a Palavra de Deus nos ensina, referimos todas as manifestações a uma única e indivisível essência de que a unidade de Deus se constitui. Não se trata de uma tríplice manifestação da mesma pessoa, como afirmam os sabelianos, mas de uma manifestação de três pessoas distintas, tomando conselho e compactuando-se entre si, uma pessoa enviando a outra, uma falando a outra etc. Nada semelhante a isso aparece nos fenômenos da mente humana, mas nem por isso podemos inferir que tais fenômenos não possam ser encontrados nas manifestações de uma única e divina mente.

O vocábulo "Trindade" não é encontrado na Bíblia, e, por isso, existe uma certa objeção contra o seu uso. Significando triunidade, três em um, ele é um expressivo nome para a doutrina. Visto que é uma palavra conveniente, temos a liberdade de utilizá-la, como fazemos com muitas outras palavras não encontradas na Bíblia; e a propriedade do seu uso torna-se ainda maior pelo fato de não haver uma única palavra na Bíblia que a possa substituir. Porém, não estamos obrigados a contender por esse nome, o qual é humano, desde que mantenhamos firmemente a doutrina que é divina.

O termo "pessoa", usado para exprimir essa doutrina, também não tem qualquer precedente nas Escrituras. Contudo, haveríamos de abandoná-lo somente por esse motivo? Um comportamento assim, que se recusa a usar qualquer palavra não encontrada na Bíblia, seria tolo e sem proveito. Ninguém recusaria aplicar o termo "pessoa" a Jesus Cristo – e falar dele como uma justa e santa pessoa, uma pessoa extraordinária ou maravilhosa, ou dizer que as suas duas naturezas estão unidas em uma única pessoa –, e, no entanto, seria difícil criar um precedente escriturístico para essa aplicação do termo "pessoa". Se Jesus Cristo era uma pessoa, de acordo com a aceitação comum do termo, e se ele se dirigiu ao Pai e falou do Espírito Santo da maneira como uma pessoa humana se dirigiria a outra pessoa e falaria de uma terceira, aquele que se recusa a aplicar o termo ao Pai e ao Espírito Santo da forma como é aplicado ao Filho está dotado de um cuidado excessivo.

Alguns preferem empregar o termo "manifestação", mas ele também é sem precedente nas Escrituras. Dizer-se que uma manifestação fala de uma manifestação a outra manifestação seria ininteligível. Por isso, bem podemos defender o uso do termo "pessoa", desde que nos lembremos de que esse é um expediente humano para se evitar redundância. Se alguém passa a extrair do termo alguma inferência que afetará a doutrina, esse tal deve ser lembrado de que o termo é humano. Se, quando se fala das três pessoas divinas, alguém vem a inferir que essas três pessoas são, em todos os aspectos, tão distintas entre si como o são três pessoas humanas – Pedro, Tiago e João –, essa pessoa está construindo uma inferência sobre um alicerce não autorizado pela Palavra de Deus.

CAPÍTULO 2
O PACTO DA GRAÇA

AS TRÊS PESSOAS DIVINAS COOPERAM NA SALVAÇÃO DO HOMEM, DE ACORDO COM UMA ALIANÇA ETERNA[1]

Já anteriormente demonstramos que as Escrituras usam o termo "aliança" (ou pacto) com amplitude de significação. Nesse caso, a propriedade do uso do termo não pode ser questionada. Temos três pessoas divinas que tomam parte nessa aliança. A doutrina da unidade de Deus não pode excluir a noção de um pacto sem que, ao mesmo tempo, fique excluída a distinção de pessoas da Divindade. Todavia, não devemos imaginar que, nessa transação de pacto, tenha havido alguma proposição de termos, feita por uma das partes, uma deliberação seguida pelo aceitar ou rejeitar dos termos pelas outras partes. Isso acontece na celebração de alianças humanas, por causa da imperfeição das partes envolvidas. Em favor de nossa debilidade humana, as Escrituras usam uma linguagem tirada das transações dos homens. Falam como se uma proposta formal tivesse sido feita quando da criação do homem, apresentada por uma

1 Sl 2.8; 40:6-8; 89.3; Is 49.3-12; Jo 17.6; Hb 13.20, Tt 1.2.

das partes à aprovação das outras partes: "Façamos o homem". Isso, porém, é apenas uma acomodação ao nosso modo de pensar. O que é ensinado nessa passagem é um acordo e a cooperação entre as pessoas divinas na criação do homem. Esse acordo e cooperação estende-se a todas as obras de Deus, pois ele "faz todas as coisas conforme o conselho da sua vontade" (Ef 1.11). A ideia de *conselho* em todas as obras de Deus está de acordo com a ideia de consulta que nos é apresentada na narrativa da criação do homem. Em cada uma das obras de Deus, as pessoas divinas têm que concordar ou discordar. Visto que todas as três igualmente possuem sabedoria infinita, desacordo entre elas é impossível. A salvação do homem é uma obra em que todas as pessoas divinas participam. É realizada de acordo com um propósito eterno, e, nesse propósito, bem como na realização da obra, as pessoas divinas cooperam entre si, sendo essa cooperação a sua eterna aliança. O propósito do único Deus é o pacto da Trindade.

Na obra da salvação, todas as pessoas divinas cooperam em diferentes ofícios. É na obra da salvação que esses diferentes ofícios são mais claramente revelados – como que para tornar a distinção de pessoas na Divindade ainda mais manifesta – do que em qualquer outra das obras de Deus. Sem qualquer dúvida, essas relações de ofícios são rigorosamente mantidas pelo perfeito acordo entre todas as partes. Falando segundo os padrões humanos, as grandes estipulações do pacto eterno são o ajustamento dessas relações, bem como a atribuição das diversas etapas da obra a cada uma das partes.

Pode-se sustentar que esse pacto é eterno pela eternidade, imutabilidade e onisciência das partes, bem como pelas declarações da Bíblia que, direta ou indiretamente, estão relacionadas com ele: "pelo sangue da eterna aliança" (Hb 13.20); "segundo o eterno propósito que estabeleceu em Cristo Jesus, nosso Senhor" (Ef 3.11); "na esperança da vida eterna que o Deus que não pode mentir prometeu, antes dos tempos eternos" (Tt 1.2); "conforme a sua própria determinação e graça que nos foi dada em Cristo Jesus antes dos tempos eternos" (2Tm 1.9).

Embora o propósito de Deus seja *um*, ficamos obrigados, de acordo com nosso modo de pensar, a visualizá-lo e a falar dele, como se consistisse em muitas partes. Por isso, o pacto eterno é um só, mas é revelado a nós em uma maneira adaptada às nossas concepções, para nosso benefício espiritual. A obra da redenção através de Cristo é apresentada no evangelho como o grande objeto da nossa fé. Na revelação que é dada nas Escrituras a respeito do pacto da graça, o ponto proeminente é o "contrato" celebrado entre as pessoas da Trindade para a realização dessa obra. O acordo entre o Pai e o Filho é notavelmente apresentado em diversas partes do Livro: "Eram teus, e tu os deste a mim" (Jo 17.6, A21). "Pede-me, e eu te darei as nações por herança, e as extremidades da terra por tua possessão" (Sl 2.8). "Sacrifícios e ofertas não quiseste [...] Então eu disse: Eis aqui estou, no rolo do livro está escrito a meu respeito; agrada-me fazer a tua vontade, ó Deus meu" (Sl 40:6-8). Em Isaías 49, as condições ajustadas entre o Pai e o Filho são apresentadas quase como se tivessem sido copiadas de um registro original da transação.

De acordo com os arranjos do pacto, o Filho veio em forma humana, assumindo a forma de servo, e, tendo sido obediente até a morte, foi exaltado pelo Pai à posição de supremo domínio. Também o Espírito Santo nos é revelado agindo em um ofício subordinado, sendo enviado pelo Pai e pelo Filho. Somente o Pai não é apresentado atuando em um ofício subordinado; antes, aparece como aquele que sustém consigo toda autoridade da Divindade, enviando o Filho, dando-lhe um povo para ser remido, prescrevendo as condições, aceitando o serviço prestado, recompensando e glorificando o Filho e enviando o Espírito Santo. Em tudo isso, o Pai aparece como o representante da Divindade, em autoridade e majestade.

Também o Filho assumiu o caráter de representante. A promessa da vida eterna foi feita antes da fundação do mundo ao Filho, como o representante do povo de Deus. A reconciliação entre Deus e os homens foi provida pelo pacto da promessa entre o Pai e o Filho – o Pai atuando como representante da Divindade, e o Filho, como representante e fiador do seu povo.

O Espírito Santo coopera nesse arranjo e toma sua parte na obra da salvação, em harmonia com as outras pessoas da Divindade. O seu ofício peculiar é necessário para a concretização do plano e para premiar a obediência do Filho mediante a salvação de seu povo redimido. As promessas do Pai ao Filho incluem o dom do Espírito Santo. Assim sendo, o envio do Espírito é atribuído ao Filho (Jo 16.7) e, algumas vezes, ao Pai, a pedido do Filho (Jo 14.16).

Nessa subordinação de ofícios, com a qual o Filho e o Espírito consentiram voluntariamente, não está implicada qualquer inferioridade de natureza. Toda plenitude da Divindade habita em cada uma das divinas pessoas, o que torna o cumprimento da aliança infalivelmente seguro, em todos os seus termos. O Espírito Santo, desempenhando o seu ofício, habita nos crentes; mas traz consigo a plenitude da Divindade, de forma que Deus está nos crentes. Estes são, portanto, o templo de Deus e estão cheios da plenitude de Deus. O Filho (ou Verbo), no desempenho de seu ofício, torna-se o homem Jesus Cristo. Mas a plenitude da

Divindade está nele, de forma que, mesmo em sua mais profunda humilhação, ele é Deus manifesto em carne, o qual é sobre todos, Deus bendito para todo o sempre.

A ordem de operações nessa misteriosa e maravilhosa economia só pode ser apreendida a partir da revelação divina; temos de estudá-la com simples fé, dependendo exclusivamente do testemunho de Deus. Pela maneira como a temos apresentado, podemos descobrir que as bênçãos da graça, procedentes de Deus, parecem originar-se no Pai, "de quem são todas as coisas", ser conferidas através do Filho, "por meio de quem são todas as coisas", mediante o Espírito Santo, que é o agente imediato na dispensação dessas bênçãos, o último na ordem das operações.

A aproximação a Deus em atos de devoção acontece na ordem reversa. O Espírito faz intercessão *nos* santos, movendo-os a um espírito de súplica, assistindo-os em suas enfermidades, mesmo quando nem sabem como orar. As orações dos santos são oferecidas através de Cristo, como o meio de aproximação a Deus, e o Pai, como o mais alto representante da Divindade, é o objeto final de nossa adoração. "Porque por ele [Cristo], ambos temos acesso ao Pai em um Espírito" (Ef 2.18). O Espírito nos move a honrar ao Pai e ao Filho. Com esse propósito, faz-nos ver a Cristo, para que possamos crer e, através dele, aproximarmo-nos do Pai. Nessa obra, o Espírito age em nome de toda a Divindade, e, por isso, a sua obra é atribuída ao Pai: "Ninguém pode vir a mim se o Pai que me enviou não o trouxer" (Jo 6.44). Quando vamos a Jesus Cristo, encontramo-nos novamente com toda a Divindade na pessoa do Mediador: "Deus estava em Cristo, reconciliando consigo o mundo" (2Co 5.19). E, quando nos dirigimos ao Pai, como o objeto final da nossa adoração, a Divindade inteira está nele e recebe nossa adoração.

No pacto da graça, o Deus triúno é de tal maneira apresentado aos olhos do crente, que ele pode adorar a Deus sem distração de pensamento, em plena confiança de aceitação e com a percepção de que Deus é tudo em todos. No refúgio de seu quarto, o homem de Deus apresenta a sua devoção, sabendo que Deus está presente no lugar oculto, e mantém comunhão com ele, como um íntimo amigo. Quando, deixando os aposentos, enfrenta a agitação deste mundo, pode ver que Deus está em todo lugar ao seu redor, nas nuvens e na terra, e mantém o seu diálogo com ele também nessa diferente manifestação que Deus faz de si mesmo. Quando o crente eleva os pensamentos ao mais alto e santo lugar, onde o trono de Deus está, e ora: "Pai nosso, que estás no céu", sua mente é orientada à mais alta e mais gloriosa manifestação da Divindade. Nisso, o seu pensamento não sofre qualquer distração. Seja no seu quarto, a portas fechadas, seja no mundo ou nos mais altos céus, é um só e o mesmo Deus onipresente a quem se dirige. Com a mesma liberdade de não sofrer distrações, podemos adorar o Deus infinito, quer nos aproximemos dele na pessoa do Espírito Santo, operando no coração, quer na pessoa do Filho, o Mediador entre Deus e os homens, quer na pessoa do Pai, como representante da plena autoridade e majestade da Divindade. Adoramos a Deus, e a Deus somente, sem importar se nossa devoção é dirigida ao Pai, ao Filho ou ao Espírito Santo, pois a divina essência una e indivisível pertence a cada uma das três pessoas.

A fim de nos salvaguardar de erro, cabe observar que o pacto que estamos considerando não é idêntico à nova aliança, referida na epístola aos Hebreus. Esta última, de acordo com a profecia citada pelo autor da epístola, é uma aliança feita "com a casa de Israel e com a casa de Judá" (Hb 8:8), enquanto o pacto da graça, de que temos tratado, não é estabelecido com o homem. Há, porém, uma estreita conexão entre ambos. No pacto eterno, as promessas são feitas ao Filho, na qualidade de representante do seu povo. Na nova aliança, tais promessas são feitas diretamente à (e, em parte, são cumpridas na) casa de Israel e se resumem nisto: "Nas suas mentes imprimirei as minhas leis, também sobre os seus corações as inscreverei; e eu serei o seu Deus, e eles serão o meu povo" (Hb 8.10). Tais promessas, em parte, estão cumpridas.

CAPÍTULO 3

AS BÊNÇÃOS DA GRAÇA

A SALVAÇÃO DOS HOMENS DEPENDE INTEIRAMENTE DA GRAÇA DIVINA[1]

Graça é favor imerecido. Em Romanos 4.4, Paulo distingue entre o dom da graça e o salário de dívida. Quando algum bem é conferido por causa de obrigação, não é pela graça. Tudo quanto possa ser reivindicado como débito de justiça não pode ser considerado como favor imerecido. A justiça retribui a cada homem de acordo com as suas obras. Portanto, se a salvação fosse pelas obras, não poderia ser pela graça. Paulo tratou do assunto com muita clareza: "Ora, ao que trabalha, o salário não é considerado como favor, e, sim, como dívida". "E se é pela graça, já não é pelas obras; do contrário, a graça já não é graça" (Rm 4.4 e 11:6).

Pela mesma razão que a salvação não é pelas obras, também não é pela lei. A lei é a regra da justiça e toma conhecimento das obras humanas. Se a lei pudesse dar vida ao homem, isso seria com base na obediência dos seus requisitos, pois a sua linguagem é: "O homem que praticar a justiça decorrente da lei, viverá por ela" (Rm

1 Ef 2.5, 7; 2Tm 1.9; Rm 3.24; 8.23; 9.5, 6; 9.15, 16.

10:5). Mas a salvação pela lei é declarada impossível: "Porque se fosse promulgada uma lei que pudesse dar vida, a justiça, na verdade, seria procedente de lei" (Gl 3.21). A Escritura representa a lei e graça como sendo dois opostos: "Porque a lei foi dada por intermédio de Moisés; a graça e a verdade vieram por meio de Jesus Cristo" (Jo 1.17). "Recebestes o Espírito pelas obras da lei, ou pela pregação da fé?" (Gl 3.2). "Essa é a razão por que provém da fé, para que seja segundo a graça" (Rm 4.16).

Vez por outra, o termo "lei" é usado num sentido mais amplo, como quando a lei das obras se opõe à lei da fé (Rm 3.27) ou quando a lei do espírito de vida se opõe à lei do pecado e da morte (Rm 8:2). Por isso, lemos a respeito da "lei perfeita, lei da liberdade" (Tg 1.25), a qual não pode ser a regra da justiça, que diz: "Maldito todo aquele que não permanece em todas as coisas escritas no Livro da lei, para praticá-las" (Gl 3.10). Quando usado nesse sentido mais amplo, o termo "lei" denota o método da salvação pela graça, mediante a fé, e é cuidadosamente distinguida da "lei das obras".

A doutrina da salvação exclusivamente pela graça é ensinada nas Escrituras com grande clareza. Em Efésios 2, duas vezes é feita a declaração: "Pela graça sois salvos". Paulo atribuía a sua própria salvação à graça: "Mas, pela graça de Deus, sou o que sou" (1Co 15.10). O apóstolo atribui a bênção da salvação à "graça que nos foi dada em Cristo Jesus antes dos tempos eternos" (2Tm 1.9); à "riqueza da sua graça" (Ef 1.7); à "suprema riqueza da sua graça" (Ef 2.7).

A salvação é totalmente pela graça. Essas passagens mostram que a salvação não é em parte por obras, em parte pela graça. A graça e as obras estão em extremos tão opostos, que, quando se afirma que é pela graça, está-se afirmando que não pode ser pelas boas obras: "Não é pelas obras, do contrário, a graça já não é graça" (Rm

11 :6); "não segundo as nossas obras, mas conforme a sua própria determinação e graça" (2Tm 1.9).

Por ser a salvação totalmente pela graça, toda a arrogância fica anulada (Rm 3.27): "não de obras, para que ninguém se glorie" (Ef 2.9). Nossas obras estão completamente excluídas porque são todas pecaminosas e não podem merecer senão a ira de Deus. A fé renuncia a toda confiança em nossas próprias obras, toda a expectativa de, por elas, alcançar favor. A fé pede e recebe cada bênção como um dom da graça divina, através de Jesus Cristo. Quando a salvação é assim recebida, toda a arrogância fica efetivamente excluída. Uma prova de que a salvação é inteiramente pela graça divina é a condição em que o evangelho encontra a humanidade. Nós todos somos justamente condenados, totalmente depravados e, em nós mesmos, completamente desamparados. Tudo isso já tem sido amplamente provado em capítulos anteriores. Tudo isso comprova-se na experiência de todos aqueles que são despertados para uma clara visão de seu estado de perdição. Tudo isso concorda precisamente com a linguagem com que Deus falava ao seu povo: "A tua ruína, ó Israel, vem de ti, e só de mim o teu socorro" (Os 13.9).

Em Efésios 2, é descrita a condição do ser humano por natureza: "filhos da ira", "mortos nos vossos delitos e pecados", "não tendo esperança, e sem Deus no mundo". O apóstolo também atribui o livramento dessa condição miserável e sem esperança à graça de Deus, que é rico em misericórdia: "Mas Deus, sendo rico em misericórdia, por causa do grande amor com que nos amou, e estando nós mortos em nossos delitos, nos deu vida juntamente com Cristo – pela graça sois salvos –, e juntamente com ele nos ressuscitou e nos fez assentar nos lugares celestiais em Cristo Jesus". "Porque pela graça sois salvos, mediante a fé; e isto não vem de vós, é dom de Deus" (Ef 2.4-6, 8). Na ansiedade de seu desejo de impressionar a mente dos cristãos de Éfeso com um senso de sua obrigação para com a graça divina, antes mesmo de chegar à conclusão de seu argumento (como que impaciente), desejando expressar o pensamento com que a sua própria mente estava tão profundamente impressionada, o apóstolo abre parênteses para declarar por antecipação: "pela graça sois salvos". Quando o seu argumento já está completo, Paulo repete a declaração e a expande até a máxima plenitude de significação, adicionando que a própria fé é um dom de Deus. Se a bênção é conferida mediante a fé, para que possa ser pela graça; se mesmo a fé é dom de Deus, concluímos que deve ser enfaticamente verdadeiro que a salvação é pela graça.

As bênçãos que são conferidas na salvação demonstram que ela é inteiramente pela graça. Consideraremos essas bênçãos em particular nas seções que se seguem; mas podemos, numa visão geral, enxergar aqui tais bênçãos sob dois dons principais, a saber, o dom de Cristo e o dom do Espírito Santo.

O dom de Jesus Cristo, para morrer por nós e tornar-se o autor da salvação eterna, é inteiramente da graça: "Porque Deus amou ao mundo de tal maneira que deu o seu Filho unigênito" (Jo 3.16). "Mas Deus prova o seu próprio amor para conosco, pelo fato de ter Cristo morrido por nós, sendo nós ainda pecadores" (Rm 5.8). "Aquele que não poupou a seu próprio Filho, antes, por todos nós o entregou, porventura não nos dará graciosamente com ele todas as coisas?" (Rm 8.32).

Sem a morte de Jesus Cristo, a nossa salvação era impossível, e não tínhamos qualquer direito sobre Deus para reivindicar o dom de seu Filho amado. Ele foi dado a nós graciosamente, por causa do grande amor com que Deus nos amou; e, assim como ele próprio foi dado graciosamente, todas as bênçãos que recebemos através de Jesus Cristo são igualmente concedidas pela graça. Se alguém pensa que Cristo tinha a obrigação de morrer por nós ou que Deus estava obrigado a dar o seu Filho para fazer o sacrifício necessário pelo pecado, tal pessoa se engana totalmente, num ponto que é de vital importância para a salvação de sua alma. A doutrina de que a salvação é pela graça não é uma especulação sem proveito; antes, está no âmago da experiência cristã, e a fé que não a reconhece também não recebe a Cristo da maneira como ele é apresentado no evangelho. Essa, portanto, é uma questão importantíssima. Que nossa visão dessa verdade seja clara, e cada faculdade de nossa mente a abrace afetuosamente.

Assim como o Filho de Deus foi um dom gratuito para nos salvar pela sua morte, da mesma forma, o Espírito Santo é dado a nós graciosamente, para aplicar a salvação que o Filho realizou: "o amor de Deus é derramado em nossos corações pelo Espírito Santo, que nos foi outorgado" (Rm 5.5). Recebemos o Espírito Santo como um dom do amor do Pai, que o concedeu a nós da mesma forma como os pais terrenos sabem dar boas dádivas a seus filhos (Lc 11.13). E esse dom não é outorgado por causa de mérito da parte de quem o recebe. Indagou Paulo: "recebestes o Espírito pelas obras da lei, ou pela pregação da fé?" (Gl 3.2). Com essa pergunta, aprendemos que também o dom do Espírito provém da fé, para que seja segundo a graça (Rm 4.16).

O Espírito é concedido em resposta à oração de Cristo e, sendo outorgado através de Cristo, é uma das boas dádivas que nos são graciosamente concedidas junto com ele. Somos encorajados a orar pedindo que Deus nos conceda o seu Espírito; mas nossa oração não pode ser aceitável nem será ouvida se pedirmos tal bênção como se a merecêssemos, como algo que pudéssemos exigir como um direito.

Quando, com coração quebrantado, rogamos a Deus que, pelas riquezas da sua graça, nos conceda o seu Santo Espírito, para renovar-nos, santificar-nos, e preparar-nos para o seu serviço, nossas petições chegam com aceitação aos ouvidos do Senhor dos Exércitos.

Uma objeção ao que temos apresentado pode surgir do fato de que, no último dia, os homens serão julgados de acordo com suas obras (Ap 20.12). Entretanto, as boas obras dos santos são o fruto da graça outorgada. Embora a sentença do dia final será de acordo com as obras de cada um, o galardão, não obstante, será produto da graça, e não de dívida. As boas obras serão uma evidência da fé, e Cristo, o Juiz, as citará como uma prova de amor para com ele. O reino que Cristo dará aos seus santos será não uma recompensa pelos méritos de suas obras, mas uma herança que lhes está preparada desde a fundação do mundo (Mt 25.34). Naquele dia, será visto que todos os santos saberão que a vida eterna é um dom de Deus através de Jesus Cristo.

1. Perdão

Todos os que se arrependem do pecado obtêm perdão por meio de Jesus Cristo[2]

O perdão implica no livramento da penalidade devida ao pecado. A ira de Deus se revela do céu contra toda a impiedade. Quando os homens percebem o perigo a que estão expostos, o livramento da iminente ira torna-se uma questão de máxima urgência, surgindo um ansioso desejo de obter o perdão. Para os que estão em semelhante estado mental, a doutrina que apresenta o perdão em Deus é muito bem-vinda.

2 Is 55.7; Jr 3.12, 22; Lc 24.46, 47; At 2.38; 3.19; 5.31.

Todo perdão é concedido através de Jesus Cristo. É ele quem nos livra da ira vindoura (1Ts 1.10). Nele temos "a redenção, pelo seu sangue, a remissão dos pecados, segundo a riqueza da sua graça (Ef 1.7). Ele tinha sobre a terra o poder de perdoar os pecados (Mt 9.6) e, agora, está "exaltado à posição de Príncipe e Salvador, a fim de conceder a Israel arrependimento e remissão de pecados" (At 5.31).

Para que pudéssemos ser libertados da penalidade devida aos nossos pecados, era necessário que Cristo tomasse a nossa culpa. Por isso, é verdade que sem "derramamento de sangue, não há remissão" (Hb 9.22), e, no ensino das Escrituras, o perdão de pecado está ligado com a redenção pelo sangue de Cristo. Com isso concorda a linguagem dos redimidos: "Àquele que nos ama, e pelo seu sangue nos libertou dos nossos pecados" (Ap 1.5).

A bênção do perdão é concedida a todos os que verdadeiramente se arrependem de seus pecados. Isso é ensinado em várias passagens das Escrituras: "Arrependei-vos, pois, e convertei-vos, para serem cancelados os vossos pecados" (At 3.19). "Se confessarmos os nossos pecados, ele é fiel e justo para nos perdoar os pecados e nos purificar de toda injustiça" (1Jo 1.9). Arrependimento e remissão de pecados (Lc 24.47) eram pregados em nome de Cristo e são bênçãos que estão associadas, concedidas por aquele que foi exaltado a "Príncipe e Salvador" (At 5.31). Quando Jesus declarou: "se, porém, não vos arrependerdes, todos igualmente perecereis" (Lc 13.3), estava implícito que, se eles se arrependessem, escapariam. No evangelho, Deus ordena aos homens que todos, em toda parte, arrependam-se, em vista do juízo que se aproxima (At 17.30). A esperança de escapar da ira, naquele grande dia, está claramente assegurada para os que obedecem ao mandado divino e sinceramente se arrependem dos seus pecados.

O perdão é algumas vezes representado nas Escrituras como uma graça recebida através da fé em Cristo: "Dele, todos os profetas dão testemunho de que, por meio de seu nome, todo o que nele crê recebe remissão de pecados" (At 10.43). Arrependimento e fé são graças gêmeas, procedentes do mesmo Espírito Santo, operadas num mesmo coração. Embora possam ser contempladas separadamente, as duas existem juntas, e a promessa de perdão aplica-se a ambas.

No Novo Testamento, há uma certa conexão entre a remissão dos pecados e a ordenança do Batismo. João Batista pregava batismo de arrependimento para remissão de pecados (Mc 1.4). Ananias disse a Saulo: "Levanta-te, recebe o batismo e lava os teus pecados" (At 22.16). No Antigo Testamento, aparece uma conexão similar entre a remissão e os sacrifícios daquela dispensação: "Com efeito, quase todas as coisas, segundo a lei, se purificam com sangue; e sem derramamento de sangue não há remissão" (Hb 9.22). Porém, somos ensinados que o sangue de touros e bodes não pode expurgar o pecado (Hb 9.13); que tais sacrifícios eram apenas figuras das coisas vindouras; e que a remoção efetiva do pecado é somente pelo sangue de Cristo. Assim como os sacrifícios no tempo da lei, também o Batismo é uma figura. Nas cerimônias instituídas por Moisés, a morte de Cristo era prefigurada pela morte de animais, enquanto, no Novo Testamento, o sepultamento e ressurreição de Cristo estão figurados na ordenança do Batismo. Em ambos os casos, a ideia de remissão que está ligada ao cerimonial é meramente figurativa. Diz-se que nossos pecados são lavados no batismo no mesmo sentido figurativo com que se diz que comemos do corpo e bebemos do sangue de Cristo, na ordenança da Ceia do Senhor (1Co 10.16). O Batismo e a Ceia do Senhor são ordenanças a serem observadas sob a dispensação do evangelho, assim como as diferentes cerimônias instituídas por Moisés eram as ordenanças da antiga dispensação. Porém, as figuras não devem ser confundidas com as coisas que elas representam. Figurativamente, o Batismo limpa o pecado; mas, na realidade, "o sangue de Jesus nos purifica de todo o pecado" (1Jo 1.7). Precisamos ser cautelosos para não confiarmos na figura, em vez de confiarmos na realidade que ela representa.

Escapar da ira vindoura é o primeiro desejo de todo pecador despertado, e "misericórdia, misericórdia; perdão, perdão!" são as primeiras palavras em suas fervorosas orações. O perdão é concedido sob a condição de haver arrependimento, e este é o primeiro dever ordenado no evangelho. Convinha que a primeira bênção da graça, a qual o pecador ansiosamente procura, estivesse ligada ao primeiro dever que dele é requerido. Isso mostra, por um lado, a santidade de Deus, que não perdoará o pecado, exceto na condição do retorno do pecador à obediência. Por outro lado, mostra a prontidão de Deus em perdoar, visto que a sua ira é desviada ao primeiro passo de retorno do pecador. Deus poderia ter exigido do pecador que passasse por uma longa e dolorosa disciplina de penitência e um longo período de serviço laborioso, como uma condição para ser libertado da indignação e ira desde há muito provocadas. Mas a prontidão de Deus em perdoar é maravilhosamente ilustrada na parábola do filho pródigo pela conduta do pai, que, enquanto o filho ainda estava longe de casa, corre e o abraça e beija, dando-lhe plena certeza de perdão e aceitação (Lc 15.20). Tal é o amor que Deus manifesta para com o pecador arrependido. Esse amor corre a receber o pecador ao primeiro sinal de verdadeiro arrependimento.

O perdão assim concedido não é parcial. O furor da ira divina, que vinha se acumulando sobre a cabeça do pecador durante toda a sua vida de impenitência, é imediatamente dissipado, e os pecados, como uma grossa nuvem se desfaz, são apagados de uma vez (Is 44.22). Para mostrar como o seu perdão é completo, Deus diz que as iniquidades são lançadas nas profundezas do mar (Mq 7.19); não em algum lugar raso, onde poderiam ser descobertas pela maré vazante, mas nas profundezas do oceano, onde, mesmo que fossem procuradas, não seriam jamais encontradas. Tal é o perdão de Deus. Por que os pecadores são tão aversos a procurá-lo?

Embora, já no primeiro movimento de retorno do pecador a Deus, a bênção da graça divina seja derramada sobre ele tão plena, gratuita e gloriosamente, disso não se segue que o pecador possa deter os seus passos no caminho, sem que corra perigo. Se o pecador tira da doutrina da perseverança dos santos, que estudaremos mais adiante, encorajamento para relaxar no seu esforço em avançar no caminho da santidade, está compreendendo mal essa doutrina e aplicando-a equivocadamente. As bênçãos do perdão e do exercício do arrependimento estão ligadas uma com a outra desde o princípio da nova vida, e essa conexão permanece durante todo o desenvolvimento dessa nova vida. Temos ocasião para orar diariamente, pedindo o perdão de nossas ofensas, como pedimos nosso pão diário (Mt 6.11, 12); todavia, não devemos supor que nossa oração será ouvida e atendida, a menos que proceda de um coração verdadeiramente arrependido. No momento em que o crente já vai terminando a sua jornada terrestre, o arrependimento continua tão necessário para o seu perdão quanto o fora no primeiro momento de sua aproximação a Deus. Cristo foi exaltado a fim de "conceder o arrependimento e a remissão de pecados". Se arrependimento e remissão não andam juntos, não provêm de Cristo. Quem crê que todos os seus pecados, passados e futuros, foram perdoados no momento da conversão e que, agora, pode ficar dispensado de toda penitência e descansar satisfeito, precisa novamente aprender os princípios elementares da doutrina de Cristo.

2. Justificação

***Todos os que creem em Jesus Cristo são justificados por sua justiça, que lhes é imputada*[3]**

Justificação é o ato de um juiz que absolve alguém que é acusado de crime. É o oposto da condenação. Em Deuteronômio 25.1, os juízes de Israel foram ordenados a justificar o justo e condenar o culpado.

A justificação é uma bênção da graça que é maior do que a bênção do perdão. O perdão livra-nos da culpa do pecado, mas não nos restaura o favor de Deus, que tínhamos perdido. Há diferença entre um criminoso perdoado e um justo, que não cometeu nenhum crime. A distinção entre perdão e justificação pode ser ilustrada com estas palavras de Jó: "Longe de mim que eu vos justifique" (Jó 27.5). Se, nessa passagem, trocássemos a palavra "justifique" por "perdoe", qualquer um perceberia uma importante mudança no sentido da declaração. Essa mudança mostra a diferença entre perdão e justificação.

Tal é a grandeza da divina graça para com o pecador que retorna a Deus através de Jesus Cristo, que ele é tratado como se nunca tivesse pecado. É isso que a justificação significa. Porém, não devemos conceber o perdão e a justificação como bênçãos separadas. Não é verdade que um pecador é justificado, enquanto outro é apenas perdoado; todo crente arrependido é tanto perdoado quanto justificado. Assim como arrependimento e fé são deveres inter-relacionados, um implicando o outro, da mesma forma, perdão e justificação são bênçãos paralelas, concedidas simultaneamente pela graça, através

3 At 13.39; Rm 3.21, 22, 25, 26; 10:4; Gl 2.16; 3.22, 23; Fp 3.8-10.

de Jesus Cristo. Todos a quem Jesus livra da ira vindoura são gratuitamente justificados de todas as coisas e se apresentam inculpáveis diante da presença da glória celestial.

Nas Escrituras, a justificação é atribuída ao sangue e à obediência de Cristo: "Sendo justificados pelo seu sangue, seremos por ele salvos da ira" (Rm 5.9). "Por meio da obediência de um só, muitos se tornarão justos" (Rm 5.19). O sangue e a obediência foram necessários para cumprir e honrar a lei. O sangue de Cristo significa o pagamento da pena, e a sua obediência, o cumprimento dos preceitos da lei. Nosso livramento da ira está baseado no fato de ter Jesus levado sobre si a penalidade imposta pela lei, e nossa completa justificação perante Deus se fundamenta no pleno cumprimento dos preceitos da lei por Jesus. A justificação, no entanto, não poderia ser completa sem a liberação da penalidade. Para isso, foram requeridos tanto o sangue como a obediência de Cristo – ou, na linguagem das Escrituras, a sua "obediência até a morte".

A justificação é mediante a fé. Nesse ponto, as Escrituras são explícitas: "Justificados, pois, mediante a fé, temos paz com Deus" (Rm 5.1). "Por meio dele, todo o que crê é justificado de todas as coisas" (At 13.39). A fé não justifica por seu próprio mérito. Há também outras graças coexistentes no coração do crente, tais como o arrependimento e o amor, que têm igual reivindicação ao mérito – especialmente o amor, que é o cumprimento da lei (Rm 13.10). Mas a fé é selecionada como a graça que traz a justificação, e Paulo nos diz por quê: "Essa é a razão que provém da fé, para que seja segundo a graça" (Rm 4.16).

No exercício da fé, todo mérito é renunciado, e coloca-se total dependência sobre os méritos de Cristo. Por isso, a fé é o oposto de obras: "Mas ao que não trabalha, porém crê naquele que justifica ao ímpio, a sua fé lhe é atribuída como justiça" (Rm 4.5). Pela fé, o pecador, como ímpio, vem a Deus, o qual justifica o ímpio através de Cristo, que morreu pelos ímpios (Rm 5.6). Não apresenta nenhum argumento nem entretém esperança alguma em méritos pessoais; antes, depende totalmente do sangue e da obediência de Cristo.

A fé é um exercício da mente e, como tal, pode ser considerada uma obra, como o amor e o arrependimento, e produz outras obras, pois "a fé atua pelo amor" (Gl 5.6). Porém, não é como uma obra ou produzindo outras obras que a fé justifica, e sim ao renunciar todo o mérito pessoal e autodependência, recebendo a salvação como um dom da livre graça, através de Jesus Cristo.

Na justificação, a justiça é imputada, tida em conta, computada: "bem-aventurado o homem a quem Deus atribui justiça, independentemente de obras". "Abraão creu em Deus, e isso lhe foi imputado para justiça". "A nós igualmente será imputado, a saber, a nós que cremos naquele que ressuscitou dentre os mortos a Jesus, nosso Senhor" (Rm 4.6, 3, 24).

Como Deus pode, com justiça, considerar um ímpio justo é um problema que requer infinita sabedoria para ser resolvido. Paulo informa-nos como foi resolvido: "Cristo Jesus, a quem Deus propôs, no seu sangue, como propiciação, mediante a fé, para manifestar a sua justiça, por ter Deus, na sua tolerância, deixado impunes os pecados anteriormente cometidos; tendo em vista a manifestação da sua justiça no tempo presente, para ele mesmo ser justo e o justificador daquele que tem fé em Jesus" (Rm 3.25, 26). O sacrifício propiciatório de Cristo e a nossa fé nesse sacrifício são os meios que Deus emprega para resolver esse difícil problema, e esses meios o resolvem completamente, sendo que o próprio Deus, que é perfeitamente justo, é o Juiz. Pode ser que não consigamos entender plenamente a solução para o problema ou perceber toda a sua conveniência e beleza, mas podemos aprender muito a respeito do assunto com a luz que as Escrituras lançam sobre ele. Se não podemos entender algo agora, devemos esperar pacientes pela luz adicional que a eternidade descortinará.

Quando as Escrituras falam da justificação pela obediência ou pelo sangue de Cristo, a fé está subentendida; do contrário, as passagens que falam de justificação pela fé não teriam sentido. Da mesma maneira, quando falam de justificação pela fé, ficam subentendidos o sangue e a obediência; caso contrário, não teria sentido dizer: "justificados por seu sangue" e "pela obediência de um só, muitos serão justificados". O que Cristo fez e sofreu e também a nossa fé nele são necessários para efetuar a nossa justificação, e a parte que cada um desses elementos têm no processo é um interessante assunto para investigação.

Já vimos que a fé, como obra meritória, não justifica; do contrário, seria necessário que possuísse mérito suficiente para satisfazer a todas as exigências da lei, tanto a lei de preceitos como a de penalidades. Nesse caso, a obediência e sofrimentos de Cristo tornar-se-iam desnecessários. A fé, tampouco, toma parte nos méritos da obediência e do sacrifício de Cristo, porque estes são, em si mesmos, perfeitos e, sem qualquer ajuda por parte das obras do pecador, magnificam a lei e a honram. Cristo, e só Cristo, é o fim da lei, para a justiça de todo aquele que crê (Rm 10.4). A fé rejeita todo mérito de si mesma e recebe a Cristo como a propiciação que Deus determinou, como o fim da lei, aquilo que satisfaz a todas as exigências da lei. A fé é um sinal distintivo daqueles a quem a justiça é imputada, "para todos [e sobre todos] os que creem" (Rm 3.22). Entretanto, não é em si mesma a causa meritória da justificação, seja no todo, seja em parte.

A Palavra de Deus atribui mérito aos sofrimentos e à obediência de Cristo. O seu sangue é apresentado como o preço pago, um preço de valor tão alto, que nos permite reivindicar, com justiça, a nossa libertação da lei: "não foi mediante coisas corruptíveis, como prata ou ouro, que fostes resgatados [...] mas pelo precioso sangue [...] de Cristo" (1Pe 1.18, 19). "Para resgatar os que estavam sob a lei" (Gl 4.5).

"Acaso não sabeis [...] que não sois de vós mesmos? Porque fostes comprados por preço" (1Co 6.19,20). Assim como a mercadoria pode ser exigida quando seu valor total já foi pago e a compra já foi efetuada, nosso livramento da condenação da lei e nossa justificação perante Deus podem ser reivindicados com base nos méritos da obediência e sofrimentos de Cristo. A justiça vingadora está satisfeita: "Ele é a propiciação pelos nossos pecados" (1Jo 2.2). "Cristo nos amou, e se entregou a si mesmo por nós, como oferta e sacrifício a Deus em aroma suave" (Ef 5.2).

Quando a Bíblia fala do sangue de Cristo como sendo o fundamento de nossa justificação, fica subentendida a sua obediência. E, quando a sua obediência é mencionada, ficam subentendidos os seus sofrimentos. A sua obediência aos preceitos da lei não teria sido suficiente se ele não tivesse também levado sobre si as penalidades da lei. Porém, se, enquanto padecia, ele não tivesse amado a Deus de todo o coração, seu sacrifício teria sido contaminado. Era necessário um cordeiro sem mancha ou defeito, e, por isso, tinha de haver perfeita obediência para que o sacrifício fosse aceitável. Tanto a sua obediência ativa quanto a passiva foram necessárias para obter uma salvação completa. Quando a Escritura menciona apenas a sua obediência passiva, sua obediência ativa fica subentendida, e vice-versa.

Tendo nascido sob a lei, Cristo tornou-se nosso substituto, e a sua obediência e sofrimentos são postos em nossa conta, como se nós tivéssemos pessoalmente obedecido e padecido, para satisfazer plenamente a lei. Somos, assim, justificados pela justiça de Cristo a nós imputada: "Aquele que não conheceu pecado, ele o fez pecado por nós; para que nele fôssemos feitos justiça de Deus" (2Co 5.21). Os nossos pecados foram imputados a Cristo, quando ele morreu por causa deles, e a sua justiça é imputada a nós, quando recebemos a vida eterna por seu intermédio. Ele foi tratado como se, pessoalmente, tivesse cometido os pecados que expiou; e todo aquele que nele crê é tratado como se tivesse cumprido pessoalmente a satisfação da lei, obtida pela obediência e sofrimentos de Cristo.

Nada pode ser considerado como causa meritória da justificação, exceto a obediência e os sofrimentos de Cristo. Ainda assim, a fé é indispensável: "Por isso quem crê no Filho tem a vida eterna; o que, todavia, se mantém rebelde contra o Filho não verá a vida, mas sobre ele permanece a ira de Deus" (Jo 3.36). "Por meio dele todo o que crê é justificado" (At 13.39). A fé, então, é o ponto decisivo pelo qual a condição do pecador é determinada. Segundo o método da graça de Deus, todos os benefícios advindos da satisfação da lei, obtida por Cristo, são transferidos ao pecador tão logo ele crê; a fé, portanto, serve como se fosse uma perfeita obediência pessoal à lei. Crendo em Cristo, o pecador é tratado como se tivesse, ele mesmo, cumprido uma perfeita obediência à lei. Esse é o significado das passagens que dizem que a fé nos é imputada como justiça. A justiça é imputada não por causa de algum mérito que a fé possua, mas porque ela é aquele elemento que o evangelho reconhece no pecador como algo que o habilita a receber a plena satisfação da lei que Cristo realizou. Quando se diz que a fé é imputada para justiça, vemos que a obediência e os sofrimentos de Cristo (aos quais a fé se agarra) estão conectados à fé, sendo o fundamento meritório para a sua aceitação.

Alguns têm considerado incompatível com os princípios da justiça (que deve dar a cada um o que lhe é devido) o fato de que o pecado ou a retidão de uma pessoa possa ser lançado na conta de outrem. Por algum motivo, essa noção de imputação tem prevalecido por todas as eras da humanidade, nos sacrifícios que têm sido oferecidos, tanto por ministros de Deus como por adoradores pagãos. Tal noção tem a plena autoridade da Palavra de Deus a seu favor, e é evidente que está no fundamento da salvação que a infinita sabedoria e benevolência de Deus providenciou para homens culpados. Seria, portanto, extrema tolice rejeitar essa salvação por causa de uma objeção que possa surgir em nossa falível razão, quando intentamos determinar os abstratos princípios da justiça. Não há maior regra de justiça do que o próprio Deus, e o que o Juiz de todos faz tem de ser correto.

Quando explicamos a imputação do pecado de Adão, mostramos que existe uma tríplice união entre ele e a sua descendência, o que faz da imputação do seu pecado à sua descendência um ato de justiça. Da mesma forma, existe uma tríplice união entre Cristo e seu povo, um ato consistente com a justiça.

1. Existe uma união de consenso.

Cristo reconheceu a retidão da lei naquilo em que condenava o seu povo, reconhecendo também a necessidade de a lei ser satisfeita, o que também o seu povo reconhece. Ele consentiu em tornar-se o substituto de seu povo, prestando a satisfação requerida pela lei em favor deles, os quais aceitam esse favor alegremente. Enquanto na impenitência e descrença, não aprovam a lei nem reconhecem a sentença da lei; tampouco reconhecem a obrigação de prestar satisfação à lei. Quando, porém, se tornam conscientes dessa obrigação, o primeiro esforço é no sentido de tentar satisfazer a lei por conta própria. Enquanto estão nesse estado mental, podem consentir com a obra de Cristo apenas em parte, e o evangelho não os declara justificados. Mas, quando se tornam convencidos de sua total inabilidade em satisfazer a lei por si mesmos, desistem e se entregam a Cristo; não apenas consentem com a obra de Cristo, mas também oram, querendo ser achados nele, não tendo justiça própria, senão a justiça que provém de Deus mediante a fé.

Não podemos afirmar que entendemos plenamente como a união entre Cristo e o seu povo fez com que parecesse justo aos olhos de Deus infligir a penalidade do pecado sobre Cristo e justificar o seu povo. Deus conhece bem o que o seu próprio governo moral requer, e, visto que ele aprovou esse arranjo, podemos estar certos de que tem de ser correto. Podemos ter a esperança de obter maior conhecimento a respeito desse glorioso mistério na eternidade, quando os conselhos da infinita sabedoria estarão desdobrados ante os nossos olhos.

Porém, mesmo aqui na terra, já podemos ver a adequação de tal procedimento. Sem o consentimento de Cristo, não podemos supor que a justiça teria lançado sobre ele as nossas iniquidades; e, sem o consentimento de sermos salvos por ele, que a fé produz, não podemos entender como a justiça teria sido honrada com a declaração da nossa justificação. Assim como o consentimento dos descendentes de Adão à obra de seu pai (quando se rebelou contra a lei do seu Soberano) justifica a imputação do pecado de Adão aos seus descendentes, da mesma forma, o fato de que Cristo e seu povo consentem com o divino esquema da graça justifica o que é feito a Cristo e ao seu povo na execução desse esquema.

2. Existe uma união espiritual.

Assim como Adão foi o cabeça natural de sua posteridade, Cristo é o cabeça espiritual de seu povo. Os homens são nascidos da descendência de Adão, trazendo em si a natureza de Adão segundo a carne, o qual é o pai de toda a humanidade. Os que são de Cristo são nascidos do Espírito e participam do mesmo Espírito que foi dado a Cristo sem medida, de modo que: "se alguém não tem o Espírito de Cristo, esse tal não é dele" (Rm 8.9). Essa união é semelhante à que existe entre a cabeça e os demais membros do corpo humano: "em um só Espírito, todos nós fomos batizados em um corpo" (1Co 12.13). É como a união entre a videira e os ramos: a mesma seiva vitalizadora e frutificadora circula por todos os ramos. É essa união que assegura o perfeito consentimento entre Cristo e o seu povo, sendo mais uma demonstração da perfeita conveniência daquele arranjo que já citamos, pelo qual todos os crentes são considerados um em Cristo no governo moral de Deus.

3. Existe uma união de representação.

Assim como Adão foi o cabeça central e o representante de seus descendentes, também Cristo, no pacto da graça, figura como o cabeça e o representante de todos aqueles que o Pai lhe deu. Por causa destes, ele tomou sobre si a obra de mediação, fazendo e padecendo tudo o que era necessário para a plena execução dessa obra. A justiça, bem como todos os demais atributos da natureza divina, tomou parte nesse arranjo, pois lemos o que foi tratado: "Ele verá o fruto do penoso trabalho de sua alma, e ficará satisfeito; o meu servo, o justo, com o seu conhecimento justificará a muitos, porque as iniquidades deles levará sobre si" (Is 53.11). Por isso, a justiça, assim como todos os outros atributos da natureza divina, sanciona plenamente esse arranjo pelo qual a retidão de Cristo é imputada a todo o seu povo eleito quando creem. "Quem intentará acusação contra os eleitos de Deus? É Deus quem os justifica. Quem os condenará? É Cristo Jesus quem morreu" (Rm 8.33, 34).

A imputação do pecado de Adão à sua posteridade é um ato de justiça; a imputação da justiça de Cristo aos crentes é um ato da graça. O primeiro situa-se no campo da justiça, mas o segundo ultrapassa o campo da mera justiça. A justiça nada pode dizer contra isso; pelo contrário, está plenamente satisfeita e abundantemente honrada com o plano de Deus, muito embora esse plano não se tenha originado na justiça, mas no amor de Deus, que proveu o sacrifício necessário. Essa distinção nunca deveria ser esquecida. Se a nossa condenação, em nosso estado natural, não é justa, o nosso livramento da condenação não acontece pela graça, mas por uma dívida que Deus tem para conosco. Quando, em cada faculdade mental e também no coração, sentimos que, perante Deus, somos condenados justamente e que a sua ira é a parte que nos toca por justiça, podemos, então, receber a Cristo e, por ele, a salvação, como um dom de Deus, o dom gratuito, o inefável dom de sua graça.

O apóstolo Tiago diz que "uma pessoa é justificada por obras, e não por fé somente" (Tg 2.24). À primeira vista, parece que ele está contradizendo o que Paulo diz: "Concluímos, pois, que o homem é justificado pela fé, independentemente das obras da lei" (Rm 3.28). Mas Tiago, num versículo anterior, dá-nos a chave para resolver essa aparente contradição. Diz ele: "Assim também a fé, se não tiver obras, por si só está morta" (Tg 2.17). A fé que não se faz acompanhar por boas obras é morta, e uma tal fé, segundo o ensinamento do apóstolo, não traz a justificação; essa é uma doutrina que Paulo não contradiz.

A fé justificadora de que Paulo fala é a fé viva, fé operosa. Ele diz expressamente: "mas a fé que atua pelo amor" (Gl 5.6).

Tiago não exclui a necessidade da fé para ser justificado. Antes, pelo contrário, introduz as obras, não para excluir a fé, mas para torná-la perfeita: "foi pelas obras que a fé se consumou" (Tg 2.22). A fé assim aperfeiçoada pelas obras, conforme o seu ensino, justifica o pecador; e isso é precisamente o que Paulo ensina. As obras que Paulo exclui da justificação não são as obras da fé, mas as obras da lei — não as obras que evidenciam uma fé viva e genuína, mas obras que, no todo ou em parte, reivindicam ser a causa meritória da justificação. Tais obras são excluídas porque implicariam numa imperfeição na obra de Cristo e dariam ao pecador um motivo para se gloriar perante Deus. Está manifesto que Tiago insiste nas obras meramente como uma evidência da fé: "Mostra-me tua fé sem as obras, e eu, com as obras, te mostrarei a minha fé" (Tg 2.18).

Tanto as palavras quanto as obras são necessárias para dar evidência da fé: "Porque com o coração se crê para justiça, e com a boca se confessa a respeito da salvação" (Rm 10.10). Como prova de que palavras evidenciam a presença ou a ausência de fé, lemos: "Pelas tuas palavras serás justificado, e pelas tuas palavras serás condenado" (Mt 12.37). Mas palavras sem obras nada valem, pois Cristo ensina que "nem todo o que me diz: Senhor, Senhor! entrará no reino dos céus, mas aquele que faz a vontade de meu Pai que está nos céus" (Mt 7.21). Palavras e obras, juntas, mas sem fé nada valem, pois não importa o que um homem possa dizer, "se não crer, será condenado" (Rm 14.23).

Diferentes opiniões têm existido quanto à data exata da justificação. Alguns têm considerado o dia do juízo final como a data apropriada. A justificação é um ato de Deus como Juiz, e, no julgamento do grande Dia, o Juiz pronunciará publicamente, sobre cada pessoa, a sentença que determinará a sua condição por toda a eternidade. Os juízos de Deus serão, então, plenamente revelados; contudo, uma revelação parcial desses juízos é feita já na presente vida. Agora mesmo, "a ira de Deus se revela do céu contra toda impiedade e perversão dos homens que detêm a verdade pela injustiça" (Rm 1.18). É verdade que "quem, porém, não crer será condenado" (Mc 16.16), mas também é verdade que "o que não crê *já está condenado*" (Jo 3.18).

Da mesma forma, é verdade que Cristo receberá publicamente o seu povo naquele grande dia e pronunciará a sentença final a seu favor. Mas também é verdade que os que são de Cristo são justificados já na presente vida. Por isso, Paulo, diz: "Fostes justificados, em o nome do Senhor Jesus Cristo" (1Co 6.11). "Todo o que crê é justificado de todas as coisas" (At 13.39). A mesma lei, pela qual a condição eterna dos homens será determinada no juízo do grande dia, agora mesmo, já se faz conhecida pela autoridade daquele que, então, se assentará no trono do juízo e já agora é o Juiz de toda a terra. Por causa dessa revelação, os homens já estão condenados ou justificados, de acordo com o seu caráter. Aqui na terra, o verdadeiro caráter dos homens geralmente está escondido, em secreto, mas, no grande dia, Deus julgará os segredos do coração. Contudo, não será estabelecida nenhuma nova regra de julgamento, visto que a regra já tem sido corretamente aplicada na presente época. A sua decisão será apenas confirmada no último dia pela sentença final.

Alguns têm datado a justificação na eternidade passada, considerando-a como uma graça dada em Cristo Jesus antes da fundação do mundo. A justificação não é um propósito secreto do Pai, mas sim uma revelação que dele provém, e, portanto, a justificação não pode ser eterna. Ela implica não apenas na imputação da justiça ao pecador, mas na declaração do pecador como sendo justo; do contrário, a justificação não seria o oposto de condenação. Por isso, nem a justificação, nem a condenação podem ter existido desde a eternidade. O propósito de Deus em justificar o seu povo é eterno, bem como o seu propósito de glorificar. Mas é tão impróprio dizer que os crentes são justificados desde a eternidade quanto que eles são glorificados desde a eternidade. A doutrina claramente ensinada nas Escrituras é: quando os homens creem em Cristo, passam de um estado de condenação para um estado de justificação.

3. Adoção

***Deus adota como filho a todo o que crê em Jesus Cristo*[4]**

Na adoção, conforme é praticada entre os homens, uma pessoa recebe o filho de outra em sua família e lhe confere os mesmos privilégios de um filho natural. Nesse sentido, Deus adota a todos os que creem em Jesus Cristo: "Pois todos vós sois filhos de Deus mediante a fé em Cristo Jesus" (Gl 3.26). "Vede que grande amor nos tem concedido o Pai, ao ponto de sermos chamados filhos de Deus" (1Jo 3.1).

Essa bênção da graça é ainda mais grandiosa do que a justificação. Embora um juiz possa absolver totalmente alguém que esteja sendo acusado de crime, não pode, contudo, conferir ao que foi absolvido nenhum dos privilégios que um filho tem. Mas o crente em Jesus Cristo tem o privilégio de poder considerar a Deus não apenas como um Juiz e justificador, mas como um Pai amoroso com quem se reconcilia. O problema de como colocar o pecador justificado na família de Deus foi resolvido (Jr 3.19). Uma vez distante, ele agora é

4 Jo 1.12; Rm 8.17; Gl 3.26; 1Jo 3.1, 2.

trazido para perto de Deus mediante o sangue de Cristo e tornado um membro da família de Deus (Ef 2.13, 19).

Entre os privilégios e vantagens que a adoção assegura, podemos enumerar os seguintes:

1. O amor de Deus, como o de um afável Pai, é assegurado aos crentes. As Escrituras frequentemente apresentam o amor de Deus para com o seu povo sob a figura do amor de um pai para com os seus filhos: "Como um pai se compadece de seus filhos, assim o Senhor se compadece dos que o temem" (Sl 103.13). "Ora, se vós, que sois maus, sabeis dar boas dádivas aos vossos filhos, quanto mais vosso Pai que está nos céus dará boas coisas aos que lhe pedirem?" (Mt 7.11). "Vosso Pai celeste sabe que necessitais de todas elas" (Mt 6.32).

Em correspondência a essa encorajadora e encantadora exibição do amor de Deus, está a confiança com que o crente em Cristo é inspirado a se aproximar de seu Pai celestial: "mas recebestes o espírito da adoção, baseados no qual clamamos: Aba, Pai" (Rm 8.15). Por isso, Cristo, habitualmente, quando se dirigia a seus discípulos, falava-lhes de Deus como sendo o Pai celestial e, antes de partir, disse-lhes, numa linguagem cheia de carinho e encorajamento: "Subo para meu Pai e vosso Pai" (Jo 20.17). Ele também os ensinou a orar: "Pai nosso que estás nos céus" (Mt 6.9).

2. A disciplina de Deus, como a de um sábio e amável Pai, é assegurada a todos os que creem em Jesus.

"O Senhor corrige a quem ama, e açoita a todo filho a quem recebe" (Hb 12:6). "Além disso, tínhamos os nossos pais segundo a carne, que nos corrigiam, e os respeitávamos; não havemos de estar em muito maior submissão ao Pai dos espíritos, e então viveremos?"

(Hb 12:9). "Pois eles nos corrigiam por pouco tempo, segundo melhor lhes parecia; Deus, porém, nos disciplina para aproveitamento, a fim de sermos participantes da sua santidade" (Hb 12.9-10).

A bênção da disciplina divina é inestimavelmente rica. Regozijem-se os nobres e poderosos da terra nas vantagens que os distinguem entre os homens e lhes agradam a carne. O crente em Jesus Cristo, porém, regozije-se na parte que Deus lhe determinou, porque Deus o escolheu para si, como um pai que sabe o que é melhor para seus filhos e nos ama a ponto de não nos negar nenhuma boa dádiva. Ele tem ao seu dispor tudo o que é bom, no céu e na terra, e escolheu para cada um de seus filhos a porção que melhor lhes convém.

3. *Os crentes em Cristo são herdeiros de Deus: "Ora, se somos filhos, somos também herdeiros, herdeiros de Deus e coerdeiros com Cristo" (Rm 8.17).*

Deus, o criador de todas as coisas, é o proprietário de tudo o que existe, e os seus filhos adotivos são feitos herdeiros de tudo: "O vencedor herdará estas coisas" (Ap 21.7). "Sejam as coisas presentes, sejam as futuras, tudo é vosso, e vós de Cristo e Cristo de Deus" (1Co 3.22).

A herança dos filhos de Deus é, com frequência, apresentada como sendo um reino: "Não temais, ó pequenino rebanho; porque vosso Pai se agradou em dar-vos o seu reino" (Lc 12.32). "Vinde, benditos de meu Pai! Entrai na posse do reino que vos está preparado" (Mt 25.34).

A adoção dos crentes não se realiza por completo nesta presente vida: "nós que temos as primícias do Espírito, igualmente gememos em nosso íntimo, aguardando a adoção de filhos, a redenção do nosso corpo [...] a ardente expectativa da criação aguarda a revelação dos filhos de Deus (Rm 8.23 e 19).

Carne e sangue não podem herdar o reino de Deus, e, portanto, este corpo corruptível precisa ser transformado e conformado à semelhança do glorioso corpo de Cristo, antes que possamos receber a glória e ventura que Deus tem preparado para nós. Mesmo assim, o título de herança foi assegurado a nós, visto que somos coerdeiros de Cristo. A promessa e o juramento de Deus, duas coisas imutáveis, nas quais é impossível que Deus minta (Hb 6.18), dão aos herdeiros da promessa a maior certeza possível de que receberão a herança: "Amados, agora somos filhos de Deus, e ainda não se manifestou o que havemos de ser. Sabemos que, quando ele se manifestar, seremos semelhantes a ele, porque havemos de vê-lo como ele é" (1Jo 3.2). Embora, no momento, sejamos peregrinos e estrangeiros no exílio da terra, talvez desprezados e esquecidos, nós somos filhos de Deus e herdeiros de uma herança incorruptível, imarcescível, que nunca passará. Mesmo agora, sem importar se sofremos pobreza, aflição ou opróbrio, somos objeto dos cuidados de nosso Pai celeste; já no presente, ele nos concede uma parte do gozo celestial, que dá a cada um dos seus filhos conforme o que é melhor para nós, como um penhor da nossa futura herança. No domínio absoluto de Jeová, todas as coisas cooperam juntamente para o bem daqueles que amam a Deus (Rm 8.28).

4. Regeneração

O Espírito Santo opera uma grande transformação em todos os que finalmente são salvos, pela qual tornam-se inclinados à santidade[5]

Em nosso estado natural, somos totalmente depravados. Nenhuma inclinação para a santidade existe no coração carnal; nenhum

5 Jo 3.5, 6; Ez 11.19; 36.26, 27; 37.14; Tt 3.5; Tg 1.18; 2Co 5.17; 1Jo 4.8.

ato de santidade pode ser realizado nem pode ser prestado qualquer serviço efetivo a Deus até que o coração seja mudado. Essa mudança é efetuada pelo ofício do Espírito Santo. Perdão, justificação e adoção são mudanças na condição do homem. Porém, se nenhuma outra mudança acontecesse, o homem continuaria sendo um escravo do pecado e, portanto, permaneceria inadequado para o serviço e o gozo de Deus. A graça não se limita a uma simples mudança de condição, mas também opera uma transformação no caráter, sem a qual a pessoa não poderia desfrutar das bênçãos celestiais nem estaria apta a participar da comunhão dos santos.

Nas Escrituras, várias formas de expressão são empregadas para denotar essa mudança no coração, cada uma enfatizando um determinado aspecto. Por exemplo, lemos que o coração de pedra é trocado por um coração de carne (Ez 36.26); um novo coração é criado (Ez 18.31); as leis de Deus são escritas no coração (Hb 8.10); ocorre vivificação (Jo 6.63; Ef 2.1; Rm 6.11, 13); haverá uma ressurreição dentre os mortos, uma iluminação (Hb 10.32), uma conversão ou retorno a Deus (Sl 51.13; Mt 18:3; Sl 25.16; Is 59.20).

A mudança produzida no coração é tão grande, que a pessoa é, então, chamada de uma nova criatura (2Co 5.17 e Gl 6.15), como se tivesse sido criada diretamente pela mão de Deus, à semelhança de Adão. Um novo homem é implantado no coração (Cl 3.10; Rm 12.2; Tt 3.5), e a imagem de Deus (na qual o homem fora originalmente criado) é restaurada. Essa mudança é denominada "regeneração" (Tt 3.5), com referência ao modo como os descendentes de Adão vêm ao mundo; os que experimentam essa transformação são "nascidos de novo" (Jo 3.3, 7; 1Pe 1.23).

A transformação é moral. O corpo permanece o mesmo, e a identidade mental não é destruída. A pessoa tem consciência de que continua sendo a mesma pessoa que era antes; porém, uma direção é dada às faculdades ativas na sua mente, e novas afeições lhe surgem no coração. O amor de Deus é derramado em seu coração pelo Espírito Santo (Rm 5.5), mas não um amor a Deus que, anteriormente, já existisse no coração, porque o coração natural é inimigo de Deus. O amor é o cumprimento da lei, o princípio de toda santa obediência. O amor é produzido no coração quando a lei de Deus está nele inscrita. Como um novo princípio de ação, levando a um novo modo de vida, isso faz com que o homem seja uma nova criatura. A regeneração, ou o novo nascimento, é a produção do amor no coração pelo Espírito Santo, pois "todo aquele que ama é nascido de Deus" (1Jo 4.7).

O modo pelo qual o Santo Espírito efetua essa transformação está além do nosso entendimento. Todos os caminhos de Deus são inescrutáveis; explicar como ele regenera uma alma seria como tentar explicar o modo como ele criou o mundo! Com referência ao assunto, o Salvador disse: "O vento sopra onde quer, ouves a sua voz, mas não sabes donde vem, nem para onde vai; assim é todo o que é nascido do Espírito" (Jo 3.8).

Sabemos, mediante as Sagradas Escrituras, que Deus emprega a sua verdade na regeneração da alma: "Pois, segundo o seu querer, ele nos gerou pela palavra da verdade" (Tg 1.18). Ora, o amor a Deus implica necessariamente no conhecimento de Deus, e esse conhecimento só nos pode ser conferido pela verdade revelada. Porém, nem sempre o conhecimento está vinculado ao amor. O diabo conhece, mas não ama, enquanto os ímpios desprezam o conhecimento de Deus (Rm 1.28); porque o conhecimento que dele têm não está ligado ao amor. A mera apresentação da verdade ao intelecto não é tudo o que é necessário para produzir o amor a Deus no coração.

Não sabemos sondar a influência que o Espírito Santo usa para tornar a Palavra de Deus efetiva, mas Paulo nos mostra que é necessário a atuação do Espírito, quando diz: "O nosso evangelho não chegou até vós tão somente em palavra, mas sobretudo em poder, no Espírito Santo". "A minha palavra e a minha pregação não consistiram em linguagem persuasiva de sabedoria, mas em demonstração do Espírito e de poder" (1Ts 1.5 e 1Co 2.4).

O termo "regeneração", algumas vezes, é usado em sentido abrangente, incluindo toda a formação do caráter cristão. Outras vezes, no entanto, é usado para designar o momento quando o amor divino é produzido no coração. Neste último sentido, a regeneração é uma obra instantânea. Existe um momento, conhecido somente por Deus, quando a primeira santa afeição surge na alma. A verdade pode penetrar na mente gradualmente, incitando fortes sentimentos, e até mesmo, por algum tempo, pode aumentar o ódio contra Deus que, por natureza, reina no coração, conforme Paulo disse: "O pecado, tomando ocasião pelo mandamento, despertou em mim toda sorte de concupiscência" (Rm 7.8). Mas, à sua maneira e no tempo certo, Deus, o Espírito Santo, faz com que a Palavra torne-se efetiva, produzindo na alma uma nova afeição. E, quando surge o primeiro movimento de amor para com Deus, começa a primeira pulsação da vida espiritual.

A fé é necessária para a formação do caráter cristão e deve, portanto, vir antes da regeneração, quando se tem em mente o sentido mais amplo do termo. Mesmo em seu sentido mais restrito, quando o termo "regeneração" denota o princípio da vida espiritual, a fé, no sentido em que Tiago usou esse termo, pode preceder à regeneração. Contudo, uma fé que existe antes do início da vida espiritual não pode ser uma fé viva. Apesar disso, alguns têm afirmado que a fé produz amor. Essa opinião é de suficiente importância para demandar uma cuidadosa investigação.

Todos temos que admitir o poder que a fé tem sobre as ações, a consciência e as afeições do coração. Uma crença em falsos princípios de moralidade acabará por cegar a consciência, fazendo-a aprovar o que é errado e condenar o que é certo. Confiança depositada em um homem traiçoeiro geralmente leva a um curso de ação que tem efeitos desastrosos sobre a condição e o caráter. Podemos amar ou odiar uma certa pessoa, devido a uma visão equivocada de seu caráter, sendo que nossa afeição para com ela poderá ser mudada completamente no momento em que a conhecemos melhor. Surge, então, a pergunta: a aversão para com Deus não procede de uma visão equivocada do seu caráter? Será que um conhecimento verdadeiro do caráter de Deus não produziria, infalivelmente, o amor para com ele?

Que o ódio contra Deus e uma visão equivocada do seu caráter andam juntos, ninguém pode negar. Porém, não podemos afirmar, sem uma prévia investigação, qual das duas coisas produz a outra. Nós prontamente julgamos bem aqueles que amamos e mal aqueles com quem não simpatizamos. Os interesses dos homens pervertem os seus julgamentos. Numa assembleia deliberativa, formam-se partidos de acordo com os interesses individuais, e cada um toma a sua posição de acordo com as circunstâncias que lhe influenciam o coração.

Nesses casos, as afeições do coração controlam a fé. As afeições e a fé se influenciam mutuamente, e, se qualquer uma delas estiver equivocada, a outra não pode estar perfeitamente correta. A inimizade contra Deus, que domina o coração do homem não regenerado, faz com que a sua visão do caráter de Deus seja incorreta.

Uma visão perfeitamente correta não pode coexistir com a inimizade contra Deus; ainda assim, isso não significa que uma visão correta do caráter de Deus possa gerar o amor para com ele.

Alguns têm sustentado a opinião de que uma revelação do amor de Deus é suficiente para produzir em nós o amor para com ele. Que isso deveria acontecer não podemos negar. Tal efeito aconteceria num coração que não estivesse sob a propensão para o mal. Podemos até afirmar que, se não existisse a propensão para o mal, o coração amaria a Deus assim que recebesse uma revelação do caráter geral de Deus, sem esperar por uma evidência do favor divino.

Se o nosso amor a Deus procede de uma crença de que Deus nos ama em particular, isso constitui uma mera modificação do nosso amor-próprio. Esse tipo de amor não tem excelência moral, pois "até os pecadores amam aos que os amam" (Lc 6.32).

Supõem alguns que a fé que os demônios têm é diferente da fé cristã, pois eles não veem qualquer manifestação do amor de Deus para com eles, e, portanto, sua fé não pode produzir amor a Deus, nem sequer um pouco. Contudo, essa opinião não considera a excelência moral da fé que distingue o povo de Deus e lhes purifica o coração. As circunstâncias em que a fé é exercida não melhoram a natureza da fé. Se ela pode harmonizar-se com o ódio total contra Deus, é certo que tal fé não pode ter excelência moral em si mesma nem tenderá a gerar pureza moral.

O escritor sagrado disse: "Nós amamos porque ele nos amou primeiro" (1Jo 4.19). Essas palavras não ensinam que o nosso amor a Deus se origina da convicção de que nós somos os favoritos de seu amor. O amor de Deus para conosco age tanto como uma causa eficiente quanto como um motivo.

1. Como uma causa eficiente.

"Por causa do grande amor com que nos amou, e estando nós mortos em nossos delitos, nos deu vida juntamente com Cristo" (Ef 2.4, 5). Aqui temos uma operação inteiramente distinta daquela em que o amor de Deus é apenas um motivo. O corpo morto de Jesus Cristo foi vivificado na sepultura pelo Espírito Santo e um poder similar vivifica a alma que está morta em pecados: "Qual a suprema grandeza do seu poder para com os que cremos, segundo a eficácia da força do seu poder; o qual exerceu ele em Cristo, ressuscitando-o dentre os mortos" (Ef 1.19, 20). Nessa passagem, a fé é atribuída a essa operação do poder divino, a qual provém totalmente do grande amor com que Deus nos amou. Está claro, portanto, que o amor de Deus atua como uma causa eficiente, antes de operar como um motivo para a santidade. Sem a fé, o amor de Deus não pode atuar como um motivo, e essa fé é produzida pelo poder eficiente desse mesmo amor. Depois que essa eficiência já vivificou a alma que estava morta, o amor de Deus passa a operar em nós.

2. Como um motivo.

A bondade de Deus conduz-nos ao arrependimento, e cada atributo ou ato de Deus tem uma tendência para despertar o amor no coração já vivificado. Nada pode comover tão efetivamente o coração quanto uma visão do grande amor de Deus para conosco quando ainda éramos pecadores ou do amor de Cristo, que a si mesmo se entregou por nós. Todavia, muitos corações têm sentido essa influência comovedora, sem estarem olhando para os benefícios pessoais que poderiam receber por causa desse amor. O nosso amor a Deus não faz com que ignoremos a nossa própria felicidade, mas se ocupa de assuntos mais importantes do que a nossa satisfação pessoal. Esse amor, portanto, não é uma simples modificação do amor-próprio.

Essa operação divina, que é uma adição ao poder motivador da verdade, provém daquilo que se tem denominado como a influência direta do Espírito Santo. A verdade, conforme está contida nas Sagradas Escrituras, é uma revelação dada pelo Espírito Santo. Assim como a palavra de homens, seja escrita ou falada, tem influência na mente de outros homens, também as palavras do Espírito Santo exercem uma influência na mente de todos os que leem a Bíblia ou escutam a pregação do evangelho. Por essa via indireta, o Espírito Santo opera na mente dos homens, assim como o autor de um livro exerce influência em todos os que leram sua obra. Porém, essa influência indireta opera através da verdade da Palavra, como um poder motivador. Nenhum mero motivo operando no coração do pecador pode induzi-lo a amar a Deus somente por causa do que Deus é. Enquanto o amor-próprio está dominando a mente, todos os motivos do coração derivam sua força a partir desse princípio dominante, de modo que é impossível estabelecer um princípio de ação de caráter mais elevado. Essa mudança, que produz no coração o amor a Deus, só acontece pela influência direta do Espírito Santo, utilizando-se da Palavra e tornando-a efetiva. Foi essa influência direta do Espírito Santo que tornou tão efetiva a pregação da Palavra no dia de Pentecostes (At 2); que abriu o coração de Lídia, para que pudesse entender as coisas de que Paulo falava (At 16); que deu o crescimento, quando Paulo plantava e Apolo regava (1Co 3); e que, no coração, dá testemunho da Palavra (1Co 2.4).

A doutrina a respeito da influência direta do Espírito Santo é uma verdade fundamental na dispensação do evangelho. O fato de Jesus ter vindo em carne e completado a grande obra para a qual assumiu a nossa natureza é uma verdade essencial para o cristianismo. O evangelho tanto nos revela o Filho quanto o Espírito Santo. Estando prestes a deixar este mundo, Jesus prometeu outro Consolador, que estaria para sempre com os seus discípulos. Como Deus, o Espírito Santo tinha sempre estado no mundo, mas, a partir dessa ocasião, ele se faria presente através de um modo peculiar de manifestação e operação. Foram essa manifestação e operação que acompanharam o ministério da Palavra no dia de Pentecoste. O evangelho sempre foi a espada do Espírito (Ef 6.17), o instrumento de que o Espírito se utiliza no desempenho do seu ofício, para o qual veio ao mundo, em resposta a oração de Cristo.

A experiência da humanidade antes da vinda de Cristo preparou o caminho para a introdução da sua religião. Os vários sábios deste mundo tinham buscado conhecer a Deus, mas a sua intensa procura foi inútil. O seu fracasso provou a necessidade de se ter outros meios de conhecimento: "Visto como, na sabedoria de Deus, o mundo não o conheceu por sua própria sabedoria, aprouve a Deus salvar aos que creem, pela loucura da pregação" (1Co 1.21). Enquanto a experiência do mundo pagão demonstrava a necessidade da revelação, a experiência de Israel sobre a dispensação mosaica demonstrava a ineficácia da revelação, quando não acompanhada pela influência direta do Espírito Santo.

Os israelitas tinham essa grande vantagem sobre o mundo pagão: os oráculos de Deus foram confiados a eles (Rm 3.2). Eles tinham a posse das Escrituras Sagradas, dadas por inspiração divina. Deus também lhes falava muitas vezes e de muitas maneiras, pelos profetas, a quem levantou dentre o povo e inspirou, para que declarassem a sua vontade. Cedo, de madrugada, Deus enviou os seus profetas, para que a mensagem divina pudesse chegar em tempo aos ouvidos do povo de Israel (Jr 32.33).

Os meios de acontecimentos religiosos dados aos israelitas foram tão abundantes, que Deus disse: "Que mais se podia fazer ainda à minha vinha, que eu lhe não tenha feito?" (Is 5.4). Mesmo com toda essa vantagem a seu favor, eles se desviaram do Deus de Israel e o provocaram à ira.

Outra influência era necessária para produzir amor e obediência a Deus. Foi por isso que o profeta Jeremias disse: "Eis que vêm dias, diz o Senhor, em que cumprirei a boa palavra que proferi à casa de Israel e à casa de Judá" (Jr 33.14). Na epístola aos Hebreus (Hb 8), é explicado que essa nova aliança seria a dispensação espiritual do evangelho. A sua grande peculiaridade é o fato de que a lei de Deus é inscrita no coração. Os israelitas possuíam a lei de Deus inscrita em pedras e pergaminhos, mas não no coração; uma nova influência divina era necessária para inscrevê-la no coração de seu povo. Essa nova influência divina foi anunciada pelos profetas, e essa promessa tem sido cumprida na direta influência do Espírito Santo, sendo que o dom do Espírito caracteriza a dispensação do evangelho como sendo o "ministério do Espírito" (1Co 3.8).

Os santos do Velho Testamento também receberam essa influência, e a eles foi também o evangelho pregado (Hb 4.2; Gl 3.8). Os privilégios e bênçãos da futura dispensação do evangelho foram-lhes concedidos por antecipação, e o Cristo que estava para vir foi-lhes feito Salvador, como se ele já tivesse vindo e completado sua obra.

Foi depois da ascensão de Cristo, porém, que a influência do Espírito Santo tornou-se abundante. Desde esse dia, o Espírito habita na igreja e faz do corpo dos que creem o seu templo. Essa presença peculiar implica também em uma influência peculiar, por meio da qual a lei de Deus é posta no coração do crente, isto é, a influência que leva os homens a amarem em a verdade.

A dispensação mosaica, em sua totalidade, foi uma experiência, demonstrando a necessidade dessa influência peculiar do Espírito Santo. A antiga aliança não prometia essa bênção, e Deus a substituiu porque não assegurava a obediência da parte do seu povo. A experiência foi feita, em sua sabedoria, não para que Deus conhecesse o seu resultado, mas para o nosso benefício. Pelo fracasso da antiga aliança, ficamos habilitados a melhor estimar o valor da bênção que a distingue do novo pacto, firmado sobre melhores promessas.

As filosofias humanas que excluem Deus da sua própria criação e substituem a operação de Deus e sua sempre presente influência por leis da natureza estão sempre prontas a negar a doutrina da influência direta do Espírito Santo. Não admitem influência alguma, senão aquela que os meios naturalmente empregados tendem a produzir. Porém, os meios naturais não têm qualquer influência, senão pela vontade de Deus. É pela vontade de Deus que a verdade tem o seu poder regenerador e santificador: "Porque Deus é quem efetua em vós tanto o querer como o realizar, segundo a sua boa vontade" (Fp 2.13). Na economia da graça, cabe ao Espírito de Deus produzir a vida divina na alma, como no princípio da criação, quando o Espírito de Deus, pairando sobre as águas, pôs ordem na massa informe e a encheu de vida. Ele é servido em agir através de meios e emprega a verdade como o seu instrumento de operação. Esse instrumento o Espírito maneja conforme lhe agrada; o poder do Espírito Santo é que torna a verdade efetiva: "A palavra que sair da minha boca; não voltará para mim vazia, mas fará o que me apraz, e prosperará naquilo para que a designei" (Is 55.11). Pela providência geral de Deus a Bíblia age no mundo e influencia a mente dos homens; mas essa providência existia igualmente na antiga dispensação, quando os israelitas recebiam os oráculos de Deus. Contudo, mesmo tendo a guarda dos oráculos de Deus, os israelitas procederam com iniquidade.

Para a regeneração da alma, é necessária uma influência maior do que a providência geral. A vinda de Cristo ao mundo e o dom e habitação do Espírito Santo fazem parte de uma dispensação que ultrapassa a providência geral de Deus. Somos introduzidos a essa nova economia quando transportados para o reino do amado Filho de Deus; nisso reconhecemos que tanto o Filho como o Espírito são dons especialmente concedidos por Deus. É contrário à fé evangélica considerar Cristo e a sua obra redentora como parte da providência geral de Deus. Igualmente contrário à fé é considerar-se o Espírito Santo e a sua obra no coração como uma mera influência da verdade sobre o coração.

5. Santificação

***O Espírito Santo continua a santificar a todos quantos têm regenerado. Por fim, há de prepará-los totalmente para o serviço de Deus e o gozo dos céus*[6]**

A regeneração é o começo da santificação, mas a obra não está completa desde o início. Uma nova afeição é produzida no coração, mas não domina sem oposição. O amor ao mundo, o egoísmo e todos os apetites e paixões carnais até agora reinavam no coração, e a força do hábito lhes dá uma influência controladora que não pode ser extinguida prontamente. Daí surge o conflito do qual todo homem regenerado está consciente: a carne milita contra o Espírito, e o Espírito milita contra a carne (Gl 5.17). Nessa batalha, as propensões carnais muitas vezes ameaçam prevalecer. E realmente prevaleceriam, se Deus

6 2Ts 2.13; 1Pe 1.2; 1Co 6.11; 2Co 3.18; Ml 3.3; Ef 5.26; Tt 2.14; Pv 4.18; Fp 1.6; 1Jo 3.2.

não nos tivesse dado o suprimento do Espírito de Jesus Cristo. "Sem mim", Jesus disse, "nada podeis fazer" (Jo 15.5). Separados da videira, os ramos ficam sem frutos, sem seiva, mortos. "Mas aquele que se une ao Senhor é um espírito com ele" (1Co 6.17), e o Espírito de vida em Cristo, o cabeça, flui através de todos os membros do corpo, que é a igreja, dando-lhes e preservando-lhes a vitalidade. O Espírito luta contra a carne e habilita os crentes a continuarem na batalha, até ao dia em que lhes dará a vitória final: "Aquele que começou boa obra em vós, há de completá-la até o Dia de Cristo Jesus" (Fp 1 :6).

No início e durante todo o transcorrer da obra da santificação, o Espírito Santo age por intermédio de influência direta e indireta. A influência indireta é através da verdade. O Salvador orou: "Santifica-os na verdade; a tua palavra é a verdade" (Jo 17.17). Com referência a isso, a Escritura interligou a "santificação do Espírito" com a "fé na verdade" (2Ts 2.13), além de falar do coração sendo purificado pela fé (At 15.9).

A influência direta do Espírito Santo faz que as afeições sejam firmadas sobre a verdade ou, na linguagem das Escrituras, que a lei de Deus seja inscrita no coração e na mente: "Porei nos seus corações as minhas leis, e sobre as suas mentes as inscreverei" (Hb 10.16). Não podemos explicar o modo como essa influência direta é aplicada ao coração, mas o resultado é que a verdade prova o seu efeito característico, o qual, de outra forma, seria impedido de concretizar-se por causa da depravação do coração. As nossas afeições carnais tendem a expulsar a verdade do coração, e, por isso, Cristo disse: "Como podeis crer, vós os que aceitais glória uns dos outros, e, contudo, não procurais a glória que vem do Deus único?" (Jo 5.44). Ao mesmo tempo que as afeições carnais tendem a impedir a influência santificadora da verdade, o Espírito exerce influência contrária e "milita contra a carne".

A influência direta do Espírito Santo soma-se ao poder intrínseco da Palavra de Deus, assegurando-lhe uma eficácia que, doutro modo, não teria. Foi pedindo essa influência direta do Espírito que o salmista orou: "Desvenda os meus olhos, para que eu contemple as maravilhas da tua lei" (Sl 119.18). A mesma petição está registrada em muitas orações do Novo Testamento: "Aumenta-nos a fé" (Lc 17.5). "Eu creio, ajuda-me na minha falta de fé" (Mc 9.24). Foi essa mesma influência direta do Espírito que abriu o entendimento dos discípulos para que compreendessem as Escrituras (Lc 24.45). Todo filho de Deus, ao abrir a sua Bíblia, ora pedindo essa influência, para que a leitura seja abençoada, para o bem de sua alma. Todo fiel ministro do evangelho e todo ouvinte devotado, no início do sermão, oram, rogando a Deus que, pela influência do Espírito, a sua verdade seja efetiva.

Além da Palavra da verdade, o Espírito Santo faz também uso das dispensações da providência como meios de santificação. As aflições muitas vezes são designadas para o bem espiritual do povo de Deus. O salmista diz: "Antes de ser afligido andava errado, mas agora guardo a tua palavra" (Sl 119.67). "Deus nos disciplina para aproveitamento, a fim de sermos participantes da sua santidade" (Hb 12.10).

As aflições não têm em si mesmas nenhuma eficácia santificadora; muitos dos que têm sido provados pela aflição acabam incitados a um maior ódio para com Deus. Mas, para o crente, o Espírito Santo traz junto com as aflições um poder santificador e usa a aflição para desviar o crente do seu apego ao mundo e fixar as suas afeições em Deus. Quando as coisas exteriores já não mais satisfazem, trazendo dor e aflição, o cristão encontra uma fonte de contentamento no exercício de fé e esperança em Deus. Assim, nas suas horas mais escuras no mundo, o crente, algumas vezes, encontra a sua mais clara perspectiva do céu e o mais abençoado e aprazível antegozo das bênçãos do porvir.

6. *Perseverança final*

Dissemos que o Espírito Santo continua a santificar a todos quantos regenera. Em consequência disso, todos quantos são regenerados perseveram até ao fim da vida em santa obediência. Não importa quantas lutas enfrentem, e, mesmo que temporariamente, se desviem do reto caminho do dever, todos serão, por fim, graciosamente preservados de uma apostasia total e final.

Essa verdade pode ser provada pelos seguintes argumentos:

1. Segundo a vontade de Deus revelada nas Escrituras, o que acontece na regeneração dura para sempre, é imortal.

O homem interior do coração é incorruptível, porquanto gerado da semente incorruptível (1Pe 3.4). "Fostes regenerados, não de semente corruptível, mas de incorruptível, mediante a Palavra de Deus, a qual vive e é permanente" (1Pe 1.23). "Todo aquele que é nascido de Deus não vive na prática de pecado; pois o que permanece nele é a divina semente" (1Jo 3.9). A graça no coração é aqui representada como sendo incorruptível e permanente, livrando o crente do pecado, isto é, de uma vida de pecados, na qual vivem as pessoas não regeneradas.

A mesma verdade é ensinada nas seguintes palavras de Cristo: "Quem ouve a minha palavra e crê naquele que me enviou, tem a vida eterna, não entra em juízo, mas passou da morte para a vida" (Jo 5.24). A nova vida que a graça produz é aqui chamada de "vida eterna", é uma possessão do crente desde o presente. A sua perpetuidade é declarada nas palavras: "Não entra em juízo". Se quem já foi feito uma nova criatura e foi justificado mediante a fé pudesse voltar ao mesmo estado do qual foi resgatado pela graça, essa pessoa estaria novamente sob o juízo de Deus. Mas Jesus afirmou ser isso impossível. Se os que já passaram da morte para a vida podem voltar novamente à morte, a presente vida que possuem não é eterna, e a declaração "não entra em juízo" fica sem fundamento.

Paulo nos apresenta, em outro aspecto, a mesma verdade: "Havendo Cristo ressuscitado dentre os mortos, já não morre; a morte já não tem domínio sobre ele [...] Assim também vós considerai-vos mortos para o pecado, mas vivos para Deus em Cristo Jesus" (Rm 6.9, 11). Nessa passagem, os crentes são ensinados a considerar a nova vida que receberam semelhante à vida de Cristo, ressuscitado dentre os mortos. Visto que a morte já não mais tem domínio sobre Cristo, a comparação estabelecida deixaria de ser válida, se a vida espiritual dos crentes não fosse imortal – e isso num aspecto de máxima importância. Assim como a morte já não tem nenhum domínio sobre o Salvador ressurreto, também não tem nenhum domínio sobre aqueles que, na regeneração, passaram da morte para a vida e foram ressuscitados juntamente com Cristo.

2. *A união dos crentes com o Senhor Jesus Cristo é indissolúvel.*

O amor de Cristo os sustém: "Quem nos separará do amor de Cristo?" (Rm 8.35-39). "Jesus [...] tendo amado os seus que estavam no mundo, amou-os até ao fim" (Jo 13.1). "Jamais perecerão, eternamente, e ninguém as arrebatará da minha mão" (Jo 10.28). Os crentes têm a sua vida escondida juntamente com Cristo em Deus, e tal é essa união, que a Escritura afirma: "Cristo, que é a nossa vida" (Cl 3.3, 4). A vida do Jesus ressuscitado é a vida do seu povo, e essa união faz com que a vida de Jesus esteja perante em cada um dos regenerados: "Porque se nós, quando inimigos, fomos reconciliados com Deus mediante a morte do seu Filho, muito mais, estando já reconciliados, seremos salvos pela sua vida" (Rm 5.10). Cristo ressuscitou e, agora, vive para sempre, fazendo intercessão por nós. Ele é a fonte da nossa vida, oculta em Deus. Assim como a sua morte foi eficaz para trazer-nos a um estado de reconciliação com Deus, muito mais a sua vida nos preservará nesse estado de reconciliação e assegurará a nossa final e completa salvação.

3. As promessas de Deus garantem a nossa segurança em Cristo.

Quando o novo pacto é firmado com os crentes mediante a gravação da lei em seus corações, traz consigo uma promessa: "Eu serei o seu Deus, e eles serão o meu povo" (Hb 8.10). É verdade que os israelitas eram considerados o povo de Deus e que se afastaram dele, sendo, por isso, rejeitados; o mesmo poderia acontecer aos crentes em Cristo, se estivessem debaixo daquela antiga aliança. Mas Deus substituiu essa aliança porque ela não assegurava a obediência por parte do seu povo: "Eles não continuaram na minha aliança, e eu não atentei para eles, diz o Senhor" (Hb 8:9). Deus aboliu a antiga aliança, que não tinha a promessa de a lei ser inscrita no coração, e a substituiu por uma nova aliança, instituída com base em superiores promessas: "Farei com eles aliança eterna, segundo a qual não deixarei de lhes fazer o bem; e porei o meu temor no seu coração, para que nunca se apartem de mim" (Is 32.40). "Sois guardados pelo poder de Deus, mediante a fé, para salvação" (1Pe 1.5). O poder que guarda os crentes mediante a fé é o mesmo que preserva a fé em existência e em exercício; caso contrário, a fé desvaneceria e os crentes seriam guardados para a salvação.

Essa preservação da fé é fruto da intercessão de Cristo. Ele orou em favor de Pedro, para que a sua fé não desfalecesse (Lc 22.32). Como agora ele vive para interceder por nós (Hb 12.25), a preservação da nossa fé é assegurada pelo contínuo suprimento de sua graça, suprimento que, de outra forma, não seria suficiente para a nossa preservação. Está manifesto que Paulo tinha essas mesmas coisas em mente quando escreveu aos filipenses: "Estou plenamente certo de que aquele que começou boa obra em vós há de completá-la até ao Dia de Cristo Jesus" (Fp 1.6).

4. *Quando a apostasia final acontece, as Escrituras nos dizem que a razão é uma ausência da verdadeira religião.*

João deixa isso bem claro: "Eles saíram de nosso meio, entretanto não eram dos nossos; porque, se tivessem sido dos nossos, teriam permanecido conosco; todavia, eles se foram para que ficasse manifesto que nenhum deles é dos nossos" (1Jo 2.19). Com isso concorda o ensino de Cristo na parábola da semente lançada em diferentes tipos de solo. Jesus esclareceu que o efeito da semente, que é a Palavra, varia sobre diferentes classes de ouvintes. Há os que são como um solo rochoso, que recebem a Palavra, mas, na hora da provação, se desviam, porque a semente não tem solo para crescer.

Pode existir muita aparência de piedade onde ela não existe realmente. Muitos, Jesus disse, quererão entrar no reino dos céus, dizendo: "Senhor, Senhor! Porventura, não temos nós profetizado em teu nome, e em teu nome não expelimos demônios, e em teu nome não fizemos muitos milagres?" (Mt 7.22). Tais pretendentes são rejeitados, não por causa de falsas reivindicações. O fato de terem professado serem cristãos, profetizado e feito muitos milagres em nome de Cristo não é negado. A rejeição dessas pessoas está explicada nestas palavras: "Nunca vos conheci. Apartai-vos de mim, os que praticais a iniquidade" (Mt 7.23). Ora, se os tais, em algum tempo, tivessem sido verdadeiros seguidores de Cristo, ele os teria conhecido como discípulos e, portanto, não poderia dizer: "*Nunca* vos conheci".

Esta última consideração pode ajudar-nos a entender uma passagem em que muitos têm encontrado dificuldade: "É impossível, pois, que aqueles que uma vez foram iluminados e provaram o dom celestial e se tornaram participantes do Espírito Santo, e provaram a boa Palavra de Deus e os poderes do mundo vindouro, e caíram, sim, é impossível outra vez renová-los para arrependimento" (Hb 6.4-6). Aqui se está falando de apostasia, após terem sido conseguidas grandes realizações no campo da religião. Contudo, os apóstatas aqui referidos nunca foram verdadeiros discípulos de Cristo, caracterizados pelo amor a Cristo e por obras de santa obediência. Em imediata conexão com esse assunto, o autor sagrado dirige-se aos verdadeiros cristãos deste modo: "Quanto a vós outros, todavia, ó amados, estamos persuadidos das coisas que são melhores e pertencentes à salvação, ainda que falemos desta maneira. Porque Deus não é injusto para ficar esquecido do vosso trabalho e do amor que evidenciastes para com o seu nome" (Hb 6.9, 10). As obras do amor serão reconhecidas pelo Senhor no juízo do grande dia. Naquele dia, os obreiros da iniquidade serão rejeitados, seja qual for a medida do conhecimento teológico que possam ter possuído ou os dons miraculosos com que possam ter sido dotados. O texto de 1 Coríntios 13 ensina claramente a superioridade do amor em relação a todo o conhecimento, dons miraculosos ou obras exteriores; por mais custosas e abnegadas, sem o amor, nada valerão. Portanto, se não acompanhadas pelo amor, todas essas coisas não preservarão da apostasia nesta vida nem da rejeição no dia final.

Na aplicação prática dessa e de outras passagens da Escritura, muitos têm sido angustiados pela apreensão de terem cometido o pecado imperdoável. Para que possam ter alívio, é importante observar que a dificuldade no caminho da salvação, para os que apostatam, consiste na impossibilidade de novamente serem renovados para o arrependimento. Portanto, nenhum humilde penitente tem reais motivos para ficar apreensivo. A despeito de quantos tenham sido os deslizes em que possa ter caído, se o pecador agora se arrepende do seu pecado e implora perdão mediante o sangue da cruz, pode estar bem certo de que o caminho da salvação está aberto para ele. No seu caso, a renovação para arrependimento já se verificou, e, portanto, ele pode estar ciente de que o seu nome não está arrolado no número daqueles para quem a renovação é impossível.

O testemunho de homens de eminente piedade demonstra que eles também não estão isentos de pecado. Os casos de Pedro, que negou o seu Mestre, e de Davi, que cometeu adultério, são provas de que mesmo verdadeiros filhos de Deus vieram a cair em graves pecados. Davi, porém, foi renovado para arrependimento, e o registro de seu arrependimento sincero foi transmitido até nós no Salmo 51. Quanto a Pedro, apenas um olhar de Jesus foi suficiente para lhe compungir o coração, e ele saiu e chorou amargamente. O mesmo não acontece no caso dos apóstatas de que trata a passagem em Hebreus 6.4-6, os quais estão entregues à dureza de seus próprios corações: "é impossível outra vez renová-los para arrependimento."

A dificuldade não consiste no fato de que o sangue de Cristo não possa expiar pecados tão atrozes, mas no fato de que é impossível outra vez renová-los para arrependimento. Deus jamais concede a graça do arrependimento a pessoas desse tipo. Mas, quando um dos que são nascidos de Deus cai em pecado, a impossibilidade de ser renovado para arrependimento não existe, porque nele permanece a divina semente, e a graça divina o traz de volta quando se desvia, restituindo-o aos caminhos da justiça. A chama do amor divino no coração, embora o seu calor possa ser arrefecido por algum tempo, é mais facilmente reacesa do que quando fora no início produzida. Quando um homem não regenerado apostata, o seu último estado é pior do que o primeiro, mas isso jamais acontece no caso de um verdadeiro filho de Deus.

Outras passagens existem nas Escrituras que parecem não excluir a possibilidade de apostasia por parte de crentes verdadeiros, as quais requerem a nossa consideração: "Todo ramo que, estando em mim, não der fruto, ele o corta" (Jo 15.2). Essa representação figurativa que o Salvador empregou nos ensina que, em um certo sentido, pessoas há que, estando nele, não produzem os frutos da santidade. Tais pessoas não permanecem em Cristo (Jo 15.6). A sua ligação a Cristo não é vital, mas apenas declarada. Estão entre discípulos de Cristo, mas não são verdadeiros discípulos, porque, se o fossem, não se apartariam dos verdadeiros discípulos. O processo de separação desses falsos discípulos, descrito pelas palavras "ele o corta", corresponde muito bem à figura de um ramo enxertado, o qual é removido por não se ter tornado participante da vida da planta. A continuação do versículo ensina a verdade da perseverança dos santos: "Todo o que dá fruto, limpa, para que produza mais fruto ainda" (Jo 15.2).

"Porque, se vivermos deliberadamente em pecado, depois de termos recebido o pleno conhecimento da verdade, já não resta sacrifício pelos pecados; pelo contrário, certa expectação horrível de juízo e fogo vingador, prestes a consumir os adversários" (Hb 10.26, 27). Essa passagem tem, às vezes, sido uma grande prova à fé, em se tratando de crentes fracos. Quando tomam consciência de pecados cometidos voluntariamente, esses versículos apresentam-se a eles como uma terrível muralha, que parece detê-los de toda e qualquer nova aproximação ao sacrifício expiatório de Jesus, pelo qual anteriormente obtiveram a paz. Nos momentos de provação, como esses, a linguagem da fé assim se expressa: "Ainda que ele me mate, nele esperarei" (Jó 13.15, ARC).

Se esse solene texto infunde terror no coração, fica assim demonstrada a existência de uma humilde e permanente confiança em Deus, e, em vista disso, outros textos autorizam encorajamento e esperança. A passagem que estamos considerando não pode ser inconsistente com esses outros textos que dão encorajamento e consolo. Ela descreve o pecado de alguns hebreus, os quais, depois de terem abraçado o evangelho de Cristo, deixaram a congregação dos santos (Hb 10.25) para voltar ao judaísmo. Para os tais já não restava nenhum sacrifício pelos pecados, visto que as cerimônias da dispensação mosaica tinham sido abolidas. Se renunciassem ao sacrifício de Cristo, nenhum outro sacrifício encontrariam para a expiação de seus pecados. Esses versículos jamais foram designados para impedir a livre aproximação do pecador, humilde e arrependido, ao sacrifício expiatório de Cristo. Não importa que pecados possa ter cometido, a garantia que Jesus deu, "o que vem a mim, de modo nenhum o lançarei fora" (Jo 6.37), é suficiente para banir todo o medo dos que põem nele a sua confiança. O mesmo convite que, a princípio, lhes deu as boas-vindas e a mesma garantia que, a princípio, lhes outorgou paz são as mesmas que permanecem, para encorajá-los em sua contínua confiança no poder e na graça de Jesus Cristo.

"De quanto mais severo castigo julgais vós será considerado digno aquele que calcou aos pés o Filho de Deus, e profanou o sangue da aliança com o qual foi santificado, e ultrajou o Espírito da graça?" (Hb 10.29). A dificuldade dessa passagem encontra-se nas palavras: "com o qual foi santificado". Acaso tais palavras ensinam que pessoas que já foram santificadas podem apostatar? Observemos que o vocábulo "santificar" era usado entre os hebreus para denotar consagração externa a Deus (Êx. 13.2; 19.10,22, 23 etc.). Na antiga dispensação, à qual os judeus estavam acostumados, essa consagração se dava mediante o sangue de animais.

Ao professarem o cristianismo, aqueles judeus voltaram-se do sangue de animais para o sangue de Cristo. A sua consagração ao serviço de Cristo acontecia mediante a profissão de fé no sangue de Cristo. Se retornassem ao judaísmo, estariam rejeitando esse precioso sangue e profanando o sangue da aliança, como se fora o sangue de um vil impostor. Contudo, é melhor interpretar essa passagem ligando as palavras "com o qual foi santificado" à última pessoa referida, "o Filho de Deus". O Filho de Deus foi santificado e enviado ao mundo (Jo 10.36). Assim como os sacerdotes da lei eram consagrados pela aspersão de sangue, podemos também dizer que Jesus, como nosso Sumo Sacerdote, foi consagrado mediante o sangue da nova aliança.

"O meu justo viverá pela fé, e: Se retroceder, nele não se compraz a minha alma" (Hb 10.38). Essas palavras são citadas da versão Septuaginta de Habacuque 2.4, em que a última cláusula aparece primeiro, e o homem que retrocede está manifestamente distinguido do homem justo. O autor de Hebreus faz a mesma distinção nas palavras que se seguem imediatamente a esse versículo: "Nós, porém, não somos dos que retrocedem para a perdição; somos, entretanto, da fé, para a conservação da alma" (Hb 10.39).

O autor da epístola inverteu a ordem das duas cláusulas escritas pelo profeta. Ele certamente o fez dirigido pelo Espírito Santo, visando a algum sábio propósito. Convém examinarmos com atenção essas palavras, dadas mediante o Espírito Santo para nossa instrução e admoestação. A advertência do profeta era: "Se alguém retroceder, minha alma não terá prazer nele". Em Hebreus, essa advertência é aplicada ao homem justo. O que é verdadeiro para qualquer homem tem de ser verdade também para o justo, e o autor não nega ao justo o benefício dessa admoestação. Para o autor sagrado, uma tal admoestação não era inconsistente com a doutrina da perseverança final dos santos.

"Desviando-se o justo da sua justiça, e cometendo iniquidade, morrerá por causa dela; na iniquidade que cometeu, morrerá" (Ez 18.26). Essas palavras devem ser entendidas à maneira como consideramos a passagem em Hebreus. Termos como "justo" e "reto" são adjetivos que descrevem aqueles que obedecem aos mandamentos de Deus e desfrutam do seu favor. São essas pessoas que precisam das admoestações contidas nessas passagens, e elas são dadas em uma linguagem adaptada precisamente ao caso. Existe para todos, exceto para aquele que sonda os corações, uma incerteza quanto ao caráter do homem aos olhos de Deus, e por causa dessa incerteza é que tais admoestações são necessárias. O autor de Hebreus falou com confiança, na certeza de que os hebreus a quem se dirigia eram "da fé, para a conservação da alma". Porém, não fez dependente da sua própria avaliação nem derivou de seu próprio julgamento uma garantia da perseverança daqueles hebreus, aos quais advertiu severamente contra a apostasia.

"Portanto, se depois de terem escapado das contaminações do mundo, mediante o conhecimento do Senhor e Salvador Jesus Cristo, se deixam enredar de novo e são vencidos, tornou-se o seu último estado pior que o primeiro" (2Pe 2.20). Essas palavras descrevem homens que foram melhorados em sua conduta pela influência do evangelho, mas sem uma mudança completa no coração. Isso é evidente por causa do adágio que lhes é aplicado: "O cão voltou ao seu próprio vômito; e: a porca lavada voltou a revolver-se no lamaçal" (2Pe 2.22). Assim como a mudança temporária não altera as propensões naturais desses animais, o mesmo acontece com esses homens. A sua mudança, apesar de uma reforma externa, não os torna novas criaturas.

"De Cristo vos desligastes, vós que procurais justificar-vos na lei, da graça decaístes" (Gl 5.4). Essas palavras descrevem uma mudança na visão doutrinária dos gálatas quanto ao método da salvação. Eles se voltaram da salvação pela graça para a salvação pela lei. Contudo, a passagem não nos informa até que ponto o coração dessas pessoas tinha sido influenciado pelo seu credo doutrinário, nem antes, nem depois da mudança aqui descrita.

"Alguns, tendo rejeitado a boa consciência, vieram a naufragar na fé" (1Tm 1.19), "pervertendo a fé a alguns" (2Tm 2.18). Os homens aqui mencionados estavam inculcando falsas doutrinas a respeito da ressurreição dos mortos. É provável que esses homens e também os que por eles foram enganados jamais receberam o amor à verdade. Quanto a isso, porém, nada nos é informado.

"E assim, por causa do teu saber, perece o irmão fraco, pelo qual Cristo morreu" (1Co 8.11). Quando um crente mais forte não nega a si mesmo uma indulgência carnal, para o bem de um irmão mais fraco, demonstra um descaso criminoso para com o bem-estar espiritual de seu irmão fraco na fé. A tendência dessa conduta é arruinar o crente mais fraco, e a criminalidade será julgada por essa tendência. Não importa se tal tendência se concretiza ou se é impedida pela interposição da graça divina; o pecado é o mesmo. O versículo não afirma qual será o resultado sobre o irmão mais fraco, mas exige a culpa do ofensor, contrastando a sua conduta com a conduta de Cristo. Cristo morreu pelo irmão fraco; você o faria perecer por não negar a si mesmo uma frívola gratificação?

"Mas esmurro o meu corpo, e o reduzo à escravidão, para que, tendo pregado a outros, não venha eu mesmo a ser desqualificado" (1Co 9.27). Essas palavras contêm uma manifesta referência aos jogos da antiga Grécia. O arauto anunciava as competições, mas não tomava parte na disputa nem na preparação para ela, e, portanto, não recebia a coroa. Paulo não era apenas um arauto, fazendo a proclamação do evangelho, mas ele mesmo era um dos combatentes, tendo-se preparado diligentemente para o conflito, subjugando o seu corpo. Isso ele fez sabendo que o fato de ser um arauto e proclamar o evangelho para outros não lhe assegurava uma coroa para si mesmo. Ele se preparou diligentemente para o combate, a fim de que pudesse receber a coroa e não viesse a ser desqualificado ou rejeitado pelo Juiz.

Essa explanação remove toda a aparente inconsistência entre essa passagem e a doutrina da perseverança final dos santos. Mesmo assim, a passagem admite que Paulo fora estimulado à ação e à perseverança no conflito cristão pela sua crença no fato de que a obtenção da coroa dependia da sua perseverança e do sucesso de seu desempenho. Os que pensam que a doutrina da perseverança implica em o povo de Deus obter a coroa sem esforço estão totalmente enganados. A doutrina da perseverança dos santos afirma que o povo de Deus perseverará na batalha. Supor que a coroa será obtida sem luta é contradizer a doutrina. É uma fatal e infame perversão da doutrina que os homens concluam que, uma vez convertidos, serão salvos, não importando o curso que tomem na vida. A Palavra de Deus deixa bem claro: "O que semeia para a sua própria carne, da carne colherá corrupção" (Gl 6.8). Quem não dominar o seu próprio corpo, trazendo-o em sujeição, e não resistir até ao fim nesse conflito espiritual indubitavelmente deixará de receber a sua coroa. Nem a conversão, nem mesmo um chamado para o apostolado será capaz de assegurar a aprovação do grande Juiz.

Já dissemos que a nova criatura produzida na regeneração é imortal. Porém, essa imortalidade é dependente da vontade de Deus e é assegurada pelos meios que Deus providenciou. Adão, em seu estado de inocência, era imortal; porém, a sua vida diante de Deus era sustentada pelos frutos do jardim que foram designados para o seu uso. Da mesma forma, Deus designou os meios necessários para a preservação da vida divina na alma. O uso desses meios é tão indispensável à concretização do propósito de Deus nesse caso quanto o é em todos os outros casos em que Deus determinou operar através de meios.

A doutrina da perseverança final, quando propriamente entendida, não ensina que o povo de Deus esteja, em qualquer sentido, livre do perigo da apostasia final. Paulo diz que ele estava constantemente em perigos (2Co 11.26). Umas dessas ocasiões de perigo foi o naufrágio que sofreu em sua viagem para Roma. Ele e todos os seus companheiros no navio estavam em grande perigo e não poderiam ter sido salvos se os meios necessários para a sua preservação não tivessem sido empregados. Mas Deus tinha determinado e prometido o livramento. Apesar do propósito e da promessa de Deus, é com lutas que o crente é salvo (1Pe 4.18). O povo de Deus tem bom êxito no final, mas como por um triz. É em meio a perigos iminentes que eles, por fim, alcançam o livramento; e para esse livramento, o uso dos meios designados é tão necessário quanto a designação em si — e isso tudo por determinação divina.

As advertências que as Escrituras oferecem a nós constituem uma parte importante dos meios que Deus apontou para a nossa perseverança na santidade até à vida eterna. À semelhança de como os rochedos assinalados num mapa guardam o marinheiro de ser feito em pedaços, assim também as advertências da Palavra de Deus preservam o marinheiro espiritual da destruição. As solenes advertências dadas na epístola aos Hebreus foram designadas para guardá-los da apostasia final. Tais advertências, portanto, implicam na existência do perigo dessa apostasia, mas os herdeiros da promessa podem ter uma forte consolação na esperança que está alicerçada sobre a promessa e o juramento de Deus, de que serão conduzidos em segurança em meio aos perigos.

Na sabedoria de Deus, as advertências são dadas de forma a produzir o efeito apropriado, sem, no entanto, destruir a confiança em Deus, que é a esperança e o regozijo do cristão. A fim de tornar isso claro e receber o correto benefício dessas advertências, vamos revisá-las brevemente.

A advertência em Hebreus 6.4-7 foi designada para verdadeiros crentes. Cada uma das cláusulas citadas na descrição das pessoas cuja apostasia foi declarada fatal, em outras conexões, seria entendida como referências a cristãos verdadeiros. Os cristãos hebreus são descritos como pessoas "iluminadas" (Hb 10.32). A primeira cláusula no versículo 4 é: "uma vez foram iluminados". Outras particularidades são acrescentadas, todas bem conhecidas, que distinguem os seguidores de Cristo. Essa passagem, portanto, contém uma descrição geral dos cristãos; a advertência que ela traz aplicava-se aos crentes e foi designada para o seu benefício.

A esses aspectos do caráter cristão tão vividamente retratados, os quais eram muito bem conhecidos nos dias da igreja primitiva, somavam-se o amor à verdade, necessário para que a instrução divina tivesse o pleno e adequado efeito. Quando esse amor à verdade operava no coração, a advertência proposta nesses versículos produzia o devido efeito. Nesses casos, as pessoas que recebiam a admoestação eram como a terra fértil que recebe a bênção de Deus (Hb 6.7). O autor da epístola cria que o amor à verdade existia no coração daqueles a quem se dirigia (Hb 6.9, 10); os que possuíam esse amor eram movidos a avançar nas suas conquistas espirituais, de acordo com a exortação dada no início do capítulo. Porém, as instruções e advertências dadas aos que apresentavam traços peculiares do caráter cristão nem sempre obtinham o resultado esperado. A apostasia algumas vezes acontecia, apostasia final e sem esperança de reconciliação. Esse foi o motivo por que a advertência foi dada de forma escrita.

Semelhantes observações podem ser feitas nas passagens do capítulo 10 da mesma epístola. Podemos ver que eram dirigidas a verdadeiros crentes, pois o autor se faz solidário com aqueles a quem escreve – "Se vivermos deliberadamente em pecado" (v. 26) – e também porque o justo é advertido a não retroceder (v. 38). As consequências alarmantes da apostasia são demonstradas pela ausência de outro sacrifício pelos pecados (v. 26), assim como pela severa e merecida punição (v. 29) e perdição eterna, que é o destino dos apóstatas. Todas essas consequências foram apresentadas diante dos cristãos como advertência. O autor sagrado uma vez mais expressa a sua confiança de que os crentes, assim como ele próprio, crendo e amando a verdade, receberiam a advertência e seriam salvos.

Os avisos contra a apostasia e as exortações à perseverança não foram dirigidos aos que professam falsamente o cristianismo. O autor de Hebreus não estava solícito de que os tais perseverassem em sua falsa profissão de fé. Aqueles a quem a epístola foi endereçada foram todos exortados a manterem firmes a sua profissão de fé, na suposição de que esta tinha sido sincera e autêntica. Todos já tinham demonstrado as características da verdadeira religião, tendo sido tratados de acordo com isso. A planta que nasce da semente lançada sobre terreno rochoso não difere daquela que é semeada em boa terra, exceto no fato de não ter muita profundidade de solo. Esse defeito se torna manifesto quando a planta resseca sob os raios de sol. Iguais são aqueles que apostatam da fé e, nos sinais externos de religiosidades, em nada diferem dos que perseveram até o fim. A diferença entre eles está no fato de que a Palavra (a semente) não está aprofundada no coração; isso só é visto quando ocorre a apostasia: "Eles se foram para que ficasse manifesto que nenhum deles é dos nossos" (1Jo 2.19). Enquanto isso não acontece, todos participam dos mesmos meios de cultivo espiritual, entretendo as mesmas esperanças, e todos são descritos pela mesma linguagem. A tendência desse cultivo espiritual é fazer com que a planta dê frutos como as demais. Porém, isso não se verifica porque eles não têm no coração o amor sincero e permanente pela verdade.

A doutrina da perseverança final, quando bem entendida, não dá qualquer encorajamento à preguiça ou negligência no cumprimento do dever; muito menos conduz à indecência. Quem toma ocasião para pecar contra Deus ou para ser indolente em seu serviço não somente entende mal e aplica incorretamente a doutrina, mas tem também razão para temer que o seu coração não esteja certo diante de Deus. A perseverança na santidade é a única prova infalível de que o coração é reto. Quem deixa de perseverar, presumindo que o seu coração é reto, crê sem adequada evidência e está arriscando perigosamente os seus interesses eternos. A doutrina da perseverança final resume-se nisto: a graça no coração produzirá perseverança até o fim; onde esse efeito não é produzido, a causa também não existe.

Portanto, quaisquer que tenham sido a sua profissão de fé e realizações do passado, todo o homem tem razão para estar alarmado, se descobre que o seu coração inclina-se a afastar-se de Cristo. Quanto maiores as suas conquistas do passado, maior será o motivo para alarmar-se, porque, se ele cair, o seu caso será semelhante àquele em que o arrependimento será impossível.

A rejeição da doutrina da perseverança final tende a fixar a esperança de salvação no esforço humano, e não no propósito e na graça de Deus. Se, no método divino da salvação, nenhuma provisão tivesse sido feita para garantir a segurança dos regenerados e a sua perseverança na santidade, a salvação ficaria dependente dos próprios esforços, e os regenerados teriam de confiar na sua própria capacidade de alcançar sucesso. Se o esforço humano não for suplementado pela graça, tudo o que Deus já tem realizado não será suficiente para conduzir os regenerados à glória. Nesse caso, toda a nossa esperança estaria posta sobre o esforço humano, como se a salvação dependesse dele. Portanto, a negação da doutrina faz com que o coração se afaste da confiança singela em Deus, o que, por sua vez, tende a produzir apostasia.

"O meu justo viverá pela fé" (Hb 10.38). A confiança singela em Deus é necessária para preservar a vida espiritual. Confiar no homem e fazer da carne mortal o nosso braço (Jr 17.5) significa cair sob a maldição de Deus e retroceder para a perdição. Quando nos achegamos a Cristo, no início da nossa vida cristã, renunciamos a toda confiança em nós mesmos, entregando-nos totalmente à misericórdia e ao poder de Deus. Devemos perseverar até ao fim da jornada na mesma fé com que a começamos. A sabedoria humana pode nos encorajar a sermos autodependentes e a considerarmos isso como necessário para o nosso sucesso. Mas a sabedoria que vem do alto ensina a renunciarmos e evitarmos a autodependência, porque traz ruína para a alma.

Convencido de sua fraqueza e desamparo, o crente vai aprendendo a confiar mais e mais em Deus nesta vida de fé, e a não confiar em si mesmo. Pela sua experiência diária, ele aprende a conhecer a infidelidade do seu próprio coração e cada vez mais afasta-se da insensatez de confiar em si. À medida que progride no conhecimento de si mesmo e do caminho da salvação, a mais fervorosa oração do crente torna-se: "Sustenta-me, e serei salvo" (Sl 119.117). Ele contempla de antemão as tentações e provações pelas quais terá de passar, não deseja confiar em si mesmo – nem um pouco sequer – e, por isso, roga, com todo o fervor e impertinência, para que Deus o guarde até ao fim.

Se a doutrina da perseverança final é verdadeira, o crente pode ter a certeza de que a sua oração será ouvida. Se a graça para perseverar é um dom de Deus, temos aqui um motivo para oração; e a doutrina que nos ensina a chegar confiadamente junto ao trono da graça, a fim de obter misericórdia e graça para socorro em tempos de necessidade, é a que melhor se harmoniza com o método divino da salvação. Se a concessão dessa graça para perseverar não está dentro do plano de Deus para a salvação, não podemos ir com confiança ao trono de Deus, para pedir a graça que, no futuro, nos socorra em toda a ocasião de necessidade; tampouco podemos pedir que nos fortaleça e nos incline a perseverar até ao fim, se realmente essa graça não está inclusa no plano de Deus.

A doutrina da perseverança final está repleta de consolação para o crente prestes a desfalecer em seu conflito espiritual. Sempre que, ao examinar cuidadosamente o próprio coração, encontra evidências de que o amor de Deus tem ali sido derramado, o crente é autorizado a considerar essa graça como um penhor da sua herança futura e a regozijar-se na esperança de obter aquela herança em plena possessão, no tempo designado pelo seu Pai celestial. Se dúvidas aparecem, elas não provêm de alguma imperfeição encontrada no método divino da salvação, mas se referem exclusivamente ao fato de o coração estar ou não depositando confiança singela e exclusiva no método de Deus e na provisão de misericórdia que nele está incluso. Suas dúvidas terminam quando ele vê o caminho aberto para que venha agora mesmo (se nunca o fez) e se entregue a essa misericórdia, tão ricamente provida e tão gloriosamente adaptada às suas necessidades.

7. *Perfeição*

O processo da santificação, que prossegue ao longo da vida terrena, só é completado quando os crentes estão perfeitamente preparados para o serviço e os deleites do céu. Nessa obra do Espírito Santo, está também inclusa a ressurreição do corpo e a sua transformação à semelhança do corpo glorioso de Cristo. Embora tenhamos sido predestinados para sermos conformes à imagem do amado Filho de Deus (Rm 8.29), o propósito da graça não se completará enquanto não estivermos na glória, com nosso corpo já transformado. É a essa conformidade que os santos aqui na terra anelam, esperando a consumação de seus desejos e esperanças do porvir: "Eu me satisfarei com a tua semelhança" (Sl 17.15). Esse era o desejo ardente de Paulo, o prêmio pelo qual se esforçava. Paulo refere-se a ele nestas palavras: "para de algum modo alcançar a ressurreição dentre os mortos. Não que eu o tenha já recebido, ou tenha já obtido a perfeição; mas prossigo para conquistar aquilo para o que também fui conquistado por Cristo Jesus [...] prossigo para o alvo, para o prêmio da soberana vocação de Deus em Cristo Jesus" (Fp 3.11-14).

A obra da graça não será completada até ao dia da segunda vinda de Cristo: "Aquele que começou boa obra em vós, há de completá-la até ao dia de Cristo Jesus" (Fp 1.16). Então, acontecerá a transformação final, a qual nos tornará aptos para o serviço eterno de Deus e o gozo da sua presença, no seu alto e santo lugar. Então, seremos semelhantes a ele, pois havemos de "vê-lo como ele é". "Agora conheço em parte, então conhecerei como também sou conhecido". "Quando vier o que é perfeito, então o que é em parte será aniquilado". Até que chegue esse momento, todo filho de Deus deve dizer, juntamente com Paulo: "Não que eu o tenha já recebido, ou tenha já obtido a perfeição".

Além dessa perfeição final, à qual os santos são instruídos a desejar, há também outras circunstâncias em que o nome "perfeição" é aplicado aos santos nas Sagradas Escrituras, embora num sentido subordinado. Os santos que já morreram e agora estão na presença de Deus, embora ainda não tenham alcançado a ressurreição do corpo, são, entretanto, chamados de "os justos aperfeiçoados" (Hb 12.23). Estão livres do corpo mortal, livres do pecado, livres de todas as tribulações e tristezas deste mundo e estão presentes com Deus no gozo do seu amor.

Mesmo na presente vida, há estágios na jornada do cristão em que o termo "perfeição" é aplicado. Quando os crentes alcançam um conhecimento profundo da verdade divina revelada, são chamados de "perfeitos" ou "maduros", para distingui-los daqueles que só aprenderam os princípios elementares da doutrina de Cristo (Hb 6.1; 5.14). Homens que dão plena e consistente exibição do caráter cristão, mediante uma vida piedosa, são chamados de "perfeitos". Na exortação de Paulo – "todos, pois, que somos perfeitos, tenhamos este sentimento" (Fp 3.15) –, o termo parece ser aplicado aos crentes de maneira geral. Paulo inclui a si mesmo entre os perfeitos, mas, mesmo assim, no mesmo capítulo, ele afirma que ainda não é perfeito (Fp 3.12). Fica claro, portanto, que a palavra foi usada em dois lugares com sentidos diferentes.

Nenhuma perfeição que o povo de Deus possa alcançar nesta vida inclui total liberdade do pecado. Jó, embora homem reto e íntegro, disse: "Ainda que eu seja justo, a minha boca me condenará; embora seja eu íntegro, ele me terá por culpado" (Jó 9.20). Paulo, embora inclua a si mesmo entre os perfeitos diz: "Então, ao querer fazer o bem, encontro a lei de que o mal reside em mim" (Rm 7.21). "Eu, todavia, sou carnal, vendido à escravidão do pecado" (Rm 7.14). João escreveu: "Se dissermos que não temos pecado nenhum, a nós mesmos nos enganamos" (1Jo 1.8). E Salomão disse: "Não há homem justo sobre a terra, que faça o bem e que não peque" (Ec 7.20). A experiência dos cristãos de todas as eras têm concordado com essas declarações da Palavra de Deus. Os crentes têm sempre visto a necessidade de orar diariamente: "Perdoa-nos as nossas dívidas."

No mandamento "sede vós perfeitos como perfeito é vosso Pai Celeste" (Mt 5.48), podemos tomar esse termo no seu mais alto sentido. Assim como somos ordenados a amar a Deus de todo o coração e a sermos santos porque ele é santo, temos também o dever de estarmos perfeitamente livres do pecado. Estar à altura desse elevado padrão deveria ser nosso alvo e esforço permanente. Não podemos alcançar um perfeito conhecimento de Deus na presente vida, mas podemos prosseguir em conhecer ao Senhor (Os 6.3). Da mesma forma, embora não possamos alcançar uma perfeita semelhança à santidade de Deus, somos, no entanto, "transformados de glória em glória, na sua própria imagem" (2Co 3.18). O desenrolar da vida divina é cheio de recompensas e encorajamento, mesmo enquanto estamos combatendo o bom combate da fé e mesmo antes de obtermos a coroa da vitória. A promessa da graça divina para nos ajudar em cada batalha, a promessa de contínuo sucesso nos conflitos e, por fim, a vitória final são suficientes para encorajar-nos a todo esforço necessário. Deveríamos sempre nos esforçar em direção ao alvo, mantendo em vista o alto padrão da perfeição, e almejar alcançá-lo. "Tendo, pois, ó amados, tais promessas, purifiquemo-nos de toda impureza, tanto da carne, como do espírito, aperfeiçoando a nossa santidade no temor de Deus" (2Co 7.1).

Quando um homem desculpa o seu pecado, pela justificativa de que a perfeição não é alcançável na presente vida, temos um sinal temível. Um verdadeiro cristão às vezes é perseguido por algum pecado renitente; mas qualquer um que tenha um pecado voluntário, permitido ou desculpado tem razão para temer que o amor ao pecado não foi jamais crucificado em seu coração. Quem se satisfaz com um padrão de vida abaixo da perfeição absoluta em santidade está, na verdade, dando lugar ao pecado em sua vida e demonstrando um fato que deveria alarmá-lo. Na batalha espiritual, da qual todo crente está consciente, o amor de Deus no coração está em conflito com outras afeições, que ainda não estão devidamente subordinadas ao amor de Deus. O crescimento na graça implica no predomínio cada vez maior dessa santa afeição sobre as demais afeições que com ela contendem. O amor de Deus vai se fortalecendo no coração, à medida que as demais afeições vão debilitando-se, tal como Davi fortalecia-se enquanto os da casa de Saul iam enfraquecendo (2Sm 3.1) na luta pelo domínio sobre Israel. É nosso dever, portanto, crescermos na graça, cultivarmos santas afeições, afeições celestiais, e mortificarmos as afeições carnais que são terrenas. Nenhum homem sobre a terra pode afirmar, com justiça, que as afeições do seu coração estejam perfeitamente ajustadas ao alto critério da lei de Deus.

O conflito interno entre a lei dos membros e a lei da mente não cessará enquanto Deus não convocar o espírito, separando-o da sua união com o corpo mortal. A frase "lei do pecado que está nos meus membros" (Rm 7.23) não implica em ser o pecado algo que esteja ligado propriamente ao corpo material. No entanto, a passagem parece sugerir que esse conflito durará enquanto perdurar a presente relação entre a mente e os membros do corpo. Os justos são aperfeiçoados (Hb 12.23) quando passam para a outra vida. Quando ausentes do corpo, estão presentes com o Senhor (2Co 5.8). Eles são, então, santos, porque sem a santidade ninguém verá o Senhor (Hb 12.14).

Não devemos atribuir à morte a eficácia da nossa libertação final do pecado. A morte é apenas um instrumento que o Espírito Santo usa em sua obra, assim como ele também usa as muitas aflições que precedem a morte e das quais a morte é o término. Visto que a morte é o último sofrimento que os justos terão de suportar, o último inimigo a ser destruído, convém que seja também a última instrumentalidade que o Espírito Santo empregará em sua obra.

A morte é uma instrumentalidade perfeitamente adaptada à obra do Espírito Santo. Ela introduz-nos ao pleno conhecimento de Deus, necessário para que nosso amor a Deus seja perfeito. Ela abre nossos olhos para as coisas invisíveis do mundo eternal, a fim de que essas coisas tenham sua devida e completa influência sobre a nossa mente. A morte separa-nos para sempre das coisas deste mundo, às quais as nossas afeições tanto se inclinam. Deus, às vezes, usa a morte de um amigo querido como um meio para nossa santificação. Porém, quando morremos, todos os nossos amigos em vida imediatamente morrem para nós. A perda de bens materiais faz com que nos desapeguemos deste mundo, mas, na morte, perdemos todas as nossas possessões terrestres de uma só vez. Deus poderia ter destruído nossas casas e bens a fogo quando decidiu dirigir nossos pensamentos para a casa que não foi feita por mãos e para os tesouros que não podem ser consumidos. O que dizer, então, quando a própria terra e tudo o que nela existe for destruído, quando virmos todas essas coisas lançadas no fogo? Esse pensamento serve para erradicar do nosso coração o amor às coisas transitórias desta vida.

A morte, portanto, é a instrumentalidade que o Espírito emprega para completar a obra da santificação. Em todas as nossas aflições, a eficácia não está nos meios empregados, mas no poder divino que emprega esses meios, a fim de cumprir o seu propósito gracioso.

CAPÍTULO 4
A SOBERANIA DA GRAÇA

DEUS CONCEDE AS BÊNÇÃOS DA SUA GRAÇA NÃO DE ACORDO COM AS OBRAS DO HOMEM, MAS DE ACORDO COM A SUA PRÓPRIA E SOBERANA VONTADE[1]

Deus é soberano em fazer tudo quanto lhe agrada, sem restrição da parte de nenhum outro ser. "Segundo a sua vontade ele opera com o exército do céu e os moradores da terra; não há quem lhe possa deter a mão, nem lhe dizer: Que fazes?" (Dn 4.35). Nenhum outro ser existe superior a Jeová, para lhe ordenar o que deveria fazer, ou impedi-lo de concretizar a sua vontade, ou chamá-lo a prestar contas daquilo que tem feito.

É preciso fazer-se uma distinção entre soberania e arbitrariedade. Neste último caso, a vontade do agente controla a ação, sem que tenha em vista um propósito sábio ou bom a ser realizado. Quando Deus age, é de acordo com a sua vontade. A sua vontade é sempre boa, porque sempre está dirigida a um fim bom. Deus é soberano em seus atos, porque estes são determinados pelas suas perfeições.

1 2Tm 1.9; Rm 9.16; Fp 2.13; Mt 11.25; Lc 10.21; Ef 2.4-9.

Ele tem uma regra para o que faz, mas essa regra não lhe é prescrita por nenhum outro ser nem existe independentemente; ela faz parte da própria natureza de Deus. Nos seus atos, a natureza de Deus é revelada e exposta.

Em certos aspectos, a natureza divina foi-nos de tal maneira dada a conhecer, que até podemos entender a norma a que estão conformados os atos de Deus. Por exemplo, entendemos a justiça de Deus o suficiente para termos uma compreensão do processo pelo qual Deus retribui a cada homem o castigo ou recompensa conforme as suas obras, e, em parte, podemos até prever o resultado desse processo na vida de um homem.

Há, porém, mistérios na natureza divina que são demasiadamente profundos para podermos sondar. Nesses casos, somos incapazes de definir uma regra para os procedimentos divinos. São esses casos em particular que atribuímos à soberania de Deus. Todavia, Deus não é menos soberano quando se trata da sua justiça revelada do que nas dispensações em que ele não nos dá nenhuma razão para explicar os seus atos. No entanto, quando menos podemos entender os seus procedimentos, melhor podemos exercitar singela confiança para com ele. Assim, prostramo-nos diante da sua soberania. Deus tem se agradado em deixar muitos dos seus procedimentos envolvidos em mistério, a fim de que nós tenhamos a oportunidade de exercer essa confiança, que é agradável a Deus e proveitosa para nós.

Nossa tendência é exigir de Deus que ele nos dê a razão ou norma que regula todos os seus atos e que prescreva leis de acordo com as quais deveria agir. Porém, as Escrituras nos advertem a restringir essa propensão: "Pode o objeto perguntar a quem o fez: Por que me fizeste assim?" (Rm 9.20). "Ele não dá contas de seus feitos" (Jó 33.13). Embora as Escrituras não expliquem as dispensações de

Deus, que somos compelidos a atribuir à sua soberania, elas nos ensinam que Deus não é governado por leis prescritas pela sabedoria humana. Os caminhos de Deus são mais altos do que os nossos caminhos, e os seus pensamentos mais altos que os nossos pensamentos, assim como os céus são mais altos do que a terra (Is 55.9).

Os homens, frequentemente, queixam-se de que os caminhos de Deus não são direitos e acusam-no de parcialidade no trato para com suas criaturas. Quando tal acusação é lançada contra ele, acusando-o de injustiça em seus atos, Deus repele a acusação: "Não são os meus caminhos direitos [...] e não são os vossos caminhos tortuosos?" (Ez 18.29). Em se tratando de conceder as bênçãos da sua graça, Deus reserva para si o direito de fazer o que quer com o que lhe pertence (Mt 20.15). Ele não é obrigado a dar a cada um a mesma medida de favor imerecido, nem é forçado a conceder suas bênçãos, dadas gratuitamente, de acordo com as obras de quem as recebe. A Palavra inspirada claramente ensina: "Deus que nos salvou e nos chamou com santa vocação; não segundo as nossas obras, mas conforme a sua própria determinação e graça que nos foi dada em Cristo Jesus antes dos tempos eternos" (2Tm 1.9). "Não por obras, mas por aquele que chama" (Rm 9.11). "Assim, pois, não depende de quem quer, ou de quem corre, mas de usar Deus a sua misericórdia" (Rm 9.16).

Na condição de criações de Deus, observamos uma diversidade ilimitada. No reino vegetal, encontramos plantas que vão desde o cedro do Líbano até a minúscula folha de grama, algumas lindas e fragrantes ou adaptadas para serem de grande utilidade, enquanto outras não apresentam nenhuma qualidade em que pudéssemos enxergar uma razão para terem sido criadas. Entre os animais, aparece uma variedade sem fim, seja em tamanho, seja em modos de vida ou capacidade para desfrutar contentamento. Na condição dos seres humanos, o sistema de diversidades continua. Assim como a espécie humana difere de todas as demais espécies, a condição de cada indivíduo difere da condição de qualquer outro da espécie. Um homem passa os seus dias em abundância e conforto, enquanto outro gasta sua miserável existência em pobreza e fadigas. Alguns desfrutam de saúde quase ininterrupta, enquanto outros, do início ao fim da vida, são oprimidos pela doença e a dor. Uma pessoa é dotada de intelecto suscetível ao mais alto desenvolvimento e é favorecida com todos os meios necessários para o seu desenvolvimento, ao passo que outras pessoas vão tateando em meio à escuridão mental, seja por causa de imbecilidade natural da mente, seja pelas circunstâncias desfavoráveis em que foram postas nesta vida. Qual a razão para toda essa diversidade? Devemos responder com as palavras de Cristo: "Sim, ó Pai, porque assim foi do teu agrado" (Mt 11.26).

Até certo ponto, os sofrimentos e os prazeres do ser humano nesta vida podem ser atribuídos à conduta pessoal de cada um. Sob esse aspecto, existe uma razão aparente para a dispensação divina em relação a cada ser humano. Porém, numa extensão muito maior, a razão humana não encontra nenhuma causa à qual relacionar as dispensações de Deus, e somos compelidos a atribuir esse misterioso arranjo à soberania de Deus. Como ele é soberano na criação e providência, é também soberano nas dispensações da sua graça. Ele distribui a cada um "como lhe apraz, a cada um, individualmente" (1Co 12.11). Ele oculta as coisas aos sábios e entendidos, e as revela aos pequeninos (Mt 11.25), conforme lhe apraz. Quando surge a pergunta: "Quem é que te faz sobressair?" (1Co 4.7), a resposta adequada é: "Não depende de quem quer, ou de quem corre, mas de usar Deus a sua misericórdia" (Rm 9.16). "Pela graça de Deus, sou o que sou" (1Co 15.10). Nas dispensações da graça, plena consideração é tida para com a justiça divina, e nenhuma injustiça é cometida contra ninguém. Contudo, a graça vai além da mera justiça e dá ampla margem para a exibição da soberania divina na distribuição de bênçãos, as quais ninguém tem o menor direito de reivindicar.

Entre as normas que a intromissão humana tenta prescrever a Deus, para regular a conduta divina, somos inclinados a insistir que as bênçãos da graça deveriam ser distribuídas de acordo com as obras de cada um. Não presumimos em dizer que essas bênçãos deveriam ser conferidas por causa das obras, pois isso faria com que se tornassem salário de dívida, e não dons da graça. A Bíblia e a razão unem-se para reprimir a presunção de que tudo quanto Deus confere ao homem seja dado com base em méritos humanos. Todavia, apesar de rejeitarmos a noção de algum mérito positivo de nossa parte, ainda assim, estamos inclinados a aceitar a ideia de que seria adequado conceder as bênçãos da graça sobre aqueles que têm o mérito negativo de serem menos ímpios do que os demais. Num tal método de dispensação, que seria recomendado pela sabedoria humana, as bênçãos são conferidas não por causa das obras, mas de acordo com as obras de cada um; contudo, a sabedoria de Deus rejeita o conselho da sabedoria humana quanto a esse assunto. Mesmo um Saulo de Tarso, embora o principal dos pecadores, torna-se um feliz recipiente da graça divina, enquanto um amistoso jovem rico, que, desde a mocidade, vinha procurando guardar a lei, é deixado a perecer em sua justiça própria. Publicanos e meretrizes entram no reino dos céus, enquanto multidões de pessoas menos ímpias do que eles são deixadas no curso para o qual a sua depravação natural as inclina. Casos como esses exemplificam as declarações explícitas da Escritura, que ensinam que somos salvos e chamados, não de acordo com nossas obras (2Tm 1.9).

É verdade que, no último dia, os homens serão julgados de acordo com as obras feitas por meio do corpo. Porém, é preciso lembrar que a salvação começa na presente vida. Ora, o chamamento dos homens, das trevas para a luz, está limitado à presente vida; e, nesta vida, a salvação e o chamamento não são de acordo com as obras. Visto que os homens são chamados "para serem santos", a santidade que demonstram como consequência da salvação e chamamento recebidos da graça de Deus faz com que os remidos distingam-se das demais pessoas. Essa santidade demonstrada torna-se uma norma adequada para as decisões do dia final. Portanto, vemos que o Juízo Final será de acordo com as obras realizadas por meio do corpo, embora permaneça o fato de que somos salvos e chamados não segundo as nossas obras, mas segundo o propósito e graça de Deus.

1. Eleição

***Todos os que finalmente serão salvos foram escolhidos por Deus Pai para a salvação antes da fundação do mundo e foram dados a Jesus Cristo, no pacto da graça*[2]**

A doutrina da eleição encontra forte resistência no coração dos homens, e, assim, é necessário examinar com atenção a sua reivindicação à nossa crença. Visto se tratar de um ato da mente divina, nenhuma prova da sua veracidade pode ser melhor do que o testemunho das Escrituras. Portanto, cumpre-nos acolher o ensino bíblico sobre o tema sem hesitação ou desconfiança. Que todas as nossas opiniões preconcebidas e todos os nossos raciocínios carnais dobrem-se perante a autoridade da santa Palavra de Deus.

2 Ef 1.4, 5; 2Ts 2.13; 1Pe 1.2; 2.9; Jo 6.37; Rm 8.33; Jo 10.27-29.

As Escrituras ensinam claramente que Deus tem um povo eleito, escolhido: "Quem intentará acusação contra os eleitos de Deus?" (Rm 8.33). "Eleitos, segundo a presciência de Deus Pai" (1Pe 1.2). "Não fará Deus justiça aos seus escolhidos?" (Lc 18.7). "Vós, porém, sois raça eleita" (1Pe 2.9). "Deus vos escolheu desde o princípio para a salvação" (2Ts 2.13). "Assim como nos escolheu nele antes da fundação do mundo" (Ef 1.4). Quaisquer que possam ter sido nossos preconceitos contra a doutrina da eleição, tal como tem sido defendida e ensinada por alguns ministros religiosos, não podemos negar, entretanto, que essa é uma doutrina bíblica, porque, pelo menos em certo sentido, ela está nas Escrituras; não podemos rejeitá-la sem também rejeitar o Livro inspirado. Temos o dever de receber a doutrina por causa da autoridade de Deus, e nada mais resta fazer, senão um esforço honesto para compreender a doutrina como é ensinada nas Sagradas Escrituras.

A Bíblia ensina expressamente que o povo de Deus foi escolhido para a salvação: "Devemos sempre dar graças a Deus por vós, irmãos amados pelo Senhor, por isso que Deus vos escolheu desde o princípio para a salvação" (2Ts 2.13). Alguns foram escolhidos por Deus para ofícios peculiares. Paulo foi um vaso escolhido para levar o nome de Cristo aos gentios, e Davi foi escolhido para ser rei de Israel. A nação inteira de Israel foi escolhida dentre todas as demais nações para ser um povo próprio do Senhor. Contudo, está bem claro que essa eleição nacional não assegurava a salvação de todos os israelitas, pois Cristo disse a alguns deles: "Por isso eu vos disse que morrereis nos vossos pecados"; "para onde eu vou vós não podeis ir" (Jo 8.24, 21). As palavras do apóstolo Paulo, em Romanos 9.6, demonstram que a eleição para a salvação é diferente da eleição nacional: "Nem todos os de Israel são de fato israelitas". "Sobrevive um remanescente segundo a eleição da graça" (Rm 11.5). A eleição nacional compreendia todo o Israel segundo a carne, mas a eleição da graça incluía apenas aqueles que finalmente serão salvos. Essas pessoas não foram escolhidas meramente para receberem os meios da salvação, porque esses meios foram outorgados a toda a nação de Israel. Antes, foi uma escolha para a própria salvação e que, portanto, aplicava-se ao "remanescente", e não à nação inteira.

As Escrituras ensinam claramente que a eleição da graça é desde a eternidade: "Deus vos escolheu desde o princípio para a salvação" (2Ts 2.13). "Assim como nos escolheu nele antes da fundação do mundo" (Ef 1.4). "Conforme a sua própria determinação e graça que nos foi dada em Cristo Jesus antes dos tempos eternos" (2Tm 1.9). A eleição é uma parte do propósito eterno de Deus. Se o propósito de Deus tivesse sido salvar toda a raça humana, não teria havido eleitos dentre os homens, nenhum povo peculiar de Deus, nenhum redimido dentre todas as nações. Contudo, o propósito de Deus em salvar não incluiu toda a raça humana, e, portanto, alguns foram escolhidos, de acordo com algum princípio ainda a ser investigado, e estes entrarão na posse de um reino que lhes está preparado desde a fundação do mundo.

O fato de a eleição de Deus ser desde a eternidade não deveria suscitar em nosso coração qualquer objeção à doutrina. Se, no Juízo Final, Deus fará distinção entre justos e ímpios, nada de injusto houve no fato de ele determinar, desde a eternidade, tudo o que nessa ocasião fará, em justiça. Na sentença final, todas as precedentes dispensações para com os filhos dos homens e tudo o que eles fizeram sob cada uma dessas dispensações será cuidadosamente examinado. A sentença final de cada um será pronunciada em perfeita justiça. Tudo quanto estiver presente na mente divina, naquela ocasião, será algo que já estava lá desde a eternidade. O que Deus, então, fará será o mesmo que ele já havia determinado fazer desde o princípio, e as razões por que ele o fará são as mesmas pelas quais ele determinou fazê-lo.

Se não pode haver injustiça na execução do propósito de Deus, também não pode haver injustiça no propósito em si. Se Deus, no último dia, pode justificar plenamente, diante de todo o universo congregado, todas as suas dispensações para com os filhos dos homens, então, todas essas dispensações são justas; e, por conseguinte, o propósito que as motivou, desde a eternidade, tem necessariamente de ter sido justo. Se uma divisão da raça humana pode ser feita de maneira justa, essa divisão foi feita de maneira justa no propósito de Deus. Consequentemente, concluímos que a divina eleição foi feita em estrita justiça.

As Escrituras ensinam que a eleição é pela graça, e não pelas obras: "Não de obras, para que ninguém se glorie" (Ef 2.9). "E se é pela graça, já não é pelas obras; do contrário, a graça já não é graça" (Rm 11.6). Esse assunto é ilustrado pelo caso de Jacó e Esaú, dos quais Jacó foi escolhido, antes mesmo das crianças terem praticado o bem ou o mal. Ao aplicar essa ilustração, Paulo diz: "para que o propósito de Deus, quanto à eleição, prevalecesse, não por obras, mas por aquele que chama" (Rm 9.11). No dia do Juízo, Deus fará discriminação entre os justos e injustos, de acordo com as obras de cada um. O propósito eterno de Deus foi determinar que essa discriminação seja feita com base nos feitos individuais. No entanto, o propósito de Deus inclui também outra discriminação, feita anteriormente, por meio da chamada eficaz. Por isso, lemos a respeito "daqueles que são chamados segundo o seu propósito" (Rm 8.28). Essa discriminação, efetuada por ocasião do chamamento, não se baseia em obras humanas, pois a Escritura afirma expressamente que Deus "nos salvou e nos chamou com santa vocação; não segundo as nossas obras, mas conforme a sua própria determinação e graça que nos foi dada em Cristo Jesus, antes dos tempos eternos" (2Tm 1.9).

O chamamento é uma bênção da graça, e não é conferido por causa das obras previamente efetuadas nem de acordo com elas. Por que esse benefício é conferido? A resposta é: "Não por obras, mas por aquele que chama" (Rm 9.11). "Assim, pois, não depende de quem quer, ou de quem corre, mas de usar Deus a sua misericórdia" (Rm 9.16). "Porque Deus é quem efetua em vós tanto o querer como o realizar, segundo a sua boa vontade" (Fp 2.13).

A primeira separação real dos filhos de Deus do resto da humanidade acontece quando eles são chamados das trevas para sua maravilhosa luz. E esse chamado não é segundo as obras dos homens, mas segundo a boa vontade de Deus. As razões para essa discriminação são totalmente desconhecidas aos mortais. Não por causa de obras humanas, mas por razões aprovadas pela infinita sabedoria. A razão para esse proceder está profundamente oculta nos conselhos da mente divina, e, quanto a isso, só podemos dizer: "Ó profundidade da riqueza, tanto da sabedoria, como do conhecimento de Deus! Quão insondáveis são os seus juízos e quão inescrutáveis são os seus caminhos!" (Rm 11.33).

Essa real separação do povo de Deus do resto da humanidade que acontece na chamada eficaz é, assim como tudo quanto Deus faz, o cumprimento de seu propósito eterno: "Daquele que faz todas as coisas conforme o conselho da sua vontade" (Ef 1.11), coisas que são por ele conhecidas desde a eternidade (At 15.18). A eleição de Deus é o propósito de fazer uma real discriminação de pessoa para pessoa; e o fundamento para essa discriminação (quando ela realmente acontece) não é outro, senão o próprio fundamento em que se baseia o propósito de discriminação, isto é, a própria eleição. A discriminação, quando concretizada, recebe a aprovação da sabedoria de Deus, e todas as suas consequências serão aprovadas no dia do Juízo Final e por toda a eternidade futura. Portanto, a eleição (ou propósito discriminador) foi aprovada pela sabedoria infinita nos conselhos da eternidade passada, e, quando presumimos fazer objeção ao ato ou ao propósito da eleição, presumimos ser mais sábios do que Deus.

Do que foi dito acima, segue-se necessariamente que a eleição não está baseada em fé ou obediência previstas. Os ensinos da Escritura são claros a esse respeito. Os eleitos de Deus são escolhidos, não por causa de sua santidade, mas para que possam se tornar santos (Ef 1.4); não por causa de obediência, mas para a obediência (1Pe 1.2). Visto que a discriminação da chamada eficaz é uma obra de Deus, a qual antecede a toda santidade, fé ou obediência aceitável, o propósito discriminador não pode estar baseado em atos previstos, os quais não servem de pretexto para a execução do propósito. A graça discriminadora que Deus concede não está baseada na fé ou obediência previamente existente, mas numa razão que só mesmo Deus conhece. E essa razão não revelada é a base da eleição, e não fé e obediência previstas.

As Escrituras ensinam que a eleição é segundo a presciência de Deus (1Pe 1.2). Todavia, não devemos entender a presciência aqui mencionada como sendo presciência de fé ou de boas obras. Fé e boas obras não existem antes de que a graça, consequência da eleição, seja dispensada por Deus ao pecador; portanto, uma visão prévia da fé e boas obras de cada um era impossível. O objeto desse divino prévio conhecimento era a pessoa dos eleitos, e não sua fé e suas obras. "Porquanto aos que de antemão conheceu, também os predestinou"

(Rm 8.29). Nesse pré-conhecimento de pessoas, conforme o uso escriturístico dos dois termos, está implícita uma consideração à pessoa de cada um dos remidos. Está escrito: "Terá Deus, porventura, rejeitado o seu povo? [...] a quem de antemão conheceu" (Rm 11.1, 2). Se essa passagem trata apenas de um mero conhecimento, sem maiores implicações, poderia ser dito que Deus igualmente conheceu de antemão as nações pagãs, e não somente a nação de Israel. A eleição da nação de Israel pode servir como ilustração para o fundamento em que se baseia a eleição para salvação. Deus escolheu a nação hebraica não porque fosse superior às demais nações (Dt 7.7), mas pelo exercício de sua vontade soberana. Deus amou a Israel porque desejou amá-lo. Semelhantemente, a eleição da graça está fundamentada no conhecimento de antemão que Deus teve de seu povo, uma presciência que implica uma consideração peculiar, a qual nada tem a ver com qualquer superioridade por parte dos eleitos; antes, é o resultado da vontade soberana de Deus.

A eleição é atribuída a Deus Pai; a redenção, a Deus Filho; e a santificação, a Deus Espírito Santo: "Eleitos, segundo a presciência de Deus Pai, em santificação do Espírito, para a obediência e a aspersão do sangue de Jesus Cristo" (1Pe 1.2). No pacto da graça, os eleitos são dados ao Filho pelo Pai, que é quem exerce a autoridade suprema da Divindade: "Eram teus, e tu os deste a mim" (Jo 17.6, A21).

A escolha dos eleitos foi feita com referência a Cristo, para que eles fossem dados ao Filho e se tornassem aceitáveis nele. Por isso, lemos que os eleitos foram escolhidos nele, em Cristo (Ef 1.4). A eleição (ou o selecionamento) para a salvação é, na Palavra de Deus, atribuída a Deus Pai, pelo uso do termo "santificar", que significa "separar". As palavras "guardados em Jesus Cristo", em Judas 1, demonstram como Deus preserva os eleitos, possivelmente mesmo antes de serem chamados pelo Espírito Santo. "Aos chamados [...] e guardados em Jesus Cristo".

Os que não estão inclusos na eleição da graça são, nas Escrituras, chamados de "os mais" (Rm 11.7; "os outros", na ARC) e de "vasos de ira" (Rm 9.22). Somos incapazes de explicar por que não foram escolhidos, como também não podemos explicar por que alguns foram escolhidos. Somos, portanto, compelidos a submeter a questão toda à soberania de Deus, que, acima de qualquer dúvida, age com infinita sabedoria e retidão em tudo quando faz, embora não nos tenha explicado as razões para o seu procedimento. A sua absoluta soberania em discriminar entre uma pessoa e outra é apresentada por Paulo nestas palavras: "Logo, tem ele misericórdia de quem quer, e também endurece a quem lhe apraz" (Rm 9.18). A tendência natural da depravação humana é tamanha, que o coração vai endurecendo-se mais e mais, mesmo desfrutando das misericórdias que Deus exerce universalmente, a não ser que Deus acrescente a todos os outros benefícios que concede a graça renovadora do Espírito Santo, pela qual o coração é transformado. Essa graça ele concede ou deixa de conceder, conforme o seu propósito soberano. A soberania de Deus em conceder a misericórdia para quebrantar o coração está inquestionavelmente ensinada na passagem que citamos acima. Contudo, precisamos examinar as palavras: "Ele endurece a quem lhe apraz".

Não é necessário tomar estas palavras como que implicando em um ato arbitrário da parte de Deus, executado propositadamente, a fim de endurecer o coração. Quando Paulo fala dos "vasos de misericórdia", diz que eles foram "preparados de antemão" para a glória. Mas, quando trata dos "vasos de ira, preparados para a perdição", ele não afirma que Deus os tenha preparado para esse fim (Rm 9.22, 23). Assim como o oleiro, da mesma massa, faz um vaso para honra e outro para desonra (v. 21), Deus, da mesma massa da humanidade, prepara alguns para a glória como vasos de misericórdia, enquanto outros, não importa quais benefícios venham a receber da parte de Deus, sendo deixados isentos da graça renovadora, abusam das misericórdias por Deus concedidas e continuam a endurecer-se pela influência da depravação natural; são vasos de ira preparados para destruição.

Certos teólogos têm usado o termo "réprobo" como equivalente para "não eleitos". Porém, esse não é o uso escriturístico do termo. Paulo diz: "Examinai-vos a vós mesmos se realmente estais na fé; provai-vos a vós mesmos. Ou não reconheceis que Jesus Cristo está em vós? Se não é que já estais reprovados" (2Co 13.5). Nessa passagem, são considerados reprovados todos aqueles em quem Cristo não habita pela fé. Em consequência, os próprios eleitos são réprobos, até o tempo quando vierem a crer em Cristo. A reprovação, como um ato concreto de Deus, não é outra coisa senão a condenação sob a qual estão todos os incrédulos. De um estado de condenação e de acordo com o seu propósito na eleição, Deus resgata a alguns para a salvação, mediante a graça renovadora. Nenhum tratamento injusto ou desvantagem são feitos aos demais.

De maneira geral, a doutrina da eleição sofre oposição por parte de pessoas não regeneradas; e, mesmo na mente daqueles que já tiveram o coração renovado pela graça, com frequência, objeções aparecem, como que para impedir uma recepção cordial à doutrina. Será apropriado, pois, considerar as objeções mais comuns.

Objeção 1

A doutrina da eleição não dá qualquer incentivo ao esforço humano. Crendo nessa doutrina, os homens concluem que, se eleitos, serão salvos, quer queiram, quer não, e que,

caso não sejam eleitos, irão para a perdição, não importa o que façam. Assim, decidem que qualquer esforço de sua parte é inútil e que, portanto, eles vão viver conforme bem lhes parecer, abandonando toda e qualquer preocupação com o seu próprio destino, sobre o qual não podem ter nenhum controle.

Não se pode negar que alguns dos que professam crer na doutrina da eleição fazem mau uso dela. Porém, não se pode afirmar que todos quantos acolhem a doutrina agem ou raciocinam à maneira descrita na objeção. Pelo contrário, multidões há, eminentes por sua santidade de vida e abnegação na causa de Cristo, que não apenas recebem cordialmente a doutrina, mas também atribuem toda a sua santidade pessoal e abnegação à graça que têm recebido do amor eletivo de Deus. Muitos dos que rejeitam e odeiam a doutrina estão determinados a viver conforme lhes agrada e a não se darem a nenhuma preocupação pelas coisas de Deus e da religião. E a mesma causa produzirá o mesmo efeito em homens não regenerados que admitem a doutrina e a pervertem com os seus raciocínios carnais, aplicando-a de uma maneira para a qual ela não tem nenhuma legítima tendência.

Essa objeção à eleição aplica-se igualmente a cada uma das partes do propósito divino e procede da suposição de que Deus teria predeterminado o fim, sem, contudo, estabelecer os meios pelos quais esse fim será atingido. Deus tem o seu propósito na providência, assim como na graça, e faz todas as coisas segundo o conselho de sua própria vontade. Porém, nenhum homem sensato dirá: "Se é para eu ter uma colheita, haverei de tê-la, caso prepare a terra e a semeie ou não; portanto, eu não preciso trabalhar nem me preocupar com o pão de cada dia".

O propósito de Deus dá a todos os homens a mesma liberdade e o mesmo encorajamento para trabalhar, tanto pelo alimento espiritual incorruptível quanto pelo pão diário. O propósito de Deus não destrói a interligação entre os meios e os fins, mas estabelece a conexão. Se temos uma visão correta da soberania de Deus, vemos que nada existe, seja na providência, seja na graça, para induzir a crença de que o fim pode ser alcançado sem o uso dos meios apropriados. Se usamos os meios adequados, nunca devemos desesperar do fim. A Palavra de Deus assegura que "quem crê em Jesus Cristo será salvo, e quem não crê será condenado", e nada existe no propósito de Deus ou numa visão apropriada desse propósito que possa anular essas declarações das Escrituras. O propósito de Deus determina o procedimento de Deus, mas a sua Palavra revelada é a regra para o nosso procedimento. Se agimos de forma a ter a promessa de Deus a nosso favor, podemos ter a certeza de que o seu propósito também estará a nosso favor. Contudo, o propósito de Deus não pode assegurar a salvação de ninguém que permaneça impenitente e incrédulo, sob a condenação da sua Palavra revelada.

A eleição, no entanto, desencoraja qualquer esforço humano, quando voltado para a direção errada. Ela faz toda esperança humana prostrar-se aos pés de um Deus soberano e ensina-nos a orar: "Senhor, se quiseres, podes purificar-me" (Mt 8.2). Essa doutrina desestimula qualquer esforço de buscarmos salvação por nossas próprias obras de justiça. Pelo contrário, leva o pecador a entregar-se imediatamente à soberana misericórdia de Deus. Quem, sabendo estar condenado e sabendo ser incapaz de salvar a si mesmo, entregar-se de coração às mãos de Deus como soberano e confiar inteiramente na graça para a salvação não achará nenhuma razão para preferir que essa graça seja conferida de acordo com alguma determinação da mente divina na atualidade, e não de acordo com os conselhos da sabedoria eterna.

Com isso em mente e examinando bem essa objeção, veremos que nela existe uma ideia capciosa, ou seja, que é mais seguro confiar em alguma outra coisa do que na absoluta misericórdia de Deus. Uma confiança assim, ardilosa, representa perigo para a alma; mas a doutrina da eleição tem uma salutar tendência a livrar-nos desse engano. Ela tende a produzir exatamente aquela confiança em Deus que faz com que nos entreguemos completamente a ele, a única confiança que tem como promessa a vida eterna. Rejeitando a doutrina da eleição, podemos também estar rejeitando a nossa única esperança de vida eterna.

Objeção 2

A doutrina da eleição é desfavorável aos interesses da moralidade. Se os homens acreditarem que Deus já os predestinou para a salvação ou perdição, segundo bem lhe aprouve, sem consideração para com as obras de cada um, então, a motivação para as boas obras (que é uma expectativa de recompensa ou punição no futuro) deixará de ter influência sobre os homens.

No Juízo Final, os homens serão julgados de acordo com suas obras. O fato de Deus ter escolhido a certos homens para a santidade e obediência e de ter concedido a graça para tornar esses homens santos e obedientes em nada muda o critério pelo qual o julgamento final será pronunciado. Portanto, a eleição e a graça concedida não eliminam a expectativa da futura retribuição dos feitos de cada um, e essa expectativa continua tendo pleno efeito sobre a mente dos homens. Ninguém será condenado por mero capricho de Deus; cada sentença de condenação será devida a pecados cometidos. Por isso, o temor da futura punição deveria dissuadir os homens de cometerem o pecado. Ninguém tem o direito de esperar ser aceito diante de Deus, no dia final, se, na presente vida, não serve a Deus em sinceridade e constante perseverança. A crença de que Deus, por sua graça, inclina o coração de alguns homens a servi-lo e de que, desde a eternidade, determinou conceder sua graça sobre esses homens não pode diminuir, na mente de uma pessoa bem-intencionada, a influência salutar que surge da expectativa de uma futura retribuição; tampouco pode gerar indiferença para com as exigências da moralidade. Ao eleger homens para a salvação, Deus não determinou qualquer outro método para a realização de seu propósito gracioso, senão o método de fazer dos eleitos homens santos e obedientes. Portanto, a doutrina da eleição ensina a indispensável necessidade da santificação e da obediência para uma pessoa ser salva. A doutrina é pervertida e há abusos quando os homens tomam ocasião dela para entregar-se ao pecado.

Objeção 3

A doutrina da eleição apresenta Deus como um Juiz parcial e, portanto, é inconsistente com a Escritura, que ensina: "A sabedoria que vem do alto é [...] imparcial" (Tg 3.17, A21).

A sabedoria lá do alto, que Tiago declara ser sem parcialidade, habita na mente dos crentes, sendo exercida no relacionamento que estes têm com o resto da humanidade. Essa sabedoria não inclina nem exige que os crentes tenham o mesmo sentimento para com todos ou que façam o bem igualmente a todos, sem distinção de pessoa para pessoa. Dentro dos limites da justiça, a sabedoria requer que cada homem tenha o que lhe devido, e, nisso, toda parcialidade é injustiça. Em se tratando de benevolência, porém, o crente não está obrigado a exibir a mesma generosidade para com todos. A sabedoria do alto dirige o crente quando ele distribui benefícios, atendendo a outras normas, que não apenas a mera justiça. Assim, também Deus, a fonte dessa sabedoria, age sem parcialidade na dispensação de sua justiça; mas, ao conceder a sua graça, ele age como soberano e reserva para si o direito de fazer o que lhe aprouver daquilo que é seu. Parcialidade em um juiz, quando ele afirma administrar justiça, seria uma grande injustiça. Contudo, esse mesmo juiz pode dispensar favor especial ao tratar com seus próprios filhos, amigos próximos ou pessoas a quem desejasse fazer o bem, sem que isso pudesse ser considerado como injustiça. Acusar a Deus de parcialidade porque ele concede os seus favores conforme lhe agrada é desdenhar da soberania de Deus e, assim, de forma implícita, negar-lhe o direito de fazer o que deseja do que lhe pertence. Deus tem uma resposta para quem faz essa acusação: "Porventura, não me é lícito fazer o que quero do que é meu? Ou são maus os teus olhos porque eu sou bom?" (Mt 20.15).

Objeção 4

A doutrina da eleição representa a Deus como se ele fizesse acepção de pessoas. Porém, isso está em desacordo com o que Pedro afirmou em Atos 10.34: "Deus não faz acepção de pessoas".

Essa mesma sentença tem diferentes significados, de acordo com a conexão em que é empregada. Em certo sentido, podemos afirmar que Deus faz acepção de pessoas, pois lemos: "Agradou-se o Senhor de Abel e de sua oferta" (Gn 4.4). Em outro sentido, os cristãos da igreja primitiva foram ensinados a não fazer acepção quando se reuniam; não deveriam dar lugar de maior honra aos ricos e bem-vestidos (Tg 2.3). Os juízes de Israel tinham a ordem de não fazer acepção quando julgavam o povo e não deveriam favorecer nem ao rico nem ao pobre.

Neste último sentido, Deus não faz acepção de pessoas. Diante dele, os ricos e poderosos da terra são nada; em contraste, Deus agrada-se de seus santos, mesmo que sejam humildes e desprezados entre os homens. Quando Pedro afirmou que Deus não faz acepção de pessoas, estava dirigindo-se ao primeiro grupo de pessoas incircuncisas que receberam a pregação do evangelho. Pedro estava manifestamente afirmando que tanto judeus como gentios têm igual admissão às bênçãos e privilégios do evangelho: "Deus não faz acepção de pessoas; pelo contrário, em qualquer nação, aquele que o teme e faz o que é justo lhe é aceitável" (At 10.34, 35). Tais palavras em nada contradizem aquilo que o apóstolo, em outro lugar, diz: "Vós, porém, sois raça eleita, sacerdócio real, nação santa, povo de propriedade exclusiva de Deus, a fim de proclamardes as virtudes daquele que vos chamou das trevas para a sua maravilhosa luz" (1Pe 2.9).

Objeção 5

A doutrina da eleição faz Deus parecer insincero. Ele convida a todos os homens para que participem das bênçãos do evangelho; no entanto, se essa doutrina é verdadeira, as bênçãos do evangelho não são designadas para todos.

Se é a Palavra de Deus que ensina a doutrina da eleição e se ela contém o mandamento e o convite a todos os homens que busquem salvação através de Cristo, é grande arrogância de nossa parte acusar a Deus de insinceridade somente porque não podemos conciliar essas coisas uma com a outra. Devemos nos lembrar de que somos vermes do pó da terra e de que é uma arrogância criminosa de nossa parte julgar e condenar o Deus infinito. Além disso, na verdade, não há nenhum fundamento para a acusação de insinceridade. Deus requer de todos os homens que creiam em Cristo, e esse é o dever de todos, mesmo que não desejem fazê-lo. O fato de os homens não estarem dispostos a crer e de Deus saber que não mudarão de atitude, a menos que lhes transforme os corações, em nada diminui a sinceridade do requerimento de Deus. Deus prova a sua sinceridade por não isentar os homens da obrigação de crer e por condenar a incredulidade. Ele promete salvação a todos os que crerem em Cristo e prova sua sinceridade pelo cumprimento de sua promessa, sem qualquer discriminação.

A concessão da graça especial que muda o coração do homem, a fim de que possa crer em Cristo, não é de maneira nenhuma inconsistente com qualquer mandamento ou promessa que Deus já tem feito. Enquanto os homens consideram a chamada do evangelho como um convite que eles podem aceitar ou rejeitar a seu bel prazer, concorda com o seu estado presente inquirir se Deus é sincero ou não ao fazer aquele convite. Porém, quando a chamada do evangelho é vista como um solene requerimento de dever, do qual os homens terão de prestar contas, nem se cogita duvidar da sinceridade de Deus.

Objeção 6

A doutrina da eleição restringe a benevolência de Deus a uma parte da raça humana; mas a Bíblia ensina que "o Senhor é bom para todos, e as suas ternas misericórdias permeiam todas as suas obras" (Sl 145.9).

Deus é bom para com os ingratos e maus e derrama bênçãos sobre justos e injustos. Contudo, a sua benevolência, embora infinita, não produz em todas as suas criaturas o mesmo grau de felicidade. O mundo em que habitamos está cheio de misérias, e as Escrituras nos avisam que há um mundo de tormentos intermináveis no porvir, no qual os ímpios serão lançados para serem punidos por seus pecados, juntamente com o diabo e seus anjos. A justiça de Deus estabelece os limites para a sua benevolência, e, mesmo se negamos a doutrina da eleição, ainda assim, permanece a verdade de que a benevolência de Deus efetuará a salvação de uma parte apenas da humanidade. Ora, a menos que se possa demonstrar que a eleição da graça diminui o número dos salvos, nenhuma objeção pode ser levantada contra a doutrina com base na sua relação com a benevolência de Deus. Paulo não considerou a doutrina da eleição como uma restrição à benevolência divina. De acordo com o seu parecer sobre o assunto, Paulo disse que todo o Israel poderia ter sido rejeitado, se Deus não tivesse reservado para si um remanescente, segundo a eleição da graça (Rm 11.2-5). O que é verdade a respeito de Israel é verdade também para todas as demais nações. Há outras causas, à parte da eleição da graça, que restringem a dispensação da benevolência de Deus para com os pecadores. E a eleição, em vez de pôr obstáculos à benevolência divina, abre o canal para que a misericórdia de Deus possa fruir e, assim, agraciar e salvar o perdido.

Objeção 7

A doutrina da eleição, ensinando que Deus reprovou uma parte da raça humana e a destinou irremediavelmente para a perdição, apresenta a Deus como um ser pouco amistoso.

Os homens pecaminosos são, de fato, reprovados, mas não pela eleição da graça, e sim pela justiça de Deus. Porém, enquanto existir a esperança de ouvirem o evangelho da salvação, essa reprovação não é irremediável. Mas, ainda assim, a única esperança que os homens estão autorizados a cultivar está no amor eletivo de Deus. Em vez de cobrir as perspectivas dos homens com um manto de escuridão e penumbra, a doutrina da eleição envia um raio de esperança, a única luz possível para dispersar as trevas.

A justiça de Deus futuramente cairá sobre os que se mantiveram impenitentes até ao fim da vida, como já veio sobre os anjos caídos, os quais foram condenados à perdição eterna. A característica "inamistosa" que essa objeção de que agora tratamos encontra no caráter de Deus não é outra coisa senão a justiça que vem sobre os obreiros da iniquidade. Se a eleição da graça aniquilasse completamente a justiça de Deus, receberia louvores dos homens não regenerados; mas a eleição da graça não pode anular a justiça de Deus. Se os homens dizem que o caráter de Deus é pouco amistoso por ser ele justo e condenar os pecadores à eterna perdição, com isso, provam não amar o Deus da Bíblia que a todos há de julgar. A discórdia contra a doutrina da eleição é, na verdade, oposição à justiça de Deus, pois a eleição não isenta os homens de prestarem contas de seus atos.

Na parábola de Jesus, todos os que trabalharam na vinha receberam a mesma paga: um denário. Mas os que haviam suportado o calor e a fadiga do dia murmuravam contra o dono da plantação, porque os demais, que haviam trabalhado apenas uma hora, receberam o mesmo pagamento. Se todos houvessem recebido de acordo com o tempo de serviço prestado, em estrita justiça, a murmuração não teria existido. Da mesma forma, se toda graça de Deus fosse retirada de sobre a raça humana e se cada um recebesse de Deus aquilo que, em estrita justiça, merecesse por suas obras, também não haveria motivo para objeção tão premente contra a eleição de Deus. Porém, estariam os homens em melhor condição? Ou seria Deus mais amável? O dono da vinha, na parábola, deu esta resposta à objeção: "Amigo, não te faço injustiça; porventura não me é lícito fazer o que quero do que é meu? Ou são maus os teus olhos porque eu sou bom?" (Mt 20.13, 15). Com isso, somos ensinados a como silenciar objeções à soberania da graça divina. Deus não faz injustiça a homem algum, embora faça o que lhe agrade do que é seu; por isso, é nosso dever nos inclinarmos ante a sua soberania, admitindo que ele é infinitamente amável em todas as suas perfeições.

Insatisfeitos com o Deus que é revelado a nós pela Bíblia, um Deus que age de conformidade com a sua vontade soberana entre os exércitos do céu e entre os habitantes da terra, esculpimos para nós mesmos uma divindade mais amigável à nossa vista do que ele. Não ousamos negar a justiça de Deus, afirmando que todos serão salvos, mas tentamos esboçar um método de salvação que seria menos suscetível às críticas humanas. Queremos tirar de Deus a responsabilidade de determinar quem será salvo; formamos um plano e fixamos as condições para a salvação, a fim de que o resultado fique dependendo das ações dos homens. Nosso método de graça, admitimos, não garantirá a salvação de todos os homens. Mas, se o Deus da infinita sabedoria adotasse esse nosso plano, ficaria sabendo, de antemão, todos os seus resultados; saberia quantas e quais pessoas seriam finalmente salvas.

Porém, se Deus fosse adotar para si esse nosso plano, incluindo esse pré-conhecimento dos resultados, o "nosso" plano acabaria sendo o plano dele mesmo. Assim, a salvação dos que seriam salvos ficaria tão definitivamente predeterminada como no plano da eleição da graça. De qualquer forma, o restante da humanidade seria deixado à horrível condenação da justiça de Deus, fosse por um plano, fosse por outro. Nosso plano preferido pode parecer mais aceitável para nós, que não temos o conhecimento antecipado das coisas. Mas Deus tem esse conhecimento e, se ele adotasse tal plano, tornar-se-ia responsável por todas as implicações decorrentes dele, até mesmo pela salvação ou não de uma pessoa. Deus seria responsável, muito embora não tenha de prestar contas a nenhum outro ser. Ele seria responsável perante si mesmo, pois os seus atos precisam estar de acordo com suas perfeições e receber a sua própria aprovação. Ao selecionar o plano da eleição da graça Deus, escolheu-o tendo pleno conhecimento de todos os seus resultados. Assim como o plano, também as pessoas que foram salvas foram escolhidas por Deus. Se pensamos afirmar que a Divindade imaginada por nós mesmos seria mais "amistosa" do que o Deus da Bíblia, temos que, primeiro, provar que o nosso plano de salvação seria melhor do que o de Deus.

Todo método de salvação proposto que deixe o resultado dependendo da volição humana será defeituoso. Sempre se tem comprovado que os homens não desejam vir a Cristo para receberem vida. O evangelho é pregado a toda a criatura, mas todos os homens, unanimemente, pedem para serem escusados. A vontade do homem precisa ser transformada, e a vontade humana não pode operar, por si mesma, essa transformação. É preciso a intervenção da graça divina. A menos que Deus efetue no pecador tanto o querer como o realizar, a salvação é impossível. Deus conhece a força da oposição que a sua graça vai encontrar em cada coração e também sabe quanta influência espiritual é necessária para vencer essa oposição. Ele concede ou retém essa influência, conforme lhe agrada. Deus tem a sua própria regra de ação – uma regra infinitamente sábia e boa. Tendo pleno conhecimento de como a sua regra de ação afetará cada caso em particular, ele persevera em agir de acordo com essa regra que estabeleceu, por mais que os homens a critiquem. Mas a regra que a sabedoria infinita adota tem necessariamente de ser a melhor. Também não pode haver objeção contra essa regra, pois a sabedoria infinita conhece perfeitamente o resultado final dessa regra.

Objeção 8

A doutrina da eleição não é aceita pela maioria dos homens; só é recebida por aqueles que acreditam estar, eles mesmos, no número dos eleitos e que, portanto, não podem julgar com imparcialidade.

A veracidade ou falsidade de uma doutrina religiosa não pode ser determinada pela aceitação que essa doutrina obtém entre os homens. O que Deus diz é verdade, quer os homens aceitem, quer não. O evangelho, por exemplo, anunciado sob a autoridade da verdade divina, é rejeitado por uma grande parte da humanidade. Os que o recebem estão expostos à acusação de serem juízes suspeitos, porque esperam receber a bênção de Deus justamente pelo fato de crerem na verdade. Assim, tudo o que essa objeção diz a respeito da eleição também é verdade a respeito do evangelho. Mas isso não prova que o evangelho seja falso nem deveria prejudicar ou enfraquecer nossa fé na doutrina da eleição.

De acordo com o método divino da graça, conforme revelado nas Escrituras, Deus fez a salvação dos homens depender da fé no evangelho. Um teste para a fé genuína é que ela recebe cordialmente aquelas partes da verdade divina que são as menos aceitáveis para o coração carnal. Portanto, vemos que a doutrina da eleição (ou, o que é mesma coisa, a doutrina da soberania de Deus em conceder a sua graça) com frequência se torna o ponto em que a submissão do pecador a Deus é testada. Quando essa doutrina é recebida cordialmente, cessa a rebelião do pecador contra Deus. Quando se rende à soberania de Deus em conceder vida eterna, de acordo com o seu bom propósito, o pecador passa a reconhecer essa soberania em tudo o mais quanto existe. Por mais que o pecador possa permitir que o Monarca do universo seja soberano em questões de menor importância, se ele recusa-se a admitir a soberania de Deus nas questões mais importantes, a sua submissão a Deus é parcial, e o espírito de rebelião ainda está presente em seu coração.

Muitos exemplos poderiam ser trazidos, tirados da experiência prática de muitos cristãos, em que a submissão à soberania de Deus em conceder as bênçãos da graça tornou-se o ponto decisivo da aceitação de Cristo pelo pecador.

Embora a objeção que temos considerado não contenha nenhum argumento válido contra a doutrina da eleição, o assunto pode sugerir uma importante lição para aqueles que admitem essa doutrina em sua confissão de fé. Se os homens se decidem em favor da doutrina e a estimam somente porque se consideram como favoritos diante de Deus, semelhante fé será inútil. Nenhuma submissão a Deus é implícita em nossa aprovação de um suposto favoritismo de Deus para conosco. O evangelho ordena a cada pecador que se renda e, através de Jesus Cristo, entregue-se às mãos de seu Soberano ofendido e que faça isso como criatura culpada diante de Deus, e não como um favorito dos céus. Nessa rendição completa, o coração torna-se plenamente reconciliado com a doutrina da eleição.

2. Redenção específica

***O Filho de Deus deu sua vida para redimir aqueles que lhe foram dados pelo Pai no pacto da graça*[3]**

As Escrituras ensinam que o Filho de Deus, ao vir ao mundo para dar a sua própria vida, tinha em vista a salvação de um povo peculiar: "e lhe porás o nome de Jesus, porque ele salvará o seu povo dos pecados deles" (Mt 1.21). "O bom pastor dá a vida pelas ovelhas"

3 Ef 5.25-27; Tt 2.14; Jo 10.11; Ap 1.5, 6; At 20.28; Hb 10.14; Is 53.5, 11.

(Jo 10.11). "Maridos, amai vossas mulheres, como também Cristo amou a igreja, e a si mesmo se entregou por ela, para que a santificasse, tendo-a purificado por meio da lavagem de água pela palavra, para a apresentar a si mesmo igreja gloriosa" (Ef 5.25-27).

As Escrituras também ensinam que a expectativa do Redentor será plenamente realizada e que nenhum de todos quantos o Pai lhe deu deixará de ser salvo: "Ele verá o fruto do penoso trabalho de sua alma, e ficará satisfeito" (Is 53.11). "Todo aquele que o Pai me dá, esse virá a mim; e o que vem a mim, de modo nenhum o lançarei fora". "E a vontade de quem me enviou é esta: que nenhum eu perca de todos os que me deu; pelo contrário, eu o ressuscitarei no último dia" (Jo 6.37, 39). "Pai, a minha vontade é que onde eu estou, estejam também comigo os que me deste" (Jo 17.24). E, finalmente, quando todos estiverem congregados no céu, ele dirá: "Eis aqui estou eu, e os filhos que Deus me deu" (Hb 2.13). O Salvador terá a plena recompensa por sua obediência até a morte, quando apresentar ao Pai todos os que lhe tinham sido dados no pacto da graça, para que fossem redimidos dentre todos os povos, reinos, línguas e nações da terra. A redenção não será universal em sua consumação, pois os redimidos sairão dentre todos os povos, línguas e nações. Portanto, em qualquer dessas divisões da humanidade, nem todos estão inclusos. E a redenção também não pode ter sido universal em seu propósito; do contrário, o propósito falharia em sua consumação, pois nem todos pelos quais a obra da redenção foi empreendida seriam afetados e se salvariam.

Além da vontade de propósito, vimos que Deus tem uma vontade de preceito. De acordo com esta última, Deus ordena aos homens que todos, em toda parte, arrependam-se; ele requer de todos que creiam em Jesus Cristo, e é sua vontade que todos honrem o Filho. A todos quantos obedecem à sua vontade nesses particulares, ele dá a promessa da vida eterna. O preceito e a promessa estão ambos inclusos na vontade revelada de Deus. A vontade revelada de Deus é que o evangelho seja pregado a toda criatura, e todos quantos o ouvem creiam, e todos os que creem recebam a vida eterna. A vontade revelada é a regra de nossa fé, dever e esperança. Os que pregam e os que ouvem o evangelho estão autorizados e ordenados a regulamentar cada pensamento e ação pela vontade revelada de Deus. De acordo com essa vontade revelada, Cristo é apresentado como o Salvador do mundo (Jo 4.42) – o único nome, dado entre os homens, pelo qual importa que sejamos salvos (At 4.12). Os pecadores, sem exceção, são convidados e ordenados a crer em Cristo.

Já que o evangelho é pregado a todos os homens, sem distinção, e todos são chamados a vir a Cristo para a vida, e nada senão a rejeição do evangelho impede a extensão das bênçãos do evangelho sobre todos os que o ouvem, segue-se que a Palavra revelada de Deus fala dos ofícios e da obra de Cristo de acordo com as obrigações dos homens referentes a esses ofícios. Deve ser relembrado, entretanto, que o evangelho promete bênçãos somente àqueles que obedecem ao evangelho. E, visto que a promessa, e não o preceito, é que serve de medida apropriada aos benefícios advindos do evangelho, os seus benefícios estão circunscritos a pessoas em particular, mesmo quando tal limitação, quanto à sua extensão, não parece figurar na linguagem bíblica. Por exemplo, Cristo é chamado de "o Salvador do mundo" (Jo 4.42) e de "a propiciação" pelos pecados do mundo inteiro (1Jo 2.2). Por meio dele, veio a graça sobre todos os homens para a justificação que dá vida (Rm 5.18). Essas e outras expressões semelhantes nas Escrituras representam os fatos como eles seriam, na suposição de que todos os homens cumprissem com o seu dever de crer no evangelho.

Não obstante essas expressões de cunho geral, a vontade revelada de Deus assegura bênçãos somente aos obedientes. Portanto, a vontade revelada é mais estreita em sua extensão do que o propósito ou vontade secreta de Deus, pois este último não apenas provê aos obedientes toda a graça da qual necessitam como também provê para todos os eleitos graça necessária para torná-los obedientes.

As observações que têm sido feitas até aqui já são suficientes para mostrar que a redenção não é universal. Ela é específica em sua consumação e em seu propósito, sendo igualmente específica na revelação do propósito, revelação feita no evangelho. Os termos gerais, como "todos os homens", "o mundo inteiro" etc., que as Escrituras empregam para falar da extensão da redenção não podem ser entendidos como se assegurassem os benefícios da redenção aos impenitentes e incrédulos. De acordo com a vontade secreta de Deus (ou vontade de propósito), a redenção está assegurada pela morte de Cristo para todos os eleitos. De acordo com a vontade revelada de Deus, ela é assegurada somente para aqueles que creem.

Na visão de algumas pessoas, o fato de a morte de Cristo servir como base para os apelos universais do evangelho também é um argumento para a redenção universal. Mas de ninguém se pode dizer com propriedade que é redimido, se não obtém a libertação do pecado nem jamais a obterá. Já outras pessoas que admitem a doutrina da redenção específica fazem distinção entre redenção e expiação e, já que a morte de Cristo permite que o evangelho seja pregado a todos os homens, consideram-na uma expiação pelos pecados de todos ou uma expiação pelo pecado apenas em teoria. Contudo, o vocábulo neotestamentário empregado é, no grego, reconciliação (conforme Rm 11.15 e 2Co 5.18, 19). A reconciliação não é entre Deus e o pecado, em um sentido teórico, porque tal reconciliação é impossível. É, na verdade, uma reconciliação entre pessoas, e uma reconciliação tão real que assegura salvação eterna: "Porque se nós, quando inimigos, fomos reconciliados com Deus mediante a morte do seu Filho, muito mais, estando já reconciliados, seremos salvos pela sua vida" (Rm 5.10). Na visão de Paulo, serão salvos todos aqueles por quem a morte de Cristo fez a reconciliação ou expiação. E, portanto, a expiação não pode ser universal, a menos que a salvação seja universal. É possível empregar a palavra "expiação" em um sentido em que a sua abrangência seja uma mera questão de definição, mas é sempre melhor usar os termos bíblicos no sentido em que são empregados nas Escrituras.

Uma dificuldade surge quando se tem de harmonizar o caráter vicário da morte de Cristo e o convite universal do evangelho: "um convite irrestrito, para todos os que ouvem o evangelho virem a Cristo para a vida, parece implicar que nele foi feita uma provisão universal para todos os homens; e, para que assim fosse, parece necessário que Cristo tenha levado sobre si os pecados de todos".

Porém, a suposição de que ele levou os pecados de toda a raça humana traz consigo muitas dificuldades. Antes de Cristo ter vindo ao mundo, multidões já tinham morrido em impenitência e estavam no outro mundo, sofrendo pelos seus pecados, enquanto Cristo padecia na cruz. Como poderia ele ser um substituto e sofrer penalidade pelos pecados dessas pessoas, se elas estavam sofrendo por si mesmas a pena do pecado? E, se ele levou sobre si a penalidade dos pecados de todos quantos já haviam morrido e ainda morreriam na impenitência, como é possível que se requeira deles, uma segunda vez, que satisfaçam a justiça divina, sofrendo pelos próprios pecados?

Como solução para essa dificuldade (com a qual muitos têm ficado perplexos), existe a suposição de que o montante de sofrimento necessário para fazer um sacrifício de expiação é independente de quanto pecado tenha de ser expiado, poucos ou muitos. A hipótese merece ser respeitada, não apenas porque traz alívio à mente, mas também pelo fato de ter sido geralmente aceita por homens eruditos e piedosos. Entretanto, assim como qualquer hipótese inventada para remover uma dificuldade, essa suposição não deve ser transformada em artigo de fé, até que tenha sido provada. Para suportar essa hipótese, tem-se argumentado que, visto que o salário do pecado é a morte, Cristo deve ter morrido por causa de um único pecado, e só era preciso que morresse para que fizesse a expiação dos pecados do mundo inteiro.

Mas tal argumento não sustenta a hipótese sugerida, a menos que se assuma que a morte é sempre a mesma, em qualquer caso imaginável. No entanto, a morte pode ser uma fácil e feliz transição deste mundo para um mundo de bem-aventurança. Não foi assim a morte de Cristo. Como salário do pecado, a morte envolve mais do que a mera dissolução do corpo; e Cristo, morrendo pelo pecado, levou sobre si uma soma de aflições que não eram necessárias para a simples morte natural. Nesses sofrimentos, principalmente, consiste a eficácia de sua morte expiatória, e não ousamos assumir que o montante de sofrimento deva ser o mesmo em qualquer caso que se possa supor. Os sofrimentos de Cristo derivam valor infinito na natureza divina do Filho de Deus; porém, tendo sido suportados pela sua natureza humana, o montante final não poderia ter sido infinito. Assim, podemos supor que o total de sofrimentos possa ter sido diferente em diferentes circunstâncias. Por exemplo, os habitantes de Sodoma e Gomorra serão, no dia do juízo, sentenciados à segunda morte, como também os ainda mais culpados habitantes de Corazim e Betsaida; mas os horrores serão mais intoleráveis em um caso do que no outro.

Uma analogia requer que Cristo, ao padecer pelos pecados do mundo inteiro, teria sofrido mais do que se tivesse sofrido por causa de apenas um único pecado.

Os defensores da hipótese anteriormente mencionada insistem que a expiação é moral, e não comercial. Para eles, a noção de que "quanto mais pecado, mais sofrimento" faz com que a expiação degrade-se, parecendo mera transação comercial. De acordo com uma ilustração dada anteriormente, se 20 homens têm uma dívida de R$ 100,00, a justiça comercial será satisfeita se cada homem pagar R$ 5,00. Porém, quando 20 homens conspiram para cometer um assassinato, a justiça moral, ou melhor, a justiça distributiva (pois a justiça comercial também é moral) tem por culpados cada um dos 20 homens, de forma que são merecedores da punição capital como se cada um tivesse cometido o crime. Com base no mesmo princípio, dizem, a justiça moral não divide em partes a morte de Cristo, de acordo com a gravidade de cada ofensa. Antes, considera-a igualmente suficiente para uma ou para muitas ofensas e igualmente suficiente tanto para os pecados do mundo inteiro como para os pecados dos eleitos. O argumento não é conclusivo. Não é verdade que o princípio de justiça distributiva repele a noção de que o sofrimento é proporcional ao pecado cometido. A balança da justiça opera no governo, assim como no comércio; e uma parte essencial na administração da justiça consiste na outorga de penalidades aos crimes. O roubo de plantas no jardim de um vizinho e o assassinato de um pai de família não são considerados crimes de igual magnitude nem recebem iguais penalidades. A justiça de Deus tem uma penalidade mais severa para Corazim e Betsaida do que para Sodoma e Gomorra. De tudo quanto temos conhecimento na administração da divina justiça, vemos que a noção do sofrimento ser correspondente à gravidade e ao montante de pecado tende a ser estabelecida, e não desacreditada.

A objeção de ficar a expiação reduzida a mera transação não é bem fundada. Embora se possa fazer uma distinção entre justiça autoritativa e justiça comercial, não se segue necessariamente que tudo quanto se possa afirmar a respeito de uma deva ser negado a respeito da outra. A justiça distributiva não se ocupa propriamente com questões de interesses e vantagens; entretanto, não exclui toda consideração para com magnitudes e proporções. Na linguagem das Escrituras, pecados são dívidas (Mt 6.12); o sangue de Cristo é um *preço*, e o povo de Deus é *comprado* (1Co 6.20; 1Pe 1.18). Essa linguagem é, sem dúvida, figurativa, mas não seria apropriada se a justiça comercial (a que pertencem os termos *dívida*, *preço* e *comprado*) não tivesse alguma analogia para com a justiça distributiva, que requereu o sacrifício de Cristo.

No caso que apresentamos como ilustração, cada cúmplice no assassinato é tido como culpado, porquanto cada um tinha a plena intenção do crime. A justiça, olhando o crime pela intenção, considera cada um deles culpado e requer que a penalidade seja infligida sobre todos. Não se admite que apenas um dos cúmplices receba a punição que cabe a todos; a justiça pesa para cada um a penalidade que lhe é devida e o montante da penalidade de acordo com o montante do crime.

Examinando dessa maneira, vemos não ser conclusivo o argumento que diz ficar reduzida a expiação a mera transação comercial, caso prevaleça a noção de que o total dos sofrimentos de Cristo corresponde ao total dos pecados expiados. Se o sacrifício de Cristo exclui qualquer consideração para com o montante de pecados a serem expiados, essa exclusão não advém de princípios abstratos da justiça distributiva, como diferenciados dos princípios da justiça comercial, mas de algo peculiar a essa grande transação que foi a morte de Cristo. Jamais ocorreu outra transação com a qual pudesse ser comparada. Foram a sabedoria e a justiça de Deus que decidiram esse caso, e a decisão foi correta e justa. Cristo realmente suportou tanto sofrimento quanto era necessário para expiar os pecados que sobre ele foram lançados. Até onde sabemos, no tribunal celeste, jamais se estabeleceu uma conclusão para a questão de quanto sofrimento seria necessário, se Cristo tivesse morrido para expiar apenas um pecado. Se nós presunçosamente decidirmos a questão por nós mesmos, estamos em perigo de intrometermo-nos naquelas coisas que não pertencem a nós, mas a Deus. Se as Sagradas Escrituras nada nos ensinam a respeito do assunto, não deveríamos procurar ser mais sábios do que aquilo que está escrito.

As Escrituras, até onde sei, não contêm nenhuma prova para essa hipótese, isto é, que a quantidade de sofrimento necessária para fazer um sacrifício de expiação não é aumentada nem diminuída pela quantidade de pecado a ser expiada. O melhor argumento a seu favor é tirado de Hebreus 9 e 10, onde é ensinado que, se os sacrifícios da antiga dispensação tivessem sido eficazes, não haveria necessidade de terem sido repetidos. Isso parece dar a entender o princípio de que um sacrifício pelo pecado, uma vez consumado, será suficiente para todo o pecado, não importa quanto o pecado possa ser multiplicado por eras e eras. Esse princípio, uma vez estabelecido, confirmaria a hipótese aduzida. Porém, a cláusula "não teriam cessado de ser oferecidos" pode ser tomada sem o ponto de interrogação que aparece no final do versículo (Hb 10.2), e, assim, o argumento do escritor sagrado passa a ser outro, isto é, que os sacrifícios da dispensação do Velho Testamento, se eficazes, teriam continuado a ser oferecidos de ano a ano, fazendo a expiação de cada ano que passava, e não teriam sido suplantados por uma nova aliança, conforme o Senhor tinha predito mediante o profeta. Interpretado dessa maneira, o argumento desse versículo, em vez de dar comprovação definitiva à hipótese já mencionada, subverte-a. Porém, se a causa for lida incluindo-se o ponto de interrogação, ainda assim, pode ser entendida como referindo-se à recordação, de ano em ano, continuamente, dos mesmos pecados que já uma vez tinham sido expiados. Ora, se os pecados de um ano tinham sido expiados, por que deveriam exatamente os mesmos pecados serem trazidos à lembrança no segundo, terceiro e quarto anos? E por que a oferenda por esses pecados teria de ser repetida, se já o primeiro sacrifício tinha sido eficaz? Examinando por esse ângulo, vemos que o argumento do escritor sagrado não serve de comprovação para o princípio envolvido na hipótese levantada.

Se, depois de examinarmos cuidadosamente essa hipótese, somos levados a abandoná-la, em vez de fazer dela um artigo de fé, e se a dificuldade que ela se propunha a resolver continua a nos deixar perplexos, podemos obter alívio, como somos compelidos a fazer em outros casos, recebendo a totalidade da verdade de Deus com base na autoridade de Deus, mesmo que a harmonia das partes da revelação não seja aparente ao nosso fraco entendimento. Recebidas dessa maneira, as dificuldades teológicas fornecem uma oportunidade para o exercício de confiança na veracidade divina, e o nosso estado mental nunca está melhor ou mais seguro do que quando, em simples fé, aceitamos sem discussão aquilo que Deus nos diz.

Até onde podemos julgar, os sofrimentos de Cristo, quanto vistos à parte do propósito de Deus, eram, em si mesmos, tão bem adaptados para cobrir os pecados de Judas quanto os de Pedro. Porém, não podemos afirmar a mesma coisa de cada ato que

Jesus realizou em seu ministério como Sacerdote. Sua intercessão por Pedro foi específica e eficaz e, como parte do seu ofício sacerdotal, pode ser inclusa juntamente com os seus sofrimentos, como que formando uma perfeita e aceitável oferenda, que ele, o grande Sumo Sacerdote, faz pelo seu povo. A expiação ou reconciliação daí resultante deve ser tão particular quanto as intercessões mediante as quais essa expiação foi solicitada.

Alguns afirmam que, se a expiação não é universal, nenhum pecador pode estar sob a obrigação de crer em Cristo até que tenha certeza de ser um dos eleitos. Isso implica que nenhum pecador tem a obrigação de crer no que Deus diz, a menos que saiba que Deus planeja salvá-lo. Mas Deus declara que não há salvação senão através de Jesus Cristo, e todo pecador está na obrigação moral de crer nessa verdade. Se fosse revelado dos céus que, dentre toda a raça decaída, apenas um pecador seria salvo por Cristo, a obrigação de crer que não existe salvação fora de Cristo continuaria a mesma. Cada pecador a quem essa revelação fosse feita estaria obrigado a olhar para Cristo, como sua única possível esperança e a entregar a si mesmo àquela misericórdia soberana, pela qual alguém da raça justamente condenada seria salvo. Contudo, a abundante misericórdia de nosso Deus não ficará confinada à salvação de apenas um pecador; ela trará muitos filhos à glória, mediante os sofrimentos de Jesus, o Autor da nossa salvação. Ainda assim, todo pecador que confia em Cristo para a salvação tem a obrigação de entregar-se, sem reservas, à soberana misericórdia de Deus. Se ele exige alguma garantia prévia de estar incluso no número dos eleitos, não está se rendendo completamente a Deus, como um pecador culpado deve fazer. O evangelho leva cada pecador a se prostrar aos pés do grande Soberano, esperando encontrar da parte dele misericórdia, à maneira que ele bem entender. O evangelho é pervertido quando esses termos são rebaixados. Os ofensores são chamados a virem a Deus em rendição absoluta e incondicional, e esse chamamento universal se harmoniza precisamente com a doutrina da redenção específica.

3. *Chamada eficaz*

O Espírito Santo efetivamente chama a todos os eleitos para que se arrependam e creiam[4]

O evangelho convoca todos os seus ouvintes a que se arrependam e creiam. Essa convocação procede do Espírito Santo, através dos ministros que ele mesmo qualifica para pregar o evangelho, dando-lhes também a Palavra escrita. Porém, os homens resistem e desobedecem a esse chamado do Espírito Santo, permanecendo debaixo da condenação: "Vós sempre resistis ao Espírito Santo, assim como fizeram vossos pais, também vós o fazeis. Qual dos profetas vossos pais não perseguiram?" (At 7.51, 52). "Quando do céu se manifestar o Senhor Jesus [...] tomando vingança contra os que não conhecem a Deus e contra os que não obedecem ao evangelho" (2Ts 1.7, 8).

Além dessa chamada, que é externa e, muitas vezes, ineficaz, existe outra que é interna e efetiva. Essa chamada sempre produz arrependimento e fé e, portanto, assegura a salvação. A chamada externa transparece em passagens das Escrituras como as seguintes: "Mas, porque clamei, e vós recusastes" (Pv 1.24). "Porque muitos são chamados, mas poucos escolhidos" (Mt 22.14). A chamada interna e eficaz é designada em passagens como estas: "Que nos salvou e nos chamou com santa vocação" (2Tm 1.9). "E aos que predestinou, a esses também chamou; e aos que chamou, a esses também

4 Jo 6.37; Rm 8.26, 30; 1Co 1.24; 2Tm 1.9; 1Pe 2.9; Jd 1, 2; 1Co 2.4; 1Ts 1.4-6.

justificou" (Rm 8.30). "Chamados para serdes de Jesus Cristo [...] chamados para serdes santos" (Rm 1.6, 7). "Sabemos que todas as coisas cooperam para o bem daqueles que amam a Deus, daqueles que são chamados segundo o seu propósito" (Rm 8.28). Nem todos os que recebem o chamado externo são predestinados para a vida, justificados e salvos. Sempre que tais bênçãos são representadas como pertencendo aos "chamados", trata-se da chamada interna, chamada eficaz.

Já anteriormente fizemos distinção entre a influência direta e indireta do Espírito Santo. Visto que a chamada externa dá-se por meio da Palavra escrita ou pregada, pertence à influência indireta do Espírito Santo. Para tornar essa chamada efetiva, soma-se a influência direta do Espírito Santo. É então que se diz que o evangelho não chegou tão somente em palavra (1Ts 1.5), mas em demonstração do Espírito e de poder (1Co 2.4). A chamada externa é desobedecida porque os homens não querem vir a Cristo para a vida; a chamada interna atua sobre a própria vontade, efetuando no homem tanto o querer como o realizar, de modo que se apresente *voluntariamente* no dia do poder de Deus. Diferentemente da chamada externa, a chamada interna sempre vence. No processo da conversão, o Espírito Santo sofre violenta resistência; essa resistência é dirigida contra os meios exteriores de que ele se utiliza. A graça interna é que amolece e subjuga o coração do pecador, levando-o à submissão pacífica ao evangelho de Cristo.

A graça interna que torna efetiva a chamada exterior é a graça da regeneração. Por isso, a regeneração, quando considerada como obra do Espírito Santo, é o mesmo que a chamada eficaz. Quando considerada como a mudança que acorre no coração do pecador, ela é o efeito dessa chamada. A chamada é eficaz porque produz regeneração em quem ela opera.

Na chamada eficaz, o Espírito Santo demonstra sua onipotência: "Cremos, segundo a eficácia da força do seu poder; o qual exerceu ele em Cristo, ressuscitando-o dentre os mortos" (Ef 1.19, 20). O mesmo poder que criou o mundo e disse: "Haja luz; e houve luz", é necessário para que o pecador se torne uma nova criatura. "Porque Deus que disse: Das trevas resplandecerá luz, ele mesmo resplandeceu em nossos corações" (2Co 4.6). "Pois somos feitura dele, *criados* em Cristo Jesus para boas obras" (Ef 2.10). "Visto como pelo seu divino poder nos têm sido doadas todas as coisas que conduzem à vida e à piedade, pelo conhecimento completo daquele que nos chamou para a sua própria glória e virtude" (2Pe 1.3). O seu poder em criar o mundo não encontrou oposição. Assim também é o poder com que ele regenera o coração. Os meios exteriores enviados pelo Espírito Santo podem encontrar resistência; mas, quando vem o próprio Espírito, na onipotência de sua graça, toda resistência desvanece.

Na chamada eficaz, o Espírito Santo age como um soberano. Ele agiu como soberano quando distribuiu diferentes dons entre os crentes da igreja primitiva: "Mas um só e o mesmo Espírito realiza todas estas coisas, distribuindo-as como lhe apraz" (1Co 12.11). E ele é igualmente soberano em conceder a graça regeneradora: "Segundo o seu querer, ele nos gerou pela palavra da verdade" (Tg 1.18). A graça é soberana na eleição feita pelo Pai, na redenção efetuada pelo Filho e na chamada eficaz realizada pelo Espírito. A diferenciação com que a graça é concedida entre os filhos dos homens aparece, em primeira instância, na chamada eficaz. E essa obra do Espírito Santo nos leva, mediante a redenção em Jesus Cristo, a Deus Pai, a cujo amor eletivo somos ensinados a atribuir todas as bênçãos da salvação eterna. Nessa ordem reversa, olhamos para trás, seguindo o manancial da graça até a fonte, da qual emana. É justamente essa ordem reversa que se observa no preceito: "Procurai, com diligência cada vez maior, confirmar a vossa vocação e eleição" (2Pe 1.10). A nossa chamada decorre da eleição, mas nos certificamos de nossa eleição averiguando primeiro o nosso chamamento.

Na chamada eficaz, o Espírito Santo opera sobre os eleitos. Estes são "chamados, amados em Deus Pai, e guardados em Jesus Cristo" (Jd 1). Aqueles a quem o Espírito chama são "escolhidos em Cristo antes da fundação do mundo" (Ef 1.4-13). "E creram todos os que haviam sido destinados para a vida eterna" (At 13.48). A chamada eficaz do Espírito Santo dá cumprimento à palavra de Cristo: "Todo aquele que o Pai me dá, esse virá a mim" (Jo 6.37); "Ainda tenho outras ovelhas, não deste aprisco; a mim me convém conduzi-las; elas ouvirão a minha voz" (Jo 10.16).

Tem-se indagado para qual propósito Deus envia a sua chamada exterior aos não eleitos, visto que ela será ineficaz se não for acompanhada de sua graça onipotente. Seguindo tal raciocínio, bem poderíamos perguntar por que Deus dá a sua lei aos homens, sabendo que não lhe obedecerão. Qual é o propósito de ele instituir um governo moral, se os homens não desejam submeter-se a ele? Em vez de exigir de Deus as razões para aquilo que ele faz, cada homem deveria perguntar a si mesmo que justificativas pode apresentar a Deus por violar a sua santa lei e rejeitar o evangelho. Podemos estar certos de que Deus sempre fará o que é correto e sempre será hábil para vindicar os seus procedimentos diante do universo inteligente.

Deveríamos considerar nossa propensão em questionar a sabedoria e a retidão dos procedimentos de Deus como uma alarmante evidência de nossa falta de submissão à vontade dele.

Objeção

Se arrependimento e fé são dons da graça, concedidos pelo Espírito Santo na chamada eficaz, aqueles a quem essa graça não é conferida não são passíveis de culpa por sua impenitência e incredulidade.

A objeção virtualmente assume que os homens não têm nenhuma obrigação de servir a Deus mais do que pessoalmente lhes agrade fazê-lo; e, se essa indisposição para servir a Deus só pode ser vencida pela onipotente graça divina, isso serve de justificativa para a desobediência. Quem dá a si mesmo essa desculpa para sua impenitência e incredulidade deve pensar bem em como poderá apresentar tal argumentação diante do grande Juiz: "Não servi a Deus porque eu não tinha a menor vontade de fazê-lo, e tamanha era a minha falta de vontade que somente a graça onipotente poderia reconciliar-me com o serviço que eu odiava". Quem ousaria apresentar tal argumento naquele grande Dia?

A graça eficaz, que faz prevalecer o evangelho, é a grande peculiaridade da dispensação do evangelho. Essa graça foi concedida antes da vinda de Cristo e durante o seu ministério pessoal em menor proporção. Mas o seu derramamento abundante ficou reservado para o Pentecostes, que se seguiu à ascensão do Salvador, e para os primeiros séculos da igreja cristã. Aos apóstolos foi ordenado permanecerem em Jerusalém até que do alto fossem revestidos de poder, e o poder do Espírito Santo, vindo sobre eles, tornou a sua pregação muito mais bem sucedida do que o próprio ministério de Cristo tinha sido. Se Deus tivesse imposto a si mesmo a regra de dar a cada ser humano igual parcela de sua graça e deixado o resultado depender da vontade dos homens, sem qualquer interferência, o extraordinário sucesso que marcou o primeiro período do cristianismo não teria existido.

Esse sucesso deve ser atribuído à graça eficaz do Espírito Santo, que o Salvador prometera enviar quando fosse para o Pai. A prevalência da Palavra de Deus no decorrer dos séculos tem de ser atribuída ao poder do Espírito Santo, e o glorioso milênio, há tanto tempo esperado pela igreja, não virá até que o Espírito Santo seja novamente derramado do alto (Is 32.15). Por isso, todo o homem piedoso, olhando para esse glorioso dia, jamais confiou em alguma moralidade superior ou tendências religiosas das gerações futuras para trazerem esse dia; antes, orou e esperou ver o sucesso do evangelho, somente através da abundante influência do Espírito Santo.

CONCLUSÃO

Nosso Salvador frequentemente repreendeu os que confiavam em sua própria retidão e desprezavam os outros. Essa atitude de justiça própria prevalecia na seita dos fariseus, e Paulo, que era um fariseu, foi obrigado a renunciar a essa atitude quando se tornou seguidor de Cristo. Ele, então, orou, pedindo para ser achado em Cristo, não tendo justiça própria, mas tão somente a justiça que procede de Deus pela fé. Em seu profundo anelo e intensas orações pela salvação de seus compatriotas judeus, Paulo considerava como erro fatal o seguinte: "Desconhecendo a justiça de Deus, e procurando estabelecer a sua própria, não se sujeitaram à que vem de Deus" (Rm 10.3).

A justiça própria é ofensiva a Deus. Na parábola de Cristo, o rei ficou indignado porque um dos convidados comparecera à festa de casamento sem estar vestido adequadamente. Porém, quando nos vestimos de nossas próprias justiças, que não passam de trapos de imundícia, e nos apresentamos na assembleia dos santos, ante o Deus de santidade, e reivindicamos sua aprovação e sorriso por estarmos assim vestidos, insultamos o supremo Rei. Assim fazendo, evidenciamos que não temos uma correta apreciação da justiça e da santidade de Deus, e, enquanto professamos honrá-lo como Deus, degradamos as suas perfeições morais, fazendo-o semelhante a nós mesmos. Tal atitude rejeita a mediação e a justiça de Cristo, e, assim, anulamos o conselho de Deus no grande esquema da salvação. O Pai se compraz no Filho por causa da retidão do próprio Filho e não pode se comprazer nos que desprezam essa retidão, preferindo ostentar as suas próprias justiças.

A justiça própria é ruinosa para a alma. Não obstante, ela pode ser altamente estimada entre os homens. Os fariseus, por exemplo, que amavam mais o louvor dos homens do que a aprovação de Deus, obtinham a sua recompensa ao serem honrados pelos homens, por causa de sua grande "santidade". Porém, Deus examina o coração e, a seus olhos, a santidade exterior nada vale, se todo o interior do homem está cheio de podridão moral. No entanto, esse disfarce de falsa santidade engana o gênero humano e engana a pessoa que o usa. Confiando cega e estupidamente em sua própria retidão moral, o homem fica despreocupado e diz: "Paz, paz!", até que lhe sobrevém repentina destruição. Um dos mais producentes artifícios de Satanás consiste em embalar os homens para que descansem em sua justiça própria. Muitos, tendo sido alarmados pela visão de seus pecados exteriores, decidiram mudar de vida e, confiando em sua própria moralidade, destituídos da verdadeira religião no coração e sem a verdadeira fé em Jesus Cristo, acabaram adormecendo fatalmente na vã esperança de que, por fim, tudo estaria bem. É tão difícil despertar os homens dessa ilusão, que os publicanos e meretrizes acabaram entrando no reino dos céus antes dos fariseus, que eram justos a seus próprios olhos (Mt 21.31).

A doutrina da graça é o remédio para a justiça própria. Ela é um remédio pelo qual o coração do homem natural tem grande aversão, mas que, uma vez aceito, comprova ser um antídoto muito eficaz contra esse mal. Essa doutrina destrói toda autodependência e faz o pecador prostrar-se ante a misericórdia de Deus. O pecador dá as costas para sua própria retidão e para o pecado, com repugnância e aversão, e confia e espera receber misericórdia somente por causa de Cristo. Nesse método de salvação, não se admite nenhum compromisso com a atitude de justiça própria. Nenhuma dependência é admitida, seja em mérito pessoal, seja em mérito comparativo. Todos são ordenados a vir a Cristo na qualidade de totalmente culpados e vis, buscando misericórdia como o principal dos pecadores. Ninguém deve alegar que é melhor ou menos indigno do que o seu próximo. Enquanto depender de alegações como essas, a porta da misericórdia estará cerrada para tal pessoa. A Bíblia ensina que a salvação é um dom gratuito, para ser recebido absolutamente pela graça, sem dinheiro e sem preço.

A doutrina da graça exclui completamente toda vanglória humana. Era assim que Paulo contemplava essa doutrina: "Assim, onde há motivo para orgulho? Foi excluído. Por qual lei? Das obras? Não, mas pela lei da fé" (Rm 3.27, A21). O apóstolo inspirado estimava grandemente a excelência da doutrina da graça em humilhar os homens perante Deus e ensiná-los a gloriarem-se no Senhor apenas. Isso dava a ele uma grande apreciação pela doutrina, e o mesmo deveria acontecer conosco. Somos inclinados a pensar de nós mesmos além daquilo que deveríamos, mas temos uma indagação bíblica para destronar nosso orgulho: "Pois quem é que te faz sobressair? E que tens tu que não tenhas recebido?" (1Co 4.7).

Essa doutrina apresenta o mais forte motivo para a santidade. Ela tem sido acusada de conduzir à licenciosidade, desde o tempo dos apóstolos. Já naquela época se dizia: "Permaneceremos no pecado, para que a graça seja mais abundante?". "Pratiquemos males para que venham bens" (Rm 6.1; 3.8). Se, defendendo essa doutrina somos confrontados com similares acusações, podemos regozijar--nos na prova, assim fornecida, de que nos encontramos em terreno apostólico. Contudo, a acusação inteira é sem fundamento. Os homens podem ser justos a seus próprios olhos, como os fariseus, e, ao mesmo tempo, estar vivendo em pecado. Mas, quando a justiça própria é destruída pelo Espírito da graça, o homem torna-se morto, não apenas para a lei, como também para o pecado; e estando morto para o pecado, já não pode nele viver. Os homens podem, numa atitude de retidão própria, abster-se do pecado, enquanto ainda amam o pecado. Mas a doutrina da graça, quando recebida no coração, destrói o próprio amor ao pecado. Um senso de obrigação para com a misericórdia gratuita e imerecida ocupa o coração, constrangendo-o à santa obediência.

Essa doutrina honra a Deus. Toda carne é humilhada perante ele, e só Deus é exaltado. A cruz de Cristo é exaltada; os homens são atraídos para ela e ensinados a gloriar-se somente nela. A salvação plena, advinda do Deus triuno em sua integralidade e perfeita adaptabilidade à nossa condição desprezível e perdida, torna-se o nosso gozo cheio de admiração e induz em nós alegres cânticos de louvor.

Essa doutrina une o povo de Deus. Todos têm a Cristo no mesmo nível. Ricos e pobres, letrados e incultos, presos e livres; todos vêm a ele, sem distinção de posição social ou mérito individual. O coração de todos se derrete como cera perante ele, e todos se tornam um, em penitência e amor para com ele. Debaixo da influência plena da doutrina da graça, ninguém pode se gloriar no homem nem tratar com desprezo um outro membro do corpo de Cristo, o irmão mais fraco que Cristo recebeu para si.

Essa doutrina nos prepara para tomar parte no cântico dos remidos no céu. Mesmo aqui, já aprendemos a cantar: "Não a nós, Senhor, não a nós, mas ao teu nome dá glória" (Sl 115.1). E essa também será nossa canção diante do trono: "A salvação e a glória e o poder são do nosso Deus" (Ap 19.1). As harpas celestiais não podem tocar nenhuma nota de justiça própria; isso perturbaria a harmonia celestial! Lá, todos os corações sentem e todos os cânticos declaram que "ao Senhor pertence a salvação!" (Jn 2.9)

CAPÍTULO VIII

DOUTRINA CONCERNENTE AO MUNDO VINDOURO

INTRODUÇÃO

O DEVER DE NOS PREPARARMOS PARA O MUNDO VINDOURO[1]

Os filhos de Deus sempre têm sido estrangeiros e peregrinos sobre a terra. Embora no mundo, eles não são do mundo; tanto por sua conduta como por suas palavras, eles declaram plenamente que procuram outra pátria, o lar celestial. Por isso, não caminham de acordo com o curso deste mundo, fazendo-se surdos para as suas seduções e parecem ter seus olhos fixos em objetos que o mundo não vê. Nós olhamos não para as coisas que se veem e são temporais, mas para as coisas que não se veem e são eternas (2Co 4.18). Foi assim que Moisés permaneceu inabalável, como quem vê aquele que é invisível. Foi assim que ele deu as costas para os prazeres do pecado e os tesouros do Egito e contemplou a recompensa do galardão a ser recebido no mundo vindouro. Da mesma forma, os patriarcas, profetas, apóstolos e mártires perpetuaram os seus nomes e, até hoje, deixam o seu testemunho para a humanidade de que não eram deste mundo, e seu tesouro, seus corações e o lar para onde se dirigiam estavam no céu.

1 Am 4.12; 2Co 4.18.

Esses exemplos nos chamam à imitação. Se possuímos a sabedoria e a motivação pelas quais esses heróis da fé foram impulsionados, nós também faremos com que a nossa ocupação seja preparar-nos para o mundo vindouro.

Os preceitos da revelação exortam-nos a preparar-nos para a eternidade: "Prepara-te, ó Israel, para te encontrares com o teu Deus" (Am. 4.12). "Pensai nas coisas lá do alto" (Cl 3.2). "Não acumuleis para vós outros tesouros sobre a terra [...] mas ajuntai para vós outros tesouros no céu [...] porque onde está o teu tesouro, aí estará também o teu coração" (Mt 6.19-21). A revelação de Deus inteira clama, em uníssono, uma voz do céu, uma voz de advertência, repreensão e intenso rogo para que deixemos de lado este mundo que perece; para que fujamos da ira vindoura; para agarrarmos a vida eterna; para procurarmos uma cidade permanente, uma porção eterna no mundo do porvir. Com referência a esse mundo vindouro é que cada dever é ordenado, cada promessa é feita e cada motivo é apresentado na Palavra de Deus. E quem não tem seus olhos bem fixos nesse mundo por vir não tem razão alguma para esperar que a herança dos santos lhe seja assegurada.

Visto que os motivos para a santidade e a diligência na busca dela são derivados tão abundantemente do mundo vindouro, é de grande importância para todo homem conhecer melhor esse mundo futuro. Todo homem sabe que o tempo de sua permanência na terra é curto e incerto. Todo homem está perfeitamente certo de que deverá deixar este mundo e de que o tempo de sua partida se aproxima. Se ele não faz nenhuma inquirição a respeito do mundo para onde irá ou despreza a informação autêntica a respeito disso, isso é insensatez em extremo. É sábio, portanto, estudar a doutrina concernente ao mundo vindouro, e estudá-la como um assunto de importante interesse pessoal. A cada passo de nosso estudo, deveríamos perguntar: "Como essa verdade afeta o meu coração? Estou correndo de modo que possa alcançar o galardão? Minhas perspectivas são claras? Não deveria eu renovar a minha diligência e buscar mais intensamente a direção e o auxílio necessários para que possa completar a minha carreira com alegria?"

CAPÍTULO 1

A SEPARAÇÃO E IMORTALIDADE DA ALMA

QUANDO O CORPO HUMANO MORRE, A ALMA, QUE É IMORTAL, CONTINUA A EXISTIR NUM ESTADO SEPARADO[1]

Quando o corpo morre, os átomos de que é constituído não são aniquilados. Eles separam-se uns dos outros e continuam a existir em um estado diferente ou em novas combinações. A mente, que tinha previamente existido em conexão com o corpo e, nessa conexão, havia exibido fenômenos peculiares, transcendentes à matéria, agora desaparece e já não se manifesta como antes. Contudo, embora desapareça, a analogia sugere que ela não é aniquilada. A mesma filosofia que ensina indestrutibilidade dos átomos que formam o corpo também sanciona a doutrina de que a alma é imortal. Visto que a alma não é uma substância composta como é o corpo, ela não é suscetível a decomposição e, portanto, se continua a existir, deve existir inteira, com as propriedades que lhe são peculiares.

1 Lc 16.22, 23; 23.43; Mt 22.31, 32; Lc 20.37, 38; Ap 14.13; Hb 12.23; 2Co 5.6, 8; Fp 1.23; 1Ts 5.10; Ec 12.7.

Embora a filosofia dê a sua sanção à doutrina da imortalidade da alma, ela só chega a essa verdade através de muitas dificuldades desconcertantes, de modo que é reconhecida ainda com muita incerteza. As plantas são corpos que têm uma organização peculiar, dotadas de uma vitalidade que é consequência dessa organização ou está vinculada a ela. Os animais também possuem corpos organizados e vitalidade, apresentando peculiaridades semelhantes à da mente humana. Examinando a ordem dos seres, desde o vegetal mais imperfeito até ao homem, o mais exaltado de todos os seres terrestres, a filosofia indaga se apenas o homem é imortal. Para essa questão, com a qual a filosofia está embaraçada, a religião natural tem a resposta. A faculdade moral do homem, que o torna um ser religioso, separa-o grandemente dos demais seres animais e justifica a conclusão de que, dentre todas as criaturas da terra, somente o homem é destinado para a imortalidade.

Mas a filosofia e a religião natural têm, afinal de contas, apenas uma visão obscura dessa importante verdade. A vida e a imortalidade são trazidas à luz por meio do evangelho (2Tm 1.10). Para que a verdade fosse esclarecida, era necessária a revelação divina, e essa revelação, na luz do evangelho, é tão clara que, se o homem não vê, é porque se faz de cego voluntariamente. Nos primórdios da revelação, na antiga dispensação, foi lançada tanta luz sobre essa verdade, que os crentes daquela época consideravam-se como peregrinos e estrangeiros na terra e declaravam enfaticamente que buscavam uma habitação duradoura, uma cidade eterna, em outro mundo. Mas o evangelho de Jesus Cristo trouxe ainda mais luz sobre essa verdade momentosa. A doutrina e a ressurreição de Jesus Cristo levantaram o véu que escondia de nossos olhos o mundo invisível, e, agora, temos a permissão de olhar para dentro dele com plena certeza de esperança.

As Escrituras ensinam que a alma não está sozinha quando deixa a habitação mortal. O espírito de Lázaro foi levado pelos anjos até o seio de Abraão (Lc 16.22). Esse discurso de nosso Salvador a respeito do rico e Lázaro foi designado para dar-nos conhecimento acerca do mundo vindouro. Não se trata de uma parábola, mas, se o considerarmos como tal, ainda assim, deve ser lembrado que as parábolas de Jesus não são como as fábulas de Esopo, nas quais os animais falavam e raciocinavam. As parábolas eram representações extraídas da natureza e conformadas à realidade das coisas existentes.

Isso posto, vemos que, embora não sejamos obrigados a considerar a narrativa sobre Lázaro e o homem rico como a verdadeira história de duas pessoas, ela foi, no entanto, uma representação que o Mestre divino agradou-se em empregar para dar-nos algum conhecimento do mundo invisível. Nessa representação, os anjos (que, de acordo com as Escrituras, são espíritos ministradores [Hb 1.14], enviados para ministrar aos herdeiros da salvação – e isso não é parábola) estão pairando ao redor do desprezado mendigo que passa pelo seu último sofrimento e estão prontos a receber-lhe o espírito, para levarem-no à sua feliz morada final. Para o santo que está de partida deste mundo, a morte não é uma jornada através de um caminho solitário. Tão logo se veja separado dos amigos da terra, já se encontra em companhia dos espíritos celestiais, que o guiam e acompanham até a sua venturosa morada eterna.

Paulo ensina-nos que os crentes que partem deste tabernáculo terrestre, estando ausentes do corpo, estão presentes com o Senhor (2Co 5.8). A promessa feita ao que expirava na cruz também se cumpre na morte de todos os santos: "Em verdade te digo que hoje estarás comigo no paraíso" (Lc 23.43). Mais do que isso, Jesus prometeu: "Voltarei e vos receberei para mim mesmo, para que onde eu estou estejais vós também" (Jo 14.3). Como o Senhor desceu ao Sinai, com dez mil dos seus anjos, assim também ele vem ao lugar onde morre um cristão. E, à medida que vai entrando para o mundo invisível, o crente pode, com alegria, exclamar: "Não temerei mal nenhum, porque tu estás comigo" (Sl 23.4). Em companhia de seu bendito Senhor e levado pelos anjos ministradores, o santo que parte desta vida é transportado para a mansão que Jesus preparou para ele, na casa do Pai. E, ali, trazido para o seio de Abraão, ele estará em íntima comunhão com o Pai dos fiéis, e com todos os santos patriarcas, profetas e apóstolos, e com todos os espíritos dos homens justos aperfeiçoados.

O paraíso, para onde vai o espírito, não é qualquer lugar distinto do céu, onde Deus exibe a manifestação mais gloriosa de si mesmo e onde o corpo glorificado de Cristo foi recebido até a restauração de todas as coisas. A ideia de que o espírito vai para o Hades ou Sheol, separado da gloriosa assembleia onde está o trono de Deus, surgiu de interpretação errônea das Escrituras. Sheol, ou Hades, remonta ao mundo invisível em que o espírito entra quando deixa o corpo. Porém, o uso do termo não determina qual é o lugar ou a condição do espírito no outro mundo. O homem rico e Lázaro foram para o mundo que não pode ser visto, mas o rico estava "em tormentos", enquanto Lázaro, "no seio de Abraão".

Quando separada do corpo, a alma não perde as faculdades mentais que lhe são peculiares. O poder da percepção permanece, pois o homem rico, embora tivesse tido seus olhos fechados na morte, levantou outros "olhos", no inferno, e viu Abraão à distância. O poder da memória é mantido, porque Abraão disse: "Filho, lembra-te de que...". A capacidade de experimentar gozo ou sofrimento também permanece, pois Lázaro foi confortado, e o homem rico, atormentado. A julgar pelo diálogo entre Abraão e o homem rico, parece que os espíritos não apenas se conhecem mutuamente, como também podem conversar uns com os outros. Sem dúvida, os seus modos de percepção e comunicação entre si diferem grandemente dos nossos, e qualquer tentativa para entender aquilo que está inteiramente além de nossa concepção e experiência deve necessariamente falhar. Tudo o que podemos saber a respeito do assunto é aquilo que as Escrituras ensinam, e elas declaram explicitamente que mesmo essa instrução deixará incompleto o nosso conhecimento: "Porque em parte conhecemos [...] agora vemos como em espelho" (1Co 13.9, 12).

As Escrituras nos ensinam que o espírito do crente, tendo partido desta vida, está livre de todo sofrimento. Acabou-se o gemer angustiado (2Co 5.4); Lázaro está consolado (Lc 16.25). Além da ausência do sofrimento, há também a libertação do pecado. Os espíritos dos justos, quando separados do corpo em que gemiam, são "aperfeiçoados" (Hb 12.23). Eles são admitidos no alto e santo lugar, onde nada impuro pode entrar.

A alma dos ímpios, como a dos justos, é imortal e sobrevive ao corpo. Ela também não fica solitária, pois o diabo, por quem foi cativada, e seus anjos, com quem sofrerá o castigo eterno, a recebem em sua sociedade. Ela traz consigo as suas faculdades mentais, que permanecem para poder enxergar à distância o céu e a glória, e para lembrar e lamentar amargamente o seu pecado contra Deus, e para considerar a oportunidade de receber misericórdia que foi desprezada, enquanto sofre tormentos sem mitigação e sem esperança de alívio.

Alguns têm apresentado a suposição de que os espíritos dos que já morreram se tornam anjos e citam como provas dessa opinião as palavras do anjo ao apóstolo João: "Sou conservo teu e dos teus irmãos [os profetas]" (Ap 19.10, conforme antiga versão inglesa). Eles entendem que o anjo declarou ser um dos antigos profetas. Contudo, essa é uma interpretação errônea da passagem, que pode ser corretamente interpretada deste modo: "Sou conservo teu e conservo de teus irmãos que eram profetas". Os anjos são, de fato, espíritos, mas não espíritos humanos. Eles nunca foram redimidos pelo sangue de Cristo. Por isso, quando apareceram em Belém aos pastores, no campo, disseram: "Hoje *vos* nasceu", não a nós, "na cidade de Davi, o Salvador" (Lc 2.11). Dessa forma, a canção dos redimidos, quando entoada no céu, é descrita como sendo um *novo* cântico (Ap 5.9), jamais entoado pelos coros angelicais Embora sejam nomeados juntamente naquela sociedade, onde os homens são introduzidos ao se tornarem crentes em Cristo, existe uma clara distinção entre as "incontáveis hostes de anjos" e os "espíritos dos justos aperfeiçoados", conforme Hebreus 12.22, 23.

CAPÍTULO 2
A RESSURREIÇÃO

O CORPO DE TODOS QUANTOS MORREM SERÁ LEVANTADO DENTRE OS MORTOS E NOVAMENTE UNIDO A SEU RESPECTIVO ESPÍRITO, PARA O JULGAMENTO DO GRANDE DIA[1]

A filosofia e a religião natural podem chegar a um conhecimento obscuro da imortalidade da alma, mas teríamos permanecido completamente ignorantes a respeito da ressurreição do corpo, se não tivéssemos sido instruídos pela revelação divina. Na Palavra de Deus, lemos que o corpo também é redimido (1Co 6.20), assim como a alma, e que o corpo será livre da corrupção da morte. Para que não reste dúvida a respeito do assunto, na Bíblia, esse corpo que há de ser ressuscitado é descrito como corpo corruptível, corpo de humilhação, corpo depositado no sepulcro: "É necessário que este corpo corruptível se revista da incorruptibilidade" (1Co 15.53). "O qual transformará o nosso corpo de humilhação" (Fp 3.21). "Vem a hora

1 Jo 5.28, 29; Dn 12.2; Jó 19.25-27; Sl 17.15; At 4.2; 24.15; 26.8; Rm 8.11; 1Co 15.12-54; 1Ts 4.14-17; Ap 20.6, 12, 13.

em que todos os que se acham nos túmulos ouvirão a sua voz e sairão" (Jo 5.28). Além disso, Paulo urge para que não se empreguem os membros do corpo para propósitos pecaminosos, porque o corpo é o templo do Espírito Santo (1Co 6.19). E, com referência ao mesmo corpo, ele diz: "Se habita em vós o Espírito daquele que ressuscitou a Jesus dentre os mortos, esse mesmo que ressuscitou a Cristo Jesus dentre os mortos, vivificará também os vossos corpos mortais, por meio do seu Espírito, que em vós habita" (Rm 8.11).

A ressurreição do corpo não é apenas ensinada nas Escrituras, mas é também exemplificada na ressureição de Jesus Cristo. O fato dele ter sido levantado dentre os mortos é confirmado por muitas testemunhas que o viram, conversaram e até comeram e beberam com ele, após a sua ressurreição. E essas pessoas confirmaram a veracidade do seu testemunho através de milagres extraordinários e muitos sofrimentos pelo nome de Cristo. A verdade do cristianismo depende desse grande fato histórico, e, por isso, a doutrina da ressurreição é fundamental para a cristandade. Se Cristo não ressuscitou, Paulo admite que "é vã a nossa pregação e vã a vossa fé; e somos tidos por falsas testemunhas de Deus" (1Co 15.14, 15).

Visto que a ressurreição somente para os justos é um privilégio desejável, em certas passagens da Escritura ela é tratada como se pertencesse aos justos exclusivamente. Contudo, outras passagens nos ensinam que a ressurreição será universal: "Haverá ressurreição, tanto de justos como de injustos" (At 24.15). "Todos os que se acham nos túmulos ouvirão a sua voz e sairão: os que tiverem feito o bem, para a ressurreição da vida; e os que tiverem praticado o mal, para a ressurreição do juízo" (Jo 5.28, 29).

A única exceção para a universalidade da ressurreição será no caso daqueles que estiverem com vida por ocasião da segunda vinda de Cristo. Paulo ensina-nos que tais pessoas experimentarão uma transformação (1Co 15.52), equivalente ao que acontecerá com os que tiverem morrido e novamente ressuscitado. O caso desses que estiverem vivos, portanto, não será exceção à regra geral, que diz: "aos homens está ordenado morrerem" (Hb 9.27); "em Adão todos morrem, todos serão vivificados em Cristo" (1Co 15.22).

O poder pelo qual os mortos são ressuscitados é de Deus. Aos saduceus, que erravam quanto à ressurreição, o Salvador disse: "Errais não conhecendo as Escrituras nem o poder de Deus" (Mt 22.29). A ressurreição é uma obra que por nada além da onipotência de Deus poderia ser concretizada. O Filho de Deus á apresentado como o agente imediato, "o qual transformará o nosso corpo de humilhação, para ser igual ao corpo de sua glória, segundo a eficácia do poder que ele tem de até subordinar a si todas as coisas" (Fp 3.21). Mesmo quando ainda estava sobre a terra, fraco e desprezado, Jesus reivindicou para si esse poder (Jo 5.28). À sua voz de comando, a mesma que disse: "Lázaro, vem para fora", os mortos deixarão os seus túmulos e serão reunidos no tribunal de Cristo. O poder que ele manifestará, trazendo-os perante si mesmo, será uma demonstração do direito que ele tem para julgar.

A ressurreição, embora demande o mesmo poder que do nada criou o mundo, não será uma nova criação. O corpo glorificado não será criado do nada, mas formado a partir do corpo mortal, de "humilhação", em que o espírito uma vez habitava: "O qual *transformará* o nosso corpo de humilhação, para ser igual ao corpo de sua glória" (Fp 3.21). O mesmo corpo de Jesus, que fora pregado no madeiro e depositado no túmulo, é que foi ressuscitado e, mais tarde, visto pelos discípulos, subindo ao céu desde o monte das Oliveiras. Esse mesmo corpo tinha sido transfigurado sobre o monte Tabor e resplandecido em glória perante os olhos dos poucos discípulos que estavam lá presentes. Mas, agora, ele está coroado de glória e honra, na presença de todas as hostes celestiais. Ele é, agora, o "corpo glorioso", à semelhança do qual serão transformados os nossos corpos de humilhação, quando Jesus adequar-nos para habitarmos as mansões que ele tem preparado.

Como o nosso "corpo de humilhação" será transformado, não o sabemos. Não temos a obrigação de supor que toda a matéria bruta, do qual ele é constituído, será incluída na transformação para corpo glorioso. O corpo corruptível diariamente perde átomos de matéria, que são repostos por outros átomos, recebidos mediante a alimentação, a qual supre essa perda. O cabelo é cortado, as unhas, aparadas; mas o processo de crescimento continua para repor o que foi perdido. Os ossos, músculos e todas as demais partes do corpo passam por uma constante renovação, embora nem sempre tão contínua ou aparente. Os fluídos do corpo renovam-se mais rapidamente, e as partes sólidas são absorvidas e renovadas mediante novos depósitos de matéria nos processos de nutrição e assimilação.

Não é necessário supor que toda matéria assim perdida durante uma vida de 80 anos será novamente agrupada. Durante a vida, a identificação entre os membros do corpo não implicava necessariamente numa identificação entre os átomos que o compunham; tampouco uma tal identidade de átomos precisaria ser preservada, ao se tratar da transformação para um corpo glorioso. O ensino de Paulo a respeito do assunto é explícito: "Não semeias o corpo que há de ser, mas o simples grão [...] mas Deus lhe dá corpo como lhe aprouve dar" (1Co 15.37, 38). O que é plantado na terra consiste em mera semente, mas Deus lhe dá um corpo: primeiro, a erva; depois, a espiga; por fim, o grão cheio na espiga. A semente plantada morre, isto é, decompõe-se e deixa de ser como era. Parte dela é perdida, e o restante da matéria entra na composição da nova planta. Deus acrescenta ainda outras partes de matéria, construindo um corpo como lhe agrada. Assim é a ilustração dada pelo autor inspirado do processo pelo qual os mortos serão ressuscitados. E estamos livres, com certeza, da obrigação de considerar qualquer conceito filosófico a respeito de uma suposta identificação entre os átomos que devesse ser preservada na ressurreição dos mortos.

Ainda, observemos a relação entre o corpo glorioso e corpo da humilhação. Não se trata de outro corpo, mas sim do mesmo corpo transformado. Na ilustração, Paulo diz: "Deus lhe dá o corpo como lhe aprouve dar, e a cada uma das sementes o seu corpo apropriado". De forma semelhante, cada homem que for levantado da sepultura sairá com seu próprio corpo. Muito embora transformado, ele será capaz de reconhecer a si mesmo e será reconhecido pelos outros, como a mesma pessoa. Quando o trigo, a cevada, o milho e outros grãos são semeados no solo, um grão de cada pode ser plantado no mesmo canteiro; e, quando nascem juntos, embora tenham corpos diferentes da semente que foi plantada, também diferem individualmente entre si. Cada semente tem o seu "corpo apropriado", e podemos saber, com certeza, o que é trigo, milho ou cevada. A ilustração é, sem dúvida, incompleta, mas a sabedoria da inspiração foi que a deu para nós, para ajudar-nos a compreender esse misterioso assunto. E nossa fé, sem presumirmos ser mais sábios do que aquilo que está escrito, deveria, com gratidão, receber a instrução que é graciosamente concedida.

Para nós, é impossível saber quais serão a forma e as propriedades do corpo glorificado. Mesmo o discípulo amado, que se reclinou sobre o peito de Jesus, não o sabia: "Ainda não se manifestou o que havemos de ser. Sabemos que, quando ele se manifestar, seremos semelhantes a ele, porque havemos de vê-lo como ele é" (1Jo 3.2). Deveria satisfazer-nos o fato de que seremos transformados à semelhança do corpo glorioso de Cristo. Contudo, embora essa informação geral já devesse ser suficiente, as Escrituras oferecem mais algumas informações a respeito disso, ainda que não se proponham a descrever um corpo glorificado.

O corpo glorificado será incorruptível. Nosso corpo passa por um processo contínuo de decadência e renovação, até que, finalmente, se decompõe e retorna ao pó. O corpo glorificado não sofrerá decomposição nem desgaste e, portanto, não necessitará de renovação. O processo de nutrição alimentar e os órgãos da digestão não serão necessários: "Os alimentos são para o estômago, e o estômago para os alimentos; mas Deus destruirá tanto estes como aquele" (1Co 6.13). O corpo glorificado estará adaptado para todos os propósitos para os quais será utilizado. Mas, visto que nosso modo de vida será inteiramente diferente, correspondentes mudanças serão feitas nos órgãos e membros do corpo para adaptá-lo a esse novo modo de vida.

O novo corpo será espiritual. Paulo afirma: "Semeia-se corpo natural, ressuscita corpo espiritual. Se há corpo natural, há também corpo espiritual" (1Co 15.44). O que é um corpo espiritual, não o podemos dizer. Não seremos apenas espírito, indivisível, como Deus é, pois teremos um "corpo", algo que Deus não tem. Mas esse corpo será "espiritual", diferente do natural e grosseiro que agora possuímos. Estaremos livres da inércia e do peso que agora nos prendem à superfície da terra e poderemos nos locomover rapidamente, à semelhança da capacidade que têm os espíritos angelicais.

O novo corpo é também imortal: "Porque é necessário que [...] o corpo mortal se revista da imortalidade" (1Co 15.53). Da mesma forma que não será necessário suprir diariamente as necessidades do corpo nem o preservar da corrupção, também não haverá a necessidade de renovação do gênero humano, pois não haverá morte: "Não se casam nem se dão em casamento. Pois não podem mais morrer, porque são iguais aos anjos" (Lc 20.35, 36). Em um estado de ser tão diferente do nosso atual, precisaremos de corpos que tenham uma construção e propriedades bem diferentes das que agora temos; e, por essa semelhança com os anjos, podemos inferir que nosso corpo espiritual refletirá, até certo ponto, a espiritualidade desses seres santos e imortais. O padrão verdadeiro e perfeito ao qual seremos conformados será o corpo glorioso do Redentor que, embora uma vez morto, agora vive para sempre e nos fará participantes da sua imortalidade: "Porque eu vivo, vós também vivereis" (Jo 14.19).

Com que corpo os ímpios ressuscitarão, as Escrituras não nos dizem. Mas, visto que eles também serão ressuscitados para se apresentarem ao grande julgamento e receberem a sentença, sob a qual sofrerão a punição eterna, no fogo preparado para o diabo e seus anjos, podemos concluir que, tanto no corpo como no espírito, os ímpios terão a capacidade e a adequação para suportar eternamente os tormentos infligidos. Sabemos que, nesse caso, o corpo não será "glorioso", pois a ressurreição deles será para "vergonha e horror eterno" (Dn 12.2). Conjecturar a respeito de pontos obscuros da revelação de nada aproveita.

CAPÍTULO 3

O JUÍZO FINAL

NO ÚLTIMO DIA, JESUS CRISTO VIRÁ PARA JULGAR O MUNDO E, TENDO TODOS OS HOMENS DIANTE DE SI, PASSARÁ A SENTENÇA DE ACORDO COM AS OBRAS DE CADA UM[1]

A religião natural leva-nos a esperar uma futura retribuição por nossos atos e, é claro, algum tipo de julgamento pelo qual a retribuição será outorgada. Mesmo a mitologia pagã tinha os seus juízes, Eacus, Minos e Radamantus, por quem os mortos teriam o seu lugar e condição determinados no outro mundo. Mas a doutrina de um julgamento universal e público é uma peculiaridade da revelação bíblica. Ela ensina que, além do juízo que é passado sobre cada pessoa, quando ela deixa este mundo, haverá também um julgamento final, em que todos os homens comparecerão perante o trono de julgamento de Cristo, para receber dele a sentença. "Porquanto estabeleceu um dia em que há de julgar o mundo com justiça, por meio de um varão que destinou" (At 17.31). "Aos homens está ordenado morrerem uma só vez, e, depois disto, o juízo" (Hb 9.27).

1 Ap 20.11, 12; At 17.30, 31; Ec 11:9; 12.14; Mt 12.36; 1Pe 4.4, 5; 2Co 5.10.

Uma vez que a condição de cada alma já estará determinada quando deixar o corpo, para a nossa mente um outro julgamento pode parecer desnecessário; contudo, a sabedoria de Deus determinou que assim seja. Nós não podemos presumir nem entender as razões para essa determinação divina, mas podemos conceber algumas vantagens importantes, quando se tem um julgamento universal.

O julgamento geral vindicará, pública e impressivamente, os procedimentos de Deus aos olhos de todos os seres inteligentes. O mistério da economia divina será, então, plenamente desvendado, e a sabedoria e retidão de todas as dispensações de Deus serão então aparentes. A justiça das sentenças que forem, então, pronunciadas tornar-se-á perfeitamente clara, e cada criatura, ao deixar o tribunal de Cristo, indo para o lugar que lhe for determinado, levará consigo uma impressão que perdurará por toda a eternidade. As perfeições de Deus serão assim demonstradas à vista de suas criaturas inteligentes, para a glória de Deus. E a lembrança daquele grande dia será parte importante da felicidade ou miséria a que cada pessoa será sentenciada.

O juízo universal redundará em honra para Jesus Cristo. Esse dia é chamado de "o Dia de Cristo" (Fp 1.6; 2Ts 2.2). Quando Jesus esteve perante o concílio judaico, como um malfeitor trazido a juízo, ele, na presença de todos, afirmou ser o Cristo e fez referência e esse dia como sendo a ocasião em que a sua declaração seria confirmada. Isso acontecerá no Dia de Cristo, quando todo o joelho se dobrará perante ele (Rm 14.11), e toda a língua confessará que Jesus Cristo é o Senhor, para a glória de Deus Pai (Fp 2.11).

O juízo universal estender-se-á até mesmo ao corpo do indivíduo. O julgamento prévio, por ocasião da morte, afeta o espírito apenas. Mas os homens deverão ser julgados de acordo com as obras feitas por meio do corpo, e, por isso, convém que sejam julgados também no corpo, especialmente tendo em vista que o corpo participará da retribuição final.

O julgamento geral marcará de maneira adequada a vitória sobre todos os inimigos de Deus. Entre os homens, marcam-se os dias de triunfo quando findam as guerras e uma vitória foi alcançada. No grande Dia do Senhor, todos os inimigos de Deus terão sido subjugados. O reino, que os rebeldes reivindicam para si, terá sido plenamente restaurado, será estabelecida a paz universal e a ordem no império de Yahweh. Convém que todas as criaturas estejam presentes a esse dia de triunfo, para honrarem a vitória e aquele por quem ela tem sido alcançada.

Nesse último dia, o Juiz será Jesus Cristo, o mesmo que fora condenado nos tribunais de Pilatos e Caifás. Quão diferente será essa cena! Os que uma vez o condenaram à morte se apresentarão trêmulos à sua presença e serão por ele condenados à morte eterna.

"O Pai a ninguém julga, mas ao Filho confiou todo o julgamento" (Jo 5.22). As determinações desse grande dia formarão uma parte importante na administração mediadora de Jesus Cristo. Tendo-se encarregado de restaurar a ordem no império de Deus, onde irrompera a rebelião da raça humana, e tendo, para esse propósito, assumido o ofício de Mediador, é próprio que ele complete a sua obra nesse ofício. Portanto, Cristo, o Mediador, será o Juiz nesse grande e último dia: "Pois todos compareceremos perante o tribunal de Deus" (Rm 14.10).

Cristo fará sua segunda vinda no Dia do Juízo. Há várias menções a essa segunda vinda nas Sagradas Escrituras. Jesus instituiu a Ceia do Senhor para ser observada até que ele venha (1Co 11.26); dos crentes, diz-se que são os que o aguardam para a salvação (Hb 9.28). Assim como os homens esperam por um amigo estimado, que partiu deixando a promessa de retornar, da mesma forma, os crentes em Cristo aguardam o retorno do seu Senhor, que prometeu: "Venho sem demora", e oram: "Amém, vem, Senhor Jesus" (Ap 22.20). Em sua primeira vinda, ele veio *com* pecado, não o seu próprio, mas os pecados do seu povo, que Deus lançara sobre ele. Tendo, pela sua morte, expiado plenamente esses pecados, ele aparecerá segunda vez, "sem pecado" (Hb 9.28). Nesse grande e terrível dia, Cristo virá para a salvação de seu povo e, ao mesmo tempo, para a tomada de vingança contra os que não conhecem a Deus e não obedecem ao evangelho.

Em um sentido subordinado, diz-se que Cristo vem quando ele demonstra o seu poder, seja na libertação do seu povo, seja na destruição dos seus inimigos. Mas esses episódios não entram no cômputo final porque, com referência à sua vinda para o Dia do Juízo, diz-se que ele "aparecerá pela segunda vez". Então, será o grande dia da libertação e da ira de Deus.

Entre os seguidores de Cristo, têm prevalecido a impressão de que a sua vinda está próxima e é iminente. Essa impressão, quando sobriamente recebida, tem uma influência salutar. Comparado à eternidade que se seguirá, o intervalo até o Dia do Juízo é extremamente curto, e somente uma pequeníssima parte desse curto intervalo está inclusa na vida de cada pessoa. A pessoa deve completar a sua preparação para o julgamento em tempo, antes que seja tomada pela morte. Portanto, vemos que realmente, para cada pessoa, o tempo se abrevia (1Co 7.29), e o Juiz está às portas (Tg 5.9).

Porém, a expectativa da vinda de Cristo ser de tal modo apressada, que não reste tempo para o cumprimento das profecias ou tempo para a medida de serviço e sofrimentos que Deus determinou para nós, traz consigo uma tendência prejudicial. Era justamente uma impressão errônea a respeito do assunto que estava perturbando a mente dos cristãos tessalonicenses. E Paulo julgou necessária, em sua segunda epístola, livrá-los dessa influência: "Não vos demovais da vossa mente com facilidade, nem vos perturbeis [...] supondo tenha chegado o Dia do Senhor" (2Ts 2.2). É possível que tivessem entendido mal a palavra do apóstolo quando, em sua primeira epístola, ele dissera: "Nós, os vivos, os que ficarmos até à vinda do Senhor, de modo algum precederemos os que dormem" (1Ts 4.15). Eles podem ter entendido que Paulo, pelo uso que fizera do pronome "nós", estaria indicando o fato de que ele, pessoalmente, tivesse a expectativa de estar vivo e permanecer até a vinda de Cristo. Paulo pode ter usado esse pronome para expressar o seu desejo e esperança pessoal de estar incluso entre aqueles que estarão vivos por ocasião da segunda vinda. Ele pode estar indicando, além disso, que os crentes de cada nova geração deveriam considerar-se como sentinelas, postos sobre a torre de vigilância, para aguardar a vinda de Cristo enquanto viverem. Não obstante o tempo ou a geração, os que estiverem vivos não terão nenhuma vantagem sobre os que já dormem, porquanto não os precederão.

Qualquer que tenha sido a intenção de Paulo quando se utilizou desse modo de falar, fica claro, em sua epístola, que ele não intencionava dar a impressão de que a vinda de Cristo já estivesse às portas. Ele afirmou explicitamente: "Isto não acontecerá sem que primeiro venha a apostasia, e seja revelado o homem da iniquidade" (2Ts 2.3). Era necessário que fosse alocado um tempo para a apostasia e, até agora, ainda há um certo número de profecias a serem cumpridas, tais como a vocação dos gentios, a conversão dos judeus e o estado milenar da igreja. Tudo isso precisa cumprir-se antes da vinda de Cristo. Enquanto essas profecias não forem cumpridas, os crentes não deveriam permitir serem perturbados por aqueles que tentam persuadi-los de que o fim do mundo é iminente.

Alguns supõem que a vinda de Cristo e a ressurreição dos justos precederão o milênio e que a ressurreição dos ímpios acontecerá no final do período de mil anos. Essa opinião, de acordo com a qual o reino de Cristo será corporal, está baseada principalmente em Apocalipse 20.4, 5: "Vi ainda as almas dos decapitados por causa do testemunho de Jesus, bem como por causa da Palavra de Deus, tantos quantos não adoraram a besta, nem tão pouco a sua imagem, e não receberam a marca na fronte e na mão; e viveram e reinaram com Cristo durante mil anos. Os restantes dos mortos não reviveram até que se completassem os mil anos. Esta é a primeira ressurreição".

Examinando cuidadosamente essa passagem, podemos observar que a primeira ressurreição, aqui mencionada, não inclui todos os justos que morreram, mas somente os mártires. Além disso, não se trata de uma ressurreição de corpos, mas de almas: "Vi as almas [...] e viveram" Prestando a devida consideração à linguagem grandemente figurativa desse livro profético, podemos entender que a passagem indica que surgirão, nesse tempo, gerações de homens santos que se assemelharão tanto aos antigos mártires, em zelo e devoção ao serviço de Deus, que será como se as almas desses mártires do passado tivessem retornado em novos corpos. Foi assim que Elias, na pessoa de João Batista, reapareceu, não literalmente, mas em sentido figurado, como nessa passagem em Apocalipse. Se for assim entendida, vemos que essa passagem ensina um reino espiritual, e não corporal.

É verdade que Paulo diz que "os mortos em Cristo ressuscitarão primeiro" (1Ts 4.16). Mas isso significa apenas que os mortos em Cristo ressuscitarão antes que os santos que ainda viverem sejam transformados. Esse intervalo, no entanto, Paulo dá a entender que será reduzidíssimo: "Num momento, num abrir e fechar de olhos, ao ressoar da última trombeta. A trombeta soará, os mortos ressuscitarão incorruptíveis, e nós seremos transformados" (1Co 15.52). Não somos expressamente informados se os ímpios serão ressuscitados no preciso momento em que os justos o forem; mas, pela maneira como essa cena é descrita nas Escrituras, em geral, podemos inferir que uma voz, uma trombeta chamará os mortos, e essa será a hora (Jo 5.25) da ressurreição de todos. Em um único e mesmo dia (At 17.31), o grande Dia do Senhor, ele se manifestará em chama de fogo, tomando vingança contra os que não conhecem a Deus, e será glorificado nos seus santos, e admirado em todos os que creram (1Ts 1.8-10).

O lugar do Juízo Final será sobre a terra. Aqui Jesus foi humilhado, condenado e crucificado, e aqui ele será glorificado e se assentará como o Juiz de todo o mundo. Quando Jesus subiu ao céu, foi predito que ele voltaria à terra do mesmo modo como tinha subido. Uma nuvem o encobriu dos olhos de seus discípulos (At 1.9, 11). No seu retorno, ele será visto entre as nuvens dos céus, vindo com poder e muita glória (Mt 24.30; Ap 1.7). Virá com ele uma multidão de anjos e espíritos de homens justos. Os corpos dos seus santos serão chamados para fora da sepultura e ressuscitação para o encontro com o Senhor, nos ares; espíritos e corpos, reunidos, se apresentarão diante dele. Os santos que ainda estiverem em vida serão transformados e tomarão parte entre a grande multidão que estará à destra do supremo Juiz. Os ímpios também serão ressuscitados e estarão à sua esquerda. Não somos informados que parte da terra o Salvador poderá escolher para estabelecer o trono do julgamento, e essa não é uma questão de grande importância. Não sabemos o motivo por que o Sinai foi selecionado para a outorga da lei; o Calvário, para a crucificação; e o monte das Oliveiras, para a ascensão. Basta-nos saber que ele virá, e nós haveremos de nos apresentar diante dele.

Na descrição desse grande dia, conforme o livro de Apocalipse, consta que o Juiz estará assentado sobre um grande trono branco, e livros serão abertos para julgamento. Ainda outro livro será aberto, que é o livro da vida. Então, os mortos serão julgados, segundo as suas obras, conforme o que se achar escrito nos livros (Ap 20.11, 12). A descrição é, sem dúvida, figurativa; mas podemos ver que tudo será feito de acordo com a perfeita justiça e que a absolvição dos justos será um ato de graça, porque os seus nomes estavam escritos no livro da vida do Cordeiro. Eles serão aceitos, naquele dia, por pertencerem a Cristo. E, como prova disso, serão trazidas à lembrança as suas obras de amor e serviço à causa de Cristo e em favor do seu povo (Mt 35.34-40).

Durante os acontecimentos desse grande dia, apesar da inusitada multidão que estará reunida, ninguém se sentirá perdido naquela imensa congregação nem escondido das vistas do Juiz onisciente. Cada um será trazido a julgamento como se fosse a única criatura presente. E cada um dará contas de si mesmo e receberá a sua própria sentença, com tanta discriminação e perfeição de justiça, que parecerá estar o Juiz totalmente absorvido no exame desse único caso. Mesmo agora, enquanto estamos limitados ao corpo físico, a nossa mente move-se tão rápida, que podemos rever todas as nossas experiências passadas em alguns poucos momentos e atestar a nossa culpa perante Deus. E, com uma rapidez que vai muito além daquilo que agora podemos conceber, as palavras, pensamentos e ações de nossa vida inteira passarão diante de nós naquele dia. Estaremos cientes de que os olhos de Deus estarão fixados sobre cada particular com total conhecimento, como se cada feito, palavra ou pensamento fossem o único crime a ser julgado. Como poderíamos estar impassíveis diante de um exame tão severo e um conhecimento tão perfeito? Resistiríamos a um julgamento tão estrito? Quem será tido por inocente?

CAPÍTULO 4

O CÉU

OS JUSTOS SERÃO TOMADOS PARA O CÉU E ESTARÃO PERFEITAMENTE FELIZES PARA SEMPRE, NA PRESENÇA E NO REGOZIJO DE DEUS[1]

A piedade "tem a promessa da vida que agora é e da que há de ser" (1Tm 4.8). O crente em Cristo geralmente passa por muitas aflições neste mundo; mas, em meio a tribulações, ele é capacitado, por graça, a regozijar-se na esperança da glória de Deus. A felicidade de sua vida presente depende de tal maneira da esperança de uma vida melhor, no futuro, que, na Bíblia, é dito que "na esperança fomos salvos" (Rm 8.24), a esperança de uma herança incorruptível, sem mácula e imarcescível (1Pe 1.3, 4). Pela doutrina de Cristo, o crente é ensinado a contemplar essa herança, que não tem parte neste mundo de pecado nem nas ambições e prazeres do homem carnal, mas que está situada em um mundo diferente e melhor, para onde sua fé e esperança estão sempre dirigidas.

1 Mt 25.34; Lc 12.32; Jo 14.2; Cl 3.4; 1Ts 4.17; Lc 22.29, 30; At 14.22; Ap 3.21; 7.15-17; 14.4; 1Pe 1.3, 4; Mt 25.21; Jo 17.24; Ap 21.4; 22.3.

A porção do crente está reservada nos céus (Cl 1.5). Somos ensinados, pelas palavras de Cristo, que o céu é um lugar, e não uma mera condição em que o ser se encontra. Cristo disse: "Vou preparar-vos lugar" (Jo 14.2). No entanto, a Bíblia não nos informa em que ponto do espaço universal esse feliz lugar está situado. Esse lugar é também chamado de "terceiro céu" (2Co 12.2), para distingui-lo do céu atmosférico, onde voam as aves, e do firmamento, onde as estrelas declaram a glória de Deus.

A glória do céu é invisível aos olhos mortais, e esse lugar pode estar situado muito além das fronteiras do universo em que as estrelas brilham e os planetas se movem. Alguns já imaginaram que ele seja um enorme globo central, em torno do qual os astros fazem suas lentas trajetórias, levando consigo os seus sistemas planetários. Existe algo de aprazível nessa conjectura que liga a ciência astronômica às esperanças dos cristãos. Mas deve ser lembrado que se trata de mera conjectura. Nenhum telescópio pode trazer esse glorioso lugar para dentro do alcance da visão humana. "Nem olhos viram, nem ouvidos ouviram, nem jamais penetrou em coração humano o que Deus tem preparado para aqueles que o amam" (1Co 2.9). Embora a ciência não nos possa dar algum conhecimento acerca desse mundo feliz, a revelação divina nos permite, até certo ponto, termos um conhecimento verdadeiro acerca desse lugar. Às palavras já citadas, Paulo acrescenta: "Mas Deus revelou a nós pelo Espírito".

Pela fé, que é a certeza de coisas que não se veem, olhamos para as coisas que são invisíveis e eternas. A luz da revelação traz aos olhos de nossa fé as glórias dessa terra distante. No gozo espiritual que experimentamos, temos um penhor de nossa herança (Ef 1.14) e o antegozo das alegrias celestiais. Essas pequenas amostras do céu, enviadas a pecadores como nós, somadas às descrições encontradas na santa Palavra de Deus, servem para nos dar uma ideia do céu, até onde podemos concebê-lo. Mesmo assim, na melhor das hipóteses, somente conhecemos em parte: "Ainda não se manifestou o que havemos de ser", ou onde estaremos, ou em que consistirá a nossa felicidade. Contudo, embora contemplemos essa herança como em um espelho, obscuramente (1Co 13.12), podemos, ainda assim, descobrir que a futura bem-aventurança dos santos incluirá os seguintes elementos:

1. Um conhecimento íntimo de Deus

"Agora conheço em parte, então conhecerei como também sou conhecido" (1Co 13.12). O céu é o alto e santo lugar onde Deus habita, a corte do grande Rei. Ele diz: "O céu é o meu trono" (Is 66.1). Embora presente em todo lugar e através de todos os seus domínios, ele se manifesta de uma maneira peculiar nessa reluzente morada, onde o Cordeiro e a glória de Deus são a luz. Lá os bem-aventurados têm permissão de ver a Deus. Tendo olhos humanos, que só enxergam objetos materiais, será impossível ver a Deus no céu tanto quanto agora é impossível vê-lo; porque Deus é espírito. Mas havemos de experimentar uma tal contemplação de Deus e sua glória, que a melhor maneira de expressar esse fato será dizer que *veremos* a Deus; caso contrário, a promessa de Cristo não se cumpriria: "Bem-aventurados os limpos de coração, porque verão a Deus" (Mt 5.8).

O conhecimento de Deus será comunicado através do Mediador: "Ninguém jamais viu a Deus: o Deus unigênito, que está no seio do Pai, é quem o revelou" (Jo 1.18). Embora Deus seja um ser que habita em luz inacessível, a quem homem algum jamais viu nem é capaz de ver (1Tm.6.16), ainda assim, a luz do conhecimento da glória de Deus, na face de Cristo, a mesma que brilha no coração do povo de Deus, na terra, enche o céu de felicidade. Lá, nem sol, nem lua brilham, pois "a glória de Deus a iluminou, e o Cordeiro é a sua lâmpada" (Ap 21.23). A glória de Deus é a iluminação, e o Cordeiro é a luminária de onde emana aquela iluminação. Jesus continuará a ser nosso Mestre lá no céu, e obteremos nosso conhecimento das perfeições e dos conselhos de Deus através dele.

Nosso conhecimento de Deus estará sempre aumentando. Na terra, somos exortados a crescer "na graça e no conhecimento de nosso Senhor e Salvador" (2Pe 3.18). Entretanto, as possibilidades de se obter um conhecimento mais amplo de Deus, em vez de serem interrompidas por ocasião da morte, serão muito maiores quando estivermos no céu. As perfeições e os conselhos do Deus infinito serão uma interminável fonte de conhecimento, um assunto para ser eternamente investigado. O Mediador, igual com o Pai e seu conselheiro, será nosso todo-suficiente instrutor, e nosso espírito glorificado estará habilitado para engajar-se nesse estudo eternamente. Portanto, nós continuaremos a crescer no conhecimento de Deus enquanto durar a imortalidade.

Os anjos estudam diligentemente os procedimentos de Deus para com o seu povo na terra e, assim, adquirem conhecimento da multiforme sabedoria de Deus. Eles, vendo o poder e a habilidade criativa de Deus, quando a criação surgiu de suas mãos em imaculada beleza, regozijaram-se em cânticos e exultações. Eles também aprenderam a justiça de Deus, quando alguns deles foram expulsos do céu por causa da transgressão e condenados a interminável desventura. E, visto que os anjos têm feito das dispensações da providência e da graça de Deus o seu tema para estudo e deleite, não podemos supor que os espíritos dos justos, que são companheiros dos anjos na glória, tenham estado indiferentes para com esses assuntos que tanto os interessavam enquanto ainda estavam neste mundo. Podemos supor que eles continuam a progredir nesse conhecimento que tanto desejam adquirir enquanto estavam aqui na terra e no qual tinham tido apenas uma pequena iniciação. Aqui, os caminhos de Deus parecem obscuros e misteriosos, e a doutrina que nos é ensinada em sua Palavra está permeada de dificuldades que as nossas mentes finitas se esforçam em vão para remover. Nós desejamos instrução acerca dos caminhos de Deus, e Jesus disse: "O que eu faço não o sabes agora, compreendê-lo-ás depois" (Jo 13.7). Nós esperamos pelo cumprimento dessa promessa, na esperança de, um dia, juntos com os espíritos que estão diante do trono, beber dessa fonte do conhecimento que aqui tanto desejamos obter e tão grandemente anelamos adquirir.

É inútil inquirir até onde o nosso aprendizado desse mundo futuro incluirá as ciências ensinadas nas escolas da terra. Com certeza, estará incluso tudo quanto é necessário para o conhecimento de Deus. Haveremos de estudar as suas obras, seu governo moral e o misterioso esquema da redenção. Novos fatos, dos quais não temos agora nenhuma concepção, serão desdobrados à nossa vista. E as verdades das quais já temos algum conhecimento serão exibidas em novas relações e com novas atrações. Os pontos que agora parecem discordantes entre si terão luz projetada sobre os seus elementos de ligação. Será visto o todo em um único e grande sistema de maravilhosas proporções e perfeita harmonia, e tudo refletirá o Ser de Deus. Todo o nosso conhecimento será o conhecimento de Deus.

2. Perfeita conformidade com Deus

O primeiro homem foi criado à imagem de Deus, e os que são regenerados são renovados segundo a imagem de Deus. Contudo, a semelhança inicial, dada na criação do homem, foi perdida. A renovação que agora experimentamos da imagem de Deus em nós é incompleta. O povo de Deus se esforça e ora por um maior grau de conformidade, esperando a consumação de seus anseios no mundo futuro: "Quando acordar, eu me satisfarei com a tua semelhança" (Sl 17.15). Eles são predestinados para serem conformes à imagem do Filho de Deus (Rm 8.29), o qual é a imagem do Deus invisível (Cl 1.15). Na proporção em que os remidos estudam o caráter de Deus aqui na terra, crescem em conformidade com ele: "E todos nós, com o rosto desvendado, contemplando, como por espelho, a glória do Senhor, somos transformados de glória em glória, na sua própria imagem, como pelo Senhor, o Espírito" (2Co 3.18). A mesma influência transformadora que o conhecimento de Deus exerce nesta vida continuará a existir no futuro. À medida que progredirmos no conhecimento de Deus, avançamos de glória em glória, à semelhança de Deus. Esse progresso será interminável, através de toda a nossa existência imortal. "Seremos semelhantes a ele, porque havemos de vê-lo como ele é" (1Jo 3.2).

Ao sermos conformados a Deus, que é amor, haveremos de amar a contemplação das perfeições divinas, das quais obteremos descobertas cada vez maiores em nosso estudo do caráter, obras e governo de Deus. À medida que nosso conhecimento for se expandindo, nosso amor pelo que for sendo aprendido se tornará mais intenso. E os novos progressos, a cada estágio de nosso interminável avanço, serão mais e mais encantadores para nós. Os assuntos que, para seres meramente intelectuais, seriam objetos de especulação sem proveito, para nós, como seres morais que têm uma semelhança com Deus, serão fontes de inefável bem-aventurança, sempre mais e mais próximos da perfeita e infinita felicidade de Deus.

3. Plena certeza da aprovação divina

Neste mundo, gememos, sobrecarregados. Frequentemente, sentimos a presença do pecado e o desprazer de Deus em relação a ele, e nossa mente enche-se de tristeza. No evangelho, vemos como Deus pode ser justo e o justificador daquele que crê em Jesus Cristo, mas nossa fé é muitas vezes fraca. Temos consciência de ofensas cometidas diariamente contra o infinito amor de Deus, e a amargura da tristeza toma conta de nossa alma. Oh! Anelamos ver a face de nosso Pai, sem que uma nuvem esteja interposta, e sentir que o seu perfeito amor ocupa a plena capacidade do nosso coração e governa cada emoção! Temos sede de Deus, do Deus vivo. Esperamos o céu, porque lá habitaremos para sempre, à luz do seu rosto. A sentença final, "vinde, benditos de meu Pai!", proporcionará a nós uma eterna garantia da aceitação divina, e o perfeito amor no coração excluirá para sempre todo o medo.

4. A melhor sociedade possível

O autor de Hebreus descreve essa sociedade assim: "Mas tendes chegado ao monte Sião e à cidade do Deus vivo, a Jerusalém celestial, e a incontáveis hostes de anjos, e à universal assembleia e igreja dos primogênitos arrolados nos céus, e a Deus, o Juiz de todos, e aos espíritos dos justos aperfeiçoados, e a Jesus, o Mediador de nova aliança" (Hb 12.22-24). Nossos irmãos que já partiram, alguns dos quais foram nossos companheiros íntimos, com quem nos aconselhamos e frequentamos juntos a casa de Deus, estarão lá esperando para nos dar as boas-vindas. Os anjos, que são para nós espíritos ministradores, quando deixarmos o mundo, levar-nos-ão para a gloriosa habitação onde eles contemplam para sempre a face de nosso Pai celestial, sendo participantes dessa feliz sociedade, em que nós seremos introduzidos. Lá haveremos de estar com Jesus, o Mediador, aquele que nos amou e a si mesmo se entregou por nós, e em cujo sangue haveremos de lavar as nossas vestes, para serem brancas como a neve. Lá, estaremos próximos a Deus, o Juiz de todos, aquele que é nosso Pai, o objeto de nosso amor e a fonte da nossa alegria. Haveremos de passar a eternidade numa sociedade assim feliz. Estamos peregrinando para a nossa morada definitiva através do deserto, em uma terra árida e horrível. Mas buscamos uma cidade, e Deus não se envergonha de ser chamado de nosso Deus, pois já tem preparado uma cidade para nós (Hb 11.16).

A cidade é um lugar onde a sociedade floresce. Os ricos e os nobres concorrem para as cidades a fim de gozar a vida. Nas cidades, eles exibem toda sua riqueza, constroem magníficos palácios para sua residência e em tudo buscam tirar o melhor proveito da vida de que desfrutam. Em nosso lar eterno, não havemos de ser peregrinos solitários; antes, habitaremos na cidade do nosso Deus, onde estará a sociedade mais nobre de todo o universo e onde os habitantes serão todos ricos, enriquecidos pela pobreza de Cristo, sendo todos reis e sacerdotes de Deus. Lá, o Rei dos reis tem a sua corte e a todos admite à sua gloriosa presença.

5. *A mais aprazível atividade*

A felicidade futura dos santos é referida como "descanso". Mas não será um descanso em inatividade, porque isso, por mais desejável que possa parecer em se tratando de corpos mortais, não se adapta à realidade de seres espirituais. Esse descanso assemelha-se ao sábado, o dia santo, em que o povo de Deus deixa de lado os cuidados e as preocupações deste mundo e devota-se às sagradas horas de adoração a Deus. Esse descanso sabático permanece com o povo de Deus, mesmo quando os cuidados e trabalhos desta vida já tiverem cessado para sempre. Para os santos glorificados, a inatividade seria tortura, e não bem-aventurança. A sua felicidade não consistirá em um mero desfrutar passivo. Eles servirão a Deus noite e dia e, nesse serviço, encontrarão o seu máximo gozo. Nós oramos agora no presente para que a vontade de Deus seja feita na terra como é feita no céu. E, quando nós mesmos formos tomados para o céu, nosso deleite será fazer a vontade dele, como é cumprida por todas as hostes celestiais.

A adoração a Deus e o estudo de sua santa Palavra formam uma parte da deliciosa ocupação dos santos no dia do Senhor, aqui na terra. Da mesma forma, a adoração a Deus, com alegres cânticos de louvor e atribuições de glória, constitui, de acordo com as Escrituras, uma parte da atividade dos santos na glória. Os assuntos para esses cânticos maravilhosos e sublimes atribuições de louvor e glória serão supridos pela descoberta contínua das perfeições de Deus, cujo estudo formará também uma parte importante na bem-aventurada atividade dos santos.

6. A ausência de tudo quanto poderia perturbar a felicidade dos remidos

O pecado, que agora corrompe todas as nossas alegrias, jamais entrará no céu, pois coisa nenhuma contaminada entrará lá (Ap 21.27). Demônios e homens ímpios estarão confinados à prisão eterna e não mais poderão molestar os santos de Deus. As aflições e tristezas deste mundo já terão ficado para trás, e não haverá mais doença nem maldição. A morte, o último inimigo, terá sido destruída.

7. Livre acesso e uso de todos os meios de contentamento

A felicidade futura é prometida como um reinado: "Não temais, ó pequenino rebanho; porque vosso Pai se agradou em dar-vos o seu reino" (Lc 12.32). "Vinde, benditos de meu Pai! Entrai na posse do reino" (Mt 25.34). O rei é superior a todos os nobres de sua corte e ocupa a posição de maior dignidade em todos os seus domínios. Cristo, sendo Rei, está coroado de honra e glória. Assim, os crentes serão exaltados em honra, glória e imortalidade. Na terra, os súditos de déspotas frequentemente são privados de suas possessões, por causa da injustiça dos que têm sobre eles poder; mas o rei está acima de tal injustiça. Ele controla os recursos disponíveis em seus domínios e faz com que contribuam para seu prazer. Por conseguinte, para as mentes familiarizadas com o governo monárquico, a realeza exprime a ideia de recursos os mais abundantes e a mais alta medida de gozo imperturbado, tal como na linguagem de Paulo: "Já estais fartos, já estais ricos: chegastes a reinar" (1Co 4.8).

Assim é que os filhos de Deus serão feitos reis. Além de toda a honra a que serão exaltados, o seu gozo será totalmente desimpedido e irrestrito. Todos os recursos da criação lhe serão postos à disposição, e ninguém disputará ou impedirá o direito que têm ao contentamento. Aqui neste mundo, as coroas muitas vezes são manchadas pela iniquidade daqueles que as ostentam. Mas a coroa outorgada aos filhos de Deus é uma coroa de justiça; não apenas por ser retamente conferida, mas porque os que a usarem terão assegurados para si todas as honras e prazeres da realeza para sempre. E isso se dará sem que nenhuma violência ou injustiça sejam cometidas.

CAPÍTULO 5

O INFERNO

OS ÍMPIOS SERÃO LANÇADOS NO INFERNO, ONDE SOFRERÃO ETERNA PUNIÇÃO PELOS SEUS PECADOS[1]

A religião natural ensina a doutrina da futura retribuição, e os pagãos tinham as suas noções da punição a ser infligida em outro mundo, pelos crimes cometidos nesta vida. A consciência, no íntimo de cada homem, funciona como um agente daquele que lá a colocou e impõe tortura, às vezes intoleravelmente severa, pelas iniquidades perpetradas. Ela ensina o transgressor, quando ele escuta a voz de Deus na natureza ou presencia alguma demonstração do poder divino, a tremer em apreensão por causa da ira de Deus. Embora essa consciência, com frequência, esteja adormecida por um longo período, alguma dispensação especial da providência de Deus vem despertar a consciência do pecador para seus atos de maldade, fazendo com que ela passe a infligir as suas torturas.

1 Sl 9.17; Mt 10.28; 13.40-42; 23.29, 33; 25.41-43; Mc 9.43; 2Ts 1.7-9; 2Pe 2.4, 9, 10; Jd 7; Ap 14.11; 20.10, 14, 15; 21.8.

Foi assim no caso dos irmãos de José, que, quando se viram em dificuldades no Egito, foram relembrados da crueldade praticada contra o irmão e angustiaram-se com essa recordação (Gn 42.21). Porém, em alguns transgressores endurecidos, a consciência dorme imperturbada por toda a vida, e a religião natural, tendo em vista as provas de que existe um grande Deus que está reinando, deduz que essa consciência será despertada na outra vida. Mesmo na presente vida, já se tem uma revelação parcial do governo moral de Deus, recompensando a virtude e punindo o vício. Contudo, pela maneira como agora acontece, essa retribuição do bem e do mal é tão incompleta que somos impelidos a concluir que ou o Governador do universo não é perfeitamente justo, ou a sua distribuição de recompensas e punições está reservada para uma futura situação. Portanto, vemos que a expectativa de futura punição pelos crimes cometidos nesta vida está de acordo com os ditames da consciência e da razão.

Mas a prova mais forte e mais impressionante dessa importante verdade é fornecida pela revelação divina. Na Palavra de Deus, as lições da religião natural são ensinadas com clareza e força, e a ira de Deus é revelada do céu contra toda impiedade e perversão dos homens. Nessa infalível Palavra, aprendemos que os ímpios acumulam contra si mesmos "ira para o dia da ira e da revelação do justo juízo de Deus" (Rm 2.5). Sabemos que haverá esse dia da ira de Deus, quando ele se revelará "em chama de fogo, tomando vingança contra os que não conhecem a Deus e contra os que não obedecem ao evangelho de nosso Senhor Jesus. Estes sofrerão penalidade de eterna destruição, banidos da face do Senhor e da glória do seu poder" (2Ts 1.8, 9).

Esse dia do julgamento e ira não será na presente vida, pois "aos homens está ordenado morrerem uma só vez, e, depois disto, o juízo" (Hb 9.27). "Morreu também o rico, e foi sepultado. No inferno, estando em tormentos..." (Lc 16.22,23). Os homens serão chamados da sepultura para o julgamento; no julgamento, os ímpios serão sentenciados à punição eterna. Deus deve ser temido porque pode fazer "perecer no inferno tanto a alma como o corpo" (Mt 10.28). São ilusórios os sonhos dos arrogantes mortais, que supõem que a punição pelo pecado se restrinja apenas a esta vida presente. A consciência e a razão unem-se para alertar os homens contra essa ilusão, e a revelação apresenta a retribuição futura diante de seus olhos tão claramente que os homens só não a poderão ver se estiverem voluntária e obstinadamente cegos.

A magnitude da desgraça envolvida na condenação eterna pode ser inferida pela importância que as Escrituras vinculam à salvação. Foi grande a obra que Cristo empreendeu quando veio "buscar e salvar o perdido" (Lc 19.10). Ele veio "salvar o seu povo dos pecados deles" (Mt 1.21). "Não veio para julgar o mundo, mas para que o mundo fosse salvo por ele" (Jo 3.17), "e para nos livrar da ira vindoura" (1Ts 1.10).

Se a ira e a condenação tivessem sido questões triviais, o envio do Filho unigênito de Deus ao mundo, a atribuição dos nossos pecados a ele e todo o recurso adotado para nos livrar desses males sem maior importância teriam sido indignos da infinita sabedoria de Deus. O esquema todo não mereceria ser chamado "tão grande salvação" (Hb 2.3), e o anúncio do nascimento do Salvador, trazido pelos anjos, não mereceria ser intitulado de "boa-nova de grande alegria" (Lc 2.10).

Paulo declarou: "Fiel é a palavra e digna de toda a aceitação, que Cristo Jesus veio ao mundo para salvar os pecadores" (1Tm 1.15). Ele pensava assim porque cria que a salvação de um pecador era uma obra de vasta magnitude. Foi por causa disso que escreveu:

"A boa vontade do meu coração e a minha súplica a Deus a favor deles é para que sejam salvos" (Rm 10:1). Compelido por esse pensamento, Paulo renunciou a toda esperança meramente humana e terrena, devotando-se completamente ao ministério do evangelho, suportando toda dificuldade e sofrimento, a fim de, por todos os meios, salvar alguns (1Co 9.22).

Por que teria Paulo sofrido e trabalhado desse modo, se a ira e a condenação são males de pequena magnitude? Ele compreendia o assunto de maneira muito diversa, porquanto disse: "Conhecendo o temor do Senhor, persuadimos aos homens" (2Co 5.11). Nas Escrituras, está escrito: "Quem conhece o poder da tua ira? e a tua cólera, segundo o temor que te é devido?" (Sl 90.11). O terror máximo com que uma alma finita pode considerar a ira de Deus será compreendido, e mais do que compreendido, quando essa ira for derramada sobre o pecador.

A inteligência finita do homem não pode conceber o poder da fúria de Deus. Mas Deus o compreende bem, e, por isso, nos profundos conselhos que liberaram o esquema da salvação, foi dada total consideração à plena estimativa da ira de Deus. Foi escolhido um Salvador Todo-Poderoso, capaz de salvar completamente, porque a salvação era uma obra que requeria um tal agente. O evangelho é pregado ao mundo, com a declaração de seu grande autor: "Quem crer e for batizado será salvo; quem, porém, não crer será condenado" (Mc 16.16). Cada declaração do evangelho glorioso fala de salvação e condenação. Cada oferta de misericórdia, convidando o pecador a vir a Cristo para a vida, é também uma advertência para que fuja da ira vindoura. Uma visão diminuída do pecado e da ira de Deus por causa dele é que permite ao pecador estar adormecido, levando-o a negligenciar a grande salvação que Deus providenciou.

O coração humano inclina-se a duvidar da doutrina da condenação eterna. Os fatos registrados no evangelho – que Cristo veio ao mundo, morreu e ressuscitou – são tão abundantemente atestados, que poucos são os que se atrevem a negá-los abertamente. São fatos do passado, dos quais homens racionais não se sentem à vontade para duvidar. Porém, a perdição eterna é algo futuro, não visto e não sentido. Ela gera uma apreensão que incomoda os homens e perturba os seus prazeres; disso advém a tendência de evadirem-se do assunto. A ameaça de indignação e ira, tribulação e angústia é terrível. Se os homens lhe dão ouvidos, interpretando-a em sua plena significação, não podem ficar à vontade. Daqui surge uma tendência criminosa e fatal de os homens não tomarem a Palavra de Deus literalmente quanto a essas terríveis advertências e persuadirem a si mesmos de que elas jamais serão cumpridas. Adota-se um método mais suave de interpretação, ou consideram-se apenas a benevolência e a misericórdia de Deus, a fim de que o pecador possa continuar tranquilo, na esperança de que tudo irá bem no final.

Nisso vemos o espantoso fato de que multidões negligenciam o evangelho na prática, mas não ousam negá-lo abertamente. Se, de fato, cressem que a ira de Deus paira sobre suas cabeças e que a ira vai acumulando-se dia a dia, e a vingança está prestes a vir, como numa terrível tempestade, com certeza, não quereriam nem poderiam ficar à vontade. Para apreciar correta e plenamente o evangelho da salvação eterna, nós devemos crer plenamente na doutrina da condenação eterna. Todas as nossas apreensões em relação à verdade dessa doutrina procedem de um coração maligno de incredulidade, e somente nos levam a negligenciar a grande salvação que há em Jesus Cristo.

Nessa apreensão causada pela expectativa de futuros sofrimentos no inferno, alguns têm buscado alívio mediante a ideia de que a linguagem empregada na Escritura é figurativa. As descrições da futura felicidade no céu são, de fato, figurativas, mas as figuras transmitem uma ideia pequena e muito imperfeita daquilo que realmente existe. O mesmo acontece com as figuras que descrevem a futura miséria dos não salvos. O fogo eterno preparado para o diabo e seus anjos (Mt 25.41), o lago de fogo (Ap 20.10), o fogo inextinguível (Mt 3.12), o verme que não morre e o fogo que não se apaga (Mc 9.44) são todas descrições terríveis, mas nenhuma delas é uma descrição exagerada. São figuras, mas ainda ficam aquém da realidade do inferno. Quando Deus pune transgressores, ele pune como Deus! Quem conhece o poder da ira de Deus? A linguagem e a compreensão humanas são incapazes de entender ou mesmo descrever tudo quanto a ira onipotente pode efetuar.

Não sabemos dizer de que elementos será constituída a futura miséria dos perdidos, mas incluirá pesaroso remorso e a consciência da ira divina, com ausência de todo e qualquer prazer ou esperança. Para os perdidos, haverá choro, lamentação e ranger de dentes. Eles perceberão estarem banidos para sempre do reino dos céus, restando-lhes somente as trevas exteriores. E lembrar-se-ão das boas coisas de que, durante a vida, desfrutaram, das quais nunca mais poderão gozar, e das oportunidades de obter misericórdia que negligenciaram, as quais jamais retornarão. Eles serão atormentados nas chamas, sem uma única gota de água que lhes refresque a garganta. O seu ódio por Deus será completo e blasfemarão o nome dele, ao mesmo tempo que se sentirão presos pela mão da ira divina, sem nenhum poder para desvencilharem-se. Demônios e homens ímpios, todos debaixo da mesma condenação, serão a eterna companhia para os perdidos, e essa companhia, em vez de trazer alívio, será um agravante para essa desgraça. A multidão inteira, cheia de ódio e odiando uns aos outros, serão atormentadores uns dos outros. As paixões malignas, que, na terra, causavam guerras, assassinatos, crueldades, opressão e todo tipo de agressão, serão deixadas sem restrição, para banir a paz e a fraternidade para sempre da sociedade do inferno. As paixões que sobre a terra ardem no coração dos ímpios, destroem a paz interna e até levam ao suicídio estarão sem restritivos no inferno e farão a sua tortura completa. O alívio mediante o suicídio ou aniquilação de si mesmo será para sempre impossível. Quem pode suportar tais tormentos? E quem não procurará, a qualquer sacrifício e com todas as suas energias, escapar do fogo consumidor e das chamas eternas?

O inferno é um lugar, assim como o céu é um lugar. Judas foi para o *lugar* que lhe era devido (At 1.25), e o rico desejava que seus irmãos não fossem parar naquele *lugar* de tormento (Lc 16.28). Porém, onde quer que o inferno esteja situado, o caminho largo dos pecadores conduz até lá, e eles finalmente encontrarão esse lugar.

A duração dessa futura condição de miséria será eterna. Isso é expressamente declarado nas Escrituras: "E irão estes para o castigo eterno, porém os justos para a vida eterna" (Mt 25.46). No grego, a palavra traduzida como "eterno" e "eterna" é a mesma, e aplica-se tanto ao futuro estado dos justos como ao futuro estado dos ímpios. O castigo destes e a felicidade daqueles terão igual duração, ambos serão eternos, para todo o sempre. A crítica que pretende tomar a palavra em sentidos diferentes para um caso e outro é temerária e perigosa. Essa mesma verdade é ensinada em outras passagens da Escritura: "Não lhes morre o verme, nem o fogo se apaga" (Mc 9.48). "A fumaça do seu tormento sobe pelos séculos dos séculos, e não têm descanso algum" (Ap 14.11). "E são postas para exemplo do fogo eterno" (Jd 7).

Esta última citação, que se refere às cidades de Sodoma e Gomorra, as quais foram destruídas pelo fogo enviado do céu, pode conter uma alusão ao fogo do inferno. Porém, o fogo que destruiu aquelas cidades não era o mesmo fogo eterno preparado para os ímpios; era um tipo simbólico da ira futura e pode ser considerado como início e primeira manifestação dessa ira. O fogo que destruiu as cidades da campina deixou de queimar desde então, mas a ira devida àqueles habitantes culpados continua queimando, pois o dia do juízo ainda virá para Sodoma e Gomorra, juntamente com as mais culpadas Corazim, Betsaida e Cafarnaum. E o juízo as encontrará, a todas, condenadas a sofrer de acordo com suas diferentes medidas de culpa, no fogo eterno.

A maneira terrível como essas cidades foram subvertidas é posta como exemplo do fogo eterno, e, por essa primeira demonstração visível da sentença divina, podemos ter uma pequena ideia do que será a horrível condenação final. Mas haverá maior tolerância para Sodoma e Gomorra, no dia do juízo, do que para aqueles que ouvem o evangelho de Cristo e o rejeitam. Estes, portanto, devem sofrer a punição do fogo eterno em suas chamas mais ardentes, num tormento que jamais terá fim.

A futura miséria dos perdidos não será purificadora em seus efeitos. As aflições dos justos neste mundo são castigos paternais aplicados em amor e designados por Deus para o benefício de seus filhos, para que possam se tornar participantes da santidade divina (Hb 12.10). Mas essa condição de miséria não será infligida aos filhos, e sim aos inimigos de Deus; não em amor, mas em ira. Ela não terá sido designada para o benefício daqueles que são objetos dessa ira, e sim para a vindicação da lei e da justiça de Deus, para "mostrar a sua ira, e dar a conhecer o seu poder" (Rm 9.22). A aflição purifica o justo, não porque tenha alguma tendência inerente para fazê-lo, mas por causa da influência do Espírito Santo que a acompanha. Os ímpios, nesta vida presente, têm os seus corações endurecidos pela aflição e chegam mesmo a blasfemar de Deus, enquanto remordem as suas línguas por causa da dor que sentem (Ap 16.10, 11). No mundo vindouro, o Espírito Santo não exercerá nenhuma influência santificadora para dar eficácia purificadora aos futuros tormentos. Já na presente vida, ele deixa com que muitos ímpios estejam entregues à dureza de seus próprios corações, e para todos esses o dia da graça logo terá passado para sempre.

A opinião de que esses homens serão, em última instância, restaurados ao favor de Deus e levados para o céu não é autorizada pelas Escrituras (Lc 13.25). Pelo contrário, é dito que o dono da casa terá "fechado a porta" e que existe um grande abismo entre os dois mundos, tornando impossível a passagem de um para o outro (Lc 16.26). O injusto continuará sendo injusto, e o imundo continuará sendo imundo (Ap 22.11).

O Senhor Jesus disse para alguns: "Perecereis no vosso pecado; para onde eu vou, vós não podeis ir" (Jo 8.21). A respeito de Judas lscariotes, ele afirmou: "Melhor lhe fora não haver nascido!" (Mt 26.24). Estas últimas palavras não podem ser verdadeiras se Judas, em qualquer tempo no futuro, ainda que remoto, for tomado para o céu, para desfrutar para sempre da felicidade daquele mundo; porque o eterno peso de glória que lhe seria concedido ultrapassaria em muito o peso de todos os seus sofrimentos anteriores. A Escritura ensina que é necessário que os céus recebam a Jesus Cristo até a "a restauração de todas as coisas" (At 3.21). Contudo, se essa restauração implicasse na restituição de todos ao favor de Deus, então, a segunda vinda de Cristo seria adiada até a consumação desse acontecimento.

Mas, visto que Cristo virá do céu para julgar o mundo e, no juízo, condenará os ímpios à punição eterna, podemos concluir que a restauração de todas as coisas será, então, tida por completa e fixada para sempre quando o Juízo Final houver determinado a condição eterna de cada indivíduo e quando a ordem, uma vez perturbada pelos inimigos de Deus, tiver sido plenamente restaurada no seu reino.

A condenação futura não será *aniquiladora* em seus efeitos. Ela é nomeada como morte, a segunda morte. Mas a primeira morte não implica no aniquilamento da alma ou do corpo, e o mesmo pode ser dito da segunda morte. Ela é chamada de destruição, mas, assim como os habitantes de Sodoma e Gomorra, que foram destruídos (Lc 17.29), e, no entanto, ainda hão de comparecer ao grande julgamento (Mt 10.15), essa destruição não implica em aniquilamento. Um espírito imortal sofre destruição quando é separado de Deus e da bem-aventurança e é condenado à miséria eterna. Conforme a Bíblia diz, os ímpios "sofrerão penalidade de eterna destruição, banidos da face do Senhor e da glória do seu poder" (2Ts 1.9).

Além de "morte" e "destruição", o termo "corrupção" também é empregado com significado oposto ao do termo "vida": "O que semeia para sua própria carne, da carne colherá corrupção; mas o que semeia para o Espírito, do Espírito colherá vida eterna" (Gl 6.8). A corrupção não é aniquilamento. A morte do corpo é seguida pela corrupção e pelos vermes da terra, de modo que, em Jó 17.14, lemos: "Ao sepulcro eu clamo: Tu és meu pai; e aos vermes: Vós sois a minha mãe e minha irmã". Por isso, as figuras empregadas para denotar as consequências da segunda morte são justamente a corrupção e o verme que não morre (Mc 9.48; 1Co 15.50). A "carne" de que fala o apóstolo (para a qual se semeia e da qual se colhe a corrupção) não deve ser entendida como sendo o corpo material, e sim a mente depravada. A corrupção da mente é a sua desorganização moral ou perda total da santidade. Se a aniquilação estivesse subentendida nessas citações da Escritura, esse "verme" que não morre logo deixaria de ter alguma matéria para consumir, e o "fogo" que não se apaga deixaria de queimar por falta de combustível, pois corpo e alma teriam deixado de existir. Se o destino dos ímpios é serem destruídos por um aniquilamento instantâneo, essa destruição, em vez de ser uma aplicação de tormentos, seria, então, o fim de todo sofrimento.

Isso não está de acordo com o que a Escritura apresenta como a porção futura dos ímpios, e nenhuma boa razão se pode alegar para a ressurreição dos corpos dos ímpios, se estes haverão de ser imediatamente aniquilados. Mesmo que a destruição fosse um processo, rápido ou demorado, pelo qual a aniquilação seria finalmente produzida, ainda assim, não seria uma destruição que se prolongaria para sempre, um castigo eterno como a Bíblia diz; pois o processo e a punição, cedo ou tarde, chegariam a um fim. De modo nenhum, isso poderia ser chamado de punição eterna, se os objetos dessa punição tiverem deixado para sempre de existir. Não há como afirmar que os perversos serão postos "para exemplo do fogo eterno" (Jd 7), se o próprio fogo houver terminado eternamente com o sofrimento dos ímpios. De modo nenhum se pode afirmar que "a fumaça do seu tormento sobe pelos séculos dos séculos" (Ap 14.11), se os próprios tormentos tiverem cessado eternamente.

Alguns entendem as palavras de Jesus em Marcos 9.49, "porque cada um será salgado com fogo", como indicando que o fogo do inferno, em lugar de consumir as suas vítimas, as perservará, como o sal. Independentemente de ser esse ou não o significado da passagem, não há razão para duvidar de que os vasos de ira, preparados para a destruição, estarão adaptados para o sofrimento pelo qual passarão.

Em vez de irem sendo consumidos e enfraquecidos sob a influência do sofrimento, podemos, antes, concluir que os ímpios estarão perpetuamente afundando-se mais e mais em sua desventura, assim como os justos subirão sempre mais em bem-aventurança. Os ímpios serão lançados no abismo sem fim (Ap 20:3) e, sendo banidos da face do Senhor, estarão cada vez mais distantes dele. A capacidade para o sofrimento, as paixões atormentadoras, o ódio por Deus e de um para com outro, tudo isso, para os ímpios, poderá crescer indefinidamente através das eras eternas. Como estrelas errantes, para as quais tem sido guardada a negridão das trevas para sempre, os ímpios continuarão a afastar-se para mais e mais longe de Deus, que é eterna fonte de luz e felicidade, descendo para as profundezas das profundezas das trevas e do infortúnio. Oh! Que os homens busquem ao Senhor enquanto ele pode ser achado!

Objeção 1

A justiça de Deus não requer e não permitirá que sejam aplicados tormentos eternos por causa de pecados cometidos no curto período da vida humana.

Se a eternidade fosse dividida pelo número de pecados que cada homem comete durante o curso de sua vida, o quociente ainda seria uma eternidade. Portanto, a angústia futura não pode ser eterna, a menos que a eternidade inteira de tormentos fosse infligida para cada pecado cometido. E a ideia de uma eternidade de infortúnios ser aplicada por causa de uma única transgressão choca todo o senso de justiça que Deus implantou dentro do homem.

Essa objeção procede de um radical equívoco, isto é, que o homem deixa de ser um agente moral preso por obrigação à lei de Deus quando passa para o mundo de condenação. O domínio de Deus é universal, e os habitantes do inferno têm tanta obrigação de amar e obedecer a Deus quanto os habitantes do céu ou da terra. As pessoas que morrem em seus pecados levarão consigo não apenas a culpa acumulada durante a presente vida, como também a inclinação confirmada pelo hábito para continuar em pecado. Tais pessoas odiarão a Deus e blasfemarão do seu nome, e seus pecados não podem deixar de ser ofensivos a Deus, pois o caráter moral desses homens terá se tornado fixo e inalterável. Um pecador não pode tornar-se inocente apenas por ser confirmado no pecado. Se assim fosse, os habitantes do inferno seriam todos seres inocentes, e o inferno seria uma habitação tão pura quanto o alto e santo lugar onde Deus habita. As blasfêmias dos seus moradores seriam tão pouco ofensivas a Deus e a todos os santos quanto o são os cânticos dos anjos. Tudo isso é manifestamente absurdo. A continuidade do pecado merecerá e provocará a continuidade da ira de Deus, e a condição dos ímpios será sobremodo terrível, porque terão sido abandonados por Deus ao pleno exercício e influência de suas paixões perversas e ao consequente acúmulo de culpa para todo o sempre.

Se a justiça de Deus não puder permitir que ele castigue os pecadores com o banimento de sua presença e o confinamento deles às regiões de infortúnio por mais do que um período limitado de tempo, segue-se que, ao fim desse limitado período de sofrimento, a justiça não apenas permitirá, como também requererá que os pecadores sejam postos em liberdade. Quem acreditaria que, depois de mil anos blasfemando e intensificando sua inimizade contra o caráter e o governo de Deus, os ímpios seriam postos à solta para vaguearem pelos domínios de Deus e visitarem, a qualquer tempo, o lugar santo e feliz, onde jamais penetrará coisa alguma contaminada (conforme Ap 21.27)? Quem acreditaria que a justiça de Deus o demanda e autoriza os ímpios a demandá-lo para si mesmos? Mas, se o pressuposto da objeção não é falso, tudo isso será tido por verdadeiro.

Objeção 2

A benevolência de Deus não permitirá que ele aplique um castigo tão grande sobre suas criaturas. Ele as tem por descendência sua, apresenta a si mesmo como Pai. Assim como nenhum pai humano trataria dessa maneira a seus filhos, não se deve supor que o benevolente Pai de todos possa ser tão insensível e sem misericórdia.

Essa objeção, enquanto alega honrar a benevolência de Deus, desonra a veracidade de Deus. As nossas próprias inferências a respeito da benevolência de Deus podem estar todas equivocadas, mas a Palavra de Deus tem necessariamente de ser verdadeira. Aquele que, baseando-se nas deduções de sua própria razão, rejeita as advertências que Deus tem graciosamente concedido em sua Palavra descobrirá, por fim, que agiu da maneira mais tola e insensata possível.

O que a objeção assume é inconsistente não apenas com a veracidade de Deus quanto ao futuro, mas também com os conhecidos e inegáveis fatos do passado e do presente. Se o autor da objeção tivesse estado presente quando o homem, em sua pureza original, surgiu das mãos do Criador, ele teria, com base no pressuposto assumido nessa objeção, predito com confiança que Deus jamais permitiria que essa bela produção de seu poder e habilidade criativa estivesse envolvida na Queda causada pelo pecado e em seus males subsequentes. Se houvesse estado presente no jardim do Éden, quando a serpente disse: "É certo que não morrereis" (Gn 3.4), o objetante, nessa suposta honra à benevolência de Deus, teria confirmado a declaração da serpente, "que era Satanás, o pai da mentira".

A condição de miséria em que se encontra a raça humana, desde a Queda até o presente momento, em todo lugar, em cada tribo e em cada família da terra, na experiência diária e até momentânea de cada pessoa, tudo isso é inconsistente com o pressuposto assumido nessa objeção. Se a benevolência de Deus tivesse negado, quando da criação do mundo, a possibilidade de ocorrer aquilo que nós sabemos que ocorreu, como podemos confiar nessa benevolência, se ela, agora, nega a possibilidade daquilo que Deus afirma que vai acontecer? Quando as nossas inferências contradizem os fatos e a verdade de Deus, podemos, com certeza, saber que estão erradas.

Quando há pestilência assolando uma terra, Deus vê a miséria que é produzida e ouve o clamor dos que sofrem. Ele poderia, com apenas um sopro, dissipar a causa do mal. Quando um navio está afundando no mar revolto, Deus ouve a voz dos marinheiros que perecem e compreende o terror e angústia por que passam. E poderia, sem esforço, trazer a embarcação sinistrada para o seu porto de destino, em segurança. Se quem levantou essa objeção estivesse no lugar de Deus, será que se faria surdo aos clamores de seus filhos? Acaso não traria prontamente o socorro? Sim, faria isso. O que diremos, então? O objetante é benevolente, mas Deus é insensível e sem misericórdia? De acordo com a objeção apresentada, essa seria a conclusão que se seguiria. Sabemos, portanto, que essa objeção não condiz com a verdade.

Deus é, por direito, Pai de suas criaturas, mas diz: "Se eu sou pai, onde está a minha honra?" (Ml 1.6). Ainda: "Criei filhos e os engrandeci, mas eles estão revoltados contra mim (Is 1.2). Por causa dessa revolta ou rebelião, os homens tornaram-se filhos do Maligno. Cristo disse: "Se Deus fosse de fato vosso pai, certamente me havíeis de amar" (Jo 8.42). Isso implicava no fato de que aqueles com quem

Jesus falava não eram filhos de Deus. Para tais homens, Deus não é Pai, e sim um governante moral que tem sido ofendido e insultado. Deus é benevolente, mas essa benevolência não subverte o seu governo moral. Pelo contrário, reforça as exigências da justiça moral. Não seria benevolência deixar que os culpados ficassem à solta nem permitir que criaturas sem lei perambulassem pelos domínios de Deus, perturbando a paz e ordem de seu governo e fazendo infelizes os obedientes. A benevolência de Deus está contra o pecador. Se as paredes do inferno fossem derrubadas, e os seus prisioneiros condenados tivessem permissão para encher o universo de crimes e mesquinharias, já não seria verdade que Deus é amor.

Ao contemplarmos esse solene assunto, que é a relação entre a condenação eterna e a benevolência de Deus, nossa mente poderá encontrar algum alívio se considerarmos a condenação e a miséria eterna como o efeito natural e adequado para o pecado. Deus constituiu a natureza do homem de uma maneira que ele sente remorso pelos crimes praticados. E Deus ordenou os fatores externos de tal maneira que a embriaguez e muitos outros pecados resultam em pobreza e sofrimento. Nosso coração não vê nenhuma falta de benevolência da parte de Deus por esse sistema de coisas ser assim. Quem voluntariamente põe a mão nas chamas, sabendo que o fogo queima, não tem o direito de acusar Deus, alegando falta de benevolência no fato de que o fogo tem a propriedade de queimar. Grande parte da miséria que haverá no futuro será o resultado natural das paixões pecaminosas que dilacerarão a alma violentamente e de uma consciência que repreende, remoendo no íntimo, como verme que não morre. O nosso Deus é "fogo consumidor" sempre visitando os obreiros da iniquidade. Para que a sua ira deixasse de arder contra o pecado, seria preciso que ele mudasse a sua própria natureza.

A natureza das coisas instituídas por Deus, incluindo-se nisso a natureza do próprio Deus, deve fazer de todo o pecador um miserável. E, para que pudesse deixar de ser um miserável, o pecador precisaria escapar de si mesmo e teria de encontrar outro deus, em outro universo.

CONCLUSÃO

Este mundo não é a habitação em que um sábio gostaria de viver para sempre. Os jovens e irrefletidos esperam encontrar felicidade nesta terra, mas a experiência demonstra que essa é uma expectativa vã e ilusória. Desapontamentos, cuidados e tristezas formam uma grande parte da vida humana, e, à medida que o fim da jornada aproxima-se, podemos adotar a linguagem do patriarca Jacó: "Poucos e maus foram os dias dos anos da minha vida" (Gn 47.9). Essa triste realidade decorre do fato de estar este mundo sob a maldição de Deus, por estar cheio de pecado. E qual o homem sábio desejaria viver para sempre em uma habitação que Deus tem amaldiçoado?

Se esse fosse o único mundo que existisse, seria conveniente que nós procurássemos obter dele o melhor. Mas temos provas abundantes de que existe outro mundo. E uma revelação divina foi dada a nós, pela qual podemos aprender como obter uma herança nesse mundo, que será plena da mais pura felicidade e durará para sempre. Somos conclamados a desistir de toda esperança ilusória de bens terrenos e a agarrar a segura e certa esperança que está proposta a nós. Somos conclamados a desistir dos prazeres momentâneos desta presente vida, os quais não trazem satisfação, e a procurar a alegria substancial e eterna da vida por vir. A porção da sabedoria é obedecer a essa conclamação.

Ainda outro fato precisa ser considerado. Concordemos ou não, teremos de deixar este mundo e tomar uma outra habitação, eterna, seja de bem-aventurança, seja de infortúnio. Mesmo que dispuséssemos de todos os meios de deleite aqui neste mundo, nosso prazer não seria mais do que apenas momentâneo e jamais poderia ser comparado à perspectiva de felicidade ou perdição eternas. Rapidamente estamos passando por este mundo, rumo ao nosso lar eterno. Sejam poucos ou muitos os nossos confortos neste lugar de peregrinação, essa é uma questão de pouca importância e indigna de suscitar em nós cuidados preocupantes. Mas é insensatez extrema não estarmos preocupados a respeito do mundo para onde estamos indo e onde nossa condição tornar-se-á imutável para sempre.

Em se tratando de religião, há certas coisas que são difíceis de serem entendidas, a respeito das quais as pessoas tendem a manter um certo ceticismo. Contudo, existe algo mais incrível do que seres inteligentes e imortais, fazendo das coisas deste mundo transitório a sua maior preocupação e não dando atenção às realidades eternas? Se o fato não estivesse diariamente perante os nossos olhos, quem poderia acreditar em tal coisa? Se a Bíblia nos informasse da existência de seres inteligentes e imortais, em algum planeta remoto, agindo dessa maneira, os céticos até poderiam ser desculpados por duvidarem da veracidade de tal declaração. Mas a Bíblia fala-nos de seres humanos, inteligentes e imortais, cegos pelo deus deste mundo e feitos cativos por ele para cumprirem os seus desejos, sem considerarem o seu destino final, mas correndo para a destruição, como um animal que vai para o matadouro. Esse testemunho, que é o mais incrível de toda a Bíblia, é confirmado no decorrer da história da humanidade. Mesmo os cristãos não escapam totalmente a essa insensatez predominante. Os crentes precisam sempre da exortação: "não vos conformeis com este século" (Rm 12:2). E, para preservá-los do poder fascinante das "coisas que se veem" e são "temporais", os crentes deveriam olhar habitualmente para as "coisas que não se veem", as que são "eternas". Por isso, a doutrina acerca do mundo vindouro é tão importante, pois "esta é a vitória que vence o mundo, a nossa fé" (1Jo 5.4). E a fé, sendo a "certeza de coisas que se esperam, a convicção de fatos que não se veem" (Hb 11.1), deve apropriar-se das realidades desse mundo invisível do futuro, para que não amemos o mundo presente.

A doutrina concernente ao mundo vindouro ensina-nos a atribuir o devido valor às coisas desejáveis desta vida. Se somos tentados a buscar as honras deste mundo, lembremo-nos de que, na sepultura, tanto o rei como o mais humilde de seus súditos estarão igualados, e ambos farão parte de um mesmo pó. Lembremo-nos de que, na ressurreição, os nobres desta terra que não têm procurado a honra que procede de Deus reviverão para desonra e eterna vergonha. Se somos atraídos pelos prazeres do mundo, olhemos para esses prazeres como sendo o laço com que Satanás tenta prender as nossas almas, querendo arrastar-nos para o tormento eterno. Se, a qualquer tempo, nosso coração inclinar-se à cobiça, que nós contemplemos o homem rico no inferno, alienado de todas as suas possessões e incapaz de encontrar sequer uma gota de água para lhe refrescar a garganta. Que nós tenhamos sempre perante nossos olhos as luzes da eternidade, e as honras, prazeres e riquezas deste mundo perderão brilho e atração sobre nós.

Essa doutrina também nos ensina a suportarmos as aflições desta vida com paciência. Mesmo a mais dura aflição que pode esmagar o espírito jamais poderia ser comparada à ira que cairá sobre os ímpios no mundo vindouro. "Por que, pois, se queixa o homem vivente?" (Lm 3.39). Enquanto ainda vive, não estando em tormentos, não estando no inferno, os sofrimentos do homem, por mais severos que sejam, são muito menores do que merecem os seus pecados. Além do mais, as aflições, se suportadas em atitude de humilde resignação a Deus, servem para conduzir-nos à santidade. "A nossa leve e momentânea tribulação produz para nós eterno peso de glória" (2Co 4.17). À luz da eternidade, mesmo a angústia mais dura e persistente parece leve e momentânea, e podemos regozijar-nos em suportá-la, por causa do glorioso efeito que produzirá para nós no mundo que é eterno.

Essa doutrina ensina o valor da religião. Cultura e talento, boa educação e boa disposição são todas qualidades dignas de louvor, mas não nos asseguram a eterna bem-aventurança. A piedade é aquela "uma só coisa" que Jesus disse que é necessária, "a boa parte" que jamais nos será tirada (Lc 10.42). Deixe que os pecadores desprezem e escarneçam da religião, quando você lhes fala de suas obrigações para com ela. Todavia, quando a eternidade bate às portas, os mesmos pecadores apreendem o valor daquilo que uma vez desprezaram. Em vista da eternidade, quão preciosa é a religião! E quão é preciosa a Bíblia, que a ensina!

Essa doutrina dá aos crentes maior apreço por Jesus Cristo. Cristo é precioso por ser o que é, mas essa preciosidade é aumentada pela consideração de que ele é quem nos livra da ira vindoura. Ele é quem está preparando um lugar para nós naquele mundo de felicidade e voltará para tomar-nos para si mesmo e conduzir-nos para sempre às fontes das águas vivas, naquela terra de abundantes deleites.

Essa doutrina consola-nos quando sofremos a perda de amigos cristãos. Nós os acompanhamos até o lugar da sepultura e choramos muito. Mas não nos entristecemos como os demais, que não têm esperança. Para nós, eles não são amigos perdidos; apenas foram para o céu à nossa frente. E estamos esperando pelo momento de acompanhá-los nessa jornada, quando assim for da vontade de nosso Pai celestial. A nossa separação desses amigos é breve, pois estamos rapidamente nos aproximando do fim de nossa peregrinação, quando, então, seremos reunidos outra vez, para nunca mais nos separarmos. Essa doutrina, se recebida com viva fé, habilita o cristão a enfrentar a morte com alegria. Quando o homem arrepende-se do pecado e crê em Cristo, está preparado para morrer em segurança. Contudo, por causa da debilidade de sua fé, ele ainda pode ter medo da morte. Para enfrentar a morte sem temor, é preciso ter uma fé inabalável em Cristo como o Salvador dos pecadores. Para enfrentar a morte com alegria, é preciso fé inabalável na doutrina concernente ao mundo vindouro. Quando, como Moisés, formos transportados para o topo do monte e virmos a terra prometida, em toda a sua beleza, nossos corações serão movidos pelo desejo de atravessar o Jordão e possuir essa terra esperada. Desejamos tomar parte na feliz companhia dos que habitam para sempre na presença de nosso Deus. Oh! Quão maravilhoso será estarmos livres do pecado, como eles estão, e contemplar a face de Cristo, como já o fazem, e participar de toda essa bem-aventurança, louvando a Deus eternamente na companhia dos santos!

Leitor, quais são as suas expectativas para o mundo vindouro? Você já recebeu o amor à verdade, para que possa ser salvo? A verdade, conforme revelada em Jesus Cristo, já entrou em seu coração com o poder santificador? Você está esforçando-se, dia a dia, para adornar a doutrina de nosso Deus e Salvador em todas as coisas, através de uma vida santa?

FIEL
MINISTÉRIO

O Ministério Fiel visa apoiar a igreja de Deus, fornecendo conteúdo fiel às Escrituras através de conferências, cursos teológicos, literatura, ministério Adote um Pastor e conteúdo online gratuito.

Disponibilizamos em nosso site centenas de recursos, como vídeos de pregações e conferências, artigos, e-books, audiolivros, blog e muito mais. Lá também é possível assinar nosso informativo e se tornar parte da comunidade Fiel, recebendo acesso a esses e outros materiais, além de promoções exclusivas.

Visite nosso site

www.ministeriofiel.com.br

Esta obra foi composta em Arno Pro Regular 12.3, e impressa
na Promove Artes Gráficas sobre o papel Pólen 70g/m², para
Editora Fiel, em Dezembro de 2022